D0229243

Le Grand
Quiz
des Connaissances

Sélection
READER'S DIGEST
• MONTRÉAL •

Le grand quiz des connaissances

6 180 RÉPONSES POUR TOUT SAVOIR

publié par Sélection du Reader's Digest, est l'adaptation de la collection
LE GRAND QUIZ DES CONNAISSANCES
10 000 QUESTIONS-RÉPONSES POUR TOUT SAVOIR

MODE D'EMPLOI

Ce livre de référence interactif et ludique vous permet d'enrichir votre culture générale tout en vous amusant.
Il contient 629 quiz (6 180 questions) : histoire (114-149) ; géographie (202-217) ; sciences et techniques (276-295) ; nature (406-437) ; sports et activité physique (454-457).
Toutes les réponses des quiz sont à la fin du livre (460-496).

Pour jouer

Un code couleur pour les 629 quiz
Trois niveaux de difficulté…

- **En vert :** questions à la portée des plus jeunes.
- **En rose :** niveau intermédiaire.
- **En orange :** questions nécessitant une connaissance approfondie du sujet.

Et…

- **En bleu :** questions tous niveaux.
- **En violet :** QCM (questionnaires à choix multiple) – des quatre réponses suggérées, une seule est la bonne.

Pour en savoir plus

Chaque réponse est suivie d'un numéro qui renvoie à une page de l'encyclopédie pour en apprendre davantage sur le sujet traité.

1100, boulevard René-Lévesque Ouest, Montréal, Québec H3B 5H5
ISBN 978-1-55475-018-4

www.selection.ca
Les crédits de la page 496 sont incorporés à cette notice
Imprimé en Chine
09 10 11 12 / 4 3 2 1

TABLE DES MATIÈRES

HISTOIRE

LES ÂGES ANCIENS

Les premiers hommes

La vie sur terre débuta il y a environ 3,8 milliards d'années. En comparaison, les êtres humains, apparus il y a environ 2 millions d'années – 60 millions d'années après l'extinction des dinosaures –, sont très récents. Les études d'ADN confirment que tous les êtres humains ont évolué, dans les chaudes savanes de l'Afrique orientale, à partir d'ancêtres ressemblant à des singes puis d'hominidés (à locomotion bipède). Pendant plusieurs millions d'années, de nombreuses formes d'hominidés ont coexisté, mais depuis 30 000 ans environ, *Homo sapiens* est la seule espèce humaine qui a survécu.

L'art des cavernes

Les plus anciennes peintures rupestres remontent à 40 000 ans environ. Les plus connues en Europe (**Lascaux** en France et **Altamira** en Espagne) ont été exécutées entre – 15000 et – 12000 av. J.-C. avec de l'argile, du charbon de bois et des poudres de minéraux. On suppose qu'elles avaient une **signification rituelle ou religieuse**. L'art préhistorique, probablement plus répandu que les témoignages parvenus jusqu'à nous, a sans doute été victime des conditions climatiques.

L'arbre généalogique de l'homme

L'ascendance de notre espèce est complexe et comporte encore des zones d'ombre, mais on sait que plusieurs autres espèces d'hommes et d'hominidés ont existé dans le passé. Voici la liste des plus connus.

Espèces	Quand	Où	Caractéristiques
Australopithecus afarensis	–3,9 à –3 millions d'années	Afrique	Le premier hominidé à locomotion bipède.
Homo habilis	–1,9 à –1,6 million d'années	Afrique	La première espèce humaine connue et la première qui fabriqua des outils.
Homo erectus	–1,8 à –0,2 million d'années	Afrique, Asie	Les premiers hommes qui quittèrent l'Afrique et peut-être les premiers qui se servirent du feu.
Homo neanderthalensis	– 190 000 à –30 000 ans	Afrique, Asie, Europe	Plus connue sous le nom d'homme de Neandertal, cette espèce coexista avec Homo sapiens.
Homo sapiens	– 190 000 ans	Monde entier	Notre propre espèce.

Des avantages innés

Certaines particularités ont permis aux hommes de dominer la planète. ◆ **Un gros cerveau** Capacité de raisonner et d'analyser. ◆ **La parole** Possibilité de communiquer. ◆ **La bipédie** Libres, les mains pouvaient porter des objets, fabriquer des outils et manier des armes. ◆ **Des pouces opposables** Possibilité d'agripper les objets.

Le départ d'Afrique

Homo erectus quitta l'Afrique le premier, il y a environ 1,8 million d'années. *Homo sapiens*, également originaire d'Afrique, en partit il y a 120 000 ans environ. Selon des études récentes, **les hommes actuels** descendraient tous de migrants partis d'Afrique et qui traversèrent ce qui est devenu le sud de la mer Rouge. Pendant les périodes glaciaires, le niveau des mers était inférieur de 80 m à ce qu'il est aujourd'hui.

L'homme de Piltdown

Darwin ayant émis l'idée que l'homme descendait du singe, on rechercha le **« chaînon manquant »**, l'**espèce intermédiaire entre le singe et l'homme moderne.** On crut l'avoir trouvé en 1912, avec un crâne découvert à Piltdown, en Angleterre, mais il s'avéra que c'était un faux : un crâne humain avec une mâchoire d'orang-outang.

Lucy

La **plus célèbre représentante des premiers hominidés** est une *Australopithecus afarensis* qui vécut il y a 3 millions d'année. Son squelette, retrouvé en 1974 en Éthiopie, emprunte son nom à une chanson des Beatles, *Lucy in the Sky with Diamonds* (1967), que les archéologues auraient écoutée lors de leurs fouilles.

L'homme de Neandertal

L'homme de Neandertal se distingue d'*Homo sapiens* par ses arcades sourcilières plus proéminentes et son corps plus trapu. Cette espèce vécut en Europe et au Moyen-Orient et fut la première à enterrer ses morts. Comme notre propre espèce, les Néandertaliens employaient des lames en silex. L'homme moderne, comme l'homme de Cro-Magnon européen, a coexisté pendant plusieurs milliers d'années avec lui avant qu'il ne disparaisse, il y a environ 30 000 ans.

Statuettes de Vénus

Il y a 30 000 ans, nos ancêtres ont commencé à faire des sculptures en argile, en pierre, en os, en ivoire de mammouth et en bois de renne. Beaucoup représentent des femmes rebondies, sans doute **symboles de fécondité.** La plus connue est la Vénus de Willendorf, une statuette en grès, qui a été façonnée il y a environ 24 000 ans.

Les premiers âges

L'archéologue danois Christian Thomsen proposa le premier, en 1836, le « système des trois âges » (âge de la pierre, âge du bronze, âge du fer), qui classe les périodes de la préhistoire d'après l'avancement technique des outils et des armes. Ce système convient pour l'Asie occidentale et l'Europe. Ailleurs, les outils ont parfois évolué différemment. Les techniques d'Asie occidentale ont gagné le Proche-Orient avant de se répandre à l'ouest. Le terme préhistorique recouvre la plupart de ces périodes. La préhistoire est le temps qui a précédé l'écriture.

Ötzi

Le **chasseur du néolithique** découvert en 1991 dans un glacier à la frontière italo-autrichienne portait des vêtements en peaux de bête et en fibres d'écorce aussi bien conservés que son dernier repas : steak de bouquetin et céréales.

Exceptions aux trois âges

En dehors de l'Europe et du Proche-Orient, plusieurs régions du monde ont suivi une évolution différente. Les **Aborigènes d'Australie** sont restés à l'âge de la pierre jusqu'à l'arrivée des Européens, à la fin du XVIIIe siècle. L'**Afrique subsaharienne** n'a pas eu d'âge du bronze, et le fer est apparu dans une civilisation de l'âge de la pierre, vers 550 av. J.-C. En **Amérique**, le bronze n'a été utilisé que vers 1100. Même après cette date, l'or et le cuivre restèrent les principaux métaux jusqu'à la conquête espagnole, au XVIe siècle.

Le travail des métaux

Les premiers outils et armes, fabriqués en Iran et en Turquie vers 7000 av. J.-C., étaient en **cuivre** et en **or**. Le **bronze** apparut 2 000 ans plus tard. Ce métal plus dur était fondu dans des fourneaux puis coulé dans des moules. Le **fer** ne fut utilisé que vers 1600 av. J.-C., mais sa qualité ne surpassa celle du bronze que vers 1200 av. J.-C. Le fer est plus dur à travailler que le bronze car sa température de fusion (1 538 °C) est supérieure à celle du cuivre (1 083 °C).

Les premiers agriculteurs

L'**agriculture** commença vers 9000 av. J.-C. Des cultures de base firent leur apparition : le blé et l'orge dans le Proche-Orient, le riz en Chine, le maïs en Amérique centrale. La domestication d'**animaux de ferme** débuta dans le Proche-Orient, moutons et chèvres d'abord, puis ovins et cochons. Devenus agriculteurs, les chasseurs-cueilleurs se regroupèrent dans des **villages.** Grâce au développement des métaux, les outils de défrichage rendirent labour et récolte plus efficaces.

Périodes glaciaires

La Terre a connu plusieurs périodes de glaciation durant lesquelles les températures sont descendues 6 °C plus bas qu'aujourd'hui, entraînant l'extension des glaciers. La **dernière glaciation** s'est achevée il y a près de 10 000 ans.

CHRONOLOGIE

PALÉOLITHIQUE

Ancien ou inférieur *De – 1 million à – 100 000 ans.* Ère d'*Homo erectus.* Outils grossiers en pierre. Groupes de chasseurs-cueilleurs.

Moyen *De – 100 000 à – 40 000 ans.* Ère d'*Homo neanderthalensis* et d'*Homo sapiens.* Outils en pierre plus sophistiqués, comme des fers de lance et des couteaux en silex.

Supérieur *De – 40 000 à – 10 000 ans.* Ère d'*Homo sapiens.* Lames en pierre, outils en os et en ivoire, arcs et flèches. Sculpture, peinture rupestre, vêtements et bijoux.

MÉSOLITHIQUE

De 10000 à 3000 av. J.-C. dans le nord-ouest de l'Europe. Petits silex utilisés pour fabriquer des scies et des harpons. Techniques de chasse plus efficaces.

NÉOLITHIQUE

De 10000 à 4000 av. J.-C. Outils de pierre meulés et polis. Débuts de l'agriculture. Apparition de la houe et de la faucille. Premières villes au Proche- et au Moyen-Orient. Débuts de la poterie, du tissage et de la vannerie.

ÂGE DU BRONZE

De 5000 à 1200 av. J.-C. au Proche- et au Moyen-Orient; de 2500 à 500 av. J.-C. en Extrême-Orient et en Europe. Outils et armes en bronze (fers de lance, épées, ciseaux, scies), bijoux élaborés. Extension du commerce.

ÂGE DU FER

À partir de 1200 av. J.-C. au Proche- et au Moyen-Orient; à partir de 1000 av. J.-C. en Inde; à partir de 700 av. J.-C. en Europe centrale; à partir de 600 av. J.-C. en Chine. Première utilisation d'outils, d'armes et de clous en fer.

Les outils en pierre

Les outils tranchants étaient obtenus à partir d'éclats de pierre dure. Les pierres les plus utilisées étaient le **silex,** en Europe, et la **calcédoine** et le **quartz,** en Amérique du Nord. En se perfectionnant, les outils nécessitèrent de plus en plus de travail. *Homo erectus* fabriquait une hache en 25 coups ; au paléolithique supérieur, un couteau pouvait demander jusqu'à 250 coups.

L'industrie et le commerce

Les outils et les matériaux utilisés pour les fabriquer sont à l'origine de la première industrie : l'**exploitation des mines**. Dans plusieurs endroits d'Europe septentrionale, les surplus d'extraction du silex servaient de marchandise d'échange. À l'âge du bronze, le développement du **travail des métaux** entraîna l'extension des voies commerciales. Minerais et lingots étaient transportés sur de longues distances, tout comme les pierres précieuses.

SYNONYMES

PALÉOLITHIQUE : âge de la pierre taillée ;
NÉOLITHIQUE : âge de la pierre polie.

L'âge de la pierre en Europe

En Europe, l'âge de la pierre débuta il y a environ 50000 ans et dura jusqu'à 2500 ans av. J.-C. au sud-ouest et au centre, et jusqu'à 2000 ans av. J.-C. au nord. En général, les civilisations moyen-orientales et méditerranéennes étaient technologiquement en avance sur celles d'Europe: la majeure partie de Stonehenge a été édifiée 500 ans après les pyramides d'Égypte. Devenu agriculteur, le chasseur-cueilleur a construit des habitations permanentes et des monuments en pierre, parmi lesquels des chambres funéraires contenant des poteries et des objets en cuivre.

GLOSSAIRE

Cromlech Cercle de pierres levées (du gallois *crom,* courbe, et *lech,* pierre).
Dolmen Plusieurs pierres levées surmontées d'une pierre horizontale (du breton *dol,* table, et *men,* pierre).
Mégalithe Grosse pierre non décorée (du grec *mega,* immense, et *lith,* pierre).
Menhir Pierre levée isolée (du breton *men,* pierre, et *hir,* long).
Tombe-couloir Tertre funéraire avec un couloir menant à une salle.
Trilithe Deux pierres verticales soutenant une troisième, horizontale, ou linteau.
Tumulus Tertre funéraire.

L'expansion de l'agriculture

La culture des céréales et la domestication de bovins, de moutons et de cochons commença d'abord au Proche-Orient et en Asie de l'Ouest. L'agriculture s'étendit au sud de l'Europe vers 6000 av. J.-C., et au nord de l'Europe vers 4000 av. J.-C., c'est-à-dire au **néolithique**. L'homme du néolithique défricha les forêts avec des haches en silex et fabriqua peu à peu des **outils** en pierre, en bois, en os, en corne de cervidés pour labourer le sol. Ces changements entraînèrent la création de villages et le développement du **tissage** et de la **poterie** pour le stockage du blé et du lait.

Le cuivre

La **période chalcolithique** (cuivre-pierre) coïncide avec l'expansion de l'agriculture et la sédentarisation. Né au Proche-Orient, le travail du cuivre s'est répandu dans les Balkans vers 4500 av. J.-C., puis dans toute l'Europe. Il permettait de fabriquer des outils, des objets décoratifs et des bijoux. Entre 3100 et 2500 av. J.-C., il se développa à **Los Millares**, en Espagne.

Les débuts de la vie domestique

Pendant la plus grande partie de l'âge de la pierre, les Européens étaient des **nomades**, vivant de chasse et de cueillette. Quand l'agriculture se développa, ils construisirent des **habitations** permanentes avec du bois, de la boue et du chaume. Les artisans, plus disponibles, fabriquèrent des **outils** en silex et en pierre de plus en plus raffinés. En adaptant les techniques de la vannerie au tissage de la laine et des fibres végétales, on fabriqua des **vêtements en tissu**.

La civilisation des gobelets

En Europe, les sépultures postérieures à 3000 av. J.-C. contenaient des «gobelets» de poterie en forme de cloche, décorés de bandes horizontales. L'extension de ce style, venu d'**Espagne**, serait due à la migration d'un peuple. Mais ce changement culturel est peut-être lié au commerce.

CHRONOLOGIE

- **– 40000 à – 28000** Apparition des outils en os et de l'art rupestre en France.
- **– 30000** Fin des Néandertaliens. Domination d'*Homo sapiens*.
- **Vers 6000 av. J.-C.** Début de l'agriculture en Europe.
- **4500 av. J.-C.** Construction des premiers ensembles mégalithiques. La production de cuivre atteint les Balkans.
- **4000 av. J.-C.** L'agriculture arrive en Europe septentrionale. Premières tombes-couloirs à Carnac.
- **3100 av. J.-C.** Début de l'édification de Stonehenge.
- **3000 av. J.-C** La charrue arrive en Europe.

Principaux sites

À partir de 3000 av. J.-C., des **chambres funéraires**, des **cercles** et des **alignements de menhirs**, des **routes** apparurent en Europe. La destination des cercles et des avenues demeure un mystère : **temples**, **sites cérémoniels** ou **observatoires** servant à déterminer les saisons à partir de la position du Soleil, de la Lune ou des étoiles? Connaître les saisons était en effet important pour les agriculteurs. ◆ **NEWGRANGE, Irlande** (vers 3200 av. J.-C.) Tombe-couloir à trois salles bordées de pierres sculptées. Le soleil pénètre dans la salle centrale le 21 décembre. ◆ **MAES HOWE, Orcades** (vers 3100 av. J.-C.) Chambre funéraire en pierre. Accès par un couloir de 9 m. Le soleil levant atteint le couloir le 21 décembre. ◆ **TUSTRUP, Danemark** (vers 3000 av. J.-C.) Dolmens. ◆ **STONEHENGE, Angleterre** (3100-1500 av. J.-C.) Cercles concentriques de menhirs, dont certains venus du pays de Galles. Une pierre projette son ombre à l'intérieur du cercle le 21 juin au lever du soleil. ◆ **KONG ASGERS HOJ, Danemark** (vers 3000 av. J.-C.) Tombe-couloir. ◆ **VISBEK, Allemagne** (vers 3000 av. J.-C.) Enclos et dolmens. ◆ **DRENTHE, Hollande** (3400-2300 av. J.-C.) Dolmens; cercles de pierres levées. ◆ **CARNAC, France** (4500-3000 av. J.-C.) Alignements de quelque 3000 menhirs, cercles et tertres funéraires. ◆ **VAL CAMONICA, Italie** Scènes de la vie quotidienne, comme la chasse ou des batailles, gravées sur des rochers au néolithique et à l'âge du bronze. ◆ **EVORA, Portugal** (vers 4000 av. J.-C.) Sept chambres funéraires. ◆ **LOS MILLARES, Espagne** (3100-2500 av. J.-C.) Atelier du cuivre, maisons, tertres funéraires et cercles de pierres levées. ◆ **MALTE** Le temple Ggantija, sur l'île de Gozo (vers 3600 av. J.-C.), et l'Hypogeum (2750-2000 av. J.-C.), un temple souterrain.

Skara Brae

En 1850, dans les **îles Orcades**, en Écosse, une tempête a mis au jour un curieux village, Skara Brae, enseveli sous le sable entre 2500 et 1500 av. J.-C. Il se compose de maisons rondes en pierre, recouvertes de gazon et reliées par des couloirs.

Les premières villes et cités

Les villes furent le produit de la sédentarisation et de la stabilité économique apportées par l'agriculture. Délivrées de la nécessité de chercher leur nourriture, les communautés ont pu se tourner vers d'autres activités : le gouvernement et les lois, la religion, l'architecture, l'art et l'artisanat.
Les premières villes sont apparues au néolithique et les premières cités à l'âge du bronze, à partir de 3500 av. J.-C. La notion de civilisation est étroitement liée aux cités : le mot vient du latin *civis*, qui désigne l'« habitant d'une ville ».

Cités fluviales

Les premières cités se sont développées au bord ou près des grands fleuves : le **Tigre** et l'**Euphrate** en Mésopotamie, le **Nil** en Égypte, l'**Indus** dans le nord-ouest de l'Inde et le **Huang He (fleuve Jaune)** en Chine. Les fleuves, riches en poissons et en gibier d'eau, servaient aussi pour le **commerce**. Grâce aux inondations, le sol était fertile et l'eau abondante. L'**irrigation**, apparue en Mésopotamie vers 6000 av. J.-C., permit d'étendre les cultures. **Jéricho** (vers 9000 av. J.-C.) et **Çatal Höyük** (vers 7100 av. J.-C.), en Asie, sont les plus anciennes villes. Les cités se sont développées à partir de colonies établies à **Nippour** (5000 av. J.-C.) et à **Babylone** (4000 av. J.-C.), en Mésopotamie, à **Memphis** (2925 av. J.-C.), en Égypte, à **Mohenjo-Daro** et à **Harappa** sur l'Indus, et à **Yin** (1400-1300 av. J.-C.), en Chine. **Mohenjo-Daro** et **Harappa** furent conçues selon un plan géométrique. Les bâtiments publics se trouvaient à l'intérieur de citadelles.

Le Croissant fertile

Des monts Zagros aux monts Taurus, une large bande de terre fertile traversait l'Asie de l'Ouest avant de longer la côte orientale de la Méditerranée jusqu'au Nil. Grâce à la pluie et à l'irrigation, l'**agriculture** débuta vers 9000 av. J.-C avec la culture de l'**amidonnier** et de l'**engrain sauvages**, de l'**orge**, des **pois** et des **lentilles**, et avec la domestication de **chèvres** méditerranéennes et de **moutons** d'Iran, puis de **porcs** et de **bovins**. L'agriculture et le commerce donnèrent naissance à trois civilisations : **sumérienne** et **babylonienne** au sud, **assyrienne** au nord. Les premières cités furent sumériennes : **Our**, **Ourouk** et **Nippour**. La suprématie de **Babylone** commença en 1894 av. J.-C.

Çatal Höyük

Le site archéologique de Çatal Höyük, dans le sud-est de la Turquie, date d'environ 7100 av. J.-C. Cette ville est donc l'une des plus anciennes du monde. Les travaux de construction, qui durèrent 800 ans, firent de Çatal Höyük la plus grande ville de son époque : jusqu'à 10 000 personnes vivaient dans cet ensemble d'**habitations en boue séchée** couvrant une superficie de 13 ha. On entrait dans les maisons par le toit, avec des échelles. À l'intérieur, les murs étaient couverts de **peintures**. Sous les maisons, les archéologues découvrirent des tombes contenant des **présents funéraires**. On y trouvait par exemple, comme thème fréquemment traité, des figurines représentant un accouchement, symboles de fécondité. Des restes de poteries et de tissus montrent que la ville entretenait des relations commerciales avec des communautés éloignées. Les artisans travaillaient l'obsidienne locale et un verre volcanique noir pour fabriquer des **outils**.

PETITE INFO

C'est en Chine, à **Yin**, capitale de la dynastie Shang, que furent mis au point un **calendrier** perfectionné et les premières formes de l'**écriture** chinoise.

Jéricho

Des agriculteurs fondèrent Jéricho, en **Palestine**, sur la rive ouest du Jourdain, vers 9000 av. J.-C. Ce fut une ville importante pendant 8 000 ans. En 7000 av. J.-C., elle occupait une surface de 4 ha entourée par un **mur en pierre** de 3 m. Sa population a pu atteindre 2 000 habitants. Des vases en forme de tête humaine réalisés vers 1800 av. J.-C. montrent le degré d'évolution de l'art de la poterie à Jéricho à cette époque.

LE SAVIEZ-VOUS ?

Le plus ancien **plan de ville** connu représente une cité mésopotamienne. Il s'agit de **Nippour.** En effet, une tablette d'argile du XIIIe siècle av. J.-C. montre un plan sommaire de la métropole sumérienne : des remparts, un jardin, un canal.

CHRONOLOGIE

- **Vers 9000 av. J.-C.** Début de l'agriculture au Levant.
- **8500 av. J.-C.** Des moutons sont domestiqués dans le Croissant fertile.
- **7000 av. J.-C.** Extraction de cuivre au Proche-Orient.
- **Vers 6500-6000 av. J.-C.** Les premiers agriculteurs chinois cultivent le millet près du fleuve Jaune.
- **Vers 6000 av. J.-C.** Début de l'agriculture en Égypte.
- **6000-5000 av. J.-C.** Des colonies peuplent le sud de la Mésopotamie.
- **4000-3500 av. J.-C.** L'agriculture atteint l'Indus. Fondation d'Harappa vers 3300 av. J.-C.
- **1711-1066 av. J.-C.** Les Shang introduisent la civilisation urbaine en Chine.

Mésopotamie : pays de Sumer

Le mot Mésopotamie vient du grec et signifie « terre entre les fleuves » – Le Tigre et l'Euphrate. Cette région correspond en gros à l'Irak actuel plus une partie de la Syrie. Vers 3500 av. J.-C., les Sumériens du sud de la Mésopotamie ont créé la première civilisation du monde en fondant 50 cités-États autonomes, régulièrement en lutte les unes contre les autres. Les Sumériens auraient inventé la roue et la première forme d'écriture cunéiforme, imprimée sur des tablettes d'argile. Les sites funéraires ont livré de précieux témoignages sur les premières civilisations.

Le premier empereur

Vers 2334 av. J.-C., Sargon Ier d'Akkad vainquit la cité d'**Ourouk**, puis conquit des territoires de la Méditerranée au golfe Persique. Il contrôla le commerce et la production de la pierre, du métal et du **bois** pour alimenter ses riches cités, et fut le premier à bâtir un empire. Il régna pendant 55 ans.

PETITE INFO

Le système numérique sumérien comptait deux unités principales, 10 et 60, que l'on retrouve encore de nos jours dans la division des heures en minutes, des minutes en secondes, ou la division des cercles en 360 degrés.

L'Épopée de Gilgamesh

L'Épopée de Gilgamesh – un souverain d'Ourouk – contient un récit semblable à celui de **Noé** dans la Bible : un homme est sauvé d'une **inondation** catastrophique en embarquant sur un bateau avec sa famille et une sélection d'animaux. Les preuves qu'une énorme inondation a bien eu lieu ont été trouvées à Our. La version la plus complète de cette épopée a été découverte sur des tablettes d'argile en Assyrie.

Our et les ziggourats

Vers 4000 av. J.-C., des colons fondèrent Our, sur l'Euphrate. La ville connut son apogée sous la troisième dynastie de ses souverains (2113-2004 av. J.-C.). La ville s'étendait sur environ 5 km². Contenus dans une enceinte sacrée, les palais, les édifices publics et le temple de **Nanna**, dieu de la Lune, étaient construits en boue séchée. Le peuple habitait sans doute des maisons en roseaux. Les Sumériens inventèrent la **ziggourat**, un temple en forme de pyramide à degrés. Au sommet s'élevait un sanctuaire auquel on accédait par des rampes. Au sud-ouest de la ville, dans le **cimetière royal**, les fouilles ont mis au jour des bijoux en or, des boîtes en marqueterie, des armes, des instruments de musique et des jeux à damiers. La tombe de **la reine Pu-Abi** (vers 2500 av. J.-C.) contenait les squelettes des courtisans, qui accompagnaient leurs maîtres dans l'au-delà. Our a été abandonnée au IVe siècle av. J.-C., quand le cours de l'Euphrate s'est modifié.

Les sceaux-cylindres

Les Sumériens nous ont laissé des milliers d'inscriptions **cunéiformes** sur des tablettes d'argile. Pour authentifier les documents, on faisait rouler sur l'argile fraîche des cylindres en pierre gravés en creux appelés **sceaux-cylindres**. Les images figurant sur les sceaux – qui représentaient des dieux, des animaux, des symboles et des scènes de la vie quotidienne – étaient uniques et servaient de cachet.

Les peuples de la Mésopotamie

◆ **LES AKKADIENS** Peuple d'Akkad, ville au nord de Babylone dont le site n'a jamais été retrouvé. ◆ **LES AMORRITES** Peuple nomade du désert. Alliés aux Élamites, ils pillèrent Our vers 2000 av. J.-C.

◆ **LES ARAMÉENS** Nomades du nord de la Syrie. Ils rivalisèrent pour le pouvoir avec les Assyriens (1100-700 av. J.-C.). Ils parlaient l'araméen, qui devint la langue internationale du Moyen-Orient.

◆ **LES ASSYRIENS** Originaires du nord de la Mésopotamie, ils imposèrent leur suprématie de 2000 à 609 av. J.-C.

◆ **LES BABYLONIENS** Originaires du sud-est de la Mésopotamie (voir p. 12).

◆ **LES CHALDÉENS** Peuple de l'extrême sud de la Mésopotamie qui gouverna Babylone à partir de 605 av. J.-C.

◆ **LES ÉLAMITES** Peuple d'Élam, dans le sud-ouest de l'Iran, qui conquit le pays de Sumer vers 2000 av. J.-C. Rivaux des Babyloniens entre 1800 et 1100 av. J.-C.

◆ **LES HOURRITES** Peuple originaire de petites cités-États qui se regroupèrent vers 1480 av. J.-C. pour former le royaume du Mitanni.

◆ **LES KASSITES** Peuple de l'ouest de la Perse établi dans l'est de la Mésopotamie depuis 1800 av. J.-C. Ils conquirent Babylone vers 1560 av. J.-C. mais furent ensuite défaits par les Assyriens et les Élamites.

◆ **LES MÈDES** Peuple de la Médie, au sud-ouest de la mer Caspienne, qui prit le pouvoir en Assyrie et en Babylonie à partir de 660 environ.

CHRONOLOGIE

Vers 5500 av. J.-C. Les Sumériens colonisent le sud de la Mésopotamie.

Vers 3500 av. J.-C. Fondation des premières cités. Suprématie d'Ourouk.

3500 av. J.-C. Les potiers sumériens inventent le tour, à l'origine de la roue.

3300 av. J.-C. Début de l'écriture cunéiforme.

Vers 2350 av. J.-C. Sargon Ier, roi d'Akkad, conquiert le pays de Sumer.

2200 av. J.-C. Our domine la région après l'effondrement du pouvoir akkadien.

2113-2095 av. J.-C. Our connaît son apogée sous le règne d'Our-Nammu.

2000 av. J.-C. Le sac d'Our par les Élamites et les Amorrites marque la fin de la civilisation sumérienne.

Mésopotamie : Babylone

Vers 1750 av. J.-C., Babylone était devenue un centre commercial, religieux et intellectuel. La ville connut deux périodes de suprématie, qui durèrent chacune moins de 2 siècles. La première, sous le règne des Amorrites, à partir de 1790 av. J.-C. ; la deuxième, sous le règne des Chaldéens, vers 605 av. J.-C. Le nom Babylone vient de l'akkadien *babilu*, qui signifie « porte de Dieu ». Sous le règne d'Hammourabi, Mardouk devint le principal dieu de la ville. La reconstruction de Babylone par Nabuchodonosor II lui offrit sa célèbre opulence.

Le code d'Hammourabi

Hammourabi, qui régna d'environ 1792 à 1750 av. J.-C. sur toute la Mésopotamie, fut le roi le plus puissant de la première période babylonienne. Son nom figure sur une stèle en pierre découverte à Suse en 1901. Les inscriptions gravées sur la stèle constituent le premier **code de lois**. Elles stipulent que les exactions seront punies par l'État. Les sévères peines encourues répondaient au principe « œil pour œil, dent pour dent », mais le code promettait une justice équitable, afin que « les forts ne puissent pas opprimer les faibles ».

Nabuchodonosor II

Le second roi chaldéen de Babylone, Nabuchodonosor II (vers 605-562 av. J.-C.), s'illustra d'abord comme chef militaire. Il conquit la plupart des territoires de l'Assyrie, dont la Syrie et la Palestine. À la **bataille de Karkemish**, en Syrie (vers 605 av. J.-C.), il vainquit les Égyptiens, étendant ainsi sa suprématie sur tout le Moyen-Orient. Nabuchodonosor figure dans la Bible pour avoir conquis Jérusalem en 586 av. J.-C. et avoir déporté 5 000 Hébreux à Babylone, événement connu sous le nom de **Captivité de Babylone**.

PETITE INFO

Dernier roi chaldéen, **Nabonide** (556-539 av. J.-C.) était à la tête d'un empire englobant toute la Mésopotamie et la Méditerranée orientale.

La tour de Babel

La tour qui se trouve près du principal temple de Babylone a peut-être inspiré le récit biblique de la tour de Babel. Le chapitre 11 de la Genèse rapporte qu'elle avait été construite pour atteindre les **Cieux**, mais que Dieu fit échouer l'entreprise en créant différentes **langues**, si bien que les ouvriers ne pouvaient plus se comprendre.

CHRONOLOGIE

4000 av. J.-C. Création d'une colonie à Babylone.

1894 av. J.-C. Le roi amorrite Soumou-Aboum fonde l'Empire babylonien.

1792 av. J.-C. Le roi Hammourabi conquiert le pays de Sumer et d'Akkad.

1595 av. J.-C. Babylone est pillée par les Hittites, puis, vers 1570, gouvernée par les Kassites.

1158 av. J.-C. Sac de Babylone par les Élamites.

1100 av. J.-C. Invasion de Babylone par les Araméens.

721 av. J.-C. Les Assyriens conquièrent Babylone.

689 av. J.-C. Le roi assyrien Sennachérib détruit la ville.

625 av. J.-C. Le Chaldéen Nabopolassar prend le pouvoir, chasse les Assyriens et fonde le Nouvel Empire babylonien.

550 av. J.-C. L'Empire babylonien atteint sa plus grande extension sous le roi Nabonide.

539 av. J.-C. Cyrus II de Perse s'empare de la ville, qui devient une province perse.

275 av. J.-C. La ville est abandonnée.

LE SAVIEZ-VOUS ?

Le temple du dieu **Mardouk**, patron de la ville, comprenait trois immenses cours entourées de pièces destinées à son confort personnel – un sanctuaire, une chambre pour des noces symboliques et des pièces pour sa cour de dieux inférieurs.

L'âge d'or de Babylone

Sous le règne de **Nabuchodonosor II**, Babylone devint la plus importante ville du monde, avec plus de 200 000 habitants. Le roi lança des travaux de grande envergure et fit entourer la ville de remparts mesurant jusqu'à 26 m d'épaisseur. La **porte d'Ishtar**, décorée de briques émaillées bleues et dédiée à la déesse de l'amour et de la guerre, marquait le début de la voie processionnelle menant au **temple du dieu Mardouk**, patron de la ville. Plus de 500 animaux ornaient cette porte. Sirrush, à la tête de serpent, était assimilé à Mardouk. À côté du temple, Nabuchodonosor fit construire une **ziggourat** de 90 m de haut et créa les fameux **Jardins suspendus** (une des Sept Merveilles du monde) pour son épouse la reine Amyitis. De retour d'exil, les Hébreux rapportèrent des récits montrant l'opulence et la décadence qui régnaient à Babylone.

Mésopotamie : Assyrie

À partir de 1366 av. J.-C., l'Assyrie devient l'une des principales puissances de Mésopotamie, grâce à sa position stratégique sur les axes commerciaux entre la Méditerranée, Sumer et Babylone. Les rois Assyriens gouvernaient quatre cités sur le Tigre : Assour, la première capitale, Kalhou, Dour-Sharroukin et Ninive. L'armée assyrienne, réputée pour sa brutalité, épaulait l'administration impériale. Gouverneurs et princes vassaux sillonnaient les provinces pour recruter des soldats et des ouvriers. Vers 650, l'Assyrie était à la tête du plus grand empire du monde.

Kalhou et Ninive

Les Assyriens réinvestissaient dans leurs **capitales** les richesses qu'ils tiraient du commerce, du butin de guerre, des taxes et des impôts. Assour fut la première capitale. **Assournazirpal II** transféra sa capitale à Kalhou vers 1883. Son palais était décoré de bas-reliefs le représentant à la chasse et à la guerre. **Sennachérib** construisit son palais de Ninive – devenue capitale vers 701 – sur le modèle de celui de Kalhou. Il km de murailles protégeaient la nouvelle ville, où l'eau était amenée par des aqueducs depuis les monts du Zagros, à plus de 64 km en amont. Les **bas-reliefs** de Kalhou et de Ninive sont conservés au musée du Louvre, à Paris, et au British Museum, à Londres.

Sennachérib

Dans un poème de Byron, *Destruction of Sennacherib* (1815), décrivant la façon dont Sennachérib écrasa la révolte conduite par Ézéchias, roi de Juda, en 701 av. J.-C., il est dit : « L'Assyrien attaqua comme le loup fondant sur la bergerie ». Jérusalem aurait été épargnée à cause d'une épidémie de peste qui s'abattit sur l'armée assyrienne grâce à l'intervention de Dieu (Isaïe 37 : 33-7).

Des guerriers

Assourbanipal se vantait d'avoir une armée de **50 000 hommes**. Les **capitaines** commandaient des troupes de choc sous l'autorité de gouverneurs provinciaux faisant office de **généraux.** Les soldats, équipés d'arcs, de flèches, de piques et de lances – avec le soutien des chars et d'énormes machines de guerre –, assiégeaient les villes et les rasaient jusqu'au sol. Les Assyriens étaient particulièrement cruels. Les **prisonniers** étaient écorchés vifs, puis accrochés à des poteaux pour décourager la résistance des villes assiégées.

La grande bibliothèque de Ninive

Assourbanipal fonda la première grande bibliothèque à Ninive. Au XXe siècle, quelque 30 000 tablettes d'argile couvertes d'inscriptions **cunéiformes** ont été mises au jour. Les sujets les plus divers y sont abordés : mathématiques, astronomie et astrologie, histoire, religion, médecine. Nos connaissances sur l'Assyrie viennent de là.

CHRONOLOGIE

2000 av. J.-C. L'Assyrie devient indépendante.
1813 av. J.-C. Le roi assyrien Shamshi-Adad Ier contrôle une partie de la Mésopotamie.
1781 av. J.-C. L'Assyrie revient à Babylone puis au Mitanni.
1362 av. J.-C. Assour-Ouballit Ier conquiert le Mitanni. Assour devient la capitale assyrienne.
1232 av. J.-C. Période de déclin pour l'Assyrie, qui tombe sous le contrôle de Babylone.
1114 av. J.-C. L'Assyrie recouvre son indépendance sous Téglath-Phalasar Ier.
911-824 av. J.-C. L'empire s'étend jusqu'à l'Arabie, la Méditerranée et l'Égypte.
744 av. J.-C. Avec Téglath-Phalasar III, l'Assyrie s'agrandit de la Palestine.
720 av. J.-C. Sargon II conquiert Israël, la Syrie et Babylone.
701 av. J.-C. Sennachérib transfère la capitale à Ninive.
689 av. J.-C. Sennachérib détruit Babylone.
650 av. J.-C. L'empire atteint son extension maximale.
612 av. J.-C. L'Empire assyrien s'écroule. Les Mèdes attaquent Babylone. Ninive est détruite.

Les grands rois de l'Assyrie

◆ **Téglath-Phalasar Ier, 1114-1076 av. J.-C.** Il conquit le nord de la Babylonie et prit le contrôle du commerce avec l'Asie occidentale.
◆ **Assournazirpal II, 883-859 av. J.-C.** Il mena une campagne contre la Syrie ; Kalhou devint la capitale.
◆ **Salmanasar III, 859-825 av. J.-C.** (fils d'Assournazirpal II) Il mena des campagnes annuelles et conquit le nord de la Syrie.
◆ **Téglath-Phalasar III, 744-727 av. J.-C.** Il prit le pouvoir par un coup d'État, conquit la Syrie et la Palestine et fut couronné à Babylone vers 729 av. J.-C.
◆ **Sargon II, 721-705 av. J.-C.** (fils de Tiglat-Piléser III) Il prit Samarie en Palestine, conquit la Chaldée, reconquit Babylone ; capitale : Dour-Sharroukin.
◆ **Sennachérib, 705-680 av. J.-C.** (fils de Sargon II) Il réprima des révoltes en Palestine et à Babylone ; sac de Babylone ; nouvelle capitale : Ninive.
◆ **Assarhaddon, 680-669 av. J.-C.** (fils de Sennachérib) Il reconstruisit Babylone et conquit l'Égypte.
◆ **Assourbanipal, 669-627 av. J.-C.** (fils d'Assarhaddon) Il détruisit Thèbes à la suite de révoltes en Égypte ; il fonda un centre artistique à Ninive.

La sculpture assyrienne

L'architecture assyrienne était ornée de magnifiques sculptures. Des taureaux ailés figuraient souvent sur les portails : ils avaient cinq pattes pour être vus de face comme de profil. Les bas-reliefs du règne d'Assourbanipal retracent les **exploits royaux** : les représentations de sa campagne contre Élam (653 av. J.-C.) sont accompagnées d'inscriptions commentant l'action. Les barbes sont montrées de profil et les corps légèrement tournés vers le spectateur. D'après ces sculptures, les Assyriens avaient les mêmes **dieux** que les Sumériens et les Babyloniens. Assour, dieu de la guerre, est souvent représenté sous la forme d'un disque ailé.

L'Égypte ancienne

L'Égypte ancienne a connu trois grandes périodes : l'Ancien Empire (v. 2686-2180 av. J.-C.), le Moyen Empire (v. 2040-1730 av. J.-C.) et le Nouvel Empire (v. 1552-1069 av. J.-C.), séparées par des périodes intermédiaires de désordre. Pas moins de 32 dynasties ont gouverné le pays ; la dernière s'éteignit en 30 av. J.-C. Grâce à l'*Aegyptiaca*, ouvrage écrit au IIIe siècle av. J.-C. par Manéthon, prêtre et historien, nous possédons de nombreuses informations sur les rois d'Égypte. Les bas-reliefs et les peintures des tombes royales offrent de précieux témoignages sur la vie quotidienne.

Le Nil

L'historien grec Hérodote appelait l'Égypte « le don du Nil », voulant dire par là qu'elle devait son existence au fleuve. Tous les ans, en juillet, les **crues** provoquées par les chutes de pluie en Éthiopie élevaient le niveau du Nil de plus de 8 m en aval d'Assouan, laissant un limon fertile sur les rives. On semait en novembre, quand les eaux se retiraient. Les Égyptiens se servaient de nilomètres (repères gravés sur les rochers) pour contrôler le niveau des eaux. L'origine des crues était un mystère imputé aux **dieux**. Le Nil, appelé par les Égyptiens *Iteru* (le Fleuve), était navigable sur 1 100 km, depuis le delta, au nord, jusqu'à la première cataracte, au sud de l'actuelle Assouan. Entre 2000 et le XIe siècle av. J.-C., des pharaons ont contrôlé certaines parties de la Nubie. De 920 à environ 680 av. J.-C., la Nubie annexa l'Égypte.

La double couronne

L'Égypte ancienne comprenait deux royaumes : la **Basse-Égypte**, région du cours inférieur du Nil et du delta, avec Memphis pour capitale, symbolisée par une couronne rouge ; la **Haute-Égypte**, au sud, avec Thèbes pour capitale, symbolisée par une couronne blanche. Les deux royaumes furent réunis vers 3100 av. J.-C. L'unité du royaume égyptien était alors représentée par une double couronne.

Saqqarah

Sur un plateau, à Saqqarah, les restes d'une **nécropole** s'étendent sur 6 km de long. Des pyramides ou mastabas (à gradins) en pierre dissimulaient des chambres funéraires souterraines. Les scènes décrites sur les bas-reliefs qui décoraient ces chambres montrent la vie quotidienne sous l'**Ancien Empire** : élevage, chasse, pêche. Djoser, premier pharaon de la IIIe dynastie, a été enterré sous une pyramide à degrés, tel un escalier vers le ciel, construite sur le principe du mastaba.

CHRONOLOGIE

3100 av. J.-C. La période dynastique commence quand la Haute- et la Basse-Égypte sont réunies sous le pharaon Narmer (Ménès), fondateur de la Ire dynastie.

2686 av. J.-C. Début de l'Ancien Empire. Capitale : Memphis. Religion centrée sur le dieu du Soleil, Rê. Premiers hiéroglyphes.

2580 av. J.-C. Construction de la Grande Pyramide de Gizeh par le pharaon Kheops.

2180 av. J.-C. Début de la première période intermédiaire. La famine et des rivalités internes causent le désordre et la guerre. Memphis perd de sa puissance au bénéfice d'Hérakléopolis et de Thèbes.

2040 av. J.-C. Le Moyen Empire débute quand Mentouhotep II réunifie les deux royaumes. L'État gouverne depuis Licht, mais Thèbes prend de l'importance. La religion devient centrée sur le dieu thébain Amon.

Vers 1990 av. J.-C. Début d'une période de grande prospérité avec l'extension de l'Empire égyptien en Nubie et en Asie de l'Ouest sous Amménémès Ier et Sésostris Ier, II et III.

1730 av. J.-C. Des désordres internes entraînent la fin de la deuxième période intermédiaire.

1648 av. J.-C. L'Égypte tombe aux mains des Hyksos.

1552 av. J.-C. Les Hyksos sont chassés par les Thébains. Le Nouvel Empire commence.

PETITE INFO

Pépi II, souverain de la VIe dynastie de l'Ancien Empire a eu le plus long règne de l'Histoire. Il monta sur le trône à 6 ans et régna pendant environ 94 ans (vers 2288-2194 av. J.-C.).

Les Hyksos

Pendant la deuxième période intermédiaire (vers 1730-1552 av. J.-C.), l'Égypte fut envahie par les Hyksos (« souverains de pays étrangers »), nomades sans doute venus du désert. Ils étendirent leur domination jusqu'à Koptos, établirent leur capitale à **Avaris**, à l'est du delta, et gouvernèrent le pays en tant que pharaons de la XVe dynastie d'Égypte. Décrits plus tard comme des barbares par les chroniqueurs, ils auraient cependant introduit en Égypte le **bronze** et le **char** à deux roues.

Memphis

Memphis, capitale de l'Ancien Empire, aurait été fondée par le roi **Narmer (Ménès)**, vers 3100 av. J.-C., et placée sous la protection du dieu **Ptah**, le créateur de toute chose. Les sépultures royales s'étendent sur 32 km à l'ouest de la ville, de la pyramide de Saqqarah à celles de Gizeh. La qualité inférieure des monuments de la fin de l'Ancien Empire traduit le déclin de la ville. Pendant le Nouvel Empire, Memphis devint un centre d'**entraînement militaire**. Elle redevint la capitale de l'Égypte sous les **Perses** (525-404 av. J.-C.), avant de décliner au temps des Romains. Ses ruines ont servi à construire Le Caire.

Égypte : le Nouvel Empire

Pendant le Nouvel Empire, les Égyptiens poursuivirent leur expansion vers le nord, ajoutant le Levant (est de la Méditerranée) à leur empire. Celui-ci atteint sa plus grande extension sous Ramsès II, qui combattit les Hittites dans le nord du pays. Les dynasties du Nouvel Empire renforcèrent l'armée, relancèrent la construction de monuments et influencèrent les traditions religieuses. L'Égypte des pharaons commença à décliner à partir de 1150 av. J.-C., mais elle conserva sa culture unique jusqu'à ce qu'elle devienne une province romaine, en 30 av. J.-C.

La reine Hatchepsout

À la mort de Touthmôsis II, son époux, elle exerça la régence (1490-1469 av. J.-C.) avant le règne de **Touthmôsis III**, son neveu et futur époux, et parvint à se faire couronner **pharaon.** Dans le domaine de l'expansion commerciale, elle envoya une expédition au pays de Pount (sans doute l'Érythrée), au sud, qui revint chargée de myrrhe, d'ivoire et d'animaux exotiques. Après sa mort, son temple funéraire subit des dégradations – probablement sur l'ordre de Touthmôsis III. Comme tous les pharaons, Hatchepsout portait une fausse barbe – attribut traditionnel de la royauté – pour marquer son autorité.

CHRONOLOGIE

- **1552 av. J.-C.** Début du Nouvel Empire.
- **1457 av. J.-C.** Touthmôsis III défait les Syriens à la bataille de Mégiddo.
- **1360 av. J.-C.** Akhenaton construit sa capitale à Amarna.
- **1290 av. J.-C.** L'Égypte atteint l'apogée de sa gloire sous Ramsès II.
- **1069 av. J.-C.** Début de la troisième période intermédiaire et des invasions des Nubiens et des Assyriens.
- **664 av. J.-C.** Unification de l'Égypte par Psammétique Ier ; début de la période dynastique tardive.
- **605 av. J.-C.** Victoire de la Babylonie sur l'Égypte à Karkemish, en Syrie.
- **525 av. J.-C.** Cambyse II de Perse conquiert l'Égypte.
- **404 av. J.-C.** L'Égypte recouvre son indépendance.
- **332 av. J.-C.** Alexandre le Grand conquiert l'Égypte.
- **30 av. J.-C.** À la mort de Cléopâtre, l'Égypte devient une province romaine.

Ramsès II

Les 66 ans de règne de Ramsès II (1290-1224 av. J.-C.) ont fait de lui l'un des pharaons les plus célèbres. Entraîné à la guerre depuis son plus jeune âge, Ramsès mata des rébellions en Syrie et dans le nord de la Palestine ; il combattit les Hittites et, bien qu'il n'ait pas réussi à s'emparer de Qadesh, il négocia un traité et épousa une princesse hittite. Il eut de nombreuses autres femmes (la première était **Néfertari**) et plus de 50 fils. Ramsès II est aussi connu pour ses **réalisations architecturales**, parmi lesquelles le temple d'Abou-Simbel et son propre temple funéraire, le Ramesseum, à Thèbes.

Les Hittites

À partir de 1650 av. J.-C., les Hittites – probablement originaires du nord de la mer Noire – étendirent leur domination sur l'Anatolie et le nord-est de la Méditerranée depuis leur capitale, Hattousa. Au XIVe siècle av. J.-C., sous le règne de **Souppilouliouma**, ils envahirent la Syrie. Vers 1200 av. J.-C., leur empire fut détruit par les Peuples de la Mer – des guerriers arrivés sans doute par la mer Égée.

Le pharaon

Les souverains du Nouvel Empire furent appelés pharaons – terme signifiant « grande maison » – par allusion à leurs palais. Le pharaon était considéré comme **un dieu**. Les rites funèbres royaux garantissaient son entrée dans la vie future. Les scènes peintes sur les murs des tombeaux des pharaons étaient censées procurer au défunt pendant sa vie posthume les mêmes plaisirs que pendant sa vie sur terre.

Les pharaons du Nouvel Empire

XVIIIe DYNASTIE

◆ **Touthmôsis Ier, 1507-1494 av. J.-C.** Il étendit l'empire jusqu'à la Nubie ; premier pharaon enterré dans la Vallée des Rois.

◆ **Touthmôsis III, 1490-1436 av. J.-C.** Il raffermit l'empire par des campagnes au Levant et vainquit les Syriens à la bataille de Mégiddo.

◆ **Aménophis III, 1411-1379 av. J.-C.** Assisté par la reine Tiy, il apporta la prospérité et de bonnes relations diplomatiques.

◆ **Akhenaton, 1364-1347 av. J.-C.** Il changea son nom, Aménophis IV, en l'honneur du dieu Aton, dont il avait introduit le culte. Il gouverna avec sa première épouse, la reine Néfertiti.

◆ **Toutankhamon, 1345-1335 av. J.-C.** Il régna très jeune et mourut à 18 ans. Il revint sur de nombreux changements faits par Akhenaton. Célèbre surtout à cause de son tombeau retrouvé presque intact.

XIXe DYNASTIE

◆ **Ramsès II, 1279-1212 av. J.-C.** Brillant homme de guerre et grand bâtisseur.

XXe DYNASTIE

◆ **Ramsès III, 1184-1152 av. J.-C.** Dernier des grands pharaons ; vainqueur des Libyens, des Peuples de la Mer et des Philistins.

Les armées égyptiennes

Pendant le Nouvel Empire, l'Égypte avait une armée professionnelle, constituée de jeunes issus des communautés religieuses et de mercenaires. Des divisions de 5 000 hommes combattaient sous la bannière de leur dieu local. Les **fantassins**, armés de javelots et de dagues, étaient couverts par d'habiles **archers**. Des **chars** rapides et légers, en osier, s'élançaient par groupes de 50 ou plus. La bataille de Qadesh, entre Égyptiens et Hittites, sous Ramsès II, fut la première dans laquelle on utilisa les chars en nombre.

La religion égyptienne

Les Égyptiens avaient des centaines de dieux correspondant à chaque aspect de leur vie. Certains étaient célébrés dans toute l'Égypte, comme Hathor et Osiris, qui avaient beaucoup d'adeptes et auxquels étaient dédiés de grands temples. D'autres étaient l'objet d'un culte simplement local et même domestique. La fidélité à certains dieux connut des hauts et des bas selon les époques, mais le principal fut toujours le dieu du Soleil, appelé Rê (ou Râ) et plus tard Amon. Beaucoup de dieux égyptiens présentent une apparence mi-humaine mi-animale et sont associés à des mythes complexes.

Les principaux dieux

Si les Égyptiens avaient de nombreux dieux, certains étaient plus importants que d'autres. ◆ **Amon** Dieu local de Thèbes, qui devint le dieu suprême pendant le Nouvel Empire. ◆ **Anubis** Dieu des cimetières et des embaumeurs, chargé de peser les âmes humaines et représenté avec une tête de chacal. ◆ **Hathor** Fille de Rê, représentée avec une tête de vache ou de femme avec des cornes. ◆ **Imhotep** Conseiller et architecte du roi Djoser, adoré plus tard comme dieu de la connaissance et de la médecine. ◆ **Isis** Épouse et sœur d'Osiris ; considérée comme la mère du pharaon. ◆ **Maât** Déesse de la vérité, de la justice et de l'harmonie. ◆ **Osiris** Dieu des morts et du monde souterrain, mais aussi des récoltes et du renouveau. ◆ **Ptah** Protecteur de Memphis et dieu des artisans. ◆ **Rê (Râ)** Le dieu du Soleil du Nouvel Empire, adoré à Memphis. ◆ **Seth** Le dieu des animaux. Un personnage assimilé au diable et au chaos ; il tua son frère Osiris, mais celui-ci recouvra la vie grâce à Isis. ◆ **Sobek** Le dieu de l'eau avec une tête de crocodile. ◆ **Taoueret** Femelle hippopotame gravide, déesse des femmes enceintes. ◆ **Thot** Scribe et messager des dieux représenté en général avec une tête d'ibis.

Le cycle solaire

Chaque jour, le dieu du Soleil quitte le monde souterrain dans la barque du jour. Attaqué par **Apopis**, le dieu des ténèbres, il le décapite, colorant ainsi l'aube de sang. À midi, Rê a l'aspect d'un disque parfait, **Aton**. La **forme pyramidale**, considérée comme sacrée, viendrait du dessin triangulaire que créent les rayons du soleil. L'ouest, où le soleil se couche, est le royaume des morts. Les temples funéraires et les lieux de sépulture étaient tous situés sur la rive ouest du Nil.

Vers l'au-delà

Le passage de la vie à l'**au-delà** était semé de dangers. Pour aider le défunt à franchir ces épreuves, les prêtres rédigèrent des prières et des incantations : le *Livre des morts*. Ces formules étaient écrites sur des rouleaux de papyrus ou parfois sur les parois des tombes.

Les maisons des dieux

Les **temples** n'étaient pas que des lieux de culte. Ils étaient la résidence de la divinité, représentée par une **statue**. Les prêtres baignaient les statues, les habillaient et les nourrissaient, comme des humains. Pour prier, les gens ordinaires restaient à la porte du temple ou bien dictaient leurs suppliques à des scribes, et des prêtres transmettaient ces messages au dieu. Lors des fêtes, le peuple apercevait la statue du dieu quand elle était portée en parade ou emmenée en voyage rituel sur le Nil.

Le clergé

Le **chef des prêtres** était le pharaon, être divin. Ses représentants, les prêtres, devaient accomplir des rites quotidiens pour se concilier la faveur des dieux. Ils constituaient une **classe d'élite** mais pouvaient se marier et avoir des emplois séculiers. Les grands temples avaient recours à des prêtres professionnels ; les autres à des prêtres employés à temps partiel. Pendant leur service, les prêtres devaient être purs : ils se rasaient tout le corps, se baignaient régulièrement et ne consommaient que certains mets. Les grands temples avaient aussi à leur service des musiciens, des prêtresses, des chanteurs, du personnel d'entretien, des artisans et des cuisiniers.

La vie après la mort

Après la vie, l'âme (*ka*) gagnait le monde souterrain pour y être jugée. Dans la salle du Jugement, le défunt devait convaincre 42 juges qu'il n'avait commis aucun des 42 péchés mortels. Puis on plaçait son cœur, siège des émotions et de l'intelligence, sur l'un des plateaux d'une balance et la plume de la vérité (symbole de Maât, déesse de la vérité) sur l'autre plateau. Les cœurs des mauvais étaient lourds : ils étaient condamnés à être dévorés par un monstre. Ceux dont le cœur ne pesait pas plus que la plume avaient le droit d'entrer dans le **royaume d'Osiris** – royaume de l'Ouest – et de prendre place aux côtés du dieu du Soleil.

Changement religieux

Aménophis IV (1364-1347 av. J.-C.) fut à l'origine d'une révolution religieuse centrée sur le culte d'**Aton**, le disque solaire. Il prit le nom d'**Akhenaton** (« celui qui plaît à Aton ») et bâtit une nouvelle ville, Akhet-Aton (Amarna), pour servir de nouveau centre religieux. En créant le culte d'Aton, Akhenaton avait peut-être un objectif politique : saper le pouvoir des prêtres d'Amon. Après la mort d'Akhenaton, le culte d'Aton connut un rapide déclin.

Les monuments égyptiens

L'architecture égyptienne s'est légèrement modifiée au cours des siècles, tout en gardant sa spécificité. Les Égyptiens n'ont jamais employé l'arc mais les colonnes et les linteaux. Les premières constructions – en papyrus, tiges de lotus, boue et troncs de palmier – ont inspiré la forme et les décors des constructions en pierre. Il existait deux sortes de temples : le temple cultuel, résidence du dieu d'une communauté particulière, avec une voie processionnelle et une cour menant à un sanctuaire ; le temple funéraire, dédié au culte d'un souverain défunt et dont le plan était variable.

Les pyramides

Pendant l'Ancien et le Moyen Empire, les membres de la famille royale étaient ensevelis sur la rive ouest du Nil, près de Memphis. Les premiers tombeaux étaient de simples tumulus. On construisit ensuite des **mastabas**, en forme de pyramides tronquées, puis des **pyramides à degrés** en forme de ziggourats. La plus célèbre est celle du **roi Djoser** à **Saqqarah** (vers 2660 av. J.-C.), dessinée par **Imhotep**. Les trois pyramides de Gizeh représentent l'apogée de l'architecture funéraire. La **Grande Pyramide de Kheops** (vers 2590 av. J.-C.) est l'une des Sept Merveilles de l'Antiquité.

Thèbes

Thèbes est le nom grec d'une ville que les Égyptiens appelaient **Ouaset** et qui est connue aujourd'hui sous le nom de **Louxor**. Pendant le Moyen Empire et le début du Nouvel Empire, Ouaset fut la capitale de l'Égypte. Même quand elle cessa de l'être, elle resta un lieu de résidence royale et un important centre religieux dédié à Amon-Rê. Tout près de là s'étendait l'immense complexe de temples de **Karnak**, dédié aux dieux d'Ouaset.
Le **temple de la reine Hatchepsout**, à **Deir el-Bahari**, les deux statues d'Aménophis III, dénommées les **Colosses de Memnon**, et la **Vallée des Rois** étaient situés sur l'autre rive du Nil.

Les obélisques

Les monuments de pierre en forme d'aiguille géante appelés obélisques étaient employés en général par paires pour marquer l'entrée d'un temple. Leurs quatre faces étaient couronnées d'une petite pyramide, à l'image peut-être des rayons du disque solaire Aton et de la **colline primitive** d'où serait née toute vie. Les inscriptions gravées sur leurs faces permettent de savoir qui les a fait ériger. L'**obélisque de Louxor**, dressé place de la Concorde, à Paris, marquait, avec un autre, l'entrée du temple d'Amon.

Les sphinx

Les sphinx étaient les gardiens des temples et des lieux sacrés. Le mot sphinx vient d'un animal de la mythologie grecque avec un corps de lion et une tête de femme. Le terme égyptien était *Hor-Em-Akhet*, qui signifiait « Horus de l'Horizon ». Les sphinx égyptiens portaient la coiffure royale à rayures, le ***nemes***, et ils empruntaient souvent leurs traits à un pharaon.

Abou-Simbel

À l'apogée du Nouvel Empire, le grand pharaon **Ramsès II** (1279-1212 av. J.-C.) fit construire un temple extraordinaire à Abou-Simbel. Creusé dans une falaise de grès rose verticale, il était précédé de quatre énormes statues de Ramsès II mesurant 20 m de haut. Comme de nombreux monuments menacés de destruction par la création du barrage d'Assouan en 1960, le site d'Abou-Simbel a été déplacé et reconstruit au-dessus du niveau du lac Nasser.

Signes et symboles

Les Égyptiens attribuaient un pouvoir symbolique à certains objets. Les plus importants et les plus connus sont cités ci-dessous.

Picto	Nom	Signification
	Sceptre	Le fléau à battre le grain et le bâton du berger, symboles d'Osiris, représentaient les deux branches de l'agriculture.
	Fausse barbe	La fine barbe tressée était considérée comme un attribut des dieux. Les rois d'Égypte portaient de fausses barbes sur leurs mentons rasés.
	Nemes	Coiffure à rayures bleues et jaunes que portaient les rois d'Égypte.
	Cobra	Le cobra, ou uræus, symbole du dieu Ouadjet, représentait la Basse-Égypte.
	Vautour	Ce symbole de la déesse Nekhbet représentait la Haute-Égypte.
	Plume	Ce symbole de Maât était mis en balance avec l'âme de chaque défunt dans le monde souterrain.
	Œil	L'*oudjat* était censé guérir les malades et ramener les morts à la vie.
	Ankh	Cette croix surmontée d'un anneau est le hiéroglyphe qui symbolise la vie ou la vie éternelle.
	Scarabée	Le vrai scarabée fait rouler des boules d'excréments sur le sol. On le comparait au soleil qui se déplace dans le ciel. Le scarabée est ainsi devenu le symbole du dieu du Soleil.
	Cartouches	Signatures ; ces formes oblongues entouraient les hiéroglyphes représentant les noms des rois.

tombes égyptiennes

te ancienne, on pensait que la vie sur
rès courte, mais que, dans l'au-delà,
ernelle. La vie future étant considérée
rolongement de l'existence, on mettait
nbes tous les éléments de confort et
ets nécessaires. Les objets artisanaux
rs découverts dans les tombes ont fourni
é d'informations sur la civilisation
Pour construire les tombes royales
des Rois, on faisait appel à des équipes
pécialisés qui vivaient dans des villages
ximité des chantiers.

Art déco

La découverte de la tombe de Toutankhamon eut une influence considérable sur l'art des années 1920. Le style Art déco s'est largement inspiré de motifs égyptiens. Le virus égyptien a touché aussi des cinéastes, comme Cecil B. DeMille, le réalisateur de *Cléopâtre*.

Toutankhamon

La plupart des tombes de la Vallée des Rois ont été pillées dès l'époque pharaonique. Mais, en 1922, l'archéoloque britannique **Howard Carter**, qui travaillait sous la direction de **lord Carnarvon**, découvrit une tombe presque intacte. « Partout l'or étincelle », dit-il, rapportant sa première impression. Il s'agissait de la tombe du jeune pharaon Toutankhamon, mort en 1335 av. J.-C. La momie reposait à l'intérieur de trois cercueils gigognes, richement décorés, déposés dans un sarcophage en pierre, et le tout placé dans quatre coffres-chapelles en bois, imbriqués. La tombe contenait quantité de trésors et d'objets d'usage courant : meubles, lampes à huile, plateaux de jeux, pots à onguents, paniers, statues de dieux, armes, semences.

unéraires

ɛs égyptiennes avaient pour objet d'envoyer
s l'au-delà en toute sécurité. La cérémonie
e rite de l'« **ouverture de la bouche** », par lequel
mboliquement au corps le pouvoir de manger,
le parler et de bouger comme un être vivant.
de la tombe, le défunt disposait de tout ce dont
oir besoin dans l'au-delà. On préparait sa tombe
urir, en payant à l'avance pour être sûr que le rituel
té aussi bien lors des funérailles que par la suite,
de célébrations funéraires pratiquées pour
funt.

La Vallée des Rois

Les Égyptiens du Nouvel Empire ont caché les corps de leurs souverains et des nobles dans une vallée encaissée près de Thèbes. Une soixantaine de tombes ont été mises au jour. On y a trouvé des peintures, des sarcophages et ce que les pilleurs n'avaient pas pu emporter.

La momification

Pour survivre après la mort, le corps du défunt devait rester intact. La momification était donc essentielle. Les embaumeurs retiraient d'abord les organes internes (cerveau, foie, poumons, estomac et intestins – cœur et reins étaient laissés en place) et les déposaient dans quatre **canopes** dont les couvercles représentaient des dieux protecteurs. Le corps était ensuite desséché avec un sel appelé **natron**, puis lavé, embaumé avec des huiles, enveloppé de bandelettes de lin et placé dans un cercueil, un masque funéraire posé sur le visage. L'opération complète demandait 70 jours. La momification ne concernait pas seulement les humains. On appliquait le même traitement aux **animaux sacrés** comme les serpents et les chats.

Les *shaouabtis*

Les rois étaient enterrés avec des personnages en bois sculptés à l'image des momies, les *shaouabtis*. Dans la tombe de **Toutankhamon**, on a trouvé plus de 400 figurines, toutes sculptées à son image. Les *shaouabtis* remplaçaient peut-être les vrais serviteurs qui, à l'époque prédynastique, étaient enterrés avec leur maître.

LE SAVIEZ-VOUS ?

Selon la rumeur, la tombe de Toutankhamon portait malheur. **Carnarvon** mourut d'une pneumonie après l'avoir découverte. **Howard Carter**, lui, est mort en 1939, alors que quelqu'un soufflait dans une trompette trouvée dans la tombe.

L'histoire de l'écriture

L'écriture est un trait caractéristique de toute civilisation. Il existe deux types d'écritures. Les écritures pictographiques recourent à des symboles, appelés pictogrammes, pour représenter les choses décrites. Les écritures phonétiques se servent de symboles pour représenter des sons. Elles possèdent beaucoup moins de symboles que les écritures pictographiques parce que les hommes ne peuvent pas prononcer plus de 35 sons distincts. Certaines écritures n'ont pas encore été déchiffrées : le linéaire A des Minoens, l'écriture de la vallée de l'Indus et l'étrusque.

Les hiéroglyphes

Les prêtres égyptiens adoptèrent le système pictographique vers 3000 av. J.-C. Le mot hiéroglyphe signifie « gravure sacrée » car il s'appliqua d'abord aux inscriptions sacrées. La forme **classique** comptait environ 1 000 symboles. Une forme plus simple, appelée **hiératique** (sacerdotale), apparut vers 2500 av. J.-C. Une forme encore plus simplifiée, appelée **démotique** (populaire), se développa vers 650 av. J.-C.

L'écriture chinoise

Les **premiers exemples d'écriture chinoise** parvenus jusqu'à nous datent d'environ 1600 av. J.-C. Au début, cette écriture était essentiellement pictographique. Par la suite, de nombreux symboles furent introduits pour **représenter les idées.** Les symboles, ou caractères, devinrent de plus en plus abstraits, permettant de les dessiner plus vite à l'encre et au pinceau. Les caractères furent **standardisés** vers 220 av. J.-C. par la dynastie Qin.

Les nombres

La plupart des **systèmes numériques** sont basés sur le nombre 10. Les Mésopotamiens avaient un système en base 10 et représentaient les nombres par des traits cunéiformes. Les Grecs transcrivaient les chiffres par les neuf premières lettres de l'alphabet. Les Romains employaient aussi des lettres (I, V, X, L, C, D, M). Dès 200 av. J.-C., on utilisait en Inde des symboles à part pour les nombres de 1 à 9, associés par deux pour les nombres de 10 à 99, etc. Les Arabes adoptèrent aussi ce système. À partir du Moyen Âge, les **chiffres indo-arabes** devinrent la base de notre propre système.

L'alphabet

Dès 1050 av. J.-C. environ, les **Phéniciens** utilisèrent une écriture phonétique de 22 lettres. Les **Grecs** adoptèrent ce système, traduisant *aleph* par alpha, *beth* par bêta, et ainsi de suite. Les **Romains** à leur tour adoptèrent le système grec, et les lettres de notre alphabet sont surtout d'origine romaine. Les Romains employaient le I pour le J et le V pour le U et ne connaissaient pas la lettre W. De plus, ils ne se servaient que des majuscules.

La pierre de Rosette

Les hiéroglyphes demeurèrent un mystère jusqu'à la découverte, en 1799, à **Rosette**, dans le Delta, d'une pierre de basalte gravée. L'inscription, datée de 197 av. J.-C., fut rédigée en trois langages : hiéroglyphes classiques, écriture démotique et grec. En comparant les trois textes, **Jean-François Champollion** déchiffra les hiéroglyphes en 1821.

Les premiers matériaux d'écriture

Pour écrire, il faut des matériaux peu coûteux, résistants et portables. Les Mésopotamiens se servaient de **tablettes d'argile**, qu'ils faisaient durcir au soleil. Les Chinois écrivaient les oracles sur des **os et des écailles de tortue**. Les Égyptiens et les Grecs rédigeaient des textes courts sur des tessons de poterie *(ostraca)*. Les Égyptiens fabriquèrent le **papyrus** avec les tiges de cette plante, puis, à partir de 1200 av. J.-C., le **parchemin** avec des peaux de mouton ou de porc. Les Romains utilisaient des tablettes de cire. Les Chinois auraient inventé le **véritable papier** en 105 de notre ère.

Les codex mayas

Les Mayas employaient une écriture hiéroglyphique basée sur un **mélange d'écritures pictographique et phonétique**. Apparu dès le IIIe siècle, c'était le **seul système d'écriture complet** en Amérique. L'écriture servait entre autres à consigner des faits historiques ou des rites concernant une élite. Les symboles étaient gravés sur des monuments en pierre, mais on a retrouvé aussi des livres faits avec de longues bandes de peaux de bêtes séchées, de l'écorce ou des feuilles d'agave.

L'écriture cunéiforme

Le mot cunéiforme signifie « **en forme de coin** ». Les scribes sumériens imprimaient des symboles sur l'argile fraîche de leurs tablettes à l'aide de roseaux taillés en forme de coin. L'écriture cunéiforme fut d'abord pictographique, jusqu'à ce que les symboles représentent des idées et se combinent pour former des syllabes. Les premières tablettes cunéiformes avaient trait à des transactions commerciales. Avec 1 200 symboles à sa disposition, cette écriture permit d'exprimer d'autres idées. Apparue vers 3300 av. J.-C., elle fut adoptée ensuite par les Babyloniens, les Assyriens et les Perses.

L'Ancien Testament

Reposant en grande partie sur des faits, l'Ancien Testament constitue un précieux document historique qui corrobore de nombreux récits sur l'histoire de la Méditerranée orientale. Israël et ses voisins occupaient une position stratégique sur les axes commerciaux entre la Mésopotamie, l'Égypte et l'Asie Mineure. La Bible offre de nombreux exemples de luttes d'influence entre puissances régionales. À la différence des peuples qui les entouraient, les Hébreux n'adoraient qu'un seul dieu.

CHRONOLOGIE

Vers 1800 av. J.-C. Abraham part pour le pays de Canaan.

Vers 1550 av. J.-C. Les Égyptiens conquièrent le pays de Canaan.

Vers 1200 av. J.-C. L'Exode.

Vers 1150 av. J.-C. Les Hébreux reprennent le pays de Canaan.

Vers 1000 av. J.-C. David gouverne le royaume de Juda puis celui d'Israël.

922 av. J.-C. Mort de Salomon. Scission d'Israël.

720 av. J.-C. Les Assyriens conquièrent le royaume d'Israël et celui de Juda.

586 av. J.-C. Destruction de Jérusalem. Début de la Captivité de Babylone.

539 av. J.-C. Conquête de Babylone par les Perses et fin de la Captivité de Babylone.

Les trois rois du grand Israël

◆ **SAÜL (vers 1021-1000 av. J.-C.)** Premier roi d'Israël, il reçut l'onction du prophète Samuel mais, s'étant attiré la colère de Dieu, il fut remplacé par son gendre David.

◆ **DAVID (vers 1000-961 av. J.-C.)** David est le fondateur de la dynastie royale juive. Jeune garçon, il tua le géant philistin **Goliath** avec sa fronde. Marié à la fille de Saül, Mikal, il dut fuir à cause de la jalousie du roi. À la mort de Saül, il gouverna les tribus du Sud puis Israël, réunissant ainsi les Hébreux. Il transféra la capitale d'**Hébron** à **Jérusalem**.

◆ **SALOMON (vers 965-922 av. J.-C.)** Deuxième fils de David et de **Bethsabée**, Salomon fut le plus grand roi d'Israël. Selon la légende, la **reine de Saba** (dans le sud-ouest de l'Arabie) lui aurait rendu visite pour vérifier sa sagesse. Après sa mort, le royaume se scinda en deux. Celui de Juda, au sud, prit pour capitale Jérusalem, tandis que celui d'Israël, au nord, installa sa capitale à **Samarie**.

Abraham

Abraham est l'ancêtre reconnu du judaïsme, du christianisme et de l'islam. D'après le livre de la **Genèse**, il est l'ancêtre du peuple hébreu. Vers 1800 av. J.-C., Abraham quitta avec sa famille la Mésopotamie – peut-être la ville d'Our – et s'installa au pays de Canaan, à l'est de la Méditerranée orientale. Les Hébreux prétendent être les descendants des douze fils du petit-fils d'Abraham, Jacob. L'un des fils de Jacob, Joseph, alla vivre en Égypte après avoir été vendu comme esclave par ses frères. Quand ses autres frères le rejoignirent, ils formèrent les **douze tribus d'Israël**. Les Arabes seraient les descendants d'**Ismaël**, fils d'Abraham.

Le temple de Jérusalem

Vers 960 av. J.-C., le roi Salomon investit une partie des richesses tirées du commerce dans la construction d'un **magnifique temple** à Jérusalem. Cet édifice était destiné à abriter l'**Arche d'alliance**, le coffre sacré qui renfermait les tables de pierre des Dix Commandements. Salomon fit venir de la Phénicie voisine des architectes, des artisans et des maçons et bâtit un temple sur le modèle phénicien. Détruit par le roi de Babylone, Nabuchodonosor, en 586 av. J.-C., le temple fut reconstruit en 515 av. J.-C., à la fin de la Captivité de Babylone. Site sacré, le temple de Salomon était bâti jadis à l'endroit où se trouve aujourd'hui un lieu de culte musulman, le Dôme du Rocher.

La Terre promise

D'après la Bible, Dieu promit à Abraham, à son fils Isaac et à son petit-fils Jacob la possession du pays de Canaan – « le pays de miel et de lait ». Après l'Exode d'Égypte, les « **Enfants d'Israël** » vécurent pendant 40 ans dans les régions désertiques au sud du pays de Canaan, espérant atteindre la Terre promise. Quand les Égyptiens abandonnèrent Canaan, vers 1150 av. J.-C., les Hébreux, conduits par le successeur de Moïse, Josué, conquirent Jéricho, et le pays de Canaan fut divisé entre les douze tribus d'Israël.

L'Exode

Vers 1200 av. J.-C., les Hébreux vivaient en Égypte comme esclaves ou travailleurs de force. D'après la Bible, ils retrouvèrent la liberté grâce à **Moïse**, un Hébreu protégé par la fille du pharaon. Peu de temps après, Moïse reçut les **Dix Commandements**.

Le pays de Canaan

Le pays de Canaan est l'ancien nom de la **Palestine**. Au temps d'Abraham, les Cananéens vivaient dans des villages et dans quelques villes, comme Jéricho et Jérusalem. Vers 1150 av. J.-C., la conquête par les Égyptiens puis l'installation des Hébreux repoussèrent les Cananéens vers la côte septentrionale, où ils devinrent plus connus sous le nom de **Phéniciens**. Vers 1300 av. J.-C., quand les Peuples de la Mer firent des incursions en Méditerranée orientale, l'un d'eux, les **Philistins**, s'installa au sud de la côte Cananéenne. Au VIIIe siècle av. J.-C., les Assyriens envahirent toute la région.

Royaumes convoités

Les royaumes d'Israël et de Juda subirent plusieurs invasions. En 770 av. J.-C., les Assyriens s'emparèrent de Samarie. En 597 av. J.-C., le royaume de Juda tomba aux mains des Babyloniens. En 586, à la suite d'une révolte, Jérusalem fut détruite et 5 000 Hébreux furent envoyés en exil à Babylone. Cette période, que l'on a appelée la **Captivité de Babylone**, dura 47 ans, jusqu'à ce que Cyrus, roi de Perse, conquît Babylone, en 539 av. J.-C., et rende la liberté aux prisonniers.

La Chine : des Shang aux Qin

La civilisation chinoise s'est développée à l'écart du reste du monde, d'où son caractère unique. Les souverains chinois se considéraient comme des intermédiaires entre le Ciel et la Terre, chargés d'apporter l'ordre et l'harmonie dans leurs royaumes. Le culte des ancêtres et la divination, cœur de la religion, furent tempérés par des philosophies comme le confucianisme et le taoïsme. Les Chinois ont été des précurseurs dans le domaine du travail des métaux. La centralisation du pouvoir impérial débuta avec la dynastie Qin et dura 2000 ans.

Les dynasties

◆ **Les Shang (vers 1600-1050 av. J.-C.)** La première dynastie rayonna à partir du Huang He (fleuve Jaune) et contrôla le nord de la Chine. Elle se caractérisa par une hiérarchie sociale très marquée et une administration bureaucratique dirigée depuis la capitale, Anyang.

◆ **Les Zhou (vers 1 000-256 av. J.-C.)** Fondée par Wou le Martial, cette dynastie naquit d'un groupe d'États vaguement associés, qui renversèrent finalement les Shang. Leur capitale était Hao, près de Xian. En 771 av. J.-C., sous la pression des peuples de l'Ouest, ils la déplacèrent à Luoyang. Cette époque est celle de Confucius, du taoïsme et du *Yijing* (Livre des mutations). Le pouvoir est exercé par de petits États, selon un système féodal. Les derniers siècles furent assombris par une période de chaos dite des Royaumes combattants (403-221 av. J.-C.).

◆ **Les Qin (221-206 av. J.-C.)** Cette dynastie fut fondée par Qin Shi Huangdi, qui ramena l'ordre et réunifia le pays. L'abolition du système féodal aboutit à une centralisation de l'Administration dans la nouvelle capitale, Changan (aujourd'hui Xian), qui devint le siège unique du pouvoir. Appelée aussi Ts'in, la dynastie Qin donna son nom au pays tout entier – Chine.

Une armée en terre cuite

À l'origine roi de l'État du Qin, au nord-ouest, le **roi Zheng** finit par conquérir une grande partie de la Chine. En 221 av. J.-C., il contrôlait tout le pays et se proclama lui-même **Qin Shi Huangdi** (« Premier Empereur Qin »). Il gouverna avec une poigne de fer, créant un système administratif rigoureux qui allait durer jusqu'au XXe siècle. À sa mort, en 210 av. J.-C., il fut enterré à **Xian**, dans un vaste mausolée que gardent près de 10000 guerriers en terre cuite grandeur nature tous différents. Cette armée en terre cuite, l'un des plus grands trésors archéologiques du monde, fut découverte par hasard en 1974.

Confucius

Confucius (vers 551-479 av. J.-C.) fut ministre au cours d'une période troublée de la **dynastie Zhou**. Pour établir une société idéale, il prôna l'harmonisation des **Cinq Relations**, entre le mari et la femme, le roi et le ministre, le père et le fils, le frère aîné et le plus jeune, l'ami et l'ami, en conseillant d'obéir aux inférieurs et aux supérieurs.

La Grande Muraille

En 353 av. J.-C., plusieurs souverains chinois firent élever des murs pour protéger leurs frontières contre les incursions des tribus Xiongnu (Huns de Mongolie). Vers 210 av. J.-C., **Qin Shi Huangdi** réunit ces différents ouvrages pour former une muraille continue de 2250 km. Il fallut 9 ans et 1 million d'ouvriers pour réaliser ce projet. Les travaux de la Grande Muraille se poursuivirent pendant 2000 ans. Elle a atteint sa longueur actuelle sous les **Ming** (1348-1644), soit 9980 km de long, 8 m de hauteur et 4 m d'épaisseur.

CHRONOLOGIE

6000 av. J.-C. Début de l'agriculture, notamment dans la région du fleuve Jaune, ainsi que de la poterie.

5000 av. J.-C. Des paysans s'installent dans des villages. Le millet devient la principale culture.

2500 av. J.-C. On cultive le riz dans la vallée du Yangzi Jiang.

2000 av. J.-C. Début de l'âge du bronze.

1600 av. J.-C. Début de la dynastie Shang.

1000 av. J.-C. Début de la dynastie Zhou.

600 av. J.-C. Le fer commence à être utilisé.

551 av. J.-C. Naissance de Confucius.

403 av. J.-C. Les rivalités aboutissent au chaos des Royaumes combattants.

353 av. J.-C. Construction de la Grande Muraille.

221 av. J.-C. Qin Shi Huangdi fonde la dynastie Qin.

206 av. J.-C. La dynastie Han prend le pouvoir.

Un artisanat florissant

◆ **La sculpture sur jade** Les Chinois aimaient beaucoup le jade, auquel ils attribuaient le pouvoir de soigner et même de donner l'immortalité. Importée d'Asie centrale, cette pierre dure était polie avec du sable puis sculptée à l'aide de scies dénuées de dents, de tourets et de forets.

◆ **Le tissage de la soie** D'après la légende, l'impératrice Hsi Ling Shi aurait inventé le métier à tisser la soie en 2640 av. J.-C. La soie a toujours été un produit de luxe. La Chine a gardé le secret de sa fabrication jusqu'en 300.

◆ **Les laques** Dès 400 av. J.-C., on décora des meubles et d'autres objets en appliquant de nombreuses couches de laque – résine de l'arbre à laque –, que l'on pouvait graver.

◆ **Le travail du fer** Dès 600 av. J.-C., les Chinois possédaient des fourneaux capables de produire les très hautes températures nécessaires à la fonte et au coulage du fer.

Le taoïsme

À peu près en même temps que celle de Confucius, une autre philosophie se répandit en Chine : le taoïsme, qui vise à la réalisation de soi par l'harmonie avec **le tao (la voie)** en adoptant une attitude faisant appel à la patience, à l'humilité, à l'intuition et à la spontanéité. Les principes de base de cette philosophie sont exposés dans le *Tao-tö king* (le Livre de la Voie et de la Vertu), qui aurait été écrit par **Lao-tseu** au VIe siècle av. J.-C. L'autre ouvrage clef du taoïsme, le **Tchouang-tseu**, emprunte son titre au nom de son auteur (v. 369-286 av. J.-C.). Par bien des côtés, le taoïsme s'oppose à l'ordre strict et aux règles préconisées par le confucianisme.

La Chine : à partir des Han

La dynastie Han réunifia la Chine et élargit ses frontières, contrôlant ainsi presque toute la moitié est de la Chine actuelle. Les empereurs Han, moins autoritaires que leurs prédécesseurs de la dynastie Qin, Qin Shi Huangdi et son fils Er Shi Huangdi, gouvernèrent avec l'appui des princes féodaux locaux, mais en renforçant la centralisation de l'Administration. Au Ier siècle, la Chine des Han était presque aussi grande que l'Empire romain. Après la chute de Rome, les villes de Chine restèrent les plus belles du monde jusqu'à la renaissance des villes européennes, à la fin du Moyen Âge.

Les Han

Après la mort de Qin Shi Huangdi, en 210 av. J.-C., **Liu Bang**, un paysan révolté, renversa la dynastie Qin et la remplaça par celle des Han. Une longue période de consolidation et d'expansion s'ensuivit. Sous **Wudi** (141-87 av. J.-C.), « l'empereur martial », la Chine étendit son contrôle dans toutes les directions. En l'an 9, le régent **Wang Mang** usurpa le pouvoir, introduisant la brève dynastie Xin (9-25). Avant et après cet intermède, la dynastie Han connut deux périodes : celle des Han antérieurs (occidentaux), établis à **Changan**, et celle des Han postérieurs (orientaux), établis à **Luoyang**. Sous les Han, le **confucianisme** devint la religion officielle.

Les Sui

Après la chute de la dynastie Han, en 220, la Chine sombra dans l'anarchie. Elle ne fut réunifiée qu'en 518, quand le général turco-chinois **Yang Jian** fonda la dynastie Sui. Sous le règne de son fils **Yangdi** (605-617), beaucoup de grands chantiers furent lancés, parmi lesquels le prolongement de la Grande Muraille et des travaux d'aménagement urbain. Le coût fut élevé en impôts et en travail forcé, ce qui provoqua une vague de révoltes. En 617, Yangdi fut assassiné et ce fut le début de la **dynastie Tang** (618-907).

La bureaucratie

Sous la dynastie Han, l'administration chinoise devint très efficace. Dès 124 av. J.-C., on fonda une université spécialisée dans la formation des fonctionnaires. Sous la **dynastie Sui**, le système fut encore amélioré et les pouvoirs locaux passèrent progressivement sous l'autorité d'administrateurs nommés par le pouvoir central. Sous les **Tang**, les hauts fonctionnaires furent nommés à travers un système d'examens. En théorie, tout le monde pouvait être candidat, mais en fait seuls les fils des riches propriétaires pouvaient supporter le coût des études.

Le bouddhisme

L'expansion sous la dynastie Han accrut les contacts avec le bouddhisme, bien établi en Inde. Selon la légende, à la suite d'un rêve, l'empereur **Han** Ming-ti (57-75) aurait envoyé des messagers chercher des textes sacrés en Inde. Sous son règne, le bouddhisme connut une croissance rapide en Chine. Il s'accorda bien avec les croyances magiques du taoïsme populaire. Certains voyaient même dans le Bouddha une réincarnation de Lao-tseu, le fondateur du taoïsme.

La révolution

À la fin du règne de la dynastie Han, la misère des paysans sans terre nourrit une série de révoltes. La plus célèbre, conduite par un guérisseur taoïste appelé **Tchang Kio**, eut lieu en 184. Ses adeptes, qui portaient des turbans jaunes symbolisant la terre, voulaient renverser la dynastie Han. Malgré une répression féroce, la révolte « **des Turbans jaunes** » continua pendant une vingtaine d'années. On estime qu'elle a fait environ 500 000 victimes.

CHRONOLOGIE

- **206 av. J.-C.** Début de la dynastie Han.
- **108 av. J.-C.** La Chine envahit pour la première fois la Corée.
- **100 av. J.-C.** Début de la route de la soie.
- **2 apr. J.-C.** Un premier recensement évalue à 57 millions la population de la Chine.
- **9** Début de la dynastie Xin.
- **25** Restauration de la dynastie Han. Capitale : Luoyang.
- **91** La Chine est victorieuse des Xiongnu (Huns mongols).
- **220** La Chine est divisée en factions. Période des « Trois Royaumes » jusqu'en 280.
- **316** Les Xiongnu pillent Luoyang. La Chine est divisée entre royaume du Nord et royaume du Sud.
- **386-534** Le nord de la Chine est unifié par les Toba, ou Wei du Nord, dynastie d'origine turque d'Asie centrale.
- **429** Nankin devient capitale.
- **518-618** La Chine est réunifiée sous la dynastie Sui.
- **618** Chute de la dynastie Sui, remplacée par la dynastie Tang.

Le papier

Le premier véritable papier aurait été fabriqué en 105 par un fonctionnaire de la cour, **Tsai-lun**, à partir d'une pâte composée d'écorce, de fibres végétales, de chiffons et de filets de pêche. Ce support avait l'avantage d'être moins cher que la soie utilisée jusqu'alors. Outre le papier, les Chinois inventèrent l'imprimerie, se servant au début de pierres gravées pour obtenir des copies d'une image.

Hors de Chine

En 138 av. J.-C., **Wudi** envoya le général **Zhang Qian** conclure des traités avec les peuples d'Asie centrale. Celui-ci parcourut des milliers de kilomètres vers l'ouest, au-delà des territoires connus de la Chine, et resta 10 ans prisonnier des **Xiongnu**. Il s'évada et fut de nouveau envoyé en mission à l'ouest, tandis que ses lieutenants partaient en direction de l'Ouzbékistan et du nord de l'Afghanistan.

Des découvertes archéologiques ont prouvé qu'à l'époque préhistorique les routes commerciales comptaient déjà plusieurs centaines de kilomètres. Par ces routes circulaient les marchandises, mais aussi les idées, les religions… et les maladies. La première forme de commerce fut le troc. Le commerce a entraîné le développement d'industries spécialisées, comme la fabrication des lames en silex ou des lingots de métal. Les textes écrits parlent peu du commerce, bien qu'il soit à la base de toutes les civilisations.

La route de l'ambre

Les grandes routes commerciales servaient moins au transit des marchandises ordinaires qu'à celui des **produits de luxe**. Les rivages de la péninsule du Jutland, qui sépare la mer du Nord de la Baltique, procuraient un ambre de très bonne qualité, très prisé à l'âge du bronze dans la joaillerie. La route de l'ambre traversait en droite ligne l'Europe centrale, de la Baltique à la Méditerranée et aux Balkans.

La monnaie

Il n'était pas toujours facile de troquer des vaches contre du bois. Aussi inventa-t-on la monnaie. La première monnaie était constituée d'objets transportables de valeur reconnue, comme les lingots de métaux précieux. Les **premières pièces** furent fabriquées en Lydie (la Turquie actuelle), vers 650 av. J.-C., avec un alliage d'or et d'argent appelé électrum.

Les mesures

Il fallait que les marchandises soient toutes mesurées selon les mêmes normes. Un système de **poids standards** était en vigueur à Babylone vers 2600 av. J.-C. Les plus anciennes échelles de poids ont été trouvées en Égypte, dans une tombe datant de 3500 av. J.-C. Les **volumes** étaient évalués en prenant comme base la capacité de récipients de taille standard, comme les amphores en poterie. Les unités de **longueur** étaient basées sur des dimensions corporelles, comme la coudée (longueur du coude au bout des doigts), employée en Égypte vers 3000 av. J.-C., elle-même divisée en doigts (la largeur d'un doigt).

La navigation

Pour commercer, les peuples de l'Antiquité parcouraient de longues distances sur mer. Les Phéniciens rapportaient de l'étain de Cornouailles. Les Romains allaient en Inde en passant par la mer Rouge. Les navigateurs longeaient les côtes et se repéraient grâce au **soleil** et aux **étoiles**. Les **compas magnétiques** (à base de magnétite) furent d'abord utilisés par les Chinois ; leur emploi resta limité jusqu'au XIe siècle.

La route de la soie

La route de la soie est le réseau de pistes caravanières qui traversait l'Asie et par lequel transitait cette étoffe dont les sénateurs romains raffolaient. On expédiait de la soie chinoise jusque dans la (Grande-) Bretagne romaine. La route de la soie déclina au XVIe siècle, quand les Européens ouvrirent de nouvelles routes maritimes.

Les centres de commerce

Les grandes cités de l'Antiquité constituaient toutes des centres de commerce, soit parce qu'il s'agissait de ports, soit parce qu'elles étaient situées au carrefour des grands axes commerciaux. Certaines – comme **Babylone** et **Carthage** – devinrent également des centres politiques. **Antioche** (aujourd'hui Antakya, en Turquie) était l'une des plus riches cités de l'Antiquité. Appelée la Reine de l'Orient, elle occupait une position stratégique sur les routes commerciales entre l'Asie et la Méditerranée.

Le transport par voie terrestre

Les **fleuves** étaient les principales voies de communication. Là où il n'y avait pas de fleuves, on chargeait les marchandises sur des **bêtes de somme** : chevaux, ânes, mulets et bœuf. Surnommés vaisseaux du désert, les chameaux de Bactriane étaient utilisés pour traverser les zones arides du centre et de l'est de l'Asie. Dans le sud-ouest de l'Asie, on recourait aux dromadaires. Les **caravanes** permettaient aux marchands de transporter beaucoup de produits et de s'enrichir dans chaque ville traversée. Les **véhicules sur roues** n'avaient d'intérêt que là où le réseau routier était développé – comme dans l'Empire romain. Sur le **continent américain**, le seul animal de somme était le lama. Il n'existait pas de véhicules à roues. Les marchandises étaient transportées par voie fluviale ou à dos d'homme.

PETITE INFO

Les **cauris**, des petits coquillages, ont longtemps servi de **monnaie** en Mésopotamie, en Afrique et en Inde

La joaillerie

La valeur des pierres précieuses augmenta avec les progrès de la métallurgie et l'habileté croissante des joailliers qui les montaient. Cette valeur variait en fonction de la rareté des pierres et des distances à parcourir pour les acheminer. Dans l'Antiquité, la plupart des **diamants** venaient d'Inde, les **rubis** et les **saphirs** du sud-est de l'Asie et de Ceylan, les **émeraudes** d'Égypte, et les **perles** du golfe Persique.

LE SAVIEZ-VOUS ?

Crésus, roi de Lydie (560-546 av. J.-C.), devait sa richesse légendaire au commerce. Celle-ci augmenta encore quand il étendit son royaume à l'ouest de l'Asie Mineure et s'empara du contrôle des importants centres commerciaux d'Éphèse et de Pergame.

À l'âge du bronze, la vallée de l'Indus a été le berceau de l'une des plus anciennes civilisations du monde.
À partir d'environ 1500 av. J.-C., les Aryens s'installèrent peu à peu dans le nord de l'Inde, supplantant les populations dravidiennes à la peau plus foncée. Les Aryens fondèrent une succession de royaumes guerriers jusqu'à ce que le nord de l'Inde soit unifié par les Maurya, à partir de 321 av. J.-C.
La civilisation dite de l'Indus puis la culture védique jouèrent un rôle important dans le développement de l'hindouisme et du bouddhisme.

La civilisation de la vallée de l'Indus

En 1856, on découvrit près du village d'**Harappa** une grande quantité de briques en terre cuite ainsi que divers objets, identifiés plus tard comme ayant appartenu à une civilisation inconnue jusqu'ici. Dans les années 1920, des fouilles archéologiques commencèrent à la fois à Harappa et à **Mohenjo-Daro**, à 600 km de là. Ces deux villes, qui s'étendaient sur 26 km^2, semblent avoir été au centre de la civilisation dite de l'Indus. Toutes les deux présentaient des larges rues se coupant à angle droit et possédaient des citadelles fortifiées, des maisons à un ou deux étages, des ateliers et un système d'égouts souterrains.

Hindouisme et castes

L'origine de l'hindouisme est à rechercher chez les **Aryens** et leurs textes sacrés, les *vedas* (connaissance). Un des principes fondamentaux de la religion védique était le concept de caste. Les trois castes supérieures étaient les **brahmanes** (prêtres), les **kshatriya** (nobles et guerriers) et les **vaishya** (commerçants et artisans). Les **shudra** travaillaient pour les trois autres castes. Les dieux suprêmes étaient **Vishnou, Shiva** et **Brahma**. Vers l'an 100, l'hindouisme s'était étendu à tout le sous-continent et au sud-est de l'Asie.

Le jaïnisme

Le jaïnisme fut presque contemporain du bouddhisme. Son fondateur, Vardhamana (599-527 av. J.-C.), fut surnommé **Mahavira** (le Grand Héros). Ce mouvement, assez proche du bouddhisme, eut aussi beaucoup de succès dans le royaume de Magadha (Bihar). Le but ultime de la religion est la conquête

CHRONOLOGIE

7000 av. J.-C. Des agriculteurs bâtissent des villages dans le Baloutchistan (sud-ouest actuel du Pakistan).

5000 av. J.-C. Des agriculteurs construisent des villages dans la vallée de l'Indus.

2500 av. J.-C. La vallée de l'Indus comprend 5 grandes villes et plus de 100 villages.

2000 av. J.-C. Les Aryens commencent à s'installer dans le nord de l'Inde.

1700 av. J.-C. Fin de la civilisation de l'Indus.

1500 av. J.-C. Les Aryens gagnent la vallée du Gange. Début de l'hindouisme.

1000 av. J.-C. Début de l'âge du fer en Inde.

599 av. J.-C. Naissance de Vardhamana.

563 av. J.-C. Naissance de Siddharta Gautama.

518 av. J.-C. Darios Ier, roi de Perse, conquiert la vallée de l'Indus.

500 av. J.-C. Le royaume de Magadha (Bihar actuel) commence à dominer la quinzaine de royaumes belliqueux qui se partagent la plaine du Gange.

327 av. J.-C. Les armées d'Alexandre le Grand occupent la vallée de l'Indus.

321 av. J.-C. L'accession de Chandragupta Maurya au trône de Magadha marque le début de la dynastie Maurya.

Le bouddhisme

En Inde, le VIe siècle fut une période troublée où les inégalités sociales allèrent en croissant. Refusant cet état de choses, le prince **Siddharta Gautama** (vers 563-483 av. J.-C.) quitta la cour à l'âge de 29 ans et chercha à venir en aide à l'humanité. La légende dit qu'il aurait questionné les maîtres de la religion et de la philosophie, mais n'aurait pas reçu de réponse. Alors qu'il était en méditation sous un figuier pippal, à Bodh-Gaya, dans le Bihar, il eut un moment d'illumination, ou nirvana. Bouddha (l'Éveillé) passa les dernières 45 années de sa vie à délivrer son message : en méditant et en menant une vie droite, l'homme peut se libérer du désir et de la souffrance.

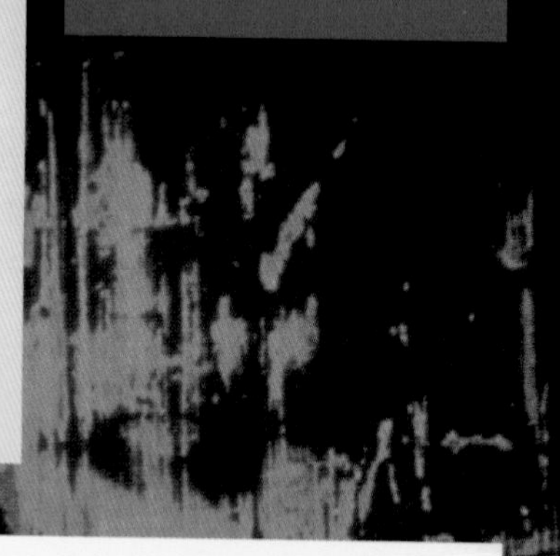

PETITE INFO

On a découvert dans la vallée de l'Indus le plus vieux **dé** du monde : un petit cube avec sur ses six faces des points allant de 1 à 6. Bien qu'il date de plus de 4000 ans, ce dé ressemble tout à fait à ceux dont nous nous servons

Les Aryens

Les Aryens, clairs de peau et belliqueux, seraient originaires des rivages de la mer Caspienne ou du sud de la Russie. Vers 2000 av. J.-C., ils s'établirent dans le Pendjab, puis dans la plaine du Gange. Grâce à la découverte du fer, vers 1000 av. J.-C., ils commencèrent à défricher et à cultiver, et fondèrent de nombreuses villes, dont **Indraprastha** et **Kasi**. Avec la prospérité, des conflits éclatèrent entre les divers royaumes, comme ceux qui sont rapportés dans le *Mahabharata*, longue épopée historique.

Les Maurya et les Gupta

L'invasion de l'Inde par Alexandre le Grand coïncide avec la création du premier empire indien, constitué par la dynastie Maurya. Le royaume de Magadha, dans la vallée du Gange (actuel Bihar), est au centre des empires Maurya et Gupta. La culture hellénistique introduite en Inde dans le sillage d'Alexandre le Grand eut une influence durable sur le commerce et l'art : la sculpture, en particulier, devint beaucoup plus naturaliste, à la manière grecque. Au IIe siècle, des routes commerciales actives reliaient l'Inde au monde romain, à la Chine et au sud-ouest de l'Asie.

Les Maurya

En 321 av. J.-C., un chef local, **Chandragupta Maurya**, s'empara du trône du **Magadha** et commença à se construire un empire. Il étendit son royaume sur tout le nord de l'Inde, depuis le sud de l'Afghanistan jusqu'au golfe du Bengale. Chandragupta établit sa capitale à Pataliputra (aujourd'hui Patna). Taxila et Ujjain furent des capitales secondaires. **Ashoka,** son petit-fils, poursuivit ses conquêtes. Sous son règne, l'empire Maurya englobait presque tout le sous-continent indien, excepté l'extrême Sud. Mais cet empire ne survécut guère à la mort d'Ashoka, en 238 av. J.-C. En 185 av. J.-C., le dernier empereur Maurya fut assassiné et remplacé par la dynastie hindoue des **Sunga**.

CHRONOLOGIE

327 av. J.-C. Alexandre le Grand envahit le sous-continent indien. Il fonde la colonie d'Alexandria Opiana.
321 av. J.-C. Chandragupta Maurya s'empare du trône du Magadha et fonde la dynastie Maurya.
269 av. J.-C. Le roi Ashoka prend la succession et étend l'empire Maurya sur la plus grande partie de l'Inde.
260 av. J.-C. Ashoka se convertit au bouddhisme et renonce à la guerre.
185 av. J.-C. La dynastie Maurya est remplacée par la dynastie hindoue des Sunga et l'empire se défait.
135 av. J.-C. Invasion des Shakas.
78-102 Les Kushanas occupent la vallée de l'Indus et le Pendjab.
319 Chandragupta Ier fonde l'empire Gupta.
335-376 Samudragupta étend l'empire Gupta jusqu'à la vallée de l'Indus.
480 Invasion des Huns Blancs et fin de l'empire Gupta.

Le roi Ashoka

Ashoka Maurya (vers 269-238 av. J.-C.) est le plus célèbre souverain de l'Inde ancienne. Grâce à la politique de conquêtes du début de son règne, l'**empire Maurya** contrôla presque toute la péninsule indienne, excepté trois royaumes tamouls au sud. Mais, vers 260 av. J.-C., après la conquête particulièrement meurtrière de Kalinga, Ashoka, pris de remords, se convertit au **bouddhisme**, renonça à faire de nouvelles conquêtes et adopta un système de gouvernement centralisé basé sur les principes bouddhistes. Selon lui, les souverains étaient responsables du bien-être de leur peuple et devaient se comporter avec respect, tolérance et compassion. Ashoka envoya des missionnaires partout et, à sa mort, le bouddhisme était devenu la principale religion de l'empire Maurya.

Les Gupta

Environ 500 ans après la chute de l'empire Maurya, la dynastie bouddhiste Gupta s'impose au Magadha. Pataliputra redevient capitale. Le premier roi, **Chandragupta Ier**, monté sur le trône en 319, étendit son territoire dans le Bihar et une partie du Bengale. Ses successeurs, **Samudragupta** et **Chandragupta II**, agrandirent encore l'empire, lui rendant presque la taille qu'il avait sous les Maurya. À la fin du Ve siècle, les **Huns Blancs**, originaires d'Asie centrale, conquirent le Pendjab et le Cachemire, mettant fin à l'empire Gupta et le faisant éclater en petits États rivaux.

Des grottes sacrées

Les 29 grottes d'Ajanta, dans le Maharashtra, ont été creusées dans le roc entre le Ier siècle av. J.-C. et le VIIe siècle pour y installer un monastère et des temples bouddhistes. Les parois internes furent surtout peintes et sculptées pendant la période Gupta. Elles sont couvertes d'images évoquant la vie de Bouddha et des rois ou de scènes de la vie quotidienne. Vers 650, les grottes d'Ajanta ont été abandonnées pour des temples bouddhistes, hindouistes et jaïnistes à **Ellora**.

Invasions et influence

L'ouest de l'Inde fut maintes fois attaqué par des envahisseurs venus de Bactriane et de Parthie (Afghanistan et Iran actuels).
- Le roi de Macédoine **Alexandre le Grand** conquit la vallée de l'Indus et le Pendjab(327-325 av. J.-C.).
- L'influence grecque se poursuivit avec les **Séleucides**, qui attaquèrent l'Inde en 305 et en 232 av. J.-C.
- Les **Shakas** (nomades scythes) s'installèrent à leur tour dans la basse vallée de l'Indus et le Gujarat.
- Au Ier et au IIe siècle, les **Kushanas**, nomades d'Afghanistan et d'Asie centrale, envahirent la vallée de l'Indus et renversèrent les Shakas. Sous le règne de Kanishka, ils bâtirent un empire, depuis le plateau afghan jusqu'au Magadha, où se mélangeaient les cultures de l'Inde, de la Chine, de l'Asie centrale et de la Grèce.
- À la fin du Ve siècle av. J.-C., les **Huns Blancs** d'Asie centrale envahirent le Pendjab et le Cachemire, et établirent leur capitale à Shakala (Sialkot).

Le Kama-sutra

Le *Kama-sutra* (Livre de l'amour), peut-être le plus célèbre texte érotique, a sans doute été rédigé au début du IVe siècle, juste avant ou pendant la période Gupta. L'auteur, un sage hindou, s'appelait **Vatsyayana**. Le *Kama-sutra* était un guide pratique sur le mariage et les relations sexuelles destiné aux hommes et présenté dans une perspective religieuse. Le catalogue de positions érotiques qui a fait la célébrité du livre n'en représente qu'une petite partie.

Modes antiques

En permettant aux populations de survivre dans des contrées plus froides, le vêtement a contribué à l'expansion de l'humanité. On pense que les hommes ont commencé à façonner des peaux d'animaux pour s'en faire des vêtements il y a 50 000 ans, même s'ils portaient des fourrures depuis sans doute plus longtemps. Les premiers métiers à tisser apparurent au néolithique. De nombreuses sociétés antiques semblent avoir eu peu d'inhibitions par rapport à la nudité. Les bijoux des temps anciens sont remarquables pour la qualité de leur exécution autant que pour leur originalité.

Des peaux au cuir

Les premiers vêtements dérivaient directement de la chasse. Durant l'âge de la pierre, on raclait les peaux des animaux avec un outil en silex pour les débarrasser de la chair, on les découpait avec un couteau en silex et on assemblait les morceaux avec des liens en cuir. Pour protéger les peaux et les assouplir, on les frottait avec du sel et des huiles. La découverte du **tannage** marqua un progrès décisif dans le traitement des peaux. Le plus ancien cuir tanné vient de Mésopotamie et date d'environ 3000 av. J.-C.

PETITE INFO

Le **chapeau** en cuir porté par l'**homme de Tollund**, ce Danois qui vivait il y a 2400 ans était tanné – plongé dans des sucs de plantes avec du tanin.

Les bijoux

Les premiers bijoux furent confectionnés avec des plumes, des dents d'animaux, des os, des coquillages et des graines. **À l'âge de la pierre**, on cisela des pendentifs dans des pierres semi-précieuses, de l'os et de l'ivoire de mammouth, et on fabriqua des perles en poterie. L'or et le cuivre se prêtaient mieux à la fabrication de bijoux que d'outils. Les artisans qui travaillaient les **métaux** créèrent vite des bijoux raffinés : bagues, boucles d'oreilles, colliers, anneaux de nez, bracelets, médaillons, broches…

Les cosmétiques

En **Égypte**, hommes et femmes se maquillaient dès 3000 av. J.-C. On a trouvé dans les tombes de nombreuses boîtes pour le maquillage, avec des **miroirs**, des **pinces à épiler**, des **rasoirs**, ainsi que des récipients pour les **parfums** et les onguents. Les **crèmes nettoyantes** et **hydratantes** étaient confectionnées avec de l'huile, du citron vert et du parfum, et le **rouge à lèvres** avec de l'ocre rouge et de la graisse. Le khôl noir, obtenu à partir de poudre d'antimoine mélangée avec de l'huile, était utilisé comme **eyeliner**. Les Égyptiennes portaient aussi sur la tête des cônes de cire parfumée. La cire, en fondant, exhalait son parfum.

LE SAVIEZ-VOUS ?

Les **torques** étaient des colliers ou des tiges de métal tordu portés par les Celtes pour montrer leur appartenance sociale et par les guerriers en guise d'amulettes protectrices. Le mot torque vient du latin *torquere*, qui signifie tordre.

Têtes couronnées

La couronne était le signe distinctif des chefs. La Haute- et la Basse-**Égypte** avaient chacune leur couronne. Les **Grecs** récompensaient les vainqueurs des jeux en les coiffant d'une couronne de lauriers, tradition conservée chez les **Romains** pour marquer la victoire. Dans son concept actuel, la couronne apparut à la fin de l'époque romaine, quand les empereurs portaient des diadèmes.

Le tissage

Les premiers métiers à tisser apparurent en Turquie et en Palestine vers 5000 av. J.-C. Le tissu était fabriqué à partir de trois matières – la laine, les fibres végétales et la soie. Ces matières étaient transformées en fil à l'aide de fuseaux et de fusaïoles faisant office de lest. Le fil était ensuite tissé sur un métier. Il existait deux sortes de métiers à tisser : le **métier vertical**, dans lequel les fils de la chaîne étaient tendus par des poids en pierre, et le **métier plat ou au sol**, plus facile à transporter et dans lequel les fils de la chaîne étaient maintenus tendus par le dos du tisseur assis.

Les bijoux d'Our

La tombe de la **reine sumérienne Pu-Abi**, à Our, en Mésopotamie, datant d'environ 2600 av. J.-C., renfermait une collection de trésors extraordinaires (aujourd'hui au British Museum, à Londres) : des colliers en cornaline, en lapis-lazuli, en agate, en or et en argent, qui recouvraient le haut de son corps, et des bagues à chacun de ses doigts. Mais l'élément le plus spectaculaire était sa coiffure, semée de fleurs et de feuilles d'or étincelantes.

La mode

Les Grecs et les Romains – qui suivaient dans une large mesure la mode grecque – portaient pour sortir de longues **toges** drapées. L'extension des empires grec (Macédonien) et romain mit fin à la grande variété de vêtements qui existait auparavant en Europe et en Asie de l'Ouest. Les Égyptiens portaient des pagnes ou une simple jupe ou robe flottante appelée *kalasiris*. Le **pantalon**, d'abord porté par les cavaliers d'Asie centrale (comme les Scythes) et par les Celtes, ne fut adopté ni par les Grecs ni par les Romains. À Rome, il était même carrément interdit par la loi.

Les Mayas

En Amérique centrale, les nobles attachaient beaucoup d'importance à leur parure et allaient parfois loin chercher des plumes exotiques, des fourrures et des pierres semi-précieuses. Les **hommes** portaient des coiffures en plumes très élaborées, des pendants d'oreilles en or, des anneaux de nez, des colliers, des pectoraux, des ceintures, des bracelets et des anneaux de cheville. En revanche, ils n'étaient vêtus que de pagnes et de capes. Les **femmes** avaient des tenues plus élaborées.

Premiers occupants en Amérique

Les premiers occupants en Amérique étaient des chasseurs-cueilleurs venus de Sibérie pendant la dernière glaciation, quand le détroit de Béring était un pont terrestre. Vers 8000 av. J.-C., quand ce pont fut submergé, les peuples d'Amérique se trouvèrent dans un isolement presque total. Ces civilisations indigènes datent surtout de l'âge de la pierre. Elles disposaient de cuivre et d'or, mais ne connaissaient ni le bronze ni le fer. La pierre était sculptée par abrasion avec des pierres plus dures. Elles n'avaient ni véhicules à roues ni chevaux, les lamas des Andes servaient de bêtes de somme.

Les pointes de Clovis

En Amérique du Nord et en Amérique centrale, on a trouvé des **lames et des fers de lance** très coupants, fabriqués avec des éclats de pierre. Les plus anciens furent découverts près de restes de mammouths, dont l'extinction remonte à 9000 av. J.-C. On a appelé ces lames « pointes de Clovis » après en avoir découvert à Clovis, au Nouveau-Mexique, dans les années 1920 et 1930.

Les Inuits

Les plus anciennes traces de la culture inuit, datant d'environ 2000 ans av. J.-C., ont été trouvées en Alaska et dans les îles Aléoutiennes. L'histoire des anciens Inuits comprend deux périodes : la **culture de Dorset**, du Groenland et de l'est du Canada, apparue vers 1000 av. J.-C. et caractérisée par l'usage des traîneaux, des lampes à huile en pierre et des igloos ; la **culture de Thulé,** postérieure à 900 apr. J.-C., associée aux traîneaux tirés par des chiens, aux kayaks, aux arcs et aux flèches, née en Alaska et qui gagna progressivement l'est.

CHRONOLOGIE

40000 av. J.-C. Des hommes venus d'Asie arrivent en Amérique du Nord.

12000 av. J.-C. Immigration de populations au Chili.

9000 av. J.-C. Premiers villages sur la côte du Pérou.

8000 av. J.-C. Le détroit de Béring est submergé à la fin de la dernière glaciation.

6500 av. J.-C. Cultures de cucurbitacées et de blé dans les Andes.

5000 av. J.-C. Premières cultures de maïs sur les hauts plateaux de Méso-Amérique.

4000 av. J.-C. La poterie apparaît dans le nord de l'Amérique du Sud.

3200 av. J.-C. Début de la culture du maïs au Pérou.

1750 av. J.-C. Poterie andine, tissage, travail de l'or.

1200 av. J.-C. Début de la culture olmèque sur la côte du golfe du Mexique.

900 av. J.-C. Naissance de la culture Chavín au Pérou.

400 av. J.-C. Déclin de la culture Chavín.

250 av. J.-C. Fin de la culture olmèque de l'est du Mexique.

La culture Chavín

Première des hautes cultures andines, la culture Chavín apparut vers 900 av. J.-C. Elle doit son nom à l'imposant centre rituel de **Chavín de Huantar**, un ensemble de temples à plates-formes ornés de statues dans le **centre du Pérou**. Des animaux terrestres, comme le jaguar, étaient vénérés dans la religion Chavín, à côté d'animaux aquatiques réels ou mythiques. La culture Chavín eut une grande influence et servit de modèle à toutes les autres cultures andines. Elle déclina à partir de 400 av. J.-C.

Un jeu mortel

La plupart des grandes civilisations de Méso-Amérique ont pratiqué le **jeu de balle rituel**. Les joueurs, qui s'affrontaient sur des terrains spéciaux, devaient faire passer une balle en caoutchouc à travers un anneau en pierre. Ils portaient des vêtements adaptés et des équipements de protection, dont des casques. Ce jeu devait avoir une signification religieuse, probablement associée au mythe de la création. Parfois, tous les membres de l'équipe perdante étaient sacrifiés aux dieux.

Les Olmèques

La culture olmèque s'épanouit sur la côte est du **Mexique** à partir de 1200 av. J.-C. Les Olmèques sont célèbres pour les énormes têtes en basalte qu'ils réalisèrent, dont certaines de 20 tonnes, bien qu'ils aient aussi fait des petites sculptures en jade, en obsidienne et en serpentine. La culture olmèque préfigure les civilisations méso-américaines suivantes. Les forces naturelles et celles d'animaux comme les jaguars étaient au centre d'une **religion** qui imposait des **sacrifices sanglants**. Il y avait des **temples à plates-formes** et des **pyramides** dans les principaux centres urbains de San Lorenzo, La Venta, Laguna de los Cerros et Tres Zapotes. Enfin, les Olmèques pratiquaient le jeu de balle. Cette culture déclina à partir de 250 av. J.-C. et fut remplacée par la culture de **Veracruz**, avec pour centre **El Tajín**.

PETITE INFO

Les **Ipiutaks** vivaient en **Alaska**, près du détroit de Béring, vers 200 av. J.-C. Leurs maisons, à demi-enterrées, avaient des fondations et des étages.

Peuples d'Amérique du Nord

Les premières cultures d'Amérique du Nord vivaient principalement de la chasse et de la cueillette. Leurs habitations et leurs objets étaient temporaires et éphémères, bien peu sont parvenus jusqu'à nous. Les premiers peuples des Eastern Woodlands, les Adenas et les Hopewells, ont laissé des traces de leur existence sous la forme de grands ouvrages en terre, la plupart du temps des sites funéraires. Les premières impressions des Européens, au XVIe siècle, constituent nos principales sources d'informations sur les peuples d'Amérique du Nord et sur leur histoire.

Chronologie

40000 av. J.-C. Des hommes arrivent en Amérique du Nord par le détroit de Béring.

10000 av. J.-C. Avec des javelots armés de pointes de Clovis, les chasseurs tuent du gros gibier.

5000 av. J.-C. La culture de Cochise, dans le sud-est de l'Arizona, cultive le blé.

3000 av. J.-C. Construction dans le Kentucky du grand tertre funéraire d'Indian Knoll.

2000 av. J.-C. Début du travail du cuivre autour des Grands Lacs.

1000 av. J.-C. Ville-tumulus de 5 000 habitants à Poverty Point, en Louisiane.

700 av. J.-C. Les Adenas élèvent des remblais.

100 av. J.-C. Les Hopewells remplacent les Adenas. Début des Vanniers.

600 Début de l'agriculture. Arrivée de la culture Anasazi.

Arcs et flèches

Les chasseurs utilisaient des pièges, des filets et des javelots. La portée et la vitesse du javelot étaient améliorées par l'*atlatl* (propulseur), qui augmentait la longueur du bras du lanceur. Les arcs et les flèches ont d'abord été employés par les **Inuits** de l'Arctique, il y a 2 000 ans. Ils ne sont apparus en Amérique du Nord que vers 400 av. J.-C. et ne se sont substitués à l'*atlatl* que très progressivement au cours des 4 siècles suivants.

Remblais et tertres funéraires

Les **Adenas**, établis dans les Eastern Woodlands, dans le sud de l'Ohio, entre 700 et 100 av. J.-C., vivaient de la chasse et de la culture de quelques plantes. La culture **Hopewell**, plus sédentaire, regroupée dans des villages, leur succéda. Florissante jusque vers 600, elle se répandit dans une grande partie du Middle West. Ces cultures édifièrent de grandes levées de terre et des tertres funéraires. Les Hopewells fabriquèrent aussi des outils, des bijoux en cuivre, en or et en argent, des pots en argile et des statuettes.

Les Vanniers

De 100 av. J.-C. à 600, des colons s'établirent dans les régions arides du sud-ouest de l'Amérique du Nord, vivant de la chasse et de la culture du maïs et des citrouilles. Ils tressaient aussi des paniers – d'où leur nom de Vanniers – et stockaient leurs réserves dans des trous. À partir de 600, ils furent suivis par les **Anasazis**, qui construisirent des *pueblos* (villages), avec des chambres cérémonielles souterraines.

Petite info

Les **Mississippiens**, qui succédèrent aux Hopewells, portaient des masques à ramures suggérant un esprit au cours de danses rituelles.

Sculpture paysagère

L 'ouvrage en terre de loin le plus connu des Eastern Woodlands est le Serpent Mound, dans l'actuel Ohio, aux États-Unis. Des vues aériennes permettent d'identifier indubitablement la forme d'un serpent de 400 m de long, ondulant sur la crête d'un petit éperon naturel. On ne sait pas qui, des Adenas ou des Hopewells, sont les auteurs de cet étrange serpent.

Le commerce

Dès le Ier siècle av. J.-C., un réseau d'axes commerciaux sillonnait toute l'Amérique du Nord, permettant le transport d'objets précieux. Les **Hopewells** faisaient venir du cuivre des Grands Lacs, de l'obsidienne et des dents d'ours gris de l'actuel Yellowstone, du mica des Appalaches, des dents d'alligator de Floride, des coquillages et des carapaces de tortue du golfe du Mexique. Ces produits étaient faciles à transporter – il n'y avait pas de bêtes de somme en Amérique du Nord.

Le saviez-vous ?

Dans les tertres funéraires des Adenas et des Hopewells, on a découvert des **pipes** perfectionnées. Elles servaient à fumer un **tabac** possédant certainement un pouvoir hallucinogène. Fumer constituait sans doute un rite.

Les Mayas

Des communautés agricoles mayas apparurent vers 2500 av. J.-C. dans la péninsule du Yucatán, au Mexique, dans la forêt du Péten au Bélize et au Guatemala, et dans les hauts plateaux du Guatemala et du Honduras. La civilisation urbaine qui vit le jour vers 200 av. J.-C. se maintint pendant presque 1 000 ans. Les Mayas avaient une écriture hiéroglyphique. Leur calendrier était basé sur l'astronomie. On distingue deux périodes dans l'histoire des Mayas : la période classique (300-950) et la période postclassique (950-1519), après leur réimplantation au Yucatán.

Les cités mayas

L'univers maya se composait de plusieurs douzaines de cités-États liées par la langue et par des allégeances qui varièrent avec le temps.
◆ **Chichén Itzá** La plus grande cité maya du Yucatán, fondée vers 450, était alimentée en eau par des puits naturels appelés *cenotes*. La ville connut son âge d'or pendant la période postclassique grâce à l'apport toltèque. ◆ **Copán** Fondée vers 160, Copán, à l'ouest du Honduras, était vers 450 la deuxième plus grande cité après Tikal. Elle fut abandonnée au début du IXe siècle.
◆ **Palenque** Cette cité, l'une des plus spectaculaires de l'Empire maya, édifiée sur les contreforts boisés du sud du Mexique, connut son apogée à partir de 600. La nécropole dite des Inscriptions faisait partie d'un ensemble de palais et de temples en forme de pyramides.
◆ **Tikal** Construite dans la région du Péten, au Guatemala, Tikal fut la plus grande ville de l'époque classique, avec une population approchant les quelque 80 000 habitants. La Plaza Mayor est dominée par trois pyramides à degrés atteignant jusqu'à 65 m de haut.

Les marchandises

Les Mayas créèrent un vaste réseau commercial sur les deux côtes de la Méso-Amérique. Le troc était la principale forme d'échange. ◆ **Le cacao** Les graines de cacao servaient à confectionner une boisson mousseuse et amère. ◆ **Le chicle** Ce latex du sapotier est à l'origine du chewing-gum. ◆ **Le coton** Les Mayas cultivaient le coton et fabriquaient des tissus avec des métiers horizontaux. ◆ **L'obsidienne** Cette roche vitreuse volcanique servait à faire des outils coupants, des haches et des bijoux. ◆ **Les plumes** Utilisées dans l'habillement et pour faire des bijoux, les plumes rares, comme celles du quetzal, valaient très cher. ◆ **Le sel** Les villes de l'intérieur faisaient venir le sel de la côte du Yucatán et des Antilles.

L'art maya

L'art maya est presque entièrement voué à la religion, dans la mesure où celle-ci accompagne chaque moment de la vie. Des **bas-reliefs** et des **statues** en pierre montrent l'originalité des artistes mayas : chez eux, le sens du dessin, basé sur des symboles et des formes géométriques, l'emporte sur le souci du réalisme ou de la perspective. Les visages représentés sur les bas-reliefs sont presque toujours montrés de profil.

Saignées et sacrifices

Les saignées et les sacrifices humains, considérés comme indispensables pour satisfaire les dieux et les esprits des ancêtres, étaient pratiqués par presque toutes les civilisations de Méso-Amérique. Le sang, véhicule de la vie, était assimilé au cycle des saisons, aux récoltes et à la fertilité. Les rois déifiés devaient eux aussi répandre leur sang pour montrer qu'ils jouaient un rôle dans le cycle éternel de la vie. Pour manifester leur autorité, les souverains mayas se transperçaient la langue avec une corde hérissée d'épines.

L'effondrement

On ne sait toujours pas pourquoi les Mayas abandonnèrent leurs cités. Plusieurs théories ont été invoquées, comme la **dégradation** de l'**environnement**, des **épidémies** et des guerres, ou, plus probablement, la combinaison de tous ces facteurs. L'effondrement ne fut pas instantané, il s'étala sur plus d'un siècle.

Chronologie

2500 av. J.-C. Des communautés d'agriculteurs mayas s'installent en Amérique centrale et dans la péninsule du Yucatán.
500 av. J.-C. La première phase de la civilisation zapotèque débute à Monte Albán, dans le centre du Mexique.
250 av. J.-C. Fin de la civilisation olmèque.
150 av. J.-C. Construction d'une immense pyramide à El Mirador, au Guatemala, une des premières cités mayas.
150 apr. J.-C. La ville de Teotihuacán entame son ascension vers la suprématie et devient une puissance régionale dominante.
300 Début de la période maya classique.
600 Disparition de Teotihuacán, pour des raisons inconnues. En 650 elle est en ruine.
950 Fin de la période maya classique. Les cités sont abandonnées pendant à peu près 100 ans.

Les autres peuples

À l'époque des Mayas, d'autres civilisations se développèrent en Méso-Amérique.
◆ **Les Zapotèques** Apparue vers 500 av. J.-C., la civilisation zapotèque exerça une grande influence dans le sud et le centre du Mexique. Il est probable que les Zapotèques restèrent indépendants de Teotihuacán, située à 300 km au nord.
◆ **Teotihuacán** Cette civilisation se développa dans le centre du Mexique et l'ouest des régions occupées par les Mayas. La cité, qui fut sans doute en son temps la plus grande du continent américain, comptait 125 000 habitants.
◆ **Arawaks** Ce peuple émigra d'Amérique du Sud au Ier siècle av. J.-C. pour coloniser les Antilles.

Le Pérou avant les Incas

D'après des témoignages archéologiques trouvés au Chili, le peuplement de l'Amérique du Sud remonterait au moins à 12000 av. J.-C. Les principales civilisations d'Amérique du Sud se sont développées le long des vallées fluviales et dans les Andes péruviennes. Des échanges commerciaux par voie maritime ont eu lieu entre l'Amérique du Sud et la Méso-Amérique, mais ces deux régions ont évolué de façon relativement indépendante. La période classique de l'histoire de l'Amérique du Sud, qui dura à peu près de 200 à 900, précéda d'environ 500 ans celle des Incas.

Les Mochicas

La culture Mochica, dans le nord du Pérou, a connu son apogée entre 100 et 600, grâce à la prospérité de son agriculture. Maîtrisant les techniques de l'irrigation, les Mochicas cultivaient le maïs, le manioc et la pomme de terre. La religion occupait une place centrale : avec ses 140 millions de briques, la pyramide du temple du Soleil, à Moche, est la plus grande pyramide au monde construite dans ce matériau. Habiles potiers, les Mochicas travaillaient aussi le **cuivre**, l'**or** et l'**argent** pour faire des outils et d'autres objets.

Paracas

Une culture primitive se développa dans la péninsule de **Paracas** entre environ 700 av. J.-C. et 400 apr. J.-C. Contemporaine de **Chavín**, qui se manifesta plus à l'intérieur du pays, elle se maintint 800 ans de plus. Le centre rituel de Paracas est connu pour ses tombes renfermant des **momies** enveloppées dans des tissus. Les motifs brodés sur ces tissus représentent des animaux et des hommes avec des caractéristiques animales, suggérant une religion basée sur des divinités animales.

Tiahuanaco

Dans les Andes, au bord du **lac Titicaca**, **en Bolivie**, un centre cultuel se développa à Tiahuanaco – la plus haute ville de l'Amérique ancienne. Créée sans doute vers 1500 av. J.-C., Tiahuanaco ne prit de l'importance qu'après 400 apr. J.-C., quand le pouvoir politique et culturel quitta la côte. Des produits artisanaux caractéristiques de la culture Tiahuanaco, comme des poteries et des tissus, sont parvenus jusqu'au nord de l'Argentine et au Chili. Cette culture ne déclina qu'à partir de 1100.

Les Huaris

À partir d'environ 600, un peuple guerrier établit sa domination sur le **centre des Andes** et les **régions côtières** du Pérou. On les appela Huaris, du nom de leur ville d'origine, à 700 km au nord de Tiahuanaco. Les Huaris contrôlaient leur empire grâce à un réseau de garnisons qui leur servaient aussi à imposer leur religion, qui était celle de Tiahuanaco. Les Huaris n'avaient pas d'écriture mais un système de comptabilité basé sur l'utilisation de cordelettes nouées de divers coloris appelées *quipus*. L'empire Huari s'écroula au début du XIe siècle, mais il a été considéré comme un précurseur de l'Empire **inca**, qui, 2 siècles plus tard, s'établit dans la même région en employant les mêmes techniques.

CHRONOLOGIE

12000 av. J.-C. Des chasseurs-cueilleurs s'installent dans la région du Monte Verde, au Chili.

2100 av. J.-C. Début du travail de l'or dans les Andes.

1600 av. J.-C. Construction d'un ensemble de temples à Las Haldas, sur la côte du Pérou, qui aurait servi de modèle pour d'autres temples.

900 av. J.-C. Les Chavín deviennent la première culture dominante des Andes.

700 av. J.-C. Début de la culture de Paracas sur la côte péruvienne.

400 av. J.-C. Déclin de la culture Chavín.

200 av. J.-C. Début de la culture de Nazca, dans le sud du Pérou.

100 apr. J.-C. Début de la culture de Moche, dans le nord du Pérou.

400 Extension de l'influence religieuse et politique de Tiahuanaco. Déclin de la culture de Paracas.

600 Début de la culture Huari dans les Andes. Déclin et extinction de la culture Mochica.

Les vases à anse en étrier

Les **récipients en poterie** trouvés dans les tombes des Mochicas ont fourni de précieuses informations sur la vie de ce peuple. Appelés vases « à anse en étrier » à cause de leur **goulot arqué** à deux tuyaux, ils représentaient des scènes caractéristiques de la vie quotidienne. Ces vases avaient sans doute une signification religieuse et servaient peut-être pour des libations au cours des cérémonies funéraires.

Les Nazcas

Les Nazcas, peuple d'agriculteurs et de guerriers, vécurent entre 200 av. J.-C. et 900 apr. J.-C. sur la **côte** aride du **Pérou**, au sud de la péninsule de Paracas. On les connaît plus aujourd'hui à cause des lignes de Nazca : des dessins géants en forme d'animaux ou de figures géométriques tracés dans le désert.

Astronomie et calendrier

Les peuples anciens connaissaient très bien les étoiles et les planètes. Les calendriers servaient à rappeler les faits historiques et à planifier les cultures, les affaires, les événements politiques et les festivals religieux. La mesure du temps incombait aux souverains et aux prêtres. Les calendriers étaient basés sur le mouvement apparent du Soleil ou les phases de la Lune. Les Anciens, qui savaient que les saisons étaient dictées par le Soleil, ont conçu l'année solaire de 365 jours. L'année lunaire (354 jours) n'est pas liée aux saisons. Elle servait surtout pour les rites religieux.

Les solstices

Les solstices, c'est-à-dire le jour le plus long et le jour le plus court de l'année, marquent respectivement le **début de l'été et le début de l'hiver**. Les sociétés agricoles leur ont donc donné une signification religieuse. On repère les solstices par les ombres projetées par le Soleil et par l'alignement de marques sur le sol. Certaines parties de **Stonehenge** sont alignées sur le lever du Soleil le jour du solstice d'été (21 juin).

Les premières horloges

Dans les temps anciens, on n'avait pas besoin de savoir exactement quelle heure il était. Pendant le jour, la position du Soleil dans le ciel suffisait à donner une idée de l'heure. Les **cadrans solaires** étaient plus précis. Mais, pour connaître l'heure la nuit, il fallut inventer d'autres systèmes. Vers 1450 av. J.-C., les Égyptiens utilisaient **des horloges à eau** : une goutte d'eau, ou parfois de mercure, s'écoulait régulièrement d'un récipient dans un autre. Les **bougies**, les lampes à huile ou l'encens servaient aussi, mais ils étaient moins précis.

Les cartes du ciel

Les Babyloniens ont divisé le ciel en douze **constellations**, que le Soleil traverse chaque année et qui sont à l'origine des douze signes du **zodiaque** égyptien. Les Grecs ont complété le système babylonien en donnant à des groupes d'étoiles les noms de héros légendaires (Orion) et d'animaux réels (la Grande Ourse) ou mythiques (Pégase, le cheval ailé). Le géographe gréco-égyptien **Claude Ptolémée**, qui travailla à Alexandrie au IIe siècle, consigna ces connaissances dans un livre appelé *Syntaxis*, où il dresse la carte de 48 constellations et 1 022 étoiles.

La Méso-Amérique

Les **Mayas** et d'autres peuples de Méso-Amérique se servaient de deux calendriers. Les rites se déroulaient selon une année de 260 jours, mais il existait aussi un calendrier solaire de 365 jours, divisé en 18 mois de 20 jours, plus 5 jours (de mauvais augure) à la fin de chaque année. Il y avait des jours fastes et des jours néfastes dans les deux calendriers, et on calculait plusieurs années à l'avance comment les faire coïncider.

Rome

Le calendrier solaire pose un problème du fait que la Terre fait le tour du Soleil en 364 jours 1/4. Si ce quart de jour n'est pas comptabilisé, le calendrier est décalé par rapport aux saisons et aux solstices. En 46 av. J.-C., sous Jules César, les Romains adoptèrent un nouveau système. Les mois comptaient tous 31 jours, sauf avril, juin, septembre et novembre, qui en avaient 30, et février, qui en comptait en général 28, mais auquel on ajoutait 1 jour tous les 4 ans – **année bissextile**. Ce système fut appelé **calendrier julien**, d'après le nom de Jules César.

L'Égypte

Les Égyptiens ont conçu les premiers un calendrier basé sur une année de 365 jours divisée en 12 mois. Chaque mois comptait 30 jours, répartis en 3 semaines de 10 jours. Le découpage des semaines était lié à des configurations d'étoiles la nuit. Douze mois de 30 jours ne faisant que 360 jours, on ajoutait 5 jours au calendrier après la saison de la moisson. Chacun de ces jours marquait la naissance d'un dieu, mais il y avait aussi des jours de mauvais augure.

PETITE INFO

La plus ancienne **horloge mécanique** a été inventée en Chine au VIIIe siècle. Les Européens ont commencé à en fabriquer beaucoup plus tard. Le **sablier** ne fit son apparition en Europe qu'au Moyen Âge.

Av. et apr. J.-C.

Le système consistant à compter les années à partir de la naissance du Christ fut inventé à Rome, au VIe siècle apr. J.-C., par le moine **Dionysius Exiguus**. L'Histoire fut désormais divisée entre avant Jésus-Christ et après Jésus-Christ.

LE SAVIEZ-VOUS ?

Le mot **calendrier** vient du latin *calendae*. Les calendes correspondaient au premier jour de chaque mois dans le calendrier julien. Ce jour-là, les prêtres annonçaient le programme des festivités du mois.

L'Afrique ancienne

D'après les fossiles trouvés sur place, l'Afrique fut le berceau de l'humanité. C'est là que l'évolution humaine se serait séparée de celle des singes. Dans le nord-est du continent, à partir de 3000 av. J.-C., l'Égypte et le Nil ont fait éclore l'une des premières civilisations du monde, en contact avec la Nubie et l'Éthiopie. En même temps, les cultures, l'élevage, la fonte du fer se développèrent dans l'ouest de l'Afrique, avant de gagner le sud grâce aux agriculteurs bantous. La majeure partie de l'Afrique passa de l'âge de la pierre à celui du fer, introduit vers 500 av. J.-C., sans avoir connu l'âge du bronze.

Le royaume de Koush

Les Égyptiens appelaient Koush le territoire compris entre la première et la quatrième cataracte du Nil, future **Nubie**. À partir de 2950 av. J.-C., il fut conquis à plusieurs reprises par les Égyptiens. La ville de **Napata** devint un centre commercial très actif grâce à l'or et, plus tard, au fer de Nubie. C'était aussi un important centre religieux, considéré comme la patrie du dieu **Amon**. Les princes nubiens conquirent l'Égypte et la gouvernèrent en tant que XXVe dynastie de 710 à 656 av. J.-C. Temporairement capitale, Napata fut par la suite abandonnée au profit de Thèbes. Quand les Assyriens conquirent l'Égypte, vers 660 av. J.-C., e **roi Taharqa** fut obligé de se replier en Nubie.

Tichitt et Nok

L'ouest de l'Afrique avait sans doute des grandes villes dès 2000 av. J.-C. En **Mauritanie** et au **Mali**, la culture Tichitt aurait compté des colonies de 10 000 individus. L'économie était basée sur le millet et l'élevage bovin. Cette culture, qui se maintint jusqu'en 300 av. J.-C., a laissé des haches en pierre, des poteries et des bijoux. De 500 à 200 av. J.-C., une culture du fer fondu se développa aux alentours de Nok, dans le nord du **Nigeria**. Elle produisit des statuettes caractéristiques en argile.

Aksoum

Du Ier au VIIe siècle, Aksoum, avec pour capitale la ville du même nom, fut un puissant royaume d'**Éthiopie**. Par **Adulis**, son port sur la mer Rouge, transitait le commerce de l'ivoire, de l'or et de l'encens vers l'Arabie et l'Inde. Par la suite, les rois d'Éthiopie prétendirent descendre du roi d'Aksoum, **Ménélik Ier**, fils présumé de Salomon, roi d'Israël, et de la reine de Saba. Aksoum fut le premier royaume d'Afrique à adopter le **christianisme** – en 321.

Un lien vivant

Les **Sans** d'Afrique du Sud sont les représentants de l'une des plus anciennes cultures du continent. Leurs qualités de chasseurs-cueilleurs se sont exercées pendant des milliers d'années. Établis jadis dans la majeure partie de l'Afrique du Sud, ils ont été repoussés vers le sud par les agriculteurs bantous, puis dans des régions reculées, comme le Kalahari, par les Européens au XIXe siècle. Leur langue appartient au groupe **khoï**, connu pour ses « clics ».

Les migrations anciennes

Les peuples qui se déplaçaient à travers le continent africain emportaient dans leur sillage les nouvelles techniques. La fonte du fer et l'agriculture se diffusèrent dans le sud de l'Afrique en même temps que les peuples de langue bantoue émigraient vers de nouvelles terres.

CHRONOLOGIE

- **7000 av. J.-C.** Début de l'élevage en Afrique du Nord.
- **3100 av. J.-C.** Unification de l'Égypte grâce au roi Meneï.
- **2000 av. J.-C.** Début de la culture Tichitt en Mauritanie.
- **1991 av. J.-C.** L'Égypte occupe le nord de la Nubie.
- **1550 av. J.-C.** Essor de la ville koushite de Napata.
- **1000 av. J.-C.** Le fer est utilisé pour la première fois dans le nord de l'Afrique.
- **710 av. J.-C.** Les princes koushites fondent la XXVe dynastie.
- **Vers 660 av. J.-C.** Les Assyriens chassent les Koushites d'Égypte.
- **590 av. J.-C.** Les Égyptiens pillent Napata. Les Nubiens font de Méroé leur capitale.
- **500 av. J.-C.** Début de la culture Nok au Nigeria.
- **146 av. J.-C.** Rome fonde la province d'Afrique.
- **23 av. J.-C.** L'armée romaine détruit Napata.
- **300** Apogée d'Aksoum. Les Berbères aident à la fondation du Ghana.
- **350** Aksoum conquiert et détruit Méroé.
- **500** Les rois d'Aksoum dominent le Yémen.
- **700** Des navigateurs indonésiens s'installent à Madagascar.

Les Bantous

La fonte du métal, l'élevage du bétail et l'agriculture se seraient répandus en Afrique, à partir de 100, par l'intermédiaire de peuples de langue bantoue sans doute originaires de l'ouest de l'Afrique. Leur progression régulière, commencée dès 1000 av. J.-C., a repoussé les civilisations de chasseurs-cueilleurs comme les **Pygmées** d'Afrique centrale et, vers 800, les **Sans** (ou Bochimans) du Sud.

L'Océanie ancienne

Jusqu'à l'arrivée des Européens, la culture des indigènes d'Australie, de Nouvelle-zélande et du Pacifique Sud était celle de l'âge de la pierre. Pendant des milliers d'années, la culture aborigène d'Australie ne connut aucune influence extérieure. Les outils en fer furent introduits par les colons britanniques en 1788. Les schémas de migration des temps anciens se reflètent encore dans les trois groupes d'îles : Micronésie, Mélanésie et Polynésie. Toutes les îles habitables du Pacifique Sud étaient peuplées à partir d'environ 400 av. J.-C. Dans les temps anciens, la culture polynésienne fut celle qui eut la plus grande extension.

Les navigateurs polynésiens

La plupart des 25 000 îles du Pacifique Sud ne sont que de minuscules points entourés d'immenses étendues d'eau. Pour les atteindre, les navigateurs polynésiens parcouraient les mers des jours et des jours sans voir la terre. Ils se repéraient grâce au **Soleil** et aux **étoiles**, mais aussi en observant les **courants**, les **vagues**, le **vol des oiseaux**, les formes et les couleurs des **nuages**. Ils se confectionnaient des **cartes** portatives avec des morceaux de bois, de la ficelle et des coquillages. Quand ils allaient s'installer sur de nouvelles îles, les Polynésiens voyageaient sur des pirogues du genre catamaran appelées *vakas*, remplies de poulets, de cochons, de semences, de noix de coco, d'ignames, de fruits d'arbre à pain et de bananes.

CHRONOLOGIE

- **Vers 50000 av. J.-C.** Les ancêtres des Aborigènes s'installent en Australie.
- **Vers 40000 av. J.-C.** Arrivée de colons en Nouvelle-Guinée.
- **5000 av. J.-C.** Avec la montée du niveau des eaux, le détroit de Torres sépare la Nouvelle-Guinée de l'Australie.
- **4000 av. J.-C.** Introduction de l'horticulture et des animaux domestiques en Nouvelle-Guinée.
- **3000 av. J.-C.** Début de l'arrivée de colons d'Asie du Sud-Est en Micronésie.
- **2000 av. J.-C.** Des immigrants d'Asie du Sud-Est et de Nouvelle-Guinée se fixent en Mélanésie.
- **1300 av. J.-C.** Des Mélanésiens atteignent les îles Fidji.
- **150 av. J.-C.** Des Polynésiens colonisent les îles Marquises.
- **400** Des Polynésiens abordent Hawaii et l'île de Pâques.
- **750** Des colons maoris venus de Polynésie arrivent en Nouvelle-Zélande.

L'île de Pâques

L'île de Pâques est l'île située la plus à l'est du Pacifique Sud. Les premiers colons, venus peut-être des Marquises, s'y installèrent vers 400 ; d'autres arrivèrent au cours des 350 années suivantes. Ces colons élevèrent des sortes d'autels en plein air appelés *ahu*. Du XIIe au XVIIe siècle, une seconde vague de colons créa les **têtes de pierre géantes** *(moai)* qui font la célébrité de l'île.

Micro... Méla... et Poly... nésie

La Micronésie Les îles de cette région furent habitées par des colons venus des Philippines vers 3000 av. J.-C. et, plus tard, par d'autres venus de Mélanésie et de Polynésie. Les Micronésiens vivaient de la pêche et de l'horticulture.

La Mélanésie Des colons venus d'Asie du Sud-Est arrivèrent en Nouvelle-Guinée vers 40000 av. J.-C. puis, continuant vers l'est, atteignirent les îles Fidji vers 1300 av. J.-C. Ils se nourrissaient de leur production horticole : bananes, ignames et taro – une racine comestible contenant de l'amidon.

La Polynésie Les colons arrivés à Tonga et Samoa par la Mélanésie développèrent, à partir de 1300 av. J.-C., une nouvelle civilisation polynésienne. Autour de 150 av. J.-C., se déplaçant vers l'est, ils colonisèrent d'abord les Marquises. Vers 400, une nouvelle vague d'immigrants aborda Hawaii, l'île de Pâques puis, vers 750, la Nouvelle-Zélande.

Les Aborigènes

Le terme aborigène est un terme général englobant **500 groupes tribaux différents** en Australie. Les estimations sur le nombre des Aborigènes avant l'arrivée des Européens varient entre 300 000 et 750 000 individus. Ils vécurent pratiquement isolés du reste du monde pendant au moins 7 000 ans. Très habiles pour la chasse et la cueillette, ils se bornèrent à cultiver certaines formes de plantes sauvages. Il ne reste presque rien des objets de leur fabrication, mais leur vision particulière du monde ancien s'est conservée dans la mythologie qu'ils transmirent soit oralement soit dans l'art rupestre.

La culture Lapita

Des **poteries** datant d'environ 1500 à 500 av. J.-C. permettent de retracer l'histoire des premiers colons de **Mélanésie**. Découvertes le long d'une ligne allant de la Nouvelle-Bretagne à la Nouvelle-Calédonie, et de Tonga à Samoa, elles présentent le même genre de motifs gravés. La culture qui les a produites, appelée Lapita, du nom d'un site archéologique de **Nouvelle-Calédonie**, est sans doute l'ancêtre commun à tous les peuples de Mélanésie, de Polynésie et de Micronésie.

Le *Kon Tiki*

L'explorateur norvégien **Thor Heyerdahl** (1914-2002) était convaincu que le peuplement des îles du Pacifique Sud s'était fait à partir de l'Amérique du Sud et non de l'Asie du Sud-Est. Pour le prouver, il construisit un radeau en balsa du genre de ceux des Incas, qu'il appela *Kon Tiki*, et, en 1947, il réussit la traversée depuis le Pérou jusqu'aux îles Tuamotu, en Polynésie française. Par la suite, des études faites sur les langues et l'ADN ont montré que les peuples de Polynésie étaient bien arrivés d'Asie du Sud-Est en se dirigeant vers l'est et non pas d'Amérique du Sud en se dirigeant vers l'ouest.

La Crète et Mycènes

La civilisation minoenne, l'une des plus anciennes de la Méditerranée, se développa sur l'île de Crète. Bénéficiant des avancées technologiques de l'âge du bronze et du développement du commerce, y compris avec l'Égypte ancienne, elle connut son apogée entre 3000 et 1450 av. J.-C. La première civilisation du continent grec fut celle des Mycéniens. À partir d'environ 1600 av. J.-C., ils dominèrent la région grâce à leurs villes fortifiées et éclipsèrent les Minoens. Quatre siècles après le déclin des Mycéniens, la Grèce ancienne s'est bâtie sur l'héritage des civilisations minoenne et mycénienne.

Les ancêtres des Grecs

La **civilisation mycénienne**, apparue vers 2000 av. J.-C., doit son nom à la cité ancienne de Mycènes, mais elle s'est développée dans d'autres centres comme Pylos, Argos, Thèbes et Athènes. Les Mycéniens produisaient du bronze et faisaient du commerce dans toute la région, y compris avec les Minoens. À partir de 1500 av. J.-C., ils prirent le contrôle de Cnossos et des palais de style minoen furent construits sur le continent. Des fouilles réalisées à Mycènes dans les années 1870 ont mis au jour d'imposantes fortifications et des tombes, remplies de trésors, réservées aux souverains : la réalité confirmait la mythologie.

Le palais du roi Minos

L'archéologue britannique **Arthur Evans** commença les fouilles du **palais de Cnossos** en 1900. Selon lui, il s'agissait du palais du roi Minos, une figure de la légende crétoise. Une trentaine d'années furent nécessaires pour mettre au jour cet imposant ensemble de bâtiments sur l'île de Crète, les plus spectaculaires ruines minoennes. Le premier palais construit sur le site datait de 1900 à 1750 av. J.-C. Le nouveau palais fut édifié en 200 ans, à partir d'environ 1600 av. J.-C. Il était composé d'un ensemble de bâtiments à toits plats comprenant quelque 1 300 pièces, disposés autour d'une cour centrale. La ville qui entourait le palais compta peut-être 100 000 habitants.

Le Minotaure

D'après la mythologie grecque, un **monstre à tête de taureau et corps humain**, appelé le Minotaure, vivait au fond d'un labyrinthe situé sous le palais du roi Minos et aurait été tué par le héros grec **Thésée**. En tout cas, les taureaux semblent avoir été des animaux sacrés pour les Minoens. Des fresques trouvées à Cnossos montrent des concours de saut de taureaux.

L'art minoen

Le palais de Cnossos et d'autres palais minoens présentent des fragments de superbes **peintures murales** qui recouvraient sans doute entièrement les murs. On y reconnaît des silhouettes d'hommes et d'animaux, comme des taureaux et des dauphins, peints avec des aplats de couleur dans un style et une technique uniques. À la différence de l'art égyptien, l'art minoen ne choisit comme sujet ni des rois ni des divinités. Les poteries minoennes étaient souvent décorées de motifs animaux ou végétaux. À Santorin, on peut voir une fresque avec un paysage et des oiseaux, peut-être le plus ancien « paysage » au monde. Les Minoens faisaient aussi des **statuettes en terre cuite**, notamment des femmes à la poitrine dénudée – sans doute des déesses – brandissant des serpents.

L'Atlantide

Vers 1600 av. J.-C., une éruption volcanique démantela l'île de **Santorin**. On a cru un temps que la civilisation minoenne avait été détruite par le raz de marée qui aurait suivi ce phénomène, mais on pense aujourd'hui que sa chute fut plus tardive. La disparition brutale de la civilisation à Santorin est sans doute à l'origine de la légende de l'Atlantide, le mythe d'un continent perdu et d'un paradis des dieux englouti par la mer.

La guerre de Troie

C'est Agamemnon, roi de Mycènes, qui entraîna les Grecs dans la guerre de Troie. Le siège de la ville, qui dura 10 ans, eut lieu à cause du rapt d'Hélène, épouse de Ménélas, roi de Sparte, par le prince troyen Pâris. Entre 1870 et 1890, l'archéologue allemand **Heinrich Schliemann** (1822-1890) mit au jour les ruines de Troie et découvrit que la ville avait été détruite par un incendie vers 1250 av. J.-C.

CHRONOLOGIE

- **Vers 6000 av. J.-C.** Début de l'agriculture en Crète.
- **3000 av. J.-C.** Début de l'âge du bronze grec. Début de la civilisation minoenne en Crète.
- **1900 av. J.-C.** Construction d'un premier palais à Cnossos.
- **1600 av. J.-C.** Éruption volcanique à Santorin (Thíra) et destruction de villes liées à la civilisation minoenne.
- **1500 av. J.-C.** Les Mycéniens semblent contrôler Cnossos. Déclin de la civilisation minoenne.
- **1250 av. J.-C.** Destruction de Troie par les Mycéniens (Grecs).
- **1100 av. J.-C.** Fin de la civilisation mycénienne.

Les cités égéennes

La mer Égée a servi d'écrin à trois civilisations. La première fut celle des Minoens de Crète. Puis vint celle des Mycéniens, la première de la Grèce ancienne. Leurs plus célèbres rivaux, les Troyens, vivaient dans l'actuelle Turquie. Dans son poème épique *l'Énéide*, Virgile raconte que Rome aurait été fondée par les survivants du sac de Troie. La plupart des historiens accordent peu de foi à ce récit. En revanche, *l'Iliade*, l'histoire de la guerre de Troie racontée par Homère, repose sur des faits avérés.

Les Phéniciens

Les Phéniciens constituaient un ensemble de cités-États le long de la côte de l'actuel Liban, en Syrie et en Israël. À partir de 1100 av. J.-C., leur rôle commercial fut prépondérant. Sans doute d'origine cananéenne, les Phéniciens adoraient plusieurs dieux, parmi lesquels El (dieu du Soleil), sa femme Ashtart (déesse de la fécondité) et leur fils Baal (dieu des montagnes et des orages). Les sacrifices faisaient partie de la religion. Vers 1050 av. J.-C., les Phéniciens créèrent un alphabet phonétique de 22 lettres, adopté plus tard par les Grecs et qui sera la base de notre alphabet actuel.

Les cités phéniciennes

Les Phéniciens n'ont jamais constitué une nation, mais plutôt un ensemble de cités-États. Les quatre plus importantes étaient : **Tyr**, **Sidon**, **Byblos** et **Beyrouth**. Parfois totalement indépendantes, elles étaient le plus souvent gouvernées par des puissances étrangères. Byblos, la première cité phénicienne, fut fondée vers 5000 av. J.-C. Elle devint florissante à partir de 1570 av. J.-C., sous la domination égyptienne. Tyr et Sidon prirent de l'importance après l'invasion des Peuples de la Mer. En 585 av. J.-C., le roi **Nabuchodonosor II** de Babylone commença le siège de Tyr, qui devait durer 13 ans. **Alexandre le Grand** conquit la ville en 332 av. J.-C., en construisant une digue pour que son armée accède à l'île depuis le continent.

La pourpre

Coquillage des côtes de la Méditerranée, le murex contient une petite quantité de pourpre très intense, utilisée pour teindre les étoffes. Comme il en fallait beaucoup pour obtenir très peu de teinture, les tissus teints de la sorte étaient extrêmement chers. Chez les Grecs et les Romains, ils étaient réservés aux plus hauts magistrats : les **empereurs romains** portaient une toge pourpre.

Les liens avec l'Égypte

L'ingéniosité des Phéniciens était très appréciée en Égypte. Pour construire un prototype du canal de Suez, reliant le Nil à la mer Rouge, le **pharaon Néchao II** (610-595 av. J.-C.) fit appel au savoir-faire des Phéniciens. Ce canal, achevé après la mort de Néchao, fut utilisé jusqu'au VIIIe siècle. Néchao confia également à des Phéniciens la première **circumnavigation de l'Afrique** : partie de la mer Rouge, cette expédition serait revenue en passant par le détroit de Gibraltar.

Les colonies phéniciennes

Aussitôt en contact avec les peuples de la côte, les Phéniciens cherchaient à y installer un comptoir, géré par des expatriés. Les premiers de ces avant-postes étaient sur les îles de **Chypre** et de **Rhodes**, mais par la suite des colonies furent créées dans toute la Méditerranée. La plus célèbre de toutes fut **Carthage**, en Tunisie.

CHRONOLOGIE

5000 av. J.-C. Les Phéniciens s'établissent à Byblos.
1570 av. J.-C. L'Égypte gouverne la Phénicie. Installation des premières colonies phéniciennes.
1200 av. J.-C. Les Peuples de la Mer envahissent l'est de la Méditerranée.
1100 av. J.-C. Chute de la civilisation mycénienne.
1000 av. J.-C. Tyr est transférée sur une île au large.
877 av. J.-C. L'Assyrie conquiert les cités phéniciennes et les gouverne.
814 av. J.-C. Fondation de Carthage, d'après la légende.
585 av. J.-C. Début du siège de Tyr par Nabuchodonosor II.
539 av. J.-C. Les cités phéniciennes passent sous le contrôle de la Perse.
480 av. J.-C. La supériorité navale des Phéniciens est battue en brèche quand les Grecs remportent la victoire sur les flottes perse et phénicienne à la bataille de Salamine.
333 av. J.-C. Alexandre le Grand conquiert la Perse. Tyr seule refuse de se soumettre, mais elle est finalement vaincue.
146 av. J.-C. Les Romains détruisent Carthage.
64 av. J.-C. Les Romains conquièrent les cités phéniciennes.

Les marchandises

Les marchands phéniciens transportaient dans leurs bateaux non seulement tous les produits de la Méditerranée, mais aussi tout ce qu'ils fabriquaient eux-mêmes.

- **VERRE** Les Phéniciens fabriquaient des objets en verre, souvent multicolores, avec des rayures et des ondulations. Le sable riche en silice de la côte libanaise leur permit de faire du verre transparent, inconnu jusqu'alors. Les Phéniciens auraient aussi inventé le verre soufflé, après le IIIe siècle.
- **CÈDRE DU LIBAN** Il fournit un bois imputrescible à l'odeur agréable. Les Égyptiens s'en servaient pour fabriquer des portes, du mobilier funéraire et des bateaux. Ils constatèrent aussi que la résine avait des vertus conservatrices utiles pour la momification.
- **JOAILLERIE** Les Phéniciens étaient réputés pour les bijoux qu'ils réalisaient en associant des matières précieuses rapportées de leurs différents comptoirs.
- **ÉTOFFE POURPRE** Obtenue à partir d'une teinture unique, l'étoffe pourpre coûtait très cher et était réservée aux vêtements les plus précieux.
- **IVOIRE** Les Phéniciens gravaient les défenses des éléphants d'Afrique pour en faire des bijoux.

Les bateaux

Les Phéniciens utilisaient deux sortes de bateaux : des galères légères et élancées pour la **guerre**, des bateaux plus lourds et plus larges pour le **commerce**. Déjà habiles dans le domaine de la construction navale, les Phéniciens tirèrent profit de l'invasion des **Peuples de la Mer** après 1200 av. J.-C. : introduction de la technique du fer, importance de la quille, rameurs tournés vers l'arrière plutôt que vers l'avant. Les Phéniciens auraient inventé la **birème** (avec deux rangées de rames) vers 700 av. J.-C.

Les Perses

Nomades originaires du Caucase, les Perses s'établirent dans le nord de l'Empire assyrien vers 850 av. J.-C. Ils descendirent par la suite jusqu'en Élam (sud de l'Iran). Au VIe siècle, l'Empire perse, appelé achéménide à cause de son fondateur Achaemenes, allait de la Méditerranée à l'Indus. Occupant les territoires de tous les précédents empires situés à l'ouest de l'Asie, il devint le plus grand empire que le monde ait jamais connu. Les femmes de l'aristocratie perse vivaient recluses dans des harems. Les seuls hommes qu'elles voyaient étaient leur mari, leurs fils et les eunuques.

Les satrapies

Les satrapies (provinces) versaient annuellement un impôt au roi des Perses, en nature, mais aussi en **argent** – un concept nouveau emprunté au royaume de Lydie. En échange, les satrapies pouvaient continuer à vivre à leur guise, gardant leurs coutumes et leurs religions. La communication entre les satrapies était facilitée par un important **réseau routier.** **Darios Ier** fit achever la Route royale, longue de 2 700 km, reliant Sardes, capitale de la Lydie, à Suse.

Les rois de Perse

- **Cyrus II** Cyrus le Grand régna de 556 à 530 av. J.-C. En 547, il conquit la Médie et la Lydie, et en 539, il s'empara de Babylone.
- **Cambyse II** Fils de Cyrus II, il gouverna de 530 à 522 av. J.-C. et conquit l'Égypte. Pendant qu'il était en Égypte, son trône fut usurpé. Il mourut en retournant en Perse.
- **Darios Ier** Cousin de Cambyse, Darios le Grand écrasa une révolte dirigée contre Cambyse avant de s'emparer du trône. Il étendit l'empire jusqu'à l'Indus et annexa la Macédoine, la Thrace et la Grèce. Une révolte en Ionie (dans l'ouest de l'Asie Mineure) déclencha la guerre avec les Grecs. Il fut vaincu à Marathon en 490 av. J.-C.
- **Xerxès Ier** Fils de Darios Ier, Xerxès Ier (règne : 486 à 465 av. J.-C.) vainquit les Grecs aux Thermopyles en 480 av. J.-C., mais fut défait à la bataille navale de Salamine. Il fut assassiné par son garde du corps.
- **Artaxerxès III** Sous son règne (358-337 av. J.-C.), l'empire connut un regain de puissance. Monté sur le trône après avoir fait assassiner ses frères, il gouverna par la terreur. Il fut empoisonné par un eunuque du harem.
- **Darios III** Il régna de 336 à 330 av. J.-C. et fut vaincu par Alexandre le Grand. Son assassinat marqua la fin de l'Empire achéménide.

L'Empire perse

L'Empire perse connut sa plus grande extension sous le règne de **Darios Ier** (522-486 av. J.-C.), qui le divisa en 20 provinces, ou satrapies, chacune administrée par des gouverneurs provinciaux, ou **satrapes**, en général des nobles. Pour éviter la concentration des pouvoirs, ces gouverneurs partageaient leurs fonctions avec un général chargé du maintien de l'ordre et de la collecte des impôts.

CHRONOLOGIE

- **850 av. J.-C.** Les Perses s'installent dans le nord de l'Assyrie.
- **539 av. J.-C.** Prise de Babylone.
- **525 av. J.-C.** Conquête de l'Égypte.
- **513 av. J.-C.** Des nomades scythes vivant près des frontières nord de l'empire résistent victorieusement à Darios Ier.
- **405 av. J.-C.** Les Perses perdent l'Égypte.
- **333 av. J.-C.** Victoire d'Alexandre sur les Perses à la bataille d'Issos.
- **330 av. J.-C.** Fin de l'Empire achéménide.
- **323 av. J.-C.** La Perse est gouvernée par les Séleucides, qui introduisent la culture hellénistique.
- **148 av. J.-C.** Le roi parthe Mithridate Ier conquiert la Perse et la Mésopotamie.
- **226 av. J.-C.** Renversement du dernier roi parthe et début de la Perse sassanide.

Le zoroastrisme

La **religion d'État** des Perses était fondée sur les enseignements du prophète **Zoroastre** (ou Zarathoustra), qui aurait vécu de 660 à 583 av. J.-C. (beaucoup plus tôt selon certains). Selon Zoroastre, deux forces principales étaient en lutte permanente dans le monde : **Ohrmazd** (ou Ahura Mazda), créateur et dieu de la bonté et de la lumière, et **Ahriman**, esprit du mal et de l'ombre. La victoire finale devait revenir à Ohrmazd. Le zoroastrisme fut une des rares religions monothéistes de l'Antiquité. Il est resté la religion des **Parsis** (de Perse), qui, au VIIIe siècle av. J.-C., s'étaient réfugiés en Inde pour échapper à la Perse passée sous contrôle musulman. Il est encore pratiqué par les Parsis dans certaines régions d'Iran et d'Inde.

Une justice brutale

L'historien grec **Hérodote** (vers 484-425 av. J.-C.) rapporte une histoire qui montre à la fois la cruauté et le sens de la justice du roi perse **Cambyse II**. Le juge Sisamnes ayant accepté un pot-de-vin et rendu un verdict inique, Cambyse le fit arrêter et écorcher vivant. Avec sa peau, il fit confectionner un siège pour le fils de Sisamnes, afin que dans l'exercice de ses fonctions il ait constamment présente à l'esprit la faute de son père.

Les capitales de la Perse

La Perse eut plusieurs capitales. **Pasargades** fut la première, jusqu'à ce que Darios la remplace par **Suse**. Vers 520 av. J.-C., il fonda une capitale cérémonielle, **Parsa**, plus connue sous son nom grec de **Persépolis** (la ville des Perses). Construite sur une immense esplanade de pierre, Persépolis, avec son palais, ses tombes royales, sa salle des 100 colonnes et la grande salle d'audience appelée **Apadana**, était un condensé de plusieurs styles architecturaux. Des bas-reliefs présentent la cérémonie du paiement de l'impôt par les peuples conquis, qui avait lieu chaque année au printemps. **Alexandre le Grand** rasa la ville en 330 av. J.-C.

L'âge des métaux en Europe

Le bronze, présent au Moyen-Orient dès 3000 av. J.-C., apparut en Europe vers 2500 av. J.-C. et se répandit à l'ouest et au nord au cours des 2 millénaires suivants. Le fer, venu aussi du Moyen-Orient, fut introduit en Europe vers 1000 av. J.-C. L'Allemagne devint un centre d'extraction et de traitement du métal. Les outils en métal favorisèrent l'agriculture et les échanges commerciaux. La société, hiérarchisée, était commandée par des chefs. La civilisation méditerranéenne progressa avec les Étrusques, les Grecs, les Minoens et les Mycéniens. Le matériel funéraire montre l'influence des âges du bronze et du fer en Europe.

Les peuples germaniques

Vers 2000 av. J.-C., des tribus germaniques venues du Jutland et du nord de la Pologne s'établirent à l'est du Rhin. Les **Cimbres** et les **Teutons**, peuples bellicistes, attaquèrent le nord de l'Italie en 113 av. J.-C., mais les Romains écrasèrent l'armée des Cimbres en 101 av. J.-C. À la fin de l'Empire romain, les **Alamans** et les **Francs** conquirent l'ouest de l'Europe.

Les changements du paysage

Jusqu'à l'arrivée des **outils de bronze,** vers 2500 av. J.-C., la forêt couvrait la plus grande partie de l'Europe. L'âge du bronze marqua le début d'un défrichage massif, qui s'accéléra à l'âge du fer, quand les outils devinrent plus efficaces. Le bois servait à construire des **cabanes de rondins** et des **palissades** de protection, ou bien à fabriquer du **charbon** pour les forges. Les terrains défrichés étaient labourés pour cultiver des **céréales** comme le blé, l'orge et le millet. On élevait des **bovins**, des **ovins** et des **porcs**.

Le commerce paneuropéen

Dès 2000 av. J.-C., des routes permettaient d'acheminer en Europe l'**ambre** de la Baltique. À partir du Ier millénaire av. J.-C., des matières premières, comme l'**étain** et l'**argent**, et des **poteries** furent échangées avec la Phénicie. Des marchands grecs et phéniciens vendaient aussi comme esclaves les prisonniers capturés au cours des guerres entre les tribus. Les Grecs fondèrent des comptoirs commerciaux au nord de la Méditerranée, comme **Massalia** (Marseille), en 600 av. J.-C. De là, les marchands traversaient les Alpes et gagnaient **Heuneburg**, en Allemagne, une colline fortifiée celte dominant le Danube. Les fortifications de Heuneburg, en briques séchées, et la découverte de poteries à figures noires, d'amphores et d'étoffes brodées de soie venue de Chine, prouvent ces contacts.

Les collines fortifiées

Bien qu'on les associe habituellement avec l'âge du fer, les premières collines fortifiées sont apparues à la fin de l'âge du bronze. C'était une réponse à l'efficacité accrue des **armes** telles que l'épée – premier outil à finalité exclusivement guerrière. Les forts se trouvaient au sommet de collines escarpées et étaient protégés par des **remblais de terre** disposés en anneaux et surmontés de **palissades** faites de planches clouées. Les hommes et les bêtes avaient assez de place pour y vivre, mais beaucoup de forts n'étaient utilisés qu'en période de conflits, ceux qu'ils protégeaient habitant dans des villages près des champs en contrebas. Les grandes collines fortifiées, d'accès facile, comme Maiden Castle, en Angleterre, étaient habitées en permanence.

Hallstatt

La civilisation de Hallstatt tire son nom d'un village des Alpes autrichiennes. C'est sur ce site que se développa, à partir de 750 av. J.-C., l'une des plus anciennes civilisations de l'âge du fer, qui allait s'étendre de l'est de la France jusqu'au Danube. Hallstatt dut sa prospérité à ses **mines de sel**. Au XIXe siècle, les fouilles pratiquées dans la nécropole permirent de mettre au jour plus de 2 000 tombes. Les archéologues découvrirent les corps de mineurs de l'âge du bronze conservés dans les mines de sel. Les tombes contenaient des bijoux, des poteries et des armes. Les **pièces de monnaie** et le **matériel funéraire** témoignent de l'influence **de la Grèce**. À partir de 450 av. J.-C., la civilisation de Hallstatt fut supplantée par la civilisation celte de **La Tène**.

Les sépultures

Pendant l'âge du bronze, le mode d'inhumation évolua, passant des tombes plates aux **tumulus**, cellules tapissées de pierre ou de bois et recouvertes de terre. À partir de 1200 av. J.-C., les tombes plates réapparurent dans la culture d'Europe centrale dite des **champs d'urnes** : les corps étaient incinérés et les cendres placées dans des urnes. Les personnages appartenant à un rang élevé étaient enterrés avec leurs bijoux et leurs armes : les objets utilitaires – pièces de vaisselle, démêloirs – étaient considérés comme nécessaires dans la vie future, tout comme les bijoux, symboles de prestige. Le matériel funéraire trouvé à **Heuneburg** dans les tombes de la classe dominante est un des plus riches d'Europe.

Morts suspectes

En 1950, on découvrit dans une tourbière, à **Tollund**, au Danemark, le corps bien conservé d'un homme de race germanique datant de 400 ans av. J.-C. Il avait été pendu. D'autres corps de sépultures de l'âge du fer semblent avoir été noyés ou pendus : **criminels** ou victimes **offertes en sacrifice** à **Nerthus**, une déesse de la fécondité ?

La Grèce antique

La Grèce ancienne n'était pas une nation, mais un ensemble de plusieurs centaines de cités-États, constamment en concurrence ou s'alliant pour former des ligues. Cette incapacité à s'unir causa sans doute leur chute. Comme les Phéniciens, les Grecs installèrent des comptoirs commerciaux en Méditerranée. Syracuse, en Sicile, fondée en 734 av. J.-C., fut l'un des premiers. La Grèce ancienne était loin d'être un monde idéal : cette société pratiquait l'esclavage, les guerres y étaient permanentes, les femmes étaient des citoyennes de second ordre, les enfants non désirés étaient abandonnés.

L'âge d'or d'Athènes

Ainsi nommée en hommage à la déesse Athéna, Athènes était la capitale de l'**Attique**. Enrichie par le commerce qui passait par le port du Pirée, elle devint un centre florissant de culture, d'art et d'architecture ainsi que le berceau de la démocratie. C'était également une puissance militaire ; en 478 av. J.-C., elle prit la tête de la **ligue de Délos**, alliance défensive face à la menace perse, qui regroupait les cités grecques démocratiques, les îles Ioniennes et les États égéens (sauf Sparte). L'âge d'or d'Athènes dura de 479 à 431 av. J.-C. et coïncida avec le règne de **Périclès**. L'édification du **Parthénon** commença en 447 av. J.-C. La prédominance d'Athènes prit fin lorsque Sparte gagna la **guerre du Péloponnèse**, en 404 av. J.-C.

Sparte

Sparte était une cité-État militariste régie par une sévère discipline et par une attitude d'austérité et de frugalité que résume bien l'adjectif spartiate. Quelque 25 000 citoyens, descendants des **Doriens**, gouvernaient un nombre deux fois plus élevé de serfs, appelés ilotes. Les garçons étaient enrôlés dans l'armée dès l'âge de 7 ans et y restaient jusqu'à 60 ans. Sparte, capitale de la **Laconie**, prit les commandes de la **ligue du Péloponnèse**, qui réunissait presque toutes les cités-États du Péloponnèse, sauf Argos. Après la **seconde guerre du Péloponnèse** (431-404 av. J.-C.), Sparte domina toute la Grèce. Affaiblie par la période d'oppression et d'anarchie qui s'ensuivit, la Grèce fut conquise par **Philippe II de Macédoine** en 338 av. J.-C.

Les armée grecques

Elles durent leur succès à la **phalange**, formation de combat inventée par les Spartiates au VIe siècle av. J.-C. Les fantassins, appelés **hoplites**, armés de lances de 4 m et protégés par des boucliers en métal, des casques, des cuirasses et des jambières, étaient disposés en masse compacte de huit rangs ou plus. Leur efficacité changea la nature de la guerre, jadis dominée par les cavaliers et les chars.

CHRONOLOGIE

1250 av. J.-C. Les Grecs détruisent Troie.
1125 av. J.-C. Les Doriens supplantent les Mycéniens.
1000 av. J.-C. Début de la colonisation grecque en Asie Mineure.
776 av. J.-C. Premiers jeux Olympiques.
750 av. J.-C. Adoption de l'alphabet grec.
621 av. J.-C. Le législateur athénien institue un régime judiciaire sévère mais placé sous l'autorité de l'État.
600 av. J.-C. Premières pièces de monnaie grecques.
490 av. J.-C. Victoire des Athéniens sur les Perses à la bataille de Marathon.
431-404 av. J.-C. Guerre du Péloponnèse.
338 av. J.-C. Philippe II de Macédoine domine la Grèce.
334 av. J.-C. Début des campagnes d'Alexandre le Grand.
197 av. J.-C. Philippe V de Macédoine est vaincu.
146 av. J.-C. Les Romains pillent Corinthe, prennent le contrôle de toute la Grèce et font de la Grèce une province romaine.

Les Doriens

À partir de 1125 av. J.-C., les Doriens, envahisseurs de langue grecque venus du nord des Balkans, supplantent les Mycéniens grâce à leur connaissance de la technologie du fer. Ils s'établirent sur le continent, puis en Crète et dans d'autres îles, ainsi que le long de la côte sud de l'Asie Mineure, introduisant une période appelée « les siècles obscurs ». Ils fondèrent **Argos**, **Corinthe** et **Sparte**. Ils furent délogés de la plupart des villes vers 600 av. J.-C., mais une élite dorienne continua à gouverner Sparte.

Le gouvernement

Chaque cité-État grecque avait sa propre forme de gouvernement. Les **tyrans**, souvent des chefs de guerre populaires portés au pouvoir, devinrent par la suite des autocrates et des oppresseurs. Corinthe était une **oligarchie** (dirigée par un clan) et Sparte, un régime **militaire**. Athènes fut la première **démocratie** du monde – de *kratos*, gouvernement, et *demos*, peuple –, quoique très imparfaite par rapport aux critères actuels.

Les grandes guerres

Alors que les Grecs d'Asie Mineure étaient sous la domination perse depuis 550 av. J.-C., une révolte en Ionie déclencha les **guerres médiques** (490-479 av. J.-C.). Les Grecs défirent les Perses à **Marathon**, en 490 av. J.-C., mais en 480 av. J.-C., les Perses vainquirent les Spartiates et incendièrent Athènes. Les Athéniens redressèrent la situation en remportant la bataille navale de Salamine. La **guerre du Péloponnèse** (431-404 av. J.-C.) opposa Sparte et Athènes. La première phase se termina par une trêve, mais la seconde se solda par la victoire de Sparte, sous le commandement de **Lysandre**, soutenu par les Perses. Cette défaite marqua la fin de la suprématie maritime d'Athènes.

LE SAVIEZ-VOUS ?

Pheidippides aurait couru le **premier marathon**. D'après la légende, l'athlète parcourut 40 km entre le champ de bataille de Marathon et Athènes pour apporter la nouvelle de la victoire des Grecs. Il s'écroula après avoir délivré son message.

Alexandre le Grand

Alexandre venait de Macédoine, un royaume indépendant du nord de la Grèce. Les Grecs d'Athènes et des autres cités-États considéraient généralement les Macédoniens avec mépris. L'empire d'Alexandre le Grand, qui s'étendait de la Grèce jusqu'au nord-ouest de l'Inde, fut le plus vaste État de l'Antiquité. Par l'extraordinaire rapidité et la formidable extension de ses conquêtes, Alexandre se distingua comme l'un des plus grands généraux. Ayant pour but de créer un empire multiracial gréco-perse, il encouragea ses généraux et ses soldats à épouser des femmes perses.

Philippe II

Philippe II, roi de Macédoine de 359 à 336 av. J.-C., galvanisa le nationalisme de son peuple. Profitant de l'anarchie qui régnait entre les cités-États, il **envahit la Grèce** après sa victoire à la bataille de Chéronée contre Athènes et Thèbes, en 338 av. J.-C. Il poussa ensuite les cités-États à se regrouper pour former la **ligue de Corinthe**, dont il prit la tête. Il prévoyait d'envahir l'Empire perse, mais il fut assassiné avant de mettre ses plans à exécution.

La Macédoine

La culture grecque pénétra en Macédoine à partir du VIIIe siècle av. J.-C. par les colonies établies sur la côte mais, vers 500 av. J.-C., le royaume devint un vassal de l'**Empire perse**. Ce lien sera rompu à la fin des guerres médiques, en 479 av. J.-C. La Macédoine n'accéda au statut de puissance régionale importante que sous le roi Philippe II. Sa capitale était **Pella**, lieu de naissance d'Alexandre.

La culture hellénistique

Les Grecs se donnaient le nom d'Hellènes par référence à **Hellen**, petit-fils légendaire de Prométhée. On a qualifié d'hellénistique la civilisation grecque dont les idéaux, concrétisés pendant l'âge d'or d'Athènes – dans les domaines politique, philosophique, scientifique et artistique –, s'étaient propagés dans le sillage des conquêtes d'Alexandre. Ces idéaux ont modifié les traits caractéristiques de plusieurs autres civilisations, dont celle des **Égyptiens** et des **Phéniciens**. L'influence hellénistique toucha des régions aussi éloignées que l'Inde des Maurya, où elle imprima à la sculpture un style plus réaliste. À l'est de la Méditerranée, la période hellénistique a duré jusqu'au début de l'Empire romain, en 27 av. J.-C.

Les nouvelles villes

Alexandre créa environ 70 villes, qu'il baptisa souvent **Alexandrie** : parmi celles-ci, Merv, Hérat, Ghazni et Kandahar, toutes situées en Asie. Mais la plus célèbre est l'Alexandrie fondée sur la côte nord de l'Égypte en 331 av. J.-C. Devenue capitale des **Ptolémées**, elle fut un centre culturel renommé.

Le partage de l'empire

La mort d'Alexandre, en 323 av. J.-C., donna lieu à une concurrence féroce entre ses généraux qui aboutit au partage de l'empire.

◆ **La Macédoine antigonide** Antigonos Ier (382-301 av. J.-C.) imposa son pouvoir à une partie de la Syrie, de l'Asie Mineure et de la Mésopotamie. Sa dynastie gouverna la région, mais un conflit avec Rome la réduisit à la Macédoine et elle fut vaincue en 168 av. J.-C.

◆ **L'Asie séleucide** Séleucos Ier, entre 312 et 280 av. J.-C., régna sur la plus grande partie de l'empire d'Alexandre ; il tenta de contrôler la Macédoine et l'Inde. Sa dynastie, qui se maintint pendant 237 ans, prôna le mélange de cultures hellénistique et perse cher à Alexandre. Séleucos Ier fonda deux capitales : Séleucie, à l'est, et Antioche, à l'ouest. Cet empire s'écroula en 63 av. J.-C., quand la Syrie devint une province romaine.

◆ **L'Égypte ptolémaïque** Ptolémée Ier (qui régna de 304 à 282 av. J.-C.) remporta le contrôle de l'Égypte après 18 années de lutte. Sa dynastie dura 274 ans. Gouvernée par des fonctionnaires gréco-macédoniens, l'Égypte ptolémaïque devint un État prospère avec Alexandrie pour capitale.

Alexandre

L'assassinat de Philippe II propulsa son fils au pouvoir à l'âge de 20 ans. Après avoir maté la révolte des villes grecques, il s'en prit à **l'Empire perse**. D'après la légende, il aurait tranché le **nœud gordien** avec son épée en Phrygie (selon la tradition, celui qui réussirait à défaire ce nœud régnerait sur toute l'Asie). En 331 av. J.-C., il conquit l'**Égypte** et vainquit le dernier roi de Perse, **Darios III**. Il gagna l'**Afghanistan**, puis l'**Inde**. Après avoir franchi l'Indus, ses soldats, épuisés et menaçant de se mutiner, le forcèrent à rentrer à Babylone.

Les grandes batailles d'Alexandre

◆ **Chéronée (338 av. J.-C.)** Alexandre combattit aux côtés de son père pour remporter la victoire sur Athènes et Thèbes.

◆ **Le Granique (334 av. J.-C.)** Alexandre défit pour la première fois les Perses, sur les rives du Granique, en Asie Mineure.

◆ **Issos (333 av. J.-C.)** À cet endroit, situé dans le sud de la Turquie actuelle, Alexandre et son armée vainquirent l'armée perse de Darios III et firent prisonniers les membres de sa famille.

◆ **Gaugamèles (331 av. J.-C.)** Dans cette plaine de l'actuel Irak, Darios III tenta de stopper la progression d'Alexandre en recrutant une armée d'un million de soldats. Il fut vaincu par l'armée grecque, qui ne comptait que 47 000 hommes.

◆ **Hydaspes (326 av. J.-C.)** Près de cette rivière située à la frontière indo-pakistanaise, Alexandre vainquit Poros, un roi indien dont les forces comprenaient 200 éléphants montés.

L'art grec

Les canons de l'art et de l'architecture grecs ont servi de modèles dans d'autres pays et en d'autres temps. L'art romain s'en est inspiré et, à la fin du Moyen Âge, la Renaissance les a redécouverts. Dans le domaine de la sculpture, l'imitation de la nature, chère aux Grecs, est restée un thème clef de l'art occidental jusqu'au XIXe siècle. L'architecture était basée sur des proportions mathématiques. Les plus beaux édifices de l'art classique furent bâtis sur l'Acropole d'Athènes. Dans l'Athènes du Ve siècle av. J.-C., la construction navale devint un art à part entière.

La sculpture

Pendant l'âge d'or d'Athènes, au milieu du Ve siècle av. J.-C., les sculpteurs se concentrèrent sur la représentation humaine. La plupart des statues retrouvées sont en pierre ou en bronze – celles en pierre étaient peintes. Les plus grands sculpteurs étaient **Myron, Polyclète** et **Phidias**. Ce dernier était le plus célèbre, mais parmi les œuvres parvenues jusqu'à nous aucune n'a pu lui être attribuée avec certitude. À partir du IVe siècle av. J.-C., **Praxitèle** s'illustra par ses statues en marbre représentant les dieux. L'*Hermès portant Dionysos enfant* d'Olympie serait un original.

La construction navale

Les Grecs utilisaient deux types de bateaux : des galères de guerre, rapides, avec des rames et des voiles, et de lourds bateaux de commerce avec seulement des voiles. Ils adoptèrent la **birème** phénicienne, galère de guerre de 24 m de long avec deux rangs de rames de chaque côté. Pendant les guerres médiques (490-479 av. J.-C.), sous l'impulsion de Thémistocle, la flotte athénienne se développa avec les **trirèmes** : vaisseaux de 41 m de long, avec trois rangs de rames et 170 rameurs, pouvant aller à 16 km/h. Les soldats et les archers étaient transportés sur le pont supérieur. La tactique de base était l'éperonnement.

Kouroi et caryatides

À l'époque archaïque (700-500 av. J.-C.), une forme de sculpture très stylisée se développa en Grèce. Le kouros (au pluriel kouroi), nu de jeune homme, en pied, avec la jambe gauche en avant, a peut-être été inspiré par la statuaire égyptienne. À partir du VIe siècle av. J.-C., les architectes ont utilisé comme colonnes des statues de femmes habillées, appelées caryatides. Les six caryatides de l'Érechthéion – un temple de l'Acropole (421 à 406 av. J.-C.) – en sont les exemples les plus classiques.

Poterie et vases peints

Ces céramiques, qui ont résisté au temps, sont nos seules sources d'information sur la peinture grecque. Durant la seconde moitié du VIe siècle av. J.-C., l'élégante **poterie à figures noires**, où des silhouettes stylisées noires se détachent sur un fond en argile rouge, se répandit dans toute la Méditerranée. Les détails étaient gravés. Vers la fin de ce siècle apparut la **poterie à figures rouges** – des silhouettes rouges sur fond noir. Des détails étaient ajoutés au pinceau. Au Ve siècle, le début du naturalisme dans la sculpture marqua la fin des céramiques peintes.

Les marbres d'Elgin

À la fin de l'ère romaine, le **Parthénon** se détériora, puis il fut abandonné pendant des siècles. En 1801, le sultan ottoman donna à **lord Elgin**, un diplomate britannique, l'autorisation de transporter en Angleterre les sculptures restantes, pour la plupart des frises faisant partie des frontons. Elles sont exposées au British Museum, à Londres, mais le gouvernement grec voudrait que les marbres d'Elgin soient rapatriés.

L'Acropole

L'Acropole (citadelle) est un affleurement rocheux dominant Athènes. Habitée dès l'âge de la pierre, elle devint, à partir de 700 av. J.-C., un lieu saint réservé aux temples. Le monument le plus célèbre, le **Parthénon**, temple d'Athéna Parthénos, fut construit entre 447 et 432, sous l'égide de **Périclès**, en remerciement des **victoires remportées par les Athéniens** pendant les guerres médiques et pour honorer ceux qui étaient morts au combat. Chargé de l'ensemble de l'architecture et de la statuaire, le sculpteur **Phidias** travailla en collaboration avec les architectes Ictinos et Callicratès. Il est aussi l'auteur de la statue d'ivoire et d'or d'Athéna, haute de 10 m. L'autre édifice important est l'**Érechthéion**, dédié à Athéna et à Poséidon.

GLOSSAIRE DE L'ARCHITECTURE

Cella Salle intérieure d'un temple renfermant la statue d'un dieu.

Colonnes Les trois ordres ou styles de colonnes cannelées étaient le dorique (dont le nom dérive des Doriens, une civilisation hellénique), le plus ancien, le plus lourd, avec des chapiteaux unis ; le ionique, plus élancé, avec des chapiteaux à volutes ; et le corinthien, aux chapiteaux décorés de feuilles d'acanthe.

Entablement Structure horizontale coiffant les chapiteaux d'un ensemble de colonnes et supportant le fronton. La partie inférieure, reposant sur les colonnes, est appelée architrave ou épistyle.

Fronton Pignon triangulaire couronnant un temple, souvent décoré de sculptures.

Péristyle Colonnade formant portique autour d'un édifice.

Propylées Portique à colonnes à l'entrée d'un temple ou d'un groupe d'édifices.

Tympan Partie en retrait d'un fronton, souvent ornée de motifs architecturaux.

L'héritage grec

Comment fonctionnent les choses et comment les hommes doivent se comporter: tels sont les sujets auxquels se sont intéressés les intellectuels grecs, posant ainsi les fondements de la science et de la philosophie. Du VIe au IIIe siècle av. J.-C., les érudits grecs ont contribué au développement de la culture occidentale dans le domaine de la philosophie, des mathématiques, de la biologie ou de la géographie. Avant la création de l'alphabet grec, dérivé de l'alphabet phénicien, vers 750 av. J.-C., la littérature appartenait à la tradition orale. Les rituels religieux évoluèrent plus tard vers le drame.

Les dramaturges

De nombreuses traditions du théâtre occidental sont héritées du théâtre grec. Les pièces peuvent être classées en deux catégories: les **tragédies**, qui traitent du destin et des dilemmes des dieux et des héros, et les **comédies**, satires de la vie contemporaine croquant avec humour les travers du peuple. Les plus célèbres auteurs de tragédies sont **Eschyle** (vers 525-456 av. J.-C.), avec, entre autres, *l'Orestie et Agamemnon*, **Sophocle** (vers 496-405 av. J.-C.), avec *Antigone*, *Électre*, *Œdipe roi*..., et **Euripide** (vers 484-406 av. J.-C.), avec *les Bacchantes*, *Médée* ou *les Troyennes*. **Aristophane** (vers 448-385), le plus célèbre poète comique, écrivit *les Oiseaux*, *les Nuées*, *les Grenouilles*, *les Guêpes*, *Lysistrata*...

Les écrivains

◆ **Homère** (vers le IXe siècle av. J.-C.) Barde dont l'œuvre se transmit d'abord oralement. Il est connu pour deux poèmes épiques: *l'Iliade*, une version romancée de la guerre de Troie (les Grecs appelaient Troie Ilion), et *l'Odyssée*, qui relate les aventures d'Ulysse pendant son voyage de retour à Ithaque. ◆ **Hésiode** (vers le VIIIe siècle av. J.-C.) Poète grec, qui a composé *les Travaux et les Jours*, traitant de l'agriculture et de l'observance religieuse. Il aurait écrit une histoire des dieux, *la Théogonie*. ◆ **Sappho** (vers 610-580 av. J.-C.) Née sur l'île de Lesbos, elle composa des poèmes lyriques (à l'origine, accompagnés à la lyre). Elle est connue pour ses poèmes érotiques dont subsistent quelques fragments. ◆ **Ésope** (vers le VIe siècle av. J.-C.) Personnage à demi-légendaire qui aurait été esclave et à qui l'on attribue un ensemble de fables ou contes moraux mettant en scène des animaux. ◆ **Pindare** (vers 518-438 av. J.-C.) Athénien, il est à l'origine de l'ode, poème lyrique divisé en strophes semblables entre elles et destiné à célébrer les exploits d'athlètes.

Le théâtre

Le théâtre grec tire son origine des **drames rituels** représentés lors des fêtes religieuses célébrées en l'honneur de **Dionysos**. Les dialogues avec un **chœur**, introduits vers 530 av. J.-C., se transformèrent en pièces avec un, deux ou trois personnages principaux et un chœur pouvant compter jusqu'à quinze personnes. Les acteurs, tous masculins, portaient des masques, dans la tradition des cérémonies religieuses d'origine. Le chœur commentait l'action et proposait une morale.

Les philosophes

Le mot philosophie signifie «amour de la sagesse», et les philosophes tentaient d'expliquer le monde autrement que par la mythologie. ◆ **Socrate** (469-399 av. J.-C.) a étudié la question du choix entre le bien et le mal, ainsi que leur lien avec la sagesse et l'ignorance. Sa technique d'enseignement était la question-réponse. Condamné à mort par le gouvernement athénien pour impiété et corruption de la jeunesse, il exécuta lui-même la sentence en buvant la ciguë en prison. ◆ **Platon** (vers 427-347 av. J.-C.), élève de Socrate, écrivit des dialogues sur l'éthique, la connaissance, l'âme et le cosmos. Dans sa *République*, il étudie le rôle de l'homme juste dans une société idéale. ◆ **Aristote** (384-322 av. J.-C.), élève de Platon, étudia le droit et la science, et mit au point le système de raisonnement appelé logique. ◆ Au IVe siècle av. J.-C., plusieurs mouvements virent le jour. L'**école cynique**, fondée par Antisthène, affirmait la primauté de la vertu sur le savoir, la richesse et le plaisir. Les **stoïciens** revendiquaient la prééminence de la raison pure – libérée de la passion – en toute circonstance. Leur nom dérive de *stoa* (portique), le lieu où leur fondateur, Zénon de Kition, enseignait. Pour les **épicuriens**, disciples d'Épicure, le plaisir était la forme supérieure du bien et l'hédonisme un moyen d'atteindre la paix de l'âme.

Les origines de l'Histoire

Les Grecs ont fondé la tradition historique occidentale en séparant réalité et mythes, en exploitant les récits de témoins oculaires et en se rendant sur les sites historiques. ◆ **Hérodote** (vers 485-425 av. J.-C.) Le «père de l'Histoire»; ses récits des guerres médiques sont considérés comme la première Histoire moderne. ◆ **Thucydide** (vers 460-400 av. J.-C.) Commandant de la flotte athénienne; dans son *Histoire de la guerre du Péloponnèse*, il introduit la méthode critique dans l'Histoire. ◆ **Xénophon** (435-354 av. J.-C.) Mercenaire grec connu pour les récits de ses expériences auprès des Perses et des Spartiates.

Pythagore et Hippocrate

◆ **Pythagore** (vers 580-500 av. J.-C.) Philosophe et mathématicien, il pensait que les nombres étaient la base de tout phénomène naturel. Son théorème selon lequel la longueur de l'hypoténuse d'un triangle rectangle est égale à la racine carrée de la somme des carrés des deux autres côtés est à l'origine de la trigonométrie. ◆ **Hippocrate** (vers 460-377 av. J.-C.) Le «père de la médecine»; ses théories s'appuient sur l'observation plutôt que sur des croyances religieuses. Il inspira le serment d'Hippocrate, qui régit aujourd'hui encore les relations entre les médecins et les patients.

L'astronomie

Les astronomes grecs ont approfondi les connaissances des Égyptiens et des Mésopotamiens. Certaines théories de la Grèce ancienne se sont révélées exactes. **Anaxagoras** (vers 500-428 av. J.-C.), qui enseignait la philosophie à Athènes, comprit que les éclipses solaires étaient provoquées par le passage de la Lune devant le Soleil. **Pythagore** (vers 580-500 av. J.-C.) émit le postulat de la rotation des planètes autour du Soleil. **Ptolémée** (vers 90-168 apr. J.-C.), astronome égyptien vivant à Alexandrie, condensa plusieurs ouvrages astronomiques grecs en un abrégé unique: *l'Almageste*.

LE SAVIEZ-VOUS?

Érathosthène (vers 276-194 av. J.-C.), savant grec et directeur de la bibliothèque d'Alexandrie, évalua la **circonférence de la Terre** – avec moins de 15% d'erreur – à partir de la différence de latitude entre Assouan et Alexandrie.

La religion grecque

Les dieux grecs ressemblaient aux hommes, avec leurs qualités et leurs défauts. Tous les aspects de l'existence humaine étaient représentés dans le panthéon, des arts à la destinée de l'homme et à la mort. La religion s'appuyait sur une mythologie complexe appartenant à la tradition orale. Chaque cité-État était placée sous la protection d'une divinité. Le culte visait à s'attirer la faveur des dieux par des prières et des sacrifices, dans les temples et à domicile. Les fêtes religieuses donnaient lieu à des divertissements qui prenaient la forme de concours musicaux ou sportifs.

Le panthéon

Les principaux dieux grecs, supposés habiter le mont Olympe, étaient considérés comme les descendants de Cronos et de Rhéa, le fils et la fille d'Ouranos et de Gaïa. ◆ **Zeus** Le maître des dieux; marié à sa sœur Héra. ◆ **Aphrodite** Sœur de Cronos; déesse de l'amour et de la beauté. ◆ **Apollon** Fils de Zeus; dieu de la lumière, de la pureté et de la vérité – l'idéal de la beauté masculine. ◆ **Arès** Fils d'Héra; dieu de la guerre. Amant d'Aphrodite. ◆ **Artémis** Sœur jumelle d'Apollon; déesse de la Lune, de la chasse et de l'accouchement. ◆ **Athéna** Fille de Zeus; déesse de la sagesse. ◆ **Déméter** Sœur de Zeus; déesse de la moisson et de l'agriculture. ◆ **Dionysos** Fils de Zeus; dieu de la vigne et de la végétation. Au Ve siècle av. J.-C., à Athènes, il remplaça Hestia. ◆ **Héphaïstos** Fils d'Héra et de Zeus; dieu du feu et des forges. ◆ **Héra** Déesse du mariage et des épouses. ◆ **Hermès** Fils de Zeus; messager des dieux. ◆ **Poséidon** Frère de Zeus; dieu des mers.

Les Enfers

Pour les Grecs, les âmes des morts descendaient dans un royaume souterrain, gouverné par **Hadès** et séparé du monde des vivants par le **fleuve Styx**. Là, elles étaient jugées par Minos, Éaque et Rhadamante. Les méchants étaient enfermés à jamais dans le **Tartare** et les justes gagnaient les **champs Élysées**. Les autres devenaient des esprits errant dans des limbes, les **champs des Asphodèles**.

Les mythes

Les mythes et les légendes grecs aidaient à trouver une explication au monde et à sa création: l'hiver aurait été la conséquence de l'enlèvement de la fille de Déméter, **Perséphone**, par **Hadès**, le dieu des enfers. **Déméter** négligea de chercher l'enfant, ce qui valut à la Terre une saison stérile. Les mythes fournissaient aussi des conseils moraux, par les exemples qu'ils donnaient, et des principes pour le culte.

Les jeux Olympiques

Les jeux qui avaient lieu tous les 4 ans à Olympie étaient les plus anciens et les plus importants des quatre **jeux panhelléniques** ouverts aux athlètes de toute la Grèce. Les premiers eurent lieu en 776 av. J.-C. Célébrés en l'honneur de Zeus, ils alliaient culte religieux et sport. Ils furent abolis en 393 apr. J.-C. à cause des manifestations païennes qui y étaient associées.

Fêtes grecques

Les fêtes donnaient lieu à des manifestations religieuses, musicales, sportives et littéraires. À Athènes, au printemps, les **anthestéries**, fêtes dionysiaques, célébraient le vin nouveau. À cette occasion, les âmes des morts étaient supposées revenir dans les maisons. Tous les 4 ans, au cours des 6 jours des **grandes panathénées**, une procession se rendait à l'Acropole pour changer la tunique de la statue d'Athéna *(peplos)*.

Les temples

Résidence terrestre des dieux et des déesses, les temples grecs abritaient dans une **cella** – pièce sans fenêtre – la statue de la divinité à laquelle ils étaient dédiés. Des rites avaient lieu devant la statue. Les dons étaient conservés dans un **trésor**, derrière la cella. L'ensemble de la structure reposait sur un **stylobate**, une plate-forme avec des marches. Un **autel** en plein air, situé à l'avant, servait pour les sacrifices d'animaux.

Les esprits

Dans la religion grecque primitive figurait la croyance en des esprits de la nature – les **démons** – qui vivaient dans les arbres, les rivières, les ruisseaux et les montagnes. Plus tard, ce mot désigna le génie attaché à la destinée d'une personne. Les nymphes étaient la personnification féminine du même phénomène: les **Naïades** vivaient dans les ruisseaux, les rivières et les lacs, et les **Dryades** dans les arbres.

Les neuf Muses

Les Grecs croyaient que les arts étaient inspirés par neuf déesses appelées Muses – filles de Mnémosyne (la Mémoire). Chacune d'elles était associée à un art. **Calliope** La poésie épique. **Clio** L'Histoire. **Érato** La poésie lyrique et érotique. **Euterpe** La flûte. **Melpomène** La tragédie. **Polymnie** Les hymnes sacrés. **Thalie** La comédie. **Terpsichore** La danse et le chant choral. **Urania** L'astronomie.

Les oracles et les Moires

Les Grecs croyaient que les dieux répondaient aux questions par des **oracles**, messages transmis par les prêtres ou les prêtresses dans des sanctuaires, comme l'oracle d'Apollon à Delphes et celui de Zeus à Dodone. Trois déesses, appelées les Moires, contrôlaient le destin de chaque humain: **Clotho** filait le destin des hommes, **Lachésis** tournait le fuseau et **Atropos** coupait le fil et déterminait la mort.

L'idée des Sept Merveilles du monde remonte au IIe siècle av. J.-C., quand l'écrivain grec Antipatros de Sidon dressa, dans un poème, la liste de ce qu'il considérait comme les plus grandes réalisations humaines. Les Sept Merveilles n'ont existé simultanément que pendant une cinquantaine d'années, entre la construction du phare de Pharos et l'effondrement du colosse de Rhodes. Il n'existe plus qu'une seule des Sept Merveilles, les pyramides de Gizeh et quelques ruines de trois autres : le temple d'Artémis à Éphèse, le mausolée d'Halicarnasse et le phare d'Alexandrie.

Le phare d'Alexandrie

À partir de 280 av. J.-C., un phare en marbre blanc de 116 m de haut guida les bateaux à l'entrée périlleuse du port d'Alexandrie, en Égypte. Il se trouvait sur l'île de **Pharos**, qui a donné son nom au mot français phare. La nuit, un feu brûlait à l'étage supérieur et des **miroirs en bronze** projetaient la lumière sur la mer jusqu'à une distance de 50 km. L'édifice fut détruit par une série de tremblements de terre au XIVe siècle mais, en 1966, des archéologues remontèrent des statues du fond de la mer.

Les jardins suspendus de Babylone

D'après la légende, **Nabuchodonosor II** (vers 605-562 av. J.-C.), le roi de Babylone, aurait fait aménager un jardin suspendu dans sa capitale pour consoler son épouse, une princesse mède qui regrettait les paysages montagneux de sa patrie. Babylone est tombée en ruine vers 100 av. J.-C., mais les fondations de la ville existent encore. Selon certains archéologues, les jardins qui auraient poussé sur des terrasses, créant une fausse montagne de verdure, auraient été distribués autour d'une **ziggourat** ou tour à étages, équipée de tuyaux pour l'irrigation des massifs, treillages et bacs contenant les arbres et les fleurs.

Le mausolée d'Halicarnasse

Le plus grand tombeau de l'Antiquité fut construit à Halicarnasse (actuelle Bodrum, en Turquie) pour le satrape perse **Mausole de Carie** (377-353 av. J.-C.). Il mesurait 43 m de haut et était orné de 300 statues. Le toit était surmonté d'un char à quatre chevaux. La renommée de ce tombeau est à l'origine du mot **mausolée**. L'édifice resta debout jusqu'au Moyen Âge, où un tremblement de terre le réduisit en pièces.

Le colosse de Rhodes

Vers 293 av. J.-C., pour commémorer la résistance de l'île de Rhodes aux Macédoniens, on décida d'ériger une immense statue d'**Hélios**, le dieu du Soleil, dans la principale ville. L'architecte, **Chares de Lindos**, mit 12 ans pour réaliser ce géant de 30 m de haut constitué de plaques de bronze montées sur un cadre en fer. En 226 av. J.-C., un tremblement de terre fit basculer la statue. C'est dans cet état qu'elle fut choisie comme l'une des Sept Merveilles. En 654, des envahisseurs syriens la dépouillèrent de son revêtement de bronze. L'idée selon laquelle le colosse enjambait l'entrée du port de Rhodes est un mythe né au Moyen Âge.

Les pyramides de Gizeh

Les pyramides (2580-2520) ont été érigées pour les rois **Kheops**, **Khephren** et **Mykérinos**. La pyramide de Kheops, avec ses 147 m de haut et ses 2,3 millions de blocs de pierre – dont certains pèsent 15 tonnes –, est le plus grand édifice en pierre du monde.

La statue de Zeus à Olympie

Olympie était le centre du culte de **Zeus**, en l'honneur de qui étaient célébrés les jeux Olympiques. En 453 av. J.-C., le sculpteur **Phidias** acheva une statue en or et en ivoire de 13 m de haut du dieu assis destinée au temple principal. En 394 apr. J.-C., quand Rome adopta le **christianisme**, la statue fut transportée à Constantinople. Elle fut détruite dans un incendie.

PETITE INFO

Deux autres édifices sont parfois comptés au nombre des Sept Merveilles du monde. Il s'agit des **remparts de Babylone**, avec 100 portails de bronze, et du **palais du roi Cyrus** de Perse, du VIe siècle av. J.-C.

Le temple d'Artémis à Éphèse

Au VIe siècle av. J.-C., **Crésus de Lydie** finança la construction d'un nouveau temple dédié à Artémis, déesse de la Lune, dans la ville grecque d'Éphèse (aujourd'hui en Turquie). L'édifice en marbre et calcaire, richement décoré, avait 117 colonnes et mesurait 20 m de haut. Reconstruit par **Alexandre le Grand** après un incendie, il fut ensuite détruit par les Goths.

Les inventions de l'Antiquité

Le niveau technique atteint dans l'Antiquité évolua peu jusqu'au XVIIIe siècle de notre ère. La roue, apparue à Sumer vers 3500 av. J.-C., existait en Amérique avant l'arrivée des Européens, au XVIe siècle, mais seulement en miniature. La découverte du cuivre, du bronze et du fer entraîna des progrès décisifs dans l'agriculture, la monte à cheval, la médecine et l'armement. La seule protection des inventeurs était le secret. Les Chinois gardèrent ainsi celui de la fabrication de la soie pendant plus de 3 000 ans. La contrebande des œufs de ver à soie était passible de la peine de mort.

L'agriculture

L'agriculture fournissait la nourriture nécessaire à la croissance des villes et des cités. Le premier outil, une **faucille** en os avec des dents en silex découverte en Palestine, date de 6000 av. J.-C., et la **culture du riz** a débuté en Chine vers 5000 av. J.-C. Les Mésopotamiens ont inventé le **harnais** en 4000 av. J.-C. et la **charrue** tractée par un bœuf vers 3500 av. J.-C. En 3000 av. J.-C., les Égyptiens pratiquaient déjà l'**irrigation**. Entre 1000 et 500 av. J.-C., les Chinois perfectionnèrent la charrue en ajoutant une planche incurvée pour retourner la terre et une lame en fer. Les Romains employaient aussi une lame en fer.

Selle, étriers et harnais

Les peuples des **steppes ukrainiennes** auraient été les premiers à domestiquer les chevaux, vers 4000 av. J.-C. Au début, les cavaliers montaient à cru et n'avaient que des harnais, des rênes et des mors. Entre le VIe et le IVe siècle av. J.-C., les **Scythes** d'Asie centrale se servirent d'étriers en cuir. Les Celtes ont été les premiers à employer des pièces métalliques, vers 300 av. J.-C. Nés en **Chine** vers 200 av. J.-C., les étriers en métal n'arrivèrent en Occident qu'au VIIIe siècle. Les premières selles en cuir apparurent chez les **nomades d'Asie centrale** vers 200.

Les armes

Les premières armes – **des bâtons taillés** découverts en Allemagne et en Angleterre – remontent à 500 000 ans. À partir de 45000 av. J.-C., on fixa des pointes en pierre sur des manches en bois. Vers 15000 av. J.-C., les peuples du nord de l'Afrique maîtrisaient la technique de **l'arc** et des **flèches**. Des **frondes** à longue portée apparurent en Israël vers 1400 av. J.-C. La découverte du cuivre (vers 6000 av. J.-C.) et du bronze (vers 3500 av. J.-C.) permit d'améliorer les **lames**. À l'âge du fer (vers 1500 av. J.-C.), elles devinrent plus tranchantes et plus solides que celles en pierre. Les premières **épées** apparurent à l'âge du bronze.

Inventions diverses

- **Pièces** Premières pièces frappées en Lydie vers 650 av. J.-C.
- **Peigne** Peignes en os employés en Scandinavie vers 8000 av. J.-C.
- **Poulie** Inventée par les Grecs vers 400 av. J.-C.
- **Skis** Paire datant de 2500 av. J.-C. découverte en Suède.
- **Savon** Inventé par les Sumériens vers 3000 av. J.-C.
- **Brouette** Inventée par les Chinois vers 100 apr. J.-C.

Médecine et chirurgie

Vers 2500 av. J.-C., les Égyptiens se servaient de **lames** et d'**aiguilles** en cuivre. Au IXe siècle av. J.-C., en Inde, le chirurgien **Susruta** inventa les **agrafes**. Ses écrits furent transmis aux Grecs et aux Romains. Le plus ancien ensemble complet d'instruments chirurgicaux, découvert dans une tombe minoenne, date de 1500 av. J.-C. Vers 700 av. J.-C., les Étrusques employaient des **dentiers** en os ou en ivoire, et la **fraise** des dentistes aurait été inventée par le chirurgien romain **Archigenes** vers 100 apr. J.-C. Le médecin grec **Hippocrate** (vers 460-370 av. J.-C.) fonda la médecine moderne, mais les Romains firent progresser les techniques chirurgicales en traitant les blessures de guerre. Les chirurgiens romains se servaient de scalpels – des lames coupantes – en acier autrichien ; leurs techniques restèrent inégalées jusqu'au XVIe siècle.

La vis d'Archimède

La vis d'Archimède, appelée aussi hélice ou vis hydraulique, est un système de pompe à eau qui aurait été inventé au IIIe siècle av. J.-C. par le mathématicien grec pour diriger les eaux du Nil sur les terrains qui n'étaient pas inondés par les crues. Cette technique d'irrigation est encore utilisée aujourd'hui.

L'équipement sanitaire

Le premier système d'assainissement fut réalisé à **Mohenjo-Daro** vers 2500 av. J.-C. Un réseau de canalisations en terre cuite entraînait les eaux usées en dehors de la ville. Au VIe siècle av. J.-C., des aqueducs amenaient l'eau à **Rome**. Les eaux usées étaient évacuées par les canalisations avant de rejoindre les égouts de la ville. Le plus grand égout, le **Cloaca Maxima**, se déversait dans le Tibre.

Les Celtes

Les tribus qui vivaient dans l'ouest de l'Europe à l'âge du fer étaient composées de Celtes, de Belges, d'Aquitains et d'Helvètes, regroupés par les Grecs et les Romains sous le nom de Celtes ou Gaulois. Les objets en métal fabriqués par les Celtes prouvent qu'ils étaient d'habiles artisans, mais aux yeux des peuples cultivés de la Méditerranée, c'était des Barbares. Nous connaissons leur histoire grâce aux récits des Grecs et des Romains. Ces derniers vainquirent les Celtes au Ier siècle av. J.-C. Les mercenaires gaulois qui combattirent avec Alexandre le Grand étaient de farouches guerriers et d'excellents cavaliers et auriges.

Les deux Gaules

Pour les Romains, la Gaule désignait les territoires celtiques couvrant la France actuelle, une partie de la Belgique, l'ouest de l'Allemagne et le nord de l'Italie. La **Gaule Cisalpine** (en deçà des Alpes) comprenait les territoires situés en Italie, et la **Gaule Transalpine**, les territoires situés au-delà des Alpes. En 180 av. J.-C., les Romains annexèrent la Gaule Cisalpine, et la **guerre des Gaules** (58-51 av. J.-C.), conduite par César, marqua la fin de la Gaule Transalpine.

PETITE INFO

La bande dessinée ***Astérix le Gaulois***, créée en 1959 par le scénariste René **Goscinny** et le dessinateur Albert **Uderzo**, a été traduite depuis en 15 langues.

La Tène

La civilisation celtique de La Tène, qui tire son nom d'un site sur le lac de Neuchâtel, en Suisse, s'est épanouie entre 450 et 100 av. J.-C. Elle a produit des **objets en métal** ornés de décors curvilignes inspirés de l'art **étrusque** et **grec**. Cette culture gagna l'**Espagne**, l'**Irlande** et la **Hongrie** au IVe et au IIIe siècle av. J.-C. Elle coïncide avec l'expansion des Celtes en Méditerranée, la construction de **villages fortifiés** – appelés oppida par les Romains – et la formation d'**États** celtes.

Dieux et druides

Quatre fêtes religieuses rythmaient l'année :

- **Imbolc** – le 1er février, en l'honneur de Brighid, déesse du savoir, de la santé et de l'artisanat.
- **Belteine** – le 1er mai, en relation peut-être avec Bélénus, le dieu des bergers.
- **Lugnasad** – le 1er août, en l'honneur de Lugus, le dieu des arts.
- **Samain** – le 1er novembre, dédiée au surnaturel et aux morts.

Les **Druides**, prêtres proches de la classe au pouvoir, avaient des connaissances dans les domaines de l'Histoire, des lois, de la divination et de l'astronomie. Ils servaient d'intermédiaires entre les humains et le monde spirituel.

L'art celte

L'art celte est caractérisé par son **ornementation** à base de courbes et d'entrelacs, inspirée de l'art grec, étrusque et scythe. Les artisans celtes furent les premiers en Occident à décorer le bronze avec des **incrustations d'émail**. Ils ont aussi **sculpté dans la pierre** des personnages surnaturels dont les visages cruels ressemblent à des masques.

CHRONOLOGIE

390 av. J.-C. Les Gaulois pillent Rome et descendent jusqu'en Sicile.

279 av. J.-C. Les Celtes profanent l'oracle de Delphes, en Grèce.

260 av. J.-C. La Gaule, l'Espagne et la Bretagne constituent un empire gaulois indépendant.

225 av. J.-C. Victoire des Romains sur les Gaulois à la bataille de Télamon, en Italie.

121 av. J.-C. Les Romains traversent lés Alpes pour attaquer la Gaule Transalpine et créent la Provincia Romana dans le sud de la France.

102-101 av. J.-C. Le général romain Caius Marius écrase les Cimbres et les Teutons.

58 av. J.-C. Début de la guerre des Gaules.

55 av. J.-C. César attaque la Bretagne, refuge des Belges.

49 av. J.-C. César conquiert toute la Gaule. La civilisation celte ne se maintient qu'en Bretagne, en Irlande, en Écosse, au pays de Galles et en Cornouailles.

Vercingétorix

En 52 av. J.-C., alors que diverses tribus gauloises étaient vaincues par les Romains, Vercingétorix, chef des **Arvernes** du centre de la Gaule, prit la tête d'un **soulèvement**. En employant la technique de la guérilla et fort d'une armée de 80 000 hommes, il tint tête aux Romains pendant 6 ans. Il fut vaincu au **siège d'Alésia**.

Les Étrusques et Rome

Les Étrusques créèrent la première civilisation de la péninsule italienne. Ils ne constituèrent jamais un État, mais une ligue de douze cités-États. Ils jouèrent un rôle prépondérant dans la fondation de Rome et furent les précurseurs des Romains dans le domaine des techniques : routes, aqueducs, ponts, égouts. La civilisation étrusque déclina à partir de l'expulsion des Tarquins de Rome, en 509 av. J.-C., et de l'arrivée des Celtes dans le nord de l'Italie. Les voisins des Étrusques dans la péninsule italienne étaient les Sabins, les Picentins et les Ombriens.

Les tombes étrusques

Les tombes des Étrusques étaient rassemblées dans de vastes nécropoles à l'extérieur des villes. Leurs **dieux** étaient proches de ceux des Grecs, et ils croyaient aussi fortement à l'existence d'une vie après la mort. Les tombes étrusques étaient décorées et aménagées comme les maisons des vivants. Beaucoup étaient en pierre ou taillées dans le roc. Parfois, elles étaient souterraines. Les peintures murales avaient pour but de rappeler au mort les plaisirs de la vie : la danse, la chasse, les fêtes. Les Étrusques n'étaient pas tous enterrés, certains étaient incinérés.

CHRONOLOGIE

1500 av. J.-C. Les Étrusques font leur apparition dans l'ouest de l'Italie ; ils étaient peut-être originaires de la Lydie, en Asie Mineure.

753 av. J.-C. Selon la tradition, cette année serait celle de la fondation de Rome (bien qu'une date ultérieure soit plus probable).

535 av. J.-C. L'alliance des Étrusques et des Carthaginois pour attaquer les colonies grecques aboutit à la perte de leur puissance maritime.

509 av. J.-C. Tarquin le Superbe quitte Rome à la suite d'une révolution populaire. Date officielle de la fondation de la République romaine.

474 av. J.-C. Syracuse (colonie grecque en Sicile) inflige une défaite à la flotte étrusque à Cumes.

450 av. J.-C. Poussés par les Celtes, les Étrusques gagnent la vallée du Pô.

396 av. J.-C. Rome conquiert Veii (Véies) après un siège de 10 ans.

283 av. J.-C. Les Étrusques font alliance avec Rome.

86 av. J.-C. Sylla prend le pouvoir à Rome et annexe l'Étrurie pour se venger des Étrusques, qui avaient soutenu son rival Marius.

Pleins de mordant

Les Étrusques furent parmi les premiers à pratiquer l'**art dentaire**. Les dentistes étrusques, très habiles, savaient déjà remplacer les dents manquantes. Des dents, vraies ou fausses, étaient rivetées sur des bagues en or qui prenaient appui sur les dents intactes. Le plus ancien dentier trouvé dans cette région date de 700 av. J.-C.

Les rois de Rome

À ses débuts, Rome fut gouvernée par deux rois étrusques répondant au nom de **Tarquin** : Tarquin l'Ancien (vers 616-vers 578 av. J.-C.) et son fils Tarquin le Superbe (534-509 av. J.-C.). Tarquin l'Ancien fut tué par un rival qui convoitait le trône. Sa femme préserva le trône pour son gendre Servius Tullius, qui fut assassiné plus tard par Tarquin le Superbe. Ce dernier se comporta en tyran jusqu'à ce que son fils Sextus soit accusé d'avoir déshonoré une femme de l'aristocratie, ce qui déclencha une révolution. Tarquin le Superbe fut chassé de Rome et la monarchie fut abolie en faveur de la république.

L'art étrusque

Bien qu'il ait subi l'influence de l'art grec, l'art étrusque possède une exubérance qui lui est propre. La plupart des **peintures** que nous connaissons sont des fresques trouvées dans les tombes. Ornées de décors et de bordures, elles représentent des scènes de la vie quotidienne. La **poterie** était inspirée des pièces à figures noires grecques, mais les Étrusques ont aussi réalisé des vases de bucchero noirs, imitant le bronze, des sculptures en terre cuite et d'autres en **métal**. Les artisans fabriquaient non seulement des bijoux mais aussi des objets usuels comme des poignées de casserole et des récipients pour conserver les denrées.

PETITE INFO

Tarquinia s'appelait à l'origine Tavxuna, du nom dérivé de celui d'un roi étrusque. Elle fut fondée par les **Étrusques** au XIIe siècle av. J.-C. Plusieurs autres villes d'origine étrusque existent encore, telles Orvieto, Pérouse, Felathri et Volterra.

Influences et commerce

À partir du VIIIe siècle av. J.-C., les **colonies grecques** – Crotone, Sybaris, Tarente – dominaient le sud de l'Italie et la Sicile. Les Étrusques étaient donc en contact direct avec les Grecs. De plus, ils créèrent eux aussi des comptoirs commerciaux en Corse, en Sardaigne, en Espagne et dans les îles Baléares. Ils eurent aussi des échanges avec **Carthage**, colonie phénicienne. La prospérité des Étrusques reposait sur leur richesse en métaux, en fer surtout.

La République romaine

Les Romains dominèrent l'Europe pendant presque 1 000 ans. L'histoire romaine comprend deux périodes : la République romaine, à partir de 509 av. J.-C., et l'Empire romain, à partir de 27 av. J.-C. Les Romains constituèrent une armée puissante qui, au Ier siècle av. J.-C., avait déjà conquis un ensemble de territoires dépassant largement les frontières de l'Italie. Les Romains adoptèrent le meilleur de chaque civilisation, dont les traditions grecques dans certains domaines : sculpture, sciences et littérature. Le droit occidental est en grande partie basé sur le droit romain, codifié en 450 av. J.-C.

Les guerres de Pyrrhus

En 280 av. J.-C., **Pyrrhus** (319-272 av. J.-C.), roi d'Épire et cousin d'Alexandre le Grand, lança une invasion dans le sud de l'Italie. Avec le renfort des Samnites, il vainquit les Romains à **Héraclée** et à **Ausculum** en 279 av. J.-C., mais au prix d'énormes pertes dans son armée. Il tenta ensuite de chasser les Carthaginois de Sicile, mais fut battu par les Romains à **Bénévent** en 275 av. J.-C. Après des échecs ultérieurs en Grèce, il mourut dans un combat de rues à Argos.

Le gouvernement romain

À l'origine conseil des rois, le **Sénat** devint la suprême assemblée législative et exécutive de Rome. Divers magistrats le composaient. ◆ **Les consuls** La royauté abolie, deux consuls élus assumèrent le pouvoir militaire et judiciaire exercé jusqu'ici par le roi. ◆ **Les censeurs** Chargés du recensement, ils surveillaient les citoyens, remplaçaient les sénateurs indignes et s'occupaient des adjudications de travaux publics. ◆ **Les prêteurs** Ces magistrats occupaient la fonction de juge dans les cours de justice. ◆ **Les questeurs** Trésoriers de la République en charge des affaires financières, ils devinrent sénateurs sous Sylla. ◆ **Les édiles** Quatre magistrats qui inspectaient les temples, les édifices publics et les marchés, ainsi que l'organisation des jeux. ◆ **Le dictateur** Nommé par les consuls, il pouvait en cas de nécessité se voir confier l'autorité suprême pour 6 mois. ◆ **Les tribuns** Ils étaient élus pour représenter les plébéiens. ◆ ***Pontifex maximus*** Le chef du collège des ministres du culte. Cette haute dignité conférait un pouvoir politique considérable.

Les classes

Il existait deux principales classes de citoyens à Rome : les patriciens et les plébéiens. Les **patriciens**, membres héréditaires du Sénat, étaient des aristocrates. Ils prirent de plus en plus de pouvoir, mais, au IVe siècle av. J.-C., leur conflit avec les plébéiens leur fit perdre le contrôle exclusif du Sénat et leur lent déclin commença. **Les plébéiens** étaient les citoyens ordinaires. Au début de la République, ils n'avaient pas le droit d'épouser des patriciennes ni de participer au gouvernement, jusqu'à la création de la charge de tribun au Ve siècle av. J.-C. En réalité, le fonctionnement de Rome reposait sur les **esclaves**, surtout à partir du IIe siècle av. J.-C. Ils n'avaient ni droit ni représentant mais pouvaient gagner, ou acheter, leur liberté.

CHRONOLOGIE

509 av. J.-C. Le dernier roi étrusque est chassé. Début de la République romaine.
390 av. J.-C. Sac de Rome par les Gaulois (Celtes).
280 av. J.-C. Pyrrhus attaque le sud de l'Italie.
218 av. J.-C. Hannibal envahit le nord de l'Italie.
202 av. J.-C. Défaite d'Hannibal. Rome conquiert le sud de l'Espagne.
146 av. J.-C. Rome détruit Carthage. La Macédoine devient romaine.
71 av. J.-C. Pompée et Crassus écrasent une révolte d'esclaves menée par Spartacus.
60 av. J.-C. Formation du premier triumvirat.
58 av. J.-C. Début de la guerre de Gaules.
49 av. J.-C. César s'oppose à Pompée.
48 av. J.-C. Pompée est vaincu par César, qui est assassiné 4 ans plus tard.
31 av. J.-C. Octave, fils adoptif de Jules César, défait son rival Marc Antoine.
27 av. J.-C. Octave, premier empereur sous le nom d'Auguste.

Marius et Sylla

Sylla (138-78 av. J.-C.), nommé **dictateur** en 82 av. J.-C., est à l'origine d'importantes réformes constitutionnelles en faveur du Sénat. Il arriva au pouvoir après de durs affrontements avec le général Marius (157-86 av. J.-C.). Leur rivalité atteignit son apogée en 88 av. J.-C., quand Sylla, devenu consul avec l'appui des patriciens, refusa d'abandonner à Marius le commandement d'une guerre contre Mithridate, roi du Pont, en Asie Mineure. Sylla marcha sur Rome, forçant Marius à s'enfuir.

Remus et Romulus

Rome devrait son nom à **Romulus**, qui, d'après la légende, aurait fondé la ville en 753 av. J.-C. avec son frère jumeau **Remus**. Abandonnés encore tout bébés, les jumeaux furent allaités par une louve et survécurent. Après avoir fondé la ville, ils se disputèrent et Romulus tua Remus.

Le triumvirat

En 60 av. J.-C., les trois hommes qui dirigeaient Rome, **Jules César**, **Pompée** (106-48 av. J.-C.) et **Crassus** (115-53 av. J.-C.), ne parvenant pas à obtenir le soutien du Sénat, s'associèrent secrètement pour se partager le pouvoir et former un gouvernement à trois. Après la constitution de ce premier triumvirat, Pompée épousa la fille de César, Julia. La mort de Julia en 54 av. J.-C. et celle de Crassus l'année suivante aiguisèrent la rivalité entre César et Pompée.

Jules César

Caius Julius Caesar (100-44 av. J.-C.) fut d'abord **questeur** en Espagne en 68 av. J.-C., puis **édile**, et, en 63 av. J.-C., ***pontifex maximus***. Après la formation du premier triumvirat, il devint **consul** puis **proconsul** (gouverneur de province) en Illyrie et dans la Gaule Cisalpine et Transalpine. En 49 av. J.-C., refusant de se soumettre au Sénat, qui lui imposait d'abandonner le pouvoir et de dissoudre son armée, il franchit le **Rubicon** et marcha sur Rome. En 48 av. J.-C., il vainquit Pompée à Pharsale, dans le nord de la Grèce.

Carthage

À l'origine colonie phénicienne, Carthage devint un État indépendant et l'une des grandes puissances de l'ouest de la Méditerranée. Les Phéniciens l'appelèrent Kart hadasht («la nouvelle ville»); les Romains, Carthago. Carthage était entourée de terres produisant de l'huile d'olive, des fruits, du vin et des céréales. La flotte était composée uniquement de Carthaginois alors que l'armée employait de nombreux mercenaires lybiens, celtibères, sardes et corses. Au début de son histoire, Carthage fut souvent en conflit avec les colonies grecques de l'ouest de la Méditerranée.

L'Espagne

Pendant la première guerre punique, **Hamilcar Barca** (mort en 228 av. J.-C.) commandait les Carthaginois. En 237, il partit à la conquête du sud et de l'est de l'Espagne. Cette région était habitée par des Ibères et des Celtes, mais il y avait aussi des colonies grecques à Saguntum, Emporion (Ampurias) et Dianion (Denia). Hamilcar mourut au cours d'une bataille en Espagne. Il était le père d'**Hannibal** et d'Hasdrubal Barca.

Les guerres puniques

Les trois guerres puniques eurent pour cause la rivalité entre **Carthage** et **Rome**. La première (264-241 av. J.-C.), en Sicile, fut gagnée par les Romains. Au cours de la deuxième (218-201 av. J.-C.), le général carthaginois **Hannibal** envahit l'Italie et faillit prendre Rome. Mais les Romains le coupèrent de ses bases arrière et, en 203 av. J.-C., il dut se retirer pour défendre Carthage, attaquée par **Scipion l'Africain.** Après sa défaite (202 av. J.-C.), Rome s'empara de tous les territoires carthaginois hors d'Afrique. Pendant la troisième guerre (149-146 av. J.-C.), **Scipion Émilien, dit le Second Africain** (petit-fils adoptif du précédent), conquit Carthage et la rasa. Il aurait ensuite fait répandre du sel dans les champs cultivés environnants pour les rendre stériles.

La Carthage romaine

Après avoir rasé Carthage, à la fin de la **troisième guerre punique**, les Romains interdirent toute reconstruction. Mais, en 122 av. J.-C., les Romains fondèrent là une nouvelle colonie vers laquelle, plus tard, **Jules César** envoya des colons sans terre. En 29 av. J.-C., Carthage devint la capitale de la province d'Afrique. Sous le nom de **Colonia Julia Carthago**, elle redevint l'un des plus importants centres du commerce en Méditerranée.

Hannibal

Hannibal Barca (247-182 av. J.-C.), le plus grand général carthaginois, fut proclamé, en 221 av. J.-C., chef de la province carthaginoise d'Espagne, d'où il déclencha la **deuxième guerre punique**. Après avoir traversé les Alpes en 15 jours, au début de l'hiver, avec 60 000 hommes – la plupart celtibères – et 34 éléphants, il attaqua par surprise les Romains et remporta trois victoires, dont celle de **Cannes** (216 av. J.-C.), au cours de laquelle 35 000 Romains furent tués alors qu'il ne perdit que 5 700 hommes. En dépit de cela, et malgré l'appui du sud de l'Italie, Hannibal ne réussit pas à vaincre la résistance romaine. En 203 av. J.-C., il retourna en Afrique et perdit la bataille de Zama.

PETITE INFO

Dans la **Tunisie** d'aujourd'hui, sur la colline de Bysra, on peut encore apercevoir au milieu des ruines de **Carthage** des restes d'habitations datant de l'époque d'Hannibal.

PETITE INFO

Le mot **punique** vient du nom romain *Poeni*, qui désignait les Phéniciens.

Montures géantes

Au cours de l'Histoire, la plupart des éléphants utilisés pour le combat étaient des éléphants d'Asie. Hannibal fut presque le seul à dresser des éléphants d'Afrique. Il est célèbre pour avoir amené ces derniers en Italie. En fait, il ne semble pas que ces éléphants aient joué un rôle déterminant. La plupart des 34 éléphants d'Afrique moururent peu de temps après avoir traversé les Alpes, et un seul survécut à la bataille de La Trébie. Les éléphants furent d'une plus grande utilité contre **Alexandre le Grand**, en Inde, en 326 av. J.-C.

LE SAVIEZ-VOUS ?

Le roi Iarbas de Mauritanie aurait promis à Elissa (la **Didon** des Romains) de lui accorder un territoire équivalent à celui que délimiterait le cuir d'un bœuf. Elle découpa le cuir en fines lanières et réclama un espace assez grand pour y fonder Carthage.

CHRONOLOGIE

- **814 av. J.-C.** Fondation légendaire de Carthage par Didon.
- **540 av. J.-C.** Les Carthaginois chassent les Grecs de Corse.
- **241 av. J.-C.** Victoire de Rome sur Carthage en Sicile.
- **218 av. J.-C.** Hannibal occupe le nord de l'Italie.
- **202 av. J.-C.** Défaite d'Hannibal à la bataille de Zama, près de Carthage. Rome s'empare des territoires carthaginois au sud de l'Espagne.
- **146 av. J.-C.** Rome détruit Carthage à la fin de la troisième guerre punique.
- **29 av. J.-C.** Octave (futur Auguste) fait de Carthage la capitale de la province d'Afrique. La ville redevient un centre commercial prospère.
- **439** Carthage devient la capitale des Vandales.
- **697** Carthage est pillée par des envahisseurs arabes.

L'Égypte ptolémaïque

Lors du partage de l'empire d'Alexandre le Grand entre ses généraux, Ptolémée s'octroya l'Égypte, fondant la XXXIIIe dynastie. En respectant et en adoptant de nombreuses traditions égyptiennes, contrairement aux Perses, les Ptolémées furent généralement bien accueillis. Ils contrôlèrent aussi le sud de la Syrie et la Judée jusqu'à environ 210 av. J.-C. Les Romains se sentaient menacés par l'Égypte ptolémaïque et convoitaient ses richesses. Pendant 150 ans, Rome intervint activement dans les affaires de l'Égypte, et, par-dessus tout, à l'époque de Cléopâtre.

Les Ptolémées

Parmi les nombreux rois Ptolémées, les plus importants furent :

◆ **Ptolémée Ier (323/305-285 av. J.-C.)** Général macédonien et fondateur de la dynastie, il fit construire la bibliothèque d'Alexandrie.

◆ **Ptolémée II (285-246 av. J.-C.)** Il fit de l'Égypte la première puissance de la Méditerranée orientale et inaugura le phare d'Alexandrie, commencé sous le règne de son père.

◆ **Ptolémée III (246-221 av. J.-C.)** Il prit Antioche aux Séleucides et porta l'Égypte ptolémaïque au sommet de sa puissance.

◆ **Ptolémée VI (180-145 av. J.-C.)** Il partagea le trône avec son frère Ptolémée VIII. Contraint de s'exiler en 164 av. J.-C., il récupéra le pouvoir avec l'aide de Rome.

◆ **Ptolémée XII (80-51 av. J.-C.)** Sa fille Bérénice IV fut portée au pouvoir alors qu'il était à Rome. À son retour, en 55 av. J.-C., il la renversa avec l'appui des Romains et la fit exécuter.

◆ **Ptolémée XIII (51-47 av. J.-C.)** Il gouverna avec sa sœur et épouse Cléopâtre VII. Il essaya de s'attirer les faveurs de César en chassant Cléopâtre, mais il fut tué et Cléopâtre monta sur le trône.

◆ **Ptolémée XV (44-30 av. J.-C.)** Fils de Cléopâtre et de Jules César.

Cléopâtre

Cléopâtre (69-30 av. J.-C.) était une souveraine rusée, qui mêla sexe et politique pour tenter de renforcer sa domination sur son pays. Les Romains la détestèrent à cause de son ambition et de ses liaisons, avec **Jules César** d'abord, puis avec **Marc Antoine**. Elle donna à César un fils, Ptolémée XV, connu aussi sous le nom de **Césarion**. Elle eut aussi trois enfants avec Marc Antoine, qui abandonna sa première femme, Octavie, pour l'épouser.

CHRONOLOGIE

323 av. J.-C. Ptolémée Ier prend le contrôle de l'Égypte.

170 av. J.-C. Occupation de l'Égypte par les Séleucides.

163 av. J.-C. Rome aide à la restauration de Ptolémée VI.

47 av. J.-C. Cléopâtre gouverne l'Égypte.

44 av. J.-C. Mort de Jules César.

37 av. J.-C. Cléopâtre épouse Marc Antoine.

31 av. J.-C. Défaite de Cléopâtre et de Marc Antoine à la bataille d'Actium.

30 av. J.-C. Cléopâtre et Marc Antoine se suicident et Ptolémée XV (Césarion) est assassiné.

Ptolémée le savant

Claude Ptolémée (vers 100-vers 170) fut l'un des plus grands savants d'Alexandrie. Astronome, géographe et mathématicien, il est l'auteur de deux ouvrages qui firent autorité jusqu'à la Renaissance. Sa *Syntaxe mathématique* résume les connaissances astronomiques et place la Terre comme un corps fixe au centre de l'Univers (système de Ptolémée). Son *Traité géographique* dresse un inventaire, avec des cartes, des endroits connus de la planète. La carte du monde de Ptolémée inspira les navigateurs de la Renaissance. Elle les induisit aussi en erreur puisque l'Amérique n'y figurait pas.

L'Égypte hellénistique

Les autorités encouragèrent activement le développement de la civilisation hellénistique dans l'Égypte ptolémaïque. Les Ptolémées parlaient le grec, et leur capitale, **Alexandrie**, devint rapidement le grand foyer de la culture grecque. En revanche, les Ptolémées adoptèrent de nombreux traits caractéristiques de la civilisation égyptienne concernant l'habillement, l'architecture et certains aspects de la religion.

Les Romains en Égypte

Pour les Romains, l'Égypte n'était rien qu'une pièce du puzzle impérial. Ils la considéraient comme un **grenier** et développèrent ses **relations commerciales** avec la mer Rouge. Ils se soucièrent peu des traditions pharaoniques et sapèrent la religion égyptienne. Les Égyptiens se tournèrent vers le **christianisme** plutôt que vers le panthéon romain. Saint Marc introduisit le christianisme en Égypte vers 40 apr. J.-C., et l'**Église copte** se développa à partir du IIe siècle, malgré les persécutions.

Alexandrie

Alexandrie se développa sous l'impulsion du Grec Ptolémée Ier, mais dans un style toujours très égyptien, avec des temples, des **obélisques** et des **sphinx** venus d'autres sites. Ptolémée II fonda le **musée** et l'**académie** et inaugura le célèbre **phare** dont la construction avait débuté sous le règne de son père.

Portraits funéraires

Pendant la période ptolémaïque, on plaçait sur les cercueils les **masques des momies**. Ces « **cartonnages** », fabriqués avec du lin ou du papyrus enduit de plâtre, étaient moulés sur le visage du défunt puis peints. Pendant la période romaine, des portraits réalistes – appelés **portraits du Fayoum** – étaient peints sur des plaques de bois et posés sur les momies.

L'Empire romain

Au Ier siècle av. J.-C., l'étendue des possessions romaines rendait indispensable l'autorité suprême d'un empereur. En 27 av. J.-C., le Sénat confia ce rôle à Octave, lui décernant le titre d'Auguste. Malgré les abus de pouvoir de nombreux empereurs, le nouveau système garantit la stabilité de l'empire. Les Romains apportèrent la paix et la stabilité (la Pax Romana) dans la plupart des territoires conquis. Avant l'occupation romaine, dans la majeure partie de l'Europe occidentale, la population était agricole. Les Romains fondèrent les premières cités, comme Londres, Paris, Cologne et Séville.

La citoyenneté

Les citoyens romains avaient le droit de voter, mais ils étaient réquisitionnés pour servir dans l'armée. Au début, seuls les hommes nés de parents romains pouvaient être citoyens, mais peu à peu ce droit s'étendit, d'abord (au Ier siècle av. J.-C.) à tous les hommes d'Italie, puis à des catégories particulières dans l'empire. L'**esclavage** constituait toujours un pilier de l'économie. La diminution du nombre d'esclaves, entamée au IIe siècle, s'accéléra pendant l'ère chrétienne.

Pompéi

Pompéi était un centre commercial actif de 20 000 personnes lorsque, le 24 août de l'an 79, l'éruption du **Vésuve** l'ensevelit sous des millions de tonnes de cendres et de débris. En 1748, la ville fut mise au jour au cours de fouilles, qui, poursuivies jusqu'à nos jours, ont donné de précieuses informations sur la vie quotidienne dans une petite ville romaine au Ier siècle.

Empereurs romains

◆ **Tibère** (14-37) L'aîné des beaux-fils d'Auguste. ◆ **Caius** (Caligula, 37-41) Arrière petit-fils d'Auguste. Cruel, instable et autoritaire, il fut assassiné par la garde prétorienne. ◆ **Claude Ier** (41-54) Oncle de Caligula, il fut proclamé empereur par la garde prétorienne. ◆ **Néron** (54-68) Tyrannique fils adoptif de Claude, proclamé ennemi public par le Sénat, il choisit de se donner la mort. ◆ **Vespasien** (69-79) Après la mort de Néron, deux militaires, Othon et Vitellius, régnèrent quelque temps avant que les légions proclament Vespasien empereur. Il restaura l'ordre et lança de grands travaux. ◆ **Trajan** (98-117) Né en Espagne, ce fils adoptif de Nerva (96-98) porta l'empire à sa plus grande extension. ◆ **Hadrien** (117-138) Fils adoptif de Trajan, ce grand voyageur fit le tour des provinces pour inspecter ses armées. Il renforça les frontières de l'empire. ◆ **Marc Aurèle** (161-180) Il fit campagne pour conserver les frontières de l'empire.
◆ **Septime Sévère** (193-211) Proclamé empereur après l'assassinat de Commode (180-192), il dispersa la garde prétorienne, réforma l'armée et diminua le pouvoir du Sénat.
◆ **Dioclétien** (284-305) Il restaura l'ordre et institua le régime de la tétrarchie, avec deux Augustes et deux Césars.

La conquête de la Bretagne

Jules César avait conduit deux expéditions en (Grande-) Bretagne, en 55 et en 54 av. J.-C., mais les Romains la conquirent vraiment en 43 apr. J.-C., sous **Claude**. L'Écosse leur échappa cependant, et ils construisirent deux lignes défensives pour protéger la frontière nord : le **mur d'Hadrien** (122-126) et, plus au nord, le **mur d'Antonin** (142). La résistance la plus sérieuse à la romanisation du pays fut la révolte menée en 60-61 par **Boudicca** (ou Boadicée), reine des Icènes, une tribu celte de la région de l'actuel Norfolk. Les rebelles brûlèrent Verulamium (Saint Albans), Camulodunum (Colchester) et Londinium (Londres), anéantissant la 9e légion et 70 000 citoyens romains avant d'être vaincus. Menacés d'invasion sur leur propre territoire, les Romains quittèrent la (Grande-) Bretagne en 410.

CHRONOLOGIE

27 av. J.-C. Auguste devient le premier empereur romain.
14 apr. J.-C. Tibère succède à Auguste.
41 Claude devient empereur.
43 Conquête de la (Grande-) Bretagne.
64 Une grande partie de Rome est détruite par un incendie. Néron accuse les chrétiens et commence à les persécuter.
98 Début du règne de Trajan.
212 La citoyenneté est accordée à tous les hommes libres de l'empire.
251 Les Romains se retirent de Dacie et d'autres territoires éloignés.
312 L'Empire romain est unifié après des siècles de divisions.
313 Le christianisme est formellement toléré à l'intérieur de l'Empire romain.
330 Constantin fonde Constantinople et en fait la capitale de son empire. L'Empire romain est divisé entre l'Orient et l'Occident.
410 Rome est pillée par les Wisigoths. Les Romains abandonnent la (Grande-) Bretagne et la Gaule.
476 Romulus Augustule, dernier empereur d'Occident, est renversé par Odoacre, roi des Hérules.

Auguste

Caius Julius Caesar Octavianus (63 av. J.-C.-14 apr. J.-C.), connu aussi sous le nom d'**Octave**, était le petit-neveu, le fils adoptif et l'héritier de **Jules César**. À la mort de César, il s'allia avec **Marc Antoine** et, en 42 av. J.-C., ils se partagèrent le monde romain. Mais quand Antoine contesta à Octave son droit de régner et proposa **Césarion**, fils de César et de Cléopâtre, comme héritier légitime de César, Octave lui déclara la guerre et remporta la victoire à **Actium** en 31 av. J.-C.

Femmes de l'empire

Bien que ne prenant pas part officiellement aux affaires de l'État, certaines femmes jouèrent des rôles clefs.
◆ **Livie** (58 av. J.-C.-29 apr. J.-C.) Elle divorça de son premier mari et épousa Octave (Auguste) en 38 av. J.-C. Mère de Tibère et grand-mère de Claude.
◆ **Agrippine** (15-59 apr. J.-C.) Elle épousa en deuxièmes noces Claude, qui adopta son fils, Néron. Elle empoisonna Claude pour mettre Néron sur le trône. Ce dernier la fit ensuite assassiner.
◆ **Messaline** (vers 25-48 apr. J.-C.) À 14 ans, elle devint la troisème femme de Claude. Son nom est devenu synonyme de débauche. Elle fut exécutée à l'instigation de Narcisse.

L'architecture romaine

L'architecture romaine a puisé essentiellement son inspiration dans celle de la Grèce. Mais, en inventant l'arc (Colisée, pont du Gard) et le dôme (Panthéon), les Romains ont diversifié les modèles grecs et ont augmenté leur taille. Une des grandes forces de l'Empire romain était l'efficacité de ses systèmes de communication et d'approvisionnement – routes, aqueducs, ports et marchés. De nombreuses routes romaines sont encore en usage aujourd'hui. Les monuments de l'Antiquité gréco-romaine ont inspiré l'architecture de la Renaissance et tous les styles classiques ou néoclassique ultérieurs.

Le Panthéon

Vers 27 av. J.-C., Marcus Vipsanius Agrippa commença la construction d'un **temple** dédié à tous les dieux, le Panthéon (du grec *pan*, tous, et *theos*, dieu), reconstruit en 120-124 sous l'empereur Hadrien. Le **dôme** du Panthéon, **le plus grand** de l'Antiquité, mesure 43 m de diamètre. Il est en **béton**, un matériau de construction mis au point par les Romains vers 200 av. J.-C.

Le Colisée

Commencé sous l'**empereur Vespasien**, le Colisée fut achevé en 80, alors que **Titus** était empereur. Son nom *(Colosseum)* vient sans doute d'une très grande statue de Néron qui se trouvait à proximité. Mais cette appellation convient bien aux dimensions de l'amphithéâtre : 57 m de haut, 527 m de circonférence. Il contenait 50 000 places assises et servait de cadre à des jeux spectaculaires, notamment des batailles navales.

Le forum

Le forum était à la fois un marché et le centre des activités sociales, politiques et religieuses. À Rome, les commerces disparurent mais les fonctions religieuses et administratives subsistèrent. Le ***Forum romanum*** regroupait le Sénat, le Trésor et les bâtiments consacrés aux affaires commerciales et juridiques. Dans le **forum de César** se trouvait un temple dédié à Vénus Genetrix et dans celui **d'Auguste**, un temple dédié à Mars. Le **forum de Trajan**, le plus grand, abritait une cour de justice et des bibliothèques.

Le chauffage central

Au Ier siècle, pour améliorer le confort de leurs habitations, de riches Romains firent installer le chauffage par le sol. Ce genre de système était appelé hypocauste, du grec *hypo*, sous, et *kaiein*, brûler. Cette technique, dérivée de celle des **thermes**, fut surtout utilisée dans le nord de l'empire. Les pièces du rez-de-chaussée étaient surélevées par des piliers au-dessus d'un vide dans lequel un feu chauffait l'air. L'air chaud passait aussi par des trous pratiqués dans les doubles murs.

Les routes et les aqueducs

La première grande route fut la via Appia (voie Appienne), reliant Rome à Capoue, dans le sud de l'Italie. Commencée en 312 av. J.-C., elle fut achevée un siècle plus tard. Progressivement, un réseau de 88 000 km de routes sillonna l'empire tout entier, créant un système de communication sans égal jusqu'au XXe siècle. Le tracé des routes variait selon le relief.
Les villes romaines étaient approvisionnées en eau courante. Pour cela, l'eau devait être acheminée depuis sa source, souvent éloignée, par des réseaux de canaux ou de conduites. Pour traverser les plaines et les vallées, ces canaux passaient sur des **aqueducs**. Le plus long était l'aqueduc de Carthage, construit sous le règne d'Hadrien (117-138) : il parcourait 141 km et débitait 31 millions de litres d'eau par jour.

Les mesures romaines

Les unités de mesure romaines étaient héritées des Babyloniens, des Égyptiens et des Grecs. L'unité de longueur de base, employée par les architectes, les techniciens et les géomètres, était le **pied** *(pes)*, un peu plus petit (29,44 cm) que le pied anglais (30,48 cm). Le pied était divisé en 12 **pouces**, ou *unciae* (douzième partie). Cinq pieds formaient un **pas** *(passus)*, et 1 000 pas un **mille romain**, légèrement inférieur (1 481,50 m) à un mille anglais (1 609 m).

La construction des arcs

Les **Égyptiens**, les **Perses** et les **Grecs** connaissaient l'arc, mais ils ne l'exploitèrent pas sur une grande échelle : ils préféraient le système des piliers et des entablements. Les Étrusques, en revanche, avaient compris les avantages de l'arc, et les **Romains** se servirent de leur expérience en l'utilisant pour construire des aqueducs, des ponts et même des édifices comme le Colisée. Les Romains eurent recours à l'arc en plein cintre (à l'origine du terme roman). Les arcs en pierre étaient construits par-dessus des bâtis en bois ; la dernière pierre, ou clef, mise en place, l'arc tenait tout seul et on pouvait enlever le bâti en bois. La maîtrise de l'arc est à l'origine de la voûte, de la voûte d'arête, à l'intersection de deux voûtes, et du dôme.

Vitruve

Le ***De architectura*** de Marcus Vitruvius Pollio (Ier siècle av. J.-C.) est pratiquement le seul ouvrage qui nous ait été transmis sur l'architecture de l'Antiquité grecque et romaine. Cet ensemble de dix volumes qui a servi de guide aux architectes romains, a inspiré l'architecture de la Renaissance ainsi que les styles baroque et néoclassique qui suivirent.

Les écrivains romains

Le latin, principale langue de l'Empire romain, fut parlé dans tout le monde chrétien jusqu'à la fin de la Renaissance. Cette perpétuation de l'usage du latin a préservé la connaissance des œuvres latines, source principale d'inspiration de la Renaissance. Nombre de grands auteurs romains occupaient aussi une fonction officielle dans la société. La littérature romaine connut son âge d'or pendant le siècle d'Auguste, avec les poètes Virgile, Horace et Ovide. La plupart des auteurs romains nous sont connus sous un seul de leurs différents noms, retenu à l'époque de la Renaissance.

Poètes romains

◆ **Catulle (vers 87-vers 54 av. J.-C.)** Caius Valerius Catullus, poète bien introduit dans la haute société romaine, fit passer dans ses œuvres, influencées par la poésie grecque, ses observations sur la vie et sur l'amour. ◆ **Virgile (70-19 av. J.-C.)** Publius Vergilius Maro est considéré comme le plus grand poète romain. Célèbre surtout pour *l'Énéide*, il est aussi l'auteur de poèmes lyriques sur la campagne, les *Bucoliques* et les *Géorgiques*. ◆ **Horace (65-8 av. J.-C.)** Fils d'un esclave affranchi, Quintus Horatius Flaccus travailla dans l'Administration avant de se tourner vers la poésie. Il est surtout connu pour ses *Odes*, qui célèbrent la vie rustique. ◆ **Ovide (43 av. J.-C.- 17 apr. J.-C.)** Publius Ovidius Naso, auteur de poèmes érotiques, reprit les mythes classiques dans ses *Métamorphoses*. ◆ **Martial (vers 40-104)** Marcus Valerius Martialis est né en Espagne, mais il vécut à Rome. Ses *Épigrammes* sont une cinglante satire de la vie romaine. ◆ **Juvénal (vers 60-130)** Decimus Junius Juvenalis est célèbre pour ses 16 *Satires*, qui critiquent l'affectation, la corruption et l'immoralité de la société romaine.

Plutarque

Plutarque (vers 50-vers125), savant, écrivain et prêtre d'Apollon, vécut surtout en Grèce, mais il travailla et enseigna aussi à Rome. Auteur d'ouvrages scientifiques et philosophiques, il est surtout célèbre pour ses *Vies parallèles*, 46 biographies de Grecs et de Romains célèbres, traduites en français par **Jacques Amyot** au XVIe siècle.

L'art dramatique

Les Romains contractèrent l'amour du théâtre au contact des Grecs, au IIIe siècle av. J.-C. Les pièces romaines imitaient les pièces grecques, mais, à la différence des Grecs, les Romains préféraient les comédies, comme celles de **Plaute** ou de **Térence**, aux drames, plus intellectuels. Titus Maccius Plautus (vers 254-184 av. J.-C.) – Plaute – est l'auteur de comédies sur la classe moyenne et le peuple, souvent épicées d'un humour assez grossier. Il aurait écrit 130 pièces, dont seulement 21 ont été authentifiées. Publius Terentius Afer (vers 190-159 av. J.-C.) – Térence –, un esclave affranchi, laissa six pièces, inspirées de comédies grecques, empreintes d'un humour subtil qui rencontra la popularité sous l'empire.

Historiens

◆ **César (vers 100- 44 av. J.-C.)** Jules César nous a laissé des *Commentaires* en deux parties : *Sur la guerre des Gaules*, sobre récit des événements dans lequel il justifiait son rôle, ainsi que *Sur la guerre civile*, qu'il laissa inachevé. Ces deux ouvrages sont considérés comme des chefs-d'œuvre du genre. ◆ **Salluste (86-vers 35 av. J.-C.)** Caius Sallustius Crispus fut sénateur, général et gouverneur de province. Partisan de César et sans avenir après la mort de ce dernier, il se consacra à l'Histoire. ◆ **Tite-Live (59 av. J.-C.- 17 apr. J.-C.)** Titus Livius est l'auteur d'une *Histoire de Rome*, des origines à l'an 9 av. J.-C., publiée par tranches. Sur les 142 livres qu'elle comptait, seuls 35 sont parvenus jusqu'à nous. ◆ **Tacite (vers 55-120)** Publius Cornelius Tacitus poursuivit une carrière administrative sous Domitien puis sous Trajan. *Les Annales*, qui retracent les débuts de la Rome impériale (14-68), constituent son ouvrage le plus connu. Il est aussi l'auteur de livres sur les Germains et sur Agricola, son beau-père, gouverneur de (Grande-) Bretagne.

Hommes de lettres

◆ **Caton (234-149 av. J.-C.)** Marcus Porcius Cato devint censeur en 184 av. J.-C., puis consul. Il fut le défenseur des valeurs de la Rome républicaine : courage, austérité et simplicité. Son *De agri cultura* est le premier ouvrage de prose en latin. ◆ **Cicéron (106-43 av. J.-C.)** Marcus Tullius Cicero, homme politique formé à Rome et Athènes, fut un brillant orateur. Ses écrits eurent une influence majeure sur la pensée occidentale. ◆ **Pline l'Ancien (23-79)** Caius Plinius Secundus est l'auteur d'une *Histoire naturelle* en 37 volumes, encyclopédie scientifique qui fut considérée comme un ouvrage de référence pendant 1 500 ans. ◆ **Pline le Jeune (61-112)** Caius Plinius Caecilius Secundus était le neveu de Pline l'Ancien. Âgé de 18 ans, il assista à l'éruption du Vésuve, qu'il raconta avec un réalisme saisissant. ◆ **Pétrone († 66)** Caius Petronius Arbiter faisait partie des intimes de l'empereur Néron. Il serait l'auteur du *Satyricon*, un roman ayant pour cadre les bas-fonds de la Rome contemporaine.

Une épopée romaine

L'Énéide de Virgile célébrait les origines de Rome. Cette épopée raconte les pérégrinations d'**Énée** après la chute de Troie, depuis sa liaison avec **Didon** de Carthage jusqu'à la fondation de Rome. D'après la légende, Énée aurait fondé dans le Latium une colonie qui serait à l'origine de Rome.

Les Métamorphoses d'Ovide

Le plus long ouvrage d'Ovide, *les Métamorphoses*, reprend de nombreux mythes et légendes de la Grèce et de Rome. Comme l'évoque le titre, la transformation est au centre de ce livre sans vrai principe directeur. Les histoires comme celles d'Écho et de Narcisse, du vol de Dédale, d'Orphée et d'Eurydice constituèrent une grande source d'inspiration pour les écrivains et les artistes de la Renaissance.

La religion romaine

La religion d'État romaine adopta de nombreux dieux grecs, se contentant la plupart du temps d'en changer le nom. Dans les temples, les Romains adoraient les dieux officiels. Chez eux, ils priaient des esprits appelés *numina*, qui protégeaient les personnes de la maison. Les Romains amenèrent leurs dieux avec eux dans tout l'empire, sans imposer la conversion. Ils trouvèrent une réponse spirituelle dans le culte de dieux étrangers, comme Isis (Égypte), Mithra (Perse) et Cybèle (Asie Mineure). Le christianisme, culte étranger, supplanta finalement les dieux romains.

Le panthéon

Les dieux romains avaient entre eux les mêmes liens de parenté que ceux de la mythologie grecque. ◆ **Jupiter (Zeus)** Le maître des dieux. ◆ **Apollon (idem)** Dieu de la lumière, de la pureté et de la vérité. ◆ **Arès (Mars)** Dieu de la guerre. ◆ **Bacchus (Dionysos)** Dieu de la vigne et de la végétation. ◆ **Cérès (Déméter)** Déesse de l'agriculture. ◆ **Cupidon (Éros)** Jeune dieu de l'amour et du désir physique. ◆ **Diane (Artémis)** Déesse de la Lune, de la chasse, des animaux sauvages et de l'accouchement. ◆ **Junon (Héra)** Déesse du mariage et des épouses. ◆ **Mercure (Hermès)** Messager des dieux et dieu du commerce. ◆ **Minerve (Athéna)** Déesse de la sagesse et de la guerre. ◆ **Neptune (Poséidon)** Dieu des mers. ◆ **Pluton (Hadès)** Dieu des enfers. ◆ **Vénus (Aphrodite)** Déesse de l'amour et de la beauté. ◆ **Vesta (Hestia)** Déesse du foyer. ◆ **Vulcain (Héphaïstos)** Dieu du feu et des forges.

Les vestales

Vesta était vénérée dans toutes les maisons. Dans son temple, au Forum, six prêtresses entretenaient en permanence le feu sacré. Tirées au sort parmi les familles riches, ces vestales étaient attachées au culte de la déesse pour une durée de 30 ans. Elles devaient rester chastes, sous peine d'être enterrées vivantes.

Les *numina*

Les Romains croyaient aussi à des **esprits** *(numina)*. Les *lares compitales* étaient de dangereux esprits qui hantaient les carrefours et les embrasures de porte. Les *lares familiares*, qui veillaient sur le foyer, étaient plus amènes. À l'intérieur de chaque maison romaine, un autel, le laraire, ou *lararium*, était aménagé pour leur culte.

Le destin

Les Romains attachaient une grande importance aux prévisions du destin. Les **haruspices** (devins) interprétaient la volonté des dieux, notamment par l'examen des entrailles des animaux. Les **augures** (prêtres) interprétaient les présages pour savoir si les dieux étaient favorables à une entreprise. Les **sibylles** étaient des prophétesses attachées au service d'un dieu.

Temples, rites et sacrifices

Les **temples** romains étaient dédiés à des dieux et des déesses particuliers, dont ils abritaient la statue. On pouvait y entrer pour **prier**, mais la plupart des cérémonies se déroulaient à l'extérieur. Les **sacrifices** de bœufs, de moutons et d'autres animaux avaient lieu sur des autels situés devant le temple. Des prêtres ou des prêtresses présidaient à tous les rites. Le chef des prêtres ou Grand pontife (***Pontifex maximus***) avait un rôle politique. Après le règne d'Auguste, l'empereur remplit lui-même cette fonction.

Les fêtes

Le calendrier romain comportait de nombreuses fêtes – plus de 200 par an à l'époque des derniers empereurs. ◆ **Ludi** Ces divertissements publics qui avaient lieu à Rome dépendaient du calendrier religieux. ◆ **Compitalia** Cette fête avait lieu au début du mois de janvier en l'honneur des esprits des carrefours, les *lares compitales*. ◆ **Parentalia** À la mi-février, les Romains se rendaient dans les cimetières pour honorer leurs morts et leur offrir des cadeaux. ◆ **Lupercalia** Rite de la fertilité qui avait lieu le 15 février près de la grotte où Romulus et Remus furent allaités par une louve. ◆ **Saturnalia** Ces fêtes en l'honneur de Saturne avaient lieu en décembre. On retrouve certaines traditions des saturnales dans les fêtes de Noël d'aujourd'hui. ◆ **Feriae Latinae** Jours de vacances et fête mobile qui célébraient, à l'origine, l'alliance entre les communautés latines.

Le culte de Mithra

À partir du Ier siècle av. J.-C., le culte de Mithra, le **dieu perse** de la lumière et de la sagesse, fut le culte étranger le plus populaire. Proche du christianisme par certains côtés, le mithraïsme prônait la bonté envers les autres et promettait une vie après la mort. Ce **culte masculin**, qui mettait en avant le courage et la force, remporta beaucoup de succès auprès des soldats. La statue de Mithra, représenté en train d'immoler un taureau dont le sang fertilise la Terre, était au centre des pratiques cultuelles.

Les funérailles

Les **tombes** fournissent de précieuses informations. La famille et le métier de la personne enterrée étaient souvent représentés sur les bas-reliefs en marbre. Les démonstrations extérieures de **deuil** étaient obligatoires ; certaines familles engageaient des pleureuses professionnelles pour être sûres que les choses fussent faites dans les règles. Les funérailles des riches étaient accompagnées de **cessions funèbres**. Les corps étaient brûlés ou, à partir du IIe siècle, enterrés.

L'armée romaine

Grâce à la discipline de son armée de métier et à son avance technique incomparable en matière d'armement, Rome fut la plus grande puissance militaire de son temps. Armée et politique étaient étroitement liées. Les hommes au pouvoir, qui étaient presque tous passés par l'armée, s'occupaient à la fois des affaires civiles et militaires. Pour contrôler l'empire et garantir sa sécurité, des garnisons étaient déployées le long des frontières. La discipline était très rigoureuse. On punissait les mutineries par la *decimatio,* exécution d'un homme sur dix (à l'origine du mot décimer).

Les réformes de Marius

Au début de la République, tous les citoyens de 16 à 46 ans possédant des terres étaient obligés, si on le leur demandait, de servir dans l'armée. Mais, les guerres étant presque permanentes, la nécessité d'une armée de métier s'imposa. Vers 100 av. J.-C., le consul Caius Marius (157-86 av. J.-C.) réforma les légions en **retirant l'obligation d'être propriétaire et en mettant fin à la conscription**. Il réforma aussi l'**entraînement** des soldats et la **structure** des légions. Avant la réforme de Marius, les premiers légionnaires devaient fournir leurs propres armes et vêtements.

L'équipement

La principale arme du légionnaire était une courte **épée**, mais il avait aussi un **poignard**, deux **javelots** et un grand **bouclier** en bois et en cuir renforcé avec du fer. Il portait une **cotte de mailles** ou une tunique en cuir recouverte de **plaques de métal**. Sa tête était protégée par un **casque**, en cuir ou en métal, et ses pieds par des **sandales** en cuir avec des semelles cloutées. Les centurions portaient un casque surmonté d'une crête en crin de cheval, des **plastrons de cuirasse** moulés et des **protège-tibias** appelés jambières. Pour faire le **siège** d'une ville, les Romains employaient des moyens radicaux, l'entourant de tranchées et empêchant l'arrivée de ravitaillement et de renforts militaires. Protégés par des **galeries couvertes**, ils construisaient des **chaussées** et des **rampes** pour amener les **tours d'assaut** en bois jusqu'au pied des murs de la ville. Des passerelles étaient ensuite abaissées pour permettre aux troupes d'arriver au niveau des remparts. En même temps, la ville recevait une pluie de pierres, de lances et de matériaux enflammés envoyés par-dessus les murs par divers **engins d'assaut**, comme l'énorme baliste (catapulte) et la robuste fronde mécanique appelée onagre.

La garde prétorienne

Après Sylla (vers 138-78 av. J.-C.), les légions en garnison à Rome disparurent. Mais **Auguste**, sentant le besoin d'avoir des **gardes du corps**, créa une armée de neuf cohortes, la garde prétorienne. Mieux payée que l'armée régulière et se considérant comme un corps d'élite, elle devint une véritable force politique. Elle fut dissoute par l'**empereur Constantin** en 312.

Les camps

La rapidité avec laquelle les légions montaient et démontaient un camp *(castrum)* était la clef de leur **mobilité**. Les camps étaient toujours installés suivant le même plan **carré**, pour que chaque soldat repère facilement les quatre portes, la tente du général *(praetorium)* et l'hôpital. Les **tentes**, en peau de chèvre ou de veau, étaient disposées en rangs et groupées par centuries.

Les porte-étendards

Chaque légion, cohorte ou centurie possédait un *signum* (étendard), drapeau décoré de symboles qui servait à la fois de **mascotte** et de **point de ralliement** pendant la bataille. L'officier qui le portait, appelé *signifer*, était coiffé d'une peau de bête. Sous Marius, l'étendard de chaque légion était surmonté d'une **aigle d'argent**, emblème de Jupiter.

Les auxilia

Les légions, composées de citoyens, étaient renforcées par des ***auxilia***, des soldats qui n'étaient pas des citoyens, recrutés généralement dans les **provinces**. Ces troupes auxiliaires étaient organisées en cohortes de 500 à 1 000 hommes. Au bout de 25 années de service, ceux qui en faisaient partie avaient droit à la citoyenneté. Après les réformes de Marius, la cavalerie ne compta plus que des étrangers.

Les galères romaines

Les Romains n'avaient pas véritablement de flotte jusqu'à la **première guerre punique** (264-241 av. J.-C.), au cours de laquelle, copiant un navire de guerre carthaginois abandonné, ils auraient créé une flotte de 100 navires en seulement 60 jours. Après les guerres puniques, la flotte romaine s'adapta aux besoins, recourant souvent à des galères plus petites. Quelque 900 galères participèrent à la **bataille d'Actium** (31 av. J.-C.), qui mit fin à la guerre civile.

Arts et loisirs à Rome

En matière d'art, à Rome, malgré certains traits typiquement romains, la référence était l'art grec. Les Romains firent souvent appel à des artistes et des sculpteurs grecs, jugeant qu'ils étaient les meilleurs. L'influence de la Grèce transparaît aussi à travers le théâtre et le sport. Les Romains aimaient voir les choses en grand aussi bien en architecture que dans les loisirs et les spectacles violents et cruels destinés à distraire le peuple. Un tiers de l'année étant consacré à des fêtes, les spectacles, part essentielle de la vie, constituaient une des responsabilités majeures de l'État.

La peinture et la sculpture

Les peintures murales, en particulier les célèbres fresques de **Pompéi**, étaient exécutées en appliquant des couleurs délayées à l'eau sur un enduit de mortier frais (***fresco*** en italien). Une fois sec, le mortier était peint **a tempera** (pigment mélangé à du jaune d'œuf). Les Romains décoraient leurs villas, leurs jardins, les espaces publics avec une profusion de statues, grecques ou d'inspiration grecque, en bronze ou en marbre. Dans deux domaines, cependant, les sculpteurs romains ont manifesté un talent original : les **portraits en buste** et les **bas-reliefs**, comme ceux de la colonne Trajane, à Rome.

Le théâtre

Les pièces étaient jouées en plein air, au début sur des scènes provisoires, montées dans des lieux publics comme le **Forum** ou le **Circus maximus**, autour desquelles on disposait des sièges en bois. Le premier théâtre permanent de Rome, construit par Pompée en 55 av. J.-C., servit de modèle à tous les autres. Les acteurs, masculins surtout, portaient des masques. Les femmes n'avaient le droit de jouer que de courtes pièces mimées.

Les mosaïques

La forme la plus représentative et la plus aboutie de l'art romain est la mosaïque. Utilisées pour décorer les sols des riches maisons, les mosaïques devinrent à la mode au Ier siècle av. J.-C. Des petites pièces cubiques en pierres colorées, appelées ***tesserae***, liées entre elles par un ciment, étaient assemblées pour former des figures géométriques ou des images. Les clients choisissaient leurs motifs sur des catalogues. Avant de commencer le travail, le mosaïste soumettait à l'approbation du client un modèle détaillé du projet à exécuter. Les mosaïques étaient soit réalisées sur place, soit préfabriquées dans des ateliers.

Le sport

Pour entretenir leur condition physique, les Romains pratiquaient la lutte, le lancer de poids, la gymnastique, la boxe, la course et des sports d'équipe. Le sport le plus populaire des ***ludi*** (jeux publics) était la course de chars. En 80 av. J.-C., Sylla, après avoir pillé le sanctuaire d'Olympie, organisa les 175e jeux Olympiques à Rome. En 60 apr. J.-C., l'empereur Néron fonda les **Agon neronianus** (du grec *agônia*, combats), sur le modèle des jeux Olympiques. Tous les 5 ans, ils combinaient rencontres athlétiques, courses de chars, poésie et musique.

Les thermes

Les thermes comprenaient plusieurs salles. Les baigneurs se réchauffaient et se rafraîchissaient dans le ***tepidarium*** (salle tiède). Dans le ***caldarium*** (salle chaude), ils se lavaient et se frictionnaient avec de l'huile d'olive puis se raclaient la peau avec un instrument en forme de faucille appelé strigile. Ils terminaient par le ***frigidarium*** (salle froide). Dans les grands thermes, il y avait aussi des piscines et des espaces aménagés pour le sport.

Les gladiateurs

Les combats de gladiateurs, qui se déroulaient à l'origine dans les mêmes arènes que les courses de chars, devinrent la première attraction des amphithéâtres. Les gladiateurs étaient souvent des **prisonniers de guerre** ou des **esclaves**. Les vainqueurs pouvaient réussir à s'enrichir et à gagner leur liberté, symbolisée par une épée en bois. Un gladiateur vaincu pouvait demander grâce en levant le bras gauche. Le magistrat qui présidait le spectacle consultait la foule avant de délivrer son verdict : s'il tournait le pouce vers le bas (***pollice verso***), le gladiateur était achevé.

Les courses de chars

Quatre équipes (les Blancs, les Bleus, les Verts et les Rouges) étaient en compétition dans vingt-quatre courses de sept tours. Quatre chars, tirés chacun par quatre chevaux, se mesuraient à chaque course. Les quatre chevaux étaient censés représenter les quatre saisons. Le circuit, de 500 m environ, contournait une barrière centrale (la ***spina***). Le film *Ben Hur* a immortalisé ces folles courses de char dans une scène de lutte acharnée où l'on voit Messala et Ben Hur se livrant à de multiples exploits pour rester debout sur leur char.

La Rome chrétienne

Vers la fin de l'Empire romain, le christianisme, après s'être heurté à une violente opposition, était devenu la religion dominante et officielle. Plusieurs courants de pensée perturbèrent les débuts de l'Église chrétienne, comme l'arianisme, le manichéisme, le nestorianisme, le pélagianisme, condamnés comme hérésies au cours d'une succession de conciles œcuméniques. Le partage de l'Empire romain entre l'Orient et l'Occident, après 330, donna naissance à deux principales traditions chrétiennes : l'Église orthodoxe d'Orient et l'Église catholique romaine. Le schisme de 1054 les sépara définitivement.

Saint Augustin

Saint Augustin (354-430), le grand philosophe des débuts du christianisme, apporta une réponse aux nombreux problèmes doctrinaux de l'Église. Après sa conversion au christianisme et son entrée dans la vie monastique, il fut nommé évêque d'Hippone (Algérie). Là, il établit les règles de la vie chrétienne et se consacra à sa congrégation. Ses ouvrages les plus célèbres sont ***la Cité de Dieu***, sur le paganisme, et les ***Confessions***, sur le début de sa vie.

Saint Pierre

Après l'exécution de Jésus, Pierre (le rocher) devint le chef de la communauté chrétienne. Venu à Rome pour soutenir les chrétiens, il fut arrêté en 64 et crucifié sur ordre de Néron. Saint Pierre fut proclamé plus tard le **premier pape**. La basilique Saint-Pierre du Vatican a été construite à l'endroit où il aurait été crucifié.

L'arianisme

Arius (250-336), prêtre d'Alexandrie, niait la divinité du Christ et considérait ce dernier comme un homme subordonné à Dieu. Cette doctrine faillit diviser l'Empire romain. Elle fut condamnée au **concile de Nicée** (325), et la doctrine de la Trinité fut affirmée dans le **symbole des apôtres**. L'arianisme réapparut après la mort de Constantin, en 337, et fut interdit en 381. Mais il s'était répandu chez les Ostrogoths, les Wisigoths et les Vandales du centre de l'Europe.

Rome adopte le christianisme

En 313, l'**édit de Milan** mettait fin au statut de religion d'État du **paganisme** et autorisait le christianisme. La politique de tolérance de Constantin à l'égard des chrétiens a peut-être été surtout inspirée par le besoin de préserver l'unité de son empire. Après 313, les conversions au christianisme s'accélérèrent, malgré un court interlude sous l'empereur Julien (360-363), qui restaura le paganisme, ce qui lui valut le surnom de **l'Apostat** (celui qui abandonne la foi). Sous l'**empereur Théodose Ier** (379-395), le christianisme devint la religion officielle de l'Empire romain.

L'Église copte

L'Église d'**Égypte**, appelée copte (d'après le mot grec *aiguptios*, égyptien), aurait été fondée par **l'évangéliste saint Marc** au cours de ses voyages à Alexandrie (vers 43 et 61). Dès le IIe siècle, le christianisme s'instaura à Alexandrie. Son École de catéchèse devint l'une des plus importantes institutions de l'Antiquité. À partir du IIIe siècle, les premiers **monastères** chrétiens furent fondés. Mais des différends à propos de la nature du Christ, soulevés au concile de Chalcédoine en 451, entraînèrent la scission entre Rome et l'Église copte.

Les persécutions

L'**empereur Néron** ayant rejeté la responsabilité du grand incendie de Rome (64) sur les chrétiens, ces derniers furent arrêtés, puis crucifiés ou jetés aux lions au cours de jeux publics. Le christianisme fut déclaré illégal et toute personne reconnue chrétienne était condamnée à mort. Une deuxième vague de persécutions débuta 200 ans plus tard, sous les empereurs Dèce (249-251), Valérien (253-260) et Dioclétien (284-305). Des milliers de chrétiens moururent au cours de la **Grande Persécution de Dioclétien**, en 303. Cette persécution ne prit fin qu'en 313, quand **Constantin** signa **l'édit de Milan**.

CHRONOLOGIE

- **Vers 30** Jésus est jugé et exécuté.
- **57** Saint Paul est arrêté à Jérusalem.
- **313** L'édit de Milan met fin aux persécutions.
- **330** Constantin installe la capitale de l'Empire romain, Nova Roma (future Constantinople), dans la ville grecque de Byzance.
- **340** Les Goths de l'ouest de la mer Noire sont convertis par saint Ulfilas (Wulfila).
- **380** L'empereur Théodose reconnaît le christianisme comme la religion officielle de Rome.
- **392** Le culte païen est interdit.
- **405** Saint Jérôme fait la première traduction de la Bible en latin, appelée la Vulgate (de *vulgata versio*, version populaire).
- **410** Prise de Rome par les Wisigoths, conduits par Alaric.
- **451** Le pape Léon Ier définit le rapport entre Dieu le Père et Dieu le Fils au concile de Chalcédoine.
- **496** Clovis, roi des Francs, se convertit au christianisme.
- **529** Saint Benoît fonde le premier monastère occidental au mont Cassin, en Italie.

Le manichéisme

Le rôle du mal et de Satan est l'une des questions qui préoccupèrent très tôt les premiers chrétiens.
La doctrine de **Mani** (vers 216-276), un mystique perse, qui mêlait des éléments empruntés au **zoroastrisme**, au **bouddhisme** et au **christianisme**, aboutissait à une vision dualiste dans laquelle le bien et le mal, de force égale, étaient en perpétuel conflit. Mani eut des adeptes en Perse, en Inde et en Asie centrale. Mais les prêtres zoroastriens le firent crucifier.
Le manichéisme se développa par la suite et influença plusieurs mouvements chrétiens, qui furent dissous pour cause d'hérésie.

La division de l'Empire romain

L'extrême étendue de l'empire et les divisions internes affaiblirent peu à peu Rome. En 286, l'empereur Dioclétien divisa l'Empire romain en deux, conservant le gouvernement de l'Orient, mais confiant celui de l'Occident à Maximien, basé à Rome. L'empire fut réunifié sous Constantin le Grand, mais, à partir de 395, la division entre l'Orient et l'Occident fut définitive. L'Empire romain d'Occident s'écroula en 476. Les Ostrogoths prirent le pouvoir en Gaule, les Wisigoths en Espagne et les Vandales en Afrique du Nord. L'Empire d'Orient, devenu l'Empire byzantin, se maintint.

Byzance

Après avoir repris le contrôle de tout l'Empire romain en 324, **Constantin le Grand** aurait reçu, en rêve, l'ordre de fonder une **nouvelle capitale** à Byzance, port situé au carrefour de l'Europe et de l'Asie. Constantin lui donna le nom de **Nova Roma** (Nouvelle Rome). Des monuments imposants, construits dans le style romain, furent décorés à la manière gréco-romaine. Après la mort de Constantin, la ville, rebaptisée **Constantinople**, devint la capitale de l'Empire byzantin.

Rome convoitée

En 305, la capitale de l'empire d'Occident fut transférée de Rome à Milan. En 402, elle fut déplacée à Ravenne, à l'époque où les **Wisigoths**, conduits par Alaric, envahissaient l'Italie. Le tribut demandé par Alaric ayant été refusé, ses troupes entrèrent dans Rome et s'emparèrent du trésor. En 452, **Attila**, roi des Huns, pénétra dans la ville, mais le pape Léon Ier réussit à le convaincre de se retirer. Trois ans plus tard, les **Vandales** pillèrent la ville. En 538, les **Byzantins** envahirent l'Italie. Une longue période de troubles s'ensuivit, et la ville commença à se délabrer.

L'origine du mot barbare

Le mot barbare vient du grec *barbaros*, terme péjoratif employé pour désigner les non-Grecs par imitation de leur langage incompréhensible. Les Romains reprirent le terme : le mot *barbarus* s'appliquait à tous ceux qui n'étaient pas **grecs ni romains**, et exprimait une nuance de mépris à l'égard de leurs manières frustes et incultes. Pourtant, les Barbares n'étaient pas aussi frustes et sauvages que les Romains le prétendaient. La plupart étaient **romanisés**, et beaucoup avaient servi comme **mercenaires** dans l'**armée romaine**. Les Ostrogoths, les Wisigoths et les Vandales étaient des **chrétiens aryens**, les Francs, des **chrétiens catholiques**.

Pressions extérieures

À partir du IIIe siècle, les voisins de Rome (Perses, Goths, Alamans et Francs) ont profité de la dissémination des forces militaires et de la perméabilité des frontières. ◆ **Les Perses** L'Empire sassanide, fondé en 224, était la nouvelle puissance du Moyen-Orient. Il s'étendit en Syrie et en Asie Mineure et reprit aux Romains la Mésopotamie. ◆ **Les Hérules** Venus de la mer Noire, les Hérules attaquèrent l'empire en Asie Mineure à partir de 253. En 476, leur chef, Odoacre, renversa le dernier empereur d'Occident et se proclama roi d'Italie. ◆ **Les Goths** À partir de 251, les Goths attaquèrent les territoires romains des Balkans et d'Asie Mineure. ◆ **Les Wisigoths** Repoussés par les Huns, ils gagnèrent en 376 les territoires romains au sud du Danube. En 401, conduits par Alaric, ils envahirent l'Italie, puis l'Espagne. ◆ **Les Ostrogoths** En 489, le roi Théodoric chassa Odoacre, le roi des Hérules, du nord de l'Italie et établit un royaume ostrogoth avec Ravenne pour capitale. ◆ **Les Francs** Venus d'une région située au nord du Rhin, les Francs harcelèrent les Romains à partir de 275, avant de devenir des mercenaires romains. En 510, Clovis devint maître d'un royaume franc de la vallée du Rhin aux Pyrénées. ◆ **Les Huns** Partis d'Asie centrale, les Huns s'établirent en Hongrie. Leur roi, Attila, vainquit l'empire d'Orient. En 451, il envahit la Gaule. Vaincu, il gagna l'Italie. ◆ **Les Vandales** Ils attaquèrent la Gaule au début du Ve siècle mais furent vaincus. En 429, ils conquirent les territoires romains d'Afrique du Nord. ◆ **Les Alamans** Après avoir attaqué les Romains dans la région du Rhin et du haut Danube, ils s'établirent en Alsace et en Suisse. ◆ **Les Angles** Originaires sans doute du nord de l'Allemagne, ils envahirent la Bretagne après le retrait des Romains, en 410. ◆ **Les Saxons** Au IIIe et au IVe siècle, ils attaquèrent les Romains dans le nord-est de la Gaule. Au Ve siècle, ils envahirent la (Grande-) Bretagne. ◆ **Les Jutes** Ce peuple germanique originaire du Jutland (Danemark) envahit la (Grande-) Bretagne au Ve siècle.

Ravenne

L'empereur Auguste fit de Ravenne une **base navale** pour la flotte sur l'Adriatique. En 402, Ravenne fut choisie comme capitale de l'**Empire romain d'Occident** et devint un **archevêché** en 438. En 476, la ville fut conquise par Odoacre, qui fit de Ravenne la capitale de son **royaume d'Italie**. En 493, elle tomba entre les mains de Théodoric Ier, roi des Ostrogoths et, en 540, elle fut prise par le général byzantin Bélisaire et devint la capitale du **gouvernement byzantin** en Italie.

L'empereur Constantin

En 305, le père de Constantin, Constance Ier, devint empereur de l'Empire d'Occident. Quand il mourut, en 306, à York (Angleterre), l'armée proclama empereur son fils Constantin. En 312, il remporta la victoire sur Maxence, qui avait été proclamé empereur à Rome, à la bataille du pont Vilmius. En 313, il publia l'**édit de Milan**, qui garantissait la **tolérance à l'égard des chrétiens**. En 324, il vainquit l'empereur d'Orient, Licinius, devenant alors le **seul maître** de l'Empire romain. En 325, il convoqua le premier concile de l'Église **à Nicée**, qui condamna l'**hérésie arienne** et confirma la doctrine de la Trinité par le **symbole de Nicée**. Il reconquit la plus grande partie de la Dacie (Roumanie actuelle), et à l'époque de sa mort, en 337, prévoyait de reconquérir la Perse.

LES TEMPS MODERNES

Le déclin de l'Empire romain

Traditionnellement, le Moyen Âge débute à la chute de l'Empire romain d'Occident (476). Les grandes invasions ont déjà commencé à redessiner la carte de l'Europe. Chassés par les envahisseurs d'Asie centrale, les peuples barbares s'implantent sur de nouveaux territoires. Ce début du haut Moyen Âge, période obscure et méconnue, a longtemps été considéré comme une ère de pure violence. Son art et sa littérature contredisent cette vision simplificatrice.

La chute de Rome

Le pouvoir de Rome, qui a gouverné la plus grande partie du monde connu pendant des centaines d'années, chancelle à partir du IVe siècle. Plusieurs facteurs contribuent à son déclin.

◆ Les **luttes constantes** pour le trône impérial finissent par l'affaiblir.

◆ La **superficie excessive de l'empire** le rend ingouvernable. L'armée, insuffisante, doit faire appel à de nombreux étrangers, peu loyaux envers Rome.

◆ Les **tribus d'Asie** envahissent les territoires des Barbares (les non-Romains), qui déferlent alors sur l'empire.

Les grandes invasions

Le plus grand danger pour Rome? Les invasions barbares. Leurs vagues successives déclenchent de gigantesques migrations du IVe à la fin du Ve siècle. Sous leur poussée, les futures nations se dessinent. Rome concède des terres aux Barbares. En contrepartie, ils assurent la défense de l'empire. Les **Anglo-Saxons** se fixent en Bretagne, les **Francs** et les **Burgondes** en Gaule, les **Ostrogoths** en Italie, les **Wisigoths** en Espagne, les **Vandales** en Afrique du Nord. La civilisation médiévale naîtra de cette fusion des mondes latin et germanique.

Le fléau de Dieu

Les **Huns** sont un peuple de nomades, de pilleurs et de cavaliers originaires d'Asie centrale. Leur roi, **Attila,** qui partagera sa couronne avec son frère Breda jusqu'en 445, règne sur un empire qui s'étend des Balkans au Caucase et au-delà. Il envahit l'Empire byzantin, semant la terreur sur son passage, et soumet l'empereur au tribut. Puis il fond sur la Gaule. Défait en 451 par les Romains et les Wisigoths aux **champs Catalauniques,** près de Châlons-en-Champagne, il pousse jusqu'en Italie et s'arrête devant Rome, peut-être convaincu par les arguments du pape **Léon le Grand** venu à sa rencontre. Rentré en Pannonie (Hongrie), où sa tribu est fixée, il meurt en 453.

Les Vikings

Ces **marins scandinaves** établissent des avant-postes en Grande-Bretagne, en Irlande, en France, en Islande, au Groenland et en Amérique du Nord, ou traversent la Baltique et pénètrent par voie fluviale jusqu'à Kiev et Byzance.

Un refuge pour la culture

Les régions celtes ont largement contribué à la sauvegarde de la culture classique. Les moines retirés dans de lointains monastères, à l'abri des invasions, ont réalisé de magnifiques manuscrits enluminés. Le **livre de Kells**, sans doute commencé sur l'île de Iona, en Écosse, et achevé au monastère de Kells, en Irlande, et les **Évangiles de Lindisfarne**, en Northumbrie, font miraculeusement fusionner art celte et savoir latin. Un paradoxe quand on songe que ces rudes frontières atlantiques, occupées par les Celtes venus d'Europe centrale dès 400 av. J.-C., ont été largement ignorées par Rome, davantage intéressée par ses riches colonies situées plus au sud.

La Gaule des Mérovingiens

Au début du VIe siècle, Clovis, roi d'une tribu germanique franque, se rend maître de toute la Gaule. Sa dynastie, celle des rois mérovingiens, régnera jusqu'en 751.

◆ **Les ancêtres des Mérovingiens** Clodion, dit le Chevelu, s'empare du nord de la Gaule vers l'an 430. C'est son fils (ou gendre) Mérovée qui donne son nom à la dynastie.

◆ **Clovis (466-511)** Petit-fils de Mérovée, il est considéré comme le vrai fondateur du royaume franc. Issu d'une peuplade païenne, il épouse Clotilde, une princesse catholique, et se fait baptiser.

◆ **Une Gaule divisée** À la mort de Clovis, la Gaule est partagée selon la coutume germanique en quatre royaumes, un pour chacun de ses fils.

◆ **Dagobert Ier (606-639)** Ce grand roi mérovingien règne 10 ans, rétablissant l'ordre et l'unité du royaume franc.

◆ **Les « rois fainéants »** On appelle ainsi les derniers Mérovingiens. Sous leur règne, le pouvoir passe aux maires du palais. L'un d'entre eux, Pépin le Bref, s'empare du titre royal en 751.

CHRONOLOGIE

330 Constantin transfère sa capitale à Byzance, rebaptisée Constantinople.

406 Les légions romaines se retirent de Bretagne.

410 Sac de Rome par les Wisigoths.

v. 435 Attila, roi des Huns.

451 Les Huns vaincus aux champs Catalauniques.

452 Les Huns envahissent l'Italie.

455 Sac de Rome par les Vandales.

476 Fin de l'Empire romain d'Occident.

v. 615 Conquête anglo-saxonne de l'Angleterre.

v. 780 1er raid viking sur la Grande-Bretagne.

800 Charlemagne empereur du nouvel Empire d'Occident.

L'Empire byzantin

L'Empire romain d'Orient a survécu plus de 1 000 ans à son homologue d'Occident, jusqu'à sa prise par les Turcs en 1453. L'Empire d'Orient a préservé la pensée classique romaine mais sa culture est très différente : les influences grecque et orientale dominent dans l'ancienne place grecque de Byzance. Aujourd'hui, les icônes et mosaïques **byzantines**, héritières des techniques de Rome, témoignent encore avec splendeur des débuts de la foi chrétienne.

Les débuts du christianisme

À l'origine, les chrétiens sont une secte juive de la province romaine de Judée. La nouvelle foi se répand et fait de nombreux adeptes chez les gentils (non-juifs). L'un des premiers missionnaires est saint Paul de Tarse. Ses épîtres aux Églises et à ses disciples sont intégrées au Nouveau Testament. Les débuts de l'histoire de la chrétienté sont rapportés dans les Actes des Apôtres, le 5e livre du Nouveau Testament, écrits, selon la tradition, par saint Luc. En 313, suite à une vision mystique, l'empereur Constantin promulgue l'édit de Milan, qui autorise la pratique du christianisme, jusqu'alors persécuté.

Un chapelet d'Églises

Les 1 000 premières années de son existence voient la scission de l'Église chrétienne.

◆ **L'Église catholique romaine** La première Église chrétienne étend son autorité sur les chrétiens de l'Empire romain. Son chef suprême, le pape, est considéré comme le **successeur de saint Pierre**. Sa langue liturgique est le **latin**, parlé à Rome.

◆ **L'Église copte** Établie au IIe siècle en Égypte, elle aurait été fondée par saint Marc. Les coptes ont pour chef le patriarche d'Alexandrie.

◆ **Les chrétiens d'Orient** Basée à Constantinople, de rite byzantin, l'Église orthodoxe se sépare des catholiques romains lors du **schisme de 1054**. Elle comprend l'Église grecque et l'Église russe, et n'a pas de chef équivalant au pape.

◆ **L'Église nestorienne** Nestorius, archevêque de Constantinople, enseigne qu'en Jésus-Christ cohabitent deux natures différentes, l'une divine, l'autre humaine. Le concile d'Éphèse, en 431, le condamne pour hérésie. Les nestoriens, excommuniés, répandront leur foi jusqu'en Perse, en Inde et en Chine.

Les grandes cathédrales

Il a fallu des années, parfois des siècles, pour construire ces magnifiques monuments élevés à la gloire de Dieu.

Cathédrales	Pays	Début	Fin
Chartres	France	1145	1220
Cologne	Allemagne	1248	1880
Milan	Italie	1386	1813
Notre-Dame de Paris	France	1163	1345
Salisbury	Angleterre	1220	1258
Strasbourg	France	1176	1439
Abbaye de Westminster	Grande-Bretagne	1245	1517
Durham	Angleterre	1093	1280

CHRONOLOGIE

- **v. 30** Crucifixion de Jésus.
- **46-57** Apostolat de saint Paul.
- **v. 64** Martyre de saint Pierre.
- **v. 100** Le message des Évangiles se propage.
- **313** Constantin tolère la pratique du christianisme à Rome par l'édit de Milan.
- **367** Première mention du Nouveau Testament sous sa forme moderne.
- **380** Le christianisme devient religion officielle à Rome.
- **v. 400** Élaboration de la théologie de saint Augustin.
- **496** Clovis, roi des Francs, se convertit au christianisme.
- **596** Saint Augustin de Canterbury évangélise les Anglo-Saxons d'Angleterre.
- **1054** Le Grand Schisme : les orthodoxes se séparent des catholiques romains.

Ordres monastiques

Bénédictins Ordre fondé par saint Benoît au VIe siècle au mont Cassin (Italie). Né vers 480, saint Benoît de Nursie est l'auteur de la règle bénédictine, sur laquelle se fonde le monachisme occidental.

Chartreux Ordre fondé près de Grenoble en 1084 par saint Bruno.

Cisterciens L'ordre de Cîteaux, fondé en 1098 par saint Robert, connaît son apogée grâce à saint Bernard (1090-1153).

Franciscains Le 1er ordre mendiant, fondé par saint François d'Assise en 1210.

Dominicains Ordre de prédicateurs (on les appelle aussi Frères prêcheurs) fondé par saint Dominique en 1216.

Les missionnaires

Quelques évangélisateurs qui ont propagé le christianisme à ses débuts.

◆ **Saint Paul (mort v. 67)** Il répand la foi chrétienne auprès des non-juifs et fonde des églises dans toute la Méditerranée.

◆ **Saint Denis (v. 250)** Évangélisateur des Gaules, premier évêque de Paris.

◆ **Saint Martin (316-397)** Évêque de Tours. Il évangélise les campagnes.

◆ **Saint Patrick (v. 385-460)** Missionnaire gallois qui convertit les Irlandais. Il serait enterré à Armagh (Irlande).

◆ **Saint Colomban (521-697)** Évangélisateur irlandais qui fonde ou relève de nombreuses abbayes, notamment en Gaule. Sa règle, excessivement rigoureuse, est appliquée conjointement avec celle de saint Benoît, puis abandonnée.

◆ **Saint Boniface (680-754)** Moine anglo-saxon, apôtre de la Germanie, il réorganise l'Église franque.

◆ **Saint Augustin d'Hippone (354-430)** L'un des Pères de l'Église et l'auteur des *Confessions*, un ouvrage fondateur.

Le Nouveau Testament

Ses livres les plus anciens sont les **Évangiles**, où sont retracés la vie et l'enseignement de Jésus. Les Évangiles « synoptiques » (concordants) de **Matthieu**, **Marc** et **Luc** se distinguent de celui de **Jean**, qui semble s'appuyer sur des documents propres à cet évangéliste. Le Nouveau Testament comprend aussi des épîtres, en particulier celles de **Paul**, l'**Apocalypse** de Jean et les **Actes des Apôtres**, IIe tome de l'œuvre de Luc.

L'essor de l'islam

La religion musulmane voit le jour vers 610 à La Mecque, en Arabie, quand le prophète Mahomet reçoit la parole de Dieu (Allah) par la voix de l'ange Gabriel. Cette révélation est le fondement de la troisième grande religion monothéiste (avec le judaïsme et le christianisme).
Très rapidement après la mort du Prophète, ses disciples implantent sa religion dans la majeure partie du Moyen-Orient. Bientôt, un véritable empire musulman s'étend de l'Espagne à l'Inde. À partir du XIVe siècle, l'islam se propage bien au-delà, diffusé par les marchands arabes, de l'Afrique de l'Est jusqu'en Indonésie.

La vie de Mahomet

Mahomet naît à La Mecque vers 570. Depuis des siècles, la ville fait l'objet d'un grand pèlerinage à la **Kaaba**, édifice qui abrite une pierre sacrée et point de repère des musulmans du monde entier. Après sa première vision, vers 610, Mahomet prêche la soumission à la volonté d'Allah, Dieu unique, et appelle à la destruction des idoles. Les Mecquois, peu désireux de bouleverser leurs anciennes croyances, le chassent. En 622, il rejoint, avec ses fidèles, la cité de Yathrib (aujourd'hui Médine, « la ville du Prophète »). Cet épisode appelé l'**hégire** (la fuite) marque l'an I du calendrier musulman. En 630, deux ans avant sa mort, il conquiert La Mecque et y instaure les principes du Coran.

Sunnites et chiites

L'islam compte deux courants principaux. Environ 90 % des musulmans sont des sunnites, « ceux qui suivent la tradition » *(al-Sunna)* telle qu'elle a été laissée en héritage par le Prophète. Les chiites considèrent quant à eux que l'autorité religieuse revient aux imams, descendants du calife Ali, le gendre de Mahomet.

Les dynasties

Après l'assassinat du dernier successeur direct du Prophète, Ali, la dynastie des **Omeyyades**, établie à Damas, prend le pouvoir sur le nouvel empire musulman (656-750), qui s'étend bientôt de l'Espagne et l'Afrique du Nord jusqu'à l'Indus et aux portes de la Chine. Puis, écrasée par la dynastie des Abbassides, elle se retire en Espagne, où elle crée un émirat à Cordoue. Les **Abbassides** (750-1258) choisissent comme capitale Bagdad. Sous leurs califes, l'islam connaît son véritable âge d'or. Mais, à la fin du IXe siècle, l'empire musulman est trop vaste pour rester sous le contrôle d'un seul dirigeant : les fonctionnaires et dirigeants arabes se voient petit à petit remplacés par des éléments persans puis turcs. Le véritable pouvoir se morcelle entre de nombreuses dynasties locales : les **Samanides** (874-999) dans l'est de l'Iran, en Afghanistan et dans l'ouest de l'Asie centrale ; les **Hamadanides** (929-1003) en Syrie et au nord de l'Iraq ; les **Buyides** (930-1030), dynastie chiite de l'ouest de l'Iran dont l'un des princes prend le pouvoir à Bagdad en 945 ; les **Ikhchidites** (935-969), d'origine turque, en Égypte, en Syrie et dans le nord-ouest de l'Arabie ; les **Fatimides** (909-1171), chiites descendant de Fatima, la fille du Prophète, en Afrique du Nord et en Égypte ; les Ghaznavides (976-1030) en Iran et dans le nord-ouest de l'Inde…

Les cinq piliers du Coran

Lors des visions de Mahomet, l'ange Gabriel lui dicte en arabe une série de versets prophétiques, les **sourates**. Vers 650, celles-ci seront mises par écrit par le calife Othman et rassemblées en un livre sacré, le **Coran**. Par ailleurs, le Prophète définit cinq commandements, les **cinq piliers**, qui gouvernent la conduite du croyant. ◆ **La profession de foi** Fait entrer dans la communauté des croyants *(al-umma)* : « Il n'y a nul autre dieu que Dieu et Mahomet est son prophète ». ◆ **La prière** Elle se fait cinq fois par jour, en direction de La Mecque. ◆ **L'aumône légale** Don aux plus pauvres. ◆ **Le jeûne du ramadan** Le 9e mois du calendrier lunaire, le musulman jeûne entre le lever et le coucher du soleil.
◆ **Le pèlerinage à La Mecque** Chaque croyant doit, s'il en a les moyens, se rendre à La Mecque une fois dans sa vie.

Les arts et les sciences

Sous les Omeyyades, et plus encore sous les Abbassides, les arts et les sciences connaissent un véritable âge d'or.
◆ **Philosophie** Elle est considérée comme une science. On doit d'importants traités aux penseurs arabes, tel Averroès (1126-1198), qui sont nourris de la philosophie grecque d'Aristote et de Platon.
◆ **Mathématiques** Les Arabes développent les théories de la géométrie euclidienne et inventent l'algèbre. Une numérotation décimale, venue d'Inde, est alors adoptée : 9 chiffres auxquels s'ajoute le 0. On les appelle aujourd'hui « chiffres arabes ».
◆ **Médecine** Les médecins arabes savent réaliser des opérations très délicates. *Le Canon de la médecine* d'Avicenne (980-1037) est un ouvrage de référence dans le monde tant chrétien que musulman. ◆ **Astronomie** Pionniers en optique, les Arabes font bâtir de grands observatoires et développent l'astronomie.
◆ **Art** Les représentations artistiques d'hommes et d'animaux sont interdites par l'islam (pour ne pas usurper à Dieu son rôle d'unique créateur). Les musulmans ont donc mis tout leur art dans l'ornementation abstraite, la calligraphie et l'architecture, trois domaines qui leur ont inspiré des chefs-d'œuvre.

L'Espagne musulmane

Les Arabes et les musulmans d'Afrique du Nord, les **Maures,** se rendent maîtres de presque toute la péninsule Ibérique au début du VIIIe siècle. Pénétrant en France, ils sont arrêtés en 732 à Poitiers. Ils se retranchent alors dans le sud de l'Espagne, où fleurira une brillante civilisation autour du califat de **Cordoue** puis du royaume de **Grenade.**

CHRONOLOGIE

- **v. 570** Naissance de Mahomet.
- **v. 610** 1re révélation de Mahomet.
- **622** Hégire, fuite à Médine.
- **630** Mahomet et ses disciples conquièrent La Mecque.
- **632** Mahomet meurt après avoir unifié la plupart des tribus arabes.
- **637-639** Les musulmans prennent Damas, Jérusalem, Le Caire et l'Iraq.
- **656-750** Dynastie omeyyade. La capitale de l'empire est Damas.
- **683** Guerre entre sunnites et chiites.
- **711** Les musulmans en Espagne.
- **732** Les armées musulmanes repoussées à Poitiers.
- **750** Dynastie abbasside. La nouvelle capitale de l'empire est Bagdad.
- **930** L'avancée des Turcs Seldjoukides d'Asie centrale ébranle le pouvoir abbasside.

Autour de l'an mille

Les années 800 voient émerger de puissants souverains tels que Charlemagne et le roi d'Angleterre Alfred le Grand. Les comtés, duchés et principautés s'agrègent pour former des États. L'Angleterre s'unit progressivement sous le pouvoir d'un roi unique. L'Allemagne et l'Italie du Nord sont absorbées par le Saint Empire romain. Les abords de l'an mille, en France, voient l'avènement des Capétiens. Les Normands multiplient les conquêtes. Ces descendants des Vikings régneront sur les royaumes normands de Sicile et d'Italie méridionale jusqu'à la fin du XIIe siècle.

Charlemagne

Charlemagne, ou Carolus Magnus (Charles le Grand) était le fils du roi des Francs, Pépin le Bref, et le petit-fils de Charles Martel : à l'aube du IXe siècle, le **roi des Francs** règne depuis Aix-la-Chapelle sur la plus grande partie de l'Europe occidentale, à l'exception de l'Angleterre et de la Scandinavie. Il accueille le pape **Léon III** chassé de Rome puis le réinstalle au Vatican. En l'an 800, le pape, reconnaissant, le couronne empereur d'Occident. Il est le premier à porter ce titre suprême depuis la chute de l'Empire romain.

Guillaume le Conquérant

À la mort d'**Édouard le Confesseur**, le comte anglo-saxon **Harold** ceint la couronne d'Angleterre. Mais le trône a un autre prétendant, le **duc de Normandie Guillaume**, qui envahit le pays. En 1066, Harold meurt à la bataille d'**Hastings** et le Conquérant est couronné à l'**abbaye de Westminster**. Le roi remodèlera la société anglaise selon un rigoureux ordre féodal verrouillé par des barons normands, et inclura l'Angleterre dans la zone de civilisation française. La célèbre **tapisserie de Bayeux**, une broderie à l'aiguille sur toile de 70 m de long, retrace la conquête de Guillaume. Longtemps attribuée à tort à son épouse Mathilde, elle aurait été exécutée à Canterbury.

La renaissance carolingienne

Charlemagne crée des écoles attachées aux monastères et aux cathédrales. Il encourage les arts et les grands esprits de son temps, rassemble autour de lui des penseurs et des écrivains de toutes origines. De magnifiques manuscrits, écrits en minuscules carolines, les caractères de forme carrée typiques de cette époque, illustrent ce renouveau.

LE SAVIEZ-VOUS ?

Guillaume le Conquérant mourut en 1087 d'une chute de cheval alors qu'il bataillait près de Mantes (Yvelines). Il était si gros qu'il fallut le faire entrer de force dans son sarcophage. Sous la pression, son corps éclata.

La féodalité

La féodalité, au sens propre, désigne les relations entre vassaux et suzerains : les premiers, en échange de services rendus, obtiennent leur **fief** des seconds. Cette notion de service s'étend à toute la société : le paysan reçoit une partie des récoltes qui font vivre son seigneur. Un troisième ordre, les clercs, prie pour les deux autres. Les réalités économiques ébranleront cette structure cohérente mais figée dès la fin du XIIIe siècle.

Les châteaux

Du XIe au XIIe siècle, l'Europe se couvre de châteaux forts. Les **Normands** en érigent dans toute l'Angleterre pour subjuguer la population saxonne, mais la plupart se réduisent à une tour de bois entourée d'un fossé et d'une palissade et plantée sur une motte artificielle. Ils n'ont pas survécu aux siècles, contrairement à maints châteaux de pierre, sièges du pouvoir féodal. Derrière leur corset défensif de plus en plus complexe s'étend la basse-cour (écuries, forges, granges) vers laquelle converge l'activité du fief, puis une nouvelle enceinte et un nouveau fossé défendant le cœur du château, soit la salle où ont lieu les événements publics – c'est, entre autres, là que le seigneur rend la justice – et le logis des châtelains. La chapelle, enfin, est tantôt un modeste oratoire, tantôt un superbe édifice témoin de la magnificence du maître des lieux.

CHRONOLOGIE

- **800** Charlemagne est sacré empereur d'Occident.
- **814** Mort de Charlemagne.
- **843** Le traité de Verdun divise l'empire de Charlemagne en trois Francies qui préfigurent les futures France, Allemagne et Italie.
- **886** Alfred le Grand, 1er roi d'une Angleterre unifiée, confine les Danois dans le Danelaw, au nord-est du pays.
- **987** Hugues Capet est sacré roi de France. Fondation de la dynastie capétienne, dont les branches, Valois puis Bourbon, régneront jusqu'au XIXe siècle.
- **988** La Russie se convertit au christianisme.
- **1016** Sous le règne de Knud le Grand, l'Angleterre est incluse dans le vaste empire des Danois, en mer du Nord.
- **1042** Édouard le Confesseur chasse les Danois d'Angleterre.
- **1066** Victoire des Normands à Hastings. Guillaume le Conquérant est couronné roi d'Angleterre.

L'Empire mongol

Les Mongols sont originaires des steppes de l'Asie centrale. Ces pasteurs nomades qui vivent en tribus sont d'excellents cavaliers et de farouches combattants. En 1206, Gengis Khan rassemble les tribus en un même peuple et réunit les bandes guerrières en une formidable armée montée. Les territoires conquis par les Mongols au XIIIe siècle constituent le plus grand empire de toute l'histoire du monde. Il s'étend de l'océan Pacifique jusqu'aux plaines d'Europe de l'Est. Si l'Empire mongol s'effondre rapidement, les successeurs de Genghis Khan établiront de grandes dynasties en Chine, en Inde et en Russie.

Gengis Khan

Né vers 1165, Temüdjin est le fils d'un important chef de tribu du sud de la Mongolie. Très tôt, sa sinistre efficacité dans l'art du combat lui attache une bande d'hommes de guerre. En 1206, le conseil des chefs le nomme ***khan*** (chef) de toutes les peuplades mongoles. Il prend alors le nom de Gengis Khan, le **Chef suprême**. Dès l'année suivante, les Mongols s'emparent du royaume de Xia Xia, dans le nord de la Chine. Très vite, ils se rendent maîtres d'un immense empire qui, à la mort de Gengis Khan (en 1227), couvre la Chine, l'Afghanistan, le nord de l'Inde, le sud de la Russie, l'Iran et l'est de l'Empire musulman. La guerre de conquête continuera sous le règne de ses fils.

La Russie mongole

◆ En Ukraine, le **royaume de Kiev** a pour capitale Kiev, ville de renom, qui rivalisait au XIe siècle avec Constantinople.

◆ Menées par le petit-fils de Gengis Khan **Batu**, les armées mongoles déferlent sur les villes russes vers 1237. En 1240, elles mettent Kiev à sac.

◆ Batu établit dans l'État kiévien le khanat de la Horde d'Or.

◆ Au XIVe siècle, la **Horde d'Or** est une contrée prospère « où pousse le blé, où coule le lait, où les fruits abondent ».

CHRONOLOGIE

- **v. 1165** Naissance de Temüdjin.
- **1206** Temüdjin devient chef suprême des Mongols en tant que Gengis Khan.
- **1207** Prise de Xia Xia.
- **1215** Prise de Pékin.
- **1222** Invasion de l'Inde.
- **1223** Invasion de la Russie.
- **1227** Mort de Gengis Khan.
- **1237** Début de la conquête de la Russie.
- **1241** Mort d'Ogoday.
- **1260** Fondation de la dynastie mongole Yuan en Chine.
- **1398** Timur Lang au nord de l'Inde.
- **1401** Timur Lang défait les Ottomans et fonde un second empire mongol.
- **1526** Baber établit la dynastie moghole dans le nord de l'Inde.

Une armée de cavaliers

Les Mongols sèment la **terreur** partout où ils passent ; leur cruauté est légendaire. La funeste réputation qui les précède est d'ailleurs pour eux un atout car les peuples, terrorisés à l'avance, sont moins combatifs. Leur rapidité à se déplacer est surprenante : chaque homme dispose de cinq ou six chevaux et en change constamment, restant toujours en selle, parfois pendant des mois. Les guerriers utilisent une technique complexe, élaborée à l'origine pour la chasse, et qui met en action des centaines de **cavaliers** en même temps. Cette stratégie est très efficace sur les champs de bataille, en revanche, elle est complètement inutile pour assiéger une ville. Les Mongols font donc l'apprentissage de la guerre de siège (avec catapultes, sacs de sable pour les fossés et échelles) et se dotent de boucliers énormes pour se protéger des volées de flèches.

Les territoires conquis

Dans les vingt années qui suivent l'unification des tribus, le peuple de **Gengis Khan** prend le contrôle d'un immense territoire en Asie centrale. En effet, après avoir assujetti Xia Xia, dans le nord de la Chine, en 1207, il conquiert royaume après royaume. En 1223, les Mongols ont soumis une bonne partie du monde musulman. Après la mort de Gengis Khan, les guerres expansionnistes se prolongent sous le commandement de ses fils et de son petit-fils **Batu.** En 1280, l'empire s'étend du sud de la mer de Chine jusqu'au golfe d'Arabie.

Mongols et Moghols en Inde

◆ Gengis Khan envahit le nord de l'Inde en 1220 mais le **sultan de Delhi** réussit peu à peu à reprendre le pouvoir.

◆ En 1398, un autre chef mongol, **Timur Lang** (ou Tamerlan), attaque à son tour l'Inde du Nord. Il pénètre dans le Pendjab et met Delhi à feu et à sang.

◆ Au début du XVIe siècle, un prince turc descendant de Timur Lang, **Baber**, s'empare de Delhi et fonde un nouvel empire, l'**Empire moghol**, qui sera consolidé par son petit-fils **Akbar**. La lignée de Baber régnera jusqu'au XIXe siècle. Les 17 souverains de la dynastie fondée par Baber sont appelés les Grands Moghols.

PETITE INFO

La ***ger*** est une tente légère mais spacieuse. Facilement démontable et transportable, elle est l'**habitat traditionnel** des pasteurs nomades mongols. C'est l'actuelle yourte des Mongols de Sibérie.

Vers l'Europe

En 1241, l'armée d'**Ogoday**, un fils de Gengis Khan, ravage la Pologne et l'est de la Hongrie. L'Europe de l'Ouest est en grand danger. Elle ne devra son salut qu'à la mort d'Ogoday car ses hommes s'en retournent alors en Mongolie pour nommer un nouveau khan.

Tensions et conflits

Le haut Moyen Âge est une période d'instabilité. L'Allemagne se morcelle en petits États, tandis que l'Empire ottoman absorbe l'Empire byzantin et les Balkans. À l'est, les Mongols déferlent sur la Russie. Les conflits éclatent entre les États chrétiens et musulmans. Les Maures, qui contrôlent le sud de la péninsule Ibérique, sont repoussés par les Espagnols (c'est la *Reconquista*) et les croisés montent à l'assaut de la Terre sainte. La France et l'Angleterre s'engagent dans la guerre de Cent Ans, un conflit dynastique aux conséquences catastrophiques qui durera en fait 116 ans (de 1337 à 1453).

Les chevaliers

L'Église s'efforce d'imposer aux guerriers de la noblesse un idéal d'inspiration chrétienne afin d'endiguer les violences trop fréquentes. Leur rite d'initiation, l'adoubement, devient une cérémonie religieuse. Les cavaliers se muent ainsi en chevaliers dont maints romans exalteront la **valeur**, la **courtoisie** – la dévotion du chevalier à sa dame – et le **sens de l'honneur**.

Les croisades

Huit croisades lancent les armées chrétiennes à l'assaut de l'Islam entre 1096 et 1270. Leur but avoué est de libérer le tombeau du Christ à Jérusalem. Mais la conquête est aussi politique et commerciale.

- **1re croisade (1096-1099)** À Clermont, le pape Urbain II appelle à libérer Jérusalem. Les croisés mettent la Ville sainte à sac et fondent le royaume latin de Jérusalem (1100).
- **2e croisade (1147-1149)** À Vézelay, saint Bernard prêche la 2e croisade. Les croisés reculent devant le sultan Saladin, qui reprend Jérusalem.
- **3e croisade (1189-1192)** Conduite par Philippe Auguste, l'empereur allemand Frédéric Barberousse et le roi d'Angleterre Richard Ier Cœur de Lion. Jérusalem ne sera pas reprise, mais Richard négocie un libre accès pour les pèlerins.
- **4e croisade (1202-1204)** Les croisés dévient de leur route pour s'emparer de Constantinople, et la croisade tourne court.
- **Croisade des enfants (1212)** Des hordes d'enfants partent de France et d'Allemagne pour libérer la Terre sainte. Les jeunes Français seront embarqués par des marchands de Marseille et vendus comme esclaves en Égypte.
- **De la 5e à la 8e croisade (1218-1270)** Seule la 6e croisade put approcher la Terre sainte et brièvement reprendre Jérusalem. Louis IX (Saint Louis) meurt à Tunis en 1270, au cours de la 8e croisade.

Le pape

Les papes sont un pion important sur l'échiquier du pouvoir. Leurs décisions passent pour refléter la volonté de Dieu, et cette autorité divine leur permet d'arbitrer des litiges dynastiques ou territoriaux. Ainsi, c'est **Alexandre VI,** un Borgia, qui partagera le Nouveau Monde entre l'Espagne et le Portugal en 1493. Pendant le **Grand Schisme d'Occident,** entre 1378 et 1417, deux papes se disputent le pouvoir suprême, l'un à Rome, l'autre à Avignon.

Jeanne d'Arc

Jeanne naît pendant la **guerre de Cent Ans**, alors que la majorité de la France est sous la botte anglaise. En 1425, des voix lui ordonnent de libérer le pays. Contre toute attente, elle lève le **siège d'Orléans** puis décide **Charles VII** à se faire couronner. Capturée et jugée hérétique, elle meurt sur le bûcher en 1431, à 19 ans. Jeanne la Lorraine a été canonisée en 1920.

CHRONOLOGIE

- **1096-1270** Les croisades. Pendant deux siècles, des chrétiens de toute condition se battront en terre d'islam.
- **1204** Les croisés mettent Constantinople à sac.
- **1209-1229** En France, croisade contre les albigeois et l'hérésie cathare.
- **1215** Jean sans Terre signe la Grande Charte.
- **1309** Le pape Clément V s'installe à Avignon sous la coupe du roi de France.
- **1314** Robert Bruce bat les Anglais à Bannockburn et obtient l'indépendance de l'Écosse.
- **1337** Édouard III d'Angleterre revendique la couronne de France. Début de la guerre de Cent Ans.
- **1346** Édouard III bat les Français à Crécy.
- **1381** Grande révolte paysanne en Angleterre.
- **1415** Henri V écrase les Français à Azincourt. Il leur impose le traité de Troyes qui le fait roi de France et d'Angleterre. Le dauphin de France, futur Charles VII, refuse ce traité.
- **1429** Jeanne d'Arc défait les Anglais à Orléans; elle fait sacrer Charles VII roi à Reims.
- **1450-1453** Les Anglais, chassés de France, ne conservent que Calais.
- **1455** En Angleterre, la bataille de Saint Albans ouvre la guerre dynastique des Deux-Roses entre les Yorks et les Lancastres.

LE SAVIEZ-VOUS ?

Le pape Boniface VIII entendait limiter le pouvoir des princes au profit de l'Église («Je suis le pape, je suis César»). En 1303, le roi de France Philippe le Bel, qui voulait être maître chez lui, le fit enlever en son palais d'Agnani. Le pape sortit brisé de l'expérience.

La Grande Charte

La Grande Charte est un document rédigé par des barons rebelles et imposé au roi **Jean sans Terre** (Jean d'Angleterre), qui l'entérine en 1215, s'engageant ainsi à respecter la loi et la coutume lorsqu'il traite avec ses sujets au lieu de les soumettre à l'arbitraire royal. Cette charte, conservée à la British Library, constitue l'une des pierres angulaires de la démocratie britannique.

La vie au Moyen Âge

Plus de 90 % de la population médiévale est composée de paysans. Les villes sont petites : les plus importantes ne comptent que quelque 10 000 habitants. La plupart des fermiers sont fidèles au système triennal de la jachère : les champs sont plantés de céréales la première année et de légumes la deuxième. La troisième année, on laisse la terre reposer. La vie suit le rythme des saisons et le calendrier religieux. Les livres d'heures sont très populaires. Souvent magnifiquement enluminés, telles les *Très Riches Heures* du duc de Berry, ce sont des collections de textes pour chaque heure liturgique de la journée qui incluent également prières, psaumes, messes et calendrier.

Poètes et ménestrels

En France, l'amour courtois est exalté dans *le Roman de la rose* et *la Cour d'amour*. Ses chantres sont les **trouvères** (au nord de la France) et les **troubadours** (au sud) ; en Allemagne, on les appelle les ***Minnesänger***. Au XIVe siècle, l'Anglais Geoffrey Chaucer compose les *Contes de Canterbury*, une série d'histoires grivoises ou tragiques mais toujours spirituelles. En Italie s'illustrent Dante, Pétrarque et Boccace.

Les villes et le négoce

Des structures commerciales élaborées se mettent en place. Les artisans spécialisés se regroupent en **guildes**, les premières organisations professionnelles. Les savoir-faire locaux se développent. On fonde les premières banques internationales, comme celle des **Médicis**. **Navires marchands** et **caravanes** relient des cités aussi éloignées que Londres et Novgorod, en Russie. La principale organisation commerciale est la **Hanse teutonique,** ou Ligue hanséatique, constituée d'un chapelet de cités jalonnant les côtes de la Baltique.

La Grande Peste

Transmise par les puces des rats, l'épidémie de **peste bubonique** originaire d'Asie a balayé l'Europe entre les années 1340 et 1350, tuant quelque **25 millions** de personnes, soit un tiers de la population. Véhiculée par les caravaniers de la route de la soie et les galères de Méditerranée, la peste – ce fléau oublié depuis 7 siècles – atteint Marseille fin 1347. En 2 ans, elle fait le tour du royaume. Pendant un siècle, nulle croissance de la démographie n'est possible, car, tous les 10 ou 20 ans, elle resurgit.

Le temps des pèlerinages

On part en pèlerinage par dévotion, pour faire pénitence, pour obtenir une grâce ou une guérison. On peut aussi pérégriner par procuration, en engageant un pèlerin contre rémunération, ou à la place d'un mort. Le voyage est souvent long et dangereux.

- **Saint-Jacques-de-Compostelle** Le plus grand pèlerinage médiéval avec Rome et Jérusalem. De France, quatre routes jalonnées de grands lieux de pèlerinage (Vézelay, Poitiers, Conques…) conduisent au tombeau de l'apôtre Jacques, en Espagne.
- **Rome** Centre du christianisme et lieu du martyre de saint Pierre.
- **Jérusalem** Pèlerinage sur les lieux de la crucifixion et de la résurrection de Jésus.
- **Canterbury** Site du martyre en 1170 de saint Thomas Becket, archevêque de Canterbury.
- **Montmartre-Saint-Denis** Ce grand pèlerinage va du lieu du martyre de saint Denis, patron de la France, à sa sépulture.

PETITE INFO

Les **monnaies** étrangères étaient acceptées par la plupart des marchands pourvu qu'elles fussent de bon aloi. Certains centres de négoce battaient leur propre monnaie. C'était le cas à **Paris** et à **Venise.**

Venise

Aux XIVe et XVe siècles, la **Sérénissime République** figure parmi les premières puissances d'Europe. Elle tire son immense richesse des produits de luxe qu'elle importe du Proche-Orient et de l'Extrême-Orient. Mais le Portugais Vasco de Gama, en découvrant la route maritime des Indes vers 1500, met fin à son monopole et porte un coup fatal à son économie florissante. De nos jours, des monuments comme le **palais des Doges** et la **basilique Saint-Marc** rappellent encore sa splendeur et ses liens avec l'Orient.

La Renaissance

La Renaissance est une époque d'intense créativité intellectuelle et artistique en Europe. Elle a vu le jour dans les prospères cités-États italiennes du XVe siècle : Florence, Rome et Venise. Les penseurs et les artistes de la Renaissance rompent avec les idées du Moyen Âge pour renouer avec l'art et la pensée de la Grèce classique et de l'Antiquité romaine. Allant à l'encontre du fatalisme médiéval, ce mouvement se nourrit de l'idéal humaniste selon lequel l'homme et les valeurs humaines sont placés au-dessus de toute autre valeur. Outre un élan intellectuel et artistique, la Renaissance est aussi un phénomène économique : les œuvres des plus grands maîtres sont des commandes passées par de riches protecteurs.

Les mécènes de la Renaissance

Les artistes et les penseurs italiens, même les plus célèbres, sont protégés par d'influents personnages qui subviennent à leurs besoins financiers.

◆ **Laurent de Médicis, dit le Magnifique (1449-1492)** Protecteur de Michel-Ange et de Sandro Botticelli, ainsi que des philosophes Marsile Ficin et Pic de La Mirandole. Grand mécène florentin épris d'humanisme, il était lui-même un poète raffiné.

◆ **Jean de Médicis (1475-1521)** Pape sous le nom de Léon X de 1513 à 1521. Protecteur du peintre Raphaël et de l'architecte Bramante.

◆ **Jules de Médicis (1478-1534)** Pape sous le nom de Clément VIII de 1523 à 1534. Protecteur de Raphaël, Michel-Ange et Benvenuto Cellini.

◆ **Ludovic Sforza (1451-1508)** Duc de Milan. Protecteur de Vinci.

◆ **Alphonse d'Este (1476-1534)** Duc de Ferrare. Protecteur des poètes Matteo Maria Boiardo et l'Arioste.

Les berceaux de la Renaissance

◆ **Florence** Les Médicis, de très riches banquiers, sont, à partir du XVe siècle, les seigneurs de Florence. Ils dotent leur ville des plus beaux joyaux architecturaux et artistiques, par exemple le dôme de la cathédrale de Florence dessiné en 1418 par Filippo Brunelleschi, afin que sa splendeur témoigne de celle de ses princes.

◆ **Rome** Tombée dans la déchéance durant l'exil des papes en Avignon, Rome recouvre à leur retour (1418) la magnificence qui convient à l'autorité papale : c'est alors qu'est entreprise l'édification d'une nouvelle basilique Saint-Pierre (1506).

◆ **Venise** République gouvernée par un doge, Venise est une prospère cité marchande qui fait du commerce jusqu'en Asie. Au XVIe siècle, son rayonnement culturel et artistique est à son apogée.

La Joconde

La plus célèbre toile du monde, acquise par François Ier, est exposée au **Louvre**. Elle représenterait l'épouse d'un notable florentin nommé Francesco del Giocondo. Peinte par Léonard de Vinci vers 1503, cette **Monna Lisa** au sourire légendaire incarne une beauté idéale tout empreinte de sérénité.

Michel-Ange

Architecte du dôme de Saint-Pierre de Rome, peintre de la **chapelle Sixtine** (1508-1512), auteur de poèmes parmi les plus beaux de son temps, Michel-Ange (Michelangelo Buonarroti, 1475-1564) excelle dans bien des domaines artistiques. Mais lui-même se voit avant tout comme un **sculpteur**. Il travaille pour des tombeaux de princes et de papes à Rome et à Florence, des œuvres mythologiques *(David)*, religieuses *(Pietà, Moïse)*… Certains avancent qu'il est le meilleur sculpteur qui ait jamais été.

CHRONOLOGIE

1377 Naissance de l'architecte Brunelleschi, qui formalisera le principe de la perspective mathématique avec point de fuite unique.

v. 1386 Naissance du sculpteur Donatello.

1435 L'humaniste Leon Battista Alberti écrit un traité sur la peinture qui fera date.

v. 1450 En Allemagne, Gutenberg, inventeur de la presse à imprimer, met au point la technique typographique.

1471 Naissance du peintre et graveur allemand Albrecht Dürer.

v. 1478 Naissance du peintre Giorgione.

1483 Naissance du peintre Raphaël.

1488 Naissance du peintre Titien.

1494-1559 Les guerres d'Italie introduisent l'esprit de la Renaissance en Europe de l'Ouest et du Nord.

1509 Le prêtre humaniste hollandais Didier Érasme publie son *Éloge de la folie*.

1515-1547 Règne de François Ier, qui attire à sa cour Léonard de Vinci et fait construire les premiers châteaux français de style Renaissance tels que celui de Chambord (Val de Loire).

1517 Début de la Réforme de Luther.

1541 En France, l'architecte Philibert De l'Orme est nommé surintendant des Bâtiments royaux d'Henri II.

1564 Naissance de William Shakespeare.

1580 Publication des *Essais* de Montaigne.

1605 Cervantès écrit *Don Quichotte*.

Léonard de Vinci

Connu pour son talent de peintre, Léonard de Vinci (1452-1519) est en fait un **savant complet**, un « honnête homme » de la Renaissance. Il étudie l'anatomie, la géométrie, la mécanique, l'hydraulique, la botanique… et dessine les plans de **nombreuses machines**, faisant preuve d'un génie inventif et d'une intuition scientifique extraordinaires. Il conçoit, par exemple, une aile volante à pédales, un modèle de parachute, un scaphandre autonome, un hydromètre, etc.

Révolution artistique

◆ **La Renaissance replace l'homme au cœur même de la Création**. D'où la volonté de montrer la beauté du corps humain, comme chez le sculpteur Donatello.

◆ **Les principes de la perspective mathémathique** sont formalisés vers 1413 par l'architecte florentin Brunelleschi.

◆ **Le paysage** devient un thème pictural à part entière, comme dans l'œuvre de Giorgione.

◆ **L'apparition de la peinture à l'huile** révolutionne les possibilités techniques de tonalités et de textures, comme l'illustrent les toiles de Titien.

La Chine

La civilisation chinoise, vieille de 7 000 ans, est la plus ancienne du monde. Malgré son éblouissant sens de l'innovation, la culture chinoise fait preuve d'une continuité remarquable et sans équivalent en Occident. La philosophie de Confucius, par exemple, parle encore à nos contemporains. L'ouverture sur le monde a été l'une des grandes forces de la Chine historique.

La Chine au fil des siècles

Vers 2200 av. J.-C., la Chine cultive le riz depuis près de 3 000 ans et sa civilisation est déjà bien implantée. À partir des années 1020 av. J.-C, sous la dynastie **Zhou**, la majorité du pays est soumise au **système féodal**. C'est dans ce contexte que **Confucius** (v. 551-479 av. J.-C.) délivre son message. Le confucianisme, une éthique plutôt qu'une religion, exhorte la classe dirigeante à donner l'exemple. À elle de montrer la voie de la bonté, de la dignité, de la sagesse et de la fidélité. Les gens du commun, eux, doivent respecter l'autorité. La fin des Zhou coïncide avec le morcellement territorial de la **période des Royaumes combattants** (453-221. av. J.-C.). La stabilité revient après 221 av. J.-C., sous la brève mais importante dynastie **Qin (Ch'in)**, qui lègue son nom à la **Chine**. Lui succède le long règne des **Han** (206 av. J.-C.-220). Les divisions postérieures dureront jusqu'au règne des **Tang** (618-907), qui commence par cinquante ans de prospérité mais s'achève dans l'anarchie.
En 1279, l'arrivée des Mongols met fin à la brillante dynastie **Song**. Longtemps une menace pour la Chine, ces nomades du Nord lui apporteront un souverain éclairé, **Kubilay Khan**.

Les grandes dynasties modernes

De nombreuses familles régnantes ont marqué la longue histoire de la Chine jusqu'au début du XXe siècle. Parmi elles, les dynasties…

◆ **Tang (618-907)** En 618, les Tang arrachent la Chine à la dynastie Sui. Leur règne s'accompagne d'un nouvel épanouissement culturel et artistique. Le bouddhisme, importé d'Inde au Ier siècle av. J.-C., s'étend dans tout le pays, l'imprimerie se développe, la littérature vit un véritable âge d'or, l'expansion territoriale bénéficie au commerce, et la capitale, Changan (aujourd'hui Xi'an), devient l'une des villes les plus cosmopolites d'Asie.

◆ **Song (960-1279)** Sous la dynastie Song, le gouvernement aristocratique passe peu à peu aux mains d'une nouvelle classe de lettrés issus des propriétaires terriens. Si les Song ne furent jamais aussi puissants militairement que les Tang, ils n'en parvinrent pas moins à préserver la stabilité de l'empire et encouragèrent une superbe floraison artistique et culturelle.

◆ **Yuan (Mongols, 1279-1368)** En 1279, Kubilay Khan, petit-fils de Gengis Khan, balaie les Song du sud de la Chine. Premier souverain non chinois à régner sur le pays, il l'ouvre aux influences extérieures et inaugure une période de grande prospérité.

◆ **Ming (1368-1644)** Fondée par Zhu Yuanzhang, un moine bouddhiste rebelle autoproclamé empereur, cette dynastie encouragera un lucratif commerce avec l'étranger.

◆ **Qing (Mandchous, 1644-1911)** Dernière dynastie avant la révolution chinoise.

La Grande Muraille

Construite au IIIe siècle av. J.-C., rebâtie et étendue sous la **dynastie Ming** (1368-1644), la Grande Muraille de Chine, destinée à arrêter les invasions des Mongols du Nord, serpente sur 3 000 km à la limite orientale de la plaine de Mongolie, mais mesure 6 000 km ramifications comprises. Reposant sur une base d'environ 7 m d'épaisseur et 9 m de hauteur, c'est **la plus grande construction du monde**. Des centaines de milliers d'ouvriers et de prisonniers y ont travaillé jusqu'à la mort pendant plus d'un siècle.

Marco Polo

En 1271, ce jeune **Vénitien** part pour la Chine avec son père et son oncle. Le voyage, par voie terrestre, durera 4 ans. Accueillis à la cour de **Kubilay Khan** à Pékin, les Polo sont envoyés en tant qu'émissaires impériaux à travers la Chine et découvrent un pays encore baigné de mystère. Rentré à Venise, en 1295, Marco publiera le *Livre des merveilles du monde*, qui marquera son époque.

CHRONOLOGIE

- **v. 1020 av. J.-C.** Début de la dynastie Zhou.
- **v. 551 av. J.-C.** Naissance de Confucius.
- **453-221 av. J.-C.** Période des Royaumes combattants.
- **221 av. J.-C.** Shi Huangdi, 1er empereur de Chine, fonde la dynastie Qin.
- **206 av J.-C.** Les Han entament un combat long mais infructueux pour préserver l'unité de l'empire.
- **589** L'empire est restauré par Yang Kien, 1er empereur Sui.
- **618** Fondation de la dynastie Tang.
- **1275** Les Polo à la cour de Kubilay Khan.
- **1557** Un comptoir portugais s'établit à Macao.
- **1644** Les Qing, une tribu mandchoue, s'emparent du pouvoir.
- **1839-1842** 1re guerre de l'Opium contre la Grande-Bretagne.
- **1856-1860** 2e guerre de l'Opium contre diverses nations européennes, dont la France.
- **1875** Révolte nationaliste de la société secrète des Boxers.

La porcelaine

La finesse de la porcelaine chinoise semble miraculeuse aux Européens du début du XVIIe siècle, qui ne perceront le secret de sa fabrication qu'à la fin du siècle. Cette porcelaine « d'exportation » est presque exclusivement fabriquée dans l'est de la Chine, à Jingdezhen, et son commerce est intimement lié à celui du thé, autre produit-phare avec la soie. Leur vogue et leurs bénéfices sont assez importants pour justifier le long et périlleux voyage de 2 ans jusqu'en Chine.

Les innovations

Les Chinois ont tout inventé ou presque. Ci-dessous, des découvertes que l'Occident ne fera que bien plus tard.

Invention ou découverte	Chine	Occident
La charrue à soc métallique	v. 500 av. J.-C.	v. 1700
La circulation du sang	v. 100 av. J.-C.	v. 1500
L'extraction du gaz naturel	v. 100 av. J.-C.	v. 1800
Les allumettes	557	1530
La boussole	v. 1000	v. 1200

L'Empire ottoman

Les Osmanlis, ou Turcs ottomans, sont des nomades d'Asie centrale qui ont été repoussés par les Mongols dans les environs de Brousse, en Turquie. Au XIVe siècle, occupant le vide laissé par les Mongols, ils poussent vers l'ouest et s'engagent sur les territoires de l'Empire byzantin. En 1453, ils prennent Constantinople, rebaptisée Istanbul, et établissent un empire islamique qui absorbera la plus grande partie de l'Europe de l'Est. Après son apogée, au XVIe siècle, l'Empire ottoman amorce un lent déclin, mais il ne s'effondrera qu'à l'issue de la Première Guerre mondiale.

Un empire disparate

L'empire à son apogée brille par son expansion territoriale, son rayonnement diplomatique, sa réussite économique, sa tolérance envers sa mosaïque de peuples et de croyances : entre 1453 et 1623, seuls 5 grands **vizirs** sur 47 sont d'origine turque... Mais, bientôt, les sultans préféreront le **harem** au pouvoir. Au fil du long déclin de l'empire, leur influence diminuera, notamment au profit des **janissaires**, soldats de choc recrutés parmi des esclaves chrétiens islamisés.

De grands sultans

L'Empire ottoman a duré plus de 600 ans. Ses plus grands sultans ont vécu dans la première moitié de cette période.

◆ **Osman Ier (1259-1326)** Premier sultan de l'empire et fondateur de la dynastie ottomane, à laquelle il a légué son nom. Il règne de 1281 à 1326.

◆ **Orhan Gazi Ier (1281-1360)** Sultan en 1326, plus offensif que son père Osman Ier, il prend pied en Europe, à Gallipoli, dans les Dardanelles.

◆ **Murad Ier (1319-1389)** Règne de 1360 à 1389. Il poursuit l'organisation de l'empire et met en place le *divan*, administration centralisée dirigée par le grand vizir.

◆ **Murad II (v. 1403-1451)** Sultan en 1421. En 1444, ses troupes écrasent les armées hongroise et polonaise à Varna.

◆ **Mehmed II le Conquérant (1432-1481)** Sultan en 1451, il prend Constantinople en 1453.

◆ **Soliman Ier le Magnifique (1494-1566)** Pendant son règne (1520-1566), l'empire s'étend en Europe jusqu'à menacer Vienne et Istanbul devient l'une des plus belles cités du monde. Il a encouragé le développement des arts et des sciences.

◆ **Selim II (1524-1574)** Il règne de 1566 à 1574 mais abandonne le pouvoir à son vizir pour mener une vie de luxe et de loisirs. Ses héritiers l'imiteront. Cette vacance du pouvoir sera fatale à l'empire.

PETITE INFO

La croissance régulière de l'Empire ottoman émergea d'abord au nord-est de la **Turquie.** Les chrétiens ont arrêté son expansion en Hongrie et dans les Balkans.

Une multitude de titres honorifiques

Le très grand nombre de titres officiels existant dans l'empire étonna plus d'un Occidental. En voici quelques-uns.

◆ **Bey** Dignitaire de l'empire ou souverain vassal du sultan.

◆ **Calife** Titre des successeurs de Mahomet porté aussi par les sultans ottomans, chefs du monde islamique à partir du XVIe siècle.

◆ **Pacha** Titre honorifique utilisé pour s'adresser à un dignitaire ; gouverneur d'une province ottomane.

◆ **Sultan** Titre officiel de l'empereur ottoman.

◆ **Vizir** Haut fonctionnaire ou ministre. À la fin de l'empire, c'est le grand vizir (Premier ministre) et non le sultan qui détient la réalité du pouvoir.

◆ **Mufti** Théoricien et exégète de la loi coranique remplissant des fonctions religieuses, civiles et juridiques.

CHRONOLOGIE

1259 Naissance d'Osman et de la dynastie ottomane.

1326 Orhan Gazi fonde un État ottoman indépendant (capitale : Brousse).

1444 Les armées européennes vaincues à Varna.

1453 Prise de Constantinople par les Ottomans.

1456 Prise d'Athènes, mais Belgrade résiste au siège des Ottomans.

1517 Conquête de l'Égypte et de la Syrie.

1520 Avènement de Soliman le Magnifique et début de l'âge d'or ottoman.

1529 L'expansion ottomane en Europe s'arrête définitivement devant Vienne.

1543 Conquête de la Hongrie. Le rouleau compresseur ottoman est toujours aussi efficace.

1566 La mort de Soliman et l'avènement de son fils Selim II marquent le début du long déclin des Ottomans.

Le croissant de la victoire

En 1529, les armées de **Soliman le Magnifique** campent aux portes de **Vienne.** L'Islam semble à deux doigts d'écraser les croisés européens, mais les chrétiens triomphent contre toute attente. Pour fêter la délivrance de leur capitale, les boulangers autrichiens inventent le **croissant**, inspiré de l'emblème ottoman, et qui connaîtra une grande popularité dans l'Hexagone. Le croissant figurait sur l'ancien drapeau de Constantinople. Les Ottomans se le sont approprié en prenant la ville.

L'Amérique avant Colomb

Dès 12000 av. J.-C., l'Amérique du Nord est habitée par diverses tribus de chasseurs-cueilleurs nomades. Nombre d'entre elles se sédentariseront au cours du Ier millénaire av. J.-C. et vivront de l'agriculture. À partir de 7000 av. J.-C., certains peuples émigrent en Méso-Amérique (Mexique, Guatemala, Amérique centrale). Les cultures toltèque et aztèque représentent l'apogée de leur civilisation. Au XIIe siècle, les Incas commencent à se bâtir un empire andin correspondant au Pérou, à la majorité de l'Équateur et à une partie de la Bolivie, de l'Argentine et du Chili modernes.

Les « Peaux-Rouges »

Les archéologues ont distingué plusieurs phases culturelles en Amérique du Nord. La période archaïque (antérieure à 3000 av. J.-C.) est celle des chasseurs-cueilleurs nomades. Des tumulus funéraires et des traces d'habitations permanentes ont néanmoins été retrouvés. Vers 2000 av. J.-C. débute la période sylvicole : les Amérindiens des forêts de l'Est fabriquent poteries et paniers, pratiquent l'agriculture, construisent des tumulus élaborés. Dans le Middle West américain, la culture **Adena** s'épanouit dans la vallée de l'Ohio à partir de 750 av. J.-C. Elle se signale par ses tumulus sacrés et son agriculture organisée. Vers 200 av. J.-C., la culture **Hopewell** commence à construire des complexes funéraires. Dans le Sud-Ouest, la culture **Hohokam** édifie des systèmes d'irrigation extensifs dès le début de notre ère. Bientôt apparaissent les **Anasazis,** qui s'abritent dans des villages aux huttes d'adobe (brique de terre et de paille). La culture **Pueblo,** tournée vers l'agriculture, leur succède vers 700.

Les dieux aztèques

Au XVe siècle., les Aztèques venus du nord fondent dans la vallée de **Mexico** un empire qui dominera tout l'isthme mexicain. Leur capitale, **Tenochtitlán** (300 000 habitants), abrite une société sophistiquée. Ils adorent **Quetzalcóatl**, un ancien dieu toltèque, **Huitzilopochtli**, le dieu du soleil et de la guerre, **Xilonen**, la déesse aztèque du maïs – à qui, tous les ans, ils offrent un sacrifice humain censé assurer la récolte –, et surtout **Tezcatlipoca**, le dieu suprême. Ils pratiquent le **sacrifice humain** plus férocement encore que leurs grands prédécesseurs, les **Mayas**. Pour complaire à des divinités insatiables, on arrache le cœur des prisonniers de guerre vivants, voire des volontaires qui s'offrent à l'immolation.

CHRONOLOGIE

- **v. 2000 av. J.-C.** Début de la période sylvicole en Amérique du Nord-Est.
- **v. 1500 av. J.-C.** Premières traces de la culture du Mississippi.
- **v. 1200 av. J.-C.** Début de la culture olmèque dans le sud du Mexique.
- **v. 750 av. J.-C.** La culture Adena émerge.
- **v. 300 av. J.-C.** Fin de la culture olmèque.
- **v. 200 av. J.-C.** Début de la culture Hopewell en Amérique du Nord.
- **Début de l'ère chrétienne** Culture Hohokam.
- **v. 400** Culture Anasazi.
- **v. 600** Apogée des Mayas dans le sud du Mexique et au Guatemala.
- **v. 600** Apparition de la civilisation Tiahuanaco dans les Andes boliviennes.
- **v. 700** La culture Pueblo en Arizona.
- **v. 750** Fin de la grande cité de Teotihuacán, dont on ignore encore les origines et l'histoire.
- **v. 900** Émergence des Toltèques.
- **v. 1325** Construction de Tenochtitlán, la capitale aztèque.
- **v. 1440-1520** Apogée de l'Empire inca.
- **v. 1500** Apogée des Aztèques.

Les Toltèques

La civilisation toltèque a surgi au nord de **Mexico** à la fin du IXe siècle. Quelque 30 000 habitants auraient vécu à l'ombre des palais, des temples et des pyramides de sa capitale, **Tula**. Les Toltèques adorent **Quetzalcóatl**, le serpent à plumes, dieu de l'agriculture, des arts et de la sagesse. Cela ne les empêche pas de guerroyer férocement dans la région : ils poussent jusqu'au Yucatán, au Chiapas et au Guatemala avant de décliner vers le XIIIe siècle.

Les inventions incas

Du XIIe au XVIe siècle, les Incas règnent sur un vaste empire depuis **Cuzco**, leur capitale des Andes péruviennes. Ces grands soldats sont aussi de brillants inventeurs.

- Ils cultivent des champs en terrasses en montagne et congèlent **céréales** et **pommes de terre**.
- Leurs **monuments** sont édifiés sans mortier avec des blocs de pierre emboîtés les uns dans les autres.
- Leurs ingénieurs construisent un réseau extensif de **routes pavées, tunnels et ponts de corde**.
- Leurs **guérisseurs**, également chirurgiens, pratiquent des opérations du cerveau.
- Ils dénombrent bêtes, hommes et biens à l'aide d'un système complexe de **cordelettes à nœuds**, ou quipus.

LE SAVIEZ-VOUS ?

Le maïs, la courge et les haricots des précolombiens sont riches en éléments nutritifs, mais le **maïs** ne libère ses **acides aminés essentiels** que si on lui ajoute la rituelle pincée de cendre de bois pendant la cuisson.

Le Nouveau Monde

Aux XIVe et XVe siècles, les progrès technologiques (des bateaux plus manœuvrables, de nouveaux instruments de navigation) élargissent le champ d'action des marins européens. Les voyages de Christophe Colomb ne représentent qu'une fraction des nombreux voyages d'exploration qui mettent les Européens en contact avec les peuples et les produits d'Afrique, du sous-continent indien, de l'Extrême-Orient et des Amériques. Chez les explorateurs et les puissances qui les financent, la curiosité intellectuelle et le goût de l'aventure le disputent à l'avidité et au désir de conquête.

Les progrès navals

Avec leur voile et leur mât uniques, les bateaux médiévaux dépendaient des caprices du vent. Au XIVe siècle, l'installation d'un **gouvernail** à l'arrière et de plusieurs voiles carrées et triangulaires, qu'on déploie en fonction de l'orientation et de la météo, ouvre de nouveaux horizons. Désormais, les navires avancent même contre le vent. De nouveaux instruments de navigation apparaissent : la **boussole**, mais également l'**astrolabe**, le **quadrant** et l'**arbalète**, qui permettent de calculer la **latitude** (distance par rapport au nord ou au sud) en mesurant la hauteur du soleil ou de l'étoile Polaire. La **cartographie** fait elle aussi des progrès.

Le bois d'ébène

L'exploitation des ressources américaines entraîne un boom du trafic des esclaves, un commerce séculaire sur les **côtes de l'Afrique** et dans le **Sahara**. En effet, les Indiens autochtones mourant par millions, décimés par les infections originaires d'Europe, on a besoin de bras pour les **mines** et les **plantations**. Des milliers d'Africains de l'Ouest sont amenés, chaînes aux pieds, en Amérique et aux Antilles. En tout, plus de 4 millions d'entre eux feront le terrible voyage à fond de cale.

De nouveaux produits

Les conquistadores ont rapporté du **Nouveau Monde** d'énormes quantités d'**or** et d'**argent**, mais surtout des plantes et des légumes qui font aujourd'hui partie de notre vie quotidienne : poivrons, piments, épices, pommes de terre, maïs, citrouilles, courges, tomates, chocolat, vanille, tabac.

CHRONOLOGIE

1487 Dias contourne le cap de Bonne-Espérance.
1492-1493 1er voyage de Colomb.
1493-1496 2e voyage de Colomb.
1497 Le Génois Cabot explore le Labrador et Terre-Neuve pour les Anglais.
1498 Vasco de Gama aborde Calicut (Calcutta).
1498-1500 3e voyage de Colomb.
1500 Pedro Álvares Cabral, dérouté, découvre le Brésil pour le Portugal.
502-1504 4e voyage de Colomb.
1519-1522 Tour du monde de Magellan ; l'explorateur est tué aux Philippines.
1534 Jacques Cartier revendique la région des Grands Lacs canadiens pour la France.
1609 L'Anglais Henry Hudson remonte l'Hudson pour les Hollandais.

Christophe Colomb

Colomb (1451-1506) est génois mais ce sont les monarques espagnols, **Ferdinand et Isabelle**, qui le financent. Parti de Palos, en Espagne, le 3 août 1492, il jette d'abord l'ancre aux Bahamas, à Cuba, Haïti et Saint-Domingue : il se croit arrivé au Japon mais vient de découvrir… l'Amérique. En 1498, il débarque au Venezuela et met enfin le pied sur le continent américain.

Vers l'Orient

À la demande du prince portugais **Henri le Navigateur** (1394-1460), qui veut trouver une route maritime vers l'Orient, **Vasco de Gama** ouvre la voie vers l'Inde via le cap de Bonne-Espérance (1497-1498), que son compatriote **Bartolomeu Dias** a découvert 10 ans auparavant.

Les conquistadores

De nombreux aventuriers espagnols s'embarquent pour l'Amérique dans le sillage de Colomb. **Hernán Cortés** quitte Cuba en 1519 avec quelques centaines d'hommes pour rallier le Mexique et conquérir le royaume aztèque de **Moctezuma II**. **Francisco Pizarro**, parti vers le sud via les Andes en 1527, découvre et pille le royaume des Incas. Son frère, **Gonzalo Pizarro**, est l'un des nombreux conquistadores lancés sur la piste du royaume mythique de l'**Eldorado**. L'un de ses camarades, **Francisco de Orellana**, s'égare en 1541 sur l'Amazone supérieure et entreprend d'en redescendre le cours. Ce sera le premier Européen à naviguer sur le grand fleuve brésilien.

Les Pères pèlerins

L'Amérique du Nord est synonyme de paix et de liberté pour les minorités religieuses persécutées. Les **puritains** partis de Plymouth en 1620 à bord du *Mayflower* comptaient ainsi s'établir en Virginie, mais des vents contraires les amèneront au nord de leur destination, à **Plymouth Rock (Cape Cod)**, dans le Massachusetts. D'autres minorités trouveront refuge en Amérique : des catholiques anglais fondent le **Maryland** en 1633, et des quakers la **Pennsylvanie** en 1681.

Les empires d'outre-mer

Cinq puissances européennes se sont taillé de grands empires en Asie, en Afrique et en Amérique.

Pays	Territoire
Portugal	Afrique du Sud et de l'Est, Indes orientales, Brésil, Goa (Inde) et Macao (Chine).
Espagne	Amérique du Sud (sauf le Brésil), Amérique centrale, Californie et Amérique du Sud-Ouest, Philippines.
Pays-Bas	(XVIIe s.) Cap de Bonne-Espérance, ex-colonies portugaises des Indes orientales.
Angleterre	Virginie et côte est de l'Amérique du Nord à partir du Massachusetts.
France	Canada oriental et Louisiane (vallées du Mississippi et du Missouri, golfe du Mexique).

La Réforme

Le terme Réforme désigne le mouvement qui a donné naissance aux Églises protestantes au XVIe siècle et soustrait une partie de l'Europe à l'obédience des papes. Les réformés «protestent» contre les pratiques corrompues – telle la vente des indulgences – d'un clergé catholique discrédité. Le mouvement débute en Allemagne avec Martin Luther et fait tache d'huile en Europe. Jean Calvin reprend le flambeau à Genève. À la fin du XVIe siècle, l'Europe est divisée entre pays catholiques (France, Espagne...) et protestants (Angleterre, Hollande...). L'Allemagne est partagée entre les deux religions.

Martin Luther

En 1517, le moine catholique Martin Luther (1483-1546) affiche sur la porte d'une église de Wittenberg ses **«95 thèses»**, qui attaquent notamment le commerce des **indulgences** (soit le pardon des péchés contre une somme d'argent versée à l'Église). Il est incarcéré en 1521 et en profite pour traduire la Bible en allemand. Le défroqué Luther renonce à ses vœux et épouse en 1525 une ancienne religieuse.

Des rois très catholiques

Charles Ier d'Espagne est élu à la tête du Saint Empire romain germanique en 1520 sous le nom de **Charles V**, ou **Quint**. Chef d'un immense empire, il tente d'endiguer le protestantisme et les dissensions religieuses, notamment par la mise au ban de Luther (**diète de Worms**, 1521) et la réunion de la **diète d'Augsbourg** en 1530, où les princes protestants présentent à Charles Quint un document exposant une version conciliante de la profession de foi luthérienne que l'empereur rejettera. En 1555, il laisse l'Espagne à son fils Philippe, époux de la reine d'Angleterre Marie Tudor. La persécution des protestants anglais, encouragée par Philippe, vaudra à cette dernière le sobriquet de Marie la Sanglante.

Les martyrs

Dès ses prémices, la Réforme s'est accompagnée de persécutions religieuses tant catholiques que protestantes.

◆ En 1415, un prédicateur de Bohême, **Jan Hus,** meurt sur le bûcher pour avoir prôné des réformes qui annoncent celles de Luther.

◆ Deux protestants sont brûlés pour hérésie dans les Pays-Bas espagnols en 1523. S'ensuivront 30 ans de persécutions.

◆ En Angleterre, l'ancien chancelier **Thomas More** est décapité en 1535 pour avoir refusé de reconnaître Henri VIII comme chef de l'Église anglicane.

LE SAVIEZ-VOUS ?

Le **pape** interdit à **Henri VIII** de divorcer. Qu'à cela ne tienne : le roi rompt avec Rome et s'intronise chef de la **nouvelle Église anglicane** (1531). Depuis, l'anglicanisme est religion d'État en Angleterre.

La Contre-Réforme

L'Église catholique, ébranlée par la Réforme, se construit de solides défenses dans la seconde moitié du XVIe siècle.

◆ Le **concile de Trente** définit avec clarté la doctrine catholique. Ses travaux sont accueillis avec enthousiasme par les fidèles.

◆ Deux ordres missionnaires, les **Capucins** et la **Compagnie de Jésus** (Jésuites), sont fondés pour porter la bonne parole.

◆ L'hérésie est combattue par l'**Inquisition**.

◆ En 1559, on publie le premier **Index** recensant les ouvrages interdits aux catholiques pour raison morale ou religieuse.

Henri IV, roi de France

Alors que l'**Angleterre** voit se succéder rois et reines catholiques et protestants sous les règnes des trois enfants d'Henri VIII – Édouard VI, fils de Jeanne Seymour, Marie Tudor, fille de Catherine d'Aragon, et Élisabeth, fille d'Anne Boleyn –, la **France des Valois** demeure en majorité catholique. Les tensions sont très fortes entre **catholiques** et **huguenots** (protestants), allant jusqu'à la **guerre civile**. En 1589, à la mort d'Henri III, Henri de Navarre, chef des huguenots et époux de Marguerite de Valois, est l'héritier de la couronne. Il prend le nom d'**Henri IV**. Non reconnu par les catholiques, il devra abjurer le protestantisme en 1593. En 1598, il publie néanmoins un édit de pacification, l'**édit de Nantes**, assurant aux protestants certaines garanties ainsi que la liberté de culte.

Les guerres de Religion

À la fin du XVIe siècle, la **Hollande**, un foyer du protestantisme, arrache son indépendance à l'Espagne après des dizaines d'années de conflit (1579). Le 23 août 1572, les troupes royales massacrent 3 000 huguenots à Paris lors de la Saint-Barthélemy. Les guerres de Religion poussent nombre de **huguenots français** à émigrer, et Philippe II d'Espagne lance son Armada à l'assaut de l'**Angleterre** d'Élisabeth Ire pour y rétablir le catholicisme (1588).

CHRONOLOGIE

1517 Luther publie ses 95 thèses. En Suisse, Ulrich Zwingli prêche l'autorité suprême des Écritures.

1523 Début de la persécution des protestants hollandais.

1534 Ignace de Loyola fonde l'ordre des Jésuites.

1536 Henri VIII entreprend de fermer les monastères anglais.

1541 Jean Calvin fonde à Genève l'Église réformée, un protestantisme très dur incluant la foi en la prédestination.

1545 Concile de Trente.

1555 Paix d'Augsbourg : Charles Quint autorise les princes allemands à imposer leur foi à leurs sujets.

1559 John Knox prend la tête du mouvement protestant écossais.

1598 L'édit de Nantes accorde la liberté de culte aux protestants français.

1618 Début de la guerre de Trente Ans, un autre conflit religieux qui ensanglantera le Saint Empire puis la France et l'Espagne.

L'Empire russe

Le premier État russe rayonne à partir de Kiev, l'actuelle capitale de l'Ukraine, connue comme la mère des villes de Russie. Au XIIIe siècle, le chef mongol (ou tatar) Batu Khan conquiert la Russie. Pendant 250 ans, les princes russes paieront un tribut à la puissance mongole, ou Horde d'Or. La dynastie Romanov accède au pouvoir en 1613. Elle régnera jusqu'à la révolution de 1917. La féodalité a duré plus longtemps en Russie que dans le reste de l'Europe. Les millions de serfs russes sont autant de possessions qui s'achètent et se revendent avec les domaines. Ils seront affranchis par le tsar Alexandre II en 1861.

Moscou

La **Russie médiévale** est un **patchwork de villes indépendantes**. Chacune possède son prince et presque toutes ont leur **kremlin** (forteresse). Dès le XIVe siècle, la **Moscovie**, ou grande-principauté de Moscou, occupe une position prééminente. C'est son grand-prince, **Dimitri Donskoï** (1350-1389), qui défie le premier l'occupant mongol. Sa victoire à Koulikovo en 1380 marque la naissance de l'État russe, avec Moscou pour capitale. Pourtant, les Russes ne s'affranchiront totalement du joug de la Horde d'Or que sous **Ivan III** : il engagera le processus d'**unification de toutes les Russies** et régnera sur une Moscovie élargie de 1462 à 1505.

Ivan le Terrible

Ivan IV (1530-1584), grand-prince de Moscou puis tsar de Russie. Il est le premier à s'octroyer ce titre de **tsar** dérivé du latin *caesar*. Dans la seconde moitié de son règne, le décès de sa femme Anastasia Romanova (1560) le précipite dans une **folie meurtrière**. En 1581, il tue son propre fils dans un accès de fureur. À sa mort, il lègue un pays quatre fois plus grand mais ensanglanté par la répression (massacre de Novgorod, 1570). Véritable Barbe-Bleue, le tsar Ivan le Terrible eut 8 femmes.

Pierre le Grand

Pierre Ier (1672-1725) est le premier tsar à voyager à l'étranger. Impressionné par la culture et la technologie de ses voisins de l'Ouest, il occidentalise l'Église, l'armée, l'enseignement et l'Administration, et menace ses sujets d'une amende s'ils refusent de raser leur longue barbe à l'ancienne. Fondateur de la marine russe, il construit **Saint-Pétersbourg** sur la Neva et y installe sa capitale.

Les Cosaques

Les **Cosaques** (du turc *kazac*, **homme libre**), piliers du pouvoir tsariste, arrivent en Ukraine au XVIe siècle. Malgré les insurrections qui émaillent leur histoire, telle celle de Pougatchev en 1773-1774, ils défendront fidèlement les derniers tsars, qui leur octroient des privilèges en échange d'un service militaire.

Les grands auteurs

Aleksandr Pouchkine (1799-1837) Père de la littérature russe, grand poète *(Eugène Onéguine)* et grand romancier *(la Fille du capitaine)*.
Nicolas Gogol (1809-1852) Les travers des fonctionnaires et de la petite noblesse lui ont fourni la matière de ses récits. Mais la postérité se souvient surtout de son roman *les Âmes mortes*, d'une tonalité plus sombre.
Léon Tolstoï (1828-1910) L'immortel auteur de *Guerre et paix* et d'*Anna Karenine*.
Fedor Dostoïevski (1828-1881) Hanté par la question du bien et du mal, il a écrit d'immenses romans *(Crime et châtiment, l'Idiot…)*.
Anton Tchekhov (1860-1904) Ses pièces empreintes de nostalgie *(la Cerisaie, les Trois Sœurs)* illustrent la fin de la classe moyenne.
Cinq Russes ont reçu le prix Nobel de littérature : Ivan Bounine (1933), Boris Pasternak (1958), Mikhaïl Cholokhov (1965), Aleksandr Soljenitsyne (1970) et Joseph Brodsky (1987).

CHRONOLOGIE

- **988** Le christianisme s'étend dans la Russie kiévienne via Byzance.
- **1238-1240** Les Mongols (Tatars) conquièrent Moscou et mettent à sac la ville de Kiev.
- **1380** Le prince Dimitri bat les Tatars à Koulikovo.
- **1510** Moscou se proclame la « Troisième Rome », le cœur de l'orthodoxie et l'héritière de Byzance.
- **1547-1584** Règne d'Ivan le Terrible.
- **1613** Michel Romanov devient tsar de Russie.
- **1703** Pierre le Grand fonde Saint-Pétersbourg.
- **1762** Assassinat de Pierre III ; sa veuve est couronnée sous le nom de Catherine II.
- **1807** Le tsar Alexandre Ier signe le traité de Tilsit avec Napoléon.
- **1812** Napoléon envahit la Russie.
- **1825** Le soulèvement décembriste annonce la révolution de 1917.
- **1861** Abolition du servage par Alexandre II, le tsar libérateur.
- **1881** Assassinat d'Alexandre II.
- **1896** Avènement du dernier tsar, Nicolas II.

Le servage

Ivan le Terrible récompense ses alliés en leur donnant des terres et les **paysans** qui y vivent. En 1649, le système a pris force de loi. 90 % de la population est composée de serfs souvent miséreux qui dépendent entièrement du bon vouloir de leur propriétaire. En guise de loyer, ils lui offrent leurs services ou une part de leur production.

Catherine la Grande

Catherine II (1729-1796), épouse de Pierre III, devient impératrice en 1762. Sa **politique intérieure** (réforme fiscale, développement du commerce et de l'agriculture, organisation de l'Administration, de la justice et de l'armée) et ses **conquêtes territoriales** lui valent le surnom de Catherine la Grande. Sous son règne, la Russie s'enrichit de terres gagnées sur l'Empire ottoman et lors des partages de la Pologne. Cette impératrice aux amours légendaires est aussi une **femme d'esprit** qui encourage la littérature russe et s'intéresse aux idées des Lumières, fréquentant notamment les philosophes **Voltaire** et **Diderot**. Elle n'en mate pas moins les révoltes d'une main de fer…

Des siècles de progrès

L'Allemand Gutenberg, tailleur de pierres puis miroitier, invente l'imprimerie moderne dans les années 1440-1450. La diffusion des idées est désormais possible à grande échelle et à moindre coût. L'astronome polonais Nicolas Copernic (1473-1543) fait l'hypothèse que la Terre tourne en orbite autour du Soleil, ouvrant la voie aux découvertes de l'Italien Galilée. Les scientifiques repensent la place de l'homme dans l'Univers. L'Allemand Kepler, l'Anglais Newton, les Français Pascal et Descartes, sans oublier de nouveaux instruments (télescope, microscope), contribuent à cette révolution.

L'imprimerie

Les **Coréens** et les **Chinois** se sont servis de caractères mobiles dès le XIe siècle, mais c'est **Gutenberg** qui a inventé l'imprimerie moderne. Sa presse à vis s'inspire des presses à fromage et des pressoirs à vin. Il met aussi au point une encre grasse et des caractères métalliques: des «types» indépendants, réutilisables, fabriqués en série et par moulage plutôt que par gravure, et donc moins coûteux.

CHRONOLOGIE

- **v. 1455** Parution de la Bible de Gutenberg.
- **1543** Copernic déclare que la Terre et les planètes tournent autour du Soleil.
- **1637** Descartes et Pierre de Fermat développent la géométrie analytique.
- **1660** Robert Boyle découvre que le volume d'un gaz est inversement proportionnel à la pression (loi de Boyle-Mariotte).
- **1742** Celsius crée son échelle thermométrique centésimale.
- **1751** Début de la publication de l'*Encyclopédie*, dirigée par Denis Diderot, qui entend faire la somme de toutes les connaissances.

L'après-Copernic

Le Danois **Tycho Brahe** (1546-1601) est l'un des plus grands astronomes du XVIe siècle. Ses observations de la planète Mars ouvrent la voie à son élève **Johannes Kepler** (1571-1630), qui énoncera les lois des mouvements planétaires. **Galilée** (Galileo Galilei, 1564-1642) perfectionne le télescope, constate que le Soleil tourne sur lui-même et découvre les satellites de Jupiter. Il sera poursuivi par l'Inquisition et finira ses jours assigné à résidence pour avoir dit que la Terre tournait autour du Soleil. **Robert Hooke** (1635-1703) observe les taches du Soleil et de la Lune. Le nom d'**Edmond Halley** (1656-1742) reste attaché à une comète, dont il annonce le retour pour 1768.

La réforme du calendrier

Au XVIe siècle, le **calendrier julien** instauré par Jules César est en retard de 10 jours sur les étoiles. En 1582, le pape Grégoire XIII le remplace par le **calendrier grégorien.** En 1752, ce dernier est adopté par l'Angleterre, qui saute du 2 au 14 septembre pour rattraper un retard cumulé de 11 jours. Cette initiative déclenche des émeutes: certains exigent qu'on leur rende leurs 11 jours!

La machine à calculer

C'est un Allemand, **Wilhelm Schickard**, qui a inventé la première machine à calculer, en 1623. La deuxième – la pascaline, composée d'un tambour et de 6 roues à 10 dents – est due à un Français de 19 ans, le philosophe et mathématicien **Blaise Pascal** (1623-1662). Cette invention sera perfectionnée par **Gottfried Leibniz** (1646-1716), mais aucune de ces machines ne parviendra à supplanter le traditionnel boulier, beaucoup plus simple et plus rapide.

De nouveaux instruments

Le **télescope** est inventé en 1608 par l'opticien Zacharias Jansen et perfectionné par Galilée. Vers 1670, un autre Néerlandais, Antonie Van Leeuwenhoek, met au point le **microscope**. L'horlogerie progresse aussi: les **horloges mécaniques** ont fait leur apparition au XIVe siècle et les **cadrans solaires** sont de plus en plus élaborés.

Dans les airs

En 1782, deux inventeurs français, **Joseph** et **Étienne de Montgolfier,** imaginent le premier aérostat, un ballon de papier gonflé à l'air chaud que l'on appellera montgolfière. Le jeune **Pilâtre de Rozier** est le premier à tenter l'aventure d'un vol, en 1783. Dans le même temps, le physicien **Alexandre César Charles** travaille sur des aérostats à gaz. Quelques semaines après Pilâtre de Rozier, il s'envole à son tour dans un ballon de latex – une matière importée d'Amérique du Sud – gonflé à l'hydrogène.

Isaac Newton

Newton (1642-1727) a étudié la **nature de la lumière**, mais c'est sa théorie de l'**attraction universelle** qui l'a rendu célèbre: les corps s'attirent avec une force inversement proportionnelle au carré de la distance qui les sépare.
La **pesanteur**, qui fait tomber les pommes, maintient aussi la Terre en orbite autour du Soleil. «Il me semble n'avoir été qu'un enfant jouant sur la plage… tandis que le grand océan de la vérité s'étendait intouché devant moi», confia-t-il modestement.

La médecine

Depuis Hippocrate, on croyait que la maladie provenait d'un déséquilibre des quatre humeurs: le sang, la pituite (ou phlegme), la bile jaune et l'atrabile (bile noire). Les progrès scientifiques démentent ce concept et fondent une médecine nouvelle.
◆ **Paracelse (1493-1541)** prône les traitements chimiques et de nouvelles thérapeuthiques comme l'homéopathie.
◆ **Ambroise Paré (1510-1590)** remplace la cautérisation au fer rouge des membres amputés par la ligature des vaisseaux.
◆ **André Vésale (Andreas Vesalius, 1514-1564)** est le premier à décrire le squelette et le système nerveux. ◆ **William Harvey (1578-1657)** découvre la circulation du sang, actionnée par une «pompe», le cœur. ◆ **James Lind (1716-1794)**, un chirurgien naval, recommande les agrumes pour prévenir le scorbut.

Le doute cartésien

Selon le penseur français **René Descartes** (1596-1650), l'homme ne peut avoir qu'une certitude : *Cogito ergo sum* – **«Je pense, donc je suis»**. Seules les mathématiques, science exacte par excellence, résistent au doute systématique, pierre de touche de sa pensée. Scientifique autant que philosophe, il invente la géométrie analytique. Celle-ci lui permettra ensuite d'établir les lois de la raréfaction dans le domaine de l'optique.

Le temps des rois

Aux XVIIe et XVIIIe siècles, la forme de gouvernement la plus répandue en Europe est l'absolutisme : le pouvoir politique est concentré entre les mains d'un monarque. La notion de droit divin justifie le pouvoir absolu du roi. Il est le représentant de Dieu dans le royaume ; son pouvoir est un don et une responsabilité. Obéir au monarque, c'est donc obéir à Dieu. En France règne la dynastie des Bourbons, descendants d'Henri IV. Son petit-fils, Louis XIV – le Roi-Soleil –, exercera seul son pouvoir pendant 54 ans. Il est le parfait représentant du souverain absolu.

Charles Ier

En **Angleterre**, le Parlement s'oppose à l'absolutisme royal de Charles Ier (1600-1649), qui l'a écarté du pouvoir. En 1642 éclate une révolution menée par Oliver **Cromwell**. L'armée de Cromwell prend le dessus et Charles, condamné à mort, sera décapité en 1649.

Charles XII

Roi de **Suède** de 1697 à 1718, Charles désire parachever la domination suédoise sur la Baltique, mais sans succès. Le début de son règne voit une série de victoires contre le Danemark, la Russie et la Pologne. Il subira par la suite maints revers et devra signer en 1720-1721 des traités de paix qui marquent la ruine de son empire.

CHRONOLOGIE

- **1643** Louis XIV devient roi de France : il a 5 ans.
- **1649** Charles Ier décapité.
- **1660** Restauration de la monarchie en Angleterre.
- **1663** Colbert établit un gouvernement royal en Nouvelle-France (Canada).
- **1672-1679** Guerre de Hollande entre la France et les Provinces-Unies.
- **1682** Versailles capitale de la France.
- **1682** Le futur Pierre le Grand devient tsar.
- **1685** Révocation de l'édit de Nantes par Louis XIV.
- **1700** Début de la guerre entre la Suède et la Russie.
- **1763** Le traité de Paris reconnaît la suprématie anglaise en Inde et dans le nord de l'Amérique. La France en Guadeloupe, en Martinique et en Afrique.

Louis XIV

À la mort de Louis XIII, en 1643, son fils Louis est encore trop jeune pour régner. La régence est assurée par la reine **Anne d'Autriche** et le **cardinal Mazarin**. En 1648, Paris se soulève derrière le Parlement ; le pays tombe bientôt dans l'anarchie. Cette guerre civile est appelée **la Fronde**. Louis XIV (1638-1715) commence à régner à la mort de Mazarin, en 1661. D'entrée de jeu, il déclare vouloir être son propre Premier ministre et, toute sa vie durant, il gardera le **pouvoir absolu**. Il sait s'entourer de ministres compétents tels que **Colbert** ou **Le Tellier** mais prend seul les décisions importantes. Désirant, pour magnifier sa grandeur, un cadre à sa mesure, il quitte le vieux palais du Louvre pour **Versailles**, où un ancien pavillon de chasse est transformé par **Le Nôtre** et **Hardouin-Mansart** en un somptueux domaine. Les nobles s'y pressent pour s'attirer les faveurs royales.

Frédéric le Grand

Frédéric II de Prusse (1712-1786), grand admirateur des Lumières, des lettres et des arts, est aussi un chef militaire habile. Il fait de son pays une vraie puissance, annexant une vaste partie de la Pologne, la Silésie autrichienne, la Poméranie suédoise et le Brandebourg. Il se considère comme le 1er serviteur de l'État et écrit plusieurs ouvrages en français sur sa conception du pouvoir, qui, pour lui, ne repose pas sur le droit divin mais sur un contrat.

Marie-Thérèse

Charles VI d'Autriche étant mort sans laisser d'héritier, sa fille Marie-Thérèse monte sur le trône en 1740, succession contestée entre autres par Frédéric II de Prusse. Durant les guerres qui s'ensuivent – **guerre de la Succession d'Autriche** et **guerre de Sept Ans** –, les grandes puissances d'Europe tentent de s'accaparer ses possessions. Fine politique, elle s'entend bien à la gestion des affaires intérieures et est aimée de ses sujets. Elle réforme notamment les institutions commerciales et financières, doublant le revenu national.

Les penseurs

Au XVIIe siècle, **Locke** remet en cause le droit divin de la royauté. Le XVIIIe siècle est traversé par le mouvement philosophique des **Lumières**, qui développe l'esprit critique contre les abus et les préjugés. Il est représenté en France par **Diderot** ou encore **Voltaire.** Adam Smith écrit le premier grand ouvrage d'économie.

Les guerres en Europe

La plupart des monarques absolus considèrent de leur devoir divin d'agrandir les territoires du royaume dont ils ont la charge. À cette époque, les frontières nationales sont en perpétuel bouleversement. ◆ **Guerre de Trente Ans (1618-1648)** Les causes premières de cette longue lutte de pouvoir sont religieuses, mais le conflit devient pour les Habsbourg d'Autriche un prétexte pour exercer leur hégémonie sur l'Allemagne. ◆ **Guerre anglo-hollandaise (1652-1674)** L'Angleterre et les Provinces-Unies (la Hollande) luttent pour la suprématie commerciale. Les 2 pays sont des puissances maritimes et possèdent des intérêts en Afrique et en Amérique. L'établissement hollandais de La Nouvelle-Amsterdam sera cédé aux Anglais en 1667 et rebaptisé New York. ◆ **Guerre de la Succession d'Espagne (1701-1714)** Quand Charles II meurt, sans enfant, en 1700, il désigne Philippe, duc d'Anjou – un petit-fils de Louis XIV – comme son successeur. L'Angleterre et l'Autriche, craignant un accroissement de la puissance française, déclarent la guerre à la France et l'Espagne. Celle-ci se terminera par la signature du traité d'Utrecht : Philippe conserve la couronne d'Espagne mais renonce à toute prétention sur la France. ◆ **Guerre de la Succession d'Autriche (1740-1748)** L'accession au trône de Marie-Thérèse est contestée par la Bohême, la Prusse et la France. L'Espagne refuse ses revendications sur l'Italie. Français et Anglais entrent en conflit à propos de leurs colonies d'Inde et d'Amérique. ◆ **Guerre de Sept Ans (1756-1763)** Dans la continuité de la guerre de la Succession d'Autriche, ce conflit commence avec l'invasion prussienne de la Saxe et s'étend à toute l'Europe. Angleterre et France continuent à se battre pour leurs colonies. L'Angleterre se rend maîtresse de la plupart des colonies françaises d'Amérique et prend le contrôle de l'Inde.

La Révolution française

La Révolution française a été inspirée en partie par le succès de la révolution américaine de 1776. En 1788-1789, la conjoncture économique est très difficile. Le marasme touche tant la paysannerie – dont de mauvaises conditions climatiques ont ruiné les récoltes – que l'industrie. Les faillites, la flambée des prix, le développement de la mendicité et du brigandage mèneront le peuple à la révolte. Les droits de l'homme sont au cœur de l'idéal révolutionnaire. Liberté et égalité en sont les maîtres mots. Mais cette révolution qui ouvre en France l'ère républicaine ne se fait pas sans violence et, à partir de 1792, la guillotine fonctionne sans relâche.

Des années troublées

La Révolution commence en 1789 avec la **réunion des états généraux** (assemblée politique composée de membres du clergé, de la noblesse et du tiers état). Très vite, les événements s'accélèrent. En juillet 1789, le peuple de Paris s'empare de la prison de la Bastille. L'événement aura un retentissement majeur. En août 1789, les privilèges de la noblesse et du clergé sont abolis. Puis la **Déclaration des droits de l'homme** est votée et la monarchie est mise sous le contrôle d'une **Constitution**. La République est proclamée en 1792, Louis XVI exécuté l'année suivante. Le règne de la **Terreur** commence en 1793, sous la férule de Robespierre. Après sa chute, un nouveau gouvernement républicain, le **Directoire**, est formé en 1795. En 1799, il sera renversé par le **coup d'État** du jeune général **Napoléon Bonaparte.**

Personnages clefs

- **Maximilien de Robespierre** (1758-1794) Entré au Comité de salut public, il prend les rênes du gouvernement révolutionnaire. Il sera guillotiné en 1794.
- **Georges Danton** (1759-1794) Il est ministre de la Justice quand le roi est guillotiné. En désaccord avec Robespierre, il sera exécuté.
- **Jean-Paul Marat** (1743-1793) Ce journaliste révolutionnaire sera assassiné par Charlotte Corday, membre d'une faction rivale.
- **Comte de Mirabeau** (1749-1791) Noble acquis à la cause révolutionnaire, Mirabeau est élu représentant du tiers état.

La guillotine

En 1791, un nouveau Code pénal est adopté par l'Assemblée nationale constituante : « Tout condamné aura la tête tranchée ». Un physicien français, le docteur **Joseph Guillotin**, propose alors un système de mise à mort dit le moins douloureux possible : la guillotine. Entre 1792 et 1799, 15 000 victimes périrent sur l'échafaud.

Marie-Antoinette

Marie-Antoinette (1755-1793), épouse de **Louis XVI,** est la fille de l'impératrice d'Autriche, et les Français, en ces temps de guerre avec l'Autriche, ne la portent pas dans leur cœur. D'autant qu'elle s'oppose à toute réforme libérale et empêche une conciliation entre la monarchie et la Révolution. Elle supportera avec dignité son arrestation et mourra sur l'échafaud en octobre 1793.

Un texte fondateur

En août 1789, les députés adoptent le texte de la **Déclaration des droits de l'homme et du citoyen,** qui, 2 ans plus tard, sera placée en tête de la Constitution. Cette déclaration comprend 17 articles, proclamant l'égalité de tous devant la loi, la souveraineté de la nation, les garanties individuelles des citoyens et les libertés inaliénables de tout être humain vivant en société. Ce texte demeure la base du droit public français.

Chronologie

- **1789-1797** La France annexe des territoires incluant la Savoie et une partie des territoires à la frontière du Rhin.
- **5 mai 1789** Réunion des états généraux.
- **9 juillet 1789** Formation de l'Assemblée nationale constituante.
- **14 juillet 1789** Soulèvement du peuple de Paris et prise de la Bastille, suivis d'émeutes sanglantes dans d'autres villes et de jacqueries dans les campagnes (la Grande Peur).
- **4 août 1789** Abandon des privilèges.
- **26 août 1789** Déclaration des droits de l'homme et du citoyen.
- **22 décembre 1789** Création des départements.
- **Juin 1791** Fuite du roi.
- **22 septembre 1792** Proclamation de la République.
- **21 janvier 1793** Exécution de Louis XVI.
- **6 avril 1793** Création du Comité de salut public.
- **1793-1794** La Terreur.
- **Juillet 1794** Exécution des robespierristes.
- **1795-1799** Régime du Directoire.
- **1799** Coup d'État de Bonaparte. Début du Consulat.

Le système métrique

Les scientifiques sous l'égide de l'Assemblée définissent un nouveau système de mesure. Il repose sur un système décimal, au contraire des unités antérieures qui prenaient pour référence le corps humain. Le **mètre**, la mesure de référence, est déterminée par la circonférence de la Terre. Les unités de poids se voient elles aussi repensées avec l'adoption du **kilogramme** (égal à 1 000 cm^3 d'eau).

Le saviez-vous ?

L'utilisation de la **guillotine** survécut à la Révolution. La dernière personne à tomber sous son couperet en France fut un homme inculpé de meurtre qui fut exécuté à Marseille en **septembre 1977.**

L'Inde

En 5000 ans d'histoire, l'Inde a donné naissance à plusieurs religions, dont l'hindouisme, le bouddhisme et le sikhisme. Au IIIe siècle av. J.-C., l'empire des Maurya domine la majeure partie de l'Inde. Sa chute entraîne le morcellement du sous-continent en plusieurs États indépendants. Entre 320 av. J.-C. et 540, la dynastie des Gupta contrôle le nord de l'Inde. Une autre grande dynastie émerge en 1526 : les Moghols, chefs musulmans d'Asie centrale. En 1858, l'Inde devient possession britannique. De nos jours encore, l'empreinte du *raj* (empire) est visible dans les deux cultures.

Les Européens

◆ **Les Portugais** Ils sont les premiers Occidentaux à s'aventurer dans l'océan Indien. En 1510, ils prennent Goa, qui restera portugaise jusqu'en 1961.
◆ **Les Hollandais** Ils enlèvent Cochin aux Portugais en 1663.
◆ **Les Britanniques** Ils se cantonnent d'abord dans les avant-postes de la Compagnie des Indes orientales à Madras, Bombay et Calcutta.
◆ **Les Français** Ils s'y établissent au XVIIIe siècle. En 1757, la victoire de l'Anglais Robert Clive à Plassey marque la fin de leurs prétentions et le début de l'expansion britannique.
◆ En 1857, à la suite d'un soulèvement en Inde du Nord, le parlement de Londres transfère le pouvoir politique de la Compagnie des Indes orientales à la couronne britannique : l'Inde fait désormais partie de l'empire.

Les religions de l'Inde

◆ **L'hindouisme** a 3000 ans. Comme le bouddhisme et le jaïnisme, il vise à s'affranchir des passions pour rompre le cycle des réincarnations. Son panthéon s'organise autour de Brahma (le créateur), Vishnou (le conservateur) et Shiva (le destructeur).
◆ **Le jaïnisme** a environ 2500 ans. Il s'appuie sur les textes des maîtres *(jaïna)*, dont Mahavira.
◆ **Le bouddhisme** se fonde sur les enseignements du Bouddha, Siddharta Gautama (VIe-Ve siècle av. J.-C.).
◆ **Le sikhisme**, prêché par Shri Guru Nanak Dev Ji au XVIe siècle, est un mélange d'hindouisme et d'islam.

Des mots venus de l'Inde

Il suffit de recenser les **700 mots d'origine indienne** figurant dans l'*Oxford English Dictionary* pour mesurer l'influence de la culture indienne sur celle des îles Britanniques. Certains de ces termes sont passés de l'anglais au français courant : entre autres, bandana, bungalow, catamaran, curry, gourou, gymkhana, jodhpurs, jungle, jute, kaki, musc, paria, polo, pyjama, shampooing, véranda…

Les grands règnes

Les grands souverains indiens sont des conquérants avides d'expansion territoriale, mais aussi des protecteurs des arts et de la culture.
◆ **Ashoka** Règne de 273 à 232 av. J.-C. Dernier empereur maurya, ce conquérant devenu non violent encourage la diffusion du bouddhisme dans l'ensemble de l'empire.
◆ **Samudra Gupta** Règne de 335 à 380. Il agrandit l'empire des Gupta et finit par gouverner depuis Delhi la plus grande partie de la vallée du Gange.
◆ **Baber** Règne de 1526 à 1530. Parti du Turkménistan, il conquiert l'Afghanistan puis l'Inde, où il fonde la dynastie moghole.
◆ **Akbar** Règne de 1556 à 1605. Il étend vers le sud l'Empire moghol, encourage la culture et la tolérance religieuse.
◆ **Aurangzeb** Règne de 1658 à 1707. Le dernier Grand Moghol donne à l'empire son expansion maximale et rivalise avec les Européens, qui commercent désormais sur les côtes de l'Inde.

Le saviez-vous ?

Pour préserver la **paix** entre les différentes confessions, le Grand Moghol Akbar fonde une religion syncrétique, la **Din-i Ilahi**, compromis entre l'**hindouisme**, l'**islam** et le **christianisme**. Celle-ci ne lui survivra pas.

Le Tadj Mahall

Le plus célèbre mausolée du monde a été édifié par l'empereur **Chah Djahan** pour son épouse bien-aimée, **Mumtaz Mahall**, morte en couches en 1631. Les architectes furent convoqués des confins de la Perse et de l'Asie centrale. Leur création, peut-être le plus beau monument de l'ère moghole, domine les rives du fleuve **Yamuna**, près d'Agra. Plus de 20000 ouvriers ont travaillé à sa construction, qui dura 17 ans.

Chronologie

- **269 av. J.-C.** L'empereur maurya Ashoka, dégoûté de la guerre, se voue au dharma – la voie juste.
- **v. 400** Apogée de l'empire des Gupta sous Candragupta II.
- **1192** Le Turc Mohammed de Ghur prend Delhi et l'érige en sultanat musulman.
- **1398** Timur Lang, venu d'Asie centrale, envahit le nord de l'Inde.
- **1498** Les Portugais sur la côte de Malabar.
- **1526** Baber fonde la dynastie moghole.
- **1648** Achèvement du Tadj Mahall.
- **1700** Apogée de l'Empire moghol.
- **1757** Victoire de Clive à Plassey.
- **1857** Révolte des cipayes (soldats indigènes).
- **1858** La Compagnie des Indes orientales cède le contrôle du pays à la couronne britannique.

La France de Napoléon

Depuis 1795, la France vit sous le régime du Directoire, secoué par une série de crises politiques, morales et militaires. Bonaparte prend le pouvoir en 1799. Il est nommé consul à vie puis couronné empereur sous le nom de Napoléon Ier. Pour certains, c'est un sauveur, pour d'autres, un despote. Sous l'Empire, la France mène une série de guerres de conquête et assoit son pouvoir sur une grande partie de l'Europe, qui se coalise. En 1815, le vent tourne pour la France impériale et, après deux abdications, Napoléon Ier est exilé sur une île lointaine. La monarchie est restaurée en France.

Un jeune général en chef

En 1796, le Directoire établit un plan d'attaque contre l'Autriche; trois armées françaises doivent converger vers Vienne. L'une d'elles couvrira l'**Italie du Nord** (l'Autriche possède le Milanais). **Bonaparte**, un **jeune général corse**, est nommé général en chef de cette armée d'Italie. Il s'y distingue par des victoires fulgurantes. En 1797, de retour à Paris, il est reçu en héros. Dès 1798, on l'envoie **conquérir l'Égypte**, pays dont les richesses et la position stratégique (pour couper la route des Indes aux Anglais) intéressent la France. L'expédition militaire est accompagnée de savants, d'écrivains, d'artistes dont les travaux donneront naissance à une nouvelle science, l'**égyptologie**.

Le Consulat (1799-1804)

De retour d'Égypte, le général Bonaparte participe à un **coup d'État** qui, le 18 brumaire (9 novembre 1799), met fin au régime instable du Directoire. Trois consuls sont nommés, Bonaparte prenant le titre de Premier consul puis de consul à vie. L'Administration – avec l'institution de préfets et sous-préfets –, les finances et la justice sont réorganisées. C'est alors que la **Banque de France** est créée et que le **Code civil** (code Napoléon) est promulgué.

La Restauration et les Cent-Jours

En 1814, Napoléon écarté, la Couronne revient au représentant des Bourbons, **Louis XVIII**. Le traité de Paris rétablit la paix avec les autres puissances européennes. Mais la **Restauration** royaliste est de courte durée. Dès février 1815, Napoléon quitte l'île d'Elbe et regagne en triomphe les Tuileries pour reprendre le pouvoir. Il le conservera 100 jours. Ces **Cent-Jours** voient la reprise de la guerre contre les alliés européens. La campagne lancée par la France en Belgique se solde par la défaite à **Waterloo**.

Le Grand Empire (1804-1815)

En 1804, Bonaparte se fait sacrer **empereur** par le pape, sous le nom de **Napoléon Ier**. Très vite, sa **politique extérieure expansionniste** étend la domination de la France sur une grande partie de l'Europe, dont les trônes sont distribués à ses proches – famille et fidèles. En 1812, le Grand Empire comprend 130 départements, des États vassaux (Confédération du Rhin, grand-duché de Varsovie, Confédération helvétique, royaume d'Italie) et 2 royaumes, celui de Naples et celui d'Espagne. Quand, en 1812, Napoléon lance sa Grande Armée sur la **Russie**, l'opération militaire s'avère désastreuse pour la France. Après quelques mois, il doit ordonner la retraite de ses troupes décimées. Les alliés de la **7e coalition** se mettent bientôt en marche sur Paris. La **campagne de France** voit leur entrée dans la capitale française en 1814 et l'**abdication** de Napoléon. Conservant son titre d'empereur, celui-ci est exilé sur l'île d'Elbe, au large de la Corse.

Les coalitions européennes

Entre 1793 et 1815, différentes puissances européennes scellent des alliances pour résister à la France. La 6e et la 7e coalition, qui regroupent l'Angleterre, la Russie, la Prusse, l'Autriche et la Suède, obtiennent à deux reprises (en 1814 et en 1815) la défaite de la France et l'abdication de Napoléon. Les alliés européens, qui ont fini par avoir raison de Napoléon en 1815, se réunissent à Vienne. Ce **congrès de Vienne**, qui vise à rétablir la paix et à redéfinir les frontières de l'Europe, fait en réalité la part belle aux dirigeants, qui se partagent l'Europe sans tenir compte des aspirations nationalistes issues de 1789.

LE SAVIEZ-VOUS ?

L'un des plus grands ennemis de Napoléon, le **prince de Metternich**, avait pour lui une réelle admiration. Il écrivit dans ses *Mémoires*: « Son esprit et la trempe de son âme lui faisaient mépriser tout ce qui était petit. »

CHRONOLOGIE

- **1769** Naissance à Ajaccio de Napoléon Bonaparte.
- **1796** Bonaparte général en chef de l'armée d'Italie.
- **1798** Campagne d'Égypte.
- **1799** Coup d'État du 18 brumaire.
- **1802** Création des lycées et de la Légion d'honneur.
- **1804** Promulgation du Code civil; Napoléon empereur.
- **1805** Flotte française anéantie à Trafalgar; victoire française à Austerlitz.
- **1808** La France envahit l'Autriche.
- **1808-1814** Guerre d'Espagne.
- **1809** Metternich, ministre autrichien des Affaires étrangères.
- **1810** Napoléon épouse Marie-Thérèse, fille de l'empereur d'Autriche.
- **1812** Retraite de Russie.
- **1814** La 7e coalition à Paris. Napoléon Ier abdique.
- **1814-1815** Restauration royaliste avec Louis XVIII.
- **1815** Les Cent-Jours.
- **1821** Mort de Napoléon à Sainte-Hélène.

La guerre de 1775-1783 est aussi appelée révolution américaine. Elle aboutira à l'indépendance des 13 colonies britanniques et à la fondation des États-Unis d'Amérique. Les colons, n'étant pas représentés au Parlement, considèrent qu'ils n'ont pas à payer l'impôt («Pas de taxation sans représentation», dit un slogan révolutionnaire). Ce problème met le feu aux poudres. Les révolutionnaires s'inspirent des réflexions de leurs contemporains, comme Thomas Paine. La Constitution américaine est la plus ancienne Constitution écrite du monde (1787).

La Boston Tea Party

Pour protester contre les **taxes britanniques** sur les importations de thé, les Bostoniens jettent à la mer, en 1773, la précieuse cargaison de thé de trois bateaux à l'ancre dans le port. La fermeture du port et les **lois répressives** qui s'ensuivent (appelées **Intolerable Acts** par les Américains) ne serviront qu'à intensifier le sentiment anti-anglais.

Le premier président

George Washington, premier président des États-Unis d'Amérique, est né en 1732 à Bridges Creek, en Virginie. Il semble qu'il fut un enfant modèle, bien que la célèbre anecdote qui le présente abattant un cerisier puis allant confesser son forfait au motif qu'il est «incapable de mentir» relève sans doute de l'hagiographie. Washington est un général de premier plan, un **stratège avisé**, un choix tout indiqué pour assumer le commandement en chef quand éclate la **guerre d'Indépendance.** Il inflige aux Britanniques de lourdes défaites à Trenton et Princeton en 1777, et c'est sa **victoire à Yorktown**, en 1781, qui met fin au conflit. Élu **président** en 1789 puis réélu, il refuse un troisième mandat en 1797 et meurt en 1799. Les Américains lui ont rendu hommage en donnant son nom à leur capitale fédérale, Washington DC.

Les 13 États

Ci-dessous, les 13 États qui ont ratifié la Constitution par ordre chronologique, et la date de leur fondation en tant que colonie. La Constitution entérine la division du pouvoir entre les États et le gouvernement central.

État	Date
1. Delaware	1638
2. Pennsylvanie	1682
3. New Jersey	1664
4. Géorgie	1732
5. Connecticut	1636
6. Massachusetts	1620
7. Maryland	1633
8. Caroline du Sud	1663
9. New Hampshire	1638
10. Virginie	1607
11. New York	1626
12. Caroline du Nord	1653
13. Rhode Island	1636

Les grandes figures

◆ **John Adams (1735-1826)** L'un des pères fondateurs des États-Unis. Il s'impose lors du débat sur la Déclaration d'indépendance américaine. Deuxième président, John Adams succède à Washington en 1797.

◆ **Paul Revere (1735-1818)** Il participe à la Boston Tea Party et espionne l'armée britannique. À la veille de la bataille de Lexington, il chevauche de nuit jusqu'à Boston pour avertir les patriotes du Massachusetts de l'arrivée des troupes du roi; un épisode resté célèbre.

◆ **Benjamin Franklin (1706-1790)** Émissaire des rebelles, il plaide leur cause à Londres avant la guerre. Une fois le conflit engagé, il obtient le soutien des Français, dont La Fayette et Rochambeau. Brillant scientifique, Franklin étudie l'électricité et invente le paratonnerre.

◆ **Lord Cornwallis (1738-1805)** Commandant des forces royales, il rend les armes à Yorktown en 1781, signant la fin de la domination britannique.

Des hommes égaux

La **Déclaration d'indépendance** est proclamée durant la deuxième année de la guerre et signée **le 4 juillet 1776.** Elle comporte ces mots: «[...] Nous tenons pour évidentes par elles-mêmes les vérités suivantes: tous les hommes sont créés égaux; ils sont doués par le Créateur de certains droits inaliénables [...], la vie, la liberté et la recherche du bonheur».

L'évolution des droits

La Constitution américaine comprend 27 amendements, parmi lesquels:
1er amend. Liberté de religion, de parole, de la presse, de réunion et de pétition (1791);
2e amend. Droit de porter des armes (1791);
5e amend. Un accusé n'est pas tenu de livrer des preuves contre lui-même (1791);
8e amend. Interdiction des punitions cruelles et contre nature (1791);
13e amend. Abolition de l'esclavage (1865);
19e amend. Droit de vote pour les femmes (1920).

CHRONOLOGIE

1770 Les Britanniques tirent sur la foule à Boston.
1773 Boston Tea Party.
1774 Premier Congrès continental avec les délégués des 13 colonies.
1775 Réunion du Congrès après les 1ers combats de la guerre à Lexington et Concord.
1776 Déclaration d'indépendance.
1777 La France vient à la rescousse des colons.
1781 Défaite britannique à Yorktown et fin de la guerre.
1783 La Grande-Bretagne reconnaît l'indépendance des États-Unis.
1787 Le Congrès adopte une Constitution et fonde la République fédérée des États-Unis d'Amérique.
1789 Washington est président. Adoption des 10 premiers amendements de la Constitution, le *Bill of Rights*.

La révolution industrielle

La Grande-Bretagne du XVIIIe siècle est le foyer de la révolution industrielle. La population et les besoins augmentent, les inventions se multiplient, permettant l'essor de la production. L'emploi évolue : désormais, la population laborieuse ne travaille plus à domicile mais devant des machines, dans des usines implantées en ville. Cette migration conduit à la naissance d'une classe ouvrière urbaine. L'industrialisation menace les activités traditionnelles. Malgré des mouvements protestataires – telle la révolte des canuts (les tisseurs de soie) à Lyon –, la révolution de l'industrie se répand en Europe, aux États-Unis et au Canada.

Le charbon roi

Thomas Newcomen met au point une machine à vapeur destinée à vider l'eau dans les mines, et l'ingénieur minier **George Stephenson** fait progresser la locomotive à vapeur, conçue à l'origine pour le transport du charbon – une source d'énergie qui se développe au XVIIIe siècle pour l'usage domestique et l'alimentation des nouvelles machines industrielles.

Le coton, une industrie de pointe

L'industrie cotonnière est le fer de lance de la révolution industrielle. Dans les années 1760, James Hargreaves invente le **métier à tisser mécanique à plusieurs broches**, et Richard Arkwright le **métier continu à l'eau**, une machine à filer hydraulique. La **mule-Jenny** de Crompton, un compromis entre ces deux machines, permet à un ouvrier de superviser la fabrication simultanée de 1 000 fuseaux.

Les grands travaux

Les projets ambitieux se multiplient dès le XIXe siècle.

Date	Projet
1826	Thomas Telford construit le premier pont suspendu en fer, au pays de Galles.
1830	Premier chemin de fer aux États-Unis, premières voitures voyageurs en Angleterre.
1851	Construction du Crystal Palace, à Londres, en verre et fer préfabriqué.
1858	Premier câble télégraphique transatlantique, posé depuis le *Great Eastern* de Brunel.
1869	Ouverture du canal de Suez.
1883	Le pont de Brooklyn, à New York, est le premier pont suspendu à câbles d'acier.
1887-1889	Construction de la tour Eiffel à Paris.
1914	Ouverture du canal de Panamá.

Le chemin de fer

Le Cornouaillais **Richard Trevithick** construit en 1804 la première locomotive à vapeur. Celle-ci avance moins vite qu'un cheval… En France, le chemin de fer sera plus tardif. En 1859, les principaux axes français sont tracés et répartis en six grands réseaux (Cie du Nord, de Lyon, etc.). En 1868, les trains ne dépassent pas 70 km/h. Pourtant, le Paris-Marseille relie les deux villes en 16 heures contre 8 jours en diligence. En revanche, les voies d'eau déclinent et le réseau routier progresse peu.

L'homme-orchestre

Isambard Kingdom Brunel (1806-1859) est un ingénieur aux talents multiples. Il participe à la construction sous la Tamise du tunnel de Rotherhithe, édifie le pont suspendu de Clifton à Bristol, conçoit le *Great Western*, premier bateau à vapeur à traverser régulièrement l'Atlantique, et pose plus de 1 600 km de voie ferrée pour la Great Western Railway.

La machine à vapeur

L'Écossais **James Watt** améliore la machine à vapeur de Newcomen. Son modèle, très efficace, est rapidement adopté par l'industrie anglaise puis connaît un grand succès en Europe au milieu du XIXe siècle. Son utilisation contribuera à l'essor prodigieux du **charbon**.

Des temps difficiles

L'**industrialisation** crée une nouvelle pauvreté. Dickens s'en indignera, tout comme Victor Hugo. Les **chômeurs** survivent à peine grâce aux hospices publics, les conditions de travail sont atroces. En Angleterre, où les grèves sont interdites, des ouvriers agricoles du Dorset sont déportés en Australie pour cause de syndicalisme. C'est **Bismarck** qui, en Allemagne, fera adopter les premières **lois sociales,** entre 1883 et 1889.

CHRONOLOGIE

- **1701** Jethro Tull invente le semoir automatique.
- **1709** L'Anglais Abraham Darby renonce au charbon de bois et réussit à fondre le minerai de fer avec du charbon de terre.
- **1733** La navette volante de John Kay permet de doubler la production textile.
- **1761** Le canal de Bridgewater est la première voie d'eau entièrement artificielle de Grande-Bretagne.
- **v. 1769** James Watt perfectionne la machine à vapeur.
- **1779** Premier pont de fonte, construit à Ironbridge, Grande-Bretagne.
- **1793** La machine de l'Américain Eli Whitney sépare la fibre de la graine du coton.
- **1800** L'Italien Alessandro Volta invente la première batterie électrique.
- **1805** Le Français Jacquard fabrique à Lyon un nouveau métier à tisser d'après le modèle de Vaucanson.
- **1825** Ouverture du premier chemin de fer public, entre Stockton et Darlington, en Grande-Bretagne.
- **1829** Barthélemy Thimonnier invente la machine à coudre.
- **1885** Gottlieb Daimler met au point le premier véhicule à essence.
- **1913** Henry Ford instaure le travail à la chaîne.

En 1787, les tout nouveaux États-Unis regroupent 13 États, situés sur la côte est. L'exploration de l'Ouest américain, régions situées au-delà du Mississippi, commence au début du XIXe siècle. La Louisiane est alors un immense territoire qui s'étend du Canada au golfe du Mexique. Son acquisition en 1803 ouvre l'Ouest aux colons; dans leur conquête du Far West, les nouveaux venus se heurtent aux populations locales, indiennes et mexicaines. De 1861 à 1865, les États-Unis sont déchirés par une guerre civile, la guerre de Sécession. Dès 1890, les États-Unis comptent 44 États symbolisés par autant d'étoiles sur le drapeau.

Vers l'Ouest

L'**expédition Lewis-Clark** (1804-1806) constitue la première exploration systématique de l'Ouest américain. À la demande du président Thomas Jefferson, les officiers William Clark et Meriwether Lewis se mettent en route, à la tête d'une expédition de 40 hommes spécialement entraînés, afin de reconnaître une voie d'accès à l'océan Pacifique. L'expédition rassemblera de très nombreuses informations essentielles aux futurs colons.

Ruées vers l'or

En 1848, on trouve de l'or à John Sutter's Mill, en Californie. L'arrivée massive de chercheurs d'or dans la région l'année suivante est déterminante pour l'accession de la **Californie** au statut d'État. La seconde grande ruée vers l'or, en 1897, attire les prospecteurs au Klondike, en **Alaska**.

Les pionniers

Pour encourager les pionniers à pousser toujours plus à l'ouest vers les Grandes Plaines, le **Homestead Act** (1862) autorise tout citoyen adulte ayant constitué une famille et n'ayant pas combattu contre l'Union pendant la guerre civile à s'approprier un terrain inoccupé d'environ 65 ha pourvu qu'il s'engage à le cultiver pendant 5 ans.

Les Indiens

Au fur et à mesure de leur avancée, les colons repoussent vers le Pacifique les Indiens qui vivent dans les Grandes Plaines. Les conflits se font de plus en plus sérieux. Les tribus indiennes connaissent leur plus grande victoire en 1876, avec l'écrasement du **général Custer** et de sa cavalerie. Les guerres entre Indiens et colons américains prendront fin une dizaine d'années plus tard, avec la reddition du chef apache **Geronimo** et le massacre des Sioux par l'armée américaine à **Wounded Knee** en 1890.

L'esclavage

En 1860, environ 4 millions d'**esclaves noirs** vivent dans le Sud; la plupart travaillent dans les plantations de coton. Si les nordistes, tout en admettant l'esclavage, en refusent l'extension, pour les sudistes, il est un facteur clef du maintien de leur structure économique et sociale. Mais certains antiesclavagistes, les **abolitionnistes**, luttent pour l'abolition pure et simple de l'esclavage. Nul homme ne peut appartenir à un autre. En 1852 paraît un roman de Harriet Beecher-Stowe, évoquant les souffrances endurées par les esclaves noirs, *la Case de l'oncle Tom*. Il connaît un grand succès. En 1865, à la fin de la guerre de Sécession, l'esclavage est aboli sur tout le territoire.

La guerre de Sécession

Elle oppose des États du Nord, l'**Union**, et la **Confédération** de 11 États sudistes sur la question de l'**esclavage.** Les États nordistes sont très industrialisés; quant aux États sudistes, ils vivent surtout de la culture du coton, rendue possible grâce à l'esclavage des Noirs, et se sentent dépendants pour le commerce, les produits fabriqués et l'alimentation du reste de l'Union. À la suite de l'élection en 1860 du président abolitionniste Abraham Lincoln, ils font **sécession,** c'est-à-dire qu'ils quittent l'Union, et forment la Confédération, avec pour président Jefferson Davis. Il s'ensuivra une **guerre civile**, qui verra, en 1865, la victoire de l'Union.

Abraham Lincoln

Né dans une famille pauvre de l'Indiana, Lincoln (1809-1865) est un **autodidacte**. Il n'en devient pas moins le plus **grand orateur** de son temps et dénonce de manière particulièrement éloquente l'esclavage. Il croit aussi que l'Union ne peut être divisée. En 1862, il signe une proclamation d'émancipation pour les esclaves du Sud. Il sera **assassiné** 5 jours avant la fin de la guerre par un fanatique sudiste.

CHRONOLOGIE

- **1803** Achat de la Louisiane à la France. Les États-Unis doublent de taille.
- **1804-1806** Expédition Lewis-Clark.
- **1819** Achat de la Floride à l'Espagne.
- **1840-1860** 4 millions d'Européens affluent.
- **1842** Colonisation de l'Oregon.
- **1849** 80000 prospecteurs d'or en Californie.
- **1848** Fin de la guerre entre États-Unis et Mexique, qui cède le Nouveau-Mexique, le Texas et la Californie.
- **1861-1865** Guerre de Sécession.
- **1865** Abolition de l'esclavage.
- **1867** Achat de l'Alaska à la Russie.
- **1869** La ligne transcontinentale de chemin de fer est terminée.
- **1880** Les Indiens sont placés dans des réserves sous contrôle de l'armée.
- **1886** Reddition de Geronimo.

L'Amérique latine

Aux XVIIe et XVIIIe siècles, la plus grande partie de l'Amérique latine est dominée par les Espagnols. Une classe émerge, celle des riches créoles, d'origine européenne ou métissés. Au début du XIXe siècle, les créoles, inspirés par les révolutions française et américaine, revendiquent leur autonomie au cours d'une série de soulèvements. L'Amérique latine se libère du joug européen, mais elle tombe alors sous l'influence des États-Unis, qui se considèrent comme le leader naturel de l'hémisphère occidental.

La lutte pour l'indépendance

◆ **À Haïti**, une révolte d'esclaves (1791-1804), avec à sa tête l'esclave affranchi Toussaint Louverture, met fin à la colonisation française.
◆ **La Colombie**, dépendant de la vice-royauté de Nouvelle-Grenade, se proclame république de Grande-Colombie en 1821.
◆ **Le Venezuela**, autre possession de la vice-royauté, se libère du joug espagnol en 1821, puis de la Grande-Colombie de Bolívar en 1829.
◆ **L'Argentine** est indépendante dès 1816.
◆ **Au Chili**, une longue guerre d'indépendance (1810-1818) aboutit à la victoire du général rebelle Bernardo O'Higgins, soutenu par l'armée argentine de José de San Martín.
◆ **Le Pérou**, où Bolívar et San Martín ont uni leurs forces contre les Espagnols, est indépendant en 1821.
◆ **Le Brésil**, colonie portugaise, devient un royaume indépendant en 1822 sous Pierre Ier, fils du roi de Portugal, puis une république en 1891.
◆ **Le Mexique** arrache son indépendance à l'Espagne en 1824. Napoléon III l'envahit en 1862-1867 et y installe l'empereur Maximilien. Abandonné par les Français, celui-ci sera exécuté par les troupes de Juárez.

Le sucre

À l'apogée de la prospérité du sucre, avant l'abolition de l'esclavage (en 1834 dans les colonies britanniques, en 1789 puis à nouveau en 1848 dans les colonies françaises), l'industrie sucrière des **Antilles** bénéficie d'une demande exponentielle. Ses profits financeront en grande partie la révolution industrielle.

Le canal de Panamá

Dès 1534, **Charles Quint** envisageait de construire un **canal sur l'isthme de Panamá**. Dans les années 1880, le Français **Lesseps** relève le défi, espérant réitérer son triomphe de Suez, mais il renonce devant les difficultés techniques du projet et les maladies qui déciment les ouvriers (plus de 20000 d'entre eux ont péri). En 1903, sous l'impulsion du futur président **Theodore Roosevelt**, les États-Unis achètent la zone du canal, qui ouvrira 11 ans plus tard.

Des noms parlants

Bolívar a baptisé la **Colombie** en hommage à Christophe Colomb et légué son propre patronyme à la **Bolivie**. Le nom du **Chili** se réfère peut-être au piment rouge. **Argentine** signifie «terre d'argent». Le **brésil** est un arbre dont on tirait une teinture rouge très prisée. **Pérou** vient de l'inca «terre d'abondance», **Équateur** de... l'équateur, et **Mexico** dériverait d'un synonyme d'Aztèque.

Simón Bolívar

Bolívar (1783-1830), issu d'une **riche famille vénézuélienne**, participe à la révolte contre l'Espagne en 1811. En 1819, il remporte une victoire décisive à Boyacá. **Président de la Grande-Colombie** (Colombie, Venezuela et Équateur), il combat pour l'indépendance du Pérou en 1824, mais ses tendances autocratiques lui aliènent les sympathies et, atteint de tuberculose, il meurt abandonné de tous.

Père de la patrie

Le général et homme politique argentin **José de San Martín (1778-1850)** est lui-même issu d'une famille de militaires qui a vécu entre l'Espagne et le Nouveau Monde. Ses campagnes décisives pour l'indépendance de l'Argentine, du Chili et du Pérou lui ont valu le titre de **Père de la patrie**. Véritable héros, il est considéré comme le *Libertador de América*. Découragé par les luttes fratricides entre *unitarios* et *federales*, il quitte le pays pour s'exiler en Europe; il meurt à Boulogne-sur-Mer en 1850.

Toussaint-Louverture

François-Dominique Toussaint, surnommé **Toussaint-Louverture (1743-1803)**, est le plus grand dirigeant de la révolution haïtienne. Après de nombreuses batailles gagnées, d'abord dans le camp des Insurgés, puis des Espagnols et enfin des Français, cet ancien esclave devient maître de l'île de Saint-Domingue. En 1801, il proclame une Constitution autonomiste qui lui donne les pleins pouvoirs à vie. Bonaparte, inquiet de la tournure que prennent les événements, décide alors d'envoyer le général Leclerc reprendre le contrôle de l'île, Toussaint-Louverture capitule et est embarqué pour la France où il meurt peu après son internement.

CHRONOLOGIE

1776 Révolution américaine.
1780 Au Pérou, l'Inca Tupac Amaru mène la révolte contre l'Espagne. Il est exécuté en 1781.
1804 Haïti est le premier pays d'Amérique latine à proclamer son indépendance.
1807 Napoléon envahit le Portugal, la Cour se réfugie au Brésil.
1821 Création de la Grande-Colombie; indépendance du Pérou.
1838 Le Costa Rica et le Nicaragua deviennent des républiques indépendantes.
1844 Proclamation de la République dominicaine.
1898 Indépendance de Cuba.

L'Afrique

La première grande civilisation africaine est celle de l'Égypte pharaonique. D'autres civilisations émergeront durant la période précoloniale, notamment celles des grands empires d'Afrique de l'Ouest et celles des dynasties berbères d'Afrique du Nord. Au VIIe siècle, les Arabes prennent pied en Afrique méditerranéenne et y apportent leur langue en même temps que la religion de Mahomet. À la fin du XIXe siècle, les puissances européennes, auxquelles les explorateurs ont ouvert la voie, se lancent dans la course aux colonies. Les Africains assistent, impuissants, au pillage de leur continent.

L'Afrique australe

Le **royaume zoulou**, qui voit le jour au début du XIXe siècle dans le sud-est du continent, est une des puissances d'Afrique noire. Les Zoulous sont de redoutables guerriers. En 1838, ils s'opposent aux Boers (fermiers) – descendants des Hollandais établis au cap de Bonne-Espérance en 1652 –, qui ont quitté Le Cap, occupé par les Britanniques. Mais ils succomberont aux techniques de guerre européennes. Les Britanniques, à deux reprises, affronteront à leur tour les **Boers** à la fin du XIXe siècle.

Les arts premiers

Les sculptures les plus anciennes connues pour l'Afrique de l'Ouest et l'Afrique centrale sont des figurines d'argile représentant avec une grande justesse des visages humains. Elles datent d'environ 500 av. J.-C. et ont été façonnées par les potiers de la **culture de Nok**, au Nigeria. Au XIe siècle de notre ère, les artisans yorubas de la ville d'**Ife**, toujours au Nigeria, modèlent des têtes en laiton et en terre cuite d'un extrême réalisme. Dans beaucoup de sociétés d'Afrique noire, le **masque**, souvent effrayant, est porté lors de danses rituelles où les danseurs incarnent les esprits des ancêtres ou ceux de la nature.

Les Berbères

Les peuples vivant dans le nord de l'Afrique depuis la préhistoire sont appelés les Berbères. Tout comme les populations d'Afrique noire, ils sont de **culture orale**. Au VIIe siècle, les Berbères se heurtent aux armées **arabes**. Vaincus, ils adopteront la religion musulmane. Plusieurs grandes dynasties berbères ont régné en Afrique septentrionale (et en Espagne), dont, au XIIe siècle, la dynastie des **Almoravides**, ancêtres des nomades **touaregs**, suivie par celle des **Almohades**, qui contrôla tout le Maghreb jusqu'au milieu du XIIIe siècle.

Implantation arabe

Après la mort du prophète Mahomet, au début du VIIe siècle, les musulmans venus de la péninsule Arabique pénètrent en Afrique par l'**Égypte**, où ils se rendent maîtres du Caire en 641. Ils fondent **Kairouan** en 670 et conquièrent Carthage en 698. Au début du VIIIe siècle, ils ont soumis tout le Maghreb jusqu'à l'Atlantique, diffusant la toute jeune **religion islamique** ainsi que la **langue arabe**.

L'Afrique de la colonisation

Dans la seconde moitié du XIXe siècle, à partir de 1880 surtout, les pays européens se partagent l'Afrique.

◆ **France** L'Afrique-Occidentale française (AOF) comprend le Sénégal, la Guinée française, la Mauritanie, le futur Mali, le Niger, la Haute-Volta (Burkina), la Côte d'Ivoire, le Dahomey (Bénin) ; l'Afrique-Équatoriale française (AEF) comprend le Tchad, l'Oubangui-Chari (République centrafricaine), le Moyen-Congo (Congo-Brazzaville), le Gabon. Par ailleurs, la France possède Madagascar, les Comores, l'Algérie et la Tunisie. Abd el-Kader, célèbre émir arabe, dirige entre 1832 et 1847 la résistance algérienne à la colonisation française.

◆ **Grande-Bretagne** La Gambie, la Sierra Leone, la Côte-de-l'Or (Ghana), le Nigeria, l'Afrique du Sud, le futur Botswana, la Rhodésie du Sud (Zimbabwe) et du Nord (Zambie), le Nyassaland (Malawi), l'Ouganda, le Kenya, la Somalie britannique, le Soudan, l'Égypte.

◆ **Allemagne** Le Togo, le Cameroun, la future Namibie et la future Tanzanie.

◆ **Portugal** La Guinée portugaise (Guinée-Bissau), l'Angola, le Mozambique.

◆ **Belgique** Le Congo belge (République démocratique du Congo), le Rwanda.

Les grandes civilisations d'Afrique noire

Au fil des siècles, plusieurs grands empires se sont épanouis en Afrique de l'Ouest, tous assis sur le commerce de l'or et des esclaves transsaharien : l'empire du **Ghana** à partir de 500, celui du **Kanem** vers 800, celui du **Mali** au XIIIe siècle et plus tard l'Empire **songhaï** et les villes **haoussas**. Au sud, le royaume du **Congo** s'est développé dans le bassin du Congo. La citadelle de **Zimbabwe**, au sud-est du pays actuel, était le centre d'une civilisation qui aurait commercé avec la Chine. Plus tardivement est né l'Empire **zoulou**.

CHRONOLOGIE DES EXPLORATIONS

1796 Le jeune médecin écossais Mungo Park, parti du fleuve Gambie, rejoint le fleuve Niger.

1798 Campagne d'Égypte. L'armée de Napoléon est suivie d'une expédition scientifique.

1828 René Caillié à Tombouctou.

1852-1856 Le missionnaire David Livingstone en Afrique australe.

1854-1857 L'écrivain britannique Richard Burton et John Hanning Speke explorent la Somalie.

1858-1868 Livingstone reconnaît le cours du fleuve Zambèze et contribue à résoudre l'énigme de la source du Congo.

1871 Le journaliste Henry Morton Stanley est chargé par le *New York Herald* de retrouver Livingstone. Par la suite, il reprendra ses explorations en Afrique équatoriale.

1875 Début des explorations de Pierre Savorgnan de Brazza, qui fondera Brazzaville.

Les révolutions en Europe

Les idées révolutionnaires se répandent au milieu du XIXe siècle, portées par l'infatigable propagande de Karl Marx et de son ami Friedrich Engels. Leur *Manifeste du parti communiste*, publié en 1848, s'ouvre sur ces mots: «Un spectre hante l'Europe, celui du communisme». La révolution de février agite la France et fait tache d'huile en Europe. Le roi Louis-Philippe abdique en 1848, ouvrant la voie à la IIe République, puis au second Empire. La Grande-Bretagne, où la démocratie avance en dehors des voies révolutionnaires, est épargnée par ces soubresauts.

La Commune de Paris

En 1871, la France est vaincue par la Prusse. Épuisés par un long siège, les Parisiens refusent pourtant la capitulation consentie par la IIIe République, qui a succédé à Napoléon III. Chef du gouvernement, **Thiers** se méfie de la garde nationale, issue du peuple. Il essaie de la désarmer en s'emparant des canons regroupés à **Montmartre** et à **Belleville**. Un **soulèvement** éclate, opposant **fédérés** et **versaillais**, qui défendent le pouvoir replié à Versailles. Pendant 2 mois, Paris sera dirigé par un gouvernement insurrectionnel dominé par des extrémistes de gauche: la Commune. La révolte sera matée dans le sang en mai 1871.

1848, année révolutionnaire

En février 1848, le **soulèvement de Paris** allume l'incendie révolutionnaire dans toute l'Europe. Dans de nombreuses capitales, le scénario est le même: les nouvelles de France jettent les foules dans la rue, des accrochages ont lieu avec la police. La révolution internationale semble en route, mais le rêve des communistes s'effondre rapidement. Dénués d'autorité, sans soutien réel en dehors des grandes villes, ils voient les révolutions tourner court et le pouvoir en place l'emporter.

La famine

Dans l'**Irlande** du XIXe siècle, où la pauvreté fait rage, la pomme de terre est l'aliment de base d'une large partie de la population. En 1845 et 1846, le mildiou ruine les récoltes et le légume pourrit sur pied. La **Grande Famine** qui s'ensuit fait 1 million de morts, et 1,5 million d'Irlandais émigrent aux États-Unis.

Karl Marx, le père du communisme

Les idées cardinales du philosophe Karl Marx (1818-1883), telles qu'il les a exposées dans *le Capital* et *le Manifeste du parti communiste*:

◆ **Prolétaires de tous les pays, unissez-vous. Vous n'avez rien à perdre que vos chaînes**: Marx rêvait d'une alliance des travailleurs du monde entier pour abattre le capitalisme. ◆ **La religion… est l'opium du peuple**: la religion pousse les peuples à espérer le paradis au lieu de se battre pour une vie meilleure sur terre.

◆ **La dictature du prolétariat**: avant l'extinction des États, la classe ouvrière sera momentanément en charge du gouvernement.

◆ **À chacun selon ses capacités, à chacun selon ses besoins**: dans la société idéale, les biens seront communs et partagés dans la justice.

PETITE INFO

Le roi **Louis-Philippe**, à la tête d'un gouvernement corrompu et impopulaire, est la cible des **caricaturistes**. Il était souvent figuré sous la forme d'une **poire**.

L'empire chancelle

L'**empire des Habsbourg** est la superpuissance européenne du milieu du XIXe siècle, un patchwork de nationalités et de minorités aspirant à la liberté. La contestation commence en **Hongrie** et en **Autriche**, puis gagne les **Croates**, les **Polonais**, les **Tchèques**, les **Slovènes**, les **Roumains** et les **Italiens**. La révolution s'étendant, le chancelier Metternich doit démissionner et s'enfuit à l'étranger en mars 1848. L'empire et la monarchie des Habsbourg sont momentanément sauvés par une intervention russe en 1849.

CHRONOLOGIE

1846-1849 Misère en France à la suite de la dépression et de récoltes insuffisantes.

22 février 1848 Révolution en France. Louis-Philippe abdique.

3 mars 1848 Lajos Kossuth plaide pour un gouvernement représentatif à la diète hongroise.

12 mars 1848 Révolution à Vienne.

15 mars 1848 Révolution à Berlin.

18 mars 1848 Révolution à Milan.

22 mars 1848 Révolution à Venise.

Mai 1848 Appel à Francfort pour une Allemagne unitaire.

Mai 1848 Croates, Tchèques et Roumains de l'empire des Habsbourg réclament des droits politiques.

Décembre 1848 Le prince Louis Napoléon Bonaparte est élu président de la République française. En 1852, il sera couronné empereur sous le nom de Napoléon III.

L'anarchisme

Selon l'étymologie du terme, être anarchiste, c'est être sans maître. Pour les anarchistes, les gouvernements étant corrompus par nature, les citoyens doivent se diriger eux-mêmes de façon collective. Celui que l'on considère comme le fondateur de l'anarchisme est **Proudhon**, ami de Marx et auteur du célèbre «La propriété, c'est le vol». En Russie, un autre théoricien du mouvement, le prince **Mikhaïl Bakounine**, n'hésite pas à prôner le terrorisme pour abolir les inégalités sociales.

Le Japon

Le Japon est avant tout un pays isolationniste. Ses portes restent fermées aux Occidentaux jusqu'au XIXe siècle. Du XIIe au XIXe siècle, le pouvoir appartient au shogun, qui est toujours le chef du clan dominant. L'empereur reste confiné dans un rôle symbolique et représentatif. En 1853, l'Américain Perry oblige le Japon à ouvrir ses ports aux étrangers. La fin de l'isolationnisme entraînera celle du shogunat. En 1868, le pouvoir impérial est restauré. Le Japon se modernise et regarde vers l'extérieur. Le commerce international augmente les tensions avec les voisins russe et chinois.

Shoguns et samouraïs

Le **shogun** est le généralissime des armées impériales, désigné par les chefs de clan samouraïs (guerriers). Son autorité augmente à mesure que celle de l'empereur décline. En 1185, à l'issue d'une longue guerre contre le clan Taira, le chef du clan Minamoto, **Yoritomo**, devenu shogun, est de facto le maître du Japon. Le shogunat gouvernera le pays jusqu'en 1867. Les **samouraïs** sont soumis à un rigoureux code de l'honneur. Des règles équivalentes structurent toute la société. Soldats, marchands, fermiers et fonctionnaires ont des privilèges et des devoirs distincts. Dans chaque groupe s'élaborent des hiérarchies complexes. Ce système assure une grande cohésion sociale fondée sur la loyauté et l'obéissance.

L'empereur

Pendant le shogunat, le rôle de l'empereur devient de plus en plus symbolique. Il est révéré comme un dieu, mais cette vénération même l'éloigne de ses sujets et du gouvernement du pays. Son emblème est le **chrysanthème**, importé de Chine vers 400. Cette fleur à demi ouverte évoque le plus ancien symbole du Japon, le **soleil levant**, tandis que la disposition de ses pétales reflète l'ordre idéal. D'où son association avec la monarchie impériale, parfois appelée « le trône du chrysanthème ».

La guerre sino-japonaise

Pour le Japon, la fin de l'isolationnisme marque le début des conflits régionaux. Officiellement indépendante, la **Corée** constitue en fait une province de l'Empire chinois. C'est aussi une menace et un objet de convoitise pour son voisin nippon. Le soulèvement de 1894 fournit au Japon un prétexte pour l'envahir, rendant inévitable la guerre avec la Chine. En janvier 1895, la victoire japonaise est complète. La Chine doit céder plusieurs territoires à son adversaire, dont **Formose** (Taïwan).

Calligraphie et poésie

Ce sont les lettrés coréens qui, vers 400, ont apporté aux Japonais l'écriture chinoise. Contrairement aux lettres occidentales, les **idéogrammes**, ou *kanji*, symbolisent des idées. Avec le temps, l'écriture japonaise est devenue plus phonétique, mais la notion qu'un mot est aussi une image n'a jamais disparu. La calligraphie japonaise, très esthétique, mobilise le regard autant que l'intellect. Le même esprit domine dans le **haïku**, un poème de 17 syllabes restituant l'essence d'un moment.

La guerre russo-japonaise

En 1904, le Japon entre en guerre contre la Russie, dont il voit l'expansion en Asie d'un mauvais œil. En 1905, en **Mandchourie**, les Japonais occupent la base de **Port-Arthur** puis l'emportent à Moukden. En mai, ils écrasent la flotte de la Baltique dans le détroit de **Tsushima**, confirmant leur domination en Extrême-Orient. Les Russes doivent reconnaître leurs droits sur la Corée par le traité de **Portsmouth**, ouvrant la voie à l'annexion de ce pays en 1910.

CHRONOLOGIE

- **1192** Yoritomo premier shogun.
- **1542-1543** Premier contact avec le monde chrétien, un navire portugais fait escale à Kagoshima (Kyushu). Ses marchands apportent les premières armes à feu.
- **1549** Le prêtre espagnol Francois Xavier débarque à Kagoshima pour fonder une mission catholique.
- **1597** 26 chrétiens sont crucifiés sur ordre du shogun Toyotomi Hideyoshi.
- **1600** Échoué à bord d'un navire hollandais, le marin anglais Will Adams gagne la sympathie du shogun Tokugawa Ieyasu, qui fait de lui son conseiller.
- **1641** Ieyasu expulse tous les marchands occidentaux à l'exception des Hollandais, confinés à Dejima, une île artificielle dans le port de Nagasaki.
- **1853** Le commodore Perry, avec quatre navires de guerre américains, se fait ouvrir de force les ports japonais.
- **1868** Renaissance du pouvoir impérial et début de l'ère Meiji.
- **1894** Invasion de la Corée et début de la guerre sino-japonaise.
- **1902** Traité d'alliance avec la Grande-Bretagne.
- **1904** Début de la guerre avec la Russie.
- **1910** Annexion de la Corée.

LE SAVIEZ-VOUS ?

Le **shintoïsme**, la religion traditionnelle du Japon, se distingue par son sentiment d'union avec les forces de la nature et sa loyauté envers la monarchie, censée descendre de la déesse du soleil, **Amaterasu-Omikami**.

L'Europe

Après les guerres napoléoniennes, les petits États européens s'agrègent en nations alors que les grandes puissances, le vaste empire des Habsbourg en Autriche et l'Empire ottoman, se fragmentent en diverses ethnies et nationalités. La renaissance du nationalisme transalpin conduit à l'unification de l'Italie. Le royaume de Prusse s'impose comme une superpuissance nouvelle et dynamique. Sous l'autorité du chancelier Bismarck, son influence et sa superficie augmentent.
La Prusse constitue le cœur de l'Allemagne unitaire, un IIe Reich héritier du premier, le Saint Empire romain germanique (962-1806).

L'Italie

L'Italie a perdu son unité après la chute de l'Empire romain. Au XVIIIe siècle, elle est non seulement morcelée mais en partie occupée, par l'Autriche notamment. En 1805, l'Italie du Centre et du Nord forme un royaume sur lequel règne Napoléon Ier, mais, 10 ans plus tard, le pays est de nouveau divisé. Dans les années 1830, un mouvement nationaliste conduit par **Giuseppe Mazzini**, le **Risorgimento**, accélère la lutte pour la réunification. En 1860, les nationalistes ont chassé les Autrichiens de l'Italie du Centre et Naples est prise par l'expédition des Mille menée par **Giuseppe Garibaldi** et ses Chemises rouges. **Victor-Emmanuel II** de Piémont-Sardaigne devient roi d'Italie en 1861, Venise est enlevée à l'Autriche en 1866, et l'unification s'achève en 1870 par l'absorption de Rome et des États papaux.

Un État patchwork

L'**Allemagne de 1815** est une confédération de **39 États** dotés chacun de frontières, de lois et d'une économie propres, mais unis par une langue commune. Le royaume de **Prusse,** au nord, assoit sa prééminence et encourage une **union douanière** *(Zollverein)* pour faciliter le commerce. En 1834, 17 États l'ont rejoint, premier pas vers l'unification.

Bismarck et l'Allemagne

Le Premier ministre prussien **Otto von Bismarck**, nommé en 1862, dirige le processus d'unification qui fera d'États germanophones une nation gouvernée depuis Berlin, capitale de la Prusse. En 1866, le « chancelier de fer » crée une Confédération de l'Allemagne du Nord aux dépens de l'Autriche, dont il redoute l'hégémonie. En 1870, la guerre avec la France lui permet d'éliminer un pays rival et de sceller l'union des Allemands, unis contre l'ennemi commun. Un empire allemand unitaire, le **IIe Reich**, est proclamé en 1871 avec Guillaume Ier pour empereur. En 1890, le successeur du Kaiser, **Guillaume II,** petit-fils de la reine Victoria, pousse à la démission un Bismarck vieillissant.

La guerre franco-prussienne

En 1870, la France se sent menacée par la possible accession au trône d'Espagne d'un prince proche de la Prusse. Mais le vrai danger vient du chancelier Bismarck, qui attise le sentiment antifrançais pour rallier les États allemands à son projet d'unification et espère amener la France à déclarer la guerre à la Prusse… ce qu'elle fait. Les Allemands entrent en Alsace, s'emparent de Napoléon III à **Sedan** et assiègent Paris affamé. L'empereur est déposé, la France doit payer des indemnités à la nouvelle Allemagne et lui céder l'**Alsace** et la **Lorraine**.

Les hymnes nationaux

Les nations en lutte se dotent d'hymnes patriotiques qui symbolisent leur cause.
Belgique *La Brabançonne.* Écrit en 1830, adopté en 1938.
France *La Marseillaise.* Écrit en 1792, adopté en 1795.
Grèce *L'Hymne à la Liberté.* Écrit en 1823, adopté en 1864.
Italie *Inno di Mameli.* Écrit en 1847, adopté en 1946.
Prusse *Heil dir im Siegerkranz* (« Gloire à toi sous la couronne du vainqueur »). Écrit en 1848, adopté entre 1871 et 1918.
Roumanie *Desteapta-te române!* (« Réveillez-vous, Roumains ! »). Écrit en 1848, adopté en 1990.

Les petites nations

Nombre d'entre elles luttent pour exister au XIXe siècle. En 1831, les Flamands catholiques et les libéraux wallons du royaume des **Pays-Bas** obtiennent la création de la **Belgique** en échange d'une neutralité perpétuelle. La **Grèce** rompt avec l'Empire ottoman. Les Principautés unies de **Moldavie** et de **Valachie**, associées en 1858, sont reconnues comme un État unique, la **Roumanie**, en 1861.

CHRONOLOGIE

1814-1815 Le congrès de Vienne redessine la carte politique de l'Europe : fondation du royaume des Pays-Bas, partage de la Pologne…
1819 Simón Bolívar conduit l'Amérique du Sud à l'indépendance.
1831 Léopold Ier, premier roi des Belges.
1848 L'union fédérale suisse est établie par une nouvelle Constitution.
1852 Le prince Louis Napoléon devient empereur des Français sous le nom de Napoléon III.
1853-1856 Guerre de Crimée. La France, la Turquie, la Sardaigne et la Grande-Bretagne battent la Russie.
1870 Napoléon III est déposé, début de la IIIe République en France. Unification de l'Italie.
1871 Bismarck proclame l'Allemagne unifiée : IIe Reich.
1875 L'Irlandais Charles Parnell est élu à la Chambre des communes à Londres.
1877 Victoria devient impératrice des Indes.

L'époque victorienne

La reine Victoria (1819-1901) accède au trône à 18 ans, après la mort de son oncle Guillaume IV (1837). Son règne sera le plus long de toute l'histoire britannique. Il coïncide avec un âge d'or de la Grande-Bretagne. Le pays domine sur le plan technologique et économique. Son empire d'outre-mer s'étend rapidement. Le titre d'impératrice des Indes de Victoria manifeste la réussite de l'entreprise coloniale. Mais l'époque victorienne voit aussi grandir la misère. Les villes poussent comme des champignons avec leur pollution, leurs taudis surpeuplés…

Les grands victoriens

◆ **Lord H. Palmerston (1784-1865)** Premier ministre et ministre des Affaires étrangères connu pour sa fermeté.
◆ **Benjamin Disraeli (1804-1881)** Premier ministre conservateur, confident de la reine et romancier.
◆ **William Gladstone (1809-1898)** Premier ministre libéral, plaide pour l'autonomie irlandaise.
◆ **Charles Dickens (1812-1870)** Fustige l'esclavage et les conditions de vie déplorables du peuple. Il contribue à éveiller la conscience sociale du grand public par ses romans populaires et engagés comme *Oliver Twist* et *David Copperfield*.
◆ **George Eliot (Mary Ann Evans dite, 1819-1880)** Auteur de *Middlemarch*. Scandalise en vivant au vu et au su de tous avec son amant, George Henry Lewes.

La reine Victoria

Toute la vie de Victoria est déterminée par son mariage, en 1840, avec le **prince Albert de Saxe-Cobourg-Gotha**. Après sa mort, en 1861, la reine endeuillée se retire du monde pendant 10 ans. C'est son Premier ministre, **Benjamin Disraeli**, qui la ramène bon gré mal gré à la vie publique. Victoria l'apprécie, comme elle a apprécié son prédécesseur, **Melbourne,** mais elle ne cache pas son antipathie, en revanche, pour **William Gladstone**. En 1877, Disraeli lui propose de manifester le rayonnement de l'empire en s'octroyant le titre d'impératrice des Indes. Dans le royaume, la misère côtoie l'opulence. Il y a « deux nations… les riches et les pauvres », constate Disraeli.

La grand-mère de l'Europe

La reine **Victoria** était âgée de 21 ans à la naissance de sa fille aînée, Vicky. Elle en avait 37 quand naquit la plus jeune, Béatrice. Les mariages de ses neuf enfants avec des membres des familles royales du Danemark, d'Allemagne, de Prusse et de Russie lui permirent d'étendre son réseau d'alliances dans toute l'Europe.

Les réformateurs

◆ **Élisabeth Fry (1780-1845)** se bat pour de meilleures conditions de vie en prison.
◆ **Le 7e comte de Shaftesbury (1801-1885)** milite pour la réforme des usines et l'amélioration de l'habitat urbain.
◆ **Thomas Barnardo (1845-1905)** fonde des maisons pour les enfants des rues de Londres.
◆ **Joséphine Butler (1828-1906)** lutte pour l'éducation des femmes et les droits des prostituées.
◆ **Octavia Hill (1838-1912)** fait campagne pour la création de logements sociaux.
◆ **Florence Nightingale (1820-1910)**, infirmière pendant la guerre de Crimée (1854-1856), réforme les pratiques et la formation hospitalières.

La naissance du tourisme

Grâce aux vapeurs et au chemin de fer, les voyages deviennent plus rapides et plus économiques. **Thomas Cook** commence par affréter des trains pour des réunions de tempérance, puis fonde la première **agence de voyages** dans les années 1840. Dix ans plus tard, il organise des voyages en train dans toute l'Europe pour les classes moyennes. Des **stations balnéaires** s'ouvrent, des excursions d'un jour deviennent accessibles à tous.

L'Exposition universelle

L'Exposition universelle de 1851 est l'idée du prince Albert. Une fantastique structure de verre, le **Crystal Palace**, est érigée dans Hyde Park, à Londres, pour accueillir quelque 13 000 exposants, principalement britanniques. Leurs produits, des fontaines aux statues en passant par les armes et les machines à vapeur, fascinent **6 millions de visiteurs** venus du monde entier.

LE S…

Selon Victoria, son fils aîné, **Albert Édouard** (Bertie), était en partie responsable du décès du prince Albert : peu avant de mourir de la typhoïde, celui-ci avait été bouleversé d'apprendre la liaison de son fils avec une actrice.

CHRONOLOGIE

1840-1841 La Nouvelle-Zélande et Hongkong deviennent britanniques.
1854-1856 Guerre de Crimée : la Grande-Bretagne et la France tentent de contenir l'expansion russe dans la mer Noire.
1857 La Compagnie des Indes orientales dissoute, la Couronne gère seule les Indes.
1882 L'Égypte sous contrôle britannique.
1888 Jack l'Éventreur terrorise Londres. William Morris fonde le mouvement Arts and Crafts.
1901 Mort de Victoria.

L'Europe des colonies

Au XIXe siècle, les puissances européennes – Grande-Bretagne et France en tête – se lancent dans une intensive politique expansionniste. Bientôt, une grande partie du monde est sous leur coupe. La colonisation est en effet pour elles un moyen clef de développement économique et politique. Considérant qu'elles détiennent la supériorité intellectuelle, religieuse et scientifique, elles se font un devoir de porter la civilisation à ceux qui, à leurs yeux, en sont démunis. Pour s'imposer, elles disposent de moyens forts: la technologie, l'armement, les capitaux, de nombreux émigrants. Des arguments de choc qui ont raison des révoltes et des défiances locales.

Vers de nouveaux marchés

Les États européens ont besoin de **nouvelles zones d'influence** pour exporter leurs capitaux, car les placements se font moins rémunérateurs en Europe, mais aussi pour écouler leurs surplus de **produits manufacturés** textiles et métallurgiques. Par ailleurs, dans les «pays neufs», ils peuvent se fournir en **produits bruts** miniers (or, etc.) et agricoles (coton, caoutchouc, arachides...).

La course aux colonies

Jusqu'en 1880, la Grande-Bretagne est la nation colonisatrice la plus influente. Énorme empire de 22,6 millions de kilomètres carrés, elle a assis son empire aux **Indes**, s'est implantée à **Hongkong**, en **Nouvelle-Zélande**, en **Afrique du Sud**, etc. La conquête française débute avec la prise d'**Alger** en 1830 mais ne prendra de l'ampleur qu'après 1850. Parallèlement, la Russie annexe des territoires asiatiques voisins de ses frontières. Les ambitions coloniales s'accentuent surtout en Europe après 1870. L'Allemagne se rendra maître du **Togo**, du **Cameroun** et de la **Namibie**, l'Italie de la **Libye** et de la **Somalie**, alors que le roi des Belges prend la souveraineté en Afrique noire d'un vaste territoire qui deviendra le **Congo belge**.

En toute bonne conscience

«Les races supérieures [...] ont le **devoir de civiliser** les races inférieures» (Jules Ferry, JO, 1885).
Fort de cette idée, l'«homme blanc» **exporte** ses **valeurs** et ses **connaissances** scientifiques à travers tous les continents : les techniciens européens ouvrent des voies maritimes, construisent des routes, des ponts et des voies ferrées, les médecins luttent contre ces maladies qui déciment les populations telles que lèpre, paludisme ou choléra, les **missionnaires** chrétiens intensifient leur activité. Parallèlement se développe un intérêt scientifique pour ces terres lointaines, et les **explorations** se multiplient.

Le canal de Suez

Vers 1798, les ingénieurs de Napoléon proposèrent un projet de canal reliant la Méditerranée à la mer Rouge à travers l'isthme de Suez, projet à l'intérêt économique capital, car il permettait de réduire considérablement les distances entre Europe et Asie. Le canal fut construit plus tard par l'ancien consul de France **Ferdinand de Lesseps** et inauguré par l'impératrice Eugénie en 1869, avec une représentation de l'opéra *Aïda* de Verdi. Les actions du canal étaient détenues en grande partie par le khédive d'Égypte, qui les revendit bientôt aux Britanniques.

L'émigration

Dans la Vieille Europe, le nombre d'habitants augmente du simple au double entre 1800 et 1900. Les problèmes sociaux – **urbanisation** à outrance, **exode rural**, désillusions de l'**industrialisation** – poussent alors des millions de personnes à prendre la mer pour aller tenter leur chance dans ces nouvelles contrées, encore peu peuplées, que sont par exemple le Canada, les États-Unis, l'Australie ou l'Algérie. Après 1870, l'Europe subissant une profonde **dépression**, le mouvement d'**émigration** s'accroît.

L'Empire colonial français

En 1850, il se compose de plusieurs îles (**Saint-Pierre-et-Miquelon, Guadeloupe** et **Martinique, Réunion**), d'une partie des **Guyanes** ainsi que de plusieurs **comptoirs** en **Afrique noire** et en **Inde**. L'**Algérie** est alors presque entièrement soumise. Entre 1850 et 1914, la politique impérialiste française connaît un considérable regain et, à l'approche de la Première Guerre mondiale, l'empire possède un immense territoire en Afrique noire et en Afrique du Nord, sans compter des possessions non négligeables en **Indochine**.

CHRONOLOGIE

- **1847** Soumission d'Abd el-Kader, émir arabe qui menait en Algérie une guerre contre les Français.
- **1853** La France en Nouvelle-Calédonie.
- **1857** Révolte des cipayes en Inde.
- **1862** La France en Cochinchine.
- **1863** La France au Cambodge.
- **1869** Achèvement du canal de Suez.
- **1877** La reine Victoria impératrice des Indes.
- **1879** Guerre anglo-zouloue dans le sud de l'Afrique.
- **1880** La France à Tahiti.
- **1883** La France au Annam.
- **1881** La Grande-Bretagne en Égypte.
- **1881** Protectorat français en Tunisie.
- **1883** Guerre franco-malgache.
- **1884-1885** Conférence internationale africaine à Berlin.
- **1884** Création du Congo belge.
- **1885** L'Allemagne à Zanzibar.
- **1885** La France au Tonkin.
- **1886** La Grande-Bretagne en Haute-Birmanie.
- **1887** Protectorat français en Côte d'Ivoire.
- **1887** Création de l'Union indochinoise (fédération coloniale française).
- **1893** Protectorat français sur le Laos.
- **1894** Création d'un ministère français des Colonies.
- **1896** Annexion de Madagascar par la France.
- **1904** Formation de la fédération de l'Afrique-Occidentale française.
- **1910** Formation de la fédération de l'Afrique-Équatoriale française.
- **1912** Protectorat français sur le Maroc.

La montée des périls

L'Europe d'avant la Première Guerre mondiale se partage en deux blocs : la Triple-Alliance (Allemagne, Autriche-Hongrie et Italie, 1882) et la Triple-Entente (Grande-Bretagne, France et Russie, 1907). En 1913, l'Empire ottoman vacille. À l'issue de deux guerres balkaniques (1912-1913) qui l'ont opposé aux puissances voisines, son morcellement commence sous l'égide du traité de Londres. En 1914, la guerre mondiale paraît inévitable. L'Europe s'embrase à Sarajevo, où François-Ferdinand, héritier de l'Empire austro-hongrois, est assassiné par la Main noire, une organisation nationaliste.

Batailles navales

En 1900, l'**amiral Alfred von Tirpitz** veut constituer une marine allemande digne d'une grande puissance mondiale, à la vive inquiétude de la Grande-Bretagne, attachée à sa suprématie navale. En 1917, Tirpitz envisage de construire 2 vaisseaux amiraux, 36 cuirassés et 45 croiseurs. La rivalité anglo-allemande s'envenime, annonçant une future confrontation. L'avantage revient à la Grande-Bretagne : dès 1914, elle disposait de 49 cuirassés en service ou en chantier contre 29 pour l'Allemagne.

Entre prospérité et malaise social

Après 1870, l'Europe connaît une **seconde révolution industrielle** marquée par l'apparition de deux nouvelles énergies : la Fée électricité et le pétrole. Les progrès techniques fulgurants bouleversent le secteur industriel. Le développement des **transports** tant maritimes que ferroviaires ouvre l'Europe au **commerce international**. Les États européens s'enrichissent grâce à une intensive politique impérialiste, s'attachant des zones d'influence bien au-delà des mers. Une classe de rentiers, une autre de petits-bourgeois et de fonctionnaires voient le jour. C'est la **Belle Époque**. Les grands magasins, comme Harrods, à Londres, sont des symboles de cette ère de prospérité. Mais, à côté de cette douceur de vivre, les campagnes se vident ; l'industrialisation et son lot de désillusions provoquent un malaise ouvrier qui s'exprime par la montée des mouvements syndicaux, du socialisme et du féminisme.

LE SAVIEZ-VOUS ?

En 1914, **lord Grey**, le ministre des Affaires étrangères britannique, fait cette déclaration prophétique : « Les lumières s'éteignent dans toute l'Europe. Nous ne les reverrons plus briller de notre vivant. »

Les Prussiens

La **tradition martiale** de la Prusse, puissance dominante dans l'Allemagne d'avant-guerre, remonte aux règnes de Frédéric-Guillaume Ier et de Frédéric II (XVIIIe siècle). L'armée prussienne est la première à se doter d'un état-major moderne, issu de l'aristocratie terrienne, les **junkers**. Quand la guerre éclate, les Prussiens ont l'armée la mieux entraînée d'Europe.

L'inéluctable marche vers la guerre

Pour l'Autriche-Hongrie, c'est la **Serbie**, voisine de la Bosnie-Herzégovine, qui est derrière l'**attentat de Sarajevo**. En effet, tous les conspirateurs ont été armés et entraînés dans cet État indépendant par des nationalistes slaves. Dans un ultimatum, l'**Autriche** exige que les Serbes laissent opérer la police autrichienne sur leur territoire. Devant leur refus, elle bombarde Belgrade, leur capitale. Ces hostilités mettent en branle un **engrenage fatal**. L'un après l'autre, les pays d'Europe sont entraînés dans le conflit par le jeu des alliances. Les **Russes** se mobilisent en faveur des Serbes, leurs frères en orthodoxie. L'**Allemagne**, solidaire de l'Autriche, déclare la guerre à la Russie et bénéficie du soutien des **Ottomans**, ennemis traditionnels des Russes. La **France**, alliée de la Russie, déclare la guerre à l'Allemagne. Et celle-ci, en accord avec le plan Schlieffen, envahit la Belgique, poussant la **Grande-Bretagne**, qui s'est engagée à défendre la neutralité de ce pays, à entrer en guerre contre l'Allemagne et ses alliés.

PETITE INFO

Guillaume II d'Allemagne et son cousin **George V** d'Angleterre étaient ennemis. Après la guerre, George abandonnera son nom de Saxe-Cobourg-Gotha, trop allemand, pour celui de **Windsor.**

Le plan Schlieffen

Le **maréchal Schlieffen**, responsable de la stratégie allemande, a prévu de longue date d'attaquer par l'est (la Russie) et l'ouest (la France). Il envisage aussi une invasion éclair de la Belgique pour encercler Paris et écraser la France. Le **4 août 1914**, 1,5 million de soldats allemands forcent la frontière belge.

Sarajevo, 28 juin 1914

Le 28 juin 1914, à Sarajevo (Bosnie-Herzégovine), des nationalistes bosniaques jettent une bombe sur la voiture de l'**archiduc François-Ferdinand**, en visite officielle dans cette province austro-hongroise. Le projectile rebondit sur la capote et blesse un officier de la suite. Une heure plus tard, le cortège princier se trompe de route et prend un virage à la hauteur d'un des conjurés, **Gavrilo Princip**, 19 ans. Saisissant sa chance, Princip bondit sur la voiture et tue l'héritier de l'empire des Habsbourg et son épouse.

La Première Guerre mondiale

Dans les derniers jours de juillet 1914, les hommes politiques, tant en actes qu'en paroles, vont se résigner à la catastrophe. De leur côté, les militaires assurent que les plans qu'ils étudient depuis des années imposent et justifient un conflit bref. Ce ne sera pas le cas. Face aux empires centraux, la Russie ouvre, dès août 1914, un autre front à l'est, soulageant ainsi la France, son alliée depuis 20 ans. La terrible bataille de Verdun (févr.-déc. 1916) résume à elle seule toute l'horreur de la Grande Guerre. Pendant 10 mois, des centaines de milliers d'hommes s'entre-tuent pour quelques centaines d'hectares sans qu'apparaisse l'issue du conflit.

Les zones de combat

Un jeu d'alliances complexe jette la plupart des pays d'Europe dans la guerre. Les combats se déroulent sur deux fronts principaux. À l'**ouest**, l'Allemagne est opposée aux Alliés (la France et la Grande-Bretagne renforcée par des troupes de son empire) sur une ligne allant approximativement de la Manche à la frontière suisse. À l'**est**, l'Allemagne et l'Autriche-Hongrie s'opposent à la Russie. Les Alliés mènent une attaque désastreuse contre la Turquie aux Dardanelles. L'Italie passe en 1915 dans le camp des Alliés et s'oppose aux Autrichiens. Sur mer, les sous-marins allemands attaquent les navires alliés.

Les nouvelles armes

C'est le 22 avril 1915, lors de la seconde bataille d'Ypres, que les Allemands utilisent pour la première fois le **chlore** comme gaz de combat. Des semaines plus tard, les avions allemands **Fokker** sont équipés de mitrailleuses synchronisées pouvant tirer à travers l'hélice, ce qui leur confère un avantage considérable sur l'adversaire. Les Britanniques inventent le **char d'assaut**, qui apparaît sur la Somme en septembre 1916, semant la terreur dans les rangs allemands. Le canon allemand de longue portée connu sous le nom de **Grosse Bertha** tirait des obus en direction de Paris d'une distance de 120 km.

Les taxis de la Marne

En septembre 1914, le **général Gallieni** réquisitionne les taxis parisiens pour acheminer des renforts sur le front. Cette opération mobilise **400 taxis** et permet le transport de 4000 hommes. Elle contribue à briser l'élan de l'armée allemande dans la vallée de la Marne et annonce le passage à une guerre de positions.

Les chefs de guerre

- **Alekseï Alekseïevitch Broussilov (1853-1926)** Général russe dont la puissante offensive de 1916-1917 en Galicie balaie les Autrichiens.
- **Ferdinand Foch (1851-1929)** Il se distingue au début de la guerre lors de la 1re bataille de la Marne, imposant le repli allemand. Il sera nommé commandant en chef des forces alliées en 1918.
- **Douglas Haig (1861-1928)** Ce commandant des forces britanniques a été tenu pour responsable des lourdes pertes humaines au sein de ses troupes.
- **Paul von Hindenburg (1847-1934)** Cet ancien général de la guerre de 1870 devient le chef incontesté de l'armée allemande à partir d'août 1916. Son nom est aussi resté attaché aux formidables retranchements du front ouest.
- **Erich Ludendorff (1865-1937)** Sa clairvoyance stratégique lui permet de battre les Russes à Tannenberg dès 1914.

La Somme

Le 1er juillet 1916 est lancée la **grande offensive alliée** de la Somme. 18 divisions alliées attaquent 6 divisions allemandes sur un front de 40 km, Anglais au nord, Français au sud. À la mi-novembre, les Alliés sont arrêtés par les pluies hivernales. 420 000 Anglais, 195 000 Français et de nombreux Canadiens sont tombés pour 12 km de terrain repris à l'ennemi !

Les tranchées

Avant 1914, toutes les armées avaient imaginé une guerre de type napoléonien, faite d'assauts héroïques, d'attaques à la baïonnette et de charges de cavalerie sabre au clair. Ces rêves chevaleresques vont s'enliser dans la réalité des tranchées, d'**étroits boyaux** creusés dans la terre des deux côtés du front. Les tranchées lient entre eux les différents abris, cagnas et casemates. De longues heures d'ennui alternent avec de brefs intervalles de combat violent. Des journées entières s'écoulent dans l'inaction.

CHRONOLOGIE

- **1er août 1914** Ordre de mobilisation générale en France et en Allemagne.
- **Septembre 1914** La contre-offensive française repousse les Allemands des environs de Paris.
- **Octobre-novembre 1914** « Course à la mer » entre l'Allemagne et les Alliés.
- **Février 1915** Offensive turque sur le canal de Suez.
- **Mars 1915** Le blocus général de l'Allemagne est instauré par Londres.
- **Avril 1915** Les Britanniques débarquent à Gallipoli (Dardanelles).
- **Février 1916** Début de la bataille de Verdun.
- **Mai 1916** La plus grande bataille navale de l'Histoire se déroule au Jutland entre les Britanniques et les Allemands.
- **Juin 1916** Les succès russes de Broussilov soulagent les fronts de l'Ouest.
- **Juillet 1916** Début de la bataille de la Somme.

1917 : le tournant de la guerre

L'hiver 1917 est terrible partout en Europe. La guerre n'en finit pas, les rêves de victoire éclair se sont depuis longtemps dissipés : restent le froid, les restrictions et un front qui engloutit de plus en plus de vies humaines. Au début de 1918, les deux camps, épuisés, rassemblent leurs dernières forces. Si les Soviétiques négocient une paix séparée, la Turquie et l'Autriche-Hongrie donnent elles aussi des signes de faiblesse. Les troupes américaines et canadiennes débarquent en France. Dans une Allemagne durement accablée par le blocus, le général Ludendorff prépare l'offensive de la dernière chance.

Le renfort américain

À partir de mars 1918, les « **sammies** » débarquent en France de plus en plus nombreux. L'engagement de la puissance américaine est, pour la coalition alliée européenne, un véritable soulagement. Au 1er juillet 1918, les armées allemandes ne comptent plus que 3 576 000 combattants à l'ouest, contre 4 002 000 aux Alliés, dont 785 000 Américains. Cet apport numérique bienvenu se double d'un autre bienfait, puisque l'arrivée des Américains semble redonner le moral à des hommes épuisés par 4 années de guerre.

Le Chemin des Dames

Conformément aux plans du **général Nivelle** – commandant en chef des armées –, le 16 avril 1917, les troupes françaises passent à l'attaque entre Soissons et Reims, dans le secteur du Chemin des Dames. L'offensive se solde par un véritable **massacre**. Au total, jusqu'au 30 avril, les Français déplorent 147 000 victimes, dont 40 000 morts. Nivelle est remplacé par le **général Pétain**. Ce dernier doit faire face aux **mutineries** qui éclatent, notamment, en réaction à la tuerie inutile du Chemin des Dames.

La bataille de Picardie

Le 21 mars 1918, le **général Erich Ludendorff**, chef de la stratégie allemande depuis l'année précédente, lance **le plus puissant assaut** de toute la guerre (il lui aura fallu 3 mois pour l'imaginer, le préparer et l'organiser). Un ouragan de feu et d'acier écrase l'armée britannique en Picardie et l'accule à la retraite. C'est la première des 5 offensives foudroyantes qui vont à nouveau conduire les Allemands aux portes de Paris. Comme en 1914, le sort du front occidental se décide au bord de **la Marne**. Les Alliés stoppent l'avancée allemande. Le 17 juillet 1918, Ludendorff donne l'ordre de repli général. En 4 mois, il a perdu un demi-million d'hommes et tout espoir de gagner la guerre.

Jour de gloire

Lundi 11 novembre 1918, 11 heures : le cessez-le-feu provoque un immense soulagement dans le monde entier. Malgré une liesse populaire indéniable, les discours sont graves et empreints d'émotion. Un bilan lucide s'impose : une victoire, certes, mais très chèrement payée…

Une nouvelle Europe

Alors que les peuples hébétés émergent lentement du cauchemar, une armée de diplomates et d'experts – juristes, géographes, économistes – prend le relais des militaires pour élaborer la nouvelle carte de l'Europe. Leurs travaux donneront naissance au **traité de Versailles** (juin 1919), qui ne réglera pas les problèmes des frontières en Europe et dans le monde et ne sera jamais vraiment accepté par l'Allemagne.

PETITE INFO

Malgré la perte de 60 000 soldats canadiens au cours de la 1re Guerre mondiale, le Canada n'est pas signataire du traité de Versailles. Toutefois, sa présence à la **Société des nations** contribuera à sa reconnaissance en tant que nation.

CHRONOLOGIE

- **Janvier 1917** Proclamation par le gouvernement allemand de la guerre sous-marine à outrance.
- **15 mars 1917** Abdication du tsar Nicolas II. Constitution d'un gouvernement provisoire.
- **Avril 1917** Offensive Nivelle.
- **16 mai 1917** Le général Nivelle est remplacé par le général Pétain.
- **Mars 1918** La Russie se retire de la guerre en signant un traité de paix avec l'Allemagne.
- **2 septembre 1918** La ligne Hindenburg est enfoncée.
- **11 novembre 1918** Signature de l'armistice. Les hostilités cessent à 11 h sur le front occidental.
- **28 juin 1919** Signature du traité de Versailles par les Alliés – la France, les États-Unis, l'Italie, la Grande-Bretagne – et l'Allemagne.

La révolution russe

En février 1917, la Grande Guerre met l'économie de la Russie à genoux. La famine menace les villes. La révolution éclate à Petrograd (Saint-Pétersbourg), et le tsar Nicolas II est contraint d'abdiquer. En avril, Lénine quitte son exil suisse. Après avoir traversé l'Allemagne en train, il reçoit l'accueil enthousiaste d'une foule massée à la gare de Petrograd. Durant l'été 1917, différentes factions s'affrontent pour conquérir le pouvoir. En octobre, les bolcheviques y parviennent à la faveur d'un coup d'État militaire. Les membres du gouvernement provisoire sont arrêtés. S'ensuit une guerre civile.

La révolution de 1905

En 1905, la Russie subit une lourde défaite lors de la guerre qui l'oppose au Japon. Cette **humiliation**, ajoutée à la grave **crise économique**, favorise l'essor de l'activité révolutionnaire à travers le pays. Les mutineries des marins – dont la plus célèbre, celle du cuirassé *Potemkine*, en mer Noire – se multiplient. Le tsar Nicolas II est contraint de procéder à une série de **réformes législatives**. Toutefois, comme le tsar détient toujours le pouvoir absolu, Lénine considère 1905 comme une « répétition » pour 1917.

La révolution d'Octobre

À partir de juillet 1917, le **gouvernement provisoire** russe est dirigé par un socialiste modéré, **Alexandre Kerenski**. Celui-ci avait été l'une des figures de proue de la révolution de 1905 mais avait rapidement perdu tout soutien populaire. Dans la nuit du 25 au 26 octobre, les **bolcheviques** prennent le contrôle des lieux stratégiques de Petrograd, et **Lénine** est porté au pouvoir. En juillet 1918, le gouvernement est transféré à Moscou.

Les chefs communistes

◆ **Vladimir Illitch Oulianov, dit Lénine (1870-1924)** Avocat d'affaires, à la tête du gouvernement soviétique entre 1917 et 1924. Chantre de la théorie de la « dictature du prolétariat ».

◆ **Léon Davidovitch Trotski (1879-1940)** De son vrai nom Lev Bronstein. Considéré par Lénine comme son successeur, il est contraint de s'exiler par Staline, qui le fait assassiner au Mexique en 1940.

◆ **Joseph Vissarionovitch Staline (1879-1953)** Joseph Djougachvili (qui adopte le nom de Staline, « homme d'acier ») devient le secrétaire général du parti communiste en 1922. Après la mort de Lénine, en 1924, il s'empare du pouvoir et se conduit en dictateur de l'URSS jusqu'à sa mort, en 1953.

Lénine et les bolcheviques

Au congrès de 1903, **Vladimir Illitch Oulianov, dit Lénine**, presse le Parti social-démocrate ouvrier de Russie de s'engager vers une révolution violente. Le parti se divise alors en deux factions : les **bolcheviques** (« majoritaires »), partisans de la ligne dure de Lénine, et les **mencheviques**, plus modérés. Lénine passe les 14 années suivantes en exil volontaire, désespérant de voir éclater l'insurrection qu'il souhaite tant, tandis que les mencheviques font tomber le régime du tsar. Après la révolution d'Octobre, Lénine annihile toute opposition par des **exécutions massives**.

Raspoutine

Le moine Grigori Raspoutine, un paysan guérisseur de Sibérie, gagna les faveurs de la tsarine Alexandra, car il était, semble-t-il, capable d'atténuer les effets de l'hémophilie de son fils. Il finit par avoir une grande **influence politique** à la cour du tsar, surtout lorsque ce dernier fut accaparé par la guerre. En 1916, il est assassiné par un groupe d'aristocrates désireux de mettre fin à son influence sur les affaires du pays.

La guerre civile

Après 1917, un conflit sanglant éclate entre les **rouges** (communistes) et les **blancs** (tsaristes). L'autorité de Trotski permet la création d'une force disciplinée : l'**Armée rouge**, destinée à faire barrage à la contre-révolution. La moindre activité antibolchevique est punie de mort et le principe de **responsabilité collective** est largement appliqué. En 1920, le nombre de victimes dépasse 7 millions. Deux ans plus tard, Lénine fonde l'**Union des républiques socialistes soviétiques** (URSS).

CHRONOLOGIE

1905 Le 22 janvier, plusieurs centaines d'ouvriers sont tués par la police lors d'une manifestation à Petrograd.

Octobre 1917 Les bolcheviques prennent le pouvoir.

1918 Le gouvernement bolchevique signe la paix avec l'Allemagne. La guerre civile commence.

Juillet 1918 La famille impériale est exécutée.

1921 Les rouges gagnent la guerre civile. La mutinerie des marins de la base de Kronstadt est noyée dans le sang. La Nouvelle Politique économique de Lénine (NEP) rétablit une certaine liberté d'échanges.

1924 Mort de Lénine.

LE SAVIEZ-VOUS ?

En 1920, à Berlin, **Anna Anderson** prétendit être **Anastasia**, la fille cadette de la famille impériale, qui aurait survécu au massacre. Ce n'est que dans les années 1990 qu'on a pu prouver son imposture grâce aux tests ADN.

Au sortir de la guerre

Le 8 janvier 1918, le président américain Woodrow Wilson présente au Congrès son plan de paix en 14 points, base du traité de Versailles. Des traités successifs (1919-1920) redessinent la carte de l'Europe et sonnent le glas des grands empires européens. L'Allemagne, jugée responsable du conflit, doit payer un lourd tribut. La guerre a fait prospérer l'industrie britannique. La France, dont le quart nord-est a été ravagé par les combats et l'occupation allemande, est exsangue et revancharde. Dans l'Allemagne humiliée et appauvrie par le traité de Versailles, des groupes paramilitaires surgissent, terreau du futur nazisme.

Le traité de Versailles

Des **traités de paix successifs** concluent la Première Guerre mondiale, sonnant le glas des empires allemand, austro-hongrois et ottoman. Le traité de Versailles, signé sur le lieu même où Bismarck proclamait l'Empire allemand en 1871, après la guerre franco-prussienne – dans la galerie des Glaces du château de Versailles –, ouvre le ban le 28 juin 1919. L'**Allemagne**, jugée seule responsable de la guerre, est astreinte à de très lourdes **réparations** financières et renonce à ses colonies d'outre-mer. Elle est amputée de 1/10 de sa population et de 1/8 de son territoire : elle perd Eupen et Malmedy au profit de la Belgique ; une grande partie de ses provinces de l'Est, à l'exception de la Prusse-Orientale, est attribuée à la Pologne, qui obtient ainsi un accès à la mer par le **corridor de Dantzig** ; enfin, l'**Alsace-Lorraine**, annexée après la guerre franco-prussienne de 1870, est restituée à la France, tandis que la **Sarre** et la **Rhur**, à l'ouest, sont confiées pour 15 ans à l'administration de la **Société des nations.**

In memoriam

En 1920, des **cérémonies commémoratives** de l'armistice ont lieu en France et en Grande-Bretagne. Symbole de tous ceux qui ne sont jamais revenus du front, le corps d'un **soldat inconnu** est enterré en grande pompe de part et d'autre de la Manche, sous l'arc de triomphe de l'Étoile côté français, dans l'abbaye de Westminster côté anglais. D'autres pays reprendront cette idée : l'année suivante, le soldat inconnu américain sera inhumé au cimetière national d'Arlington, en Virginie. En 1921, l'armistice devient **Poppy Day** (le jour du Coquelicot) pour les Britanniques. L'humble fleur qui proliférait sur les champs de bataille doit cet honneur au poème d'un colonel canadien, John McRae : « Dans les champs des Flandres les coquelicots s'ouvrent / Entre les croix rang après rang… »

Les vétérans

Après avoir négocié le traité de Versailles en tant que chef du gouvernement français, **Georges Clemenceau**, l'intransigeant « Père la Victoire », est battu à l'élection présidentielle. Maréchal de France en 1918, **Philippe Pétain** occupe après la guerre plusieurs postes de haut commandement. Signataire de l'armistice, le **maréchal Foch**, ancien généralissime des troupes alliées, est nommé en 1919 président du Conseil supérieur de la guerre.

CHRONOLOGIE

1918 L'empereur d'Allemagne Guillaume II abdique et se réfugie aux Pays-Bas. La république de Weimar est proclamée à Berlin. Fin de la guerre le 11 novembre.

Janvier 1919 En Allemagne, échec de la révolution communiste des spartakistes.

Juin 1919 Le plan de paix en 14 points de Woodrow Wilson est signé par l'Allemagne et les pays vainqueurs. Fondation de la Société des Nations, les futures Nations unies.

1920 Le traité de Versailles entre en application. Le traité de Sèvres, qui démantèle l'Empire ottoman, est rejeté par la Turquie.

1923 La France et la Belgique occupent la région minière de la Ruhr en représailles contre l'Allemagne, qui a suspendu le paiement de ses réparations. Le chômage et l'inflation font le lit du terrorisme de droite et d'extrême gauche en Allemagne.

Les réparations

Selon les termes du **traité de Versailles,** l'Allemagne et ses alliés sont responsables de toutes les pertes et de tous les dommages subis par les gouvernements alliés. Les réparations sont fixées à 132 milliards de marks-or. Cette somme énorme saigne à blanc l'économie allemande. Son versement, devenu impossible, cessera en 1932.

LE SAVIEZ-VOUS ?

L'Allemagne appelait le traité de Versailles le **Diktat**. La rancœur de l'Allemagne après la défaite, le démantèlement de son empire et les dédommagements porte en germe les origines de la Seconde Guerre mondiale.

Écrivains dans la guerre

Comme leurs concitoyens, écrivains et poètes sont jetés dans la tourmente de la guerre. « Nous avons vécu l'incommunicable », écrit **Maurice Genevoix**, se remémorant l'horreur de Verdun. Le philosophe **Alain** témoignera aussi à travers ses *Souvenirs de guerre*. Nombreux sont ceux qui tombent au champ d'honneur : **Alain Fournier**, l'auteur du *Grand Meaulnes*, **Pergaud**, celui de *la Guerre des boutons*, **Charles Péguy**… **Apollinaire**, blessé d'un éclat d'obus à la tempe en 1916, survivra mais mourra fin 1918 de la grippe espagnole. **Wilfred Owen**, poète britannique qui écrivit dans les tranchées, est tué en France une semaine seulement avant l'armistice.

Les victimes

La guerre, toutes nationalités confondues, a fait environ 8,5 millions de morts. Ci-dessous, une estimation du nombre des victimes chez les principaux belligérants.

État	Nombre
Allemagne	1 774 000
Russie	1 700 000
France	1 357 000
Autriche-Hongrie	1 200 000
Grande-Bretagne	743 000
Australie	59 300
Canada	56 000
États-Unis	48 000
Nouvelle-Zélande	16 700
Belgique	13 000

Le réveil des nations

À l'aube du XXe siècle, les grands empires sont ébranlés. La Première Guerre mondiale mine davantage encore leur prestige moral, quand elle ne les démantèle pas. Les mouvements autonomistes gagnent en puissance. Des Juifs persécutés d'Europe de l'Est aux Jeunes-Turcs de l'Empire ottoman, une classe moyenne en pleine expansion proteste contre les abus et l'inefficacité des pouvoirs en place. En Inde et au Mexique, les inégalités nourrissent l'agitation sociale. Les soulèvements des premières décennies du siècle ouvrent la voie à des combats ultérieurs, ceux du Viêt Nam et du Sénégal, par exemple.

L'Inde

Mohandas Karamchand **Gandhi**, d'origine goudjératie, débute comme avocat. En 1893, il s'installe en Afrique du Sud, où il défend les immigrés indiens victimes de discriminations. Revenu en Inde en 1915, il se lance dans le **combat indépendantiste**. Le 13 avril 1919, à **Amritsar**, les troupes sous commandement britannique ouvrent le feu sur une manifestation pacifique, tuant 379 Indiens. Ce massacre donne l'avantage moral au leader nationaliste et consomme la rupture entre les élites indiennes et les colonisateurs britanniques. La non-violence de Gandhi lui vaut le titre de **Mahatma**, « la grande âme » en sanskrit, et fait de lui un redoutable adversaire pour le pouvoir impérial. Véritable **homme de paix**, Gandhi s'oppose avec passion à la partition de son pays entre l'Inde et le Pakistan musulman. Il meurt en 1948, assassiné par un extrémiste hindou.

Les combattants de la liberté

◆ **Emiliano Zapata (v. 1879-1919)** est le leader des péons (paysans) et des peuples indigènes contre les propriétaires terriens qui les exploitent. Le guérillero a pour devise « Plutôt mourir debout que vivre à genoux ».

◆ **Mohandas Karamchand Gandhi, dit le Mahatma (1869-1948)** Chantre de l'autonomie indienne qui plaide pour la non-violence et la réforme du système des castes.

◆ **Hô Chi Minh (1890-1969)** Ou « Hô à la volonté éclairée », Nguyên That Thanh pour l'état civil combat la présence française en Indochine (1890-1969) jusqu'à obtenir l'indépendance. À partir de 1963, président du Nord-Viêt Nam communiste, il se bat contre les États-Unis. Sa victoire sera suivie par la réunification des deux Viêt Nam.

◆ **Léopold Sédar Senghor (1906-2001)** Premier président de la république du Sénégal. Poète, essayiste et apôtre du nationalisme africain.

Viva Mexico !

En 1876, le président mexicain Porfirio Díaz installe un régime autoritaire. En 1911, alors que les inégalités se creusent entre riches et pauvres, le libéral **Francisco Madero (1873-1913)** est élu avec le soutien des révolutionnaires du Sud et du Nord, respectivement menés par **Emiliano Zapata** et **Francisco « Pancho » Villa (1877-1923)**. Mais ses réformes sont jugées trop timorées et ses partisans l'abandonnent. En 1913, il est tué lors d'un coup d'État militaire. L'agitation politique durera jusqu'à l'élection de Manuel Ávila Camacho, en 1940.

La Turquie

En 1920, le traité de Sèvres organise le démantèlement de l'Empire ottoman et veut réduire la Turquie à un petit territoire autour d'Ankara. Mais les armées du général **Mustafa Kemal** (1881-1938) – « l'homme malade de l'Europe » – résistent aux troupes alliées. Kemal institue la république en 1932. Deux ans plus tard, il s'attribue le titre d'**Atatürk** (« père des Turcs »). Il modernise la nation, réforme la loi et l'éducation, et remplace l'écriture arabe par l'alphabet romain.

CHRONOLOGIE

1908 Le mouvement nationaliste des Jeunes-Turcs exige que la Constitution à l'occidentale de 1878 soit remise en vigueur dans l'Empire ottoman.

1909 L'empereur ottoman Abdülhamid II est déposé.

1914 Début de la Première Guerre mondiale.

1915 Gandhi se lance dans la lutte pour l'autonomie indienne.

1911 Francisco Madero élu président du Mexique.

1917 Arthur Balfour, ministre des Affaires étrangères britannique, signe la déclaration Balfour en faveur d'un « foyer national juif ».

1918 Fin de la Première Guerre mondiale. Démantèlement de l'Empire ottoman.

1919 Massacre d'Amritsar.

1923 Mustafa Kemal Atatürk fonde la République turque.

1924 Expatrié à Canton, en Chine, Hô Chi Minh fonde le 1er mouvement nationaliste vietnamien.

Le sionisme

Le sionisme n'est pas une création de **Theodor Herzl** (1860-1904), comme on le croit souvent, mais c'est ce Juif hongrois, traumatisé par l'affaire Dreyfus, qui l'a structuré et lui a donné son élan. Certains Juifs ont émigré en **Palestine** dès 1882. Cette première alya était originaire du Yémen, de Russie et de Roumanie.

LE SAVIEZ-VOUS ?

Enver Pasa est devenu ministre de la Guerre de **Turquie** en 1914. Sous son impulsion, la Turquie entre en guerre aux côtés de l'Allemagne après un pacte secret contre la Russie. Il est aussi tristement connu pour avoir ordonné le **génocide des Arméniens** en 1915.

Les Années folles

Après le cauchemar de la Première Guerre mondiale, l'Occident brûle la chandelle par les deux bouts. L'Amérique mène la danse : elle exporte le jazz mais aussi le consumérisme et la société des loisirs, rendus possibles par la production industrielle de masse mais encore accessibles aux seuls privilégiés. Outre-Atlantique, la fête bat son plein malgré la prohibition, mais le krach de 1929 et les années noires de la Dépression se profilent déjà. Après la guerre, Paris, la Ville lumière, attire étrangers, artistes et écrivains de tous les horizons, qui fréquentent Montmartre, Montparnasse et Saint-Germain-des-Prés.

L'âge du jazz

Le bruit de la fête a succédé à celui des canons. Les disques de **Gramophone**, le **cinéma** et la **presse magazine** ont exporté en Europe les tendances venues d'Amérique. La jeunesse à la mode ne jure que par le **jazz**, une musique exotique et syncopée inventée des dizaines d'années auparavant par des musiciens afro-américains. Cette libération musicale s'accompagne d'une libération des mœurs.

La prohibition

Si les années 1920 sont une grande fête pour l'Amérique, celle-ci n'en est pas moins au régime sec. Le **National Prohibition Act** de 1919 interdit la fabrication, la vente et la consommation de boissons alcooliques. D'abord bien accueillie, cette loi finit par faire l'unanimité contre elle, car on l'accuse de pousser les honnêtes citoyens dans la délinquance. L'alcool coule à flots dans les **speakeasies** (bars clandestins) et la mafia, qui contrôle sa vente, ne s'est jamais si bien portée.

Science et technologie

En 1927, l'aviateur **Charles Lindbergh** est le premier à traverser l'Atlantique en solitaire dans son monoplane, le *Spirit of Saint Louis*. Cet exploit symbolise le « rien n'est impossible » dont l'Amérique a fait son credo mais aussi les progrès technologiques qui améliorent la vie des Américains même les plus modestes. La **production de masse** met les biens de consommation à la portée d'un public de plus en plus vaste. En France, Citroën ouvre le **marché automobile** à la classe moyenne ; la **publicité** se développe ; enfin, de nouveaux **appareils ménagers** apparaissent, comme l'aspirateur, vendu par William Hoover depuis 1908, et le réfrigérateur électrique, inventé par des ingénieurs suédois en 1923.

Tout le monde danse

De la **Revue nègre** où se contorsionne **Joséphine Baker**, seulement vêtue d'un collier de grosses perles et d'une ceinture de bananes, au dandy **Francis Scott Fitzgerald** et son magnifique Gatsby en passant par l'explosion du mouvement surréaliste dans tous les arts et en littérature, les Années folles tentent de faire oublier le massacre de la Grande Guerre. **Mode**, **distraction** et **loisirs** sont marqués d'un grain de folie suscité par le désir de rattraper le temps perdu. Le monde occidental danse le **charleston**, le **one-step** et le **shimmy**. C'est le temps des garçonnes et des femmes fatales, popularisées par le tout nouveau grand écran, telle Louise Brooks dans *Loulou*, en 1929. Les femmes raccourcissent leurs jupes et leurs cheveux. **Coco Chanel** a ouvert la voie : dès 1914, sur les traces de Poiret, elle jetait le corset aux orties et imaginait le premier tailleur fluide. Les bains de mer entrent dans les mœurs, la TSF prend son envol tout comme l'Aéropostale de Daurat, Mermoz et Guillaumet.

PETITE INFO

André Breton était l'un des chefs de file du **surréalisme**. Ce mouvement frondeur qui plonge aux racines de l'inconscient rallia peintres, écrivains, sculpteurs, photographes et cinéastes.

LE SAVIEZ-VOUS ?

Au cours de cette période, au Canada, l'industrie de type primaire, telle que les **pâtes et papiers**, occupe une place importante. La fabrication de produits, comme l'**automobile**, connaît un essor.

CHRONOLOGIE

- **1919** Les États-Unis refusent d'entrer dans la Société des Nations.
- **1919** Citroën sort une petite voiture économique et au prix compétitif, la Citröen 10 CV type A (20 000 commandes).
- **1920** Début de la prohibition aux États-Unis.
- **1921** Coco Chanel sort son célèbre parfum N° 5.
- **1922** Le roman de Victor Margueritte *la Garçonne* connaît un grand succès.
- **1922** Naissance de la BBC en Grande-Bretagne.
- **1924** *Manifeste du surréalisme* par André Breton.
- **1925** Radio-Tour Eiffel présente un « journal parlé » quotidien.
- **1927** Premier vol transatlantique de Charles Lindbergh.
- **1927** Le premier film avec bande-son synchronisée sort à New York *(le Chanteur de jazz)*.
- **1929** Krach à Wall Street ; Exposition universelle de Barcelone.
- **1931** Exposition coloniale de Paris à la gloire de l'Empire français.

La crise des années 1930

Les années 1920 s'achèvent sur le krach boursier de Wall Street les 23 et 24 octobre 1929. À la fin du mois, le «jeudi noir» aura coûté plus de 40 millions de dollars aux actionnaires américains. La confiance des consommateurs s'effondre. La dépression affecte non seulement la vie des Américains mais aussi l'économie mondiale. La misère et le chômage atteignent des niveaux jamais vus. En 1933, le président Roosevelt lance le New Deal. La croissance reprend, relancée par une politique de grands travaux.

Le krach de Wall Street

Si les économistes s'interrogent encore sur les **causes du krach** de Wall Street, tous s'accordent sur les points suivants.

◆ Le boom économique de l'Amérique des années 1920 était plus une apparence qu'une réalité. Les signes d'avertissement se multipliaient, comme l'effondrement des prix agricoles.

◆ La Bourse n'était plus réservée aux magnats des finances: la classe moyenne, enrichie de fraîche date, achetait elle aussi des actions, gonflant un marché déjà hypertrophié.

◆ Grâce au progrès des communications, les mauvaises nouvelles circulaient aussi vite que les bonnes. Les médias populaires, dont l'optimisme avait encouragé la frénésie boursière, semaient désormais la panique.

Le *dust bowl*

Les paysans du Middle West américain, déjà touchés par une chute de 60% du prix des céréales, ne peuvent pas résister à une dépression mondiale. En 1931, au pire moment, une **grande sécheresse** s'installe, qui va durer 3 ans. Les récoltes meurent sur pied, leurs racines ne se fixent plus dans les sols déjà pulvérisés par des années de labourages intensifs, et les vents emportent des champs entiers, formant de gigantesques «blizzards noirs» et creusant un *dust bowl* (cuvette de poussière) au centre de l'Amérique. Les conséquences sont dramatiques: en 1934, de nombreuses terres sont trop endommagées pour être cultivées et plus de 14 millions d'hectares ont été détruits. Les fermiers, prenant la route par milliers, vont chercher du travail dans les vergers de Californie, un **exode** que l'écrivain John Steinbeck retracera dans *les Raisins de la colère*.

La république de Weimar

Après 1918, l'**Allemagne** découvre la démocratie sous la république de Weimar. Mais le coût des réparations, conséquence de la défaite, paralyse l'économie, et l'**inflation** devient incontrôlable: en 1918, un pain vaut 0,63 mark. En 1923, il vaut 201 000 000 000 marks... La récession des années 1930 amène d'autres désastres. Pendant les hivers de 1930-31 et 1931-32, plus de 6 millions de personnes sont sans emploi. La misère et le désespoir règnent. Le pays veut du changement. Il prendra le visage de **Hitler**, qui accède en 1933 au poste de chancelier, portant le dernier coup à la république de Weimar.

L'URSS

À partir de 1929, la Russie marche vers l'**industrialisation**. Staline, pour qui les campagnes, et en particulier les riches paysans, portent tous les péchés de la vieille Russie, met en branle la **collectivisation des terres**: désormais, plus de petites propriétés, mais de grandes fermes d'État. La résistance paysanne est écrasée, des milliers de contestataires sont fusillés ou envoyés dans des camps de travail. Quelque 10 millions d'Ukrainiens mourront de faim.

Le Front populaire

En février 1934, la France connaît une période de grève générale. Un programme commun est lancé par les **forces du Front populaire** (partis socialiste, communiste et radical, CGT, mouvements associatifs), qui remporte, dans un contexte social très agité, les élections législatives de 1936. Léon Blum prend la tête du gouvernement. La CGT signe les **accords Matignon** avec le patronat, les salaires sont augmentés, la liberté syndicale revalorisée. Ultérieurement seront votées deux lois pour limiter la durée du travail : les **congés annuels payés** et l'adoption des **40 heures hebdomadaires**.

Le New Deal

En 1933, le président américain **Franklin D. Roosevelt (1882-1945)** lance un gigantesque programme de travaux publics. Des milliers d'ouvriers sont engagés pour construire routes, ponts et barrages. Le projet du président s'appuie sur la conviction que le gouvernement a un rôle à jouer dans la prospérité de la nation et que les bénéficiaires du New Deal investiront dans les services et les biens de consommation, relançant ainsi l'économie. Roosevelt voit aussi dans le New Deal un facteur de justice sociale, puisqu'il obligera les employeurs privés à relever leurs salaires pour rivaliser avec ceux du secteur public.

CHRONOLOGIE

- **1929** Krach boursier à Wall Street.
- **1929** Premier plan quinquennal en URSS.
- **1931** La sécheresse s'installe dans le Middle West américain.
- **1932** 13 millions de chômeurs aux États-Unis.
- **1932** Albert Lebrun est nommé président de la République française. Il le restera jusqu'en 1940.
- **1932-1933** La famine fait rage en Ukraine.
- **1933** Au Canada, 1 Canadien sur 5 est en chômage.
- **1933** Le démocrate Franklin Roosevelt à la Maison-Blanche.
- **1933** Deuxième plan quinquennal en URSS.
- **1933** En Allemagne, Hitler accède au poste de chancelier.
- **1934** Émeutes anti-parlementaires et grève générale en France.
- **1936** Le New Deal de Roosevelt crée 4 millions d'emplois.
- **1936** Grande vague de grèves avec occupation d'usines en France. Victoire du Front populaire aux élections législatives.
- **1939** L'Europe s'engage dans la Seconde Guerre mondiale.

L'entre-deux-guerres

Le monde des années 1930 voit s'opposer les nations procommunistes et profascistes. En Allemagne, des préparatifs militaires réduisent le chômage. Les ouvriers sans emploi endossent l'uniforme, travaillent dans les usines d'armement ou à la construction des routes. En Espagne, une guerre civile opposant nationalistes et républicains éclate en 1936. Elle se soldera par la dictature du général Franco. La France est signataire des accords de Munich, qui couronnent la politique de recul et d'apaisement menée par les démocraties face aux dictatures.

La guerre d'Espagne

En 1936, un soulèvement militaire contre le nouveau gouvernement du **Front populaire** se propage dans tout le pays. Le conflit s'embrase, opposant les républicains, qui soutiennent le gouvernement, et les nationalistes, conduits par le **général Franco**. Si les franquistes peuvent compter sur l'appui de l'Allemagne et de l'Italie, les sympathisants des républicains affluent de différents pays d'Europe pour rejoindre les **Brigades internationales,** tandis que certains intellectuels se mobilisent en leur faveur, tels **George Orwell** *(Hommage à la Catalogne)*, **Ernest Hemingway** *(Pour qui sonne le glas)* ou encore **André Malraux** *(l'Espoir)*. Côté espagnol, signalons le poète et auteur dramatique **Federico García Lorca** et le peintre **Pablo Picasso**, qui peindra *Guernica* pour protester contre les horreurs de cette période. En 1939, à l'issue d'une sanglante guerre civile, Franco installe la **dictature**. Elle ne prendra fin qu'à sa mort, en 1975.

Mussolini et l'Italie

Benito Mussolini, ancien journaliste et agitateur nationaliste, fonde le mouvement **fasciste** italien en 1919. En 1922, il descend sur la capitale avec ses **Chemises noires**, officiellement au nombre de 300 000, mais sans doute beaucoup moins nombreuses. À l'issue de cette « marche sur Rome », Mussolini prend le pouvoir avec la bénédiction tacite du roi Victor-Emmanuel II et le titre de Premier ministre. Mussolini, autoproclamé *Il Duce* (le chef) en 1925, est le premier leader fasciste à accéder au pouvoir. En 1928, sa dictature est installée. Son alliance avec Hitler en 1940 se solde par un désastre militaire pour l'Italie.

L'URSS

Tandis que les régimes fascistes s'installent en Europe, **Staline** consolide sa dictature. À partir de 1929, il met en place une série de plans économiques dits **plans quinquennaux** et fait peu à peu de l'URSS la deuxième puissance industrielle et militaire derrière les États-Unis, au prix d'une terreur sociale inégalée. Les opposants présumés sont éliminés lors de sanglantes **purges**, qui décapitent la direction du Parti, mais aussi l'industrie et les forces armées.

Les accords de Munich

Fin septembre 1938, le Premier ministre anglais **Neville Chamberlain** et le président du Conseil français **Édouard Daladier** signent les accords dits de Munich avec **Hitler** et **Mussolini**. Chamberlain croit en effet pouvoir sauvegarder la paix en multipliant les gestes d'apaisement envers Hitler. Daladier est beaucoup plus méfiant, mais il est poussé par l'opinion publique française, en majorité pacifiste. Pour donner satisfaction au chancelier allemand, la **Tchécoslovaquie** est sommée d'évacuer la région des **Sudètes,** réclamée par l'Allemagne. Cette concession ne sauvera pas la paix.

Le fascisme

Dans les années 1930, le **fascisme** se répand en Europe. En **Espagne**, la Phalange fournit 150 000 hommes à Franco pendant la guerre civile. En **France**, les Croix-de-Feu émergent comme l'une des ligues les plus importantes. En **Croatie**, les Oustachi (insurgés) prônent un nationalisme ethnique. En **Hongrie**, le parti ultranationaliste des Croix-Fléchées gagne en puissance et accède au pouvoir en 1944 avec l'appui de l'Allemagne. En **Grande-Bretagne**, Oswald Mosley fonde en 1932 la British Union of Fascists (BUF), parti sans réel soutien populaire partiellement financé par Mussolini. Avant de fonder le BUF, Mosley fut successivement député conservateur et travailliste. Le BUF a pour organe l'hebdomadaire *Blackshirt* (chemise noire).

CHRONOLOGIE

- **1922** Mussolini forme un gouvernement fasciste en Italie.
- **1930** Les nazis obtiennent 100 sièges au Reichstag.
- **1931** Le roi Alphonse XIII quitte l'Espagne, la République espagnole est proclamée.
- **1932** António Salazar forme un gouvernement de droite au Portugal.
- **1935** Les troupes de Mussolini envahissent l'Éthiopie.
- **1935** W.L. Mackenzie King devient premier ministre du Canada.
- **1936** L'Italie et l'Allemagne forment l'axe Rome-Berlin.
- **1936** Début de la guerre d'Espagne.
- **1939** Les troupes italiennes envahissent l'Albanie.
- **1939** Madrid se rend aux fascistes, qui prennent le contrôle de l'Espagne.

La montée du nazisme

Dans le chaos qu'est l'Allemagne des années 1930, la propagande amène au Reichstag (parlement) le Parti national-socialiste des travailleurs allemands (NSDAP, dit parti nazi). En 1933, le maréchal-président von Hindenburg appelle à la chancellerie Adolf Hitler, jugé capable d'enrayer la menace communiste. Un mois plus tard, la mise en scène de l'incendie du Reichstag permet à Hitler d'invoquer un complot communiste et de suspendre les libertés publiques. La pureté raciale et l'espace vital, concepts clefs de l'idéologie nazie, justifient la politique d'expansion territoriale et d'extermination des « races inférieures » ou « parasites ».

Les dirigeants

◆ **Joseph Goebbels (1897-1945)** Organisateur des grandes parades et des meetings de masse du nazisme. À partir de 1933, ministre de l'Information et de la Propagande. Fidèle jusqu'au bout à Hitler, il se tue avec sa femme et ses 6 enfants quelques heures après le suicide du Führer.

◆ **Hermann Göring (1893-1946)** Aviateur, héros de la Grande Guerre, morphinomane, commandant en chef de la Luftwaffe (aviation de guerre), fondateur de la Gestapo, maréchal du Reich. Se suicide au cyanure après sa condamnation à mort par le tribunal de Nuremberg.

◆ **Rudolf Hess (1894-1987)** Chef-adjoint du parti nazi, dauphin du Führer, il s'enfuit en Écosse en 1941. Jugé irresponsable par le tribunal de Nuremberg, il passera le reste de sa vie incarcéré et se suicidera.

◆ **Heinrich Himmler (1900-1945)** Chef de la SS (SchutzStaffel, ou « échelon de protection ») en 1929 et de la Gestapo en 1934, ministre de l'Intérieur en 1943-44. Organise les camps d'extermination. Pris par les Britanniques, il s'empoisonne.

◆ **Ernst Röhm (1887-1934)** Chef de la SA (Sturmabteilung, ou « section d'assaut »). Hitler prend ombrage de son influence. Il sera parmi les 2000 victimes de la Nuit des longs couteaux.

L'étau nazi

En janvier 1933, Hitler est le chef du gouvernement, mais il ne peut le diriger comme il l'entend, faute d'une majorité absolue. En mars, il obtient les pleins pouvoirs. Le 30 juin 1934, la **Nuit des longs couteaux** le débarrasse de ses rivaux. Enfin, le plébiscite électoral qui suit la mort du maréchal von Hindenburg, le 2 août, lui permet de cumuler les fonctions de chancelier et de président. Il s'octroie en outre le titre de **Führer** (chef).

La persécution des Juifs

Elle commence dès l'arrivée au pouvoir d'Hitler. En 1935, les **lois de Nuremberg** privent les Juifs de leur citoyenneté allemande et interdisent les mariages mixtes. En 1938, la répression culmine avec la **Nuit de cristal** *(Kristallnacht)*, pendant laquelle les nazis détruisent synagogues et magasins juifs. L'humiliation devient spectacle : des femmes juives sont tondues en public. Sur les pancartes qu'elles portent autour du cou, on lit : « J'ai été exclue de la communauté nationale ». De nombreux Juifs s'enfuient, les autres seront happés par la machine de mort nazie.

GLOSSAIRE NAZI

◆ ***Führerprinzip***
« Principe du chef » ; justifie le culte du chef qui imprègne la pensée nazie.

◆ ***Übermensch***
« Surhomme », terme emprunté à Nietzsche, désignant l'homme idéal nazi.

◆ ***Drang nach Osten***
« Poussée vers l'est »… en quête du fameux « espace vital ».

◆ ***Lebensraum***
« Espace vital ». Concept qui autorise les Allemands à agrandir leur territoire aux dépens de leurs voisins.

◆ ***Blitzkrieg***
« Guerre éclair ». Stratégie d'invasion qui, en 1939, a mis l'Europe continentale à genoux en quelques semaines.

Les Jeux Olympiques de Berlin

Les Jeux Olympiques de 1936 à Berlin se veulent la vitrine du nazisme. Un nouveau stade est construit et, pour la première fois, la flamme olympique est apportée du mont Olympe, en Grèce. Mais le héros des Jeux sera l'Afro-Américain **Jesse Owens**, dont les 4 médailles d'or mettront à mal la prétendue supériorité aryenne.

L'homme aryen

L'idée de la supériorité raciale allemande est exposée par Hitler dans ***Mein Kampf*** en 1925 puis théorisée par Rosenberg, son futur ministre des Territoires occupés de l'Est, dans *le Mythe du XX*e *siècle*. Divers organismes nazis tentent de produire l'homme nouveau, comme les *Lebensborn*, véritables haras humains où des femmes « pures » conçoivent des enfants avec des officiers SS.

CHRONOLOGIE

Janvier 1923 Occupation de la Ruhr par les troupes belges et françaises.

Novembre 1923 Le putsch de la Brasserie à Munich, fomenté par Hitler, est un échec retentissant.

1925 Le maréchal von Hindenburg est élu président du Reich.

1930 Les nazis gagnent 100 sièges au Reichstag.

Janvier 1933 Hitler est nommé chancelier du Reich.

Mars 1933 Le décret d'habilitation accordé par le Reischstag donne à Hitler les pleins pouvoirs.

1934 La République allemande n'est plus un État fédéral mais un État centralisé. La Nuit des longs couteaux permet à Hitler d'éliminer ses rivaux potentiels au sein du parti nazi, dont Ernst Röhm.

Mars 1938 Par l'annexion de l'Autriche, la population allemande croît de 6 millions de personnes. Celle des Sudètes, en Tchécoslovaquie, est suivie par l'expulsion des Tchèques de la région.

La Chine de Mao

Au début du XXe siècle, la dynastie Qing (mandchoue) règne depuis 250 ans. En 1911, la république est instaurée par le mouvement nationaliste du Guomindang. En 1932, le Guomindang, désormais dirigé par Jiang Jieshi (Tchang Kaï-chek), s'efforce d'éradiquer le communisme, quand le Japon s'empare de la Mandchourie. En 1937, le Guomindang et les communistes s'allient contre les Japonais, mais l'après-guerre ravive leur lutte fratricide. En 1949, les communistes de Mao Zedong prennent le pouvoir.

Sun Yat-sen

Né dans une famille paysanne de la province du Guangdong (sud de la Chine), Sun Yat-sen (1866-1925) fait ses études chez des missionnaires chrétiens. En 1894, il fonde le **parti nationaliste du Guomindang**. Les soulèvements qu'il organise, le plus souvent depuis le Japon, échouent les uns après les autres, mais l'opinion publique évolue dans son sens. En 1911, la dynastie mandchoue est renversée et la **république de Chine** instaurée avec Nankin pour capitale.

La Longue Marche

En octobre 1934, les forces de Mao Zedong fuient les attaques du Guomindang, supérieur en nombre et mieux armé. Des **100 000 communistes** partis du sud de la Chine en direction du nord-ouest, seuls 8 000 arriveront 1 an plus tard à destination, dans la province du Shanxi. Ils convertiront de nombreux paysans pendant cette marche héroïque de **12 000 km**.

La guerre sino-japonaise

Les **incursions nipponnes** se multiplient en **Mandchourie** au milieu des années 1930. En 1937, nationalistes et communistes s'allient contre l'expansionnisme des Japonais, qui lancent une **invasion à grande échelle** : Pékin est prise en juillet, Shanghai à la fin de l'année, Nankin tombe dans un bain de sang. Le **Guomindang** mène les combats dans le Sud-Est alors que les communistes font la guérilla au nord et consolident leurs positions.

La guerre civile

Le combat entre **communistes** et **nationalistes** reprend après la Seconde Guerre mondiale. Malgré leur infériorité numérique, les communistes ont l'avantage et disposent d'un soutien populaire plus important. En 1949, les chefs nationalistes s'enfuient à **Taïwan** avec les réserves en or du pays. Le 1er octobre, **Mao** proclame la République populaire de Chine.

Le Grand Timonier

Mao Zedong (1893-1976) naît dans une famille de paysans de la province du Hunan, dans le centre de la Chine. Étudiant zélé, enseignant, membre du Parti en 1923, il s'éloigne rapidement de l'orthodoxie marxiste : dès 1927, il déclare que le dépositaire de l'élan révolutionnaire en Chine est la paysannerie plutôt que le prolétariat industriel.

Florilège

Les paroles de Mao ont été réunies dans le ***Petit Livre rouge.*** Nombre d'entre elles ont fait le tour du monde et sont devenues proverbiales.

- *Le pouvoir politique est au bout du fusil* (1938).
- *La politique, c'est la guerre sans effusion de sang ; la guerre, c'est la politique avec effusion de sang* (1938).
- *L'armée doit faire un avec le peuple. Qu'il la voie comme sa propre armée, et elle sera invincible* (1938).
- *La bombe atomique est un tigre de papier agité par les réactionnaires des États-Unis. Elle semble terrible, mais elle ne l'est pas* (1946).
- *Que cent fleurs s'épanouissent, que cent écoles rivalisent : par cette politique nous encouragerons le progrès artistique et scientifique de notre pays et sa floraison culturelle* (1957).

Le Grand Bond en avant

En 1957, la **campagne des Cent Fleurs** rend la parole au peuple. Cette parenthèse est suivie d'une nouvelle répression. L'année suivante, Mao lance le Grand Bond en avant : l'industrialisation rapide et la collectivisation de l'agriculture, où s'illustrent les « **soldats du front agricole** », doivent permettre à l'économie de décoller et de rattraper celle de la Grande-Bretagne. Ses résultats seront catastrophiques : les famines de 1956 à 1961 tueront plus de 20 millions de Chinois.

La Révolution culturelle

De 1965 à 1969, Mao mène une reconquête idéologique appuyée sur les jeunes, organisés en **Gardes rouges** : la Révolution culturelle. La **chasse aux révisionnistes** (cadres du Parti, intellectuels, artistes) est ouverte, les vestiges du passé sont détruits, des milliers de Chinois disparaissent. Les violences culminent en 1966. À l'aube des années 1970, l'armée met le pays au pas et les Gardes rouges disparaissent.

CHRONOLOGIE

- **1911** Chute de la dynastie mandchoue et fondation de la république de Chine.
- **1925** Mort de Sun Yat-sen ; Jiang Jieshi (Tchang Kaï-chek) lui succède.
- **1934** Début de la Longue Marche.
- **1937** Le Guomindang et les communistes s'unissent contre les Japonais.
- **1945** Fin de la Seconde Guerre mondiale, reprise de la guerre civile.
- **1949** Les chefs nationalistes s'enfuient à Taïwan. Mao Zedong proclame la République populaire de Chine.
- **1957** Campagne des Cent Fleurs.
- **1958** Début du Grand Bond en avant.
- **1966** Début de la Révolution culturelle.

L'indépendance de l'Inde

À la fin de la Seconde Guerre mondiale, l'empire britannique des Indes se sait condamné. En 1947, l'Inde devient indépendante. La situation s'est envenimée entre hindous et musulmans. La lutte pour l'indépendance s'achève donc sur la partition de l'Inde en deux États : Union indienne, à majorité hindoue, et Pakistan, musulman. L'Inde et le Pakistan dénoncent la frontière tracée suite à la partition. L'une et l'autre revendiquent le Cachemire ; cette question n'est toujours pas réglée. En 1971, le Pakistan oriental fait sécession après une difficile guerre d'indépendance et prend le nom de Bangladesh.

La fin d'une colonie

En 1935, l'**Inde** obtient une autonomie limitée. Mais sa dépendance envers la **Grande-Bretagne** apparaît clairement quand cette dernière l'entraîne dans la guerre en 1939. L'agitation se poursuit pendant les hostilités (plus d'un million d'Indiens sont au front) et dégénère en violence après leur cessation. La puissance coloniale se résigne à l'inévitable, et l'Inde devient officiellement indépendante le 14 août 1947.

La partition

Malgré l'opposition passionnée du Mahatma Gandhi, l'accord d'indépendance de l'Inde met en place **2 États indépendants**. En effet, un État musulman, le Pakistan, est créé dans des territoires du nord de l'Inde (Pendjab au nord-ouest et Bengale au nord-est). La **partition** s'accompagnera de violences inouïes, fera de 300 000 à 500 000 morts et quelque 14 millions de réfugiés de part et d'autre de la frontière indo-pakistanaise.

La dynastie Gandhi

Jawaharlal Nehru (1889-1964), le père de l'indépendance indienne, fut emprisonné par les Britanniques, à l'instar de Gandhi, son ami et mentor. Président du Congrès national indien, il devient le premier Premier ministre de l'Inde indépendante en 1947. Sa fille **Indira** (1917-1984) épouse Feroze Gandhi (qui n'a aucun lien de parenté avec le Mahatma) en 1942. Premier ministre de 1966 à 1967 puis en 1980, elle est tuée par ses gardes du corps sikhs alors que les tensions religieuses font rage. Son fils **Rajiv Gandhi (1944-1991)** lui succède. Lui aussi périra assassiné.

Les rivaux

Les relations entre l'**Inde** et le **Pakistan** prennent un nouveau virage en 1974, quand l'Inde annonce qu'elle possède la **bombe atomique**. La course aux armements s'engage alors avec le Pakistan, qui lance son programme nucléaire dans les années 1980.

Le Cachemire entre deux feux

Le Cachemire est la province la plus septentrionale de l'Inde… ou la plus au nord-est du Pakistan. Cette **contrée montagneuse** a toujours été une **pomme de discorde** entre les deux pays, qui dénoncent l'un et l'autre la frontière nord-sud mise en place par les Britanniques. D'importants affrontements ont eu lieu le long de la ligne de démarcation en 1947, 1965 et 1971. Plus récemment, l'Inde a accusé le Pakistan d'y encourager le terrorisme islamique.

Les personnages clefs

Les principaux acteurs de l'indépendance et de l'histoire moderne du sous-continent.

- **Jawaharlal Nehru (1889-1964)** Démocrate et socialiste, Premier ministre de 1947 à 1964.
- **Muhammad Ali Jinnah (1876-1948)** Père fondateur et premier Premier ministre du Pakistan.
- **Lord Louis Mountbatten (1900-1979)** Dernier vice-roi des Indes, collabore avec Nehru pendant le processus d'indépendance.
- **Cheikh Mujibur Rahman (1920-1975)** Premier Premier ministre du Bangladesh (1972-1975).
- **Zulfikar Ali Bhutto (1928-1979)** Président puis Premier ministre du Pakistan de 1971 à 1977. Déposé par le général Zia. Père de **Benazir**, première femme Premier ministre (1988) d'un État musulman, assassinée en décembre 2007.

PETITE INFO

L'Inde a récupéré par la force en 1961 l'État de **Goa.** Une attaque indienne massive terrestre, maritime et aérienne a convaincu les Portugais de restituer ce territoire qu'ils détenaient depuis 1510.

Un Bangladesh indépendant

À la création du Pakistan, l'État comprend 2 provinces : le **Pakistan oriental** et le **Pakistan occidental**. Le Pakistan de l'Ouest est la puissance dominante. L'islam mis à part, il n'a pas grand-chose en commun avec celui de l'Est, dont il est séparé par l'Inde et éloigné de quelque 1 600 km. Au Pakistan oriental, l'ancien Bengale de l'Est, des voix appellent à la liberté, notamment le cheikh **Mujibur Rahman**. Après une guerre sans concessions, cette région obtient son indépendance en 1971 et prend le nom de Bangladesh (« **nation bengalie** »).

La guerre froide

L'expression « guerre froide » décrit la paix armée qui règne entre les deux superpuissances, les États-Unis et l'URSS, de 1950 à 1989. Les deux blocs se dotent de l'arme nucléaire. La possibilité d'une destruction mutuelle les dissuade d'engager une confrontation directe. Ils se font la guerre par procuration, en soutenant des factions armées antagonistes en Corée, au Viêt Nam, en Angola… L'espionnage et la propagande font rage. « Nous vous enterrerons », dit Nikita Khrouchtchev aux leaders occidentaux ; Ronald Reagan traitera l'URSS d'« empire du mal ».

Blocus à Berlin

À la fin de la Seconde Guerre mondiale, Berlin est partagé entre les **zones d'occupation** américaine, britannique, française et soviétique, et encerclé par l'Allemagne de l'Est, un fief de l'URSS. En juin 1948, Staline ferme les routes terrestres vers la capitale pour pousser au départ les troupes de l'Ouest. Berlin sera ravitaillé par un **pont aérien** ininterrompu pendant près d'un an, et Staline finira par baisser les bras.

Révolution en Hongrie

Staline meurt en 1953. En 1956, Moscou dénonce ses crimes. À Budapest, étudiants et ouvriers profitent de cette conjoncture pour réclamer une réforme. Quand le Premier ministre **Imre Nagy** annonce que la Hongrie va quitter le pacte de Varsovie, les tanks soviétiques entrent à **Budapest.**

Le mur de Berlin

En 1961, l'Allemagne de l'Est, d'obédience communiste, enferme les secteurs ouest de Berlin derrière un **mur de béton** qui passe en plein milieu de la capitale. Officiellement, le mur est une « protection antifasciste ». En réalité, il vise à empêcher les ouvriers qualifiés est-allemands de passer à l'ouest. Il ne sera démantelé qu'après la chute du communisme, **en 1989.**

La Tchécoslovaquie

Au printemps 1968, d'autres fissures apparaissent dans le bloc communiste. Le président tchécoslovaque, **Alexander Dubcek,** souhaite réformer le communisme de l'intérieur. Il prône un « socialisme à visage humain », la tenue d'élections libres et la fin de la censure. Une position inacceptable pour Leonid Brejnev, le n° 1 soviétique, qui voit la réforme de Dubcek comme un défi lancé à l'autorité de l'URSS. De même qu'en Hongrie 12 ans plus tôt, les tanks de Moscou écrasent les contestataires du **« printemps de Prague »,** et Dubcek est écarté du pouvoir.

La crise des missiles

La guerre froide culmine en 1962 quand des avions espions américains repèrent des **missiles soviétiques** sur l'île de **Cuba**, dirigée depuis peu par le communiste Fidel Castro. Pour le **président Kennedy**, la présence de ces armes à courte distance du sol américain est une menace et une provocation. Il somme le n° 1 soviétique, **Nikita Khrouchtchev**, de les retirer sous peine de représailles. Pendant plusieurs jours, le monde vacille au bord de la guerre nucléaire. Puis Khrouchtchev obtempère.

Des gérontes au pouvoir

Parmi les nombreux chefs de gouvernement communistes, certains sont restés au pouvoir pendant des décennies. Le prix de la longévité revient à Fidel Castro.

Albanie	Enver Hoxha	1949-1985
Chine	Mao Zedong	1949-1976
Cuba	Fidel Castro	1959-2008
Tchécoslovaquie	Gustáv Husák	1969-1989
Allemagne de l'Est	Erich Honecker	1976-1989
Corée du Nord	Kim Il-sung	1948-1994
Pologne	Wladyslaw Gomulka	1956-1970
Roumanie	Nicolae Ceausescu	1965-1989
URSS	Nikita Khrouchtchev	1958-1964
URSS	Leonid Brejnev	1964-1982
Yougoslavie	Josip Broz, dit Tito	1945-1980

En Amérique latine

À **Cuba**, **Fidel Castro** prend le pouvoir en 1959 après 3 ans de guérilla ; son frère d'armes, **Ernesto « Che » Guevara,** est tué en Bolivie en 1967. Au Chili, le marxiste **Salvador Allende,** élu en 1970, est renversé en 1973 par un coup d'État soutenu par les Américains. Au Nicaragua, les **sandinistes** sont portés au pouvoir par une insurrection en 1979. Ils le conserveront jusqu'aux élections de 1990, qui verront leur défaite.

LE SAVIEZ-VOUS ?

Leonid Brejnev, qui a gouverné l'URSS dans les années 1960 et 1970, avait le goût du faste, mais aussi celui des honneurs. Jusqu'à accepter le prix Lénine de littérature pour ses *Mémoires*… écrits par un nègre.

CHRONOLOGIE

- **1946-1949** Régimes communistes en Europe de l'Est.
- **1948** Blocus de Berlin.
- **1949** La Chine devient communiste.
- **1950-1953** Guerre de Corée.
- **1959-1969** « Guerre de l'espace » URSS/E.U.
- **1961** Mur de Berlin.
- **1964-1975** Guerre du Viêt Nam.
- **1972** Richard Nixon en URSS et en Chine.
- **1979** L'URSS envahit l'Afghanistan.
- **1983** Les États-Unis lancent la « guerre des étoiles ».

Contre l'ordre établi

Les années 1960 sont celles de la contestation (contre les armes nucléaires, contre la guerre du Viêt Nam...), surtout chez les jeunes. Les droits civiques deviennent la question centrale aux États-Unis. Si Martin Luther King lutte pacifiquement pour l'intégration des Noirs, Malcolm X la refuse et prône le séparatisme. Sous l'influence des hippies, la philosophie du *peace and love* et du *flower power* se répand. La pensée orientale séduit, popularisée par des stars comme les Beatles. Les homosexuels aussi luttent pour leurs droits. Au Canada, aux États-Unis et en Grande-Bretagne, les lois qui les discriminent sont abolies.

Gay Pride

En 1895, **Oscar Wilde** est emprisonné pour homosexualité. 70 ans plus tard, en 1966, l'homosexualité n'est plus illégale aux Pays-Bas. L'idée qu'il s'agit d'une préférence innée, non d'une maladie psychologique, a fait son chemin. Aux États-Unis, en 1969, une descente de police au **Stonewall**, un bar gay de New York, déclenche des manifestations et transforme la question homosexuelle en question politique. Après le premier «partenariat» entre personnes du même sexe (Danemark, 1989), le mariage homosexuel est autorisé aux Pays-Bas en 2000, dans certains États américains en 2004 et au Canada depuis 2005.

1968

Dans les années 1960, les étudiants sont au cœur de la contestation politique. En **mai 1968**, ils envahissent les rues de Paris et protestent contre le conservatisme de de Gaulle malgré les interventions musclées des CRS. En 1970, à la **Kent State University**, aux États-Unis, la police tire sur la foule lors d'une manifestation étudiante contre la guerre du Viêt Nam. Au Japon, certaines écoles et universités doivent fermer leurs portes.

Les lois Jim Crow

Jusque dans les années 1960, de nombreux États américains pratiquent la **ségrégation raciale**, autorisée par les lois Jim Crow (d'après une expression péjorative désignant les Afro-Américains). Selon cet arsenal législatif, les Noirs ne peuvent fréquenter les restaurants des Blancs, leurs enfants ne sont pas admis dans les mêmes écoles, ni leurs morts dans les mêmes cimetières, et les **mariages mixtes** sont considérés comme illégaux.

Summer of love

Le mouvement **hippie** naît à Haight-Ashbury, une banlieue de San Francisco, et culmine en 1967 quand le festival *Summer of love* attire des milliers de jeunes dans la cité californienne. Influencés par la pensée orientale, les hippies se font les apôtres du pacifisme et du *flower power*. Leur gourou, **Timothy Leary,** les exhorte à rejeter le système pour s'adonner au sexe, à la musique et à la drogue (notamment le LSD). En 1969, le festival de **Woodstock,** qui rassemble quelque 450 000 personnes, constitue un autre temps fort de la culture hippie.

Pro- et anti-intégration

Le combat pour les droits civiques prend différentes formes. **Martin Luther King**, non-violent et pro-intégration, encourage les *freedom rides* (Noirs et Blancs voyagent côte à côte dans les bus pour obtenir leur déségrégation). Le 28 août 1963, à Washington, 200 000 personnes viennent écouter le discours historique et pacifiste de Martin Luther King, le fameux «Je fais un rêve». Les **Black Panthers**, eux, revendiquent le *black power* (pouvoir noir). Aux JO de Mexico, en 1968, deux médaillés noirs font le salut des Black Panthers. Ce poing levé leur vaudra d'être expulsés par le comité olympique américain.

La révolution sexuelle

La **pilule contraceptive**, commercialisée en 1961 au Canada, aux États-Unis et, en 1967, en France (lois Neuwirth), offre aux Occidentaux une nouvelle liberté sexuelle. En 1968, la scène londonienne secoue le joug de la censure. Un acteur se montre nu sur scène pour la première fois dans ***Hair***, une comédie musicale rock.

LE SAVIEZ-VOUS ?

En 1966, **John Lennon** dit à un journaliste : **«Nous sommes plus populaires que Jésus».** Sa remarque scandalise les États-Unis, où des évangélistes brûlent en autodafé les albums des Beatles.

Guerres dans l'Asie du Sud-Est

Le Sud-Est asiatique est le théâtre de violents affrontements entre forces communistes et pro-américaines. La guerre de Corée, premier conflit de la guerre froide, oppose physiquement les troupes américaines et l'Armée rouge de la Chine communiste. Les théoriciens américains justifient la guerre du Viêt Nam par la théorie des dominos : si ce pays tombe sous l'emprise des communistes, d'autres nations suivront. Des pays comme le Laos et le Cambodge rompent bientôt avec le communisme et se fraient un chemin vers plus de démocratie.

L'Indochine

Au XIXe siècle, les Français contrôlent l'Indochine, c'est-à-dire l'ancien Viêt Nam – **Cochinchine**, **Tonkin** et **Annam** –, le **Cambodge** et le **Laos**. Après la Seconde Guerre mondiale et l'occupation japonaise, le Viêt Nam est réunifié. Mais conflits et négociations s'enchaînent entre la puissance coloniale française et le chef communiste **Hô Chi Minh**, dont les troupes – les forces du **Viêt-minh** – battent les Français en mai 1954, à **Diên Biên Phu**. En juillet, à Genève, leur retrait est officialisé et le Viêt Nam partagé entre le Nord procommuniste et le Sud pro-occidental, une division temporaire selon les termes de l'accord.

La Corée

Après la Seconde Guerre mondiale, la Corée est divisée entre le **Nord**, prosoviétique, et le **Sud**, pro-occidental. En 1950, le Nord envahit le Sud. Des forces de l'ONU sous commandement américain parviennent à le repousser, jusqu'au jour où la Chine vient à sa rescousse. À l'armistice, en 1953, a succédé une paix armée.

Le Laos

En 1954, les accords de Genève rendent au Laos son indépendance. Un roi y est installé avec le soutien américain, mais la lutte se poursuit entre les monarchistes et le **Pathet Lao** communiste, appuyé par le Viêt Nam. La guerre du Viêt Nam s'étend au Laos, qui subit alors d'intenses bombardements américains. À la fin du conflit, les communistes prendront le pouvoir.

Le Cambodge

En 1975, le Kampuchéa (nom du Cambodge de 1975 à 1989) passe aux mains des **Khmers rouges** et de leur chef **Pol Pot**. Adepte d'une sorte de communisme agraire, celui-ci contraint toute la population urbaine à travailler dans les champs dans des conditions atroces. Une date emblématique, l'**an zéro**, marque le début de sa révolution. En 1979, après avoir fait des millions de morts, le régime s'effondre, en partie grâce au Viêt Nam.

La guerre du Viêt Nam

Hô Chi Minh installe à la tête du Nord-Viêt Nam un gouvernement communiste farouchement hostile au Sud-Viêt Nam. Le **Viêt-cong**, front national de libération fondé par « l'oncle Hô », harcèle les Sud-Vietnamiens, que les Américains soutiennent en envoyant des « conseillers militaires », puis des troupes de plus en plus nombreuses. La guerre ne dit pas son nom mais elle s'intensifie. En tout, un million de soldats américains combattront au Viêt Nam. Le Viêt-cong marque des points, comme lors de l'offensive du Têt, en 1968. En 1972, les Américains commencent à retirer leurs hommes. Le conflit dure pourtant jusqu'en 1975, date où les troupes du Nord l'emportent, prennent Saigon, qu'elles rebaptisent **Hô Chi Minh-Ville**, et mettent fin à la présence américaine.

CHRONOLOGIE

- **1940** Le Japon envahit l'Indochine.
- **1945** Hô Chi Minh proclame la République démocratique du Viêt Nam.
- **1948** La Corée se divise en Corée du Nord et Corée du Sud.
- **1953** Cessez-le-feu en Corée.
- **1954** La conférence de Genève met fin à la domination française au Viêt Nam, au Laos et au Cambodge.
- **1957** Le Viêt-cong attaque le Sud Viêt-Nam.
- **1964** Premières frappes américaines au Nord Viêt-Nam.
- **1973** Après 9 ans de frappes aériennes, le Laos est le pays le plus bombardé au monde.
- **1976** Le Viêt Nam unifié devient une république socialiste.
- **1979** Chute de Pol Pot au Cambodge.
- **1993** Élections libres au Cambodge.
- **2000** Visite de Bill Clinton au Viêt Nam.

Le Viêt Nam au cinéma

La guerre du Viêt Nam a inspiré de nombreux cinéastes.

- ***Voyage au bout de l'enfer* (1978)** Sorti 3 ans après le départ des derniers soldats américains du Viêt Nam, le film de Michael Cimino avec Robert De Niro montre comment la guerre brise des vies, voire des groupes humains entiers.
- ***Apocalypse Now* (1979)** De Francis Ford Coppola, avec Marlon Brando. Une « réinvention » cauchemardesque d'un roman de Joseph Conrad, *Au cœur des ténèbres*.
- ***Platoon* (1986)** Oliver Stone, vétéran du Viêt Nam, dirige Charlie Sheen dans le rôle d'un « bleu ».
- ***Full Metal Jacket* (1987)** Une réflexion de Stanley Kubrick sur l'absurdité de la guerre… dont une partie est filmée dans les docks de Londres.
- ***Good Morning Vietnam* (1987)** Robin Williams incarne un DJ déjanté de l'armée américaine, Adrian Cronauer.
- ***Né un 4 juillet* (1989)** Tom Cruise joue Ron Kovic, un vétéran mutilé devenu militant pacifiste.

LE SAVIEZ

Le Canada se dit impartial pendant la guerre du Viêt Nam. Il n'envoie pas de soldats au front, mais il contribue à l'effort de guerre de plus d'une façon, par l'aide humanitaire entre autres.

La chute du communisme

Si la chute du communisme fut soudaine, elle est néanmoins le résultat d'une longue et progressive dégénérescence du système. Les années 1970 ainsi que le début des années 1980 sont en URSS une période de stagnation. L'économie planifiée atteint ses limites et les gens perdent leurs ultimes illusions. Lorsque Leonid Brejnev meurt, en 1982, il est successivement remplacé par deux apparatchiks : Iouri Andropov et Konstantine Tchernenko, tous deux âgés et malades. Les changements commencent avec l'arrivée de Mikhaïl Gorbatchev au poste de secrétaire général du parti communiste en 1985.

Solidarność

En 1980, la **Pologne** est le premier pays communiste européen où l'on assiste à la création d'un **syndicat indépendant**. Le syndicat **Solidarność** (Solidarité) est dirigé par un électricien des chantiers navals de Gdansk, **Lech Walesa**. Celui-ci est interné lorsqu'en 1981 l'état de guerre est proclamé en Pologne par le général Jaruzelski. Le syndicat est dissous mais poursuit ses activités de manière clandestine. Il resurgit en 1989 pour gagner les premières élections libres du pays. L'année suivante, Walesa est élu président de la République.

L'effet Gorbatchev

Si Mikhaïl Gorbatchev était au départ un communiste convaincu, il a néanmoins pris conscience que le système soviétique avait besoin de réaménagements. Son plan visant à améliorer la productivité et à **rehausser le niveau de vie** est connu sous le nom de ***perestroïka*** (restructuration). Les médias eurent la possibilité d'aborder les problèmes de l'URSS – ce fut la ***glasnost*** (transparence). Mais le débat devint vite incontrôlable, aboutissant à la remise en cause de la légitimité communiste dans tout le bloc soviétique.

Les ex-républiques d'URSS

Après la désagrégation de l'empire soviétique, en 1991, les républiques soviétiques sont devenues des États indépendants.

Pays	Capitale	Pays	Capitale
Arménie	Erevan	Lituanie	Vilnius
Azerbaïdjan	Bakou	Moldavie	Chisinau
Biélorussie	Minsk	Russie	Moscou
Estonie	Tallinn	Tadjikistan	Douchanbe
Géorgie	Tbilissi	Turkménistan	Achgabat
Kazakhstan	Astana	Ukraine	Kiev
Kirghizistan	Bichkek	Ouzbékistan	Tachkent
Lettonie	Riga		

La Tchétchénie

Le sud de la Tchétchénie cherche à obtenir son **indépendance** de la Russie dès 1991. Cette tentative est brutalement réprimée de 1994 à 1996. En 2002, un groupe armé tchétchène prend en otage le public d'un théâtre de Moscou.

La chute du Mur

Durant toute la durée de la guerre froide, **deux Allemagnes** coexistaient : la **République fédérale** (RFA, ou Allemagne de l'Ouest) et la **République démocratique** (RDA, ou Allemagne de l'Est, communiste). La frontière qui les séparait était fortifiée. Le régime est-allemand s'écroule lorsque Gorbatchev retire son soutien au leader communiste Erich Honecker. En novembre 1989, une foule allemande en liesse escalade le mur de Berlin, symbole de la séparation. L'année suivante, les deux Allemagnes sont officiellement **réunifiées** en un seul État.

CHRONOLOGIE

- **1980** Formation du syndicat Solidarność (Solidarité) en Pologne.
- **1980** Mort du président yougoslave Josip Broz, dit Tito.
- **1982** Mort du leader soviétique Leonid Brejnev.
- **1985** Mikhaïl Gorbatchev arrive au pouvoir en URSS.
- **1986** La catastrophe nucléaire de Tchernobyl met au jour la faiblesse du gouvernement soviétique.
- **1989** Le régime communiste s'écroule en Allemagne de l'Est, Pologne, Hongrie, Tchécoslovaquie, Bulgarie et Roumanie. Des élections libres suivent cette chute.
- **1989-1994** Guerre entre l'Arménie et l'Azerbaïdjan au sujet de l'enclave du Haut-Karabakh.
- **1990** L'Allemagne est réunifiée.
- **1991** L'Union soviétique est dissoute et remplacée par la CEI (Communauté d'États indépendants).
- **1994** Le président russe Boris Eltsine envoie des troupes en Tchétchénie.
- **1999-2000** L'ancien dirigeant du KGB, Vladimir Poutine, devient président de la Russie.

L'année 1989

Les régimes communistes s'écroulent l'un après l'autre en 1989. En **Tchécoslovaquie,** la **révolution de velours** (nommée ainsi en raison de son déroulement pacifique) propulse l'écrivain dissident **Václav Havel** de la prison à la présidence.
En **Roumanie,** les choses prennent une tournure plus violente. Le dictateur Nicolae Ceausescu et sa femme tentent alors de quitter le pays. Ils sont arrêtés par des soldats et exécutés.

Le triomphe d'Eltsine

En 1991, les partisans du retour au communisme dur tentent un **coup d'État** contre Gorbatchev. L'armée ne suit pas et **Boris Eltsine**, élu président de la Fédération de Russie, fait échouer le putsch. L'URSS est dissoute peu après, Gorbatchev perd le pouvoir et Eltsine devient le nouveau maître du Kremlin.

La Yougoslavie

La Yougoslavie communiste était une fédération unifiée par la volonté de **Tito**. Une dizaine d'années après sa mort, des guerres ethniques éclatent. Les **Serbes** s'opposent aux **Croates**, puis aux **Bosniaques** musulmans, infligeant à ces derniers des «**purges ethniques**». De nos jours, les six États indépendants correspondent plus ou moins aux anciennes républiques fédérées.

L'Union européenne

Si l'idée d'une réunion des États d'Europe n'est pas tout à fait neuve – elle fut déjà évoquée par le ministre Sully au XVIe siècle, puis par Victor Hugo au XIXe siècle –, c'est après la Seconde Guerre mondiale qu'elle a commencé à prendre forme. La Communauté économique européenne est fondée en 1957. Elle veut réaliser une union douanière par la libre circulation des marchandises et mettre en œuvre une politique commune dans les domaines économique et financier. L'Union européenne repose sur des traités, tels que celui de Maastricht, qui précisent ou adaptent l'acte fondateur, le traité de Rome.

Les principes du traité de Rome

L'**article 2** indique: « La communauté a pour mission, par l'établissement d'un **Marché commun** et par le **rapprochement progressif des politiques économiques** des États membres, de promouvoir un développement harmonieux des activités économiques dans l'ensemble de la Communauté, une expansion continue et équilibrée, une stabilité accrue, un relèvement accéléré du niveau de vie et des relations plus étroites entre les États qu'elle réunit. »

L'**article 3** précise l'action de la Communauté.

- L'élimination des droits de douane et des restrictions quantitatives à l'entrée et à la sortie des marchandises.
- L'établissement d'une politique commerciale et d'un tarif douanier communs.
- L'abolition des obstacles à la libre circulation des personnes, des services et des capitaux.
- L'instauration d'une politique commune dans le domaine de l'agriculture.
- L'établissement d'un régime assurant que la concurrence n'est pas faussée dans le Marché commun.
- Le rapprochement des législations nationales dans la mesure nécessaire au fonctionnement du Marché commun.
- La création d'un Fonds social européen en vue d'améliorer les possibilités d'emploi des travailleurs et de contribuer au relèvement de leur niveau de vie.
- L'association des pays et territoires d'outre-mer en vue d'accroître les échanges et de poursuivre l'effort de développement économique et social.

Les débuts

Le 9 mai 1950, le ministre français des Affaires étrangères, **Robert Schuman**, présente une déclaration élaborée par le commissaire au Plan **Jean Monnet**. Celle-ci propose, pour empêcher toute nouvelle guerre entre la France et l'Allemagne, que les deux pays mettent en commun les piliers de leur développement économique: leurs ressources en charbon et en acier. Un an plus tard, la République fédérale d'Allemagne, la France, l'Italie, la Belgique, le Luxembourg et les Pays-Bas signent le traité de Paris, instituant la Communauté européenne du charbon et de l'acier (CECA). En 1957, les mêmes pays signent le **traité de Rome**, acte fondateur de la **Communauté économique européenne** (CEE).

La monnaie unique

Le **traité de Maastricht**, signé en 1992, propose l'introduction d'une monnaie unique européenne. En 1995, les 15 États membres de l'Union européenne se mettent d'accord sur son nom, l'**euro**, ainsi que sur les conditions, le calendrier et les modalités de passage à la monnaie unique. Les pièces et billets sont mis en circulation à partir du 1er janvier 2002.

L'espace Schengen

Inclus dans le **traité d'Amsterdam**, les accords de Schengen, signés entre 13 membres de l'Union européenne (hors Royaume-Uni et Irlande) et 2 pays non membres, la Norvège et l'Islande, autorisent la **libre circulation des personnes** dans l'espace constitué par ces États et **allègent le contrôle des voyageurs**.

CHRONOLOGIE

- **1951** Traité de Paris.
- **1957** Traité de Rome, création de la CEE et de l'Euratom.
- **1962** Politique agricole commune (PAC).
- **1968** Tarif douanier commun.
- **1979** Mise en œuvre du Système monétaire européen (SME).
- **1985** Révision du traité de Rome, rédaction de l'Acte unique européen.
- **1992** Signature du traité de Maastricht le 7 février. La CEE devient l'Union européenne (UE). Mise en place du marché unique.
- **1994** Création, à Francfort, de l'Institut monétaire européen (IME).
- **1999** Traité d'Amsterdam.
- **2001** Traité de Nice.
- **2002** Mise en circulation des euros.
- **2004** 10 nouveaux venus dans l'UE.
- **2007** Bulgarie et Roumanie entrent dans l'UE.

Les institutions

Au fil des ans se sont mis en place les différents rouages de l'Union européenne. Parmi ses institutions les plus importantes:

- **Le Conseil européen** Constitué de chefs d'État et de gouvernement, il fixe les objectifs politiques.
- **Le Conseil de l'Union** Principal décisionnaire de l'Union, il réunit plusieurs fois par mois des ministres des États membres.
- **La Commission européenne** Installée à Bruxelles, elle est la garante des traités; elle propose des actions ou des textes de loi et contrôle leur application.
- **Le Parlement européen** Son siège est à Strasbourg. Il examine les propositions législatives de la Commission et vote le budget communautaire.

Les 27 pays membres

Les 6 pays fondateurs: l'**Allemagne**, la **Belgique**, la **France**, l'**Italie**, le **Luxembourg** et les **Pays-Bas**. Le **Danemark**, l'**Irlande** et le **Royaume-Uni** les rejoignent en 1973, la **Grèce** en 1981, l'**Espagne** et le **Portugal** en 1986 et l'**Autriche**, la **Finlande** et la **Suède** en 1995. En 2004, l'Europe s'ouvre à 10 nouveaux États: **Chypre**, **Estonie**, **Hongrie**, **Lettonie**, **Lituanie**, **Malte**, **Pologne**, **République tchèque**, **Slovénie** et **Slovaquie.** En 2007, la **Bulgarie** et la **Roumanie** viennent les rejoindre.

Un monde multipolaire

Après l'effondrement du communisme en Europe à partir de 1989, beaucoup espéraient que les énergies et l'argent dépensés dans la course aux armements seraient transférés dans des projets humanitaires. Si les guerres d'État à État se font moins nombreuses, une multitude de conflits de tous types continuent de déchirer le monde. Avec la dislocation de l'URSS, les États-Unis deviennent la superpuissance mondiale. En 2004, l'Union européenne s'élargit tandis que les deux pays les plus peuplés du monde, l'Inde et la Chine, s'imposent peu à peu par leur puissance économique et technologique.

Les pays du Sud

Les pays du Sud – appelés autrefois pays du tiers-monde – demeurent les laissés-pour-compte de la croissance. Manque d'eau (dans les régions subsahariennes où, selon l'ONU, la pauvreté ne fait qu'augmenter depuis 20 ans), contexte politique troublé, dettes, dénuement sont autant d'obstacles à la prospérité. Mais les initiatives se multiplient pour tenter de les surmonter. Notamment grâce à des **projets de coopération avec des pays du Nord**, axés par exemple sur les transferts de compétences en matière de gouvernance ou d'ingénierie, le commerce et le tourisme équitables, le travail des femmes… Les initiatives peuvent être de grande ampleur, comme celle de ces chefs d'État africains qui, en 1999, ont initié la formation d'une **Union africaine**. Celle-ci a pour difficile rôle de tenter de faire entrer l'Afrique dans le jeu de l'économie mondiale tout en résolvant les problèmes sociaux, économiques et politiques auxquels elle est confrontée.

Guerres et tensions

Ex-Yougoslavie, Rwanda, Kosovo, Timor-Oriental, Tchétchénie, Palestine, Bolivie, Congo, Côte d'Ivoire, Iraq, Soudan, pour ne citer que ceux-là : la litanie des noms de pays et de territoires déchirés par les **conflits** est interminable. Aujourd'hui, 1 pays sur 8 subit un conflit armé interne et **les victimes sont à 90 % des civils**. Les raisons de la guerre sont nombreuses : volonté de **sécession**, **haines ethniques** ou **tribales**, **revendications territoriales** ou encore **intérêts commerciaux**, notamment pour l'exploitation de puits de pétrole, de mines d'or ou de diamants. Parallèlement, les **actes terroristes**, notamment envers les intérêts occidentaux, se multiplient depuis les attentats du **11 septembre 2001** aux États-Unis, attribués à l'organisation islamique al-Qaida. À la suite de quoi, les États-Unis attaqueront l'Afghanistan, tenu par les talibans, puis se lanceront dans la très controversée guerre contre l'Iraq.

La technologie indienne

L'**Union indienne**, deuxième pays le plus peuplé du monde après la Chine, a fait le choix de la spécialisation dans les **technologies de l'information** et les **biotechnologies**. En 2003, le secteur du **service informatique** est la plus importante de ses ressources à l'**exportation**. Mais elle doit faire face à l'expatriation de ses « cerveaux », qui sont demandés dans le monde entier.

CHRONOLOGIE

1989 Chute du mur de Berlin ; l'armée russe se retire d'Afghanistan.
1990 L'Iraq envahit le Koweït.
1991 Dissolution de l'URSS ; Ire guerre du Golfe.
1992 Début de la guerre civile en Bosnie-Herzégovine.
1994 Génocide au Rwanda ; Mandela président d'Afrique du Sud ; les troupes russes en Tchétchénie ; révolte des paysans du Chiapas.
1995 La Croatie, la Bosnie et la Serbie signent un accord de paix à Dayton, aux États-Unis.
1996 Régime taliban en Afghanistan.
2000 Début de la 2e intifada dans les territoires occupés.
2001 Attentats du 11 septembre ; intervention des É.-U. en Afghanistan.
2002 Indépendance du Timor-Oriental ; début du conflit en Côte d'Ivoire ; construction d'un mur de séparation par Israël.
2003 Début de la guerre des États-Unis et de la Grande-Bretagne contre l'Iraq ; début du conflit au Darfour (Soudan).
2004 Grave crise politique en Haïti ; loi relative à la laïcité en France ; l'Iraq retrouve sa souveraineté.
2005 Ires élections en Iraq ; attentats à Londres.
2006 Indépendance du Monténégro ; conflit israélo-libanais.
2007 L'ONU décide que le Kosovo sera un État indépendant ; crise politique en Belgique.

La puissance chinoise

Depuis 20 ans, la Chine montre une **croissance économique record**. En 2003, elle affiche sa puissance en envoyant un homme dans l'espace, ce qui n'avait été fait jusqu'alors que par les Russes et les Américains. En 1997, la riche Hongkong, demeurée longtemps sous domination britannique, lui a été rétrocédée. Mais ce petit paradis capitaliste bénéficie d'un statut spécial et conserve une grande autonomie en matière financière.

LE SAVIEZ-VOUS ?

Le mouvement qui milite pour « un autre monde », l'**altermondialisme**, conteste les inégalités Nord-Sud et la mondialisation libérale. L'expérience du **forum de Porto Alegre** a été transposée en Europe, à **Florence**, en 2002.

QUIZ 1

À la fortune du pot

Dix questions pour aiguiser votre réflexion.

1 Y avait-il des hommes au temps des dinosaures ?

2 Que signifient av. J.-C. et apr. J.-C. ?

3 L'âge du bronze est-il antérieur ou postérieur à l'âge du fer ?

4 Quel nom donnait-on aux prêtres chez les Celtes ?

5 Dans les temps anciens, comment pouvait-on lire l'heure pendant la journée ?

6 Comment s'appelait le jeune pharaon de l'Égypte ancienne célèbre par le fabuleux trésor découvert dans sa tombe ?

7 Dans quelle région du monde celte les aventures d'Astérix se déroulent-elles ?

8 Parmi les Sept Merveilles du monde, laquelle est encore presque dans son état originel ?

9 D'après la Bible, à quoi Dieu eut-il recours pour créer la confusion parmi les constructeurs de la tour de Babel et les empêcher d'atteindre le ciel ?

10 Quel est le nom de la ville qui fut ensevelie sous les cendres lors de l'éruption du Vésuve en 79 ?

QUIZ 2

Vrai ou faux ?

Dites si ces affirmations sont justes ou non.

11 Les Romains n'employaient que les lettres majuscules.

12 Les premières villes datent de l'âge de la pierre polie.

13 Les premières horloges mécaniques ont été inventées par les Romains.

14 Certains peuples ont construit leurs maisons en os de mammouth.

15 Dans l'Égypte ancienne, seules les femmes se maquillaient.

16 En Europe, à l'âge du bronze, les morts étaient soit incinérés, soit enterrés.

17 Le site de Stonehenge est antérieur à celui des pyramides d'Égypte.

18 Les Romains avaient le chauffage central.

19 Dans la Grèce ancienne, les athlètes des Jeux Olympiques concouraient nus.

20 Le loir farci était un mets très apprécié des Romains.

QUIZ 3

Anagrammes

Rétablissez l'ordre des lettres et retrouvez le terme caché

21 LEGELIA Nom du royaume d'Hérode Antipas, où Jésus prêcha.

22 APHAPAR Site antique de la « civilisation de l'Indus ».

23 SHADEQ Site d'une célèbre bataille entre Ramsès II d'Égypte et les Hittites.

24 LOUKHA Nom de la capitale de l'empire d'Assyrie.

25 SAMO-QUEMERIE Aire culturelle regroupant le Mexique et le nord de l'Amérique centrale.

26 CHARLISASANE Site de l'une des Sept Merveilles du monde, aujourd'hui Bodrum.

27 MYRALEP Ruine d'une ancienne cité oasis qui tirait sa prospérité du commerce caravanier.

28 FOUED Ville de Haute-Égypte célèbre pour son temple consacré à Horus.

29 CAZAN DE SEGNIL Immenses lignes tracées dans le désert du Pérou.

30 QUATRINIA Ville d'Italie qui doit son nom à des rois de Rome et qui est renommée pour ses tombes étrusques.

QUIZ 4

Pères et fils

Dix questions concernant des ancêtres et leurs descendants.

31 De qui Philippe II de Macédoine était-il le père ?

32 Quel père a eu douze fils, qui fondèrent les douze tribus d'Israël ?

33 Quel fils d'Abraham est considéré comme l'ancêtre des Arabes ?

34 Quelle reine d'Égypte eut avec Jules César un fils qui fut appelé Césarion ?

35 La Grande Pyramide de Gizeh, construite pour Kheops, est flanquée de deux pyramides plus petites destinées à ses deux fils. Vrai ou faux ?

36 Deux généraux romains, un grand-père et son petit-fils, vainquirent les Carthaginois au cours des guerres puniques. Ils portaient le même nom : lequel ?

37 Comment s'appelait le père des dieux grecs Apollon et Dionysos ?

38 Quel célèbre roi d'Assyrie fut assassiné par ses fils ?

39 Quel est le nom du général carthaginois, fils d'Hamilcar Barca, qui franchit les Alpes avec son armée ?

40 De quel roi de Babylone Nabopolassar était-il le père ?

QUIZ 5

Écrivains et peintres

Dix questions sur les arts et la littérature.

41 Dans quel livre d'Agatha Christie Hercule Poirot trouve-t-il l'auteur de meurtres en Égypte ?

42 Quel roman se passant à Dublin s'inspire de *l'Odyssée* d'Homère ?

43 Quel poète romain a servi de guide à Dante dans les Enfers ?

44 À quel genre de l'espèce humaine appartiennent les hommes préhistoriques évoqués dans le livre et le film *la Guerre du feu* ?

45 Quel grand peintre italien de la Renaissance a représenté dans une fresque la rencontre de Salomon et de la reine de Saba ?

46 Dans quel roman (adapté au cinéma, avec Richard Burton dans le rôle principal) un soldat romain gagne-t-il aux dés un vêtement du Christ ?

47 Quel poète irlandais a célébré les tourbières et les sépultures de l'âge du fer en Europe du Nord ?

48 Quel film de Lee Tamahori met en scène des Maoris de la banlieue d'Auckland ?

49 Quel est le nom de l'auteur français d'une série de best-sellers de romans historiques avec l'Égypte pour thème ?

50 Quel écrivain évoque dans un poème des *Châtiments* la Minerve étrusque ?

QUIZ 6

Ça commence par...

Les réponses commencent par la lettre entre guillemets.

51 « K » Site d'un immense complexe de temples près de Louxor, en Égypte.

52 « É » Technique utilisée à l'âge de la pierre pour fabriquer des outils à partir de pierre dure.

53 « J » Une des plus anciennes villes du monde habitée de façon continue.

54 « H » Adjectif désignant la civilisation grecque antique, de la conquête d'Alexandre le Grand à la domination romaine.

55 « T » Technique médicale ou pratique rituelle consistant à ouvrir la boîte crânienne.

56 « R » Dieu du Soleil de l'ancienne Égypte, remplacé par Amon.

57 « M » Poète latin né en Espagne, célèbre pour ses *Épigrammes*.

58 « M » Dieu de l'Iran ancien dont le culte connut un grand succès auprès des soldats romains.

59 « M » Religion fondée par Mani, mystique perse.

60 « Z » Bataille qui se déroula près de Carthage et au cours de laquelle Hannibal fut finalement vaincu.

QUIZ 7

Pot-pourri

Des quatre réponses proposées, une seule est bonne.

61 Vers quelle région du sud du pays (l'Érythrée actuelle), la reine d'Égypte Hatchepsout envoya-t-elle une expédition ?
A Both
B Pount
C Bendit
D Kir

62 Où était bâti le temple de Zeus, l'une des Sept Merveilles du monde ?
A À Athènes
B À Olympie
C À Delphes
D À Éphèse

63 Où se trouvait le « pays de Koush » des Égyptiens ?
A En Nubie
B En Libye
C En Éthiopie
D Dans le Sinaï

64 À l'époque des Olmèques (1200-400 av. J.-C.), lequel de ces animaux était inconnu sur le continent américain ?
A Le cochon d'Inde
B Le chien
C La dinde
D Le cheval

65 Quelle était la capitale de la dernière dynastie Han en Chine ?
A Changan
B Pékin
C Nankin
D Luoyang

66 Quelle est la mer la plus proche de l'ancien royaume d'Aksoum ?
A La mer Méditerranée
B La mer Noire
C La mer Rouge
D La mer Caspienne

67 Dans quelle ville Constantin fut-il proclamé empereur ?
A Rome
B Byzance
C York
D Milan

68 Dans quel pays Vercingétorix se souleva-t-il contre les Romains ?
A En Turquie
B En France
C En (Grande-)Bretagne
D En Espagne

69 Dans quel pays se développa la culture mochica ?
A Au Nigeria
B Au Pérou
C En Inde
D Au Chili

70 Quel peuple de la Méditerranée fonda Marseille ?
A Les Gaulois
B Les Grecs
C Les Phéniciens
D Les Romains

QUIZ 8

À la fortune du pot

Dix petites colles dont les réponses sont faciles.

71 Dans quelle île de la Méditerranée la civilisation minoenne se développa-t-elle ?

72 Chez les Grecs anciens, comment s'appelait le lieu de séjour des justes dans l'au-delà ?

73 Quelle culture africaine dont l'économie était basée sur le millet et l'élevage se maintint en Mauritanie et au Mali jusqu'en 300 av. J.-C. ?

74 Quelle reine de légende, célèbre aussi pour ses richesses, rendit visite au roi Salomon pour avoir la preuve de sa sagesse ?

75 De quel royaume Alexandre le Grand était-il originaire ?

76 Les villes apparurent-elles avant l'agriculture ?

77 L'extinction des mammouths en Amérique du Nord fut-elle antérieure ou postérieure à l'arrivée de l'homme ?

78 À quel pays actuel correspondait la plus grande partie de la Mésopotamie ?

79 Quelle matière inventèrent les Chinois à partir d'un mélange d'écorce, de fibre végétale, de chiffons et de filets de pêche ?

80 Quelle est la ville dont le musée, qui contenait les trésors de la Mésopotamie, a été complètement détruite en 2003 ?

QUIZ 9

Pot-pourri musical

Dix questions sur le thème de la musique.

81 Qui a chanté le prénom d'un célèbre Macédonien à la fin des années 1960 ?

82 Quel nom ont en commun la première chanson de Pierre Perret et la clef de l'interprétation des hiéroglyphes ?

83 Quel compositeur né en 1567 et mort en 1643 a créé l'opéra *Orfeo* ?

84 Quel nom ont en commun un opéra de Purcell et la ville de Carthage ?

85 En 1983, Serge Gainsbourg écrit pour Jane Birkin *Babe alone in...* ?

86 Dans quel opéra de Verdi une princesse éthiopienne est-elle amoureuse du chef de l'armée égyptienne ?

87 Quel chanteur a interprété la chanson *Noé* dont le texte a été écrit par Étienne Roda-Gil ?

88 Quel nom désigne à la fois une ancienne capitale d'Égypte et la patrie d'Elvis Presley ?

89 Sous quel nom le roi Nabucco, principal protagoniste de l'opéra de Verdi, est-il davantage connu ?

90 Quelle suite classique célèbre les dieux romains de la guerre et de la paix, de la gaieté, de la vieillesse, le messager ailé, le magicien et le mystique ?

QUIZ 10

Vrai ou faux ?

Dites si ces affirmations sont justes ou non.

91 Dans l'Égypte ancienne, le dieu le plus important était le Soleil.

92 Le Colisée de Rome doit son nom à une statue géante de Néron.

93 Les plus gros menhirs de Stonehenge viennent du pays de Galles, à 220 km du site.

94 Dans la Chine ancienne, l'aliment de base était le blé.

95 Il n'y avait pas de statues de dieux à l'intérieur des temples égyptiens.

96 Dans les temps bibliques, les épices étaient si précieuses que la reine de Saba en apporta en cadeau au roi Salomon.

97 À l'origine, l'ode était un genre poétique destiné à célébrer les senteurs et les parfums.

98 Les Olmèques de Méso-Amérique faisaient la guerre dans des chars tirés par des chevaux.

99 La Palestine doit son nom aux Philistins.

100 La mort de lord Carnarvon, 6 mois après la découverte de la tombe de Toutankhamon, suscita dans la presse la thèse d'une « malédiction de Toutankhamon ».

QUIZ 11

Racines anciennes

Dix questions sur l'origine de mots ou d'expressions.

101 Quel est le sens original, en grec, du mot hiéroglyphe ?

102 Quel est le mot qui désignait chez les Romains l'esprit présidant à la destinée de chacun et qui s'applique aussi à une personne très douée ?

103 Quel est le sens original, en grec, du mot philosophie ?

104 Le terme phénicien viendrait du grec *phoinikes* – qui désigne une couleur. Laquelle ?

105 À qui doit-on le théorème selon lequel « le carré de l'hypoténuse d'un triangle rectangle est égal à la somme des carrés des deux autres côtés » ?

106 Qu'est-ce qu'un mécène : un protecteur des arts ou un érudit grec ?

107 Quel est le mot breton désignant un monument ancien et signifiant « longue pierre » ?

108 Quelle civilisation de l'Antiquité le terme augure évoque-t-il ?

109 Quelle est la ville de Mésopotamie dont le nom signifiait « la porte du dieu », par référence à son dieu Marduk ?

110 Que signifie le nom de la citadelle de Carthage, Byrsa : « cuir de bœuf » ou « peau de mouton » ?

QUIZ 12

Points communs
Trouvez le lien existant entre les quatre noms cités.

111 À quelle civilisation ces périodes et ces dynasties appartiennent-elles : Trois Royaumes, Han, Wei du Nord et Tang ?

112 Quel peuple fonda les villes de Tyr, Sidon, Byblos et Beyrouth ?

113 À quelle civilisation appartiennent les systèmes d'écriture démotique, hiératique, idéographique et hiéroglyphique ?

114 De quelle civilisation faisaient partie les centres cérémoniels de La Venta, San Lorenzo, Laguna de los Cerros et Tres Zapotes ?

115 À quel groupe de peuples appartiennent les Helvètes, les Allobroges, les Bituriges, et les Arvernes ?

116 Quel empire fut gouverné par les Achéménides, les Séleucides, les Parthes et les Sassanides ?

117 Quelle civilisation fonda Orvieto, Pérouse, Cortone et Volterra ?

118 De quelle civilisation font partie ces villes : Tirynthe, Athènes, Pylos et Mycènes ?

119 Cimbres, Teutons, Souabes et Alamans faisaient partie de quel groupe de peuples ?

120 Quel mot commençant par un H s'applique à tous ces mots en -isme : arianisme, manichéisme, nestorianisme, pélagianisme ?

QUIZ 13

Ils sont les premiers
Testez votre connaissance du passé.

121 Parmi les Sept Merveilles du monde, laquelle a été construite la première ?

122 Qui surnomme-t-on le « père de la géométrie » ?

123 Comment s'appelait la première route romaine ?

124 Où fut créée la première grande bibliothèque ?

125 Quelle civilisation a précédé la civilisation romaine en Italie ?

126 Quel produit de nettoyage fut inventé par les Sumériens vers 3000 av. J.-C. ?

127 Dans quel pays furent fondés les premiers monastères chrétiens ?

128 Le canal de Suez fut achevé en 1869. Comment s'appelait le premier canal qui relia la Méditerranée à la mer Rouge ?

129 Qui fut le premier martyr chrétien ?

130 Quel roi eut le premier son effigie sur les pièces de monnaie ?

QUIZ 14

Monarques et souverains
Des quatre réponses proposées, une seule est bonne.

131 Comment s'appelait le premier roi d'Israël ?
A David
B Salomon
C Saül
D Josué

132 Lequel de ces noms n'est pas celui d'une reine d'Égypte ?
A Cléopâtre
B Néfertiti
C Néfertari
D Pu-Abi

133 Quel roi wisigoth fut sacré à Rome en 410 ?
A Alaric
B Attila
C Recarède
D Odoacre

134 Qui est considéré comme le dernier des grands pharaons ?
A Ramsès II
B Ramsès III
C Ramsès IX
D Ramsès XI

135 Quel est le nom de la dynastie chinoise contemporaine de Confucius et de l'extension du taoïsme ?
A La dynastie Shang
B La dynastie Zhou
C La dynastie Han
D La dynastie Ming

136 Lors du siège de Troie, qui était le chef des Grecs ?
A Achille
B Priam
C Agamemnon
D Hector

137 Qui gouverna la Chine impériale pendant 2 000 ans ?
A Les généraux
B Une administration qualifiée
C La cour de l'empereur
D Un parlement

138 Qui s'empara du contrôle de la Mésopotamie après la chute de l'Empire assyrien en 612 av. J.-C. ?
A Les Égyptiens
B Les Babyloniens
C Les Hittites
D Les Philistins

139 Sous le règne de quel empereur le film *Gladiator* se déroule-t-il ?
A Auguste
B Néron
C Constantin
D Commode

140 Comment s'appelait le régent chinois considéré comme « l'Usurpateur » de la dynastie Han ?
A Chang Chüeh
B Ts'ai Kun
C Wang Mang
D Zhang Qian

QUIZ 15

P comme...
Toutes les réponses commencent par la lettre P.

141 Le préfet de Judée à l'époque de la crucifixion de Jésus.

142 Matériau pour l'écriture obtenu à partir de peaux d'animaux et qui tire son nom de la ville de Pergame.

143 Nom du port d'Athènes.

144 Les deux principales classes de citoyens dans la république romaine.

145 Dieu des enfers pour les Romains et la planète la plus éloignée du Soleil.

146 Principal homme politique d'Athènes lors de l'âge d'or de la ville.

147 Région qui coïncide aujourd'hui avec l'ancien pays de Canaan.

148 Souverain égyptien monté sur le trône à 6 ans et qui régna pendant 94 ans.

149 Mot désignant l'âge de la pierre taillée.

150 Personnage de la lmythologie grecque qui tua Méduse et sauva Andromède. C'est aussi le nom d'une constellation.

QUIZ 16

Voyelles manquantes
Grâce aux indications, retrouvez des noms de lieux.

151 Le temple de Ramsès II, déplacé pour qu'il ne soit pas submergé par les eaux du lac Nasser, s'appelle _B__ S_MB_L.

152 On appelle CR__SS_NT F_RT_L_ l'étendue de terre située à l'ouest de l'Asie où fleurirent de grandes civilisations.

153 « Le pays de miel et de lait » que Dieu aurait donné aux Israélites est aussi appelé la T_RR_ PR_M_S_.

154 M_H_NJ_-D_R_ était l'une des principales villes de la civilisation de l'Indus.

155 À Rome, le C_RC_S M_X_M_S était une arène pour les courses de chars.

156 En Suisse, le site de l'âge du fer qui a donné son nom à une civilisation celtique s'appelle L_ T_N_.

157 La R_T_R__L_, qui reliait Sardes, à l'ouest de la Turquie, à Suse, en Perse, était la principale voie de communication de l'Empire perse.

158 On appelle M__D_N C_STL_ le vaste ouvrage fortifié de l'âge du fer près de Dorchester.

159 SK_R_BR__ est le nom du village de l'âge de la pierre situé dans les îles Orcades.

160 Ç_T_L H_Y_K, dans le sud-est de la Turquie, est un site néolithique.

QUIZ 17

D'après la légende...
Questions sur des événements et des personnages.

161 Quel personnage aurait joué de la lyre pendant l'incendie de Rome ?

162 Comment appelle-t-on le continent qui aurait disparu à la suite de l'éruption de l'île de Santorin ?

163 Quelle femme voulut voir la tête de Jean-Baptiste sur un plateau ?

164 D'après la légende, dans quoi Cléopâtre s'enveloppa-t-elle pour parvenir à rencontrer Jules César ?

165 D'après les Égyptiens, quel dieu décapitait le dieu-serpent des ténèbres, rendant le ciel couleur pourpre à l'aube ?

166 Qui aurait fondé Carthage ?

167 Quel empereur romain aurait vu le signe de la croix dans le ciel avant la bataille du pont Milvius, en 312 ?

168 Ménélik Ier, roi d'Aksoum, en Éthiopie, aurait été le fils de la reine de Saba et de quel roi d'Israël ?

169 Qu'est-ce que les Romains dirent avoir fait pour être sûrs que les Carthaginois ne pourraient plus cultiver leurs terres après la troisième guerre punique ?

170 Qui surnommait-on les « mulets de Marius » ?

QUIZ 18

Monuments antiques
Questions sur les temples et autres édifices.

171 Laquelle des Sept Merveilles fut détruite par des tremblements de terre au XIVe siècle ?

172 Quel roi de Judée construisit le dernier temple de Jérusalem, dont il ne reste plus aujourd'hui que le mur ouest ?

173 Sous le règne de quel empereur la construction du Colisée débuta-t-elle ?

174 Comment appelle-t-on le remblai de terre en forme de serpent construit dans l'Ohio par les premiers occupants ?

175 Quel est le nom de l'aqueduc romain construit pour alimenter Nîmes en eau ?

176 Laquelle des Sept Merveilles du monde, détruite en 356 av. J.-C., fut reconstruite par Alexandre le Grand ?

177 Quelle cité méso-américaine possède deux pyramides à degrés consacrées l'une au Soleil, l'autre à la Lune ?

178 Quel sculpteur grec fut chargé de superviser la construction du Parthénon ?

179 Quel empereur romain fit édifier un palais près de Split, en Croatie ?

180 Quelle ville du nord de l'Italie, célèbre pour ses églises décorées de mosaïques, fut la dernière capitale de l'Empire romain d'Occident ?

QUIZ 19

Amicales pensées de...
Dix questions sur des sites célèbres.

181 Dans quel pays se trouve le site de Sarnath ?

182 Quelle cité maya avec une population de 125 000 habitants fut sans doute la plus grande du continent américain ?

183 À Rome, comment s'appelait le lieu qui était à la fois un marché et le centre des activités politiques, sociales et religieuses ?

184 Quel pont situé près de Nîmes mesure 49 m de haut ?

185 Quel ouvrage d'architecture mesure près de 10 000 km de long ?

186 Quel site préhistorique du sud de l'Espagne est célèbre pour ses ateliers de cuivre et ses cercles de pierres levées ?

187 Quel site d'Égypte, construit sous Ramsès II, a été déplacé lors de la construction du barrage d'Assouan ?

188 Quel site historique français abrite quelque 3 000 menhirs ?

189 Quelle ville antique de Grèce était le siège des jeux Pythiques ?

190 Dans quelle ville Nabuchodonosor II lança-t-il une politique de grands travaux ?

QUIZ 20

Guerres et batailles
Retrouvez les consonnes manquantes.

191 __OIE Nom de la guerre racontée dans *l'Iliade*.

192 _E_E Empire asiatique contre lequel les Grecs livrèrent bataille à Marathon, aux Thermopiles et à Salamine.

193 A_IU_ Bataille navale qui vit la défaite d'Antoine et Cléopâtre.

194 A_E_A__E Grec qui remporta les batailles du Granique, d'Issos, de Gaugamèles et d'Hydaspes.

195 _A_I_A_ Célèbre général carthaginois qui remporta une victoire décisive sur les Romains à la bataille de Cannes.

196 _Y_U_ Roi de Perse qui conquit Babylone en 539 av. J.-C.

197 _O_AI__ Ils furent vaincus aux batailles des fourches Caudines, d'Héraclée et d'Asculum.

198 _Y_ Ville phénicienne célèbre conquise grâce à la « digue d'Alexandre ».

199 _A_A_I_E Nom d'une bataille navale au cours de laquelle les Grecs vainquirent les Perses.

200 __A__E État grec qui fut le principal opposant d'Athènes au cours de la guerre du Péloponnèse.

QUIZ 21

Vrai ou faux ?
Dites si ces affirmations sont justes ou non.

201 C'est en Amérique que l'agriculture est née.

202 Dans la Grèce ancienne, les statues étaient souvent peintes.

203 Il existe en Égypte, non loin de la Vallée des Rois, une Vallée des Reines.

204 La reine d'Égypte Hatchepsout portait une fausse barbe pour montrer qu'elle avait autant d'autorité qu'un homme.

205 L'écriture chinoise ne reposant pas sur des éléments phonétiques, un même texte peut être prononcé différemment d'un dialecte à l'autre.

206 Le Colosse de Rhodes était une statue géante érigée à l'entrée du port de Rhodes.

207 Les premiers métiers à tisser furent inventés à l'âge de la pierre polie.

208 C'est en Chine que sont nées les premières villes.

209 Un grand nombre des trésors conservés au musée d'Art égyptien du Caire ont été découverts dans la Grande Pyramide.

210 Le *vomitarium* était un endroit où les Romains soulageaient leur estomac quand ils avaient trop mangé et trop bu.

QUIZ 22

Le jeu des noms
Testez vos connaissances à propos de l'origine des mots.

211 Qui a donné son nom au calendrier julien ?

212 Quel est le sens de l'expression latine qui a donné naissance au mot aborigène ?

213 De quel peuple les constellations tirent-elles leurs noms ?

214 Les parsis suivent la religion de Zoroastre. Que signifie le mot parsi ?

215 À qui était dédié le Panthéon de Rome ?

216 La civilisation qui succéda à la civilisation Hopewell en Amérique du Nord emprunte son nom au plus grand fleuve traversant son territoire. Lequel ?

217 Que faisaient de leurs morts les peuples de l'âge du bronze de la culture des champs d'urnes ?

218 Quel mot latin est à l'origine des noms de villes telles La Châtre ou Castries ?

219 À Athènes, comment s'appelle le temple consacré à Athéna ?

220 Les San sont les descendants des premiers peuples chasseurs-cueilleurs d'Afrique du Sud. Quel autre nom leur donne-t-on ?

QUIZ 23

Où sur terre ?
Une série de questions en rapport avec la géographie.

221 Quelle est la montagne considérée comme la résidence des dieux grecs ?

222 Comment appelle-t-on également le lac de Tibériade ?

223 Où se situe la Mandchourie par rapport au reste de la Chine : au nord, à l'ouest ou au sud ?

224 Où se trouve l'Érechthéion ?

225 L'ancienne cité de Tiahuanaco était proche du lac le plus haut du monde, à la frontière entre la Bolivie et le Pérou. Quel est le nom de ce lac ?

226 Pella, lieu de naissance d'Alexandre le Grand, était la capitale de quel royaume ?

227 Sur quel continent les fermiers bantous ont-ils favorisé le développement des techniques de l'agriculture, de l'élevage et de la fonte du fer ?

228 Les îles Salomon font-elles partie de la Mélanésie, de la Polynésie ou de la Micronésie ?

229 Sur quel continent les peuples des Eastern Woodlands réalisèrent-ils de grands ouvrages en terre ?

230 Sur quel fleuve se trouvent les cités de Napata et de Méroé ?

QUIZ 24

Anagrammes
Rétablissez l'ordre des lettres et retrouvez le terme caché.

231 FUNICOREME Forme d'écriture employée jadis en Mésopotamie.

232 KHAN Symbole en forme de croix signifiant « vie » ou « vie éternelle » dans l'Égypte ancienne.

233 AQUIMOSE Forme d'art associée aux Romains.

234 ICARPOLOS Mot grec signifiant citadelle (« ville supérieure »).

235 CUDAQUE Construction romaine servant au transport de l'eau.

236 CHERMLOC Désigne un cercle en pierre.

237 UROKOS Statue grecque représentant un homme nu.

238 BLANNEMETTE Partie d'un temple grec ou romain superposant architrave, frise et corniche.

239 DALICOCENE Quartz dur utilisé jadis en Amérique du Nord pour fabriquer des pointes de javelot.

240 ASOUHBATI Statuette en bois placée dans les tombes égyptiennes pour servir de domestique au mort.

QUIZ 25

Signes et symboles
Une série de questions à propos d'anciens symboles.

241 Quel saint représente-t-on symboliquement par deux clefs croisées ?

242 Quel est l'animal que les Égyptiens considéraient comme sacré et qui symbolisait pour eux le Soleil ?

243 Qu'appelait-on *nemes* dans l'Égypte ancienne ?

244 Notre mot once vient du latin *uncia*. Que signifiait ce mot ?

245 Quel serpent, symbole du dieu Ouadjet, figurait sur la coiffure des pharaons ?

246 Quand on décernait une épée en bois à un gladiateur, qu'est-ce qui lui était accordé ?

247 Quelle croix porte un cercle dans ses branches ?

248 Dans le roman *l'Aigle de la neuvième légion*, que représente l'aigle ?

249 L'Égypte ancienne était divisée en deux, la Haute- et la Basse-Égypte. Laquelle était représentée par une couronne rouge et laquelle par une couronne blanche ?

250 Les Égyptiens croyaient que, pour pouvoir accéder au royaume d'Osiris, l'âme du défunt devait être aussi légère que le symbole de la vérité. Quel était ce symbole ?

QUIZ 26

Cherchez l'intrus
Des quatre réponses proposées, une seule est bonne.

251 Qu'est-ce qui ne fait pas partie des Sept Merveilles du monde ?
A Le temple d'Artémis à Éphèse
B La statue de Zeus à Olympie
C Le Parthénon à Athènes
D Le phare d'Alexandrie

252 Quelle est la religion qui n'existait pas sous la dynastie Han ?
A Le bouddhisme
B Le shintoïsme
C Le taoïsme
D Le confucianisme

253 Laquelle de ces villes n'était pas en Assyrie ?
A Kalkhou
B Ninive
C Harappa
D Dur-Sharrunkin

254 Parmi ces animaux, quel est celui qui n'existait pas dans les plus anciennes fermes du Croissant fertile ?
A Le mouton
B Le porc
C La vache
D La dinde

255 Laquelle de ces civilisations n'est pas contemporaine de la civilisation de la vallée de l'Indus ?
A Les Assyriens
B Les Égyptiens
C Les Minoens
D Les Olmèques

256 Parmi ces villes, quelle est celle qui n'est pas maya ?
A Copán
B Tikal
C Monte Albán
D Palenque

257 Parmi ces villes, laquelle n'a pas été fondée par les Phéniciens ?
A Cadix
B Tanger
C Syracuse
D Carthage

258 Lequel de ces textiles ne provient pas d'une fibre végétale ?
A Le lin
B La soie
C Le chanvre
D Le coton

259 Lequel de ces sites n'est pas dans les îles Britanniques ?
A Stonehenge
B Newgrange
C Avebury Circle
D Carnac

260 Laquelle de ces propositions ne désigne pas une dynastie créée à la suite de conquêtes d'Alexandre le Grand ?
A Les Antigonides
B Les Séleucides
C Les Annélides
D Les Ptolémées

QUIZ 27

Mers et montagnes
À partir des indices, identifiez des zones géographiques.

261 Des villes comme Carthage se trouvaient au bord de cette mer.

262 Montagnes qui longent toute l'Amérique du Sud et où de nombreuses civilisations ont vu le jour.

263 Un fleuve à la fois bleu et blanc, sur les rives duquel débuta la civilisation égyptienne.

264 Mer séparant l'Afrique de l'Arabie. Les hommes actuels ont peut-être quitté l'Afrique en la traversant au sud.

265 Région de l'océan où vivent les habitants de Tahiti, des Tonga, des Samoa ou encore des Marquises.

266 Jéricho est située sur la rive occidentale de ce fleuve.

267 Le plus long fleuve d'Europe après la Volga, et une voie commerciale clef à travers le continent.

268 Fleuve d'Inde, sacré pour les hindous, dont la vallée constitue le cœur des empires Maurya et Gupta.

269 Détroit entre la Sibérie et l'Alaska. À l'époque glaciaire, c'est un pont terrestre par lequel les premiers hommes gagnent l'Amérique.

270 Les Bochimans, ou Sans, répandus jadis dans tout le sud de l'Afrique, ont été repoussés jusque dans cette région aride.

QUIZ 28

Dieux et déesses

Dix questions sur d'anciennes divinités.

271 Quel était le dieu suprême des Grecs ?

272 Quel était le dieu grec équivalent du dieu romain Neptune ?

273 Quelle était la déesse romaine correspondant à Artémis, la déesse grecque de la chasse ?

274 Chez quel peuple d'Europe Brighid était-elle une déesse ?

275 Quel était le nom, commençant par un B, du grand dieu phénicien ?

276 Comment s'appelait la déesse grecque patronne d'Athènes ?

277 Comment s'appelait le dieu grec de la guerre correspondant au dieu romain Mars ?

278 Pourquoi le nom de Mercure conviendrait-il bien à une société de messagerie ?

279 Comment s'appelait la déesse grecque de l'amour et de la beauté ?

280 Dans la religion grecque, les naïades étaient les nymphes des rivières, des fontaines et des ruisseaux. De quoi les dryades étaient-elles les nymphes ?

QUIZ 29

L'armée romaine

Une série de questions sur l'armée et les batailles.

281 L'arme la plus importante d'un légionnaire romain était son *gladius*. Quelle était cette arme ?

282 Quel était le rôle d'un *signifer* romain ?

283 Quelle unité de l'armée romaine un centurion commandait-il ?

284 De combien d'hommes cette unité était-elle composée ?

285 Quelle unité de l'armée romaine un légat *(legatus)* commandait-il ?

286 Après le Ier siècle, les troupes de cavalerie qui servaient dans les légions romaines étaient quasi étrangères : vrai ou faux ?

287 Sur l'arc de Titus, à Rome, on voit la *menorah* juive (chandelier à sept branches) portée en parade dans les rues de Rome. Quel est l'événement de 70 av. J.-C. ainsi commémoré ?

288 Quelle est la reine des Icènes qui surprit les Romains en allant au combat dans un char ?

289 Quel titre donnait-on aux magistrats élus romains détenteurs de l'autorité pour les affaires militaires ?

290 Qui réforma l'armée romaine vers l'an 100 av. J.-C. ?

QUIZ 30

L'écriture

Questions sur l'écriture et ses formes de transcription.

291 Quel terme débutant par un P désigne un symbole de l'écriture pictographique ?

292 En quelle langue le Nouveau Testament de la Bible était-il écrit à l'origine ?

293 Que signifie le terme cunéiforme, dérivé du latin ?

294 Quelle civilisation de la mer Égée employait l'écriture appelée linéaire B ?

295 L'écriture de la civilisation de la vallée de l'Indus n'a pas encore été déchiffrée : vrai ou faux ?

296 En quelle langue la Vulgate, traduction de la Bible, a-t-elle été rédigée vers 405 ?

297 Quel roi fonda la bibliothèque d'Alexandrie ?

298 Dans les Andes, on notait et transmettait les informations sur des *quipus*. De quoi s'agit-il ?

299 Pourquoi le papyrus n'est-il pas considéré comme du vrai papier ?

300 À l'origine, quel instrument de musique accompagnait la poésie lyrique ?

QUIZ 31

Qui a fait quoi ?

Questions sur des bâtisseurs, des penseurs et des chefs.

301 Quel roi de Babylone aurait fait construire pour son épouse les célèbres jardins suspendus ?

302 Quelle civilisation a réorganisé le nombre des jours dans chaque mois, créant le système en vigueur aujourd'hui ?

303 Sous quel empereur la conquête de la Grande-Bretagne commença-t-elle à grande échelle ?

304 Qui aurait reçu une illumination alors qu'il méditait sous un figuier ?

305 Quel est le général romain qui conquit la Judée en 63 av. J.-C. ?

306 Quel empereur romain mit fin aux persécutions des chrétiens ?

307 Quel gladiateur mena la révolte des esclaves de 73 à 71 av. J.-C. ?

308 Quel roi de Perse libéra les Juifs en captivité à Babylone en 539 av. J.-C. ?

309 Quels sont les matériaux qui définissent le système de datation archéologique « des trois âges » ?

310 En 1488, le navigateur Bartolomeu Dias découvrit le cap de Bonne-Espérance. Quel peuple de l'Antiquité l'a peut-être précédé ?

QUIZ 32

Ça commence par...

Les réponses commencent par la lettre entre guillemets.

311 « Z » Secte juive à l'origine du suicide collectif de Massada.

312 « T » Tyrannique empereur romain dont le nom est associé à l'île de Capri.

313 « K » Caste des guerriers dans l'hindouisme.

314 « H » Nom d'envahisseurs venus d'Asie qui gouvernèrent l'Égypte de 1785 à 1580 av. J.-C.

315 « C » Disciple d'une école philosophique grecque et aujourd'hui personne qui accorde peu de foi à la bonté de l'homme.

316 « H » Nom qui distingue les Chinois des autres peuples mongoloïdes.

317 « A » Nom des anciens habitants des îles Caraïbes, supplantés par les Caraïbes.

318 « N » Désigne la première civilisation qui pratiqua la fonte du fer en Afrique.

319 « S » Dynastie chinoise qui précéda les Tang.

320 « C » Nom des fondateurs des dynasties Maurya et Gupta en Inde.

QUIZ 33

C'était quand ?

Des quatre réponses proposées, une seule est bonne.

321 Depuis quand s'est achevée la période glaciaire ?
- A 1 million d'années
- B 500 000 ans
- C 100 000 ans
- D 10 000 ans

322 Avec combien d'éléphants Hannibal a-t-il traversé les Alpes ?
- A 34
- B 91
- C 182
- D 263

323 Vers quelle époque la charrue fut-elle inventée ?
- A 20500 av. J.-C.
- B 3500 av. J.-C.
- C 400 apr. J.-C.
- D 700 apr. J.-C.

324 Combien d'années Jules César avait-il de plus que Cléopâtre ?
- A 5 ans
- B 10 ans
- C 20 ans
- D 30 ans

325 À quel stade de l'évolution de l'homme appartient Tollund Man ?
- A *Homo habilis*
- B *Homo erectus*
- C *Homo neanderthalensis*
- D L'âge du fer

326 Quand apparurent les premières villes ?
- A Vers 6500 av. J.-C.
- B Vers 3500 av. J.-C.
- C Vers 1500 av. J.-C.
- D Vers 350 av. J.-C.

438 Quel peuple de l'Antiquité a donné son nom à la mer Tyrrhénienne ?

439 Comment appelle-t-on la région à cheval sur la frontière indo-pakistanaise où s'établirent d'abord les Aryens et dont le nom signifie en sanskrit « cinq rivières » ?

440 Comment s'appelle la région du sud de la France correspondant à la Provincia Romana des Romains ?

QUIZ 45

Animaux mythiques

Associez des animaux à la civilisation ou aux lieux qui les ont engendrés.

441 À quelle culture ancienne d'Amérique du Nord est associé le corbeau ?

442 À quelle ville est associée la chouette ?

443 À quel peuple de l'Antiquité est associée la panthère ?

444 Dans quelle ville de l'Inde ancienne a-t-on trouvé des rhinocéros gravés sur des sceaux ?

445 À quelle culture du nord du Pérou est associé le puma ?

446 Quelle célèbre grotte située en France abrite des peintures rupestres de chevaux ?

447 Quel peuple installé dans le sud-ouest de l'Iran actuel, et qui avait Suse pour capitale, fabriquait de petites maquettes avec des animaux ?

448 Quel peuple de l'Antiquité utilisait des récipients en forme de poisson pour conserver ses onguents ?

449 À Babylone, sur quelle porte sont figurés près de 500 animaux ?

450 Dans quel palais de Crète se trouvent des fresques représentant des dauphins ?

QUIZ 46

Plus connu comme…

Retrouvez les noms sous lesquels ces personnages sont davantage connus.

451 Octavien est davantage connu sous ce nom.

452 Nom usuel du prince Siddharta Gautama.

453 Nom sous lequel Kongfuzi est connu en Occident.

454 Nom adopté par le pharaon Aménophis IV.

455 Le grand amphithéâtre Flavien est plus connu sous ce nom.

456 Nom collectif désignant Clotho, Lachésis et Atropos.

457 Mot grec appliqué à la dispersion des Juifs exilés.

458 Nom donné aux ancêtres des Anasazis, peuple du sud-ouest de l'Amérique du Nord.

459 En latin, association de trois hommes pour exercer le pouvoir.

460 De quelle région Sparte était-elle la capitale ? Ce nom a donné naissance à un mot français signifiant « bref, concis, utilisant peu de mots ».

QUIZ 47

Le point commun

Trouvez le lien entre ces notions très éloignées.

461 Quel est le lien entre une matière prisée de l'âge du bronze et une substance produite par le cachalot ?

462 Quel est le lien entre une chanson des Beatles et un squelette vieux de 3 millions d'années ?

463 Quel rapport y a-t-il entre un personnage de bande dessinée qui transporte des menhirs et des monuments égyptiens en forme d'aiguille ?

464 Quel mot désigne à la fois un signe du zodiaque et une machine de guerre utilisée pour défoncer les portes d'un lieu assiégé ?

465 Quel mot désigne une langue chinoise et des hauts fonctionnaires ?

466 Quel est le produit de beauté égyptien qui a un lien avec le mot alcool ?

467 Quel point commun y a-t-il entre Éros et Cupidon ?

468 Quel lien y a-t-il entre Lénine et les pharaons enterrés dans les tombeaux égyptiens ?

469 Quel est le dieu romain dont le nom a un rapport avec le mot volcan ?

470 Quel est le mot qui désigne aujourd'hui les auteurs de dégradations et qui était à l'origine le nom d'un peuple germanique conquérant et dévastateur ?

QUIZ 48

Cherchez l'intrus

Éliminez le mot qui détonne.

471 Saint Matthieu, saint Luc, saint Marc, saint Jérôme.

472 Shang, Zhou, Chang Jiang, Qing.

473 Memphis, Tikal, Copán, Chichén.

474 Tigre, Euphrate, Indus, Nil.

475 Pierre, platine, bronze, fer.

476 Dolmen, menhir, mégalithe, sarcophage.

477 Adena, Wisigoths, Mississippiens, Hopewell.

478 Bêta, delta, guimel, oméga.

479 Fronton, tympan, péristyle, vase.

480 Horace, Homère, Ovide, Virgile.

QUIZ 49

Vrai ou faux ?

Dites si ces affirmations sont justes ou non.

481 Le mot ziggourat vient de l'assyrien et signifie sommet.

482 L'alphabet est une écriture basée sur les sons.

483 Les succès militaires d'Hannibal sur les Romains sont dus à l'effet de surprise causé par ses éléphants.

484 En voyage, les Romains emportaient des cadrans solaires portables.

485 Les chars de l'armée égyptienne étaient en osier.

486 À l'époque de Jésus-Christ, la Chine était à peu près l'égale de l'Empire romain par sa taille, sa splendeur et son niveau technique.

487 Les sceaux en poterie de la vallée de l'Indus découverts en Mésopotamie attestent l'existence de relations entre ces deux régions.

488 Dans le théâtre grec, seules les actrices ne portaient pas de masques.

489 Les Assyriens ne parvinrent jamais à conquérir Babylone.

490 Un sceau était un morceau de cire utilisé pour sceller les barils d'huile phénicienne.

QUIZ 50

Lettres manquantes

Retrouvez les consonnes manquantes.

491 _O_ _I_I Nom du radeau de Thor Heyerdahl.

492 __A__EU__ _UEI__EU__ Peuples qui tirent leur subsistance de la chasse et de la cueillette.

493 _E__A_E_ Prêtresses romaines dans un temple consacré à la déesse du foyer domestique.

494 _A__E __E_O_IE__E Unité de l'armée romaine chargée de la protection de l'empereur.

495 _A_A _U__A Nom du traité indien sur l'art d'aimer.

496 _A__I_I_E _E _A_Y_O_E Les quelque 50 ans pendant lesquels les Hébreux furent prisonniers dans une ville étrangère.

497 _U___U_ Site préhistorique danois connu pour ses dolmens.

498 _OYAU_E_ _O__A__A___ Période chaotique d'environ 403 à 221 av. J.-C. entre les dynasties Zhou et Qing.

499 _O__I_E_ _A_I_U_ Chef suprême du culte religieux à Rome, une position qu'occupa Jules César ; titre à l'origine du mot par lequel on désigne aussi le pape.

500 _O__Y_ _O_I Nom latin du ver à soie.

QUIZ 51

Sujets religieux
Dix questions sur les dieux et la religion.

501 Quelle religion remplaça le culte des dieux à Rome ?

502 Lequel de ces dieux n'est pas hindou : Vishnou, Horus, Agni ?

503 Comment s'appelle l'ancienne Église chrétienne d'Égypte ?

504 À quelle religion la dynastie indienne Gupta se rattache-t-elle ?

505 De quelle philosophie chinoise Lao-tseu et Tchouang-tseu étaient-ils adeptes ?

506 Quel royaume africain adopta le premier le christianisme en 321 ?

507 Quelle religion indienne fut fondée par Vardhamana ?

508 À quelle religion les Maccabées sont-ils associés ?

509 Qui vénérait-on dans un *lararium* romain ?

510 Dans quelle cité maya du Yucatán les victimes immolées en sacrifice étaient-elles jetées dans des puits naturels appelés *cenotes* ?

QUIZ 52

Monuments et reliques
Des quatre réponses proposées, une seule est bonne.

511 Pourquoi les Égyptiens ensevelissaient-ils des trésors et des objets avec leurs défunts ?
A Pour les mettre en lieu sûr
B Pour plaire aux dieux
C Pour fournir des repères
D Pour servir dans le futur

512 Quel nom de civilisation fait référence à l'âge de la pierre ?
A La civilisation des chopes
B La civilisation des gobelets
C La civilisation des cruches
D La civilisation des pichets

513 À quel usage étaient destinées les lignes de Nazca ?
A Art
B Chemins processionnels
C Signaux aux extraterrestres
D Pistes d'atterrissage

514 De quelle ville l'archéologue allemand Heinrich Schliemann a-t-il découvert les ruines ?
A Cnossos
B Troie
C Alexandrie
D Carthage

515 Quel matériau fut utilisé pour le dôme du Panthéon de Rome ?
A La pierre
B Le béton
C Le fer
D La brique

516 Quel terme désigne un site funéraire de l'âge de la pierre ?
A Mastaba
B Cumulus
C Tumulus
D Ossuaire

517 Parmi ces adjectifs, lequel ne désigne pas un style architectural ?
A Ionique
B Dorique
C Corinthien
D Toscan

518 Quel sort subit Skara Brae, un village de l'âge de la pierre dans les Orcades ?
A Saccagé par les Vikings
B Recouvert par le sable
C Détruit par un volcan
D Enseveli sous la glace

519 Qu'est-ce qui fait la célébrité du site de Drenthe, aux Pays-Bas ?
A Des fortifications
B Un temple romain
C Un tumulus
D Des dolmens

520 Combien Babylone avait-elle d'habitants sous Nabuchodonosor II ?
A 2 000
B 20 000
C 200 000
D 2 millions

QUIZ 53

Retour aux sources
Petites colles sur l'origine des mots et des coutumes.

521 Quelle déesse a donné son nom au vendredi ?

522 Qu'est-ce qui distinguait *Homo habilis* des précédents hominidés : la station debout ou l'usage des outils ?

523 Le « père de la médecine » a donné son nom à un serment toujours prêté par les médecins. Quel est son nom ?

524 Quel mot français désignant la façon dont l'année est divisée vient du nom romain du premier jour de chaque mois ?

525 Quel peuple a utilisé le premier la couronne de laurier comme symbole de la victoire ?

526 Quel mois de l'année est formé à partir du nom du premier empereur romain ?

527 Quel nom donne-t-on aux sculptures du Parthénon d'Athènes exposées aujourd'hui au British Museum à Londres ?

528 Quel spectacle romain serait à l'origine du geste qui consiste à tourner le pouce vers le bas ?

529 Quel mot est censé imiter la façon dont – selon les Grecs – les non-Grecs parlaient ?

530 Quel peuple, aujourd'hui associé à l'Écosse, au pays de Galles et à l'Irlande, célébrait des fêtes appelées Beltane et Samhain ?

QUIZ 54

De ville en ville
Questions à propos de villes et de leur localisation.

531 Comment s'appelle la ville française fondée par les Grecs sous le nom de Massalia ?

532 Comment s'appelait la ville de Haute-Égypte appelée aujourd'hui Louxor ?

533 Quel nom donne-t-on en français à la ville d'Asie Mineure (l'actuelle Turquie) appelée Ilion par les Grecs et Ilium par les Romains ?

534 Dans quel pays se trouvent la presqu'île du Yucatán et la cité maya de Chichén Itzá ?

535 Où Alexandre le Grand aurait-il été enterré ?

536 À quelle civilisation du Moyen-Orient Assour donna-t-elle son nom ?

537 De quelle civilisation méso-américaine Tikal était-elle autrefois la plus grande ville ?

538 Quel est le nom du port phénicien dont dérive le mot Bible ?

539 Carthage doit son nom aux colons phéniciens qui la fondèrent. Que signifie Carthage en phénicien ?

540 À l'origine, la capitale de l'Aragon, en Espagne, était la ville romaine de Caesar Augusta. Quel est son nom actuel, dérivé de ce nom romain ?

QUIZ 55

Quatre par quatre
Trouvez le point commun entre les quatre éléments.

541 Quel empire fut occupé par les Ostrogoths, les Francs, les Wisigoths et les Vandales ?

542 À la vie politique de quelle ville Solon, Aristide, Thémistocle et Périclès participèrent-ils ?

543 Sous quel nom général peut-on regrouper un belluaire, un bestiaire, un mirmillon et un rétiaire ?

544 Dans la société indienne, qui sont les brahmanes, les *kshatriya*, les *vaishya* et les *shudra* ?

545 Dans quelle ville les magistrats s'appelaient-ils censeurs, préteurs, questeurs et édiles ?

546 Dans quel genre littéraire Salluste, Tacite, Tite-Live et César se sont-ils illustrés ?

547 La Trébie, le lac Trasimène, Cannes et Zama : quel est le général qui remporta trois de ces batailles et perdit l'autre ?

548 À quelle dynastie d'Égypte appartenaient « celui qui aime sa sœur », « le Sauveur », « le joueur de flûte » et « le Bienfaiteur » ?

549 À quelle famille romaine appartenaient Priscus, Superbus, Lucretia et Sextus ?

550 À quelle civilisation les dieux Thot, Seth, Néphtys et Khnoum appartenaient-ils ?

QUIZ 56

Souverains et empires
Quelques conquérants et leurs royaumes.

551 Quel fut le plus grand empire de l'Antiquité ?

552 Quel titre donnait-on aux gouverneurs de province dans l'Empire perse ?

553 Dans quelle ville la famille des Tarquins exerça-t-elle le pouvoir ?

554 En 260 av. J.-C., quel empereur indien, dégoûté par la guerre, renonça à la violence et adopta une forme de gouvernement d'inspiration bouddhiste ?

555 Quel roi de Perse fut renversé par Alexandre le Grand ?

556 Quel fut le premier et le plus grand empire indien ?

557 Quel roi d'Égypte fit construire la plus grande des pyramides de Gizeh ?

558 En 2003, la découverte de pièces de monnaie en Angleterre confirma l'existence d'un empereur romain peu connu du IIIe siècle. Quel était son nom ?

559 Quel pays la dynastie asmonéenne dirigea-t-elle ?

560 Quel est le nom du dernier empereur romain d'Occident, qui fut renversé par Odoacre en 476 ?

QUIZ 57

Contenus et contenants
Dix questions sur des récipients ou ce qu'ils étaient censés contenir.

561 Que contenaient les flasques en cuir de Scythie ?

562 Les Gallo-Romains mettaient des larmes en bouteilles : vrai ou faux ?

563 En Chine, à qui était destiné le vin parfumé contenu dans des vases en bronze ?

564 Que faisaient brûler les Incas dans un encensoir ?

565 En Crète, dans quels récipients conservait-on l'huile d'olive ?

566 Comment nomme-t-on les vases précolombiens au goulot arqué ?

567 Quel peuple fut le premier à faire du verre transparent ?

568 Dans l'Inde ancienne, on utilisait des cosmétiques conservés dans des récipients en cuivre : vrai ou faux ?

569 Les Étrusques incinéraient leurs morts dans des jarres funéraires : vrai ou faux ?

570 Que contenaient les vases canopes égyptiens ?

QUIZ 58

Anagrammes
Rétablissez l'ordre des lettres dans les noms suivants.

571 AGILCULA Empereur romain qui nomma consul son cheval.

572 SECRUS Roi de Lydie aux richesses fabuleuses.

573 DOROTHEE Historien grec qui appela l'Égypte « le don du Nil ».

574 UJESO Il succéda à Moïse et, selon la Bible, conquit Jéricho.

575 OSTARITE Philosophe grec et précepteur d'Alexandre le Grand.

576 REXSEX Il vainquit les Grecs aux Thermopyles, mais ceux-ci le défirent ensuite à Salamine.

577 TIRENETIF Épouse du pharaon Akhenaton.

578 ACREMEDHI Il est célèbre pour avoir crié « Eurêka ! » après avoir découvert le moyen de mesurer la quantité d'or contenue dans une pièce.

579 LEPIN Un oncle romain et son neveu, tous deux écrivains.

580 MUSIMAX Il n'a jamais existé, sauf dans le film *Gladiator*, sorti en 2000, où il était incarné par Russell Crowe.

QUIZ 59

Péplums
À propos de films inspirés de l'histoire ancienne.

581 Qui interprétait le rôle de Pâris dans *Troie* en 2004 ?

582 Quel personnage Charlton Heston incarnait-il dans *les Dix Commandements* ?

583 Quelle actrice italienne incarne la belle Cléopâtre dans *Astérix et Obélix, Mission Cléopâtre*, d'Alain Chabat ?

584 Quelle est l'arche recherchée par l'archéologue Indiana Jones dans *les Aventuriers de l'Arche perdue* ?

585 Quel couple d'acteurs célèbres jouent dans le film *Cléopâtre*, sorti sur les écrans en 1963 ?

586 Quelle ville d'Égypte figure dans le titre d'un film de 1990 sur un bombardier de la Seconde Guerre mondiale ?

587 Quel réalisateur a tourné, en 1979, le célèbre film *la Guerre du feu*, tiré du roman éponyme de Rosny aîné ?

588 Dans quel film de 1960 racontant la révolte des esclaves contre Rome, Kirk Douglas jouait-il le rôle-titre ?

589 Dans quel film de 1956 assistait-on à une folle course de chars ?

590 Quelle actrice jouait le rôle d'une femme des cavernes dans le film *Un million d'années avant Jésus-Christ*, sorti en 1966 ?

QUIZ 60

Fleuves et vallées
Dix questions sur les fleuves de l'Antiquité.

591 Lequel de ces fleuves n'a pas été à l'origine d'une ancienne civilisation : l'Indus, l'Euphrate ou le Danube ?

592 Où se développa la première civilisation en Chine : au bord du fleuve Vert, Jaune ou Marron ?

593 Comment appelle-t-on la vallée retirée de Haute-Égypte dans laquelle ont été construites les tombes des pharaons du Nouvel Empire ?

594 Quelle partie est le plus au nord sur le Nil : la Haute- ou la Basse-Égypte ?

595 Comment s'appelle la région située au sud de la première cataracte du Nil ?

596 Quels étaient les deux principaux fleuves de la Mésopotamie ?

597 Jules César déclencha une guerre civile en 49 av. J.-C. en traversant un petit fleuve séparant l'Italie de la Gaule Cisalpine. Quel était ce fleuve ?

598 Comment s'appelle la ville qui aurait été fondée en 9000 av. J.-C. sur les bords du Jourdain ?

599 En quel mois avaient lieu les inondations dues aux crues du Nil : février, juillet ou décembre ?

600 Grâce à quelle réalisation, achevée en 1970, les crues du Nil sont-elles aujourd'hui sous contrôle ?

QUIZ 61

Vrai ou faux ?
Dites si ces affirmations sont justes ou non.

601 Le piment rouge ne faisait pas partie de l'alimentation indienne avant l'arrivée des conquérants espagnols.

602 Les Égyptiens aménageaient leurs propres tombes de leur vivant.

603 Le vrai papier (fabriqué à partir d'une pâte) a été inventé par les Chinois.

604 En Europe, à l'âge du fer, les forgerons étaient capables de travailler le fer mais pas de le faire fondre.

605 Le zodiaque des astrologues a été conçu par les Celtes.

606 La ziggourat de Babylone était plus haute que les pyramides de Gizeh.

607 Parmi les dieux de l'Égypte ancienne figurait une femelle hippopotame gravide.

608 Les Néandertaliens avaient des vêtements et des chaussures en cuir.

609 La civilisation assyrienne s'est développée dans la région du Kazakhstan.

610 La portée de tir d'une fronde était supérieure à celle d'un arc.

QUIZ 62

Qui a été le premier ?
Dans chaque liste, retrouvez le plus ancien.

611 Salomon, Josué, Abraham, Hérode le Grand.

612 Le joug, le chariot, la brouette, les skis.

613 Thoutmosis Ier, Narmer, Ramsès II, Kheops.

614 *L'Énéide*, *l'Épopée de Gilgamesh*, *l'Iliade*, les Psaumes.

615 *Homo neanderthalensis*, *Homo erectus*, *Homo sapiens*, *Homo habilis*.

616 Odoacre, Vercingétorix, Alaric, Attila.

617 La dynastie Qing, la dynastie Han, la dynastie Sui, la dynastie Shang.

618 Le Colosse de Rhodes, la Grande Muraille, les lignes de Nazca, les pyramides de Gizeh.

619 Olmèques, Aztèques, Zapotèques, Toltèques.

620 Nabuchodonosor II, Sennachérib, Sargon Ier, Téglat-Phalazar Ier.

QUIZ 63

Architecture
Dix questions sur le thème de l'architecture.

621 Quelle est la forme d'un arc romain ou roman ?

622 Quel pharaon fit construire la pyramide à degrés de Saqqara ?

623 Le terme gothique a été inventé à la Renaissance pour désigner l'architecture qui n'était pas de style classique ; il faisait allusion à la destruction de l'Empire romain par les Goths. Vrai ou faux ?

624 Quel est le plus ancien ouvrage d'Amérique du Nord : Serpent Mound ou Indian Knoll ?

625 Grâce à l'utilisation des arcs, les Mayas réalisèrent des sortes de cathédrales à l'intérieur de leurs pyramides : vrai ou faux ?

626 Dans un temple grec ou romain, que sont les propylées ?

627 Quelles sont les tombes qui sont recouvertes d'un tumulus allongé ?

628 Dans l'élévation d'un édifice classique, quel est le nom de l'élément horizontal qui s'étend au-dessus des piliers ?

629 Pourquoi les taureaux ailés des sculptures assyriennes ont-ils cinq pattes ?

630 Près de quelle ville chinoise peut-on voir l'armée en terre cuite de Shi Huangdi ?

QUIZ 64

Qui, que, quoi… ?
Des quatre réponses proposées, une seule est bonne.

631 La préhistoire désigne l'histoire qui se situe avant…
A l'apparition de l'homme
B l'âge du fer
C l'écriture
D les Romains

632 Qu'est-ce qu'un trilithe ?
A Un événement olympique
B Une armure chez les Grecs
C Un monument mégalithique
D Un genre de phytothérapie

633 Lequel de ces termes ne désigne pas un vêtement romain ?
A Une toge
B Une stela
C Une palla
D Une stola

634 Que désignent les termes *emmer* et *einkorn* ?
A Des vases à boire
B Des blés sauvages
C Des motifs de joaillerie
D Des unités de poids

635 À quel système numérique sont empruntés les chiffres que nous utilisons aujourd'hui ?
A Phénicien
B Grec
C Romain
D Indo-arabe

636 Comment appelle-t-on les symboles de l'écriture chinoise ?
A Des individus
B Des caractères
C Des *personnae*
D Des images

637 Qu'est-ce qu'un Romain ne pouvait pas manger ?
A Des lentilles
B Des haricots grimpants
C Des grenades
D De la coriandre

638 Quelle est la définition correspondant au terme *ballista* ?
A Danseuse dans un temple
B Catapulte romaine
C Jeu rituel celte
D Pierre sacrée olmèque

639 Lequel de ces aliments les Méso-Américains consommaient-ils ?
A Du fromage
B Du poulet
C Des flocons d'avoine
D De la dinde

640 Qu'appelait-on Cloaca Maxima à Rome ?
A Des jeux annuels
B L'égout principal
C Un vêtement de sénateur
D Une prison

QUIZ 65

Ça commence par…
Essayez de trouver le reste du mot.

641 Saint A____, évêque d'Hippone, est l'une des grandes figures des débuts du christianisme.

642 Les chameaux sont les vaisseaux du d___.

643 On appelle Arche d'a____ le coffre sacré dans lequel les Hébreux gardaient les tables de la Loi.

644 On appelle système des trois â____ la méthode qui consiste à distinguer dans la préhistoire l'âge de la pierre, l'âge du bronze et l'âge du fer.

645 Les s____ et les p____ étaient deux sectes juives rivales au temps de Jésus.

646 L'adjectif dérivé du nom d'une école philosophique grecque et employé pour qualifier une personne qui reste calme dans l'adversité est s____.

647 L'obsidienne, très utilisée dans la Méso-Amérique ancienne, est une roche volcanique v____.

648 Les statues d'Aménophis III connues sous le nom de Colosses de Memnon sont situées près de la ville de L____, en Égypte.

649 L'écrivain et magistrat romain P____ le Jeune a raconté, en tant que témoin oculaire, l'éruption du Vésuve.

650 Saint B____ fonda le monastère du mont Cassin, en Italie.

QUIZ 66

Mythes et légendes
Une série de questions sur la mythologie.

651 Quel étrange animal mythique – mi-homme, mi-animal – est associé au palais de Cnossos, en Crète ?

652 Comment s'appelaient les deux frères qui, selon la légende, fondèrent Rome ?

653 Comment s'appelle le héros de *l'Odyssée* ?

654 Quel nom les Aborigènes d'Australie donnent-ils à l'âge d'or mythique qui serait à l'origine de leur monde ?

655 Quel était le nom de la reine de Carthage qui, d'après *l'Énéide* de Virgile, aurait aimé Énée mais aurait été abandonnée par celui-ci ?

656 Quel genre d'animal était Pégase, qui a donné son nom à une constellation ?

657 Dans la mythologie, comment s'appelait le messager des dieux aux sandales ailées ?

658 Où sont censés se trouver les champs Élysées, le Tartare, le Léthé et la plaine d'Asphodèle ?

659 Comment s'appelait le chien à trois têtes qui, dans la mythologie grecque, gardait l'entrée des Enfers ?

660 Comment s'appelait la fille du roi d'Argos à qui Zeus rendit visite sous la forme d'une pluie d'or ?

QUIZ 67

Vrai ou faux ?
Dites si ces affirmations sont justes ou non.

661 Le mot civilisation vient d'un mot latin qui signifie citadin.

662 En Égypte, le pharaon détenait les pouvoirs politique et religieux.

663 En Égypte, les tombes étaient situées sur la rive est du Nil parce que le lever du soleil était associé à la renaissance.

664 Le mot agonie est dérivé d'un mot grec et romain désignant des rencontres sportives.

665 La roue était inconnue en Amérique avant l'arrivée des Européens.

666 Le fait que l'on n'ait trouvé aucune trace de bijoux chez les Mayas montre que, pour eux, les bijoux étaient sacrilèges.

667 Les Assyriens étaient réputés pour la clémence avec laquelle ils traitaient leurs ennemis vaincus.

668 Antoine et Cléopâtre ont eu ensemble trois enfants.

669 Le premier code de lois a été promulgué à Ninive.

670 Le récit biblique à propos de Moïse et de l'exode d'Égypte correspond à l'époque de la construction des pyramides.

QUIZ 68

Jouez avec les mots

Questions sur l'origine et le sens des mots.

671 Quel est le sens du mot Mésopotamie ?

672 Quelle est la région d'Italie dont le nom rappelle le mot étrusque ?

673 Que signifie le mot Bouddha ?

674 Quelle est la substance végétale dont l'action chimique est utilisée pour fabriquer du cuir par tannage des peaux ?

675 Le mot céréale est formé à partir du nom d'une déesse. Laquelle ?

676 De quelle langue vient le mot sphinx ?

677 Quel est le mot français dérivé du nom de Mausole de Carie ?

678 Quel est le sens original du mot latin *cubitum*, qui a donné son nom à une ancienne unité de mesure, la coudée ?

679 Comment appelle-t-on un bijou qui se porte sur la poitrine et dont le nom vient du mot latin signifiant poitrine ?

680 Quelle est la riche colonie grecque du sud de l'Italie qui a donné naissance au terme sybarite, signifiant « jouisseur » et « sensuel » ?

QUIZ 69

Comment ça s'appelle ?

Trouvez les termes exacts.

681 Quel nom a-t-on donné au genre de l'espèce humaine dont le crâne a été découvert en 1912 ?

682 Quelle vallée a donné son nom à l'homme de Neandertal ?

683 Comment s'appelle la tige qui projette son ombre sur un cadran solaire ?

684 Comment appelle-t-on le système de pompe à eau qui aurait été inventé par Archimède ?

685 Comment appelle-t-on les statues féminines qui servaient de colonnes dans les édifices grecs ?

686 Quel nom donne-t-on au mur de tourbe construit par les Romains en Écosse, entre la Clyde et le Forth, en 142 ?

687 Quel est l'ancien nom du détroit des Dardanelles, qui sépare l'Europe de l'Asie ?

688 Comment appelle-t-on le pignon triangulaire d'un temple grec ou romain ?

689 Par quel nom désigne-t-on la sortie d'Égypte des Hébreux vers 1200 av. J.-C. ?

690 Quel nom technique, dérivé du grec et signifiant « qui vole l'eau », emploie-t-on pour désigner une horloge à eau ?

QUIZ 70

Hommes de pouvoir

Retrouvez les titres de ceux qui tiennent les commandes.

691 Quelle ville avait parmi ses dirigeants un magistrat appelé *dictator* ?

692 Que signifient les mots grecs *demos* et *kratos*, qui ont donné le mot démocratie ?

693 Comment s'appelait l'assemblée souveraine de la République romaine ?

694 Dans la Rome ancienne, comment appelait-on les principaux fonctionnaires du gouvernement ?

695 Après avoir été consul, un Romain pouvait être nommé gouverneur de province. Quel était alors son nouveau titre ?

696 Quelle civilisation a donné naissance au mot tyran ?

697 Quel était le titre des magistrats défendant les plébéiens à Rome ?

698 Comment s'appelait le législateur athénien qui est à l'origine de l'adjectif draconien ?

699 Quel titre aristocratique est dérivé du nom donné chez les Romains au commandant d'une campagne militaire ?

700 Quel mot signifiant « décision du peuple » est formé à partir du nom de la classe inférieure à Rome ?

QUIZ 71

Écrivains, langues et sciences

Des quatre réponses proposées, une seule est bonne.

701 Parmi ces langues, quelle est celle qui n'est pas celte ?
- **A** Le gaélique
- **B** Le gallois
- **C** L'anglais
- **D** Le breton

702 De quelle langue vient le mot sucre ?
- **A** Du grec
- **B** Du sanskrit
- **C** Du chinois
- **D** De l'amharique (éthiopien)

703 Parmi ces écrivains, lequel était une femme ?
- **A** Hésiode
- **B** Pindare
- **C** Sappho
- **D** Xénophon

704 Combien de sons différents la voix humaine est-elle capable de produire ?
- **A** 26
- **B** 35
- **C** 55
- **D** 78

705 Quelle dimension de la Terre Ératosthène calcula-t-il ?
- **A** Sa masse
- **B** Sa circonférence
- **C** Son diamètre
- **D** Sa distance au Soleil

706 Sur quelle matière les Mésopotamiens écrivaient-ils ?
- **A** Du papyrus
- **B** Du parchemin
- **C** Des tablettes d'argile
- **D** De la soie

707 Quel est le plus ancien système d'écriture encore utilisé ?
- **A** Grec
- **B** Arabe
- **C** Minoen
- **D** Chinois

708 Qui a décrit les bas-fonds de Rome, dans le *Satyricon* ?
- **A** Térence
- **B** Pétrone
- **C** Pline l'Ancien
- **D** Plaute

709 Quand la liste des Sept Merveilles du monde fut-elle établie ?
- **A** Au IIe siècle av. J.-C.
- **B** Au VIe siècle apr. J.-C.
- **C** Au XVIe siècle apr. J.-C.
- **D** Au XIXe siècle apr. J.-C.

710 Dans quel genre littéraire Hérodote, Thucydide et Xénophon se sont-ils illustrés ?
- **A** La tragédie
- **B** La comédie
- **C** Les récits historiques
- **D** La poésie

QUIZ 72

Festival littéraire

Dix questions sur des auteurs ou des œuvres.

711 Qui a écrit *l'Odyssée* ?

712 Quelle œuvre de la littérature indienne est le plus long poème épique du monde ?

713 Quel poème épique de Virgile a pour héros un prince troyen qui fonda Rome ?

714 Quelle est l'œuvre la plus célèbre d'Ovide, consacrée aux transformations de héros mythologiques ?

715 Quel est le titre d'un célèbre poème épique de la Mésopotamie ancienne ?

716 Quel auteur grec à demi légendaire aurait écrit des fables sur les animaux ?

717 Quel philosophe grec est l'auteur de *la République* ?

718 Quel est le nom du philosophe chinois dont les propos ont été rassemblés dans un livre appelé *Entretiens* ?

719 Quel est le nom de l'ancien livre de divination chinois appelé aussi le « Livre des mutations » ?

720 Quel est le nom du héros gaulois de bandes dessinées créé par René Goscinny et Albert Uderzo ?

QUIZ 73

Le point commun
Trouvez le lien entre les divers éléments des questions.

721 Quel terme est associé aux adjectifs julien, lunaire et grégorien ?

722 Sur quel continent l'écaille de tortue, les dents d'ours et le cuivre étaient-ils utilisés dans les échanges ?

723 Pour quoi s'est-on servi de roseaux, de peaux de moutons et de chiffons ?

724 Pour quel rituel maya se servait-on de couteaux en obsidienne, de cordes munies d'épines et de poinçons de jade ?

725 Dans l'Antiquité, de quoi tenaient lieu les outils en bronze, les coquilles de cauri et les lingots d'or ?

726 De quelle partie du monde sont originaires le cacao, les arachides et les citrouilles ?

727 Pour quelle opération recourait-on au curcuma, à la guède et aux coquillages ?

728 Dans la Grèce ancienne, qu'étaient la chlamyde des hommes ainsi que le péplum et le chiton des femmes ?

729 Quel genre de bateaux étaient les unirèmes, les birèmes et les trirèmes ?

730 Dans quel genre d'édifices publics romains trouvait-on un *frigidarium*, un *tepidarium* et un *caldarium* ?

QUIZ 74

Anagrammes
Rétablissez l'ordre des lettres et retrouvez le terme caché.

731 CHINEPINES Les plus grands navigateurs du monde méditerranéen antique.

732 EMURSIENS Fondateurs de la première civilisation mésopotamienne.

733 RODIENS Ils s'établirent en Grèce pendant l'âge des ténèbres (vers 1125-700 av. J.-C.) et fondèrent Sparte.

734 WOGISITHS Peuple germanique qui gouverna l'Espagne après la chute de l'Empire romain.

735 ELLEWHOPS Peuple bâtisseur de tertres funéraires qui supplanta les Adenas dans les Eastern Woodlands d'Amérique du Nord.

736 DINIHOMES Les ancêtres des hommes.

737 ENYLDIS Peuple dont Crésus était le roi.

738 ARYESSINS Peuple de la Mésopotamie qui éleva des statues représentant des taureaux ailés avec des têtes d'hommes.

739 SEMATINS Peuple du sud des Apennins, en Italie, qui fit trois guerres contre Rome à partir de 343 av. J.-C.

740 GILUE DE NEOPOPLUNES Ligue conduite par Sparte.

QUIZ 75

Histoires de chiffres
Essayez de répondre à ces questions démesurées.

741 À 10 000 près, combien y avait-il de places assises dans le Colisée à Rome ?

742 Parmi ces cultures anciennes, laquelle eut la plus vaste aire de développement : la culture assyrienne, romaine, polynésienne ou maya ?

743 Avant Alexandre le Grand, quelle civilisation a régi le plus grand empire du monde ?

744 À 500 près, combien de personnes les thermes de Dioclétien pouvaient-ils accueillir en même temps ?

745 Quelle était la plus grande ville de Méso-Amérique en 500 ?

746 Sous quel empereur l'Empire romain connut-il sa plus grande extension ?

747 Sous la dynastie Han, l'Empire chinois était-il plus grand ou moins grand que la Chine d'aujourd'hui ?

748 À combien évalue-t-on la taille du Colosse de Rhodes : 10 m, 30 m, 50 m, 80 m ou 100 m ?

749 Sur quel édifice antique construisit-on le plus grand dôme du monde ?

750 Où les Romains bâtirent-ils leur plus long aqueduc ?

QUIZ 76

Visages du passé
Identifiez ces personnes d'une autre époque.

751 Qui chassa Odoacre du nord de l'Italie, en 489 ?

752 Quel pharaon égyptien régna pendant 66 ans ?

753 Qui a écrit *l'Iliade* ?

754 Quelle souveraine rusée est restée célèbre pour sa liaison avec Jules César et Marc Antoine ?

755 Qui Jules César vainquit-il à Pharsale ?

756 Qui est le fils de Philippe II de Macédoine ?

757 Quel fils adoptif de Nerva a fait ériger une colonne pour commémorer sa victoire sur les Daces ?

758 Qui est plus connu sous le nom de Siddharta Gautama ?

759 Quel est l'autre nom d'Akhenaton ?

760 Qui Aménophis IV a-t-il épousé ?

QUIZ 77

Ça commence par
Essayez de trouver le reste du mot.

761 Une période g____ correspond à une longue durée pendant laquelle la Terre se refroidit et les glaciers s'étendent.

762 Une armée en t____ c____ grandeur nature garde la tombe de Qin Shin Huangdi.

763 Les cultures Chavín et Paracas sont apparues dans la région de l'actuel P____.

764 On appelait route de la s____ les réseaux qui reliaient la Chine à la Méditerranée.

765 La période des débuts de l'histoire grecque dominée par les Doriens est appelée les siècles o____.

766 Les mosaïques du mausolée de Galla Placidia, à Ravenne, sont des chefs-d'œuvre de l'art b____.

767 Les Adenas et les Hopewells d'Amérique du Nord, connus pour leurs monuments funéraires, sont appelés les bâtisseurs de M____.

768 Pour signer les tablettes d'argile, les Mésopotamiens utilisaient des sceaux-c___.

769 Le titre de pharaon signifie « grande m____ ».

770 On appelle p____ de Clovis les fers de lance en pierre découverts en Amérique du Nord et utilisés par les hommes préhistoriques pour chasser.

QUIZ 78

À la fortune du pot
Dix questions sur des sujets accessibles à tous.

771 Quelle est la créature mythique, mi-homme, mi-lion, qui veille sur les pyramides de Gizeh ?

772 Quel roi d'Israël construisit le premier Temple de Jérusalem ?

773 Quel nom donne-t-on à la pierre gravée découverte en 1799 qui permit à Champollion de déchiffrer les hiéroglyphes égyptiens ?

774 Quel est le mot breton qui désigne un monument mégalithique en forme de table ?

775 Que signifie le nom Mélanésie ?

776 Quelle civilisation, partie du Péloponnèse, fut la première à se développer dans la Grèce continentale ?

777 À quelle période les premiers établissements du néolithique appartiennent-ils : l'âge de la pierre, du bronze ou du fer ?

778 Quel est le nom du dieu égyptien à tête de chacal ?

779 Dans quel pays la civilisation olmèque apparut-elle ?

780 Comment appelle-t-on le recueil de formules rédigées par les prêtres égyptiens pour aider le défunt dans les épreuves de l'au-delà ?

QUIZ 79

Ouvrez les guillemets

Une série de citations à rendre à leurs auteurs.

781 Quel archéologue déclara : « Partout l'or étincelle » ?

782 De quel roi est-il question dans le poème de Byron débutant par : « L'Assyrien attaqua comme le loup fondant sur la bergerie » ?

783 Qui prononçait ces paroles : « Ceux qui vont mourir te saluent » ?

784 Quelle prière d'affirmation de la foi chrétienne commence par : « Je crois en Dieu, le Père tout-puissant, créateur du Ciel et de la Terre… » ?

785 À propos de qui Jésus a-t-il dit : « Sur cette pierre je bâtirai mon Église » ?

786 Qui Wilfred Owen citait-il quand il écrivit : « Le vieux mensonge : *Dulce et decorum est pro patria mori* » (Il est doux et beau de mourir pour la patrie) ?

787 Qui a dit : « J'ai trouvé Rome en brique et je l'ai laissée en marbre » ?

788 « Ô mon fils Absalon, mon fils, mon fils Absalon ! » Quel père affligé s'exprime ainsi ?

789 Qui aurait dit : « Seigneur, rends-moi chaste, mais pas tout de suite » ?

790 Quel auteur et orateur romain se serait exclamé : « *O tempora ! O mores !* » (Ô temps ! Ô mœurs !) ?

QUIZ 80

Vrai ou faux ?

Dites si ces affirmations sont justes ou non.

791 Le mot momie vient du persan *mum*, qui signifie cire.

792 Les médecins romains savaient recoudre les plaies.

793 Les Égyptiens furent les premiers à utiliser l'arc dans la construction.

794 *Homo sapiens* fut la première espèce humaine qui quitta l'Afrique.

795 La laque chinoise était fabriquée avec des scarabées écrasés.

796 Rome fut mise à sac par Attila le Hun.

797 La plupart des Barbares qui détruisirent l'Empire romain étaient chrétiens.

798 Jules César déclara : « *Veni, vidi, vici* » (Je suis venu, j'ai vu, j'ai vaincu) après sa deuxième expédition en (Grande-) Bretagne, en 54 av. J.-C.

799 La Chine se développa à l'écart du reste du monde jusqu'à l'arrivée de Marco Polo au XIIIe siècle.

800 L'écriture maya n'a jamais été déchiffrée et reste un mystère.

QUIZ 81

Crimes et châtiments

Dix questions sur les lois et ceux qui les enfreignent.

801 Quel vêtement était interdit à Rome ?

802 Quel roi biblique, alors que deux femmes se disputaient le même enfant, aurait ordonné que l'on coupe l'enfant en deux pour savoir quelle était sa vraie mère ?

803 Quel roi de l'Inde ancienne créa des piliers et des inscriptions pour développer les principes et les lois du bouddhisme ?

804 Pourquoi l'édit de Milan de 313 fut-il important pour les chrétiens ?

805 Quelle dynastie de rois romains est mise en cause dans le poème de Shakespeare *le Viol de Lucrèce* ?

806 Quel empereur romain a tué Agrippine, sa mère, et Octavie, sa femme ?

807 Quelle forme d'exécution les Romains infligèrent-ils aux 6 000 esclaves rebelles qui s'étaient révoltés avec Spartacus ?

808 En Mésopotamie, si une maison s'écroulait, causant la mort de son propriétaire, qu'arrivait-il à son constructeur ?

809 Quel empereur accorda la citoyenneté aux hommes libres ?

810 Quelle profession exerçait Sisamnes avant que Cambyse le fasse écorcher vif et utilise sa peau pour tapisser un siège ?

QUIZ 82

Genre littéraire

Une série de questions sur les écrivains de l'Antiquité.

811 Quel genre de livres le Romain Marcus Gavius Apicius écrivait-il ?

812 Quel poète s'illustra par ses *Satires*, dans lesquelles il critiquait la vie à Rome ?

813 Quel écrivain et architecte romain inspira à Léonard de Vinci le célèbre dessin montrant les proportions idéales du corps humain ?

814 Quels célèbres textes religieux auraient été écrits par les Esséniens de Qumran ?

815 Quel saint et théologien chrétien est l'auteur de *la Cité de Dieu* et des *Confessions* ?

816 Quel écrivain et philosophe se donna la mort sur ordre de Néron ?

817 De quel poète romain Shakespeare s'est-il inspiré pour *Pyrame et Thisbé*, pièce incluse dans *le Songe d'une nuit d'été* ?

818 Sous quel nom l'orateur et écrivain Marcus Tullius est-il davantage connu ?

819 Le géographe Ptolémée est l'auteur d'un livre sur les étoiles et les planètes, *Syntaxis*, plus connu sous un autre titre, d'origine arabe. Lequel ?

820 Quel empereur et philosophe romain est l'auteur de *Pensées* ?

QUIZ 83

Art, artisanat et technologie

Des quatre réponses proposées, une seule est bonne.

821 À quelle civilisation attribue-t-on l'invention de la roue ?
A Égyptienne
B Chinoise
C Minoenne
D Sumérienne

822 Quel était le peuple le plus avancé dans le travail des métaux ?
A Les Mayas
B Les Hittites
C Les Chinois
D Les Indiens

823 Avec quoi les Phéniciens fabriquaient-ils la pourpre ?
A De l'écorce
B Des fleurs
C Des coquillages
D Des épices

824 Parmi ces techniques, laquelle ne concerne pas la Chine ?
A La fonte du fer
B La sculpture sur jade
C Le tissage de la soie
D Le soufflage du verre

825 Quelle est la principale source de connaissance de l'art étrusque ?
A La poterie
B Les tombes
C Les temples
D Les manuscrits

826 Qu'est-ce qui caractérise les Assyriens sur les bas-reliefs sculptés ?
A Leur barbe
B Leur pantalon
C Leur crâne rasé
D Leurs lunettes

827 Parmi ces ornements, lequel n'est pas associé au dessin celte ?
A Les spirales
B Les entrelacs
C Les camées
D Les émaux

828 Comment appelle-t-on les petits morceaux de pierre qui servaient à réaliser les mosaïques romaines ?
- A *Tessitura*
- B *Tesserae*
- C *Terzetti*
- D *Tetrastichs*

829 Comment un haruspice romain devinait-il la volonté des dieux ?
- A En entrant en transe
- B En examinant les entrailles
- C En lisant les lignes de la main
- D En regardant les étoiles

830 Qu'est-ce qui caractérise la culture Lapita des îles du Pacifique Sud ?
- A La sculpture sur bois
- B La monnaie de coquillages
- C La poterie
- D Les pirogues à balancier

QUIZ 84

Lettres manquantes
Retrouvez les consonnes manquantes.

831 A__I_UE O_IE__A_E Lieu d'origine des premiers êtres humains.

832 _Y_E_E_ Ville ancienne qui donna leur nom aux Mycéniens.

833 _U_E_ Peuple germanique qui donna son nom au Jutland, au Danemark.

834 _O_AI__ Peuple qui fonda Londres, Paris, Cologne et Séville.

835 A___ES Tribu germanique qui donna son nom à l'Angleterre.

836 A_E_A__E_E__A__ Fondateur d'al-Iskandariyah (Égypte), d'Iskenderun (Turquie) et d'Iskandariya (Irak).

837 A_E_I_UE _U _U_ Premier continent sur lequel on cultiva la pomme de terre.

838 _E_E_ Tribu celte qui a donné son nom à la Belgique.

839 _A_OA L'un des groupes d'îles dont seraient originaires les Polynésiens.

840 __A___ Peuple germanique qui donna son nom à la France.

QUIZ 85

Ça commence par…
Les réponses commencent par la lettre entre guillemets.

841 « S » Nom de la pierre dure qui servait à fabriquer des outils pendant l'âge de la pierre.

842 « T » Lourds ornements de bronze portés par les Celtes comme colliers ou comme brassards.

843 « F » Centre de la vie publique dans la Rome antique.

844 « N » Jauge employée pour mesurer la hauteur des inondations du Nil.

845 « Z » Temple mésopotamien en forme de pyramide à degrés.

846 « T » Forme de commerce en usage avant l'apparition de la monnaie.

847 « N » Substance utilisée par les embaumeurs égyptiens pour dessécher le corps des défunts.

848 « V » Celle de Willendorf, vieille de 24 000 ans, est une des plus connues.

849 « T » Étoffe drapée portée par les Romains.

850 « M » Civilisation en partie détruite vers 1600 av. J.-C. par une éruption volcanique sur l'île de Santorin.

QUIZ 86

Eurêka !
Des questions à propos des premières inventions.

851 Que fabriquait-on avec l'électrum, alliage d'or et d'argent ?

852 Les Chinois ont inventé le papier-monnaie au Ier siècle, sous la dynastie Han : vrai ou faux ?

853 Dans quel ancien royaume d'Asie Mineure furent fabriquées les premières pièces de monnaie ?

854 Quel peuple fabriqua le premier des fours assez chauds pour fondre et couler le fer ?

855 En quoi l'horloge à eau était-elle un progrès par rapport au cadran solaire ?

856 À quel peuple de navigateurs attribue-t-on l'invention du verre soufflé ?

857 L'arc et la flèche ont été inventés en Amérique du Nord : vrai ou faux ?

858 Quel peuple de Méso-Amérique aurait inventé le chewing-gum ?

859 Comment appelle-t-on les galères à deux rangs de rames qui auraient été inventées par les Phéniciens ?

860 Vers 200 av. J.-C., les Romains employaient comme matériau de construction un mélange de cendre volcanique et de chaux, proche du ciment de Portland actuel : vrai ou faux ?

QUIZ 87

À la fortune du pot
Des questions pour aiguiser votre réflexion.

861 La Grande Pyramide fut-elle construite pendant l'Ancien ou le Moyen Empire ?

862 Pour montrer leur bravoure, avec quel genre d'animaux les rois d'Assyrie aimaient-ils se faire représenter : des crocodiles, des aigles, des lions ou des éléphants ?

863 Moïse et Sargon Ier, roi d'Assyrie, auraient tous deux été abandonnés, bébés, dans des paniers d'osier livrés au gré du courant. Qui l'aurait été le premier ?

864 Quel est le nom de la première dynastie chinoise ?

865 Quelle civilisation a introduit l'année bissextile ?

866 Pendant la période chalcolithique, on fabriquait les outils avec de la pierre et un métal. Lequel ?

867 À 500 ans près, quand le bronze fut-il utilisé pour la première fois ?

868 Comment appelait-on les Huns (originaires d'Asie centrale) qui dévastèrent l'Afghanistan et les villes du nord de l'Inde au Ve siècle ?

869 Quel lien y a-t-il entre la Torah et le Pentateuque ?

870 Quelle culture ancienne le Dorset et Thulé ont-ils en commun ?

QUIZ 88

Sites anciens
Retrouvez les lieux dont il s'agit.

871 Dans quel pays actuel se trouve Hallstatt ?

872 Dans quel pays actuel se trouve Éphèse ?

873 Dans quel pays actuel se trouve Harappa ?

874 Dans quel pays actuel se trouve Xian ?

875 Dans quel pays actuel se trouve Serpent Mound ?

876 Dans quel pays actuel se trouve Chichén Itzá ?

877 Dans quel pays actuel se trouve Tiahuanaco ?

878 Dans quel pays actuel se trouve Carthage ?

879 Dans quel pays actuel se trouve Memphis ?

880 Dans quel pays actuel se trouve Nok ?

QUIZ 89

Gastronomie
Dix questions sur le thème de la nourriture et de la boisson.

881 Quel était le nom du dieu du vin chez les Romains ?

882 Quelle est la céréale de base en Amérique qui fut d'abord cultivée sur les hauts plateaux du Mexique et qui était broyée avec un pilon *(mano)* sur une pierre *(metate)* ?

883 Le vin est originaire des pays méditerranéens et la bière du nord de l'Europe : vrai ou faux ?

884 Quel ingrédient indispensable, dont le nom commence par un T, manquait aux Romains pour qu'ils puissent faire une pizza ?

885 Quelle fête juive Jésus célébrait-il lors de son dernier repas ?

886 Les Romains avaient-ils du sel et du poivre ?

887 Avec les graines de cacao, les Mayas faisaient-ils des galettes ou bien une boisson ?

888 Dans quel pays commença-t-on à cultiver le soya : l'Inde ou la Chine ?

889 Les Romains buvaient du gin et du rhum : vrai ou faux ?

890 Quelle céréale cultiva-t-on en premier : l'avoine ou le blé ?

QUIZ 90

Couples célèbres
Complétez chacun de ces noms propres.

891 Avant d'être enlevée par Pâris et emmenée à Troie, Hélène était mariée avec M____, le roi de Sparte.

892 Dans le panthéon grec, Zeus était l'époux d'Héra, qui était appelée J____ par les Romains.

893 On dit que S____, roi d'Israël, a eu 1 000 épouses et concubines.

894 L____ fut pendant 51 ans l'épouse de l'empereur Auguste.

895 Julia, la fille de Jules César, fut la femme de P____.

896 La déesse égyptienne I____ était l'épouse d'Osiris.

897 La femme d'Alexandre le Grand s'appelait R____.

898 La veuve du roi Prasutag, qui fut reconnue reine des Icènes de l'île de Bretagne, s'appelait B____.

899 Dans la mythologie grecque, Héphaïstos était l'époux malheureux de la déesse A____.

900 Célèbre pour ses débauches, Messaline était la troisième femme de l'empereur C____.

QUIZ 91

Embrouillamini
Remettez de l'ordre dans ces mots.

901 Les fêtes données en l'honneur de IDONOSYS sont à l'origine du théâtre occidental.

902 PHAT était le dieu de l'ancienne ville égyptienne de Memphis.

903 Le plus célèbre roi de Sumer s'appelait GNORAS.

904 En 217 av. J.-C., l'armée romaine fut défaite par les Carthaginois conduits par NABILNAH.

905 IRISOS était le dieu égyptien de la mort et de l'au-delà.

906 Plusieurs rois d'Assyrie portèrent le nom de PLESARA-LATTHAGH.

907 Au XVIe siècle, Jacques Amyot traduisit en français des biographies de QUALPURET consacrées à des Grecs et à des Romains célèbres.

908 Le pharaon du Nouvel Empire APHONEMIS III était l'époux de la reine Tiy.

909 TICATE, auteur des *Annales*, était l'un des plus célèbres historiens de Rome.

910 Le poète romain LUTACLE avait une passion pour une femme appelée Lesbie.

QUIZ 92

Casse-tête animalier
Quelques colles à propos des animaux de l'Antiquité.

911 Quelle est l'appellation correcte du chameau à deux bosses utilisé sur la route de la soie ?

912 À 2 000 ans près, à quand remonte l'extinction des derniers mammouths en Europe ?

913 Comment s'appelle l'oiseau à longue queue vénéré par les peuples de Méso-Amérique qui est l'emblème du Guatemala ?

914 Les Égyptiens embaumaient des animaux sacrés : vrai ou faux ?

915 Quel a été le premier animal domestiqué ?

916 Comment s'appelait le cheval préféré d'Alexandre le Grand ?

917 Quel est le félin d'Amérique associé aux Olmèques et aux cultures méso-américaines suivantes ?

918 En plus du lama, citez au moins deux autres membres de la famille des camélidés dont on utilise la laine en Amérique.

919 Comment s'appelle le descendant du loup venu d'Asie et apparu vers 3000 av. J.-C. en Australie ?

920 Quel mot commençant par un O désigne à la fois un âne sauvage et une catapulte ?

QUIZ 93

Morts célèbres
Dix questions sur la mort de personnages historiques.

921 Comment Cléopâtre se serait-elle donné la mort ?

922 Dans quelle ville Alexandre le Grand est-il mort ?

923 Comment s'appelaient les deux principaux meneurs de la conspiration contre Jules César ?

924 Comment mourut Socrate ?

925 De quelle maladie Périclès est-il mort ?

926 De quelle façon Vercingétorix fut-il exécuté à Rome ?

927 Quel empereur aurait utilisé les chrétiens comme torches humaines pour éclairer son palais ?

928 Comment s'appelait le roi de Perse assassiné par son garde du corps ?

929 Comment Hannibal est-il mort ?

930 Comment s'appelait le chef barbare, surnommé le Fléau de Dieu, qui mourut d'un saignement de nez ?

QUIZ 94

Résultats des fouilles
Des questions à propos de découvertes archéologiques.

931 Quel est le nom de l'archéologue britannique qui découvrit la tombe de Toutankhamon ?

932 Comment s'appelait la reine sumérienne inhumée dans le cimetière d'Our dont la tombe contenait des bijoux ?

933 Quelle ville de la vallée de l'Indus fut découverte lors de la construction de la ligne de chemin de fer Lahore-Karachi ?

934 Qui découvrit le palais de Cnossos et donna aux Minoens leur nom ?

935 Quand furent mises au jour les villes assyriennes de Kalhou et de Ninive : dans les années 1840, 1890, 1920 ou 1960 ?

936 Quel nom donna-t-on au chasseur du néolithique retrouvé en 1991 dans un glacier des Alpes ?

937 La porte d'Ishtar se trouve maintenant à Berlin. De quelle ville vient-elle ?

938 À quel archéologue doit-on la mise au jour d'Our dans les années 1920 ?

939 Quel archéologue allemand découvrit et mit au jour Mycènes et Troie ?

940 Dans quel pays découvrit-on le squelette d'*Australopithecus afarensis* auquel on donna le nom de Lucy ?

QUIZ 95

Vrai ou faux ?
Dites si ces affirmations sont justes ou non.

941 Milan a été autrefois la capitale de l'Empire romain d'Occident.

942 L'ambre jaune est une matière cireuse sécrétée par les cachalots.

943 La pyramide du Soleil de Moche, au Pérou, est la plus grande pyramide du monde en brique.

944 Cléopâtre épousa deux de ses frères.

945 Les Grecs possédaient une sorte de bible de leurs mythes sacrés, appelée *Théogonie*, conservée dans le trésor du Parthénon.

946 Le premier sismographe, appareil utilisé pour détecter les tremblements de terre, a été inventé par les Chinois.

947 Des Indonésiens s'établirent à Madagascar il y a au moins 1 300 ans.

948 Les plus anciennes traces d'écriture en Chine ont été trouvées sur des crânes et des os.

949 Le canal de Corinthe fut achevé 6 mois avant l'annexion de la Grèce par Rome, en 146 av. J.-C.

950 Les statues géantes de l'île de Pâques sont aussi anciennes que Stonehenge.

QUIZ 96

À la fortune du pot
Des questions en tout genre.

951 Quel nom donnait-on dans la Rome ancienne à un théâtre couvert qui servait pour les concerts et les spectacles de moyenne importance ?

952 Dans quelle région de Grande-Bretagne trouvait-on jadis de l'étain ?

953 Quelle ville de commerce située dans le sud-est de la Turquie, près de la frontière avec la Syrie, était jadis surnommée la Reine de l'Orient ?

954 Quelle civilisation méso-américaine est célèbre pour ses têtes géantes ?

955 Dans quelle commune de Bretagne peut-on voir des milliers de monuments mégalithiques ?

956 Comment s'appelle la doctrine chrétienne qui fut condamnée au concile de Nicée en 325 ?

957 Quel nom donne-t-on à la forme oblongue qui entoure les hiéroglyphes représentant le nom d'un roi ou d'un pharaon ?

958 De quel peuple est-il question dans l'expression biblique « Our en Chaldée » ?

959 Comment l'empereur Julien fut-il surnommé pour avoir abandonné la religion chrétienne ?

960 Quel nom donne-t-on à un livre maya ou aztèque ?

QUIZ 97

Distractions et jeux
À propos des jeux pratiqués dans les temps anciens.

961 Quelle tradition grecque le baron de Coubertin a-t-il réinstaurée en 1896, après une interruption de 1502 ans ?

962 À quel jeu, pratiqué en Méso-Amérique, les perdants risquaient-ils d'être sacrifiés aux dieux ?

963 Dans quel sport les Blancs, les Bleus, les Verts et les Rouges se mesuraient-ils à Rome devant 300 000 spectateurs ?

964 Les acteurs grecs étaient choisis pour l'expressivité de leurs visages : vrai ou faux ?

965 Comment s'appelait le festival dédié à Saturne durant lequel régnait une grande liberté ?

966 On comptait des femmes parmi les gladiateurs romains : vrai ou faux ?

967 Dans le théâtre romain, les femmes avaient-elles le droit d'être actrices ?

968 À quels événements se tenant à Rome donnait-on le nom de *Ludi* ?

969 Dans l'épopée sanskrite du *Mahabharata,* à quel jeu les frères Pandava perdent-ils leur royaume : le jacquet ou les dés ?

970 Dans la Grèce ancienne, les Anthestéries et les Panathénées étaient-elles des fêtes religieuses ou profanes ?

QUIZ 98

Au cœur de la bataille
Des questions sur les armes et les armées.

971 Parmi ces métaux, quel est le plus dur : l'or, le fer le bronze ou le cuivre ?

972 Quelle est l'arme allongée, affûtée, que l'on tient avec la main et qui fut utilisée la première uniquement comme arme de guerre ?

973 Quel instrument de chasse, appelé aussi *atlatl,* les chasseurs d'Amérique du Nord utilisaient-ils avant l'arc et la flèche ?

974 Quelle formation d'infanterie, commençant par un P et finissant par un E, a permis aux armées grecques d'être les plus fortes ?

975 Quelle était la principale tactique utilisée par l'équipage d'une trirème pour attaquer un ennemi ?

976 Avec quoi David tua-t-il Goliath ?

977 D'après la Bible, quelle est la ville qui a été conquise après que les sonneries des trompettes et les clameurs des Hébreux ont fait s'écrouler les murs ?

978 Quel est l'endroit en Israël, commençant par un M, où les Égyptiens ont livré de nombreuses batailles ?

979 Qui avait des manipules : l'armée romaine ou l'armée assyrienne ?

980 Comment s'appelaient les fantassins lourdement armés dans la Grèce antique ?

QUIZ 99

Art et créativité
Des questions sur l'art et les artistes.

981 Comment appelle-t-on la technique de peinture murale qui utilise des couleurs appliquées sur du mortier frais ?

982 En tissage, la chaîne et la trame désignent le sens des fils. Laquelle correspond à la longueur et laquelle au sens transversal ?

983 Dans quel art grec utilise-t-on le terme de figures noires et rouges ?

984 Dans quelle forme d'art la culture minoenne a-t-elle particulièrement excellé ?

985 De quelle découverte archéologique faite en Égypte en 1920 le style Art déco s'est-il inspiré ?

986 La sculpture indienne a été influencée par la sculpture grecque : vrai ou faux ?

987 Qui a réalisé la statue géante de Zeus à Olympie, l'une des Sept Merveilles du monde ?

988 Quelle pièce de l'équipement d'un cavalier a donné son nom aux anses des pots ou jarres sculptées par les Mochicas du Pérou ?

989 Quelle civilisation d'Europe est connue pour ses sarcophages en terre cuite avec des couples allongés sur des divans ?

990 Quels matériaux utilisait-on pour fabriquer les masques des momies égyptiennes ?

QUIZ 100

À la fortune du pot
Des questions en tout genre.

991 La poterie et le tissage apparurent-ils en Europe à l'âge de la pierre polie ou à l'âge du bronze ?

992 Dans quel genre de récipients les embaumeurs égyptiens mettaient-ils les viscères du défunt ?

993 À 5 ans près, combien de temps dura le règne du pharaon Ramsès II ?

994 Comment appelle-t-on le site de l'âge du fer antérieur à la culture de La Tène dont le nom commence par un H ?

995 Le calendrier julien était-il plus court ou plus long que le grégorien ?

996 Quelle reine d'Égypte, régente de Thoutmosis III, se fit construire un temple funéraire à Deir el-Bahari ?

997 Par quel terme désignait-on la salle centrale d'un temple grec ?

998 Qui est l'auteur du *Tao-tö king,* livre fondateur du taoïsme ?

999 De quelle couleur étaient les turbans des rebelles qui contribuèrent à la chute de la dynastie chinoise des Han ?

1000 À quelle espèce d'hommes préhistoriques appartenaient l'homme de Pékin et l'homme de Java ?

QUIZ 101

À la fortune du pot
Dix petites questions pour vous mettre en jambes.

1001 Comment les musulmans appellent-ils Dieu ?

1002 Qu'est-ce qu'un mécène ?

1003 La croyance en un dieu unique est-elle un panthéisme ou un monothéisme ?

1004 Mon premier est un prénom, mon second est un poisson et mon tout est une danse des Années folles.

1005 Quel autre nom est donné à la Première Guerre mondiale ?

1006 Le canut est un ouvrier lyonnais. Est-ce un tisserand ou un ouvrier de la sidérurgie ?

1007 Quel est le peuple germanique qui mit Rome à sac en 455 et dont le nom est depuis synonyme de casseur violent ?

1008 Que signifie le mot Führer ?

1009 Qu'est-ce qui fut appelé Diktat par les Allemands après 1918 ?

1010 Quelle invention doit-on aux frères Montgolfier ?

QUIZ 102

Une ville, des villes

Une série de questions mêlant histoire et géographie.

1011 Quelle est la ville d'Inde où Vasco de Gama fit escale en 1498 ?

1012 Quelle ville l'empereur Constantin choisit-il comme capitale en l'an 330 ?

1013 Quelle ville soumise à un blocus soviétique fut approvisionnée par un pont aérien en 1948-1949 ?

1014 Quelle ville, où se trouvait le plus grand ghetto juif d'Europe, fut le théâtre d'une héroïque insurrection en avril et mai 1943 ?

1015 Quelle cité allemande a abrité de spectaculaires rassemblements du parti nazi dans les années 1930 ?

1016 Quelle était la capitale de la Prusse en 1870 ?

1017 Dans quelle ville se tenait la cour du roi de France avant Louis XIV ?

1018 La ville de La Nouvelle-Amsterdam a changé de nom au XVIIe siècle. Comment s'appelle-t-elle aujourd'hui ?

1019 Quelle cité, fondée en 1703, fut capitale de la Russie de 1724 à 1918 ?

1020 Dans quelle ville siège la Commission européenne ?

QUIZ 103

Grands de ce monde

Au sujet des hommes et des femmes de pouvoir.

1021 Quel célèbre duc de Normandie fut couronné roi d'Angleterre en l'abbaye de Westminster le jour de Noël ?

1022 À quel roi fut mariée Marguerite de Valois, la reine Margot ?

1023 Qui fut proclamé roi d'Italie en 1861 : Napoléon III ou Victor-Emmanuel II ?

1024 Qui régnait sur la France à l'époque de la Révolution française ?

1025 Quel est le monarque européen qui a abdiqué en 1918 et fini ses jours aux Pays-Bas ?

1026 De quelle célèbre sainte le roi Charles VII était-il contemporain ?

1027 Quel souverain a régné sur la Jordanie de 1952 à 1999 ?

1028 De quel roi Clotilde était-elle l'épouse ?

1029 Quel fut le dernier des tsars de la dynastie des Romanov à régner sur la Russie ?

QUIZ 104

Voyage voyage !

Dix questions pour s'évader.

1030 Quelle agence de voyages a été créée dans les années 1840 en Angleterre ?

1031 Quel ingénieur allemand inventa le premier véhicule à essence en 1885 ?

1032 Quel pays, dévasté par la dernière guerre, a reconstruit sa capitale sur la Vistule ?

1033 Quelle marque française a ouvert dans les années 1920 le marché automobile à la classe moyenne ?

1034 Dans quelle ville un croyant musulman doit-il effectuer un pèlerinage ?

1035 Quel général français se porta au secours des Américains durant la guerre de l'Indépendance ?

1036 À quelle vitesse roulent les trains en 1868 : 40 km/h, 70 km/h ou 90 km/h ?

1037 Quel était le nom de l'avion avec lequel Charles Lindbergh a traversé l'Atlantique en 1927 ?

1038 En 1804, une expédition américaine emmenait les officiers Clark et Lewis dans le Far West. Quel était le but de cette mission ?

1039 Quel est le nom du journaliste qui partit en Afrique à la recherche de l'explorateur Livingston en 1871 ?

QUIZ 105

Et le vainqueur est...

De qui s'agit-il ?

1040 Quel est le roi anglo-saxon, au surnom religieux, qui en 1042 chassa les Danois d'Angleterre ?

1041 Quel chef apache se rendit aux Américains en 1886 ?

1042 Au cours de quels jeux Olympiques les médaillés afro-américains Tommy Smith et John Carlos ont-ils fait scandale en saluant le poing levé ?

1043 Comment s'appelle l'athlète afro-américain qui a remporté quatre médailles d'or aux Jeux Olympiques de Berlin en 1936 ?

1044 Qui a remporté la guerre de 1870 ?

1045 Quel est le pays méditerranéen qui se libéra du joug ottoman en 1827 ?

1046 Qui remporta la guerre de Sécession : les sudistes ou les nordistes ?

1047 Quel peuple fut vaincu par le grand-prince russe Dimitri Donskoï en 1380 à Koulikovo ?

1048 Quel était le nom du plan stratégique allemand mis en place avant 1914 pour encercler Paris et soumettre la France ?

1049 Par quel autre puissant empire l'Empire byzantin est-il absorbé durant le haut Moyen Âge ?

QUIZ 106

À travers le monde

À qui ou à quoi fait-on allusion ?

1050 Dans quel pays Trotski a-t-il été assassiné en 1940 ?

1051 Qu'est-ce qui réunit la France, la Belgique, les Pays-Bas, l'Italie, le Luxembourg et l'Allemagne fédérale en 1957 ?

1052 Dans quelle contrée s'est implanté l'Empire moghol ?

1053 Au début du XVIIIe siècle, Charles XII mène une longue guerre contre la Russie. Sur quel pays règne-t-il ?

1054 Quel est l'ordre monastique fondé par saint François d'Assise ?

1055 Quels sont les trois pays arabes frappés par Israël en juin 1967 (guerre des Six-Jours) ?

1056 Comment s'appelait le lieu-dit, théâtre de l'offensive Nivelle en avril 1916 ?

1057 Quels sont les deux pays membres de la Triple-Alliance avec l'Allemagne, avant la Première Guerre mondiale ?

1058 Quelle solution trouva le grand moghol Akbar pour préserver la paix entre les différentes confessions en Inde ?

1059 Qui succéda en 1993 à Deng Xiaoping, en Chine ?

QUIZ 107

Bonne pioche

Des quatre réponses proposées, une seule est bonne.

1060 Quel âge avait la reine Victoria quand elle monta sur le trône ?
- A 8 ans
- B 18 ans
- C 28 ans
- D 38 ans

1061 Qui était président des États-Unis lorsque les troupes américaines quittèrent le Viêt Nam ?
- A Lyndon Johnson
- B Richard Nixon
- C Gerald Ford
- D Ronald Reagan

1062 À quelle époque Gengis Khan a-t-il mené ses conquêtes ?
- A Au XIe siècle
- B Au XIIe siècle
- C Au XIIIe siècle
- D Au XIVe siècle

1063 Quand débuta le premier Empire ?
- A 1802
- B 1804
- C 1812
- D 1815

1064 Laquelle de ces régions est annexée par l'Allemagne en 1870 ?
- A L'Alsace
- B La Franche-Comté
- C La Champagne-Ardenne
- D Le Nord

1065 En quelle année eut lieu la catastrophe nucléaire de Tchernobyl ?
- A 1975
- B 1986
- C 1991
- D 1997

1066 Quand fut lancé le premier plan quinquennal de Staline ?
- A 1929
- B 1932
- C 1935
- D 1939

1067 En quelle année les Turcs Ottomans prirent-ils Constantinople ?
- A 1353
- B 1403
- C 1423
- D 1453

1068 Lequel de ces pays vit s'épanouir la civilisation toltèque ?
- A Le Mexique
- B Le Brésil
- C L'Argentine
- D Le Chili

1069 Par le traité de Verdun, l'empire de Charlemagne est divisé en…
- A 2
- B 3
- C 4
- D 5

QUIZ 108

Comment s'appelle… ?
Trouvez les noms exacts.

1070 Quel est le nom de Charlemagne en latin ?

1071 Quelle fille du dernier tsar de Russie (qui en eut 4) Anna Anderson prétendait-elle être ?

1072 Quel était le nom des Cambodgiens communistes sous Pol Pot ?

1073 Sous quel nom la Société de Jésus est-elle plus connue ?

1074 Comment s'appelait l'organisation des Jeunesses hitlériennes dirigée par Baldur von Schirach ?

1075 Quel était le nom usuel de la police secrète nazie ?

1076 Comment s'appelle le canal construit au XIXe siècle en Égypte ?

1077 Quel est le titre du roman de Margaret Mitchell qui a pour cadre la guerre de Sécession ?

1078 Quel mouvement religieux chrétien doit son nom à sa position critique face au clergé catholique ?

1079 Comment s'appelle le traité signé par les États membres de la Communauté européenne en 1992 ?

QUIZ 109

Sur la mappemonde
Retrouvez où cela s'est déroulé.

1080 À quel pays appartenait la région des Sudètes lors de son annexion par l'Allemagne en 1938 ?

1081 Dans quel pays l'organisation fasciste de la Garde de fer vit-elle le jour ?

1082 Quel pays formé des principautés de Valachie et de Moldavie fut reconnu comme un État unique en 1861 ?

1083 Quel État américain, dont la capitale est Dover, fut le premier à ratifier la Constitution ?

1084 Quel pays se convertit au christianisme en 988 : l'Irlande ou la Russie ?

1085 Quels sont les trois pays Baltes entrés dans l'Union européenne en 2004 ?

1086 Où vivait Anne Frank, la jeune juive dont l'émouvant *Journal* est devenu célèbre ?

1087 Quel pays européen prend le contrôle de l'Inde durant la guerre de Sept Ans (1756-1763) ?

1088 Quel pays ne faisait pas partie de la première coalition qui se ligua contre la France en 1793 : la Russie, la Turquie ou l'Angleterre ?

1089 La Mandchourie est-elle une ancienne province du nord du Japon ou de la Chine ?

QUIZ 110

Quel est leur nom ?
Dix questions sur des personnages célèbres.

1090 Quel célèbre artiste et architecte de la Renaissance portait le nom de Buonarotti ?

1091 Sous quel nom connaît-on le révolutionnaire russe Lev Bronstein ?

1092 Quel célèbre révolutionnaire du nord du Mexique fut surnommé le « bandit au grand cœur » ?

1093 Devenu pape, quel nom Jean de Médicis prit-il : Jean XXIII ou Léon X ?

1094 De quelle illustre famille est issu le pape Alexandre VI ?

1095 Sous quel nom Guillaume, duc de Normandie, est-il entré dans l'Histoire ?

1096 Comment s'appelait la jeune femme peinte par Léonard de Vinci et surnommée la Joconde ?

1097 Qui a-t-on appelé le « Père la Victoire » après la victoire alliée de 1918 ?

1098 Qui se faisait appeler l'« homme d'acier » : Lénine ou Staline ?

1099 Quel est le nom allemand de la ville polonaise de Gdansk ?

QUIZ 111

Que d'eau, que d'eau
Une série de questions liées aux mers et aux fleuves.

1100 Quel explorateur français a remonté le cours du Saint-Laurent, au Canada, en 1534 ?

1101 Quel pays d'Europe possédait en 1914 la force maritime la plus importante ?

1102 Quel est le nom du bateau sur lequel les Pères pèlerins ont rejoint l'Amérique en 1620 ?

1103 Quelle base navale américaine fut attaquée par les Japonais le 7 décembre 1941 ?

1104 Quel grand fleuve d'Afrique de l'Ouest est menacé d'ensablement ?

1105 Au cours de quelle guerre du XXe siècle y eut-il une « course à la mer » ?

1106 Quel est le nom de la marine de guerre allemande ?

1107 Quel est le nom du bateau sur lequel Napoléon embarqua en 1815 pour Sainte-Hélène ?

1108 Quel homme politique égyptien nationalisa le canal de Suez en 1956 ?

QUIZ 112

Des lettres et des sciences
Une série de questions aussi littéraires que scientifiques.

1109 Quel grand écrivain britannique, auteur du *Livre de la jungle*, perdit son fils dans les tranchées de la Somme ?

1110 Quelle impératrice russe entretint une correspondance avec Voltaire ?

1111 Comment s'appelle l'essor culturel et artistique encouragé par Charlemagne ?

1112 Comment appelle-t-on l'élaboration d'une carte géographique ?

1113 L'écriture japonaise repose-t-elle sur des pictogrammes ou des idéogrammes ?

1114 Qui a inventé l'imprimerie en Allemagne au XVe siècle ?

1115 Par quel moyen les Incas, qui ignoraient l'écriture, parvenaient-ils à tenir leurs comptes ?

1116 Quelle fut la langue liturgique de l'Église catholique jusque dans les années 1960 ?

1117 Comment s'appelle l'hymne national belge ?

1118 Quel système de mesures fut inventé par des savants de la France révolutionnaire ?

QUIZ 113

Pot-pourri
Des questions en tout genre.

1119 De quel pays Tomas Masaryk était-il président ?

1120 De quel roi franc la division des volontaires français dans la Waffen SS portait-elle le nom ?

1121 En quelle année la Grande-Bretagne a-t-elle rejoint la CEE ?

1122 Que sont les « blizzards noirs » des années 1930 ?

1123 Quel était le nom du parti nationaliste chinois en 1912 ?

1124 En quelle année fut créée la Communauté européenne du charbon et de l'acier ?

1125 Comment appelait-on le Bénin à l'époque coloniale ?

1126 Comment s'appelait l'ancien esclave qui prit la tête de l'insurrection d'Haïti à la fin du XVIIIe siècle ?

1127 Quelle institution de l'Union européenne a été créée en 1994 à Francfort ?

QUIZ 114

Bonne pioche
Des quatre réponses proposées, une seule est bonne.

1128 Laquelle de ces armes est aussi un instrument de mesure maritime ?
A Arbalète
B Arc
C Trident
D Couteau

1129 Qui fut le premier à voler en aérostat en 1783 ?
A La Fayette
B Pilâtre de Rozier
C Joseph de Montgolfier
D Pierre de Fermat

1130 En quelle année l'Allemagne fut-elle officiellement réunifiée ?
A 1980
B 1989
C 1990
D 1998

1131 En quelle année est mort Staline ?
A 1945
B 1953
C 1958
D 1961

1132 En quelle année l'empereur Constantin transféra-t-il sa capitale à Byzance ?
A 330
B 483
C 455
D 622

1133 Combien de livres comporte le Nouveau Testament ?
A 4
B 12
C 27
D 66

1134 Quel est le sujet d'étude qui rendit Newton célèbre ?
A La géométrie
B L'attraction universelle
C La chimie
D La relativité

1135 Dans quel pays débuta la révolution industrielle ?
A Aux États-Unis
B En Grande-Bretagne
C En Russie
D En France

1136 Combien d'années dura la guerre de Cent Ans ?
A 89 ans
B 100 ans
C 116 ans
D 134 ans

1137 Qui a dit de la Terre : « Et pourtant elle tourne » ?
A Isaac Newton
B Copernic
C Galilée
D Blaise Pascal

QUIZ 115

Une chance sur deux
Choisissez la bonne réponse parmi les deux propositions.

1138 Le shintoïsme est-il une religion traditionnelle japonaise ou une philosophie indienne ?

1139 Un imam est-il un religieux musulman ou un roi africain ?

1140 Quel a été le plus vaste empire au monde : l'Empire mongol ou l'Empire britannique ?

1141 Que signifie Bangladesh : nation bengalie ou vallée du Tigre du Bengale ?

1142 Quelle est la capitale de la dynastie abbasside : La Mecque ou Bagdad ?

1143 Quelle forme prenait le dieu aztèque Quetzalcóatl : celle d'un serpent ou d'un cheval ?

1144 La religion bouddhiste est-elle née au Japon ou en Inde ?

1145 Les janissaires étaient-ils des soldats de l'Empire ottoman ou un peuple saxon ?

1146 Quel nom portait le sultan d'Égypte qui combattit contre les troupes de la deuxième croisade : Aladin ou Saladin ?

QUIZ 116

1, 2, 3...
Dix questions qui ne portent que sur des nombres.

1147 Quel est le cinquième livre du Nouveau Testament ?

1148 Combien d'années dura la guerre qui ensanglanta le Saint Empire puis la France et l'Espagne à partir de 1618 ?

1149 Combien y a-t-il d'humeurs corporelles selon les médecins médiévaux ?

1150 Que représentent les 13 bandes rouges et blanches sur le drapeau américain ?

1151 En 1890, combien d'étoiles (correspondant au nombre d'États) comportait le drapeau américain : 13, 44 ou 52 ?

1152 Quelles sont les deux provinces que la France récupéra à l'issue de la Première Guerre mondiale ?

1153 Combien de syllabes comporte le poème japonais appelé haïku : 17 ou 42 ?

1154 Combien y a-t-il de commandements dans l'islam ?

1155 Le nombre d'habitants a-t-il doublé, triplé ou quadruplé en Europe entre 1800 et 1900 ?

1156 Le 2e amendement de la Constitution américaine (1791) donne-t-il le droit de porter des armes ou abolit-il l'esclavage ?

QUIZ 117

Une ville, des villes
Dans quelle ville cela s'est-il passé ?

1157 Dans quelle ville bavaroise eut lieu le putsch de la Brasserie ?

1158 Dans quelle ville survint la révolution de 1848, qui allait embraser toute l'Europe ?

1159 Quelle cité s'est proclamée la « Troisième Rome » et l'héritière de Byzance au XVIe siècle ?

1160 Dans quelle ville l'islam est-il né ?

1161 Quelle ville thermale devint, à la faveur de son réseau téléphonique et du nombre de ses chambres d'hôtel, la capitale de l'État français entre juillet 1940 et août 1944 ?

1162 Dans le royaume de quelle ville d'Ukraine s'établit la Horde d'Or ?

1163 Quelle ville a donné son nom à la république allemande en 1918 ?

1164 Quel était le nom d'Hô Chi Minh-Ville (au Viêt Nam) avant 1975 ?

1165 Dans quelle ville se déroula le procès des criminels nazis ?

1166 Dans quelle ville Martin Luther King prononça-t-il son célèbre discours « J'ai fait un rêve » ?

QUIZ 118

Du premier au dernier
Testez votre connaissance du passé.

1167 Quelle arme les Allemands utilisèrent-ils pour la première fois à Ypres en avril 1915 ?

1168 Quelle arme les Britanniques utilisèrent-ils pour la première fois sur le front de la Somme en septembre 1916 ?

1169 Quelle ville de Turquie fut la première capitale ottomane : Izmir, Brousse ou Ankara ?

1170 Qui fut le premier homme dans l'espace ?

1171 Quel titre prit Bonaparte après le coup d'État du 18 Brumaire ?

1172 Quel célèbre ouvrage politique commence par ces mots : « Un spectre hante l'Europe, celui du communisme » ?

1173 En quelle année débuta la première croisade : 1096 ou 1212 ?

1174 Quelle guerre eut lieu la première : la guerre de Sept Ans ou la guerre de Trente Ans ?

1175 Quel tsar de Russie fut le premier à voyager à l'étranger ?

1176 Quel roi reçut le premier le titre d'empereur d'Occident après la chute de l'Empire romain ?

QUIZ 119

Histoire et septième art

Dix questions de cinéma.

1177 Quel révolutionnaire argentin Gael Garcia Bernal interprète-t-il dans un film de Walter Salles ?

1178 Quelle chanteuse américaine a joué le rôle d'Eva Perón ?

1179 Quel personnage historique Ben Kingsley a-t-il incarné dans un film de Richard Attenborough ?

1180 Quelle reine Cate Blanchett interprète-t-elle ?

1181 Quel général George C. Scott joue-t-il dans un film de 1970 ?

1182 Qu'ont en commun Abel Gance et Sacha Guitry ?

1183 Qui a réalisé, en 2006, une version de Marie-Antoinette d'après le livre d'Antonia Fraser ?

1184 De qui Marcel L'Herbier raconte-t-il la vie dans *la Tragédie impériale*, en 1937 ?

1185 Qui interprète Lawrence d'Arabie dans le film éponyme ?

1186 Quelle actrice interprète la reine Margot dans un film de Patrice Chéreau ?

QUIZ 120

À boire et à manger

Dix questions sur le thème de la nourriture et de la boisson.

1187 Quel type de fruits le médecin du XVIIIe siècle James Linde recommandait-il pour prévenir le scorbut ?

1188 Qui aurait dit : « S'ils n'ont pas de pain, qu'ils mangent de la brioche » ?

1189 Quel légume devint la base du régime alimentaire de nombreux pays sous l'Occupation ?

1190 Quelle pâtisserie aurait été inventée, au XVIe siècle, durant le siège de Vienne ?

1191 De quelle façon les anciens peuples d'Amérique conservaient-ils la nourriture ?

1192 Xilonen était-elle la déesse aztèque du riz ou du maïs ?

1193 Comment a-t-on appelé l'interdiction de fabriquer, vendre et consommer de l'alcool aux États-Unis entre 1919 et 1933 ?

1194 Quel coquillage est l'attribut de saint Jacques honoré à Compostelle ?

1195 Quel produit les Amérindiens d'Amérique ajoutaient-ils à la cuisson pour libérer les acides aminés contenus dans le maïs : des piments pilés ou de la cendre de bois ?

1196 Avec quoi le manteau pourpre de l'empereur byzantin était-il teinté : un poulpe, un coquillage ou une chenille ?

QUIZ 121

Anagrammes

Rétablissez l'ordre des lettres et retrouvez le terme caché.

1197 GZAT NID Célèbre corridor.

1198 HERRUNT LAIMT Moine allemand.

1199 SAM BRICK Architecte de l'unification allemande au XIXe siècle.

1200 AUF TEWFFL Aviation allemande.

1201 MER D'ASTAM A donné son nom à un important traité de l'Union européenne.

1202 FROID CASTEL Fumeur de cigares communiste.

1203 TRINAS GLAD Lieu d'une célèbre bataille de 1942-1943.

1204 VELO DE JNERBIN Russe du temps de la guerre froide.

1205 NANO NIFKA Secrétaire général d'une grande organisation internationale jusqu'en 2006.

1206 POUR SAINTE Évoque un célèbre moine russe.

QUIZ 122

À travers le monde

Êtes-vous calé en histoire-géo ?

1207 À quel pays actuel appartient la colonie d'Indochine française appelée Cochinchine ?

1208 Dans quel actuel pays d'Europe se trouve la région appelée par les Maures al-Andalus ?

1209 De quel État Tbilissi est-elle la capitale ?

1210 Où se trouve la ville de Schengen, qui a donné son nom à de célèbres accords européens ?

1211 D'où était originaire la Horde d'Or, qui conquit la Russie au XIIIe siècle ?

1212 Quel empire fut démantelé en 1920 par le traité de Sèvres ?

1213 Dans quel pays d'Europe la ruine des récoltes de pommes de terre provoqua une grande famine au XIXe siècle ?

1214 Quel pays d'Amérique latine fut envahi par Napoléon III en 1860 ?

1215 Quels sont les deux pays qui s'allièrent à la France au sein de la Triple-Entente avant 1914 ?

1216 Quel pays européen fut dirigé par António de Oliveira Salazar de 1932 à 1970 ?

QUIZ 123

Crimes et châtiments

Dix questions sur les lois et ceux qui les enfreignent.

1217 De quoi accusa-t-on Jeanne d'Arc avant de la condamner au bûcher ?

1218 Le 8e amendement de la Constitution américaine, daté de 1791, autorise-t-il les « punitions par le fouet » ou interdit-il « les punitions cruelles et contre nature » ?

1219 Qu'advint-il de Napoléon Ier après sa première abdication ?

1220 Quel propagandiste nazi se suicida en 1945 avec sa femme et ses six enfants ?

1221 Quel chef nazi échappa à la pendaison en avalant du cyanure en prison ?

1222 Quel média d'Afrique a-t-on appelé « la radio qui tue » ?

1223 Quel prisonnier politique devint le premier président de la République tchèque postcommuniste ?

1224 Comment mourut le président américain Abraham Lincoln ?

1225 En quelle année fut guillotiné le dernier condamné à mort en France : 1799, 1920 ou 1977 ?

1226 En 1830, sur quel continent des ouvriers agricoles du Dorset (Angleterre) furent-ils déportés pour cause de syndicalisme ?

QUIZ 124

Femmes dans l'Histoire

Une série de questions au sujet des femmes.

1227 Quel était le nom de plume de l'écrivain Mary Ann Evans (XIXe siècle) : Charles Eliot ou George Eliot ?

1228 En quelle année les femmes bénéficièrent-elles du droit de vote aux États-Unis : 1776, 1865, 1920 ou 1945 ?

1229 Qui jouait Loulou dans le film du même nom sorti en 1929 ?

1230 Comment appelle-t-on le quartier des femmes dans les palais ottomans ?

1231 Quel était le nom de la première femme Premier ministre d'un État musulman ?

1232 Comment appelle-t-on la cour respectueuse faite aux dames au Moyen Âge ?

1233 Quel célèbre patronyme Indira Priyadarshini, la fille de Nehru, a-t-elle adopté en 1942 ?

1234 Quelle était la profession de la femme de Martin Luther ?

1235 Quelle reine britannique se maria en 1840 avec le prince Albert de Saxe-Cobourg-Gotha ?

1236 Qui créa la mélodie du *Chant des partisans*, l'hymne de la Résistance française ?

QUIZ 125

Têtes couronnées
Une série de questions sur les grands de ce monde.

1237 De qui Marie-Antoinette était-elle la fille ?

1238 Quelle dynastie a régné sur l'Autriche, la Hongrie, la Bohême et une partie de l'Italie au XIXe siècle ?

1239 Quelle dynastie impériale chinoise fut fondée par Li Yuan en 618 apr. J.-C. ?

1240 À quelle lignée Louis XIV appartenait-il ?

1241 Comment s'appelait l'Espagnol qui découvrit le royaume Inca ?

1242 À quel siècle la dynastie moghole fut-elle fondée ?

1243 Quelle monarchie constitutionnelle est entrée dans la CEE en 1986 ?

1244 Quelle famille dynastique régna sur la Russie de 1613 à 1917 ?

1245 De quel empire l'archiduc François-Ferdinand était-il l'héritier ?

1246 Quelle était la parenté entre l'empereur Guillaume II d'Allemagne et le roi George V d'Angleterre ?

QUIZ 126

Bonne pioche
Des quatre réponses proposées, une seule est bonne.

1247 Combien d'amendements y a-t-il dans la Constitution américaine ?
A 5
B 10
C 27
D 52

1248 Quand le Nouveau Testament prit-il sa forme actuelle ?
A Au Ier siècle
B Au IIe siècle
C Au IIIe siècle
D Au IVe siècle

1249 D'où sont originaires les Vikings ?
A De la Baltique
B De la Russie ancienne
C Du Groenland
D De la Scandinavie

1250 Quel régime fut instauré après l'abdication de Louis-Philippe ?
A L'empire
B La république
C La monarchie
D La dictature

1251 Quel prince russe prônait l'anarchisme et le terrorisme ?
A Bakounine
B Denikine
C Youssoupov
D Kornilov

1252 Quel président a mis en œuvre le New Deal ?
A Theodore Roosevelt
B Harry S. Truman
C T. Woodrow Wilson
D Franklin D. Roosevelt

1253 Combien de républiques constituaient l'ancienne URSS ?
A 5
B 15
C 25
D 30

1254 En quelle année mourut la reine Victoria ?
A 1711
B 1881
C 1901
D 1911

1255 Qui perfectionna la machine à vapeur de Thomas Newcomen ?
A George Stephenson
B Thomas Telford
C James Watt
D Henry Ford

1256 Quand eut lieu la révolte des cipayes en Inde ?
A 1837
B 1847
C 1857
D 1867

QUIZ 127

Le masque et la plume
Dix questions sur des auteurs ou des œuvres.

1257 Quel est le titre du plus célèbre ouvrage de Blaise Pascal ?

1258 Qui est l'auteur de *Guerre et Paix* et d'*Anna Karenine* ?

1259 Quel auteur italien a écrit *la Divine Comédie* : Pétrarque, Boccace ou Dante ?

1260 Dans quel roman de John Steinbeck des fermiers fuient-ils l'Oklahoma pour la Californie ?

1261 Quel romancier et poète, né à Bombay à l'époque où l'Inde faisait partie de l'Empire britannique, est célèbre pour ses histoires d'animaux ?

1262 Quel écrivain anglo-irlandais fut emprisonné en 1895 pour affaire de mœurs ?

1263 Quel écrivain anglais, auteur de *1984*, a livré le récit de sa guerre d'Espagne dans *Hommage à la Catalogne* ?

1264 De quel missionnaire chrétien peut-on lire les épîtres dans le Nouveau Testament ?

1265 Comment s'appelle le livre sacré de l'islam ?

1266 Qui a écrit *Oliver Twist* et *David Copperfield* ?

QUIZ 128

Pot-pourri
Des questions en tout genre.

1267 Quel empire était appelé « l'homme malade de l'Europe » au début du XXe siècle ?

1268 Quel ministre d'Henri IV redressa la France affaiblie par les guerres de Religion ?

1269 Quel grand pays européen retrouva son indépendance à l'issue de la Première Guerre mondiale ?

1270 Quel pays d'Europe a été épargné par les révolutions de 1848 ?

1271 Quel est le nom des programmes économiques destinés à industrialiser l'Union soviétique à partir de 1929 ?

1272 Sur quel continent se sont développées les cultures Anasazi et Pueblo ?

1273 Comment appelait-on les Alsaciens et les Lorrains incorporés de force dans la Wehrmacht ?

1274 Quel mont volcanique situé au nord de Tokyo est devenu le symbole du Japon ?

1275 Qui a été nommé chancelier de la République allemande en janvier 1933 ?

1276 Quel est le nom du bâtiment de verre et d'acier qui a abrité l'Exposition universelle de Londres en 1851 ?

QUIZ 129

Mots d'ici et d'ailleurs
Dix questions sur des expressions ou des mots étrangers.

1277 À quoi correspond le *Zollverein* constitué en 1834 par 17 États allemands ?

1278 Lors de la *Reconquista*, quel pays les armées chrétiennes reprirent-elles aux Maures ?

1279 Quel est le mouvement nationaliste italien du XIXe siècle dont le nom signifie « renaissance » ?

1280 Quel est le nom français du grand pogrom appelé *Kristallnacht* qui eut lieu en Allemagne en 1938 ?

1281 Comment appelle-t-on le regroupement des États européens depuis 1992 ?

1282 Comment s'appelle le Parlement israélien ?

1283 En allemand, comment dit-on vert-de-gris (couleur des uniformes de la Wehrmacht) ?

1284 Quel mot russe signifiant forteresse est souvent utilisé pour parler du siège du gouvernement à Moscou ?

1285 Par quel mot russe, généralement traduit par restructuration, désigne-t-on le programme de réformes lancé par Gorbatchev ?

1286 Que signifie le titre Mahatma ?

QUIZ 130

Des fois et des croyances
Dix questions sur la religion.

1287 Quelle est la plus récente de ces religions indiennes : le sikhisme, le bouddhisme, le jaïnisme ou l'hindouisme ?

1288 Au Moyen Âge, lors du pèlerinage voué à saint Denis, de quel lieu lié à son martyre partait-on : la montagne Sainte-Geneviève, Montmartre ou Cluny ?

1289 Quel titre portait le dignitaire religieux autorisé à lancer une fatwa (règle religieuse) dans l'Empire ottoman ?

1290 Comment s'appelle l'état de béatitude que les bouddhistes s'efforcent d'atteindre par l'extinction des désirs humains ?

1291 Quel roi d'Angleterre a rejeté l'autorité de Rome en 1527 et fondé l'Église anglicane ?

1292 Quel courant islamique reconnaît comme autorité religieuse les imams, descendants du gendre de Mahomet ?

1293 Qui a fondé le sikhisme ?

1294 Quelle était la religion des empereurs moghols qui ont régné sur l'Inde : le bouddhisme, l'islam ou l'hindouisme ?

1295 Qui a été le premier président catholique des États-Unis ?

1296 Qu'est-ce qui redonna foi dans l'avenir aux soldats en France, début 1918 ?

QUIZ 131

Do, ré, mi

Une série de questions sur la musique.

1297 Quel opéra fut joué en 1869 pour l'inauguration du canal de Suez ?

1298 Quel est le nom de l'acteur qui interprète le sympathique DJ de *Good Morning Vietnam* ?

1299 Quel est le nom du grand rassemblement hippie qui eut lieu dans l'État de New York en 1969 ?

1300 Quel célèbre groupe anglais a contribué à populariser la philosophie orientale et la pratique de la méditation ?

1301 Quel célèbre chanteur américain des années 1960 s'appelle de son vrai nom Robert Zimmerman ?

1302 De quel pays *la Brabançonne* est-elle l'hymne national ?

1303 Quelle formation armée combattit sur le célèbre air du *Boudin* (qui date des années 1880) ?

1304 Quelles œuvres de Pouchkine ont inspiré deux opéras à Tchaïkovski ?

1305 Quel était le nom donné aux artistes qui se produisaient dans les châteaux au Moyen Âge ?

1306 Quel chant, renforçant le culte du chef, remplaça *la Marseillaise* dans les écoles durant la Seconde Guerre mondiale ?

QUIZ 132

Histoire-géo

Trouvez les lieux auxquels on fait référence.

1307 Quelles régions allemandes ont été confiées à la Société des Nations par le traité de Versailles ?

1308 Quelle province se disputent l'Inde et le Pakistan ?

1309 Quel État des États-Unis, bordé par le Pacifique, jouxte le Mexique ?

1310 D'où était originaire la première émigration juive en Palestine ?

1311 Dans quelle région se trouve la ville de Bayeux ?

1312 Dans quelle province romaine est né le christianisme ?

1313 Qu'appelait-on la Nouvelle-France au XVIIe siècle ?

1314 Dans quel pays a été tournée une partie du film *Full Metal Jacket*, de Stanley Kubrick ?

1315 Dans quelle ex-république soviétique se trouve la Crimée ?

1316 Dans quel pays se trouve Waterloo ?

QUIZ 133

Au son du canon

Une série de questions sur les guerres et les batailles.

1317 Dans quel film consacré à la guerre du Viêt Nam Marlon Brando incarne-t-il le colonel Kurtz ?

1318 Qui était le chef de la Luftwaffe pendant la Seconde Guerre mondiale ?

1319 Quel corps militaire fut créé en 1857 par Louis Faidherbe, gouverneur général de l'Afrique de l'Ouest française ?

1320 Où la marine japonaise a-t-elle écrasé la marine russe en mai 1905 ?

1321 Dans quelle région de la fédération de Russie le séparatisme provoqua-t-il une intervention militaire en 1994 ?

1322 Pour quelle raison Robert Schuman proposa-t-il en 1950 un accord économique franco-allemand ?

1323 Quelle puissance coloniale a été vaincue à Diên Biên Phu en 1954 ?

1324 Qu'est-ce qu'une *boudienovka* ?

1325 Quel général de brigade, depuis Londres, refusa la défaite de juin 1940 ?

1326 Quel était le surnom du maréchal allemand Erwin Rommel

QUIZ 134

D'une ville à l'autre

Dix questions pour voyager.

1327 En 1955, dans quelle ville américaine eut lieu la première manifestation de la lutte pour les droits civiques ?

1328 Quelle était la capitale de l'Empire moghol ?

1329 De quelle ville chinoise Marco Polo fut-il gouverneur ?

1330 Quel était le nom de la capitale aztèque ?

1331 Quelle était la capitale de la République chinoise avant l'ère communiste ?

1332 Comment s'appelait l'empereur ottoman qui prit Constantinople en 1453 ?

1333 En 1945, dans quelle ville de Crimée les « trois grands » organisèrent-ils une conférence qui déboucha sur le partage de l'Europe ?

1334 Dans quelle ville d'Inde un massacre perpétré par l'armée britannique en 1919 donna-t-il un nouvel élan aux indépendantistes ?

1335 Quelle ville allemande subit, le 14 février 1945, un bombardement allié qui fit entre 40 000 et 135 000 victimes ?

1336 Comment s'appelait la capitale des Incas ?

QUIZ 135

Anagrammes

Rétablissez l'ordre des lettres et retrouvez le terme caché.

1337 PIERRE BORES Mit en place un régime de terreur après la révolution de 1789.

1338 BOSE VOJE Astérix des Temps modernes à la moustache très militante.

1339 HARD SAMIN TARNOU Grand architecte sous Louis XIV.

1340 RILENDA Pays de l'Union européenne connu pour ses moutons et son trèfle.

1341 TELAM Quand des chevaliers s'établirent sur cette île de la Méditerranée, ils ignoraient qu'un jour ce serait un État membre de l'Union européenne.

1342 SANGHINTOW Nom de la capitale de États-Unis

1343 LE NOM DE L'ANNAS Célèbre Africain qui a reçu le prix Nobel de la paix en 1993.

1344 DAME NAID SUSSH N'a rien d'une gente dame ni d'une naïade.

1345 VACHE RAGEU Enragé de la révolution à la cubaine.

1346 TSARA Y SERAFA Leader palestinien.

QUIZ 136

Les heures et les jours

Dix questions faisant référence au temps

1347 Comment s'appelle la période durant laquelle le musulman doit jeûner ?

1348 Comment appelait-on, au Moyen Âge, une collection de textes religieux comportant messes, psaumes, calendrier et sujets de méditation pour tous les jours et toutes les heures liturgiques de la journée ?

1349 Quel homme d'État romain a imposé le calendrier julien, utilisé en Angleterre jusqu'en 1752 ?

1350 Combien de jours comportait la semaine du calendrier révolutionnaire ?

1351 Quel nom porte la révolution qui, en 1848, enflamma l'Europe ?

1352 Combien de mois dura la bataille de Verdun ?

1353 Quelle opération relatent les films *le Jour le plus long* et *Il faut sauver le soldat Ryan* ?

1354 Combien de fois par jour un musulman doit-il prier ?

1355 Lors de quelle fête du calendrier juif la guerre israélo-arabe de 1973 a-t-elle débuté ?

1356 En quelle année a eu lieu la guerre des Six-Jours ?

QUIZ 137

Monsieur le Président

Dix questions sur les hommes politiques.

1357 Quel était le nom du deuxième président américain ?

1358 Quel président des États-Unis lança en 1804 une mission pour reconnaître une voie d'accès à l'océan Pacifique ?

1359 Quel titre Hitler s'est-il octroyé après avoir cumulé les fonctions de président de la République et de chancelier, en 1934 ?

1360 Qui était le président de la République française entre 1924 et 1931 ?

1361 Qui succéda à Boris Eltsine à la présidence de la Russie en 2000 ?

1362 Sous quel président des États-Unis eut lieu la crise des missiles en 1962 ?

1363 Sous quel président de la République française fut créé le ministère des Colonies début 1894 ?

1364 À qui le président américain Franklin D. Roosevelt a-t-il succédé à la Maison-Blanche ?

1365 Quel dirigeant syndical devint le premier président de la Pologne postcommuniste ?

1366 Outre Abraham Lincoln et John Kennedy, quels autres présidents américains ont été assassinés ?

QUIZ 138

Espèces sonnantes et trébuchantes

Dix questions d'ordre pécuniaire.

1367 En quelle année fut fondé la Banque du Canada ?

1368 Quel homme d'État britannique a écrit que l'Angleterre était divisée en « deux nations, les riches et les pauvres » ?

1369 En quel mois de 1929 a eu lieu le krach de Wall Street ?

1370 Quelle est la grande puissance qui, depuis les années 1980, bénéficie d'une croissance économique record ?

1371 Durant quelle décennie l'Allemagne a-t-elle connu une hyperinflation ?

1372 Quel est le nom du programme américain de reconstruction de l'Europe après la Seconde Guerre mondiale ?

1373 Dans quel film sur la guerre du Viêt Nam un ancien combattant américain joue-t-il à la roulette russe contre de l'argent ?

1374 Comment s'appelait la monnaie de Venise au Moyen Âge ?

1375 Où eurent lieu les deux ruées vers l'or de 1848 et de 1897 ?

1376 Quelle était la nationalité de l'économiste du XVIIIe siècle Adam Smith ?

QUIZ 139

Les temps changent

Des questions en tout genre.

1377 Quel nom donne-t-on à la fuite de Mahomet à Médine en 622 ?

1378 Comment s'appelait le syndicat indépendant fondé en Pologne en 1980 ?

1379 Quel leader américain a été l'emblème de la lutte pour les droits civiques et conduit les *freedom rides* dans les années 1960 ?

1380 Dans quel pays Gandhi a-t-il lutté contre la discrimination raciale avant de s'installer en Inde ?

1381 Quel empire d'Europe centrale a été démantelé à l'issue de la Première Guerre mondiale ?

1382 Qui était le premier ministre du Canada lors de la Première Guerre mondiale ?

1383 Qui était le premier ministre du Canada lors de la Deuxième Guerre mondiale ?

1384 Comment s'appelait le leader fasciste britannique des années 1930 ?

1385 À quel parti appartenait Franklin D. Roosevelt ?

1386 Quel président égyptien souhaitait la fondation d'une nation arabe unie ?

QUIZ 140

Grands de ce monde

Dix questions sur des hommes et des femmes au pouvoir

1387 Qui dirigeait le mouvement musulman pour l'indépendance de l'Inde ?

1388 Quel homme d'État britannique avait plus de 80 ans lorsqu'il forma son dernier gouvernement, en 1892 ?

1389 Quel poste occupait le Britannique A. J. Balfour lorsqu'il signa la déclaration qui porte son nom, en 1917 ?

1390 Quel dictateur politique polonais a été évincé en 1951 par son rival, le stalinien Boleslaw Bierut ?

1391 Quel dirigeant d'un pays bordant la mer Noire fut éliminé en 1989 ?

1392 Qui fut la première (et jusqu'ici la seule) femme Premier ministre d'Israël ?

1393 Qui est le quatrième calife qui succéda à Mahomet à la tête de l'islam et est la référence religieuse des chiites ?

1394 Quel empereur moghol fit construire le Tadj Mahall pour honorer la mémoire de son épouse ?

1395 Qui fut le premier dirigeant de la Chine communiste ?

QUIZ 141

Bonne pioche

Des quatre réponses proposées, une seule est bonne.

1396 En quelle année Jack l'Éventreur commit-il ses assassinats ?
- A 1878
- B 1888
- C 1898
- D 1908

1397 Richard Trevithick est célèbre pour avoir construit... :
- A La locomotive à vapeur
- B Le métier à tisser
- C La machine à vapeur
- D La diligence

1398 À quel siècle apparut l'islam ?
- A IIIe siècle
- B IVe siècle
- C VIIe siècle
- D Xe siècle

1399 En quelle année le Texas fut-il cédé aux États-Unis par le Mexique ?
- A 1806
- B 1816
- C 1836
- D 1848

1400 En quelle année commença le procès de Nuremberg ?
- A 1945
- B 1946
- C 1947
- D 1948

1401 Combien d'enfants eut la reine Victoria ?
- A Cinq
- B Sept
- C Neuf
- D Onze

1402 Quelle conférence eut lieu en juillet-août 1945 ?
- A Potsdam
- B Vienne
- C Yalta
- D Paris

1403 Qui provoqua la guerre de la Succession d'Autriche en accédant au trône ?
- A Catherine la Grande
- B Marie-Antoinette
- C Marie-Thérèse
- D Anne d'Autriche

1404 Lequel de ces peintres de la Renaissance n'était pas vénitien ?
- A Giorgione
- B Bellini
- C Masaccio
- D Titien

1405 Qui était le chef de l'armée allemande en 1916 ?
- A Hindenburg
- B Foch
- C Ludendorff
- D Haig

QUIZ 142

D'une ville à l'autre

Une série de questions sur des villes.

1406 Quelle ville française fournit des taxis pour transporter des troupes lors de la bataille de la Marne ?

1407 Quelle ville, aujourd'hui capitale de l'Ukraine, est surnommée « la mère des villes russes » ?

1408 Quelle fut la seconde ville japonaise frappée par une bombe atomique ?

1409 Dans quelle capitale européenne existe-t-il une place Wenceslas ?

1410 Quel fut le nom « russifié » donné à la ville de Saint-Pétersbourg en 1914 pour supprimer toute référence à l'Allemagne ?

1411 Dans quelle ville balkanique l'archiduc François-Ferdinand d'Autriche fut-il assassiné en juin 1914 ?

1412 Combien d'heures fallait-il en 1868 pour faire Paris-Marseille en train : 16, 32 ou 64 ?

1413 Laquelle de ces villes a été mise à sac lors de la première croisade : Jérusalem, Byzance, Damas ou Jéricho ?

1414 Quelle ville, aujourd'hui appelée Istanbul, fut le siège de l'Église orthodoxe d'Orient après le schisme avec Rome de 1054 ?

1415 Dans quelle ville se trouve le palais des Doges ?

QUIZ 143

Qui a dit ?

Une série de citations à rendre à leurs auteurs.

1416 À quel savant, connu pour sa théorie sur l'attraction universelle, doit-on ces mots : « Il me semble n'avoir été qu'un enfant jouant sur la plage… » ?

1417 Qui a fait scandale en affirmant : « Nous sommes plus populaires que Jésus » ?

1418 Qui a dit : « La politique, c'est la guerre sans effusion de sang. La guerre, c'est la politique avec effusion de sang » ?

1419 Quel est le guérillero mexicain qui estimait que « mourir debout vaut mieux que de vivre à genoux » ?

1420 Quel est l'auteur de cette phrase célèbre : « La religion, c'est l'opium du peuple » ?

1421 De qui est le célèbre : « Je vous ai compris ! » ?

1422 Qui a déclaré en 1946 qu'un « rideau de fer » s'était abaissé sur l'Europe de l'Est ?

1423 Quel roi a dit : « C'est à la tête seulement qu'il appartient de délibérer et de résoudre » ?

1424 En 1791, quelle assemblée adopta cette terrible mesure : « Tout condamné aura la tête tranchée » ?

1425 Avant quel conflit un ministre britannique déclara-t-il : « Les lumières s'éteignent dans toute l'Europe » ?

QUIZ 144

Autour du monde

Où tous ces événements ont-ils eu lieu ?

1426 Dans quelle ville d'Europe Charlemagne est-il couronné en l'an 800 ?

1427 Dans quelle ville d'Allemagne se déroule un conte populaire dont le héros est un joueur de flûte ?

1428 Quelle « ville éternelle » fut saccagée par les Wisigoths en 410 ?

1429 Dans quelle ville est né Marco Polo ?

1430 Dans quelle ville d'Amérique un chargement de thé fut-il jeté à la mer en 1773 ?

1431 Dans quel pays eut lieu la guerre de Sécession ?

1432 Dans quelle ville d'Europe saint Paul est-il mort ?

1433 Quel est l'édifice dont on dit qu'il est la seule construction humaine visible de la Lune ?

1434 Sur quelle côte d'Europe s'installèrent les villes de la Hanse au Moyen Âge ?

1435 Dans quel pays actuel d'Afrique du Nord Abd el-Kader fut-il, au XIXe siècle, un célèbre chef de guerre ?

QUIZ 145

Pot-pourri

Des questions en tout genre.

1436 Qui est le théoricien du sionisme à la fin du XIXe siècle ?

1437 Que signifie le titre Gengis Khan ?

1438 Quelle base navale russe, proche de Petrograd, fut le théâtre d'une révolte de marins en mars 1921 ?

1439 Quelle région fut pendant 4 siècles une base coloniale des Portugais en Inde ?

1440 Comment s'appelle la machine inventée par James Hargreaves au XVIIIe siècle ?

1441 Quel pays d'Europe de l'Est a lancé des réformes connues sous le nom de « socialisme à visage humain » en 1968 ?

1442 Qui a dit : « Avant Grenoble, j'étais un aventurier, à Grenoble, j'étais prince » ?

1443 En quelle année fut créée l'assurance-emploi au Canada ?

1444 En quelle année ont été signés les accords d'Oslo ?

1445 Qui a dirigé la Yougoslavie de 1945 à sa mort, en 1980 ?

QUIZ 146

Personnages clefs

Dix questions sur des politiciens.

1446 Quel est le véritable nom d'Atatürk ?

1447 Qui a été assassiné le 22 novembre 1963 ?

1448 Quelle femme politique indienne fut assassinée par des extrémistes sikhs en 1984 ?

1449 Qui fut Premier ministre de 1969 à 1974 en Israël ?

1450 Quel homme politique français, sorti de Saint-Cyr en 1912, a écrit *la France et son armée* ?

1451 Qui a été annonceur, rédacteur de nouvelles, correspondant de guerre et homme politique ?

1452 Quelle femme politique pakistanaise a été Premier ministre de 1988 à 1990 et de 1993 à 1996 ?

1453 Qui a été Premier lord de l'Amirauté de 1911 à 1915 ?

1454 Quel homme politique allemand a joué un rôle déterminant dans la réunification de l'Allemagne ?

1455 Quelle est la bonne orthographe : Khrouchtchev, Krouchtev ou Kroutchev ?

QUIZ 147

L'un ou l'autre

Choisissez la bonne réponse parmi les deux propositions.

1456 Comment le prêtre espagnol François Xavier s'est-il illustré : en évangélisant le Japon ou en organisant l'Inquisition en Espagne ?

1457 Dans la religion hindouiste, qui est le roi-éléphant : Vishnou ou Shiva ?

1458 Dans l'Empire ottoman, que représente le grand vizir : le Premier ministre ou le bouffon du sultan ?

1459 Lequel de ces deux pays n'a jamais appartenu au pacte de Varsovie : la Yougoslavie ou la Pologne ?

1460 Avant l'arrivée des Européens, quel peuple régnait sur un grand empire andin : les Aztèques ou les Incas ?

1461 Toussaint Louverture fut-il un chef révolutionnaire haïtien ou l'aide de camp favori de Napoléon ?

1462 Qu'est-ce qu'un bey : un dignitaire de l'Empire ottoman ou un divan faisant office de trône ?

1463 Pour quoi Filippo Brunelleschi est-il célèbre : pour ses études sur la perspective ou pour l'invention de la lithographie ?

1464 Dans quel pays se trouve le palais d'Hiver : la Suède ou la Russie ?

1465 Dans quel pays eut lieu le krach de 1929 : en France ou aux États-Unis ?

QUIZ 148

Plans de carrière
Dix questions en tout genre.

1466 En Italie, qui était le protecteur de Léonard de Vinci ?

1467 Après la Seconde Guerre mondiale, qui a été le premier chancelier de l'Allemagne ?

1468 En 1783, devant quel roi les frères Montgolfier lancèrent-ils leur ballon à air chaud ?

1469 Quel titre prestigieux reçut la reine Victoria en 1877 ?

1470 Quel était le grade d'Hitler à la fin de la Première Guerre mondiale ?

1471 Comment appelle-t-on les seigneurs-guerriers du Japon médiéval ?

1472 Qui fut élu président de la République française en 1974 ?

1473 Quel maréchal britannique fut annobli après la guerre sous le nom d'Alamein ?

1474 Comment s'appelait le révolutionnaire italien qui conquit le royaume de Naples à la tête de ses Chemises rouges ?

1475 Quelle profession Mao Zedong exerçait-il avant de devenir Grand Timonier ?

QUIZ 149

Le mot juste
Trouvez le terme exact.

1476 Comment s'appelait le khanat mongol établi dans le sud de la Russie et en Ukraine ?

1477 Quel était le nom du corps d'élite de l'Empire ottoman, constitué d'esclaves d'origine chrétienne ?

1478 Comment appelle-t-on la république qui exista en Allemagne entre 1918 et 1933 ?

1479 Comment s'appelait l'empire d'Afrique noire qui s'épanouit vers 500 et dont on a donné le nom au premier pays africain à accéder à l'indépendance, en 1957 ?

1480 Comment s'appelaient les descendants des Hollandais établis au XVIe siècle en Afrique australe ?

1481 Avant l'euro, quel était le nom de la monnaie de l'Union européenne ?

1482 Quel pays fut baptisé en l'honneur du découvreur de l'Amérique ?

1483 Quel concept attaché à l'homme noir Léopold Sédar Senghor créa-t-il ?

1484 Quel est le nom de la période qui suit l'Empire et durant laquelle la monarchie fut rétablie ?

1485 Que signifie le nom Timur Lang : Timur le Boiteux, Timur le Grand ou Timur le Vieux ?

QUIZ 150

Les pionniers
Dix questions sur ces précurseurs.

1486 Quel instrument d'origine arabe servait aux navigateurs à se repérer en fonction des astres ?

1487 Quel homme d'État américain du XVIIIe siècle fut aussi un pionnier de l'électricité ?

1488 Quel industriel américain introduisit le travail à la chaîne en 1913 ?

1489 Quel scientifique proposa en 1717 une nouvelle graduation pour les thermomètres ?

1490 Quel est le nom de l'homme qui défia l'Empire britannique en pratiquant la non-violence ?

1491 Qui inventa le métier à tisser automatique, révolutionnant ainsi l'industrie tisserande lyonnaise ?

1492 Qui popularisa dans les années 1920 un appareil qui transforma la vie des ménagères ?

1493 Quelle invention, utilisée dans l'habillement, doit-on à Georges de Mestral ?

1494 Quel type de batterie doit-on à l'Italien Alessandro Volta ?

1495 Qui a initié une révolution religieuse en affichant ses 95 thèses sur la porte d'une église de Wittenberg ?

QUIZ 151

Familles et communautés
Avez-vous l'esprit de famille ?

1496 À quelle civilisation Hernán Cortés mit-il fin ?

1497 Quelles sont les deux communautés ethniques qui s'affrontent au Rwanda depuis les années 1950 ?

1498 Quel est le nom donné aux associations d'artisans regroupés par spécialités au Moyen Âge ?

1499 À quel peuple germanique la France doit-elle son nom ?

1500 Quelle famille américaine acquit une fabuleuse richesse grâce à l'industrie pétrolière au XIXe siècle ?

1501 Quel peuple guerrier envahit l'est de l'Europe vers 1241, avant de s'arrêter aux portes de Vienne ?

1502 Quel était le nom des guerriers venus d'Asie qui déferlèrent sur l'Empire byzantin au Ve siècle ?

1503 À quelle ethnie yougoslave Tito appartenait-il ?

1504 Quelle dynastie régna en France à partir de la fin du IXe siècle ?

1505 Quel drame frappa les paysans du Middle West américain à partir de 1931 ?

QUIZ 152

Rubrique nécrologique
Une série de questions sur des morts célèbres.

1506 Qui était à l'origine de l'histoire de la Corriveau en 1763 au Québec ?

1507 En France, lors des guerres de Religion, quelle tuerie eut lieu le 25 août 1572 ?

1508 De quelle religion étaient les gardes du corps qui assassinèrent Indira Gandhi en 1984 ?

1509 Quel fils d'Indira Gandhi fut assassiné en 1991 ?

1510 Comment appela-t-on la période, entre 1340 et 1350, durant laquelle la peste bubonique (ou peste noire) ravagea l'Europe ?

1511 Quel tsar mourut assassiné en 1881 ?

1512 Quel réformateur de Bohême mourut sur le bûcher en 1415 pour avoir critiqué l'Église ?

1513 Quelle île, dont une partie a été annexée par l'Indonésie, recense 250 000 victimes depuis 1975 ?

1514 Comment s'appelait le frère de Robespierre qui fut guillotiné le même jour ?

1515 Quel était le nom de l'organisation terroriste responsable de l'assassinat de l'archiduc François-Ferdinand à Sarajevo en 1914 ?

QUIZ 153

Bonne pioche
Des quatre réponses proposées, une seule est bonne.

1516 À quelle année correspond la période de restauration impériale appelée les Cent-Jours ?
A 1804
B 1815
C 1848
D 1870

1517 Comment appelle-t-on les briques faites en terre et en paille ?
A Terracotta
B Banches
C Tuf
D Adobe

1518 Qui a inventé la machine à coudre ?
- A Barthélemy Thimonnier
- B Didier Pavois
- C Henry Stevenson
- D Axel Duran

1519 Jean Cabot a découvert les côtes du Canada en 1497. Il était… ?
- A Anglais
- B Français
- C Italien
- D Hollandais

1520 Parmi ces quatre objets, lequel a été inventé par les Chinois ?
- A Le télescope
- B L'allumette
- C La machine à calculer
- D L'aérostat

1521 Quelle fleur chinoise est devenue un emblème japonais ?
- A Le lys
- B Le chrysanthème
- C La rose
- D Le jasmin

1522 Combien de temps la dynastie Qing (mandchoue) régna-t-elle en Chine ?
- A Presque 1000 ans
- B 75 ans
- C Environ 250 ans
- D Environ 500 ans

1523 Qui devint secrétaire général du parti communiste soviétique en 1985 ?
- A Mikhaïl Gorbatchev
- B Boris Eltsine
- C Konstantine Tchernenko
- D Iouri Andropov

QUIZ 154

Ça commence par…

Les réponses commencent par la lettre indiquée.

1524 Ville dont le nom commence par un H qui devint la capitale de la Finlande à l'issue de la Première Guerre mondiale.

1525 Acte pieux commençant par un P et consistant à rejoindre un lieu saint en marchant longtemps.

1526 Système médiéval commençant par un F et reposant sur une relation entre vassaux et suzerains.

1527 Nom commençant par un K et désignant les empereurs allemands.

1528 Lettre désignant les sous-marins allemands.

1529 Animal sauvage, commencant par un T, et surnom de Clemenceau en raison de son caractère passionné.

1530 Mot commençant par un J et désignant une terre laissée sans culture.

1531 Noms de deux pays commençant par un S qui restèrent neutres durant la Seconde Guerre mondiale.

1532 Nom d'un tableau religieux byzantin commençant par un I.

1533 Instrument commençant par un Q et qui servait aux marins à mesurer la position du Soleil et des étoiles.

QUIZ 155

Crimes et délits

Une autre série de questions sur des morts célèbres.

1534 Quel célèbre bandit du Far West fut tué en 1882 par un membre de son propre gang ?

1535 Quel apôtre aurait été crucifié la tête en bas, car il ne se sentait pas digne de la même mort que le Christ ?

1536 Dans quel pays d'Europe un dictateur communiste fut-il exécuté avec sa femme le jour de Noël 1989 ?

1537 Comment mourut Henri IV ?

1538 À quel roi d'Angleterre fut imposée, en 1215, la Grande Charte (document destiné à faire appliquer les lois et les coutumes dans les relations du roi avec ses sujets) : Guillaume le Conquérant, Jean sans Terre ou Henri VIII ?

1539 Quel président de la République française fut poignardé en 1894 à Lyon ?

1540 Quel est le nom de l'assassin de l'archiduc François-Ferdinand ?

1541 Quel grand poète et romancier russe, auteur d'*Eugène Onéguine*, fut tué lors d'un duel ?

1542 Dans quelle ville Thomas Becket fut-il tué en 1170 ?

1543 Quel roi d'Angleterre fut décapité à l'issue d'une guerre civile qui opposait ses troupes à celles d'Oliver Cromwell ?

QUIZ 156

Mots à décompresser

Décodez les acronymes et autres sigles.

1544 Quels sont les trois pays européens qui s'unirent au sein du Benelux en 1943-1944 ?

1545 Que signifie RDA, sigle d'un mouvement indépendantiste africain fondé en 1946 ?

1546 Que signifie le sigle FFL ?

1547 Que signifient les lettres QG ?

1548 Que signifie le H dans l'expression bombe H ?

1549 Quel sigle désigne le Parti national-socialiste des travailleurs allemands ?

1550 Quelles sont les premières provinces à former le Canada en 1867 ?

1551 Que signifie le sigle OLP ?

1552 Que signifie le sigle Otan ?

1553 Que signifie le sigle CEE ?

QUIZ 157

Des fois et des croyances

Dix autres questions sur la religion.

1554 Qui, dans l'Église catholique, est considéré comme le successeur direct de saint Pierre ?

1555 Comment s'appelle la branche du protestantisme qui met l'accent sur la prédestination ?

1556 De quelle origine était saint Patrick, saint patron de l'Irlande ?

1557 De quelle ville de France saint Martin était-il évêque ?

1558 Qui rejoignit la croisade populaire qui partit d'Allemagne et de France en 1212 ?

1559 Quel est l'argument théologique qui justifie l'absolutisme royal en Europe aux XVIIe et XVIIIe siècles ?

1560 Quel est le mot qui, en Inde, évoque l'idée que les actions de l'homme dans une de ses vies le suivent dans ses vies postérieures ?

1561 Quel est le nom de l'intellectuel allemand qui collabora avec Karl Marx ?

1562 Quel est le mouvement de pensée dont le nom grec signifie « sans maître » ?

1563 Qui a dit : « Le pouvoir politique est au bout du fusil » ?

QUIZ 158

Avec tous les honneurs

Dix questions sur les médailles et les décorations.

1564 De quelles couleurs est le ruban de la croix de guerre belge ?

1565 Quelle est la plus haute distinction militaire au Canada ?

1566 Quelle décoration américaine et britannique récompense les aviateurs ?

1567 Quelle distinction canadienne est parfois abrégée par le sigle C.C. ?

1568 Quelle décoration militaire allemande fut établie par Frédéric-Guillaume III de Prusse en 1813 lors des guerres napoléoniennes ?

1569 Quelle médaille française est composée de quatre branches et deux épées croisées avec en son centre un bonnet phrygien orné de lauriers ?

1570 Qui a institué l'ordre national de la Légion d'honneur ?

1571 Quels symboles trouve-t-on au centre de la médaille de l'Ordre de la Guerre patriotique ?

1572 Qui figure sur la Purple Heart ?

1573 Quelle médaille française porte la devise : Valeur et Discipline ?

QUIZ 159

Sous le ciel de France
Dix questions dédiées à la France

1574 Quelle ville du sud de la France devint cité papale en 1309 ?

1575 Quelle fut la dernière ville de France à rester sous contrôle anglais à la fin de la guerre de Cent Ans et où on embarque aujourd'hui pour aller à Londres ?

1576 Sous quel nom désigne-t-on les protestants français du XVIe siècle ?

1577 Qui abdiqua en France en 1848 : Louis XVIII, Charles X ou Louis-Philippe ?

1578 À quel pays la France déclara-t-elle la guerre en 1870 ?

1579 Dans quel château se trouve la galerie des Glaces ?

1580 Combien la France perdit-elle d'hommes durant la Première Guerre mondiale : 1,36 million ou 3,77 millions ?

1581 Dans les années 1950, quel Français, au nom prédestiné, s'occupa de la reconstruction de l'économie française et fut l'un des pères fondateurs de l'Europe ?

1582 De quelle année date la Déclaration des droits de l'homme et du citoyen ?

1583 En 1852, sous quel nom Louis Napoléon Bonaparte devint-il l'empereur des Français : Napoléon Ier, Napoléon II ou Napoléon III ?

QUIZ 160

Rebelles !
Des questions sur des révolutions et des révoltés.

1584 Quel est le nom de l'homme politique guinéen qui mena son pays à l'indépendance ?

1585 Quelle université ferma la première en mai 1968 ?

1586 À quoi l'exhortent les voix qu'entend Jeanne d'Arc ?

1587 Quel est le nom du mouvement religieux du XVIe siècle qui voit la naissance des Églises protestantes ?

1588 Dans quel pays de l'est de l'Europe eut lieu, en 1825, le soulèvement décembriste ?

1589 Quel officier français combattit à la tête des troupes rebelles durant la révolution américaine ?

1590 Quand la Commune de Paris eut-elle lieu : dans les années 1820, 1850 ou 1870 ?

1591 De quel général polonais Coluche disait-il qu'il « enlèverait ses lunettes noires lorsqu'il aurait fini de souder la Pologne à l'URSS » ?

1592 Qui déposa Zulfikar Ali Bhutto et prit le pouvoir au Pakistan en 1978 ?

1593 Où a eu lieu la révolte des Boxers au début du XXe siècle ?

QUIZ 161

Autour du monde
Dix petites colles dont les réponses sont accessibles.

1594 Quelle fut la première campagne militaire qui rendit célèbre le général Bonaparte ?

1595 Quelle puissance européenne exerçait un mandat sur la Palestine avant 1948 ?

1596 Quel pays d'Europe centrale a été dirigé par Mátyás Rákosi à partir de 1952 ?

1597 Quel pays d'Asie est aujourd'hui la dictature la plus dure au monde ?

1598 Contre qui les communistes et les nationalistes chinois s'unirent-ils en 1937 ?

1599 Dans quel pays la Renaissance a-t-elle débuté ?

1600 Dans quel pays du Sud-Est asiatique le régime communiste Pathet Lao prend-il le pouvoir à partir de 1975 ?

1601 Quel nom portent les deux fédérations créées par la France en Afrique en 1904 et 1910 ?

1602 Combien d'étoiles y a-t-il sur le drapeau australien ?

1603 Quelle est la capitale du Pakistan ?

QUIZ 162

Gala
Dix questions sur des personnalités.

1604 Pourquoi la romancière victorienne George Eliot scandalisa-t-elle ses contemporains ?

1605 De quelle ville Christophe Colomb est-il originaire : Rome, Gênes ou Madrid ?

1606 Quel dirigeant soviétique, connu pour ses manières plutôt frustes, prit sa chaussure pour taper sur le bureau à l'ONU ?

1607 Dans quel pays est né Simón Bolivar ?

1608 Où se trouve la tombe du soldat inconnu à Paris ?

1609 Blaise Pascal est-il né en 1623 ou en 1723 ?

1610 René Descartes est-il né en 1596 ou en 1696 ?

1611 Dans quel pays est née Marie-Antoinette ?

1612 En 1871, quel journaliste du *New York Herald* fut envoyé par son journal en Afrique à la recherche d'un célèbre missionnaire explorateur ?

1613 Quel grand penseur chinois est né vers 551 av. J.-C. ?

QUIZ 163

On joue sur les mots
Dix questions de terminologie.

1614 Quel type de chapeau porte le nom d'un canal ouvert en 1914 ?

1615 Quel nom donne-t-on au très court poème descriptif japonais qui vise à saisir en deux lignes l'essence d'une scène ou d'un moment ?

1616 Quel mot russe signifiant transparence qualifie une politique de liberté accordée aux médias sous Gorbatchev ?

1617 Quel était le but de la Nuit des longs couteaux ?

1618 Dans la France des années 1930, quelle ligue, dont le symbole est une tête de mort, fut dirigée par le colonel François de La Rocque ?

1619 Que signifie le titre Atatürk ?

1620 Quel nom d'animal désigne le mot baoulé *boigny* accolé au nom de Félix Houphouët ?

1621 Quel autre nom porte le mouvement de l'Intifada ?

1622 De quel mot latin dérive le titre « tsar » ?

1623 Quel était le surnom donné à Hitler par les volontaires SS français ?

QUIZ 164

Vive la liberté !
Dix questions très indépendantes.

1624 En quelle année l'Inde accéda-t-elle à l'indépendance ?

1625 En quelle année la Libye prit-elle son indépendance ?

1626 Qui était à la tête du mouvement d'indépendance du Viêt Nam dans les années 1940 ?

1627 Dans quelle ville du centre de la France Jeanne d'Arc vainquit-elle les Anglais en 1429 ?

1628 D'où vient le nom de la Bolivie ?

1629 Quel est le pays, indépendant dès 1816, dont le nom signifie « terre d'argent » ?

1630 De quel pays Léopold Ier devint-il le roi à son indépendance ?

1631 Quel pays européen était implanté au Mozambique et en Angola jusqu'à leur indépendance, en 1975 ?

1632 Qui fut le dernier vice-roi des Indes ?

1633 Quel poète anglais lutta pour l'indépendance de la Grèce dans les années 1820 ?

QUIZ 165

Bonne pioche
Des quatre réponses proposées, une seule est bonne.

1634 Qui était le fils d'Henri IV ?
- A Charles IX
- B François II
- C Louis XIII
- D Louis XIV

1635 En quelle année fut assassinée la famille impériale russe ?
- A 1908
- B 1912
- C 1917
- D 1918

1636 Dans quel pays se trouve le Darfour ?
- A Côte d'Ivoire
- B Soudan
- C Liberia
- D Tchad

1637 Quel président du Conseil français signa les accords de Munich ?
- A Blum
- B Daladier
- C Foch
- D Clemenceau

1638 Qui fut le deuxième homme à marcher sur la Lune ?
- A Buzz Aldrin
- B Neil Armstrong
- C Michael Collins
- D John Glenn

1639 Quel pays était autrefois appelé Abyssinie ?
- A L'Albanie
- B L'Éthiopie
- C L'Égypte
- D L'Algérie

1640 Comment s'appelle l'empereur d'Allemagne à partir de 1888 ?
- A Charles V
- B Charles VII
- C Guillaume Ier
- D Guillaume II

1641 Quelle est la capitale de l'Afghanistan ?
- A Bagdad
- B Achkhabad
- C Tallinn
- D Kaboul

1642 Quel est le prénom de Luther ?
- A Jean
- B Martin
- C Denis
- D Benoît

1643 En quelle année commença la première Intifada dans les territoires occupés palestiniens ?
- A 1979
- B 1981
- C 1987
- D 1993

QUIZ 166

Les bâtisseurs d'empires

Des questions en tout genre.

1644 Quelle dynastie donna son nom à la Chine moderne : les Ch'in ou les Ch'an ?

1645 Quel président américain, disparu en 2004, considérait l'URSS comme « l'empire du mal » ?

1646 Quelle bataille perdue par la France en 1870 se termina par l'emprisonnement et la déposition de Napoléon III ?

1647 Quel est le nom du grand empire turc qui se forma durant le Moyen Âge ?

1648 Sous quel puissant empire et par quel souverain fut instauré le calendrier julien ?

1649 Dans quelle ville se trouve l'Empire State Building ?

1650 Lequel de ces mots veut dire autoritaire : impérial, empirique ou impérieux ?

1651 Quel général français constitua un empire ?

1652 Quelle ville de Lorraine, théâtre de terribles combats durant la Première Guerre mondiale, a aussi donné son nom à un célèbre traité qui divisa en trois l'empire de Charlemagne ?

1653 Quel empereur était à la tête du Japon durant la Seconde Guerre mondiale ?

QUIZ 167

Petites phrases

Une série de citations à rendre à leurs auteurs.

1654 Quelle est la traduction de la phrase de Descartes « *Cogito ergo sum* » ?

1655 Comment doit-on compléter la phrase : « Prolétaires de tous les pays unissez-vous. Vous n'avez rien à perdre que … » ?

1656 En entrant dans la Première Guerre mondiale, par quels mots les Américains s'adressèrent-ils aux soldats français ?

1657 À quelle époque apparut la devise républicaine « Liberté, égalité, fraternité » ?

1658 Qui a dit à propos de la Louisiane : « Je ne garderai pas une possession qui […] me brouillerait peut-être avec les Américains […]. Je m'en servirai au contraire […] pour les brouiller avec les Anglais » ?

1659 Qui est l'auteur de cette phrase : « Le pape ? Combien de divisions ? »

1660 Comment doit-on compléter cette parole de Mao Zedong : « Tous les réactionnaires sont des tigres… » ?

1661 Qui a dit : « L'État, c'est moi ! » ?

1662 Comment se termine la phrase du maréchal Foch à propos du traité de Versailles : « Ce n'est pas une paix… » ?

1663 Comment se termine cet audacieux slogan de Mai 68 : « Jouissez sans… » ?

QUIZ 168

Champs de bataille

Une série de questions sur la guerre.

1664 Comment les Américains appellent-ils le jour de la signature de leur déclaration d'indépendance ?

1665 Quelle fut la bataille, en 1863, qui décida de la victoire des nordistes dans la guerre de Sécession ?

1666 Comment est appelée la bataille qui opposa les Zoulous et les Boers en 1838 : bataille des Mille Collines ou bataille de la rivière de Sang ?

1667 Quel général américain fut, en 1944, le commandant suprême des forces alliées en Europe ?

1668 Quel est le nom du plan d'invasion de l'URSS par l'Allemagne déclenché en juin 1941 ?

1669 Quel nom a-t-on donné aux contre-révolutionnaires vendéens ?

1670 Quel roi d'Angleterre défit les Français à Azincourt en 1415 ?

1671 Quelle célèbre bataille vit la victoire de Guillaume, duc de Normandie, sur le roi d'Angleterre Harold ?

1672 En 1916, où la bataille du Jutland eut-elle lieu : sur terre, dans les airs ou sur mer ?

1673 Quelle région de Turquie fut le théâtre d'une expédition alliée en février 1915 ?

QUIZ 169

Les guerres du XXe siècle

Dix questions sur les combats et les combattants

1674 Quel pays neutre fut envahi par l'Allemagne en août 1914 ?

1675 Quelle était la particularité du régime alimentaire de Hitler ?

1676 Quel émissaire du général de Gaulle parvint à unifier la Résistance française ?

1677 Qui était le président de la Fédération de Russie au moment de la tentative du putsch militaire de 1991 ?

1678 Comment appelle-t-on communément le Front national de libération du Viêt Nam du Sud ?

1679 Quel pays africain l'Italie fasciste envahit-elle en 1935 ?

1680 Quel petit pays européen fut envahi par l'Italie en avril 1939 ?

1681 Durant la Seconde Guerre mondiale, au côté de qui combattaient les Slovaques, les Roumains et les Hongrois ?

1682 En quelle année Israël envahit-il le Liban pour la première fois : 1948, 1968 ou 1978 ?

1683 Quel terme allemand signifie « la guerre éclair » ?

QUIZ 170

Têtes couronnées

Dix questions liées à la monarchie.

1684 Qu'appelle-t-on la nuit de Varenne ?

1685 Quels rois étaient appelés les « rois fainéants » ?

1686 Aux XIe et XIIe siècles, quelle île méditerranéenne était un royaume normand ?

1687 Qui fut le fondateur du royaume des Francs ?

1688 Quel roi mérovingien est le héros d'une célèbre chanson pour enfants ?

1689 Quel empereur français envahit le Mexique en 1862 ?

1690 Quel empereur byzantin aurait eu en 313 une vision mystique, à la suite de laquelle il accorda la liberté de culte aux chrétiens ?

1691 À qui Victoria succéda-t-elle sur le trône de Grande-Bretagne ?

1692 Qui succéda à Victoria sur le trône de Grande-Bretagne ?

1693 Quel roi de France fut couronné à Reims en 1429 grâce à Jeanne d'Arc ?

QUIZ 171

Pot-pourri

Dix questions en tout genre, pas si faciles que ça !

1694 Quel ordre monastique est appelé aussi ordre des Frères prêcheurs ?

1695 À quelle sombre période de l'histoire chinoise récente sont associés les Gardes rouges ?

1696 Quel était l'emblème des Forces françaises libres ?

1697 Quel grand aristocrate fut le protecteur de Michel-Ange et de Botticelli ?

1698 Quel était le nom de la terrible police politique soviétique créée et dirigée par Djerjinski ?

1699 À côté de quelle grande ville américaine se trouve Haight-Ashbury, où est né le mouvement hippy ?

1700 Combien d'Irlandais émigrèrent aux États-Unis lors de la Grande Famine : 15 000, 150 000 ou 1 500 000 ?

1701 En quelle année fut terminée la tour Eiffel ?

1702 Pendant la Grande Guerre, quel était le nom de la fameuse escadrille dont Guynemer fut l'un des as ?

1703 Quelle branche de l'armée allemande Alfred von Tirpitz développa-t-il au début du XXe siècle ?

QUIZ 172

Bonne pioche

Des quatre réponses proposées, une seule est bonne.

1704 Dans le système politique appelé absolutisme, qui tient les rênes du pouvoir ?
A Le souverain
B Le président
C Le parlement
D Le clergé

1705 En quelle année Victoria fut-elle couronnée reine ?
A 1817
B 1827
C 1837
D 1847

1706 En quelle année commencèrent les soulèvements de la population arabe de Palestine contre les Britanniques ?
A 1936
B 1937
C 1938
D 1939

1707 En quelle année l'Algérie accéda-t-elle à l'indépendance ?
A 1960
B 1962
C 1964
D 1966

1708 De quel pays Frédéric le Grand fut-il le roi ?
A La Russie
B La Prusse
C L'Espagne
D L'Autriche

1709 Quel écrivain publia une *Vie de Napoléon* ?
A Alexandre Dumas
B Victor Hugo
C Stendhal
D Émile Zola

1710 En quelle année l'URSS éclata-t-elle en républiques indépendantes ?
A 1945
B 1989
C 1991
D 2000

1711 Quelle guerre finit avec le traité d'Utrecht ?
A 1914-1918
B Sept Ans
C Succession d'Espagne
D 1939-1945

1712 De quand date la première caravane publicitaire du Tour de France ?
A 1919
B 1925
C 1930
D 1936

1713 À quelle époque les Arabes pénétrèrent-ils en Afrique du Nord ?
A IIe siècle
B Ve siècle
C VIIe siècle
D XIIe siècle

QUIZ 173

Petits noms

Retrouvez de qui il s'agit.

1714 Quand, dans *le Dictateur,* Charlie Chaplin se moque de Benzino Gazolini, quel dictateur caricature-t-il en vérité ?

1715 Dans les années 1980, sous quel nom est plus connu le système de défense stratégique lancé par les États-Unis ?

1716 Quel chef indien participa au spectacle organisé par Buffalo Bill : Sitting Bull ou Raging Bull ?

1717 Qui était surnommé par ses détracteurs Napoléon le Petit ?

1718 Sous quel nom est mieux connu le Géorgien Iossif Vissarionovitch Djougachvili ?

1719 Quel surnom effrayant donne-t-on au tsar Ivan IV ?

1720 Quel roi était appelé le Roi-Soleil ?

1721 Quel roi d'Angleterre dont le surnom évoque un félin prit part à la troisième croisade ?

1722 Quel surnom fut donné à la reine d'Angleterre Marie Tudor : Marie la Catholique, Marie la Sanglante ou Marie la Cruelle ?

1723 Comment se faisait appeler Benito Mussolini ?

QUIZ 174

Ils sont célèbres...

Retrouvez les noms de ces personnalités.

1724 Quel général allemand était surnommé « Lokeitel » (le laquais) en raison de son obéissance aveugle à Hitler ?

1725 Quel prince autrichien fut ministre des Affaires étrangères puis chancelier sous Napoléon Ier ?

1726 Quel évangélisateur des Gaules a donné son nom à une célèbre basilique des environs de Paris ?

1727 De quelle maladie génétique ne touchant que les hommes était atteint le tsarévitch Alexandre, fils de Nicolas II ?

1728 Quel chef de la SS était éleveur de poulets avant la guerre ?

1729 Quel dirigeant soviétique se vit attribuer le prix littéraire Lénine ?

1730 Quel aventurier espagnol conquit le Mexique ?

1731 Quel entrepreneur français, qui avait déjà supervisé le percement du canal de Suez, débuta en 1880 les travaux de celui de Panamá ?

1732 Quel homme d'État fut rappelé au pouvoir en 1958, en pleine crise algérienne ?

1733 Quel maréchal soviétique, connu pour faire peu de cas de ses hommes, est responsable de la prise de Berlin ?

QUIZ 175

Deniers et marchés

Dix questions en rapport avec l'argent.

1734 Quelle activité lucrative exerçaient les Médicis de Florence ?

1735 Quelle ville ukrainienne fut un centre de commerce viking au Ve siècle ?

1736 Quel pays d'Europe établit un comptoir à Macao au XVIe siècle ?

1737 Pour protéger le commerce de quelle drogue plusieurs pays d'Europe firent-ils la guerre à la Chine au milieu du XIXe siècle ?

1738 Quel fondateur d'une religion très répandue a commencé sa vie en vendant des animaux ?

1739 À quel pays les États-Unis achetèrent-ils la Louisiane en 1803 ?

1740 Quel port chinois fut ouvert au commerce étranger sous la pression britannique au XIXe siècle ?

1741 Quelle importante mesure monétaire fut adoptée en France à la fin des années 1950 ?

1742 De quoi les États du sud des États-Unis tiraient-ils la majorité de leurs revenus au milieu du XIXe siècle ?

1743 Quel est le nom de la confédération de cités qui dominait le commerce et le transport maritimes dans la Baltique au Moyen Âge ?

QUIZ 176

Monsieur, Madame le Premier ministre
Êtes-vous sûr de les connaître ?

1744 Qui fut le premier Premier ministre de l'Inde indépendante ?

1745 Quel Premier ministre britannique, très apprécié par la reine Victoria, a donné son nom à une ville australienne ?

1746 Qui était à la tête du Gouvernement provisoire de la République française jusqu'en 1946 ?

1747 Quel président du Conseil français, célèbre pour ses lois sur l'école, fut un ardent défenseur de la politique coloniale ?

1748 Qui fut le chancelier autrichien de 1821 à la révolution de 1848 ?

1749 Qui fut Premier ministre d'Inde en 1966-1967 puis en 1980 ?

1750 Quel Premier ministre britannique signa les accords de Munich ?

1751 Quel Premier ministre congolais fut assassiné par Mobutu ?

1752 Quel président du Conseil français, voyant la foule enthousiaste à son retour de Munich, en 1938, s'écria : « Ah ! les imbéciles » ?

1753 Quel Premier ministre britannique donna, le 6 février 1918, le droit de vote aux femmes âgées de plus de 30 ans ?

QUIZ 177

En odeur de sainteté
Dix questions sur des édifices religieux.

1754 Quelle cathédrale a été jusqu'en 1889 le bâtiment le plus haut du monde ?

1755 Dans quel pays se trouve le temple d'Amritsar ?

1756 Quelle cathédrale qui a survécu aux bombardements nazis symbolise la résistance britannique ?

1757 Quel est le nom de la célèbre basilique transformée en mosquée qui se situe à Istanbul ?

1758 Pour la coupole de quelle cathédrale le travail de Brunelleschi est-il connu ?

1759 Quel est le plus important édifice religieux du catholicisme en termes de volume ?

1760 À quel saint est consacrée l'église située à l'intérieur du Kremlin ?

1761 Quelle cathédrale française est célèbre pour ses 184 verrières dont 43 roses et 141 lancettes, soit près de 2 600 m^2 de verre ?

1762 À quel temple chinois appartient la Salle des prières pour la récolte ?

1763 Dans quelle ville se situe le Dôme du Rocher ?

QUIZ 178

Dates à marquer d'une pierre blanche
Choisissez parmi les solutions proposées.

1764 En quelle année fut fondée l'Otan : 1945, 1949 ou 1954 ?

1765 De quelle année date le premier film parlant : 1917, 1927 ou 1937 ?

1766 En quelle année fut introduit l'apartheid en Afrique du Sud : 1918, 1948 ou 1978 ?

1767 Dans quelle décennie furent instaurés les congés payés au Canada ?

1768 En quelle année fut proclamé l'État d'Israël : 1946, 1948 ou 1950 ?

1769 En quelle année Christophe Colomb atteignit-il l'Amérique : 1492, 1592 ou 1692 ?

1770 En quelle année eut lieu l'annexion de l'Autriche par le Reich : 1933, 1938 ou 1944 ?

1771 En quelle année le servage fut-il aboli en Russie : 1841, 1861 ou 1881 ?

1772 Quelle année vit l'arrivée de la peste noire à Marseille, marquant le début de la Grande Peste en France : 1047, 1347 ou 1847 ?

1773 Quel jour l'armistice de 1918 fut-il signé : le 8 mai, le 14 juillet ou le 11 novembre ?

QUIZ 179

Du premier au dernier
Testez votre connaissance du passé.

1774 En 1959, quel fut le dernier État à rejoindre les États-Unis ?

1775 Quel est le nom du dernier livre de la Bible ?

1776 Parmi ces pays africains, quel fut le dernier à accéder à l'indépendance : le Maroc, l'Algérie, le Sénégal ou Djibouti ?

1777 Quel pays fut le premier à faire sa révolution : les États-Unis ou la France ?

1778 Quel est le premier livre à avoir été imprimé par Gutenberg ?

1779 Quelle fut la première religion d'Henri IV ?

1780 Quel pays fut le premier à utiliser des chars d'assaut sur un champ de bataille ?

1781 Dans quel pays européen furent célébrés les premiers mariages homosexuels en 2000 ?

1782 Qui fut, en 2000, le premier président des États-Unis à se rendre au Viêt Nam ?

1783 Quel exploit réalisa Charles Lindbergh en 1927 ?

QUIZ 180

Géopolitique
Dix questions à la frontière.

1784 Comment s'appelait la police politique secrète est-allemande ?

1785 Quel pays européen fut partagé en 1945 ?

1786 Quelle partie de la Syrie fut occupée par Israël après la guerre des Six-Jours ?

1787 Quel pays asiatique fut divisé au 38e parallèle ?

1788 Quel est le nom donné à la révolution tchèque qui eut lieu en 1989 ?

1789 Quelle construction, commencée en 1961, fut érigée comme « mur de protection antifasciste » ?

1790 Quel accès à la mer Baltique la Pologne récupère-t-elle en 1918 ?

1791 Quel pays s'engagea dans le camp des Alliés en 1915 ?

1792 Quels pays actuels composaient l'Indochine française en 1893 ?

1793 Quel fleuve d'Amérique marquait la frontière avec le Far West ?

QUIZ 181

Veuillez signer
Dix questions sur des traités ou des alliances.

1794 Avec qui Christian Pineau signa-t-il pour la France le traité de Rome ?

1795 Quel était le nom de l'alliance militaire entre l'URSS et ses alliés en Europe de l'Est ?

1796 À quel conflit le traité de Paris (1763) mit-il fin : la guerre de Trente Ans ou la guerre de Sept Ans ?

1797 Quel empire fut dépossédé par le traité de Londres en 1913 ?

1798 Quel pays se retira de la Première Guerre mondiale en signant le traité de paix de Brest-Litovsk ?

1799 Quel est le nom du traité de 1429 par lequel le roi d'Angleterre Henri V est reconnu aussi roi de France : le traité de Dreux ou le traité de Troyes ?

1800 Quel est le nom de l'édit promulgué en 1598 par Henri IV, relatif au protestantisme ?

1801 D'après le traité de Versailles, quel est le montant des réparations que l'Allemagne doit verser aux Alliés : 13,2 ou 132 milliards de marks-or ?

1802 Quel pays signataire du pacte de Varsovie fut victime d'une intervention militaire soviétique en 1956 ?

1803 Quel document fut signé le 4 juillet 1776 ?

QUIZ 182

Comment s'appelle...
Retrouvez le terme approprié.

1804 Quel est le nom de l'aviation militaire britannique ?

1805 Quel nom donne-t-on à la partie de l'Allemagne coupée du reste du pays par le « corridor de Dantzig » polonais ?

1806 Comment s'appelaient en France les maquisards reconnaissant l'autorité du parti communiste ?

1807 Par quel nom désigne-t-on la « paix armée » entre les États-Unis et l'URSS après la guerre ?

1808 Comment appelle-t-on un astronaute chinois : un taïkonaute ou un sakénaute ?

1809 Comment s'appelaient les dirigeables allemands de la Première Guerre mondiale ?

1810 Quelle est la principale artère de Saint-Pétersbourg ?

1811 Comment s'appelle la zone d'Europe où la libre circulation des personnes est autorisée ?

1812 Quel traité, à l'origine de la CEE, a été signé en 1957 par 6 pays européens ?

1813 Laquelle de ces institutions européennes vote le budget communautaire : la Commission européenne ou le Parlement européen ?

QUIZ 183

Suivez mon panache blanc...
Dix questions sur des leaders.

1814 Quelle Française révolutionna la mode entre les deux guerres ?

1815 Quel chef des Khmers rouges institua un régime de terreur au Cambodge à partir de 1975 ?

1816 Quel titre portait le gouverneur élu de Venise à la Renaissance ?

1817 Qui était à la tête de l'Allemagne de l'Est lors de la chute du mur de Berlin, en 1989 ?

1818 Quel dirigeant communiste, connu entre autres pour ses discours-fleuves, s'est maintenu au pouvoir le plus longtemps ?

1819 Qui est le fondateur du mouvement chinois nationaliste appelé Guomindang ?

1820 Qui étaient les « trois grands » réunis à Yalta ?

1821 Quel était le chef des huguenots de France dans les années 1570 ?

1822 Quelles sont les deux personnes qui assurèrent la régence à la mort de Louis XIII ?

1823 Quel maréchal dirigea la Pologne de 1926 jusqu'à sa mort, en 1935 ?

QUIZ 184

Bonne pioche
Des quatre réponses proposées, une seule est bonne.

1824 En quelle année fut signé le pacte de Varsovie ?
A 1935
B 1945
C 1955
D 1965

1825 Quand l'Inde annonça-t-elle qu'elle possédait la bombe atomique ?
A 1964
B 1974
C 1984
D 1994

1826 Qui est, avec Léopold Sédar Senghor, à l'origine du concept de négritude ?
A Félix Houphouët-Boigny
B Nelson Mandela
C Aimé Césaire
D Sékou Touré

1827 Qu'avait entrepris Magellan quand il fut tué ?
A Une carte d'Amérique
B Le tour du monde
C Le tour de l'Australie
D Une carte du Pacifique

1828 En quelle année est mort Mao Zedong ?
A 1972
B 1974
C 1976
D 1980

1829 Quel prince portugais envoya Vasco de Gama ouvrir une voie vers l'Inde par le cap de Bonne-Espérance ?
A François le Voyageur
B Henri le Navigateur
C Jean l'Explorateur
D Philippe le Découvreur

1830 Qui fut le premier empereur de Chine ?
A Confucius
B Shi Huangdi
C Kubilay Khan
D Toyotomi Hideyoshi

1831 En quelle année Christophe Colomb mit-il le pied en Amérique continentale ?
A 1495
B 1500
C 1505
A 1510

1832 En quelle année eut lieu la célèbre bataille qui vit la défaite des Huns dans l'est de la France ?
A 451
B 1451
C 1541
D 1941

1833 Qui a écrit *Éloge de la folie* ?
A Érasme
B Laurent de Médicis
C Carl Jung
D Sigmund Freud

QUIZ 185

Pot-pourri
Dix questions en tout genre.

1834 Quel était le titre de l'empereur ottoman : sultan, calife ou bey ?

1835 De quel pays est originaire Oussama Ben Laden : l'Afghanistan, le Pakistan ou l'Arabie saoudite ?

1836 Dans quel pays Bonaparte partit-il en expédition militaire accompagné de scientifiques et d'artistes : l'Italie ou l'Égypte ?

1837 Comment les archéologues appellent-ils l'Amérique centrale : La Méso-Amérique ou la Mésopotamie ?

1838 Quelle particularité avaient les guerriers mongols qui faisait d'eux d'invincibles guerriers : étaient-ils bons cavaliers ou disposaient-ils d'armes secrètes ?

1839 Quel texte rédigé en 1789 est à la base du droit public français ?

1840 En quelle année l'URSS fut-elle officiellement proclamée : 1917 ou 1922 ?

1841 Quel est le nom de la tapisserie qui illustre la conquête de l'Angleterre par les Normands ?

1842 Qui a découvert la route des Indes via le cap de Bonne-Espérance en 1498 : Christophe Colomb ou Vasco de Gama ?

1843 De quand date le Code civil : du Consulat ou de 1946 ?

QUIZ 186

L'Orient lointain
Choisissez parmi les deux propositions.

1844 Que signifie le nom de Médine donné à l'ancienne ville d'Arabie Yathrib : « la ville du Prophète » ou « la ville du Calife » ?

1845 Pourquoi les Mongols quittèrent-ils l'Europe en 1241 : pour élire un nouveau chef ou parce qu'ils avaient perdu trop de batailles ?

1846 Combien d'années dura le voyage de Marco Polo et de sa famille vers la Chine : 2 ans ou 4 ans ?

1847 Les premiers Européens à pénétrer au Japon étaient-ils des missionnaires espagnols ou des marins portugais ?

1848 Où la dynastie des califes ommeyyades s'établit-elle au VIIe siècle : à Damas ou à Alexandrie ?

1849 Port-Arthur était une base navale de Mandchourie ou du nord du Japon ?

1850 De quel pays le 15 août 1947 est-il le jour d'indépendance : l'Inde ou le Tibet ?

1851 Quel est le titre du roman de Salman Rushdie sur l'Inde au temps de l'indépendance : *les Enfants de minuit* ou *Voyage en Inde* ?

1852 Indira Gandhi était-elle la nièce du Mahatma Gandhi ou la fille de Jawaharlal Nehru ?

1853 Rajiv Gandhi était-il le fils ou le petit-fils de Jawaharlal Nehru ?

QUIZ 187

À la fortune du pot
Dix questions sur des sujets accessibles à tous.

1854 Où les spartakistes, formation communiste éphémère, étaient-ils implantés : en Grèce ou en Allemagne ?

1855 Comment s'appelait le premier empereur mongol en Chine : Kubilay Khan, Gengis Khan ou Tabatah Khan ?

1856 Quel royaume finança les expéditions de Christophe Colomb ?

1857 Comment s'appelle le mouvement islamiste qui a pris le contrôle de l'Afghanistan dans les années 1990 ?

1858 Dans quel livre Gabriel García Márquez raconte-t-il l'histoire d'une famille sur trois générations dans le village de Macondo ?

1859 Quelle ville à l'architecture chinoise fut la première capitale fixe du Japon (de 710 à 794) ?

1860 Quel écrivain français, exécuté à la Libération, écrivit en 1939 *les Cadets de l'Alcazar* ?

1861 Quel titre donnait-on à l'aîné des fils du roi de France ?

1862 Quelle devise, inspirée par le positiviste Auguste Comte, figure sur le drapeau brésilien ?

1863 À l'occasion de quel événement fut construit le Crystal Palace, à Londres ?

QUIZ 188

Entrée des artistes
Dix questions sur les arts en général.

1864 Quel compositeur italien de la Renaissance mit en scène le premier drame lyrique qui avait pour thème un mythe grec ?

1865 Quel peintre immortalisa la ville basque de Guernica, bombardée par les Allemands ?

1866 Quelle cinéaste allemande, favorite d'Hitler, réalisa *le Triomphe de la volonté* en 1934 ?

1867 Quels sont les principaux acteurs français ayant joué dans *le Jour le plus long* ?

1868 Dans quel spectacle des années 1970 a-t-on vu pour la première fois un homme nu sur scène ?

1869 Quel est le titre du film qu'Oliver Stone a réalisé sur le Viêt Nam ?

1870 À quel siècle fut découverte la technique de la peinture à l'huile ?

1871 Dans quel pays ont été mises au jour les plus anciennes statuettes d'Afrique noire connues ?

1872 Dans quel film sur le Viêt Nam joue Tom Cruise ?

1873 Quelle dynastie chinoise célèbre pour sa porcelaine prit le pouvoir en 1368 ?

QUIZ 189

Les femmes dans l'Histoire
Dix questions sur des femmes qui ont marqué leur époque.

1874 Quelle institutrice, militante anarchiste, est une figure majeure de la Commune de Paris ?

1875 Quelle mystique, auteure du *Livre des demeures*, fut canonisée en 1622 ?

1876 Quelle célèbre sainte est née à Domrémy ?

1877 Qui fut la première femme députée britannique : Nancy Astor ou Cathy Brooks ?

1878 Qui était la mère d'Élisabeth Ire d'Angleterre ?

1879 Quelle figure de la Révolution est aussi connue sous le nom de Manon Philipon ?

1880 Quelle Américaine, militante antiesclavagiste, a écrit *la Case de l'oncle Tom* ?

1881 Quelle « jeune fille bien rangée » était une ardente féministe ?

1882 Quelle jeune auteure déportée et morte dans un camp de concentration est née à Francfort-sur-le-Main ?

1883 Quelle célèbre suffragette britannique a fondé l'Union féminine sociale et politique ?

QUIZ 190

Vrai ou faux ?
Dites si ces affirmations sont justes ou non.

1884 À partir d'août 1918, Lénine vécut avec deux balles dans le corps.

1885 Chypre est un État indépendant.

1886 Zimbabwe signifie « pays des éléphants ».

1887 Le vrai nom de Vladimir Illitch Lénine était Smirnoff.

1888 Une grande partie des États-Unis actuels appartenait à la France en 1803.

1889 Le Bangladesh a d'abord été le Pakistan oriental.

1890 L'Égypte fut une colonie française jusqu'en 1922.

1891 Les Berbères étaient les premiers habitants d'Afrique du Nord.

1892 Le Mali tient son nom d'un grand empire du XIIIe siècle.

1893 Le Timor se trouve en Afrique.

QUIZ 191

Chassez l'intrus
Éliminez le mot qui détonne.

1894 Lequel de ces pays n'est pas membre fondateur de l'Otan : la France, la Grèce, l'Islande ?

1895 Quel pays ne faisait pas partie de la Grande-Colombie : l'Équateur, le Venezuela ou le Chili ?

1896 Lequel de ces mots n'est pas d'origine indienne : pyjama, acacia, catamaran ?

1897 Lequel de ces pays n'était pas membre fondateur de la CECA : la France, l'Autriche, la Belgique ?

1898 Laquelle de ces villes indiennes n'était pas un comptoir français : Madras, Chandernagor, Pondichéry ?

1899 Parmi ces pays, lequel ne se trouve pas en Amérique latine : la Sierra Leone, le Belize, le Costa Rica, le Surinam ?

1900 Parmi ces pays, lequel ne fut pas une possession française : Djibouti, le Laos, le Rwanda ?

1901 Parmi ces sanctuaires, lequel ne date pas du XIXe siècle : le Sacré-Cœur (Paris), Saint-Basile (Moscou), la cathédrale de Westminster (Londres) ?

1902 Laquelle de ces villes a connu une révolution en mars 1848 : Berlin, Venise ou Moscou ?

1903 Parmi ces aliments, lequel n'est pas originaire d'Amérique : chocolat, café, tabac ?

QUIZ 192

Pères fondateurs
Dix questions sur des précurseurs en tout genre.

1904 De qui descendait Baber, le fondateur de l'Empire moghol : Timur Lang ou Baber Lang ?

1905 Dans les années 1960, aux États-Unis, quel leader revendique un État noir indépendant ?

1906 Qui est le fondateur de la dynastie ottomane ?

1907 Qui est le créateur de l'Armée rouge ?

1908 Qui fut le « Vainqueur de Verdun » ?

1909 Quel ordre monastique fut fondé par saint Bruno, près de Grenoble ?

1910 Quel Croate, avocat de formation, fut le fondateur des Oustachi ?

1911 Qui mena, en 1780, la révolte péruvienne contre l'Espagne ?

1912 Qui a fondé, en 1953, une communauté qui continue d'aider les plus pauvres en France et partout dans le monde ?

1913 De quel pays sud-américain le général Bernardo O'Higgins est-il considéré comme le libérateur ?

QUIZ 193

Noms et surnoms
Saurez-vous retrouver le terme adéquat ?

1914 Comment a-t-on surnommé le gigantesque canon allemand qui tirait des obus sur Paris durant la Première Guerre mondiale ?

1915 Lors de la Première Guerre mondiale, quel était le surnom donné aux soldats britanniques ?

1916 Quels pays appelle-t-on aussi pays du Sud ?

1917 Quel était le vrai nom de Gengis Khan : Temüdjin ou Timur Lang ?

1918 Comment Jules Ferry, grand défenseur de la politique coloniale, était-il surnommé par ses détracteurs : Ferry l'Africain, Ferry-Tonkin ou Ferry-Boat ?

1919 Quel est le pays dont le nom inca signifie « terre d'abondance » ?

1920 Comment le père de Charlemagne était-il appelé : Pépin le Gros, Pépin le Grand, Pépin le Bref ou Pépin le Chevelu ?

1921 Sous quel nom le général zaïrois Sese Seko était-il mieux connu ?

1922 Quel souverain ottoman était appelé le Magnifique ?

1923 Que signifie le nom al-Quaida ?

QUIZ 194

L'homme, animal politique
Dix questions de politique.

1924 Qu'adopte le Congrès américain en 1787 ?

1925 Quel célèbre homme de lettres et homme politique français peignit dans l'un de ses romans la condition de la classe populaire née de la révolution industrielle ?

1926 Qui était à la tête de l'État français pendant la crise de 1968 ?

1927 Quels représentants de l'État peuvent siéger au Conseil européen ?

1928 Qui devint président des États-Unis en 1921 ?

1929 Quel était le surnom de Staline dans sa jeunesse ?

1930 En quelle année l'OLP et Israël se reconnaissent-ils mutuellement : 1967, 1979 ou 1993 ?

1931 Quel était le nom du président communiste du Nord-Viêt Nam de 1945 à sa mort, en 1969 ?

1932 En quelle année eut lieu la Longue Marche en Chine ?

1933 Quelle grande manifestation à la gloire de la France fut organisée à Paris en 1931 ?

QUIZ 195

Entre les lignes
Une série de questions sur des auteurs et des œuvres.

1934 Que signifie le titre du livre d'Hitler *Mein Kampf* ?

1935 Comment s'appelle l'ouvrage de Montaigne, paru en 1580, où il expose ses pensées et ses réflexions ?

1936 Qui est l'auteur de *J'accuse*, pamphlet en faveur d'Alfred Dreyfus ?

1937 Quel écrivain français, auteur du *Grand Meaulnes*, fut tué au début de la Première Guerre mondiale ?

1938 Quelle mode féminine tire son nom d'un roman de Victor Margueritte ?

1939 Quel est le titre du célèbre roman que Cervantès écrivit entre 1605 et 1615 ?

1940 Quel nom donne-t-on à l'écriture utilisée à l'époque de Charlemagne ?

1941 Quel écrivain français traite de la guerre d'Espagne dans son essai *les Grands Cimetières sous la lune* ?

1942 Quel texte célèbre de Rouget de Lisle fut écrit en 1792 ?

1943 Quel écrivain anglais de l'époque victorienne dénonçait dans ses romans les misérables conditions de vie du peuple ?

QUIZ 196

Bonne pioche
Des quatre réponses proposées, une seule est bonne.

1944 Dans quelle république soviétique la famine décima-t-elle 10 millions de personnes vers 1930 ?
A L'Ouzbékistan
B L'Ukraine
C La Biélorussie
D Le Kazakhstan

1945 Au milieu du XVIIe siècle, un seul pays pouvait jeter l'ancre au Japon, lequel ?
A La Hollande
B Les États-Unis
C L'Espagne
D La Grande-Bretagne

1946 En quelle année le Bangladesh devint-il indépendant ?
A 1951
B 1961
C 1971
D 1981

1947 Dans quel pays se constitua le Front de libération nationale (FLN) ?
A Maroc
B Tunisie
C Algérie
D Égypte

1948 De quel pays d'Amérique latine Pierre Ier était-il l'empereur ?
A Mexique
B Haïti
C Cuba
D Brésil

1949 Dans quel pays vivait le parrain de la drogue, Pablo Escobar ?
A Colombie
B Chili
C Uruguay
D Paraguay

1950 De quel fleuve Francisco de Orellana descendit-il le premier le cours ?
A Le Mississippi
B L'Amazone
C Le Niger
D Le Saint-Laurent

1951 Quelle ville des Balkans résista à un siège ottoman en 1456 ?
A Zagreb
B Dubrovnik
C Sofia
D Belgrade

1952 Quand est née la BBC en Grande-Bretagne ?
A 1919
B 1922
C 1936
D 1940

1953 Qui découvrit que la Terre tourne autour du Soleil ?
A Galilée
B Copernic
C Halley
D Kepler

QUIZ 197

À la fortune du pot
Dix petites colles dont les réponses sont faciles.

1954 Quels sont les deux pays bordés par la mer Noire qui sont passés de la monarchie au communisme ?

1955 Quelle était la langue maternelle de Staline ?

1956 Qui était président de la Russie avant Poutine ?

1957 Quel État a eu pour Premier ministre Yitzhak Rabin ?

1958 Quel est le plus célèbre leader de Mai 68 ?

1959 De quel pays Anouar el-Sadate fut-il président ?

1960 À quel empire appartenaient les 13 colonies qui accédèrent à l'indépendance en 1776 en Amérique ?

1961 Quel Français a présidé la Commission européenne de 1985 à 1995 ?

1962 Qui présida la Commission européenne en mai 2004, lorsque furent intégrés 10 nouveaux pays à l'Union européenne ?

1963 Qui fut le premier président de la Côte d'Ivoire ?

QUIZ 198

Quel est le nom...
Dix questions diverses et variées.

1964 Durant la Première Guerre, alors que poilu était le surnom du fantassin français, quel était celui du fantassin américain ?

1965 Quel roi régna sur la France pendant l'exil de Napoléon Ier à l'île d'Elbe ?

1966 Sur quelle fameuse place moscovite se trouve le mausolée de Lénine ?

1967 Quelle organisation, ancêtre de l'Onu, siégeait à Genève ?

1968 Quel mot hindi désigne la période impériale britannique en Inde : le Tage ou le raj ?

1969 Quel nom portait le Cambodge entre 1975 et 1989 ?

1970 Quel est le nom de la confédération allemande proclamée en 1871 ?

1971 Durant la guerre froide, quel était le nom de la théorie selon laquelle un pays gagné au communisme entraînait ses voisins dans sa chute ?

1972 Quel parti prend le pouvoir au Nicaragua en 1979 à la faveur d'une insurrection ?

1973 Quel titre portaient les chefs militaires qui régnèrent sur le Japon jusqu'en 1867 ?

QUIZ 199

À vos ordres !
Dix questions sur des généraux.

1974 Quel général américain devint l'administrateur du Japon en 1945 ?

1975 Quel général et leader nationaliste chinois trouva refuge à Taïwan en 1949 ?

1976 Quel général mena les forces nationalistes à la victoire lors de la guerre d'Espagne ?

1977 Quel général polonais périt dans un étrange accident d'avion à Gibraltar en 1943 ?

1978 À quel général français doit-on l'idée de faire appel à des taxis parisiens pour transporter des soldats en 1914 ?

1979 Qui fut le premier résident général au Maroc en 1912 ?

1980 Qui commandait les troupes américaines lors du massacre des Sioux à Wounded Knee en 1890 ?

1981 Quel maréchal de France du XVIIe siècle entoura la France de fortifications ?

1982 Quel général prépara secrètement le coup d'État qui renversa le Directoire en 1799 ?

1983 Quel général américain devint le premier président des États-Unis ?

QUIZ 200

Pot-pourri
Des questions en tout genre.

1984 Quel est le nom de l'Église chrétienne dont la fondation est attribuée à saint Marc et qui est surtout présente en Égypte et en Éthiopie ?

1985 En quelle année le Danemark a-t-il rejoint l'Union européenne ?

1986 Quel homme politique français fut assassiné 4 jours avant le déclenchement de la Première Guerre mondiale ?

1987 Quelle ville de Tunisie centrale fut fondée par les Arabes à leur arrivée en Afrique du Nord ?

1988 Combien de victimes fit la Première Guerre mondiale : 2 millions ou 8,5 millions ?

1989 Sous quel nom est plus connu Philippe de Hauteclocque ?

1990 Comment sont appelés les Goths de l'Ouest ?

1991 Quel est le nom de l'université américaine où la police tira, en 1970, sur une manifestation étudiante contre la guerre du Viêt Nam ?

1992 Durant quelle guerre se sont illustrées les Brigades internationales ?

1993 Quelle ville, connue entre autres pour sa basilique, est enlevée par l'Italie à l'Autriche en 1866 ?

NORTH AMERICA
CANADA
LOUISIANA
GULF of MEXICO
Washington
Chesapeak Bay
C. Hatteras
Mexico
Guatimala
66.C

ÉOGRAPHIE

Amérique centrale

Salvador

Nom officiel : république du Salvador
Superficie : 21 041 km^2
Population : 6 948 073 hab.
Capitale : San Salvador
Langues : espagnol et quelques dialectes locaux
Principale religion : christianisme
Monnaie : colon salvadorien et US dollar (1$ CA = 7,77 colons)

◆ Le Salvador est le pays le plus densément peuplé et industrialisé d'Amérique centrale.
◆ Dans les années 1980, le pays fut ravagé par la guerre civile. En 1992, un accord de paix fut conclu sous l'égide des Nations unies.
◆ Le Salvador est aussi connu pour ses volcans.
◆ Le site archéologique de Ruinas del Tazumal témoigne d'une culture qui était florissante entre 300 av. J.-C et 1200 apr. J.-C.

Honduras

Nom officiel : république du Honduras
Superficie : 112 088 km^2
Population : 7 483 763 hab.
Capitale : Tegucigalpa
Langues : espagnol, anglais et quelques dialectes locaux
Principale religion : christianisme
Monnaie : lempira (1$ CA = 16,77 lempiras)

◆ Les Espagnols conquirent le Honduras en 1539. L'intérieur du territoire devint indépendant de l'Espagne en 1840, mais la côte nord demeura sous protectorat britannique jusqu'en 1860.
◆ Le terme « république bananière » a été inventé pour le Honduras. En 1913, United Fruit Company, basée aux États-Unis, contrôlait les deux tiers des exportations de bananes, lesquelles étaient encore il y a peu sa principale culture commerciale.

Nicaragua

Nom officiel : république du Nicaragua
Superficie : 120 254 km^2
Population : 5 675 356 hab.
Capitale : Managua
Langues : espagnol, anglais et quelques dialectes locaux
Principale religion : christianisme
Monnaie : gold cordoba (1$ CA = 16,91 cordobas)

◆ 1980 : menés par Daniel Ortega, les révolutionnaires sandinistes prennent le pouvoir.
◆ 1982-1987 : soutenus par les É.-U., les « contras » (contre-révolutionnaires) plongent le pays dans la guerre civile.

Révolution !

L'histoire mouvementée de l'Amérique centrale est en partie le fruit de son **passé colonial**, où une petite élite possédait pouvoir et richesses. Après les **indépendances**, les élites ont gardé les rênes (parfois avec l'aide des États-Unis). Dans les années 1970, des guérillas ont émergé au Salvador et au Nicaragua. Les deux pays ont subi de terribles guerres civiles, parfois alimentées par l'intervention des États-Unis.

Costa Rica

Nom officiel : république du Costa Rica
Superficie : 51 100 km^2
Population : 4 133 884 hab.
Capitale : San José
Langues : espagnol et anglais
Principale religion : christianisme
Monnaie : colon costaricain (1$ CA = 459,82 colones costaricains)

◆ Le Costa Rica se distingue des autres pays d'Amérique centrale par son histoire paisible. Depuis qu'il a obtenu son indépendance totale, en 1838, il n'a connu que six semaines de guerre civile, en 1948.
◆ Les habitants du Costa Rica bénéficient du niveau de vie et de l'espérance de vie les plus élevés d'Amérique centrale.
◆ C'est l'explorateur espagnol Gil Gonzalez Davila qui nomma le pays Costa Rica (côte riche). Il fut très impressionné par l'or porté par les autochtones qu'il rencontra.

Le café

Le café représente près d'**un quart des revenus d'exportation** de certains États d'Amérique centrale. Le café de la région est l'un des **meilleurs du monde**. Mais la tendance internationale à la **hausse des rendements** et à la baisse de la qualité des grains a eu un impact catastrophique, obligeant des paysans à vendre leur terre et mettant au chômage un demi-million de travailleurs saisonniers.

Panamá

Nom officiel : république de Panamá
Superficie : 75 517 km^2
Population : 3 242 173 hab.
Capitale : Panamá
Langues : espagnol et quelques dialectes locaux
Principale religion : christianisme
Monnaie : US dollar et balboa (1$ CA = 0,88 balboa)

◆ Le Panamá est surtout connu pour son canal, qui relie l'Atlantique et le Pacifique. Achevé en 1914, il fut contrôlé jusqu'au 1er janvier 2000 par les États-Unis. Aujourd'hui, le canal génère environ 10 % du PIB du Panamá.
◆ Cet État devint indépendant en 1903.
◆ En 1989, les États-Unis ont envahi le Panamá, chassant son chef militaire, Manuel Noriega, surnommé « Tête d'ananas ».
◆ L'oiseau national du Panamá est la harpie féroce.
◆ Les célèbres chapeaux appelés panamas sont en fait fabriqués en Équateur. On leur a donné ce nom au début du XXe siècle, car les ouvriers qui travaillaient sur le chantier du canal en portaient pour se protéger du soleil.

Grandes Antilles

Cuba

Nom officiel : république de Cuba
Superficie : 110 860 km²
Population : 11 394 043 hab.
Capitale : La Havane
Langue : espagnol
Principale religion : christianisme
Monnaie : peso cubain (1 $ CA = 23,70 pesos cubains)

◆ En 1959, à la suite de la révolution de Fidel Castro, Cuba est devenu le premier État communiste du continent américain.
◆ Depuis 1903, Cuba loue aux États-Unis la base navale de la baie de Guantánamo. Castro conteste ce bail.
◆ En 2006, Fidel Castro confie le pouvoir à son frère Raúl, qui devient officiellement Président du Conseil d'État, en 2008.

Bahamas

Nom officiel : Commonwealth des Bahamas
Superficie : 13 939 km²
Population : 305 655 hab.
Capitale : Nassau
Langue : anglais
Principale religion : christianisme
Monnaie : dollar des Bahamas (1 $ CA = 0,88 dollar des Bahamas)

◆ Les Bahamas comptent 25 îles habitées et 700 îlots.
◆ Elles furent une colonie britannique de 1717 à 1973, année de leur indépendance.
◆ L'essentiel de la richesse de ces îles vient du tourisme et des services financiers off-shore.
◆ On estime à 60 000 le nombre d'émigrés haïtiens qui vivent illégalement aux Bahamas.

Jamaïque

Nom officiel : Jamaïque
Superficie : 10 991 km²
Population : 2 780 132 hab.
Capitale : Kingston
Langues : anglais et créole
Principale religion : christianisme
Monnaie : dollar de la Jamaïque (1 $ CA = 61,72 DJ)

◆ Les Britanniques prirent la Jamaïque à l'Espagne en 1655. Le pays conquit son indépendance en 1962, mais la reine Élisabeth II en est toujours le chef d'État. La Jamaïque est la plus grande île anglophone des Caraïbes.
◆ L'économie, jadis très dépendante des produits tropicaux (sucre, cacao, café), s'appuie aujourd'hui sur les mines et le tourisme.
◆ C'est à la Jamaïque qu'est né le reggae.

Le rastafarisme

Le rastafarisme est né en Jamaïque dans les années 1930 d'une prophétie biblique, de l'ambition sociale des Noirs et des préceptes de **Marcus Garvey**, militant né en Jamaïque. Cette religion doit son nom à Hailé Sélassié, le **dernier empereur d'Éthiopie,** appelé ras (prince) Tafar Makonen, ou ras Tafari.

Les cigares cubains

On fumait déjà le cigare à Cuba avant Christophe Colomb. Les Amérindiens roulaient les **feuilles de tabac** dans les feuilles d'autres plantes, comme les palmiers. Au début du XVIIIe siècle, les cigares étaient confectionnés en Espagne à partir de tabac cubain. Avec la hausse de la demande, ils commencèrent à être fabriqués à Cuba même et, au milieu du XVIIIe siècle, les ventes de cigares cubains dépassaient celles des cigares espagnols.

Haïti

Nom officiel : république d'Haïti
Superficie : 27 750 km²
Population : 8 706 497 hab.
Capitale : Port-au-Prince
Langues : français et créole
Principale religion : christianisme
Monnaie : gourde (1 $ CA = 32,01 gourdes) et US dollar.

◆ Haïti partage Hispaniola avec la République dominicaine. L'île fut nommée Hispaniola (Petite Espagne) par Colomb après que celui-ci y eut débarqué, en 1492.
◆ En 1804, Haïti est devenu le premier État indépendant des Caraïbes et la première république au monde à être gouvernée par des Noirs.
◆ Bien que le christianisme soit leur principale religion, plus de 90 % des Haïtiens pratiquent aussi le vaudou.

Porto Rico

Porto Rico fut une colonie espagnole de 1493 à 1898, année où elle fut cédée aux États-Unis à l'issue de la guerre américano-espagnole. C'est aujourd'hui un **État libre associé** aux États-Unis, avec pour capitale San Juan. Tous les Portoricains sont des citoyens des États-Unis. Parmi les Portoricains célèbres, citons Ricky Martin ou Jennifer Lopez.

République dominicaine

Nom officiel : République dominicaine
Superficie : 48 422 km²
Population : 9 365 818 hab.
Capitale : Saint-Domingue
Langue : espagnol
Principale religion : christianisme
Monnaie : peso dominicain (1 $ CA = 30,01 pesos dominicains)

◆ Saint-Domingue est la plus ancienne ville européenne des Amériques. Elle fut fondée en 1496 par Bartolomeo, le frère de Christophe Colomb.
◆ Les États-Unis envahirent le pays en 1965 pour protéger la junte conservatrice contre une révolte populaire et rétablir dans ses fonctions Juan Bosch, le président démocratiquement élu. Le pays retrouva finalement la démocratie en 1996.

Petites Antilles

Saint-Kitts-et-Nevis

Nom officiel : féd. de Saint-Kitts-et-Nevis
Superficie : 261 km^2
Population : 39 349 hab.
Capitale : Basseterre
Langue : anglais
Principale religion : christianisme
Monnaie : dollar des Caraïbes de l'Est (1$ CA = 2,38 DCE)

◆ Saint-Kitts-et-Nevis a conquis son indépendance en 1983 mais reste membre du Commonwealth.
◆ C'est sur l'île de Saint-Kitts (Saint-Christophe) que s'installa la première colonie britannique des Antilles. Elle fut colonisée par sir Thomas Warner en 1623.

Barbade

Nom officiel : la Barbade
Superficie : 431 km^2
Population : 280 946 hab.
Capitale : Bridgetown
Langue : anglais
Principale religion : christianisme
Monnaie : dollar de la Barbade (1$ CA = 1,77 DB)

◆ Avant l'arrivée des colons britanniques, en 1627, la Barbade était inhabitée.
◆ La Barbade obtint l'indépendance en 1966. Ses principales industries sont le sucre et le tourisme.

Grenade

Nom officiel : Grenade
Superficie : 344 km^2
Population : 89 971 hab.
Capitale : Saint George's
Langues : anglais et créole français
Principale religion : christianisme
Monnaie : dollar des Caraïbes de l'Est (1$ CA = 2,38 DCE)

◆ Grenade, connue comme « l'île des épices », est indépendante depuis 1974. En 1983, elle fut envahie par les forces américaines après la mort de son chef d'État lors d'un coup d'État marxiste.
◆ En 2004, l'île fut dévastée par le cyclone Ivan, qui détruisit 90 % des bâtiments.

Trinité-et-Tobago

Nom officiel : rép. de Trinité-et-Tobago
Superficie : 5 128 km^2
Population : 1 056 608 hab.
Capitale : Port of Spain
Langues : anglais, hindi, français, espagnol et chinois
Principales religions : christianisme, hindouisme et islam
Monnaie : dollar de Trinité-et-Tobago (1$ CA = 5,54 DTT)

◆ Découvertes par Christophe Colomb, puis conquises par les Anglais en 1797, les îles de Trinité-et-Tobago sont indépendantes depuis 1962.
◆ Trinité-et-Tobago est le troisième plus gros exportateur de pétrole du continent américain.

Dominique

Nom officiel : Commonwealth de la Dominique
Superficie : 750 km^2
Population urbaine : 72 %
Capitale : Roseau
Langues : anglais et créole français
Principale religion : christianisme
Monnaie : dollar des Caraïbes de l'Est (1$ CA = 2,38 DCE)

◆ La Dominique (l'île du Dimanche) fut une colonie britannique jusqu'en 1978.

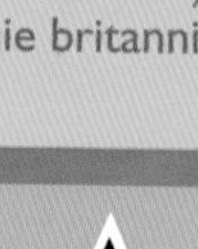

Sainte-Lucie

Nom officiel : Sainte-Lucie
Superficie : 616 km^2
Population : 170 649 hab.
Capitale : Castries
Langues : anglais et créole français
Principale religion : christianisme
Monnaie : dollar des Caraïbes de l'Est (1$ CA = 2,38 DCE)

◆ Castries, ville portuaire animée, établie dans un port naturel, fut fondée par des colons français en 1650. En 1814, l'île fut cédée à la Grande-Bretagne. Sainte-Lucie devint indépendante en 1979.
◆ La principale culture commerciale de Sainte-Lucie est la banane.

Antigua-et-Barbuda

Nom officiel : Antigua-et-Barbuda
Superficie : 442 km^2
Population : 69 481 hab.
Capitale : Saint John's
Langues : anglais et créole
Principale religion : christianisme
Monnaie : dollar des Caraïbes de l'Est (1$ CA = 2,38 DCE)

◆ Antigua-et-Barbuda est devenue indépendante en 1981.
◆ Cette île tire l'essentiel de ses revenus du tourisme.

Saint-Vincent-et-les-Grenadines

Nom officiel : St-Vincent-et-les-Grenadines
Superficie : 389 km^2
Population : 118 149 hab.
Capitale : Kingstown
Langues : anglais et français
Principale religion : christianisme
Monnaie : dollar des Caraïbes de l'Est (1$ CA = 2,38 DCE)

◆ L'île principale a été baptisée par Christophe Colomb, qui y débarqua le 22 janvier 1498, jour de la Saint-Vincent.

Le tourisme

Chaque année, le tourisme rapporte aux Antilles plus de **40 milliards de dollars** et constitue la principale source de devises étrangères. Cependant, une bonne partie de ces revenus finit dans les caisses des sociétés hôtelières internationales plutôt que dans celles des habitants.

Amérique du Sud septentrionale

Colombie

Nom officiel : république de Colombie
Superficie : 1 141 748 km^2
Population : 44 379 598 hab.
Capitale : Bogotá
Langue : espagnol
Principale religion : christianisme
Monnaie : peso colombien (1$ CA = 1 760 pesos)

◆ La Colombie doit son nom à Christophe Colomb, bien qu'en réalité il n'y soit jamais allé.
◆ Aujourd'hui, c'est le deuxième pays le plus peuplé d'Amérique du Sud.
◆ La Colombie est un grand producteur de platine, d'argent, d'or, de pétrole, de charbon et d'émeraudes.
◆ Les taux de meurtres et de kidnappings y sont les plus élevés du monde.
◆ L'écrivain Gabriel García Márquez est né en Colombie en 1928.

La Colombie et la drogue

La Colombie est le **plus gros producteur mondial de cocaïne**. Dans le sud du pays, contrôlé par les rebelles, les **feuilles de coca** sont la principale culture de beaucoup d'agriculteurs. À la différence de la plupart des autres cultures, la coca à moitié transformée voyage bien – un facteur important dans un pays où il n'y a pas de routes et où les rivières constituent le principal lien avec le monde extérieur.
Les agriculteurs cultivent la coca par **nécessité économique**, mais nombre d'entre eux restent au-dessous du seuil de pauvreté. Ils sont payés environ 1 dollar le gramme pour le produit de base qu'ils cultivent. Coupé avec d'autres poudres ou transformé en crack, ce même gramme se vendra en Europe ou aux États-Unis jusqu'à 100 dollars.

Venezuela

Nom officiel : république du Venezuela
Superficie : 912 050 km^2
Population : 26 023 528 hab.
Capitale : Caracas
Langues : espagnol et quelques dialectes locaux
Principale religion : christianisme
Monnaie : bolivar (1$ CA = 1 906 bolivares)

◆ Le Venezuela est le pays où s'installa la première colonie espagnole permanente d'Amérique du Sud – Nuevo Toledo.
◆ Le Venezuela est le seul pays d'Amérique membre de l'Opep, Organisation des pays exportateurs de pétrole.

Guyane

Située entre le Suriname et le Brésil, la Guyane est un département français de 86 504 km^2. Sur le plan politique, elle fait **partie intégrante de la France** et appartient donc à l'Union européenne. La Guyane ne compte que 201 996 habitants. Aujourd'hui, l'Agence spatiale européenne lance ses satellites de Kourou, située à 40 km au nord-ouest de Cayenne.

Guyana

Nom officiel : Rép. coopérative de Guyana
Superficie : 214 969 km^2
Population : 769 095 hab.
Capitale : Georgetown
Langues : anglais et dialectes locaux
Principales religions : christianisme, hindouisme et islam
Monnaie : dollar de la Guyana (1$ CA = 181 DG)

◆ La Guyana est la seule nation anglophone d'Amérique du Sud. Autrefois appelée Guyane britannique, elle est devenue indépendante en 1966.
◆ Les colons hollandais y établirent trois colonies : Essequibo, Berbice et Demerara. Les Britanniques les reprirent lors des guerres napoléoniennes.
◆ La Guyana se divise en différents groupes ethniques. La population est composée pour environ un tiers de descendants d'esclaves africains et pour la moitié de descendants de travailleurs qu'on a fait venir de l'Inde.

Suriname

Nom officiel : république du Suriname
Superficie : 163 265 km^2
Population : 470 784 hab.
Capitale : Paramaribo
Langues : hollandais, langue caraïbe
Principales religions : christianisme, hindouisme et islam
Monnaie : dollar du Suriname (1$ CA = 2 504 DS)

◆ Le Suriname, autrefois appelé Guyane hollandaise, est le plus petit pays indépendant d'Amérique du Sud. C'est aussi le moins densément peuplé.
◆ La Grande-Bretagne a cédé en 1667 les parts qu'elle détenait dans la colonie en échange de la Nouvelle-Amsterdam (New York).
◆ Le Suriname est devenu indépendant des Pays-Bas en 1975.
◆ 90 % de la population vit sur la plaine côtière.
◆ Son plus haut édifice ne compte que huit étages.

Équateur

Nom officiel : république de l'Équateur
Superficie : 272 045 km^2
Population : 13 755 680 hab.
Capitale : Quito
Plus grande ville : Guayaquil
Langues : espagnol, quechua et quelques dialectes locaux
Principale religion : christianisme
Monnaie : US dollar (1$ CA = 0,88 USD)

◆ L'Équateur est indépendant depuis 1830.
◆ Il tire son nom de sa position géographique – Quito est à 22 km au sud de l'équateur.
◆ Plus de 43 % de la superficie de l'Équateur sont constitués de parcs nationaux et de réserves.
◆ Les îles Galápagos appartiennent à l'Équateur.
◆ L'Équateur est un grand exportateur de fleurs coupées.

Argentine et Brésil

Argentine

Nom officiel : République argentine
Superficie : 2 766 889 km²
Population : 40 301 927 hab.
Capitale : Buenos Aires
Langue : espagnol
Principale religion : christianisme
Monnaie : peso argentin (1$ CA = 2,80 Pa)

◆ Après sept années de régime militaire (durant lesquelles des milliers d'opposants au régime ont disparu), l'Argentine est revenue à la démocratie en 1983, après la guerre des Malouines, perdue contre la Grande-Bretagne.

◆ Son économie et sa monnaie se sont effondrées en 2001. Près d'un tiers de la population vit en dessous du seuil de pauvreté.

◆ Le tango est né dans les années 1880, dans les night-clubs du port de Buenos Aires.

Le pays du bétail

L'Argentine est le **premier producteur de bœuf** d'Amérique du Sud. Une grande partie de la production est consommée par les Argentins, qui sont les **plus grands mangeurs de bœuf** du monde (58 kg par personne et par an). Avant l'effondrement du peso, en 2001, ce chiffre était même de 83 kg par an. Le bétail argentin paît dans de vastes ranchs. Selon le dernier recensement, le pays compterait plus de têtes de bétail que d'êtres humains, soit plus de 50 millions. Les exportations sont essentiellement tournées vers le Chili, l'Allemagne et les États-Unis.

Quelques célébrités argentines

Quelques Argentins talentueux dont la notoriété a dépassé les frontières du pays.

Jorge Luis Borges	1899-1986	écrivain
Juan Manuel Fangio	1911-1995	pilote de formule 1
Eva (Evita) Perón	1919-1952	première dame
Ernesto « Che » Guevara	1928-1967	révolutionnaire
Alejandro Rey	1930-1987	acteur
Carlos Monzón	1942-1995	boxeur
Guillermo Vilas	Né en 1952	joueur de tennis
Diego Maradona	Né en 1960	footballeur
Gabriel Batistuta	Né en 1969	footballeur
Gabriela Sabatini	Née en 1970	joueuse de tennis
Juan Sebastián Verón	Né en 1975	footballeur
Emanuel Ginobili	Né en 1977	joueur de basket-ball

Le bout du monde

Avec ce slogan *Fin del mundo, principio de todo* (« fin du monde, début de tout »), **Ushuaia** revendique clairement son statut de ville la **plus australe** du monde. Située en Terre de Feu, dans la Patagonie argentine, elle abrite quelque 46 000 habitants et accueille chaque jour de nombreux touristes argentins et étrangers venus découvrir la faune et la flore de cette zone encore sauvage ou en partance pour l'Antarctique.

Brésil

Nom officiel : Rép. fédérative du Brésil
Superficie : 8 511 996 km²
Population : 190 010 647 hab.
Capitale : Brasília
Plus grande ville : São Paulo
Langues : portugais et beaucoup de dialectes locaux
Principale religion : christianisme
Monnaie : real (1$ CA = 1,59 réis)

◆ Le Brésil est le plus grand pays et la première puissance économique d'Amérique du Sud (dixième mondiale). C'est le premier exportateur mondial de café.

◆ Les inégalités entre riches et pauvres y sont très fortes. À Rio de Janeiro et São Paulo, plus de 30 % de la population vit dans des **favelas** (bidonvilles).

◆ C'est au Brésil que sont nées la samba et la bossa nova.

Le beau jeu

Pour la plupart des gens, le Brésil évoque le football. Ce pays a en effet gagné **cinq fois la coupe du monde** (1958, 1962, 1970, 1994 et 2002). Aucune nation n'a encore égalé ce record. Certains des plus grands joueurs du monde sont brésiliens, comme **Pelé**, **Ronaldo** et **Ronaldinho**. Cette suprématie s'explique par la passion et la démographie. Cinquième plus grand pays du monde, en superficie comme en population, le Brésil compte, en effet, plus de joueurs et de supporters que n'importe quel autre pays. Derrière Pelé ou Ronaldo se cachent des centaines de milliers de jeunes qui rêvent de devenir un jour riches et célèbres.

PETITE INFO

Comme nombre de ses compatriotes, **Ronaldinho**, véritable héros national, a commencé le football très jeune. À 7 ans, il jouait déjà pour l'équipe junior de Gremio Porto Alegre.

À partir de rien

Dans les années 1950, l'architecte **Oscar Niemeyer** dessine une ville futuriste sur un site entièrement vierge. Ce sera **Brasília**, qui deviendra capitale le 21 avril 1960 à la place de Rio de Janeiro. Aujourd'hui, avec ses 2 millions d'habitants, c'est la sixième plus grande ville du pays.

Les Brésiliens indigènes

Le Brésil compte plus de **200 peuples indigènes**. Les plus importants d'entre eux sont les **Guaranis** (30 000) et les **Yanomamis** (27 000). Le gouvernement brésilien ne reconnaissant pas le droit de propriété foncière aux Amérindiens, les Guaranis ont particulièrement souffert du vol de leurs terres. Ils sont maintenant concentrés sur des lopins de plus en plus petits, entourés de plantations et de ranchs. Les **Suruis** étaient inconnus du monde extérieur jusqu'en 1969. Leurs quelque 800 représentants vivent le long de la rivière Gi-Parana, près de la frontière avec le Paraguay.

Pays andins, Paraguay et Uruguay

Pérou

Nom officiel : république du Pérou
Superficie : 1 285 216 km^2
Population : 28 674 757 hab.
Capitale : Lima
Langues : espagnol, quechua et aymara
Principale religion : christianisme
Monnaie : nouveau sol (1$ CA = 2,64 NS)

◆ Cuzco est la plus ancienne ville américaine encore habitée. Jusqu'à l'arrivée des Espagnols, c'était le carrefour de l'Empire inca.
◆ Lima abrite la plus ancienne université américaine.
◆ En 2001, Alejandro Toledo fut élu président. Celui qui, enfant, était cireur de chaussures fut le premier président d'origine amérindienne. Alan García lui a succédé en 2006.

Le désert d'Atacama

Le désert d'Atacama est l'endroit le **plus sec de la Terre**. En moyenne, il n'y tombe que **1 mm de pluie par an**. Il est difficile d'y survivre, et pourtant plus d'un million de personnes vivent sur cette bande de terre située à cheval entre le **sud du Pérou** et le **nord du Chili**. La majorité se concentre dans quelques **villes côtières**. Les autres habitent dans des villages de pêcheurs ou dans des **cités minières** situées à l'intérieur des terres. L'eau des montagnes est acheminée dans les villes de ce désert par un système de canalisations ou par camion. Sur la côte, elle est récupérée dans des filets de condensation qui prennent au piège les rares nappes de brouillard marin.

Bolivie

Nom officiel : république de Bolivie
Superficie : 1 098 581 km^2
Population : 9 119 152 hab.
Capitale : La Paz
Langues : espagnol, quechua et aymara
Principale religion : christianisme
Monnaie : boliviano (1$ CA = 6,78 bolivianos)

◆ Les Amérindiens représentent environ 55 % de la population. C'est la plus forte proportion en Amérique du Sud.
◆ Le Salar de Uyuni est le plus grand désert salé du monde.
◆ La Bolivie est le cinquième producteur mondial d'étain.
◆ Perchée à 3 640 m, La Paz est la plus haute capitale du monde.

Paraguay

Nom officiel : république du Paraguay
Superficie : 406 752 km^2
Population : 6 669 086 hab.
Capitale : Asunción
Langues : espagnol et guarani
Principale religion : christianisme
Monnaie : guarani (1$ CA = 4 166 guaranis)

◆ Le Paraguay est l'un des deux seuls pays enclavés d'Amérique du Sud, l'autre étant la Bolivie.
◆ Dans les années 1930, le Paraguay et la Bolivie se firent la guerre pour la possession du Chaco, une plaine située dans le nord-ouest du pays.
◆ Cet État compte plus de 200 000 citoyens d'origine japonaise, résultat de l'immigration après la Seconde Guerre mondiale.

Chili

Nom officiel : république du Chili
Superficie : 756 626 km^2
Population : 16 284 741 hab.
Capitale : Santiago
Langues : espagnol et quechua
Principale religion : christianisme
Monnaie : peso chilien (1$ CA = 425,55 pesos)

◆ De par sa géographie, le Chili présente une grande diversité climatique. Au nord, c'est le désert le plus sec du monde, tandis qu'au sud il y a des glaciers et des fjords.
◆ Le général Pinochet, après le coup d'État de 1973, a instauré un régime d'exception (jusqu'en 1990).
◆ Jusqu'en novembre 2004, le divorce était illégal au Chili.
◆ Parmi les Chiliens les plus connus, citons les écrivains Isabel Allende et Ariel Dorfman et les poètes – détenteurs du prix Nobel – Gabriela Mistral et Pablo Neruda.

Uruguay

Nom officiel : Rép. orientale de l'Uruguay
Superficie : 176 215 km^2
Population : 3 460 607 hab.
Capitale : Montevideo
Langue : espagnol
Principale religion : christianisme
Monnaie : peso uruguayen (1$ CA = 21,63 pesos)

◆ En 1930, l'Uruguay a accueilli la première coupe du monde de football.
◆ Il possède l'un des meilleurs systèmes sociaux et éducatifs d'Amérique du Sud.
◆ Plus de la moitié de la population vit à Montevideo, la capitale.
◆ L'essentiel de l'électricité provient du gigantesque barrage de Salto Grande, sur le fleuve Uruguay.

Une période de terreur

Alfredo Stroessner régna sur le **Paraguay** pendant 35 ans, de 1954 à 1989, la plus longue dictature de l'histoire récente de l'Amérique du Sud ; des milliers de dissidents furent torturés et tués. Stroessner fut renversé par le coup d'État du général Rodríguez. Le parti national républicain Association-Colorado resta au pouvoir avec Rodríguez comme président, mais une nouvelle Constitution, en 1992, établit enfin la démocratie.

LE SAVIEZ-VOUS ?

L'île de Pâques se trouve à 3 515 km au large du Chili. Parmi ses 4 413 habitants, il y a des Polynésiens d'origine (60 %) et des Chiliens d'ascendance européenne (39 %). Elle est administrée par un gouverneur nommé par Santiago, au Chili.

Royaume-Uni et Irlande

Grande-Bretagne

Nom officiel : Royaume-Uni de Grande-Bretagne et d'Irlande du Nord
Superficie : 241 752 km^2
Population : 60 776 238 hab.
Capitale : Londres
Langue : anglais
Principale religion : christianisme
Monnaie : livre sterling (1$ CA = £ 0,55)

Les frontières

Le Royaume-Uni est l'union de l'**Angleterre**, de l'**Écosse**, du **pays de Galles** et de l'**Irlande du Nord** sous un monarque, **Élisabeth II**, chef de la maison de Windsor depuis 1952. Le pays de Galles fut annexé au trône d'Angleterre en 1284 (l'héritier, aujourd'hui le prince Charles, porte le titre de **prince de Galles**). En 1707, l'**Act of Union** a uni l'Angleterre et l'Écosse sous l'appelation de Grande-Bretagne. L'entrée de l'Irlande en 1801 forma le Royaume-Uni. Depuis 1921, seul le nord de l'Irlande fait encore partie du Royaume-Uni.

Autonomie

Le Parlement écossais, qui s'est réuni pour la première fois en mai 1999, a le pouvoir de légiférer et de prélever des impôts. Il exerce aussi une pleine autonomie sur les services publics (santé, éducation, prisons…). Le pays de Galles dispose aussi d'un corps électoral à l'**Assemblée de Galles**. Contrairement au Parlement écossais, il ne peut pas prélever d'impôts ou légiférer.

Les Premiers ministres

Le Premier ministre est le chef du pouvoir exécutif. Le chef de l'État, sans réel pouvoir, est le monarque, aujourd'hui Élisabeth II. Voici la liste des Premiers ministres depuis 1945.

Premier ministre	Année	Parti
Clement Atlee	1945-1951	Travailliste
Sir Winston Churchill	1951-1955	Conservateur
Sir Anthony Eden	1955-1957	Conservateur
Harold Macmillan	1957-1963	Conservateur
Sir Alec Douglas-Home	1963-1964	Conservateur
Harold Wilson	1964-1970	Travailliste
Edward Heath	1970-1974	Conservateur
Harold Wilson	1974-1976	Travailliste
James Callaghan	1976-1979	Travailliste
Margaret Thatcher	1979-1990	Conservateur
John Major	1990-1997	Conservateur
Tony Blair	1997-2007	Travailliste
Gordon Brown	2007-	Travailliste

Les langues celtes

La langue celte la plus parlée en Grande-Bretagne est le **gallois** (**cymraeg**). Cette langue compterait 660 000 locuteurs au pays de Galles, surtout dans le Nord et l'Ouest. Parmi les autres langues celtes, citons le gaélique, que l'on parle en Irlande (1,4 million de locuteurs) et dans certaines parties de l'Écosse, le mannois, sur l'île de Man, et le cornouaillais.

Tourisme

Voici dix des sites les plus visités de Grande-Bretagne.

- **Bath**, station balnéaire réputée pour son architecture géorgienne
- **Big Ben**, cloche (et tour) du palais de Westminster, à Londres
- **Le palais de Buckingham**, résidence londonienne de la reine
- **Canterbury**, sa cathédrale et sa vieille ville, dans le Kent
- **Édimbourg**, capitale de l'Écosse
- **London Eye**, une grande roue au bord de la Tamise
- **Stonehenge**, monument néolithique dans la plaine de Salisbury
- **Stratford-upon-Avon**, la ville natale de William Shakespeare
- **La Tour de Londres**, érigée en 1080
- **York**, sa cathédrale et sa vieille ville, dans le Yorkshire

République d'Irlande

Nom officiel : république d'Irlande
Superficie : 70 285 km^2
Population : 4 109 086 hab.
Capitale : Dublin
Langues : anglais et gaélique
Principale religion : christianisme
Monnaie : euro (1$ CA = 0,61 EUR)

- Depuis son adhésion à la CEE, en 1972, les subventions et les fonds d'investissements structurels ont apporté à l'Irlande une grande prospérité économique. De plus, elle a su attirer de grandes entreprises dans le secteur technologique (Apple, Dell…). Aujourd'hui, l'Irlande bénéficie du plein emploi et d'un fort taux de croissance.
- Parmi les écrivains irlandais, citons Bram Stoker (créateur de Dracula), Oscar Wilde, James Joyce et Samuel Beckett.
- U2 est le groupe irlandais le plus connu du monde. Au micro, Bono, un rocker très engagé dans les causes humanitaires.
- L'Irlande est le premier pays d'Europe à avoir voté, en 2004, une loi interdisant de fumer dans les lieux publics.

Le National Trust

Depuis sa création, en 1895, le National Trust protège les **sites d'intérêt historique** et les **sites naturels** de Grande-Bretagne.
Cette fondation indépendante gère actuellement plus de 200 bâtiments historiques et jardins, tous ouverts au public.
Le National Trust préserve aussi près de 250 000 ha de terres ainsi que des kilomètres de côtes sauvages.

PETITE INFO

Le trèfle à trois feuilles (***shamrock***) est le symbole de l'Irlande. Les Irlandais le portent tout particulièrement le 17 mars, jour de leur fête nationale, la **Saint-Patrick**.

Pays scandinaves et Islande

Norvège

Nom officiel : royaume de Norvège
Superficie : 323 877 km^2
Population : 4 627 926 hab.
Capitale : Oslo
Langue : norvégien
Principale religion : christianisme
Monnaie : couronne norvégienne (1$ CA = 4,92 CN)

◆ La Norvège est devenue indépendante de la Suède en 1905.
◆ C'est le seul pays scandinave non membre de l'UE.
◆ La Norvège a joué un rôle important dans la diplomatie internationale, notamment comme médiateur entre Israël et l'OLP, et entre les séparatistes tamouls et le gouvernement sri lankais.
◆ Les Norvégiens passent plus de temps à l'école que n'importe quel autre peuple. La durée moyenne de scolarisation en Norvège est de 16,9 années.
◆ Les immenses revenus liés au pétrole et au gaz, une diversification dans les industries de haute technologie et une politique sociale d'avant-garde permettent à la Norvège d'être classée première selon l'indice de développement humain (IDH).
◆ Parmi les Norvégiens célèbres, citons le compositeur Edvard Grieg, le dramaturge Henrik Ibsen, le peintre Edvard Munch, l'explorateur Roald Amundsen, l'anthropologue Thor Heyerdahl.

Le design scandinave

Avec des entreprises comme **Ikea**, **Nokia**, **Ericsson**, **Bang & Olufsen**, **Volvo** ou **Saab**, le design scandinave s'est exporté dans le reste du monde occidental. Il tire ses racines du luthéranisme – religion d'État des cinq pays scandinaves –, qui met l'accent sur le travail honnête pour le bien commun. Le design scandinave, simple et fonctionnel, bannit toute fioriture ou esthétisme gratuit.

Suède

Nom officiel : royaume de Suède
Superficie : 449 964 km^2
Population : 9 031 088 hab.
Capitale : Stockholm
Langue : suédois
Principale religion : christianisme
Monnaie : couronne suédoise (1$ CA = 5,79 CS)

◆ La Suède est un pays neutre depuis près de deux siècles. La dernière guerre qu'elle a menée l'a opposée à la Norvège, en 1814. Cette guerre a abouti à l'union des deux pays sous l'autorité de la Suède, jusqu'en 1905.
◆ La capitale suédoise a été construite sur 13 petites îles.
◆ Depuis l'an 2000, le pont et le tunnel d'Øresund relient la ville de Malmö à Copenhague, la capitale du Danemark.
◆ La population suédoise compte plus de 10 % d'immigrés.
◆ Parmi les Suédois célèbres, citons Alfred Nobel, inventeur de la dynamite et fondateur du prix Nobel, les actrices Greta Garbo et Ingrid Bergman, le réalisateur de films Ingmar Bergman, l'écrivain Henning Mankell, les joueurs de tennis Björn Borg et Stefan Edberg, et le groupe de musique pop Abba.

Finlande

Nom officiel : république de Finlande
Superficie : 338 144 km^2
Population : 5 238 460 hab.
Capitale : Helsinki
Langues : finnois et suédois
Principale religion : christianisme
Monnaie : euro (1$ CA = 0,61 EUR)

◆ Les deux tiers de la Finlande sont recouverts par la forêt, et les lacs en occupent un dixième ; c'est le « pays des mille lacs ».
◆ Parmi les Finlandais célèbres, citons le compositeur J. Sibelius, l'architecte et designer A. Aalto, le cinéaste Aki Kaurismaki, le coureur de fond Paavo Nurmi et les pilotes automobiles Ari Vaatanen, Mika Hakkinen, Kimi Räikkönen.

Danemark

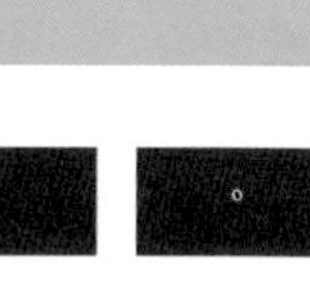

Nom officiel : royaume du Danemark
Superficie : 43 094 km^2
Population : 5 468 120 hab.
Capitale : Copenhague
Langue : danois
Principale religion : christianisme
Monnaie : couronne danoise (1 $CA = 4,69 CD)

◆ Zealand, l'île sur laquelle se trouve Copenhague, est la plus grande des 405 îles du Danemark.
◆ Les îles Féroé et le Groenland font partie du Danemark, mais possèdent leur propre gouvernement interne.
◆ Parmi les Danois célèbres, citons les écrivains Hans Christian Andersen, Karen Blixen et Peter Høeg, le philosophe Søren Kierkegaard et le père de la physique quantique, Niels Bohr.

Cap au nord

C'est en Norvège que se trouvent les **villes les plus septentrionales du monde**. Longyearbyen, située sur l'île de Svalbard, et Hammerfest, sur le continent, revendiquent ce titre. Toutes deux se trouvent au nord du cercle arctique. Officiellement le lieu le plus septentrional de l'Europe continentale, Magerøya, est en fait une île au nord de la Norvège. Honningsvag est sa seule ville.

Islande

Nom officiel : république d'Islande
Superficie : 103 000 km^2
Population : 301 931 hab.
Capitale : Reykjavík
Langue : islandais
Principale religion : christianisme
Monnaie : couronne islandaise (1$ CA = 59 CI)

◆ L'Islande a le plus vieux parlement du monde, l'Althing, fondé en l'an 909.
◆ L'Islande est connue pour son activité volcanique et ses geysers. C'est le seul endroit de la planète où les plaques s'éloignent les unes des autres sur terre et non sous l'océan.

Pologne et pays Baltes

Pologne

Nom officiel : république de Pologne
Superficie : 312 685 km^2
Population : 38 518 241 hab.
Capitale : Varsovie
Langue : polonais
Principale religion : christianisme
Monnaie : zloty (1$ CA = 2,21 zlotys)

◆ Essentiellement constituée de plaines, la Pologne possède aussi des massifs montagneux le long de sa frontière méridionale.

◆ La Pologne a une histoire longue et mouvementée, avec des périodes d'indépendance succédant aux invasions. Le 1er septembre 1939, en envahissant la Pologne, l'Allemagne nazie déclenche la Seconde Guerre mondiale. En 1945, la Pologne passe sous le contrôle soviétique.

◆ Premier pays du bloc de l'Est à se défaire de l'emprise communiste (1989), la Pologne est membre de l'Otan depuis 1999 et de l'Union européenne depuis 2004.

◆ Parmi les Polonais célèbres, citons l'astronome Nicolas Copernic, le compositeur Frédéric Chopin, la scientifique Marie Curie, le pape Jean-Paul II, le cinéaste Roman Polanski et le fondateur du syndicat libre Solidarité, puis président de la république Lech Walesa.

◆ L'agriculture emploie plus d'un quart des Polonais mais génère moins de 4% du PIB.

Liberté !

La Lituanie, la Lettonie et l'Estonie ont recouvré leur **indépendance** à la suite de l'**effondrement de l'URSS**. En 1988, les Estoniens descendirent pacifiquement dans la rue en chantant des airs patriotiques. Le 26 août 1989, environ 2 millions de Lituaniens, de Lettons et d'Estoniens se donnèrent la main le long de la route menant de Tallinn à Vilnius, pour former une chaîne humaine de 600 km. Un record.

Lituanie

Nom officiel : république de Lituanie
Superficie : 65 300 km^2
Population : 3 575 439 hab.
Capitale : Vilnius
Langues : lituanien, polonais et russe
Principale religion : christianisme
Monnaie : litas (1$ CA = 2,12 litas)

◆ En 1990, la Lituanie fut la première république soviétique à se déclarer indépendante.

◆ En 2004, elle a rejoint l'Union européenne en compagnie de la Lettonie et de l'Estonie.

◆ C'est le pays qui a la plus forte proportion de femmes au travail : 70 % de ses cols blancs sont des femmes.

Lettonie

Nom officiel : république de Lettonie
Superficie : 64 589 km^2
Population : 2 259 810 hab.
Capitale : Riga
Langues : letton et russe
Principale religion : christianisme
Monnaie : lats (1$ CA = 0,43 lats)

◆ Les Lettons de souche ne représentent que 60 % de la population lettone. Dans les grandes villes comme Riga, il y a plus de Russes que de Lettons.

◆ C'est le pays qui a le plus faible ratio hommes/femmes du monde : il ne compte que 85 hommes pour 100 femmes.

La Russie balte

Entre la Pologne et la Lituanie, **Kaliningrad** est une minuscule **enclave russe** coupée du reste du pays, situé plus à l'est. Bien que cette enclave ait autrefois appartenu à la République soviétique socialiste lituanienne, la plupart de ses 1,1 million d'habitants sont désormais russes. Lors de la chute de l'URSS, en 1991, la ville a choisi de rester à l'intérieur de la Fédération russe. Avant 1945, elle était allemande et s'appelait **Königsberg**.

PETITE INFO

La célèbre **maison des Têtes noires**, à Riga, fut détruite pendant la Seconde Guerre mondiale et reconstruite en 1999. Les habitants ont participé à sa reconstruction en achetant des briques valant **1 lats** chacune.

Estonie

Nom officiel : république d'Estonie
Superficie : 45 227 km^2
Population : 1 315 912 hab.
Capitale : Tallinn
Langues : estonien et russe
Principale religion : christianisme
Monnaie : couronne estonienne ou kroon (1$ CA = 9,54 krooni)

◆ Un cinquième des Estoniens n'ont pas de citoyenneté officielle. Ce sont des Russes de souche qui ont échoué au test obligatoire de langue estonienne.

◆ L'Estonie produit plus d'armes par habitant que n'importe quel autre pays (1 % des Estoniens travaillent dans l'industrie d'armement).

LE SAVIEZ-VOUS ?

Le **lituanien** est la langue moderne la plus proche de la langue indo-européenne, dont la plupart des langues européennes et de nombreuses langues du Moyen-Orient sont issues.

Hongrie et pays voisins

Hongrie

Nom officiel : république de Hongrie
Superficie : 93 030 km^2
Population : 9 956 108 hab.
Capitale : Budapest
Langue : hongrois
Principale religion : christianisme
Monnaie : forint (1$ CA = 157,79 forints)

Après la Seconde Guerre mondiale, le parti communiste élimina progressivement toutes les autres forces politiques puis établit une démocratie populaire dans l'orbite soviétique.

En 1989, la Hongrie a accéléré l'effondrement du communisme en ouvrant sa frontière avec l'Autriche, ce qui a permis à des milliers d'Allemands de l'Est de transiter vers l'ouest.

La capitale de la Hongrie était jadis constituée de deux villes séparées par le Danube : Buda, côté ouest, et Pest, côté est. Elles fusionnèrent en 1873.

Parmi les Hongrois célèbres, citons Joseph Pulitzer, Franz Lisz, Zsa Zsa Gabor, Robert Capa et Miklós Jancsó.

L'entrée dans l'Union européenne

En mai 2004, l'Union européenne s'est élargie à 10 nouveaux pays (Chypre, **République tchèque**, Estonie, **Hongrie**, Lettonie, Lituanie, Malte, Pologne, **Slovaquie**, Slovénie), portant à 25 le nombre de ses États membres. En 2007, deux États supplémentaires, la Bulgarie et la Roumanie, sont venues les rejoindre.

Capitale à nouveau

La ville de **Bratislava** faisait autrefois partie de l'Empire austro-hongrois. Elle a même été la capitale de la **Hongrie** entre 1536 et 1784. Bratislava est restée hongroise jusqu'en 1919, où elle a été intégrée dans la nouvelle Tchécoslovaquie. Pendant la Seconde Guerre mondiale, elle est devenue la capitale de l'**État slovaque** fasciste, allié et satellite du IIIe Reich. En 1945, Bratislava est encore une fois devenue tchécoslovaque.

République tchèque

Nom officiel : République tchèque
Superficie : 78 864 km^2
Population : 10 228 744 hab.
Capitale : Prague
Langue : tchèque
Principale religion : christianisme
Monnaie : couronne tchèque (1$ CA = 15,90 CT)

◆ La République tchèque est issue de la scission de la Tchécoslovaquie en 1993. Elle a rejoint l'Otan en 1999 et l'UE en 2004.
◆ Elle est constituée de la Bohême, de la Moravie et d'une partie de la Silésie.
◆ L'écrivain et opposant au régime communiste Václav Havel fut président de la Tchécoslovaquie de 1989 à 1992, puis de la République tchèque de 1993 à 2003.
◆ Parmi les Tchèques célèbres, citons le compositeur Antónin Dvorák, l'auteur Franz Kafka et les champions de tennis Martina Navratilova et Ivan Lendl.

Slovaquie

Nom officiel : République slovaque
Superficie : 49 036 km^2
Population : 5 447 502 hab.
Capitale : Bratislava
Langues : slovaque, hongrois et rom
Principale religion : christianisme
Monnaie : couronne slovaque (1$ CA = 20,58 CS)

◆ La Slovaquie est très sauvage. Le massif des Tatras (dans les Carpates) recouvre presque tout le nord du pays.
◆ Cependant, les industries métallurgique et chimique, pour la plupart vétustes, entraînent de sérieux problèmes de pollution.

Un double millénaire

En 2000, la Hongrie a célébré son millénaire. Les Hongrois font remonter la création de leur pays au couronnement du **roi Étienne**, en l'**an 1000**. En 1081, Étienne fut canonisé par l'Église catholique pour avoir apporté la chrétienté aux tribus nomades de Hongrie. En 2000, l'Église orientale orthodoxe a pris la suite, en faisant elle aussi d'Étienne un saint. Cette **canonisation** sans précédent d'un saint de l'Église romaine catholique par l'Église orthodoxe s'est déroulée à Budapest devant une foule de 25 000 fidèles. Elle fut suivie, dans tout le pays, de nombreuses **festivités** : reconstitutions historiques, musique de rue et feux d'artifice.

Partition de velours

En 1990, la **Tchécoslovaquie** devint la **République fédérative tchèque et slovaque**. En 1992, le pays élit un Premier ministre pour chaque république. Le Premier ministre slovaque fit rapidement pression pour obtenir la **sécession**. Son vœu fut exaucé en 1993 et deux nouveaux pays virent le jour.

LE SAVIEZ-VOUS ?

La bière **pils** a été inventée à Plzen (Pilsen) le 5 octobre 1842 par le brasseur bavarois **Joseph Groll**. À la différence des autres bières, qui étaient sombres et troubles, celle de Groll était claire et dorée, grâce notamment à la qualité de l'eau de Plzen.

Pays-Bas, Belgique et Luxembourg

Pays-Bas

Nom officiel : royaume des Pays-Bas
Superficie : 33 939 km²
Population : 16 570 613 hab.
Capitale : Amsterdam, La Hague étant le siège du gouvernement
Langue : néerlandais
Principale religion : christianisme
Monnaie : euro (1$ CA = 0,61 EUR)

◆ Créé en 1815, le royaume des Pays-Bas se scinda en 1830 en deux entités : les Pays-Bas et la Belgique.
◆ Les Pays-Bas possèdent plus de véhicules au kilomètre carré que n'importe quel autre pays.
◆ En 2002, ils furent les premiers à légaliser l'euthanasie.
◆ Parmi les artistes néerlandais célèbres, citons les peintres Hieronymus Bosch, Rembrandt, Vermeer, Vincent Van Gogh, Pieter Mondrian, le philosophe Baruch Spinoza, le footballeur Johann Cruyff et le chanteur Dave.

Fleurs à l'honneur

L'histoire des **tulipes** en **Hollande** remonte à 1593, année où des bulbes furent introduits depuis la Turquie. Elles suscitèrent très vite un véritable engouement et, quand la demande dépassa l'offre, les prix explosèrent. Le krach qui s'ensuivit permit d'assainir un marché qui, depuis, est florissant. Aux Pays-Bas, la tulipe est plus qu'une fleur, c'est une industrie qui génère chaque année 750 millions de dollars.

La famille royale

Les Pays-Bas sont une monarchie constitutionnelle avec, pour chef d'État, la **reine Béatrice**, couronnée en 1980. C'est une descendante directe de Guillaume le Taciturne, prince d'Orange (1533-1584), qui libéra les Pays-Bas de l'Espagne et devint le premier Stadholder (premier magistrat). La reine Béatrice a un rôle honorifique. Le vrai pouvoir est entre les mains du Parlement et du Premier ministre.

Belgique

Nom officiel : royaume de Belgique
Superficie : 30 528 km²
Population : 10 392 226 hab.
Capitale : Bruxelles
Langues : flamand, français
Principale religion : christianisme
Monnaie : euro (1$ CA = 0,61 EUR)

◆ La Belgique est une fédération de trois régions : la Wallonie au sud, les Flandres au nord et Bruxelles.
◆ Pays de la bande dessinée, la Belgique – et plus particulièrement Bruxelles – est intimement liée au 9e art. À Bruxelles, la bande dessinée est partout ou presque. Librairies, murs peints dans la ville, bars, musées, métros, tout nous rappelle que les héros de la bande dessinée font partie de l'univers bruxellois.
◆ La Belgique produit chaque année 172 000 tonnes de chocolat et possède 2 130 magasins de chocolat. Elle produit aussi plus de 350 types de bières.

Des Belges célèbres

Malgré sa petite taille, la Belgique compte un nombre impressionnant de célébrités, dont huit prix Nobel.

Pierre Brueghel l'Ancien	1525-1569	peintre
Pierre Paul Rubens	1577-1640	peintre
Antoon Van Dyck	1599-1641	peintre
Adolphe Sax	1814-1894	inventeur du saxophone
René Magritte	1898-1967	peintre
Georges Simenon	1903-1989	écrivain
Georges Remi (Hergé)	1907-1983	créateur de Tintin
Audrey Hepburn	1929-1993	actrice
Jacques Brel	1929-1978	chanteur
Philippe Geluck	Né en 1954	dessinateur
Benoît Poelvoorde	Né en 1964	acteur

Terre et mer

Les Pays-Bas sont l'un des pays les plus bas du monde. Le Vaalserberg, leur **point culminant**, atteint tout juste 321 m d'altitude. Près d'un cinquième de cet État est recouvert d'eau et un quart de ses terres se situe au-dessous du niveau de la mer. Les Néerlandais conquièrent la mer depuis le Moyen Âge : ils construisent des digues et assèchent ou pompent l'eau ainsi prise au piège. On appelle **polders** ces zones de terre gagnées sur la mer.

Luxembourg

Nom officiel : grand-duché du Luxembourg
Superficie : 2 587 km²
Population : 480 222 hab.
Capitale : Luxembourg
Langues : français, allemand et luxembourgeois
Principale religion : christianisme
Monnaie : euro (1$ CA = 0,61 EUR)

◆ Le Luxembourg est le pays qui a le PNB par habitant le plus élevé au monde
◆ Environ un tiers des habitants du pays sont de nationalité étrangère.
◆ Avec 352 dollars de dons par an et par habitant, le Luxembourg est le premier pourvoyeur mondial d'aide économique.

QG international

Bruxelles abrite le quartier général de l'**Otan** ainsi que deux institutions de l'Union européenne : la **Commission européenne** et le **Conseil des ministres**. L'Otan a déménagé de Paris en 1967 pour s'installer à Bruxelles, après la décision du général de Gaulle de poursuivre son propre programme de défense nucléaire et de se soustraire au commandement militaire de l'Otan.

France et Monaco

France

Nom officiel : République française
Superficie : 543 965 km^2
Population : 63 713 926 hab.
Capitale : Paris
Langues : français et dialectes régionaux
Principale religion : christianisme
Monnaie : euro (1$ CA = 0,61 EUR)

La France est le pays le plus visité du monde. Elle accueille environ 67 millions de touristes par an, soit plus que sa propre population. Elle est le premier exportateur mondial d'électricité : 72,6 milliards de kWh par an. La France compte plusieurs départements et collectivités d'outre-mer. La Guyane, située en Amérique du Sud, est la dernière terre continentale appartenant à un pays européen. Les Français sont les premiers consommateurs de vin au monde, avec 64 litres par an et par personne. À titre de comparaison, les Américains se contentent de 11 litres.

L'économie française

La France est la **sixième** puissance économique mondiale. L'essentiel de son PIB (71 %) est généré par des activités de **services**, comme la banque et le tourisme. Un peu plus d'un quart (26 %) provient du secteur manufacturier et les 3 % restants de l'agriculture. Bien que le **chômage** reste un problème, les travailleurs français sont bien protégés. Ils bénéficient d'un **salaire minimum** et d'une durée hebdomadaire légale du travail de **35 heures**. Les Français paient beaucoup d'impôts, mais bénéficient en échange de la quasi-gratuité des soins de santé ainsi que de transports publics en bon état de fonctionnement.

PETITE INFO

Avec plus de 500 variétés, la France est le pays qui possède le plateau de **fromages** le plus fourni du monde. Elle est aussi le premier producteur mondial de **vin**.

Tourisme

Voici dix des sites les plus visités en France.

- **L'Arc de triomphe** Paris.
- **La tour Eiffel** Paris.
- **Le Louvre** Paris.
- **Le musée d'Orsay** Paris.
- **Notre-Dame** Paris.
- **Disneyland** Marne-la-Vallée.
- **Le château de Versailles.**
- **Le centre Pompidou** Paris.
- **Le château de Vaux-le-Vicomte** Le monument privé le plus visité.
- **Les châteaux de la Loire.**
- **La forêt de Fontainebleau.**

LE SAVIEZ-VOUS ?

La **Corse**, l'île natale de Napoléon Bonaparte et de Pascal Paoli, bénéficie d'un **statut particulier** ; elle est dotée d'une assemblée – la collectivité territoriale corse – qui a des pouvoirs plus étendus que les conseils régionaux.

DOM et COM

Certains pays ont des territoires sous leur juridiction – généralement des îles et/ou d'anciennes colonies – qui possèdent un gouvernement plus ou moins autonome. Les départements d'outre-mer (DOM) sont des collectivités territoriales intégrées à la République française au même titre que les départements métropolitains. Les quatre départements d'outre-mer sont : la **Guadeloupe**, la **Martinique**, la **Guyane**, **La Réunion**.
Les collectivités d'outre-mer (COM), **Mayotte**, **Polynésie française**, **Saint-Pierre-et-Miquelon**, **Wallis-et-Futuna**, ont un statut voisin de celui des DOM, et disposent notamment d'un conseil général. La **Nouvelle-Calédonie** dispose d'un statut spécifique. Les départements d'outre-mer font partie de l'Union européenne. L'appellation de territoire d'outre-mer a été **supprimée** de l'ordre juridique depuis la révision constitutionnelle du 28 mars 2003 et n'est plus utilisée que par la force de l'habitude.

Présidents de l'après-guerre

Président	mandat
Vincent Auriol	1947-1954
René Coty	1954-1958
Charles de Gaulle	1958-1969
Georges Pompidou	1969-1974
Valéry Giscard d'Estaing	1974-1981
François Mitterrand	1981-1995
Jacques Chirac	1995-2007
Nicolas Sarkozy	2007-

Monaco

Nom officiel : principauté de Monaco
Superficie : 1,95 km^2
Population : 32 671 hab.
Capitale : Monaco
Langue : français
Principale religion : christianisme
Monnaie : euro (1$ CA = 0,61 EUR)

- Monaco est le deuxième plus petit pays du monde après le Vatican.
- La nouvelle Constitution de 1962 a accordé le droit de vote aux femmes et a rendu plus difficile pour les Français de s'installer à Monaco.
- Les habitants de Monaco ne paient aucun impôt sur le revenu.
- La famille Grimaldi règne sur la principauté depuis 1297. Le prince Rainier III, qui régna de 1949 à 2005, fut marié à l'actrice américaine Grace Kelly.

Le grand prix de Monaco

Lancée en 1929, cette **course mythique** est l'une des plus anciennes épreuves du championnat. C'est la seule course de formule 1 à se dérouler dans les **rues** d'une ville. Ayrton Senna, qui y a remporté six trophées en sept participations, détient le record de victoires.

Espagne, Portugal et Andorre

Espagne

Nom officiel : royaume d'Espagne
Superficie : 504 782 km²
Population : 40 448 191 hab.
Capitale : Madrid
Langues : castillan, catalan, galicien, basque
Principale religion : christianisme
Monnaie : euro (1$ CA = 0,61 EUR)

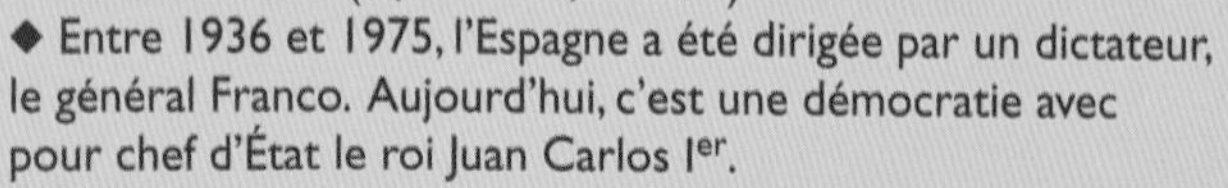

◆ Entre 1936 et 1975, l'Espagne a été dirigée par un dictateur, le général Franco. Aujourd'hui, c'est une démocratie avec pour chef d'État le roi Juan Carlos Ier.
◆ L'Espagne continentale possède 17 communautés autonomes ayant chacune son gouvernement régional. Deux d'entre elles, le Pays basque et la Catalogne, ont également leurs propres forces de police.
◆ Les îles Canaries et Baléares sont aussi des communautés autonomes espagnoles.
◆ Depuis 1959, des Basques d'Euskadi ta Askatasuna (l'ETA) mènent une lutte armée pour l'indépendance.
◆ Parmi les Espagnols célèbres, citons les artistes Goya, Pablo Picasso et Salvador Dalí, l'écrivain Cervantès, le chanteur d'opéra Plácido Domingo, les cinéastes Luis Buñuel (naturalisé mexicain) et Pedro Almodóvar, l'acteur Antonio Banderas et le chanteur Luis Mariano.

Le vin ibérique

Le Portugal et l'Espagne produisent beaucoup de bons vins, mais sont surtout connus pour leurs **liqueurs** : le **porto** et le **xérès**. Le procédé, qui consiste à ajouter du cognac, fut mis au point au XVIIe siècle pour faciliter la conservation du vin. Il augmente aussi la teneur en alcool. Le porto tire son nom de la ville où il a été fabriqué pour la première fois. La plupart des portos sont **rouges**, même s'il existe des variétés **ambrées** et **blanches**. Le xérès, la plus connue des liqueurs espagnoles, tire aussi son nom de son lieu de naissance, la ville de Jerez de la Frontera. Il est également constitué d'un mélange de **vin blanc** et de **cognac**.

Portugal

Nom officiel : République portugaise
Superficie : 92 270 km²
Population : 10 642 836 hab.
Capitale : Lisbonne
Langue : portugais
Principale religion : christianisme
Monnaie : euro (1$ CA = 0,61 EUR)

◆ Le Portugal vécut sous la dictature entre 1933 et 1974. Son premier dictateur, António de Oliveira Salazar, laissa le pouvoir à Marcello Caetano en 1968. Celui-ci fut ensuite évincé lors d'un coup d'État sans effusion de sang, connu sous le nom de révolution des Œillets.
◆ Conséquence du passé colonial du Portugal, plus de 90 % des lusophones vivent hors du pays. En 1999, le Portugal a cédé Macao, son dernier territoire d'outre-mer, à la Chine.
◆ Le Portugal possède deux provinces situées dans l'Atlantique : Madère et les Açores.

Quelques hauts lieux de l'architecture espagnole

Du style mauresque à l'extrême modernité, l'Espagne abrite tout un pannel de style architecturaux.
◆ **L'alcazar de Séville** Palais fortifié construit dans le style mauresque.
◆ **Le palais de l'Alhambra** Grenade. Ancien siège du gouvernement des princes arabes de Grenade.
◆ **Le musée Guggenheim** Bilbao. Une architecture futuriste signée Frank Gehry. Le musée fut inauguré en 1997.
◆ **La casa Milá** et **la casa Batlló** Barcelone. Deux immeubles aux formes incroyables d'Antonio Gaudí, qui sont classés au patrimoine de l'Unesco.
◆ **La Sagrada Familia** Barcelone. L'extraordinaire cathédrale inachevée d'Antonio Gaudí.

Les Baléares

Les Baléares constituent une **communauté autonome** de l'Espagne. Ces îles méditerranéennes ne représentent que 1 % de la superficie du pays, mais abritent 2,3 % de sa population. Aux yeux des étrangers, les Baléares sont synonymes de vacances. C'est surtout vrai pour les trois plus grandes îles de l'archipel : **Majorque**, **Minorque** et **Ibiza**. Pendant une grande partie de l'année, on y compte plus d'étrangers que d'autochtones. En 2003, plus de 8 millions de personnes – des **Britanniques** et des **Allemands** pour la plupart – y ont passé leurs vacances.

Andorre

Nom officiel : principauté d'Andorre
Superficie : 316 km²
Population : 71 822 hab.
Capitale : Andorre-la-Vieille
Langues : catalan, français
Principale religion : christianisme
Monnaie : euro (1$ CA = 0,61 EUR)

◆ Sous la double suzeraineté de l'évêque espagnol d'Urgel et du comte de Foix de 1278 à 1607, puis celle du roi de France, Andorre est devenue un État indépendant en 1993.
◆ Les Andorrans détiennent le record mondial de longévité : ils vivent près de 84 ans en moyenne.

Gibraltar

Cette minuscule péninsule arrimée à la côte méridionale de l'Espagne occupe une **position stratégique** à l'embouchure de la Méditerranée. Cédé à l'Angleterre par l'Espagne en 1713, Gibraltar est le dernier territoire **britannique** en Méditerranée. Mais aujourd'hui, l'Espagne revendique la souveraineté du Rocher. En guise de compromis, la Grande-Bretagne a accepté en 2002 le principe de **souveraineté partagée**.

LE SAVIEZ-VOUS ?

Entre 1960 et 1975, près de **600 westerns**, notamment *Pour une poignée de dollars* avec Clint Eastwood, furent tournés dans le sud de l'Espagne grâce à des financements italiens, d'où l'expression « westerns spaghettis ».

Italie, Vatican, Saint-Marin, Malte

Italie

Nom officiel : République italienne
Superficie : 301 323 km^2
Population : 58 147 733 hab.
Capitale : Rome
Langue : italien
Principale religion : christianisme
Monnaie : euro (1$ CA = 0,61 EUR)

◆ L'Italie est redevenue une république démocratique en 1946. Depuis, elle a connu 61 gouvernements différents.
◆ C'est l'un des six signataires du traité de Rome, acte fondateur de la CEE. En 2004, les 25 membres de l'Union européenne y ont signé leur nouvelle Constitution.
◆ Silvio Berlusconi, président du Conseil, était un multimillionnaire à la tête d'un empire industriel et médiatique contrôlant les plus grandes chaînes privées de télévision italienne.
◆ L'Italie a l'un des taux de fécondité les plus bas d'Europe.

Tourisme

Voici dix des sites les plus visités en Italie.
◆ **La galerie des Offices** Florence.
◆ **Le pont des Soupirs** Venise.
◆ **Le couvent de Santa Maria delle Grazie** Milan.
◆ **Le Colisée** Rome.
◆ **La cathédrale Santa Maria del Fiore** (il Duomo) Florence.
◆ **Le Forum** Rome.
◆ **La Scala** Le célèbre Opéra de Milan.
◆ **La tour penchée** Pise.
◆ **La basilique Saint-Marc** Venise.
◆ **Pompéi** La ville romaine ensevelie par la lave, près de Naples.

La Sardaigne

Comme la Sicile, la Sardaigne a connu de nombreux souverains. En 1860, elle est intégrée à l'Italie, dont elle est aujourd'hui une **région autonome**. Sa langue, le **sarde**, remonte à l'ancien **phénicien**, à l'étrusque et aux langues du Proche-Orient. Dans le nord de l'île, certains parlent corse, tandis qu'à l'ouest les habitants d'Alghero parlent un dialecte médiéval **catalan**.

Saint-Marin

Nom officiel : république de Saint-Marin
Superficie : 61 km^2
Population : 29 615 hab.
Capitale : Saint-Marin
Langue : italien
Principale religion : christianisme
Monnaie : euro (1$ CA = 0,61 EUR)

◆ Saint-Marin est le troisième plus petit pays d'Europe.
◆ Fondé au IVe siècle par l'ermite saint Marin, cet État prit le nom de république au XIIIe siècle.
◆ Pendant la Seconde Guerre mondiale, Saint-Marin a accueilli près de 100 000 réfugiés italiens.
◆ Cet État gouverné par un Grand Conseil et un Conseil d'État a été admis à l'ONU en 1992.

Vatican

Nom officiel : État de la Cité du Vatican
Superficie : 0,44 km^2
Population : 821 hab.
Capitale : Cité du Vatican
Langues : latin et italien
Principale religion : christianisme
Monnaie : euro (1$ CA = 0,61 EUR)

◆ Le Vatican est le plus petit pays du monde. C'est le seul qui soit situé dans la capitale d'un autre pays.
◆ Benoît XVI a succédé à Jean-Paul II en 2005.
◆ Outre la Cité, cet État comporte une douzaine d'édifices situés à Rome, comme Saint-Jean-de-Latran, ou en dehors, comme Castel Gandolfo, la résidence d'été des papes.
◆ Depuis 1505, la garde suisse protège le souverain pontife.

Malte

Nom officiel : république de Malte
Superficie : 316 km^2
Population : 401 880 hab.
Capitale : La Valette
Langues : maltais, anglais et italien
Principale religion : christianisme
Monnaie : euro (1$ CA = 0,61 EUR)

◆ Trois îles de l'archipel sont habitées : Malte, Gozo et Comino.
◆ La Grande-Bretagne accepta l'indépendance de Malte en 1964.
◆ Malte est l'un des pays les plus densément peuplés du monde.
◆ L'ordre de Saint-Jean-de-Jérusalem, basé à Malte de 1530 à 1798, est connu sous le nom d'ordre de Malte.
◆ Malte a rejoint la zone euro au 1er janvier 2008.

La Sicile

Aujourd'hui, c'est la **Mafia** et l'**Etna** qui font la renommée de la Sicile. La plus grande île de la Méditerranée, maintes fois colonisée, est parsemée de vestiges **grecs** et **romains**, de châteaux **normands** et de dômes **byzantins**. Cette région italienne compte plus de 5 millions d'habitants. Sa capitale, **Palerme**, est la cinquième ville du pays. Le dialecte sicilien doit beaucoup au français, au catalan, à l'espagnol et à l'arabe.

Des Italiens célèbres

Christophe Colomb	1451-1506
Léonard de Vinci	1452-1519
Michel-Ange	1475-1564
Galilée	1564-1642
Giuseppe Verdi	1813-1901
Guglielmo Marconi	1874-1937
Federico Fellini	1920-1993
Unberto Eco	Né en 1932
Sophia Loren	Née en 1934
Luciano Pavarotti	1935-2007

Pays balkaniques

Slovénie

Nom officiel : république de Slovénie
Superficie : 20 253 km²
Population : 2 009 245 hab.
Capitale : Ljubljana
Langues : slovène
Principale religion : christianisme
Monnaie : euro (1 $ CA = 0,61 EUR)

◆ Située jusqu'en 1918 au carrefour des centres vitaux de l'Empire austro-hongrois, la Slovénie a bénéficié très tôt d'un équipement ferroviaire.
◆ L'économie slovène est en plein essor depuis que le pays est devenu indépendant.
◆ En 2004, cet État est devenu la première ex-république yougoslave à rejoindre l'Otan et l'Union européenne.
◆ La Slovénie possède plus de tracteurs par habitant que tout autre pays : 1 pour 17.

Croatie

Nom officiel : république de Croatie
Superficie : 56 610 km²
Population : 4 493 312 hab.
Capitale : Zagreb
Langue : croate
Principale religion : christianisme
Monnaie : kuna (1 $ CA = 4,47 kune)

◆ La Croatie est indépendante depuis 1991.
◆ En 2003, elle a déposé sa candidature pour devenir membre de l'Union européenne. Elle devrait la rejoindre d'ici 2010.
◆ Le gouvernement croate dépense pour la santé publique une part plus importante de son budget que n'importe quel autre gouvernement, soit 9,5 % du PIB.

Dubrovnik

Un grand écrivain irlandais a dit un jour : « Si vous voulez voir le paradis sur terre, venez à Dubrovnik. » Mais en 1991, cette **jolie ville côtière** du sud de la Croatie, fondée au VIIe siècle, fut très endommagée par les bombardements de l'armée yougoslave. Depuis, la ville a été reconstruite et a retrouvé son visage d'avant guerre.

Serbie

Nom officiel : république de Serbie
Superficie : 88 361 km²
Population : 10 150 265 hab.
Capitale : Belgrade
Langue : serbe
Principales religions : christianisme et islam
Monnaie : dinar (1 $ CA = 43,64 dinars)

◆ La Serbie-Monténégro, fédération libre constituée de deux républiques, s'est scindée en deux États distincts en 2006.
◆ Le Kosovo, région autonome de l'État de Serbie, a proclamé unilatéralement son indépendance le 17 février 2008.

Monténégro

Nom officiel : Monténégro
Superficie : 13 812 km²
Population : 684 736 hab.
Capitale : Podgorica
Langue : monténégrin
Principale religion : christianisme
Monnaie : euro (1 $ CA = 0,61 EUR)

◆ Le Monténégro est devenu indépendant en juin 2006.

La fin de la Yougoslavie

Créée en 1946, la République populaire fédérative de Yougoslavie était composée de **six républiques**. La guerre éclata au début des années 1990 lorsque ces républiques cherchèrent l'une après l'autre à devenir indépendantes. La **Slovénie** ne connut que dix jours de combats, début 1991, mais la **Croatie** fut plongée dans un conflit plus long. En 1992, la guerre se déplaça vers la **Bosnie** et se poursuivit jusqu'à l'intervention de l'Otan, en 1995, qui imposa un cessez-le-feu.

Bosnie-Herzégovine

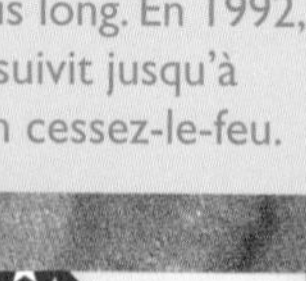

Nom officiel : rép. de Bosnie-Herzégovine
Superficie : 51 129 km²
Population : 4 552 198 hab.
Capitale : Sarajevo
Langue : serbo-croate
Principales religions : christianisme et islam
Monnaie : mark convertible (1 $ CA = 1,18 mark conv.)

◆ Le traité de paix de Dayton signé en 1995, a séparé la Bosnie-Herzégovine en deux entités administratives : d'un côté, une fédération dirigée par les musulmans et les Croates et contrôlant 51 % du pays ; de l'autre, la République serbe de Bosnie, disposant des 49 % restants. Le plan de paix a également facilité le retour des réfugiés chez eux.
◆ Les jeux Olympiques d'hiver de 1984 furent organisés à Sarajevo. Le pays possède des pistes de ski de niveau international.

Macédoine

Nom officiel : Ancienne République yougoslave de Macédoine
Superficie : 25 713 km²
Population : 2 055 915 hab.
Capitale : Skopje
Langues : macédonien, serbo-croate, albanais
Principales religions : christianisme et islam
Monnaie : denar macédonien (1 $ CA = 37,32 denars macédoniens)

◆ En 1999, les réfugiés albanais fuyant le Kosovo ont fait gonfler de 15 % la population du pays.
◆ Le lac Ohrid abrite de nombreuses espèces vivantes dont l'origine remonte à la période tertiaire.

Grèce, Chypre, Albanie et Turquie

Grèce

Nom officiel : République hellénique
Superficie : 131 957 km^2
Population : 10 706 290 hab.
Capitale : Athènes
Langue : grec
Principale religion : christianisme
Monnaie : euro (1$ CA = 0,61 EUR)

◆ La Grèce possède le deuxième littoral le plus long d'Europe après la Norvège. Ses quelque 2 000 îles forment environ un cinquième de sa superficie totale.
◆ Elle est membre de l'UE depuis 1981.
◆ En 1896, Athènes a accueilli les premiers jeux Olympiques de l'ère moderne.
◆ Les Grecs fument plus de cigarettes que n'importe quel autre peuple : environ 12 par personne et par jour (non-fumeurs compris).
◆ Parmi les Grecs les plus célèbres de notre époque, citons la cantatrice Maria Callas, le réalisateur de films Costas Gavras, le très puissant armateur Aristote Onassis et l'actrice Melina Mercouri.

Chypre

Nom officiel : république de Chypre
Superficie : 9 251 km^2
Population : 788 457 hab.
Capitale : Nicosie
Langues : grec, turc, anglais
Principales religions : christianisme et islam
Monnaie : euro (1$ CA = 0,61 EUR)

◆ Bien qu'elle soit toujours scindée ethniquement, Chypre a rejoint l'Union européenne en mai 2004 et la zone euro le 1er janvier 2008.

La cuisine de la mer Égée

Les cuisines grecque et turque ont beaucoup de points communs : la **moussaka**, les **dolmas** (feuilles de vigne fourrées) et le **baklava**, cette pâtisserie très sucrée. Le plus connu des plats turcs est sans doute le **chich kebab**, deux mots turcs qui signifient « brochette » et « viande rôtie ».

Albanie

Nom officiel : république d'Albanie
Superficie : 28 748 km^2
Population : 3 600 523 hab.
Capitale : Tirana
Langue : albanais
Principale religion : islam
Monnaie : lek (1$ CA = 74,11 leke)

◆ Albanie signifie « terre du peuple des montagnes ». Shqipërië, nom donné par les Albanais à leur pays, désigne la « terre de l'aigle ».
◆ En 1967, l'Albanie s'est autoproclamée premier pays officiellement athée.

Turquie

Nom officiel : République turque
Superficie : 779 452 km^2
Population : 71 158 647 hab.
Capitale : Ankara
Plus grande ville : Istanbul
Langues : turc, kurde
Principale religion : islam
Monnaie : nouvelle livre turque (1$ CA = 1,07 nouvelle livre turque)

◆ Une partie de la Turquie se trouve en Europe, l'autre en Asie. Le Tigre prend sa source dans l'est du pays.
◆ Jadis centre de l'Empire ottoman, la Turquie est devenue une république en 1923, puis une nation séculaire en 1928. Mustapha Kemal « Atatürk » (père des Turcs) en fut le président de 1928 à 1938.
◆ Les femmes turques n'ont obtenu l'égalité totale avec les hommes qu'en 2002. Auparavant, la loi désignait automatiquement les hommes comme chefs de famille.
◆ En janvier 2005, l'introduction de la nouvelle livre turque, équivalant à 1 million d'anciennes livres, a fait disparaître de nombreux « millionnaires ».

Histoire récente

En 1992, l'élection d'un nouveau gouvernement en Albanie a mis fin à 47 années de **règne communiste** xénophobe. Mais la transition vers la démocratie n'a pas été facile. En 1997, l'**effondrement** en cascade des plans d'**investissement** a provoqué des **émeutes** antigouvernementales. L'Albanie sombra brièvement dans l'**anarchie**, jusqu'à ce qu'un gouvernement socialiste reprenne le pouvoir.

Une scission ethnique

Peu après l'accession de **Chypre** à l'**indépendance** dans le cadre du Commonwealth (1960), les paramilitaires **grecs** et **turcs** commencèrent à s'affronter. En 1974, les officiers chypriotes renversèrent le président avec le soutien d'Athènes. La Turquie envoya des troupes pour protéger les Chypriotes turcs dans le tiers nord-est de l'île, provoquant la scission de l'île. Chypre est toujours coupée en deux. Les parties grecque et turque sont séparées par une zone minée où patrouillent des troupes de l'ONU.

Une ville en plein essor

Istanbul, autrefois Byzance puis Constantinople, est la **plus grande ville d'Europe** et la 9e du monde. Elle a connu un rapide essor depuis 1990, passant de 7 millions d'habitants à plus de 12 millions aujourd'hui. Seule ville importante située sur **deux continents**, elle est traversée par le **Bosphore**, qui sépare l'Europe de l'Asie.

Ukraine, Roumanie et pays voisins

Bulgarie

Nom officiel : république de Bulgarie
Superficie : 110 994 km²
Population : 7 322 858 hab.
Capitale : Sofia
Langues : bulgare, turc
Principale religion : christianisme
Monnaie : lev (1$ CA = 58 levs)

◆ La Bulgarie a appartenu à l'Empire ottoman pendant 500 ans avant d'accéder à l'indépendance en 1908. Puis, après la Seconde Guerre mondiale, elle est devenue un État satellite de l'Union soviétique.

◆ Le pays est entré dans l'Union européenne le 1er janvier 2007. C'est le plus pauvre des 27 États membres.

◆ La Bulgarie est le pays d'Europe qui connaît le plus fort déclin démographique. En raison d'un faible taux de fécondité et d'une émigration élevée, sa population baisse de plus de 1 % par an.

Biélorussie

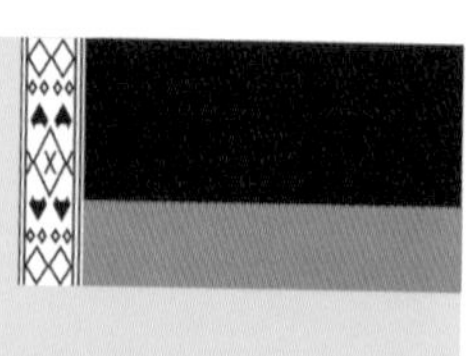

Nom officiel : république de Biélorussie
Superficie : 207 595 km²
Population : 9 724 723 hab.
Capitale : Minsk
Langues : biélorusse, russe, polonais, ukrainien
Principale religion : christianisme
Monnaie : rouble biélorusse (1$ CA = 1 941,81 RB)

◆ La Biélorussie, qui signifie « Russie blanche », est sortie du giron soviétique en 1991.

◆ Depuis 1994, ce pays est gouverné d'une main de fer par le président Aleksandr Loukachenko, traité en paria par les États-Unis et l'Union européenne.

◆ Depuis 2007, la crise énergétique avec la Russie annonce des jours difficiles pour l'économie biélorusse.

Le Danube

Le Danube, qui prend sa source en **Allemagne**, forme une bonne partie de la frontière entre la **Bulgarie** et la **Roumanie**. C'est le deuxième fleuve le plus long d'Europe (2 800 km) après la Volga. C'est également le seul grand fleuve européen à couler d'**ouest** en **est**. En grande partie **navigable**, il fut relié au Rhin en 1992 par le **canal de l'Europe**, ce qui permit aux bateaux venus de la mer Noire de rallier la mer du Nord via Nuremberg et Rotterdam.

Moldavie

Nom officiel : république de Moldavie
Superficie : 33 700 km²
Population : 4 320 490 hab.
Capitale : Chisinau
Langues : roumain, russe, turc
Principale religion : christianisme
Monnaie : leu moldave (1$ CA = 10,08 lei moldaves)

◆ La Bessarabie, région située entre les fleuves Dniestr et Prout, forme la plus grande partie de la Moldavie.

◆ Deux tiers des Moldaves auraient des ancêtres roumains.

◆ La Moldavie est le pays européen le plus pauvre. 80 % de ses habitants vivraient au-dessous du seuil de pauvreté.

Roumanie

Nom officiel : Roumanie
Superficie : 238 291 km²
Population : 22 276 056 hab.
Capitale : Bucarest
Langues : roumain, hongrois, allemand, rom
Principale religion : christianisme
Monnaie : leu (1$ CA = 23 101 lei)

◆ Nicolae Ceausescu, leader communiste roumain, fut exécuté en 1989. Depuis, les réformes ont été lentes, même si le pays a rejoint l'Otan en 2004 et l'Union européenne en 2007.

◆ La Roumanie possède la plus importante communauté tsigane du monde : elle représente environ 2,5 % de sa population.

Ukraine

Nom officiel : république d'Ukraine
Superficie : 603 700 km²
Population : 46 290 862 hab.
Capitale : Kiev
Langues : ukrainien, russe, polonais
Principale religion : christianisme
Monnaie : hrivna (1$ CA = 4,51 hrivnas)

◆ Les élections controversées de 2004 ont déclenché la révolution orange, portant Victor Iouchtchenko au pouvoir.

Bucarest

La capitale roumaine possède des édifices historiques et des réalisations modernes. Le tentaculaire **palais du Parlement** fut construit à la demande de Ceausescu, qui voulait en faire le plus grand édifice du monde. Ce n'est en fait que le deuxième, après le Pentagone de Washington.

La Transylvanie

Sous l'influence du roman de Bram Stoker ***Dracula***, le nom de Transylvanie évoque les **vampires**. Pourtant, la Transylvanie est une région bien réelle de la Roumanie, qui n'a rien à voir avec un pays d'aristocrates buveurs de sang. Transylvanie signifie en fait « au-delà de la forêt ». C'est un **haut plateau** riche en minéraux – fer, plomb, cuivre et or, notamment. Outre les industries minières, ses principales activités sont l'**agriculture** et la **sylviculture**. Le **tourisme** est également en train de se développer.

Fédération de Russie

La Fédération de Russie est de loin le plus grand pays du monde devant le Canada, presque deux fois plus petit qu'elle. Elle couvre plus de 11 % de la surface terrestre totale. C'est le pays qui possède le plus grand nombre de chaînes de télévision : elle en a près de cinq fois plus que les États-Unis. La Russie est le troisième émetteur mondial de gaz carbonique issu de carburants fossiles. Pourtant, elle n'atteint pas le tiers de ce que produisent les États-Unis. Avec ses 3 688 km, la Volga est le plus long fleuve d'Europe.

La Russie d'aujourd'hui

L'économie russe a reculé au cours des cinq premières années qui ont suivi l'effondrement de l'Union soviétique. Mais, en 2001, elle est entrée dans une phase d'**expansion rapide** qui se poursuit encore aujourd'hui. Cinquième puissance économique européenne, la Russie devrait s'emparer de la **deuxième** place d'ici quelques années, juste derrière l'Allemagne.

Russie

Nom officiel : Fédération de Russie
Superficie : 17 075 400 km^2
Population : 141 377 752 hab.
Capitale : Moscou
Langues : russe et d'autres langues régionales
Principales religions : christianisme et islam
Monnaie : rouble (1$ CA = 21,91 roubles)

Les oligarques russes

En Russie, la transition du communisme au capitalisme a permis à certains de s'enrichir. Les entrepreneurs ont d'abord tiré profit du programme de **restructuration** de Mikhaïl Gorbatchev. Puis, grâce à la vague de **privatisations** décidée par Boris Eltsine en 1995, ils ont racheté des pans entiers d'industries d'État. Avec une fortune estimée à 15 milliards de dollars, Mikhaïl Khodorkovsky, ex-PDG de la compagnie pétrolière **Youkos**, est celui qui a ramassé le plus gros pactole. Mais, en raison de ses activités politiques, il fut arrêté en 2003 pour fraude fiscale.

La Sibérie

Avec une superficie d'environ 9 653 000 km^2, la Sibérie couvre à peu près les **trois quarts de la Russie** et une bonne partie du nord du **Kazakhstan**. C'est une entité géographique et non politique qui s'étend des montagnes de l'Oural à l'océan Pacifique et de l'océan Arctique aux frontières avec la **Mongolie** et la **Chine**. Constituée de **toundra**, de marécages et de **forêts** de **conifères**, la Sibérie est en grande partie sauvage. La densité de sa population n'est que de 3 habitants au kilomètre carré. Ce chiffre et le suivant suffisent à exprimer le vide qui y règne : 70 % de la population sibérienne est en effet concentrée dans les grandes villes.

La Tchétchénie

La chute et l'éclatement de l'URSS n'ont pas donné l'indépendance à la Tchétchénie, restée république de la Fédération de Russie. La plupart des Tchétchènes sont des **musulmans** sunnites et une minorité d'entre eux se bat depuis 1991 pour l'**indépendance**. Ces séparatistes considèrent que la Tchétchénie est déjà une république **indépendante** et non **fédérale**.

Tourisme

Voici dix des sites russes les plus visités :

◆ **Le parc Gorki** Un parc de Moscou qui doit son nom à l'écrivain Maxime Gorki.
◆ **Le Kremlin** Le siège du gouvernement russe, à Moscou.
◆ **Le lac Baïkal** Le lac le plus profond du monde.
◆ **Le tombeau de Lénine** Sur la place Rouge, à Moscou.
◆ **Le monastère de Novodevichy** Moscou. Tchekhov et Prokofiev y sont enterrés.
◆ **La cathédrale Saint-Basile** Moscou.
◆ **La cathédrale Saint-Isaac** Saint-Pétersbourg.
◆ **Le musée d'État de l'Ermitage** Saint-Pétersbourg, dans l'ancien palais d'Hiver.
◆ **Jardin d'été** Saint-Pétersbourg.
◆ **Le Transsibérien** La plus longue ligne de chemin de fer du monde.

Les dirigeants russes

La Russie est passée de la monarchie absolue à la dictature communiste puis à une démocratie de régime présidentiel.

Dirigeant	Période
Nicolas II	1894-1917
Aleksander Kerenski	Mars-octobre 1917
Vladimir Illitch Lénine	1917-1924
Joseph Staline	1924-1953
Nikita Khrouchtchev	1953-1964
Léonid Brejnev	1964-1982
Iouri Andropov	1982-1984
Konstantine Tchernenko	1984-1985
Mikhaïl Gorbatchev	1985-1991
Boris Eltsine	1991-1999
Vladimir Poutine	2000-2008
Dimitri Medvedev	2008-

LE SAVIEZ-VOUS ?

La Fédération de Russie couvre **11 fuseaux horaires**. L'été, lorsque le soleil se couche à Moscou, il se lève à l'est du pays. Le port de Baltiysk (près de Kaliningrad) est le point le plus occidental du pays. Le plus oriental est l'île Ratmanov.

Les sondes lunaires

Les premières sondes à atteindre la **Lune** furent lancées par l'Union soviétique. La sonde inhabitée Luna 1 effectua son premier vol lunaire le 4 janvier 1959. Puis, le 12 septembre de la même année, Luna 2 fut lancée de la base de Baïkonour, située dans l'actuel Kazakhstan. Deux jours plus tard, elle fut la première à se poser sur la Lune.

Azerbaïdjan, Iran et pays voisins

Azerbaïdjan

Nom officiel : République azerbaïdjanaise
Superficie : 86 600 km²
Population : 8 120 247 hab.
Capitale : Bakou
Langues : azéri, turc, russe
Principale religion : islam
Monnaie : manat (1$ CA = 3 758 manats)

◆ L'Azerbaïdjan possède beaucoup de pétrole et de gaz. C'est près de Bakou que fut creusé, en 1849, le premier puits de pétrole du monde.
◆ L'Azerbaïdjan a changé quatre fois d'alphabet au cours du siècle passé pour adopter officiellement l'alphabet latin en 2001.
◆ Les Azéris, dont Garry Kasparov, sont de grands joueurs d'échecs.

Haut-Karabakh

En 1991, le Haut-Karabakh s'est déclaré **indépendant** de l'Azerbaïdjan, mais n'a pas été reconnu par la communauté internationale. Ayant sa propre économie et un **gouvernement** démocratique, il a tout d'un État indépendant, si ce n'est le nom. La région a connu la **guerre** entre 1991 et 1994.

Géorgie

Nom officiel : Géorgie
Superficie : 69 700 km²
Population : 4 646 003 hab.
Capitale : Tbilissi
Langues : géorgien, russe
Principale religion : christianisme
Monnaie : lari (1$ CA = 1,41 laris)

◆ Le 28 octobre 1990, la Géorgie fut le premier État soviétique à organiser des élections démocratiques pluripartites. Elle devint indépendante le 9 avril 1991, peu de temps avant la chute de l'Union soviétique.
◆ En 1992, l'Abkhazie s'est déclarée indépendante, mais légalement, elle fait toujours partie de la Géorgie.
◆ La Géorgie détient le record du monde du nombre de livres en bibliothèque par habitant (415 par habitant).

Arménie

Nom officiel : république d'Arménie
Superficie : 29 800 km²
Population : 2 971 650 hab.
Capitale : Erevan
Langues : arménien, russe
Principale religion : christianisme
Monnaie : dram (1$ CA = 270 drams)

◆ L'Arménie fut le premier pays, en 301, à se déclarer chrétien.
◆ Elle est très montagneuse : son point le plus bas se situe à 400 m au-dessus du niveau de la mer.
◆ Devenue un État socialiste soviétique en 1920, l'Arménie est indépendante depuis 1991.

Berceau de la civilisation

Les plus anciennes civilisations connues naquirent en **Mésopotamie** (l'Irak actuel) autour de 5000 av. J.-C. Ces **villes-États** furent réunies sous le règne de Sargon (2370-2315 av. J.-C.) pour créer l'**Empire sumérien**. Aujourd'hui, on peut visiter les ruines de ces anciennes villes, comme la cité d'Our.

Irak

Nom officiel : république d'Irak
Superficie : 438 317 km²
Population : 27 499 638 hab.
Capitale : Bagdad
Langues : arabe, kurde, turc
Principale religion : islam
Monnaie : dinar irakien (1$ CA = 1 077 dinars irakiens)

◆ L'Irak fit partie de l'Empire ottoman jusqu'à la Première Guerre mondiale. Les Britanniques y établirent ensuite une monarchie, renversée en1958.
◆ Le parti Baath des nationalistes arabes prit le pouvoir en 1968. À partir de 1979, il fut dirigé par Saddam Hussein.
◆ La guerre Iran-Irak, qui dura dix ans (1980-1990), fut déclenchée par un différend territorial. Elle aurait fait environ 1 million de morts.
◆ Saddam Hussein fut capturé après l'intervention américaine en 2003, jugé, condamné à mort et exécuté en décembre 2006.
◆ Malgré la présence des troupes américaines et des élections « libres » en 2006, le pays reste la proie d'une guerre civile larvée.

Iran

Nom officiel : République islamique d'Iran
Superficie : 1 648 000 km²
Population : 65 397 521 hab.
Capitale : Téhéran
Langues : persan, kurde, turc, dialectes locaux
Principale religion : islam
Monnaie : rial iranien (1$ CA = 8 214 RI)

◆ Les étrangers l'appelaient autrefois la Perse, mais, pour les Iraniens, cela a toujours été l'Iran – son nom officiel depuis 1935.
◆ En 1979, le chah fut évincé et l'Iran devint une république islamique dirigée par l'ayatollah Khomeyni.
◆ À sa mort, en 1989, Khomeyni fut remplacé par l'ayatollah Ali Khamenei. Mahmoud Ahmadinejad est devenu président en juin 2005.

Les Kurdes

Groupe ethnique rassemblant environ **20 millions** de personnes, les Kurdes ont longtemps rêvé d'avoir leur propre patrie. Un État kurde aurait pu voir le jour en 1946, mais la république que les Kurdes avaient créée en Iran fut vite abolie par le chah. Aujourd'hui, les Kurdes vivent éparpillés dans **six pays différents** : l'Irak, l'Iran, la Syrie, l'Azerbaïdjan, la Turquie et l'Arménie. Minoritaires partout où ils habitent, ils forment ensemble **la plus importante communauté apatride** du monde.

Syrie, Liban, Israël et Jordanie

Syrie

Nom officiel : République arabe syrienne
Superficie : 185 180 km²
Population : 19 314 747 hab.
Capitale : Damas
Plus grande ville : Alep
Langues : arabe, kurde, circassien, syriaque
Principale religion : islam
Monnaie : livre syrienne (1$ CA = 45,4 livres syriennes)

◆ La Syrie fit partie de l'Empire ottoman jusqu'à la Première Guerre mondiale, avant d'être placée sous protectorat français jusqu'en 1946. Entre 1958 et 1961, elle forma avec l'Égypte la République arabe unie.

◆ C'est le parti Baath qui la gouverne depuis 1963.

Damas

Fondée vers 2500 av. J.-C., Damas est la **plus ancienne capitale du monde** encore habitée. Le Nouveau Testament raconte la conversion au **christianisme** de saint Paul, devenu aveugle sur la route de Damas. La rue droite, où il fut ensuite conduit, existe toujours. Deux millions de personnes habitent aujourd'hui à Damas. Hors de la ville historique, on trouve des constructions modernes, dont le siège du gouvernement syrien.

Liban

Nom officiel : République libanaise
Superficie : 10 452 km²
Population : 3 925 502 hab.
Capitale : Beyrouth
Langues : arabe, français, anglais, arménien, kurde
Principales religions : christianisme, islam
Monnaie : livre libanaise (1$ CA = 1 344 livres libanaises)

◆ Le Liban est constitué d'une multitude de communautés religieuses, dont les alaouites, les musulmans chiites et sunnites, les druzes et les chrétiens maronites.

◆ Il possède de nombreux sites historiques importants, dont les anciennes cités de Baalbek, Byblos et Tyr.

◆ Cet ancien havre de stabilité au Moyen-Orient fut déchiré par une guerre civile entre 1975 et 1990, qui entraîna l'intervention de deux pays voisins : Israël et la Syrie.

La paix du Golan

Le **plateau du Golan**, région de Syrie dominant la mer de Galilée, fut annexé par Israël en 1967, lors de la **guerre des Six-Jours**. Aujourd'hui, les deux pays le revendiquent. Malgré l'occupation israélienne, l'ONU considère qu'il appartient à la Syrie. L'incertitude qui pèse sur le statut de cette région n'empêche pas la paix d'y régner depuis 1974.

Israël

Nom officiel : État d'Israël
Superficie : 21 946 km²
Population : 6 426 679 hab.
Capitale : Jérusalem
Langues : hébreu, arabe, nombreuses langues européennes
Principales religions : judaïsme, islam
Monnaie : shekel (1$ CA = 3,29 shekels)

◆ En 1948, l'abandon du mandat britannique en Palestine a ouvert la voie à la création d'Israël.

◆ Depuis, Israël et ses voisins arabes se sont livré plusieurs guerres, dont la guerre des Six-Jours (1967) et celle du Kippour (1973).

◆ Israël est le pays qui dépense le plus d'argent par habitant pour sa défense : 1 467 $ par an.

Gastronomie juive

Certains plats juifs sont préparés à l'occasion des **fêtes religieuses**. C'est le cas de l'**agneau rôti**, des **matzos** (pain azyme), du **haroset** (compote de pommes, noisettes et cannelle mélangée à du vin) et d'autres plats que l'on mange à la pâque juive, lors du repas du Séder. Certains plats se mangent toute l'année et d'autres, comme le **bagel** (petit pain en forme d'anneau, fabriqué à partir d'une simple pâte au levain), sont également appréciés en dehors de la communauté juive.

Jordanie

Nom officiel : Royaume hachémite de Jordanie
Superficie : 97 740 km²
Population : 6 053 193 hab.
Capitale : Amman
Langue : arabe
Principale religion : islam
Monnaie : dinar jordanien (1$ CA = 0,63 DJ)

◆ La Transjordanie fut créée en 1921 sous l'occupation britannique. En 1948, elle devint indépendante.

◆ En 1999, Abdallah II succéda à son père, le roi Hussein, qui régnait depuis 1952.

◆ Beaucoup de Palestiniens dépossédés de leurs terres par la création d'Israël ont trouvé refuge en Jordanie. Leurs descendants constituent aujourd'hui la majorité de la population jordanienne.

◆ Pétra, cité troglodytique fondée il y a plus de 2 500 ans, attire chaque année des milliers de touristes.

La Palestine

Depuis 1964, l'Organisation de libération de la Palestine (**OLP**) mène la résistance contre l'**occupation israélienne**. Suite aux accords d'Oslo de 1996, une **Autorité palestinienne** fut créée avec à sa tête le chef de l'OLP Yasser Arafat. On lui accorda des pouvoirs limités dans les **enclaves** de **Cisjordanie** et de **Gaza**. En 2000, une nouvelle intifada (soulèvement anti-israélien) éclata. À sa mort, en 2004, Arafat fut remplacé par **Mahmoud Abbas**, aussi connu sous le nom d'Abou Mazen.

Égypte et Soudan

Le Nil

Depuis des millénaires, le Nil constitue une importante **voie de circulation** dans cette partie de l'Afrique. Ses **crues** annuelles ont par ailleurs favorisé le développement de nombreuses civilisations. Aujourd'hui encore, le Nil reste au cœur de l'**économie** égyptienne. Les felouques, ces barques traditionnelles, transportent des marchandises depuis des millénaires. Au Sud, le **lac Nasser** et le barrage d'Assouan assurent le contrôle du débit fluvial et l'approvisionnement du pays en électricité. Mais, en voulant réguler les crues, on a augmenté la salinité des sols et perdu les limons fertilisant les rives du Nil.

L'Égypte, grand acteur politique

L'Égypte joue un rôle clef dans le **processus de paix** au Moyen-Orient. En 1979, elle signait un traité de paix avec Israël, ce qui lui valut d'être **exclue** de la **Ligue arabe** jusqu'en 1989. Depuis, Le Caire a pesé de tout son poids pour favoriser un rapprochement entre les pays arabes et Israël. Son statut de **pays neutre** lui a notamment permis d'accueillir les funérailles de Yasser Arafat en 2004.

Égypte

Nom officiel : République arabe d'Égypte
Superficie : 997 738 km²
Population : 80 335 036 hab.
Capitale : Le Caire
Langues : arabe, anglais et français
Principale religion : islam
Monnaie : livre égyptienne (1 $ CA = 4,92 livres égyptiennes)

◆ L'actuel président égyptien, Hosni Moubarak, a échappé à six tentatives d'assassinat. Son prédécesseur, Sadate, a été tué par des islamistes extrémistes.
◆ Avec ses 15 millions d'habitants, Le Caire est la ville la plus peuplée d'Afrique et la dixième mégalopole du monde.
◆ Parmi les Égyptiens les plus célèbres, citons l'acteur Omar Sharif, le richissime homme d'affaires Mohamed Al Fayed, l'ancien secrétaire général des Nations unies Boutros Boutros Ghali et le cinéaste Youssef Chahine.

Soudan

Nom officiel : république du Soudan
Superficie : 2 505 813 km²
Population : 39 379 358 hab.
Capitale : Khartoum
Langues : arabe et environ 2 000 dialectes locaux
Principales religions : islam, animisme, christianisme
Monnaie : dinar soudanais (1 $ CA = 208,35 DS)

◆ Le Soudan est le plus grand pays africain. Désertique au nord, il est composé de montagnes, de marécages et de forêts tropicales au sud.
◆ Depuis son indépendance, en 1956, il n'a connu que onze années de paix civile (de 1972 à 1983).
◆ Le nom de Soudan provient de l'arabe Bilad Al-Sudan, qui signifie « terre des hommes noirs ».
◆ Les principales exportations soudanaises sont le coton, le sésame et le sucre. Le pays possède en outre de vastes gisements de pétrole.

Le canal de Suez

Construit entre 1859 et 1869 par le Français **Ferdinand de Lesseps**, le canal de Suez est une voie **navigable** de 163 km de long pourvue de plusieurs points de passage. Plus de 15 000 bateaux – représentant 14 % des marchandises transportées dans le monde – l'empruntent chaque année. L'Égypte prévoit d'augmenter la profondeur du canal d'ici 2010.

Mer Rouge et grand bleu

Depuis quelques années, les stations balnéaires de la mer Rouge reçoivent de plus en plus de visiteurs en quête de soleil, mais aussi d'adeptes de **plongée sous-marine**, attirés par des **fonds coralliens** uniques abritant plus de 800 espèces de poissons et 200 espèces de coraux. Les pyramides ne sont plus le seul attrait touristique de l'Égypte.

Une histoire violente

Les guerres civiles au Soudan ont rarement fait la une des journaux. Mais, en 2004, le **désastre humanitaire** causé par le **conflit au Darfour** a changé la donne. Celui-ci fut marqué par un affrontement entre **tribus** négro-africaines en rébellion contre le **gouvernement central** et **milices arabes** soutenues par Khartoum. Tawilla a été bombardée par les forces gouvernementales soudanaises en novembre 2004. Le Mouvement de libération du Soudan, en lutte contre le gouvernement de Khartoum, combat au nom des populations négro-africaines du Darfour.

Libye, Tunisie, Algérie et Maroc

Libye

Nom officiel : Grande Djamahiriyya arabe libyenne populaire et socialiste
Superficie : 1 775 500 km^2
Population : 6 036 914 hab.
Capitale : Tripoli
Langues : arabe, berbère
Principale religion : islam
Monnaie : dinar libyen (1$ CA = 1,08 dinar libyen)

◆ En 1969, le roi Idris Ier, chef de la confrérie des Senousis, fut chassé par un coup d'État du colonel Kadhafi. Depuis, la Libye a suivi la voie dite de l'« État des masses », qui attribue, en théorie, le pouvoir à des comités populaires. Mais dans la réalité, Kadhafi reste le maître incontesté du pays.

◆ Le nom de Libye tire son origine d'un personnage de la mythologie grecque : petite-fille de Zeus, Libye donna deux jumeaux à Poséidon.

◆ Déserte et inhabitée à presque 90 %, la Libye est considérée comme l'un des pays les plus sauvages de la planète.

Tourisme

Voici cinq des sites touristiques les plus visités d'Afrique du Nord.

◆ **Carthage** Cité en ruine sur la côte tunisienne, centre de l'empire de Carthage et patrie légendaire de la reine Didon.
◆ **Casablanca** La plus grande ville du Maroc.
◆ **Fès** Abrite la plus ancienne université du monde.
◆ **Marrakech** La fameuse ville rouge, située aux portes du désert.
◆ **Tanger** Trait d'union entre le Maroc et l'Europe, sur le détroit de Gibraltar.

Le pétrole lybien

La Libye est le deuxième producteur africain de pétrole après le Nigeria. Dotée de **gigantesques réserves**, elle pourrait même devenir, avec davantage d'investissements étrangers, l'un des premiers producteurs mondiaux. Les recettes pétrolières représentent la **quasi-totalité** des exportations libyennes et comptent pour un quart de son PIB.

Tunisie

Nom officiel : République tunisienne
Superficie : 163 610 km^2
Population : 10 276 158 hab.
Capitale : Tunis
Langues : arabe, berbère et français
Principale religion : islam
Monnaie : dinar tunisien (1$ CA = 1,08 dinar tunisien)

◆ La Tunisie est parsemée de nombreux sites archéologiques remontant à plus de 2 500 ans. Sa capitale, Tunis, possède notamment plusieurs thermes romains.

◆ Pour la première fois de son histoire, le pays a remporté en 2004 la coupe d'Afrique des nations de football, face à l'équipe du Maroc.

Algérie

Nom officiel : République algérienne démocratique et populaire
Superficie : 2 381 741 km^2
Population : 33 333 216 hab.
Capitale : Alger
Langues : arabe, berbère et français
Principale religion : islam
Monnaie : dinar algérien (1$ CA = 59,99 dinars algériens)

◆ L'Algérie est, après le Soudan, le plus grand pays africain.

◆ La plupart des Algériens sont des descendants d'Arabes arrivés au Maghreb avec l'expansion de l'islam. Les Berbères, premiers habitants du pays, représentent environ 30 % de la population.

La culture berbère

Les Berbères, qui auraient migré du **Moyen-Orient** vers l'Afrique du Nord pendant la préhistoire, ont été chassés des plaines à partir du VIIe siècle ou **assimilés** par les populations venues d'Arabie. Aujourd'hui, l'unité des Berbères est plus linguistique qu'ethnique. Les Berbères, dont le nom provient du latin *barbarus*, se désignent eux-mêmes par le terme **Amazighs**, qui signifie « hommes libres ». Agriculteurs ou citadins, les Berbères sont pour la plupart aujourd'hui **sédentaires**.

Maroc

Nom officiel : royaume du Maroc
Superficie : 710 850 km^2
Population : 33 757 175 hab.
Capitale : Rabat
Plus grande ville : Casablanca
Langues : arabe, berbère, français et espagnol
Principale religion : islam
Monnaie : dirham marocain (1$ CA = 6,90 dirhams marocains)

◆ Le Maroc a longtemps espéré entrer dans l'Union européenne, mais cette perspective n'a jamais soulevé beaucoup d'enthousiasme de l'autre côté de la Méditerranée.

◆ L'Espagne dispose de deux enclaves sur la côte méditerranéenne du Maroc : Ceuta et Melilla. Elle contrôle également trois îlots proches de la côte marocaine.

◆ En 1777, le Maroc a été le premier pays à reconnaître l'indépendance américaine. Le traité de paix américano-marocain, signé par Thomas Jefferson et John Adams, est le plus ancien traité d'amitié conclu entre les États-Unis et un pays étranger.

Un territoire contesté

Colonie espagnole jusqu'en 1975, le **Sahara occidental** fait aujourd'hui l'objet d'une double revendication. Dès 1976, le Front Polisario y proclamait la République arabe sahraouie démocratique (**RASD**), tandis que le Maroc en annexait la plus grande partie du territoire. Malgré un **cessez-le-feu** sous l'égide de l'ONU en 1991, le conflit semble encore loin d'être résolu.

Mali, Niger et pays voisins

Mali

Nom officiel : république du Mali
Superficie : 1 240 192 km²
Population : 11 995 402 hab.
Capitale : Bamako
Langues : français et 12 autres langues officielles
Principales religions : islam, animisme
Monnaie : franc CFA (1$ CA = 398,71 francs CFA)

◆ Le Mali est l'un des pays les plus pauvres du monde.

◆ Plus de la moitié des Maliens de 10 à 14 ans travaillent pour gagner leur vie, et près de 3 habitants sur 4 (72,8 %) vivent avec moins de 1 $ par jour.

◆ Entre les XIIIe et XVe siècles, l'empire du Mali s'étendait de l'Atlantique au Niger.

Mauritanie

Nom officiel : République islamique de Mauritanie
Superficie : 1 030 700 km²
Population : 3 270 065 hab.
Capitale : Nouakchott
Langues : arabe, français et dialectes locaux
Principale religion : islam
Monnaie : ouguiya (1$ CA = 217,98 ouguiyas)

◆ La ville de Nouakchott est l'une des capitales les plus récentes du monde. Son édification n'a commencé qu'en 1960, année de l'indépendance du pays.

◆ La Mauritanie est le seul pays au monde, avec Madagascar, à utiliser une monnaie sans décimales.

Tombouctou

Les **Touaregs** fondèrent Tombouctou au XIIe siècle pour en faire un camp saisonnier. C'est devenu aujourd'hui l'un des sites **touristiques** les plus visités du pays. Ses magnifiques bâtisses témoignent d'un âge d'or (du XIVe au XVIIe siècle) où la ville était au cœur d'un grand empire commercial.

Burkina

Nom officiel : République démocratique et populaire du Burkina Faso
Superficie : 274 200 km²
Population : 14 326 203 hab.
Capitale : Ouagadougou
Langues : français, mossi et autres dialectes locaux
Principales religions : islam, christianisme, animisme
Monnaie : franc CFA (1$ CA = 398,71 francs CFA)

◆ De 1960 à 1984, le pays s'appelait la Haute-Volta. Thomas Sankara le rebaptisa Burkina Faso, « pays des hommes intègres ».

◆ Trois grands fleuves prennent leur source au Burkina Faso : le Mouhoun (Volta Noire), le Nakambé (Volta Blanche) et le Nazinon (Volta Rouge).

Les Touaregs

Les Touaregs sont constitués de **nombreux groupes ethniques** différents, partageant une langue (le tamasheq) et une culture communes. Ces **commerçants** ont joué un rôle essentiel en transportant des marchandises à travers le Sahara avec leurs caravanes. Aujourd'hui, la plupart d'entre eux mènent une vie sédentaire dans les villes situées en bordure du désert, des lieux qui, autrefois, n'étaient pour eux que des points de départ ou d'arrivée.

Niger

Nom officiel : république du Niger
Superficie : 1 267 000 km²
Population : 12 894 865 hab.
Capitale : Niamey
Langues : français et nombreux dialectes locaux
Principales religions : islam, animisme
Monnaie : franc CFA (1$ CA = 398,71 francs CFA)

◆ En 1999, le Niger a adopté une nouvelle Constitution démocratique. En 2004, les premières élections locales de son histoire ont été organisées.

◆ L'uranium est le principal produit d'exportation du Niger. En 2003, les Américains et les Britanniques ont prétendu que Saddam Hussein avait tenté d'obtenir de l'uranium nigérien. Ces allégations se sont révélées être sans fondement.

◆ Le Niger est le pays africain qui a le plus faible taux d'alphabétisation : seulement 17,6 % de sa population sait lire et écrire.

Tchad

Nom officiel : république du Tchad
Superficie : 1 284 000 km²
Population : 9 885 661 hab.
Capitale : N'Djamena
Langues : français, arabe, peul et autres dialectes locaux
Principales religions : christianisme, islam
Monnaie : franc CFA (1$ CA = 398,71 francs CFA)

◆ Le nord et l'est du pays sont essentiellement musulmans, tandis que le sud et l'ouest sont principalement chrétiens.

◆ Le Tchad est le pays qui présente les plus fortes perspectives de croissance démographique. D'ici 2050, sa population devrait au moins tripler.

◆ Le Tchad possède des gisements d'uranium, d'or et de bauxite, ainsi qu'un important gisement pétrolier en projet d'exploitation.

Sable et rochers à perte de vue

Le Sahara est le plus grand désert du monde : il couvre près d'un tiers du continent africain. Un quart de sa surface est une succession de gigantesques **dunes**. Le reste, essentiellement constitué de terres inexploitables, s'étale en plaines graveleuses qu'on appelle *serir* ou **regs**. Le désert a aussi ses montagnes : le mont Koussi, situé au Tchad, culmine à 3 415 m. Le point le plus bas du Sahara se trouve en Égypte : la dépression de Qattara se situe à 133 m au-dessous du niveau de la mer.

Sénégal, Guinée et pays voisins

Sénégal

Nom officiel : république du Sénégal
Superficie : 196 722 km^2
Population : 12 521 851 hab.
Capitale : Dakar
Langues : français et beaucoup de dialectes locaux
Principale religion : islam
Monnaie : franc CFA (1$ CA = 398,71 francs CFA)

◆ Le Sénégal est devenu indépendant en 1960. En 1982, le pays a rejoint la Gambie pour former la confédération de Sénégambie (dissoute en 1989.)

◆ Autrefois capitale de l'A-OF (Afrique-Occidentale française), Dakar est une cité vivante et moderne.

Guinée

Nom officiel : république de Guinée
Superficie : 245 857 km^2
Population : 9 947 814 hab.
Capitale : Conakry
Langues : français, manika, soussou, dialectes locaux
Principales religions : christianisme, animisme, islam
Monnaie : franc guinéen (1$ CA = 3 795 francs guinéens)

◆ Les réserves de minerais dans le sous-sol guinéen sont immenses. On y extrait de la bauxite, du fer ainsi que des diamants.

◆ En 2000, 500 000 refugiés sont arrivés en Guinée, fuyant les guerres de la Sierra Leone et du Liberia.

Cap-Vert

Nom officiel : république du Cap-Vert
Superficie : 4 033 km^2
Population : 423 613 hab.
Capitale : Praia
Langues : portugais, crioulo (créole portugais)
Principale religion : christianisme
Monnaie : escudo du Cap-Vert (1$ CA = 67,09 esc.)

◆ Cet archipel d'une quinzaine d'îles est devenu indépendant en 1975.

◆ Avant sa découverte par le navigateur Ca'da Mosto et son annexion par le Portugal en 1456, le Cap-Vert était inhabité.

Gambie

Nom officiel : république de Gambie
Superficie : 11 295 km^2
Population : 1 688 359 hab.
Capitale : Banjul
Plus grande ville : Serekunda
Langues : anglais, fula wolof, mandinka et d'autres dialectes locaux
Principales religions : christianisme, islam
Monnaie : dalasi (1$ CA = 18,68 dalasis)

Guinée-Bissau

Nom officiel : république de Guinée-Bissau
Superficie : 36 125 km^2
Population : 1 472 780 hab.
Capitale : Bissau
Langues : créole, portugais
Principales religions : christianisme, islam
Monnaie : franc CFA (1$ CA = 398,71 francs CFA)

◆ Les Portugais explorèrent les côtes de la Guinée-Bissau dès 1446, mais furent peu pressés de pénétrer à l'intérieur du pays en raison de l'hostilité des habitants, en particulier des Bissagos.

Liberia

Nom officiel : république du Liberia
Superficie : 97 754 km^2
Population : 3 195 931 hab.
Capitale : Monrovia
Langues : anglais et dialectes locaux
Principales religions : islam, christianisme, animisme
Monnaie : dollar libérien (1$ CA = 55 dollars libériens)

◆ Le Liberia a été fondé en 1822 par des esclaves américains libérés, puis déclaré indépendant en 1847.

◆ Ellen Johnson-Sirleaf est la première femme présidente en Afrique (2005).

Rythmes

L'Afrique de l'Ouest a une grande **tradition** musicale. Le Sénégal est connu pour le mbalax, style musical wolof à base de percussions. La Sierra Leone a apporté à l'Afrique le **jazz milo**. Dans les années 1990, le **hip-hop africain** est devenu populaire dans tout le continent.

Sierra Leone

Nom officiel : république de Sierra Leone
Superficie : 71 740 km^2
Population : 6 144 562 hab.
Capitale : Freetown
Langues : anglais, krio (créole), mendé, temné
Monnaie : leone (1$CA = 2 665,3 leones)
Principales religions : christianisme, animisme, islam

◆ Entre 1991 et 2002, le pays a connu une guerre civile. Plus de 2 millions de personnes ont été obligées de quitter leur foyer. En 2004, grâce à l'appui de l'ONU, un tribunal pour juger les crimes de guerre a vu le jour.

◆ La Sierra Leone est un grand producteur de diamants.

Côte d'Ivoire, Nigeria et pays voisins

Côte d'Ivoire

Nom officiel : république de Côte d'Ivoire
Superficie : 322 462 km^2
Population : 18 013 409 hab.
Capitale : Yamoussoukro
Plus grande ville : Abidjan
Langues : français et dialectes locaux
Principales religions : christianisme, animisme, islam
Monnaie : franc CFA (1$ CA = 398,71 francs CFA)

◆ La Côte d'Ivoire est divisée sur le plan ethnique et religieux. Les forces rebelles musulmanes contrôlent le nord du pays.

◆ La Côte d'Ivoire compte une importante minorité étrangère. Un habitant sur cinq est né dans un autre pays.

◆ Les Dans de Côte d'Ivoire vivent près de la ville de Man, dans l'ouest du pays.

Ghana

Nom officiel : république du Ghana
Superficie : 238 537 km^2
Population : 22 931 299 hab.
Capitale : Accra
Langues : anglais et dialectes locaux
Principales religions : christianisme, animisme, islam
Monnaie : cedi (1$ CA = 8 247 cedis)

◆ Le Ghana est l'un des pays les mieux gérés d'Afrique de l'Ouest. Sa capitale est célèbre pour sa vie nocturne et ses superbes plages.

◆ Le lac Volta, réservoir créé par un barrage sur le fleuve Volta, recouvre une grande partie du sud-est du Ghana.

◆ Parmi les Ghanéens célèbres, citons le secrétaire général de l'ONU Kofi Annan et le footballeur Michael Essien.

Des soldats de la paix

Le **Ghana** est l'un des pays les plus **stables** d'Afrique de l'Ouest. Au cours des dernières décennies, ses soldats ont contribué à apaiser les conflits des pays voisins. Des troupes ghanéennes ont été déployées au Liberia, en Sierra Leone, en Côte d'Ivoire et en République démocratique du Congo.

Togo

Nom officiel : République togolaise
Superficie : 56 785 km^2
Population : 5 701 579 hab.
Capitale : Lomé
Langues : français, éwé, kabyé, kotokoli, mina, peul
Principales religions : animisme, christianisme, islam
Monnaie : franc CFA (1$ CA = 398,71 francs CFA)

◆ Le président Eyadema est resté au pouvoir plus longtemps (1967-2005) que tout autre chef d'État africain.

◆ Deux Togolais sur trois travaillent dans l'agriculture.

Bénin

Nom officiel : république du Bénin
Superficie : 112 622 km^2
Population : 8 078 314 hab.
Capitale : Porto-Novo
Plus grande ville : Cotonou
Langues : français, fon, yoruba, haoussa
Principales religions : animisme (vaudou), christianisme, islam
Monnaie : franc CFA (1$ CA = 398,71 francs CFA)

◆ Devenu indépendant en 1960, le Dahomey a été rebaptisé Bénin en 1975.

◆ Il existe au Bénin environ 40 ethnies différentes. Les Fons, les plus nombreux, constituent 49 % de la population.

◆ En juillet 2004, le Bénin et le Nigeria ont, d'un commun accord, modifié le tracé de leur frontière.

Le vaudou

Avec environ 70 % de pratiquants, le vaudou est la première religion au **Bénin.** (Il est aussi pratiqué au Togo.) Il n'a pourtant obtenu le statut de religion nationale qu'en 1992. On célèbre particulièrement ses rites chaque année, le 10 janvier, à l'occasion de la fête nationale.

Nigeria

Nom officiel : Rép. fédérale du Nigeria
Superficie : 923 768 km^2
Population : 135 031 164 hab.
Capitale : Abuja
Plus grande ville : Lagos
Langues : anglais, français, haoussa, yoruba, ibo
Principales religions : islam, christianisme, animisme
Monnaie : naira (1$ CA = 105,45 nairas)

◆ Depuis 1999, le Nigeria est une démocratie.

◆ D'importantes ressources pétrolières assurent au Nigeria 95 % de ses devises étrangères, mais la plupart des paysans nigérians travaillent encore la terre à la main.

◆ En 2003, trois États nigérians ont refusé un programme de vaccination contre la polio, suite aux déclarations de chefs musulmans qui le présentaient comme un complot occidental visant à rendre les femmes musulmanes stériles.

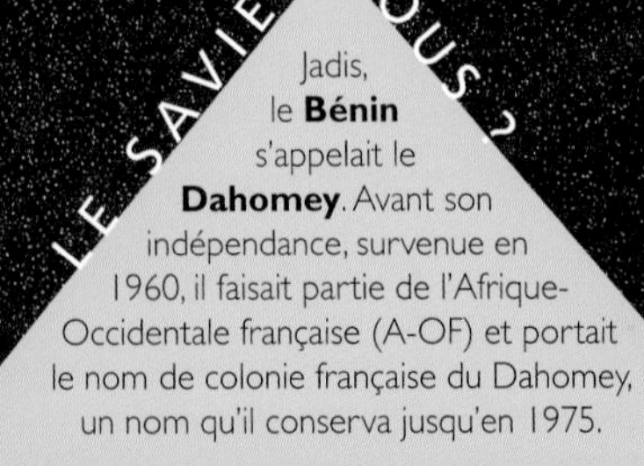

LE SAVIEZ-VOUS ?

Jadis, le **Bénin** s'appelait le **Dahomey**. Avant son indépendance, survenue en 1960, il faisait partie de l'Afrique-Occidentale française (A-OF) et portait le nom de colonie française du Dahomey, un nom qu'il conserva jusqu'en 1975.

Cameroun, Congo et pays voisins

Cameroun

Nom officiel : république du Cameroun
Superficie : 475 442 km²
Population : 18 060 382 hab.
Capitale : Yaoundé
Plus grande ville : Douala
Langues : anglais, français et beaucoup de dialectes locaux
Principales religions : animisme, christianisme, islam
Monnaie : franc CFA (1$ CA = 398,71 francs CFA)

◆ Le Cameroun est devenu membre du Commonwealth en 1995, la même année que le Mozambique.
◆ En 2002, la Cour internationale de justice a accordé au Cameroun la souveraineté sur Bakassi, une presqu'île riche en pétrole. Contestant cette décision, le Nigeria refuse de retirer ses troupes des lieux.
◆ Le Cameroun possède l'un des taux d'alphabétisation les plus élevés d'Afrique : 79 % de sa population sait lire et écrire.
◆ Le Cameroun est le seul pays africain à s'être qualifié quatre fois pour la phase finale de la coupe du monde. Son attaquant Samuel Eto'o a été élu footballeur africain de l'année en 2004.

Congo

Nom officiel : république du Congo
Superficie : 342 000 km²
Population : 3 800 610 hab.
Capitale : Brazzaville
Langues : français, lingala, kikongo et beaucoup de dialectes locaux
Principales religions : christianisme et animisme
Monnaie : franc CFA (1$ CA = 398,71 francs CFA)

◆ En 1997, le Congo sombra dans la guerre civile. Il fallut attendre mars 2003 pour qu'un cessez-le-feu soit signé.
◆ Le Congo est l'un des premiers producteurs de pétrole d'Afrique subsaharienne. L'or noir est récemment devenu le principal pilier de l'économie du pays, devant la sylviculture.
◆ 99,7 % de l'électricité du Congo est d'origine hydraulique.

Vertes étendues

Le **Gabon** est le pays africain qui possède la plus forte densité forestière : 85 % du pays. Les forêts gabonaises abritent plus de 8 000 espèces végétales, 600 espèces d'oiseaux et 200 espèces de mammifères, dont une importante colonie de gorilles de plaine.

Gabon

Nom officiel : République gabonaise
Superficie : 267 667 km²
Population : 1 454 867 hab.
Capitale : Libreville
Langues : français, fang, dialectes bantous
Principale religion : christianisme
Monnaie : franc CFA (1$ CA = 398,71 francs CFA)

◆ Depuis son indépendance, en 1960, le Gabon n'a eu que deux présidents. Grâce à cette stabilité et à son pétrole, son PIB par habitant est l'un des plus élevés d'Afrique de l'Ouest.
◆ Près de la moitié de la population gabonaise se concentre dans la capitale, Libreville.
◆ Avec ses 3 200 soldats, l'armée gabonaise est l'une des plus petites du monde.

Guinée équatoriale

Nom officiel : rép. de Guinée équatoriale
Superficie : 28 051 km²
Population : 551 201 hab.
Capitale : Malabo
Langues : espagnol, français et dialectes locaux
Principale religion : christianisme
Monnaie : franc CFA (1$ CA = 398,71 francs CFA)

◆ En 2003, les chefs de l'opposition du pays ont formé en Espagne un gouvernement en exil.
◆ Depuis la tentative de coup d'état en 2004, le président Teodoro Obiang Nguema a fait de la lutte contre la corruption une priorité.

Rép. centrafricaine

Nom officiel : République centrafricaine
Superficie : 622 984 km²
Population : 4 369 038 hab.
Capitale : Bangui
Langues : français, sango
Principales religions : animisme, christianisme, islam
Monnaie : franc CFA (1$ CA = 398,71 francs CFA)

◆ La République centrafricaine a organisé ses premières élections libres en 1993, inaugurant une décennie de gouvernement civil. Cette période s'acheva en 2003 avec la prise de pouvoir du général François Bozizé.
◆ La République centrafricaine est connue pour ses éléphants des forêts, qui sont légèrement plus petits que leurs cousins des plaines et possèdent des défenses moins courbées.

São Tomé et Príncipe

Nom officiel : République démocratique de São Tomé et Príncipe
Superficie : 1 001 km²
Population : 199 579 hab.
Capitale : São Tomé
Langues : portugais et beaucoup de dialectes locaux
Principale religion : christianisme
Monnaie : dobra (1$ CA = 12 532 dobras)

◆ Le plus petit pays d'Afrique est composé de deux îles volcaniques et de plusieurs îlots. São Tomé est couvert de forêts à plus de 75 %.
◆ Le pétrole récemment découvert près de ses côtes pourrait bien changer le destin du pays.

R.D. du Congo et pays voisins

Rép. démocratique du Congo

Nom officiel : Rép. démocratique du Congo
Superficie : 2 344 885 km²
Population : 65 751 512 hab.
Capitale : Kinshasa
Langues : français, lingala, kingwana, tshiluba et autres dialectes locaux
Principales religions : christianisme et islam
Monnaie : franc congolais (1 $ CA = 489 francs congolais)

◆ Joseph Mobutu Sese Seko prit le pouvoir en 1965 après un coup d'État et renomma le pays Zaïre. Son régime dura jusqu'en 1997, année où les forces rebelles de Laurent Kabila l'obligèrent à partir.

◆ Avec ses énormes ressources minérales, le pays pourrait être parmi les plus riches d'Afrique, mais il reste sous la menace d'une guerre civile.

Rwanda

Nom officiel : République rwandaise
Superficie : 26 338 km²
Population : 9 907 509 hab.
Capitale : Kigali
Langues : kinyarwanda, français, anglais et kiswahili
Principales religions : christianisme, animisme
Monnaie : franc rwandais (1 $ CA = 485 francs rwandais)

◆ Bien que les Hutus représentent 90 % de la population rwandaise, ce sont les Tutsis qui, pendant longtemps, ont constitué l'élite dirigeante.

◆ Des juridictions gacaca, sorte de tribunaux villageois traditionnels, ont été mis en place en 2001 pour juger les personnes accusées d'avoir participé au génocide de 1994.

Le génocide du Rwanda

En 1994, des combats entre **Hutus** et **Tutsis** du Rwanda et du Burundi se sont transformés en génocide, à la suite de la mort des présidents des deux pays dans un accident d'avion probablement causé par un tir de roquette. En l'espace de trois mois, l'armée et les milices hutues ont ainsi massacré environ 1 million de Tutsis et de Hutus modérés.

Ouganda

Nom officiel : république de l'Ouganda
Superficie : 241 139 km²
Population : 30 262 610 hab.
Capitale : Kampala
Langues : anglais, luganda et dialectes locaux
Principales religions : christianisme et islam
Monnaie : shilling ougandais (1 $ CA = 1 513 shillings ougandais)

◆ Le général Amin Dada fut renversé en 1979 et remplacé par Milton Obote, qui fut à son tour évincé en 1985.

◆ Depuis 1986, année où Yoweri Museveni est devenu président, l'Ouganda est relativement stable, mais la région frontalière avec le Soudan demeure agitée. Elle sert de base arrière aux rebelles de l'Armée de résistance du Seigneur, qui veulent gouverner l'Ouganda.

Zambie

Nom officiel : république de Zambie
Superficie : 752 614 km²
Population : 11 477 447 hab.
Capitale : Lusaka
Langues : anglais, bemba, kaonda, lozi, tonga, nyanga, swahili ainsi qu'environ 70 langues locales bantoues
Principales religions : christianisme, islam, hindouisme, animisme
Monnaie : kwacha (1 $ CA = 3 347,6 kwachas)

◆ Les Zambiens sont les plus pauvres du monde : 86 % d'entre eux vivent sous le seuil de pauvreté.

◆ La Zambie est le 11ᵉ producteur mondial de cuivre. Cette industrie représente 80 % des revenus d'exportation du pays.

Burundi

Nom officiel : république du Burundi
Superficie : 27 834 km²
Population : 8 390 505 hab.
Capitale : Bujumbura
Langues : kirundi, français et swahili
Principales religions : christianisme, animisme
Monnaie : franc du Burundi (1 $ CA = 1 013 francs du Burundi)

◆ Comme le Rwanda, le Burundi est hanté par les violences opposant la majorité hutue aux Tutsis, qui détenaient traditionnellement le pouvoir.

◆ Les expériences de partage du pouvoir restent incertaines, mais elles commencent à porter leurs fruits.

Angola

Nom officiel : république d'Angola
Superficie : 1 246 700 km²
Population : 12 263 596 hab.
Capitale : Luanda
Langues : portugais, chokwe, khoïsan et d'autres langues bantoues
Principales religions : christianisme, animisme
Monnaie : kwanza reajustado (1 $ CA = 66 kwanzas reajustados)

◆ En 1975, après seulement quelques mois d'indépendance, l'Angola sombra dans une guerre civile qui ne prit fin qu'en 2002.

Le lac Victoria

Le lac Victoria est plus vaste que le Rwanda et le Burundi réunis. Mais il est moins profond (à peine plus de 100 m) que ceux de la vallée du Rift, située plus à l'est. Le fleuve qui prend sa source sur son rivage nord, en Ouganda, n'est autre que le **Nil**.

Zimbabwe, Botswana et pays voisins

Namibie

Nom officiel : république de Namibie
Superficie : 824 292 km^2
Population : 2 055 080 hab.
Capitale : Windhoek
Langues : afrikaans, anglais, allemand et dialectes locaux
Principale religion : christianisme
Monnaie : dollar namibien (1$ CA = 6,31 dollars namibiens)
◆ Appelée autrefois le Sud-Ouest africain, la Namibie a appartenu à l'Allemagne jusqu'en 1915, puis à l'Afrique du Sud. Elle n'est devenue indépendante qu'en 1990.
◆ L'ouest du pays est en grande partie désertique, mais la capitale, Windhoek, est entourée de pâturages fertiles.
◆ Environ 8 % de la production mondiale de diamants vient de Namibie.

Botswana

Nom officiel : république du Botswana
Superficie : 581 730 km^2
Population : 1 815 508 hab.
Capitale : Gaborone
Langues : anglais, tswana (bantou), khoïsan
Principales religions : christianisme, animisme
Monnaie : pula (1$ CA = 5,52 pulas)
◆ Depuis son indépendance en 1966, le Botswana a vu son économie croître à un rythme moyen de 9 % par an : une performance unique au monde.
◆ Mais le pays détient aussi le record mondial de personnes infectées par le virus du sida : 38,8 % de sa population adulte serait séropositive.

Démocratie africaine

Le **Botswana** a organisé ses **premières élections en 1965.** Il compte deux grands partis politiques rivaux – le Front national du Botswana et le Parti démocratique du Botswana – ainsi que d'autres partis moins influents. Les minorités, y compris les Blancs, participent librement à la vie politique.

Malawi

Nom officiel : république du Malawi
Superficie : 118 484 km^2
Population : 13 603 181 hab.
Capitale : Lilongwe
Plus grande ville : Blantyre
Langues : anglais, chichewa, yao, tonga, swahili
Principales religions : christianisme, islam, animisme
Monnaie : kwacha (1$ CA = 123,63 kwachas)
◆ Président à vie, Hastings Banda a gouverné le Malawi (ex-Nyasaland) de 1964 à 1993, année où il dut accepter le passage au multipartisme ; en 1994, il perdit les élections.
◆ L'économie du Malawi est essentiellement agricole. Le pays est sans cesse menacé par la sécheresse et les tempêtes torrentielles. Depuis de nombreuses années, il doit s'en remettre à l'aide alimentaire.

Zimbabwe

Nom officiel : république du Zimbabwe
Superficie : 390 759 km^2
Population : 12 311 143 hab.
Capitale : Harare
Langues : anglais, chishona et dialectes locaux
Principales religions : christianisme, animisme
Monnaie : dollar zimbabwéen (1$ CA = 26 672 dollars zimbabwéens)
◆ En 1965, la Rhodésie et son gouvernement blanc ont déclaré leur indépendance vis-à-vis de la Grande-Bretagne. La domination des colons blancs prit fin en 1979 et, l'année suivante, Robert Mugabe arriva au pouvoir.
◆ En 2000, le président Robert Mugabe entama une politique de redistribution des terres qui se traduisit par l'exode massif de paysans blancs et plongea le pays dans la pauvreté.

Les industries minières

Les industries minières jouent un rôle fondamental dans l'économie de la plupart des pays africains. Au **Botswana**, l'essentiel des **extractions** concerne le cuivre, le nickel et les diamants. Au **Zimbabwe**, c'est l'or et le fer qui dominent. Le **Mozambique** est, quant à lui, un grand producteur d'aluminium. L'industrie minière namibienne génère 20 % de son PIB. La **Namibie** produit des diamants, de l'argent, du tungstène, du plomb, du zinc et de l'étain. C'est aussi le quatrième producteur mondial d'uranium.

LE SAVIEZ-VOUS ?

Médecins Sans Frontières (MSF), une organisation non gouvernementale qui vient en aide aux victimes et qui œuvre à travers le monde, est présente dans 37 pays africains.

Mozambique

Nom officiel : république du Mozambique
Superficie : 799 380 km^2
Population : 20 905 585 hab.
Capitale : Maputo
Langues : portugais, shona, makoua, tonga, swahili
Principales religions : christianisme, animisme, islam
Monnaie : metical (1$ CA = 21 252 meticals)
◆ En 1975, le pays devint indépendant du Portugal.
◆ Entre 1977 et 1992, il fut ravagé par une guerre civile mettant aux prises le gouvernement marxiste du Frelimo (Front de libération du Mozambique) et les rebelles du Renamo (Résistance nationale du Mozambique). Un conflit qui, ajouté à la famine, fit plus de 1 million de victimes.
◆ En 2000-2001, de gigantesques inondations ont touché environ un quart de la population.
◆ Au Mozambique, 3 enfants sur 4 n'ont jamais été scolarisés.

Afrique du Sud et pays voisins

Afrique du Sud

Nom officiel : république d'Afrique du Sud
Superficie : 1 219 080 km^2
Population : 43 997 828 hab.
Capitales : Le Cap (législative) et Pretoria (administrative)
Plus grande ville : Le Cap
Langues : afrikaans, anglais et dialectes locaux (sotho, xhosa, swazi, zoulou)
Principales religions : christianisme, animisme, islam
Monnaie : rand (1 $ CA = 6,31 rands)

Sud-Africains célèbres

◆ **Nelson Mandela** Avocat et militant antiapartheid, il fut emprisonné en 1964 dans la prison de Robben Island, au large du Cap. Libéré en 1990, il devint quatre ans plus tard le premier président noir de l'Afrique du Sud, six mois après avoir reçu le prix Nobel de la paix.
◆ **Christiaan Barnard** Chirurgien qui réalisa la première transplantation cardiaque en 1967.
◆ **Myriam Makeba** Diva de la world music, surnommée Mama Africa.
◆ **J. R. R. Tolkien** L'auteur du *Seigneur des anneaux*, né à Bloemfontein en 1892, a grandi et vécu en Grande-Bretagne.
◆ **Desmond Tutu** Archevêque de 1986 à 1996, il reçut le prix Nobel de la paix en 1984.

Tourisme

Voici dix des sites les plus visités d'Afrique du Sud.
◆ **Le cap de Bonne-Espérance** Le point le plus méridional de l'Afrique.
◆ **Le Drakensberg** Chaîne de montagnes.
◆ **Durban** Port de la province du Kwazulu-Natal.
◆ **Garden Route** Voie littorale très fréquentée.
◆ **La réserve de Sainte-Lucie** Dans le Kwazulu-Natal.
◆ **Johannesburg** Capitale économique et plus grande ville du pays.
◆ **Le parc transfrontalier Kgalagadi** À cheval entre l'Afrique du Sud et le Botswana.
◆ **Kruger** Parc national.
◆ **La côte des Épaves** De l'Eastern Cape à la Namibie.
◆ **La montagne de la Table** Domine Le Cap.

Dynamisme et chômage

L'économie sud-africaine est l'une des plus développées du continent. La **Bourse de Johannesburg**, première place financière africaine, fait partie des dix premières du monde. Le pays exporte, entre autres, des **diamants**, de l'**or**, du **platine** et du **matériel mécanique**. Il possède aussi des activités de **services** performantes. Si les Sud-Africains qui travaillent vivent plutôt bien, le **chômage** reste très élevé : il tourne autour de 40 %.

Faits concernant l'Afrique du Sud

◆ L'Afrique du Sud est le pays qui enregistre le plus fort taux d'homicides : un pour 1 400 habitants.
◆ On y trouve le plus grand trou jamais creusé par l'homme : une mine de diamants de 500 m de diamètre et 400 m de profondeur, située près de Kimberley.
◆ Un Sud-Africain sur neuf est séropositif.
◆ Institutionnalisé en 1948, l'apartheid fut aboli en 1991.

Lesotho

Nom officiel : royaume du Lesotho
Superficie : 30 355 km^2
Population : 2 125 262 hab.
Capitale : Maseru
Langues : anglais, sotho
Principale religion : christianisme
Monnaie : loti, au pluriel maloti (1 $ CA = 6,17 maloti)
◆ Le joli royaume montagneux du Lesotho (l'ancien Basutoland) est entièrement cerné par l'Afrique du Sud, dont il est très dépendant, notamment pour son approvisionnement en électricité.
◆ Dans le cadre du Lesotho Highlands Water Project, plusieurs barrages géants sont en cours de construction dans les vallées du pays. Ils approvisionneront en eau les grandes villes et les industries sud-africaines.

Rois africains

Le seul pouvoir que le roi du **Swaziland** ne possède pas est celui de choisir son **successeur**. C'est aux autres membres de la famille royale de désigner, parmi les nombreuses épouses du roi, la « grande épouse », celle dont le premier fils héritera du trône. Le **Lesotho** est une monarchie constitutionnelle qui comprend un **collège de chefs** ayant le pouvoir de destituer le roi. En 1990, feu le roi Moshoeshoe II fut ainsi contraint à l'exil avant de retrouver le trône en 1995.

Swaziland

Nom officiel : royaume du Swaziland
Superficie : 17 363 km^2
Population : 1 133 066 hab.
Capitale : Mbabane
Langues : anglais, siswati
Principales religions : christianisme, animisme
Monnaie : lilangeli, au pluriel emalangeli (1 $ CA = 6,17 emalangeli)
◆ Le Swaziland est l'une des dernières monarchies absolues. Le roi Mswati III règne sur son peuple en édictant des décrets. Il a actuellement 11 femmes. Son père en avait 61.
◆ Presque tous les habitants du Swaziland appartiennent à l'ethnie des Swazis. Environ 3 % de la population est d'origine européenne.
◆ Économiquement, le pays est très dépendant de son voisin sud-africain.

Kenya, Madagascar et pays voisins

Kenya

Nom officiel : république du Kenya
Superficie : 580 367 km^2
Population : 36 913 721 hab.
Capitale : Nairobi
Langues : anglais, swahili, kikouyou, luo
Principales religions : christianisme, animisme
Monnaie : shilling du Kenya (1$ CA = 61,81 shillings du Kenya)

◆ C'est au Kenya qu'éclata, en 1955, la révolte anti-européenne des Mau-Mau, une société secrète kikouyou.

◆ Jomo Kenyatta a gouverné le Kenya de son indépendance jusqu'en 1978. Il a été remplacé par Daniel Arap Moi, qui est resté 24 ans au pouvoir.

◆ Il y a 55 parcs nationaux et réserves au Kenya. Le parc national Amboseli et la réserve Masai Mara sont les plus connus.

◆ On a trouvé au Kenya des ossements humains parmi les plus anciens jamais découverts.

Comores

Nom officiel : République fédérale islamique des Comores
Superficie : 1 862 km^2
Population : 711 417 hab.
Capitale : Moroni
Langues : français, arabe, swahili
Principale religion : islam
Monnaie : franc comorien (1$ CA = 295,91 francs comoriens)

◆ Les Comores sont composées de trois îles principales : Moili, Ndzouani et Ngazidja.

◆ Depuis son indépendance, en 1975, cet ancien archipel français a subi pas moins de 20 tentatives de coups d'État.

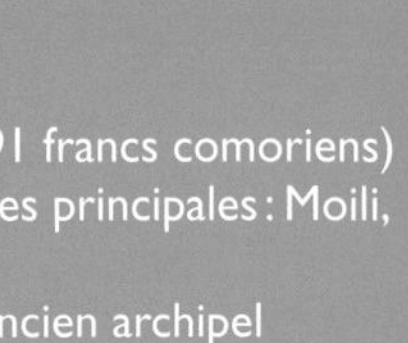

Tanzanie

Nom officiel : République unie de Tanzanie
Superficie : 945 087 km^2
Population : 39 384 223 hab.
Capitale : Dodoma
Plus grande ville : Dar es-Salaam
Langues : swahili, anglais, dialectes locaux
Principales religions : islam, christianisme, animisme, hindouisme
Monnaie : shilling tanzanien (1$ CA = 1 035,7 shillings tanzaniens)

◆ La Tanzanie a organisé ses premières élections démocratiques en 1995.

◆ C'est en Tanzanie que se trouve le Kilimandjaro, point culminant de l'Afrique. Le pays compte, en outre, d'importantes réserves naturelles, comme le parc national du Serengeti et le cratère du Ngorongoro.

Seychelles

Nom officiel : république des Seychelles
Superficie : 454 km^2
Population : 81 895 hab.
Capitale : Victoria
Langues : anglais, français, créole
Principale religion : christianisme
Monnaie : roupie seychelloise (1$ CA = 7,06 roupies seych.)

◆ Les Seychelles comptent environ 155 îles, dont 33 sont habitées.

◆ Le tourisme est de loin leur première source de revenus.

◆ Avant l'arrivée des Européens, les Seychelles n'étaient pas habitées. Leur population est aujourd'hui constituée d'immigrés, pour la plupart d'origine française, africaine, indienne ou chinoise.

Madagascar

Nom officiel : république du Madagascar
Superficie : 587 041 km^2
Population : 19 448 815 hab.
Capitale : Antananarivo
Langues : malgache, français et dialectes locaux
Principales religions : animisme, christianisme, hindouisme, islam
Monnaie : franc malgache (1$ CA = 7 943 francs malgaches)

◆ Madagascar est la quatrième plus grande île du monde.

◆ Son peuple est essentiellement originaire d'Afrique et d'Indonésie.

Maurice

Nom officiel : république de Maurice
Superficie : 2 040 km^2
Population : 1 250 882 hab.
Capitale : Port-Louis
Langues : anglais, français, créole
Principales religions : christianisme, hindouisme, islam
Monnaie : roupie mauricienne (1$ CA = 25,74 roupies mauriciennes)

◆ Maurice fut hollandaise, puis française (elle s'appelait alors île de France) et britannique, avant de devenir indépendante en 1968.

◆ Elle est constituée de deux îles principales (Maurice et Rodrigues) et de nombreux îlots.

◆ Plus des deux tiers des Mauriciens sont des descendants de travailleurs contractuels que les Britanniques ont fait venir d'Inde au XIXe siècle.

◆ C'est une démocratie qui jouit d'une grande stabilité depuis son indépendance, d'où sa facilité à attirer les investissements étrangers.

◆ Maurice était jadis le seul pays habité par le dodo, ce gros oiseau un peu pataud qui disparut en 1681.

Zanzibar

Entre le XVIIe et le XIXe siècle, Zanzibar fut, avec ses îles sœurs **Pemba** et **Mafia**, une importante plate-forme du **commerce d'esclaves**. En 1964, elle s'unit au Tanganyika pour former la Tanzanie, tout en conservant son président. Surnommée l'île aux Épices, elle est aujourd'hui le premier producteur mondial de clous de girofle. L'ancien chanteur du groupe **Queen**, **Freddie Mercury** en est originaire.

Éthiopie et pays voisins

Éthiopie

Nom officiel : république d'Éthiopie
Superficie : 1 133 380 km^2
Population : 76 511 887 hab.
Capitale : Addis-Abeba
Langues : amharique, italien, tigréen, anglais
Principales religions : christianisme (coptes), islam, judaïsme (Falashas)
Monnaie : birr (1$ CA = 8,08 birrs)

◆ L'Éthiopie fut dirigée par l'empereur Hailé Sélassié de 1930 à 1936 et de 1941 à 1974.
◆ Bien que dépendante de l'aide internationale, l'Éthiopie produit beaucoup de céréales.
◆ La lecture de la presse y reste encore très marginale : on n'y vend que 340 journaux par jour et par million d'habitants.
◆ L'arche d'alliance aurait été déposée dans l'église Sainte-Marie-de-Sion, à Axoum, en Éthiopie.

Entre guerre et famine

Depuis les années 1970, l'**Éthiopie** et la **Somalie** ont connu une succession de tragédies, faites de longues périodes de **sécheresse**, de **famines meurtrières** et de **guerres**. La décennie 1978-1988 a été marquée par un conflit armé entre les deux pays. Depuis 1991, l'**anarchie** règne en Somalie. De son côté, l'Éthiopie est entrée en guerre contre l'Érythrée en 1999.

Somalie

Nom officiel : République démocratique de Somalie
Superficie : 637 657 km^2
Population : 8 304 601 hab.
Capitale : Mogadiscio
Langues : somali, arabe, anglais, italien
Principale religion : islam sunnite
Monnaie : shilling somali (1$ CA = 1 212 shillings somalis)

◆ Depuis la chute du président Siyad Barré, en 1991, la Somalie traverse une guerre civile opposant de multiples factions rivales.
◆ En octobre 2004, le gouvernement intérimaire somalien, basé au Kenya pour des raisons de sécurité, a élu un nouveau président.

Somaliland

Le **Somaliland** a proclamé son indépendance de la Somalie en 1991, au lendemain du coup d'État qui a renversé le dictateur Siyad Barré. Non reconnu par la communauté internationale, le Somaliland dispose cependant d'un gouvernement et d'une police autonomes, et possède sa propre monnaie, le **shilling**.

Djibouti

Nom officiel : république de Djibouti
Superficie : 23 200 km^2
Population : 496 374 hab.
Capitale : Djibouti
Langues : français, arabe, afar, somali
Principale religion : islam
Monnaie : franc djiboutien (1$ CA = 157 francs djiboutiens)

◆ Ancienne colonie française, Djibouti a obtenu son indépendance en 1977.
◆ Djibouti est le seul pays d'Afrique où l'ensemble de la population a accès à l'eau potable.
◆ Djibouti affiche l'un des taux de chômage les plus élevés au monde (environ 50 %).

Une base stratégique

Une importante **présence militaire française** (environ 6 000 militaires français) sur son territoire assure à Djibouti la moitié de ses recettes. Plusieurs centaines de **GI américains** stationnent également dans ce petit pays stratégique de la corne de l'Afrique, ouvert sur la mer Rouge.

Érythrée

Nom officiel : république d'Érythrée
Superficie : 121 144 km^2
Population : 4 906 585 hab.
Capitale : Asmara
Langues : afar, arabe, tigrina, kounami
Principales religions : islam, christianisme
Monnaie : nakfa (1$ CA = 13 nakfas)

◆ Le nom d'Érythrée vient du grec *Erythrea thalassa,* qui signifie « mer rouge ».
◆ Avec 220 postes par million d'habitants, l'Érythrée est le pays du monde le moins équipé en téléviseurs.
◆ Les colons italiens y ont introduit une agriculture de type méditerranéen (oliviers, vigne).

PETITE INFO

Le premier pays africain à avoir acquis son indépendance est **l'Éthiopie**. Souveraine depuis 1853, l'Éthiopie a été envahie et brièvement occupée par l'Italie fasciste de 1936 à 1941.

Arabie saoudite et pays voisins

Arabie saoudite

Nom officiel : royaume d'Arabie saoudite
Superficie : 2 240 000 km²
Population : 27 601 038 hab.
Capitale : Riyad
Langue : arabe
Principale religion : islam
Monnaie : riyal saoudien (1$ CA = 3,33 riyals saoudiens)

◆ L'Arabie saoudite tient son nom de la famille régnante, Ibn Saoud, arrivée au pouvoir au XVIIIe siècle.

◆ Le pétrole y a été découvert en 1938. Depuis, le pays est devenu le premier producteur et exportateur d'or noir du monde.

◆ L'Arabie saoudite est l'un des pays où les droits de l'homme sont le moins respectés. Les exécutions publiques y sont monnaie courante.

Yémen

Nom officiel : république du Yémen
Superficie : 527 968 km²
Population : 22 230 531 hab.
Capitale : Sanaa
Langue : arabe
Principale religion : islam
Monnaie : riyal yéménite (1$ CA = 175,55 riyals yéménites)

◆ L'année 1990 a été marquée par la réunification du Yémen du Nord et du Yémen du Sud.

◆ Les soldats du contingent yéménite sont parmi les plus jeunes du monde. Dès 14 ans, les hommes peuvent rejoindre l'armée.

Oman

Nom officiel : sultanat d'Oman
Superficie : 309 500 km²
Population : 3 204 897 hab.
Capitale : Mascate
Langue : arabe
Principale religion : islam
Monnaie : riyal omanais (1$ CA = 0,34 riyal omanais)

◆ Le pétrole a été découvert à Oman en 1964. Depuis, l'or noir assure environ 40 % du PIB du pays.

Bahreïn

Nom officiel : État du Bahreïn
Superficie : 695 km²
Population : 708 573 hab.
Capitale : Manama
Langue : arabe
Principale religion : islam
Monnaie : dinar de Bahreïn (1$ CA = 0,33 dinar de Bahreïn)

◆ Archipel composé de 30 îles situées dans le golfe Persique, Bahreïn est devenu indépendant de la Grande-Bretagne en 1971.

◆ Producteur de pétrole depuis 1931, l'émirat a vu sa production baisser ces dernières années. Afin de diversifier son économie, il s'est lancé dans le raffinage pétrolier.

Qatar

Nom officiel : État du Qatar
Superficie : 11 437 km²
Population : 907 229 hab.
Capitale : Doha
Langue : arabe
Principale religion : islam
Monnaie : riyal qatari (1$ CA = 3,23 riyals qataris)

◆ Au Qatar, le pétrole a été découvert en 1939. Le pays est devenu indépendant de la Grande-Bretagne en 1971.

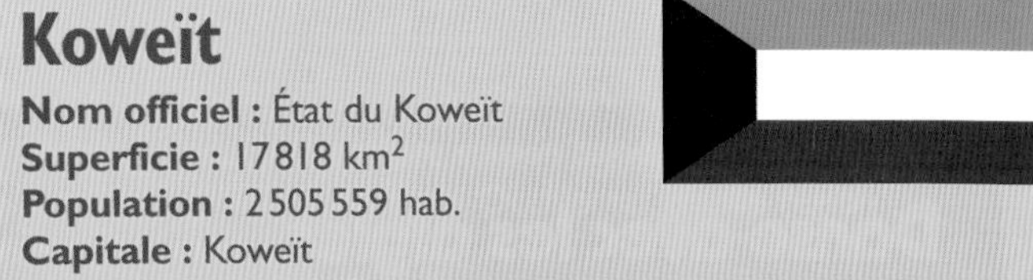

Koweït

Nom officiel : État du Koweït
Superficie : 17 818 km²
Population : 2 505 559 hab.
Capitale : Koweït
Plus grande ville : Salimiya
Langue : arabe
Principale religion : islam
Monnaie : dinar koweïtien (1$ CA = 0,24 dinars koweïtiens)

◆ En 1990, l'armée irakienne envahit le Koweït. Elle en est chassée dès 1991 par une coalition appuyée par l'ONU et dirigée par les États-Unis.

◆ La société koweïtienne est dominée par les hommes.

◆ Plus de la moitié de la population de l'émirat est composée de travailleurs étrangers. Le pétrole assure environ 90 % de ses recettes d'exportation.

Émirats arabes unis

Nom officiel : féd. des Émirats arabes unis
Superficie : 77 700 km²
Population : 4 444 011 hab.
Capitale : Abou Dhabi
Plus grande ville : Dubaï
Langues : arabe, perse
Principale religion : islam
Monnaie : dirham (1$ CA = 3,26 dirhams)

◆ Les Émirats arabes unis ont été constitués en 1971. Les sept cheiks sont monarques absolus au sein de leur émirat.

◆ Cet État est le troisième producteur de pétrole de la région et le dixième au monde.

◆ En 2002, la construction de trois îles artificielles géantes en forme de palmier a débuté au large de Dubaï.

Dubaï

Dubaï, qui n'était, il y a 200 ans, qu'un simple hameau, est devenu une **ville ultramoderne** de près de 1 million d'habitants. L'essentiel de l'eau consommée provient d'**usines de dessalement** ou des nappes **aquifères**. Les abribus ainsi que certaines rues sont climatisés. Les étrangers, Indiens ou Philippins pour la plupart, représentent 85 % de la population.

Sri Lanka, Népal et pays voisins

Sri Lanka

Nom officiel : République socialiste démocratique du Sri Lanka
Superficie : 65 610 km^2
Population : 20 926 315 hab.
Capitales : Sri Jayawardenepura Kotte (législative et administrative) et Colombo (commerciale)

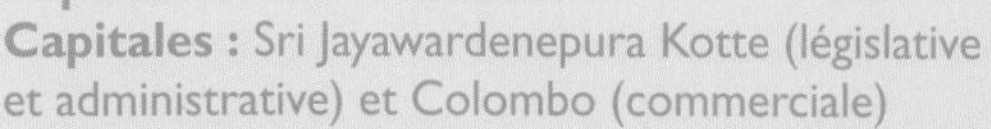

Langues : cinghalais, tamoul
Principales religions : bouddhisme, hindouisme, christianisme, islam
Monnaie : roupie sri lankaise (1$ CA = 95,92 roupies srilankaises)

◆ Le gouvernement s'est battu 20 ans contre les séparatistes tamouls du Nord jusqu'à la signature d'un cessez-le-feu en 2002. Depuis 2005, les violences ont repris.
◆ La culture du thé rapporte 700 millions de dollars par an.
◆ Le Sri Lanka a le plus faible taux de divorce du monde.
◆ Sri Lanka signifie « île resplendissante ». Jusqu'en 1972, le pays s'appelait Ceylan.

Maldives

Nom officiel : république des Maldives
Superficie : 298 km^2
Population : 369 031 hab.
Capitale : Malé
Langue : divehi
Principale religion : islam
Monnaie : rufiyaa (1$ CA= 11,38 rufiyaas)

◆ Les Maldives, ce sont 1 090 îles de corail ou d'origine volcanique, dont seulement 200 sont habitées et 80 ont été transformées en complexes touristiques.
◆ À moins de 1,80 m au-dessus du niveau de la mer, elles sont particulièrement menacées par le réchauffement climatique.
◆ Le cocotier est l'arbre national des Maldives et la rose polyantha, sa fleur nationale.

Bangladesh

Nom officiel : Rép. populaire du Bangladesh
Superficie : 147 570 km^2
Population : 150 448 339 hab.
Capitale : Dacca
Langues : bengali, ourdou
Principales religions : islam, hindouisme
Monnaie : taka (1$ CA = 60,84 takas)

◆ Entre 1947 et 1971, année de son indépendance, le pays s'appelait Pakistan oriental.
◆ Si 60 % de ses terres sont cultivables, le Bangladesh vit aussi sous la menace permanente des inondations.
◆ Le travail dans le domaine agricole mobilise les deux tiers de la population du Bangladesh.
◆ L'essentiel du pays est constitué par le delta commun du Gange, du Brahmapoutre et de la Meghana.

L'ouverture du Bhoutan

Jusqu'à une date récente, le Bhoutan était presque entièrement **isolé du reste du monde**. Après son indépendance, en 1949, il a pratiquement disparu de la scène internationale, fermant ses frontières aux étrangers. Les diplomates étrangers n'ont pu y retourner qu'en 1974. Aujourd'hui, seul un petit nombre de touristes y a accès, privilège obtenu moyennant le paiement d'une surtaxe de 60 $ par jour qui vient s'ajouter aux autres frais.

Bhoutan

Nom officiel : royaume du Bhoutan
Superficie : 46 500 km^2
Population : 2 327 849 hab.
Capitale : Thimbu
Langue : dzongkha (dialecte tibétain)
Principales religions : bouddhisme, hindouisme
Monnaie : ngultrum (1$ CA = 40,68 ngultrums)

◆ Les Bhoutanais appellent leur pays Druk Yul, ce qui signifie à la fois « pays du dragon » et « pays du tonnerre ».
◆ Les habitants ont l'obligation de porter le costume national : pour les hommes un vêtement appelé gho, qui s'arrête aux genoux, et pour les femmes d'une robe appelée kira, qui descend jusqu'aux chevilles.
◆ Jusqu'en 1999, la télévision était interdite au Bhoutan.

Trop d'eau

L'eau est une composante incontournable du paysage bangladais. Le **Gange** et le **Brahmapoutre** s'y rencontrent pour former un delta qui recouvre presque entièrement le pays. Les pluies torrentielles de la **mousson** causent des crues monstrueuses qui font parfois disparaître sous les eaux des régions entières.

Népal

Nom officiel : royaume du Népal
Superficie : 147 181 km^2
Population : 28 901 790 hab.
Capitale : Katmandou
Langue : népali
Principales religions : hindouisme, bouddhisme
Monnaie : roupie népalaise (1$ CA = 63,20 roupies népalaises)

◆ En 2001, le prince Dipendra a assassiné ses parents ainsi que sept autres membres de la famille royale avant de se donner la mort… Il n'aurait pas supporté que sa mère rejette sa nouvelle épouse.
◆ Proclamé nouveau roi, le prince Gyanendra Bir Bikram, frère du roi assassiné, congédia le gouvernement en 2005 et prit les rênes du pouvoir. Mais il dut rétablir le Parlement en 2006.

Les maoïstes népalais

En 1996, le **Parti communiste du Népal** a entamé une campagne de **guérilla**, revendiquant entre autres, le remplacement de la monarchie constitutionnelle par une république populaire. Depuis la signature d'un accord de paix en 2006, le pays est entrée dans une phase de stabilisation et de démocratisation.

Chine et Mongolie

Chine

Nom officiel : Rép. populaire de Chine
Superficie : 9 571 300 km^2
Population : 1 321 851 888 hab.
Capitale : Pékin (Beijing)
Plus grande ville : Shanghai
Langues : mandarin, cantonais, min, wu et d'autres langues minoritaires
Principales religions : la Chine est officiellement une république athée. Taoïsme, bouddhisme, christianisme, islam, judaïsme
Monnaies : yuan (ou renminbi), dollar de Hongkong et pataca de Macao (1$ CA = 6,43 yuans)

Mongolie

Nom officiel : Mongolie
Superficie : 1 566 500 km^2
Population : 2 951 786 hab.
Capitale : Oulan-Bator
Langues : khalka, russe
Principale religion : bouddhisme
Monnaie : tugrik (1$ CA = 1 042 tugriks)
◆ Longtemps étroitement liée à l'Union soviétique, la Mongolie est restée communiste jusqu'en 1990. En 1992, une nouvelle Constitution mit en place une démocratie parlementaire.
◆ Gengis Khan (1162-1227) est le Mongol le plus célèbre.
◆ Les Mongols de souche représentent environ 95 % de la population du pays, mais ils sont encore davantage à vivre en Chine.

Hongkong et Macao

Postés de part et d'autre du delta du fleuve Pearl, **Hongkong** et **Macao** occupent une position stratégique. Les Portugais occupèrent Macao dès 1557, alors que les Britanniques ne s'installèrent à Hongkong qu'en 1841. Dans les années 1980, des **accords** furent signés pour permettre à Pékin de reprendre possession de ces territoires. L'événement eut lieu le **1er juillet 1997** pour Hongkong et le **20 décembre 1999** pour Macao. Les deux ex-colonies constituent désormais des régions administratives spéciales intégrées à la Chine.

Groupes ethniques

La Chine est composée de **56 groupes ethniques** ou **nationalités**, dont beaucoup possèdent leur propre langue. 92 % de la population sont des **Han**, qui, même s'ils constituent un seul groupe ethnique, ne s'expriment pas tous dans la même langue. Parmi les autres groupes, il y a aussi 18 millions de **Zhuang** dans le Sud, 9,8 millions de **Manchous** et 4,8 millions de **Mongols** dans le Nord, ainsi que 7,2 millions d'**Ouïgours** musulmans dans la région autonome du Xinjiang.

Merveilles de la nature

Voici quelques-uns des plus beaux sites naturels de la région.
◆ **Les collines de Guilin** Au fil des siècles, la pluie a transformé ces collines calcaires en sculptures d'une fascinante beauté.
◆ **Le mont Everest** Si l'Everest appartient en grande partie au Népal, sa face nord est au Tibet, et donc officiellement en Chine.
◆ **Le plateau tibétain** Perché à 4 500 m d'altitude, c'est le plus haut plateau du monde.
◆ **Les gorges du Yangzi Jiang** Au centre du Sichuan, elles ont été creusées par le plus grand fleuve de Chine.

Le Tibet et son gouvernement

La Chine revendique le contrôle du **Tibet** depuis des siècles. En 1950, le régime communiste envahit le pays. Le **dalaï-lama**, chef traditionnel du Tibet, dut s'exiler en Inde. Aujourd'hui, la **région autonome du Tibet** (TAR), qui a pour capitale **Lhassa**, est composée de la moitié du territoire tibétain originel. Les provinces d'Amdo, Qinghai et Gansu appartiennent à une autre région. Si la TAR possède un gouverneur tibétain, le secrétaire général local du parti communiste est souvent un Chinois han.

Faits extraordinaires

◆ Plus d'**un être humain sur cinq** vit en Chine. Le pays compte plus d'habitants aujourd'hui que la Terre entière il y a 150 ans.
◆ La **Mongolie** est le pays le moins densément peuplé.
◆ Avant l'invasion du Tibet par la Chine, **Lhassa** était la plus haute capitale du monde, avec une altitude moyenne de 3 650 m.
◆ La Chine est le **quatrième plus grand pays du monde**, derrière la Russie, le Canada et les États-Unis.
◆ Avec plus de **2 millions de soldats**, hommes et femmes, la Chine possède la plus imposante armée du monde.
◆ **Deux tiers des exécutions** perpétrées dans le monde ont lieu en Chine.

Le Nadaam

Le festival du Nadaam, tout près d'**Oulan-Bator**, est le plus grand événement social et culturel de Mongolie. On vient des quatre coins du pays pour admirer ou se mesurer aux **archers** et aux **lutteurs**, et assister aux **courses de chevaux**. Organisé en juillet, le Nadaam dure trois jours et se termine par une grande fête.

Tourisme

Voici quelques-uns des sites les plus visités de Chine.
◆ **Le Bund** La plus célèbre rue de Shanghai.
◆ **La Cité interdite** Ancienne résidence des empereurs de Chine et principal site touristique de Pékin.
◆ **La Grande Muraille** Dans le nord de la Chine.
◆ **Le restaurant Jumbo** Énorme restaurant flottant, à Aberdeen, Hongkong.
◆ **L'hôtel Peninsula** À Kowloon, Hongkong.
◆ **Le monastère Po Lin** Île de Lantau, Hongkong.
◆ **Le monastère de Shaolin** Le berceau du kung-fu, dans les montagnes Songshan.
◆ **Le palais d'Été** À Pékin.
◆ **L'armée de terre cuite** Exposée dans un musée à Xi'an, dans la province du Shaanxi.
◆ **Le pic Victoria** Sur l'île d'Hongkong.

Japon et Corées

Japon

Nom officiel : Japon
Superficie : 377 750 km²
Population : 127 433 494 hab.
Capitale : Tokyo
Langue : japonais
Principales religions : shinto, bouddhisme
Monnaie : yen (1 $ CA = 94,06 yens)

Tokyo-Yokohama

Tokyo, qu'on appelait autrefois **Edo**, est la capitale du Japon depuis 1868. Ce statut était auparavant dévolu à **Kyoto**, située dans l'ouest du pays. Tokyo signifie d'ailleurs « capitale de l'Est ». Au XXe siècle, la ville est devenue un **centre industriel** et **financier** de tout premier plan. En absorbant sa voisine **Yokohama**, qui borde la baie de Tokyo, elle a donné naissance à une gigantesque conurbation de 31 millions d'habitants. L'amour des Japonais pour la technologie a sans doute fait de Tokyo la ville la plus moderne du monde.

Les Mangas

Au Japon, tout le monde lit des bandes dessinées. Là-bas, on les appelle **mangas**. À chacun son type particulier de manga : les enfants lisent des ***kodomo***, les adolescents des ***shonen*** (pour les garçons) et des ***shojo*** (pour les filles), les hommes des ***seinen*** et les femmes des ***josei*** (ou ***redikomi***). Il existe aussi des mangas pornographiques qu'on appelle ***hentai***.

Faits extraordinaires au Japon

◆ Les Japonais appellent leur pays **Nippon**, ce qui signifie « l'origine du Soleil ».
◆ Le Japon est composé de **6 800 îles**. Les quatre plus grandes sont (du nord au sud) : Hokkaido, Honshu, Shikoku et Kyushu.
◆ Le **Fuji-Yama** (3 776 m) est le point culminant du pays.
◆ Avec ses **200 volcans** et ses **trois secousses par jour**, le Japon est habitué à voir la terre trembler.
◆ Le Japon est le **premier donateur** du monde. Le montant de son aide économique dépasse d'un tiers celui des États-Unis.
◆ La **flotte de pêche japonaise** est l'une des plus importantes du monde : elle réalise environ 15 % des prises totales.

Tourisme

Voici dix des sites japonais et coréens les plus visités.
◆ **Le parc national de Daisetsuzan** À Hokkaido.
◆ **Le temple Enryaku-ji** À Kyoto.
◆ **Le palais de Gyeongbokgung** À Séoul, en Corée.
◆ **Le château d'Himeji** Spectaculaire bâtisse en bois datant du XVIIe siècle, à l'ouest de Kobe, au Japon.
◆ **Le parc de la paix d'Hiroshima** Construit à l'endroit où fut lâchée la bombe atomique.
◆ **Le palais impérial** À Tokyo.
◆ **Miyajima** Île shinto sacrée, au large d'Honshu.
◆ **Le Fuji-Yama** Le plus célèbre site japonais.
◆ **Le parc national de Seoraksan** En Corée du Sud.
◆ **Shinjuku** Le quartier commercial le plus coloré de Tokyo.

Arts martiaux

Le Japon et la Corée sont les maîtres des arts martiaux. Si le **taekwondo** constitue le sport national des Coréens, les Japonais ont développé une palette d'arts martiaux plus large, dont le **karaté**, le **judo**, le **jujitsu**, l'**aïkido**, le **kendo** (la « voie du sabre ») et le **kyudo** (tir à l'arc japonais) et le très populaire **sumo**.

Corée du Nord

Nom officiel : République populaire démocratique de Corée
Superficie : 120 538 km²
Population : 23 301 725 hab.
Capitale : Pyongyang
Langue : coréen
Principale religion : bouddhisme
Monnaie : won nord-coréen (1 $ CA = 118,99 wons)
◆ Le « grand leader » Kim Il-sung régna sur la Corée du Nord de 1948 jusqu'à sa mort, en 1994.
◆ La Corée du Nord est le pays qui consacre la plus grande part de son PIB aux dépenses militaires (34 %).
◆ Depuis 1990, l'économie du pays a beaucoup souffert de l'arrêt de l'aide soviétique et chinoise.
◆ En 2002, le président américain George W. Bush a inclus la Corée du Nord dans son « axe du mal ». Elle disposerait, selon lui, d'un programme secret d'armement nucléaire.

Un pays divisé

La Corée était une **colonie japonaise** de 1910 jusqu'à la Seconde Guerre mondiale. En 1945, elle fut divisée en deux : l'**Union soviétique** prit le contrôle de la partie située au nord du 38e parallèle, tandis que le Sud revint aux **États-Unis**. L'**invasion** du Sud par les forces du Nord en 1950 déclencha une guerre totale qui vit la **Chine** se ranger du côté de l'envahisseur, alors que les soldats de l'**ONU**, essentiellement américains, apportaient leur soutien au Sud. La paix fut signée en 1953.

Corée du Sud

Nom officiel : république de Corée
Superficie : 99 392 km²
Population : 49 044 790 hab.
Capitale : Séoul
Langue : coréen
Principales religions : bouddhisme, christianisme
Monnaie : won sud-coréen (1 $ CA = 846 wons)
◆ La Corée du Sud a fait partie des quatre « tigres » asiatiques dans les années 1980 et 1990. Comme Hongkong, Singapour et le Japon, elle a connu une forte croissance économique, qui en fait aujourd'hui l'un des pays les plus riches du continent.
◆ En 2002, la Corée du Sud a organisé avec le Japon la coupe du monde de football.

Viêt Nam, Laos et Cambodge

Viêt Nam

Nom officiel : République socialiste du Viêt Nam
Superficie : 331 114 km^2
Population : 85 262 356 hab.
Capitale : Hanoi
Plus grande ville : Hô Chi Minh-Ville (anciennement Saïgon)
Langues : vietnamien, khmer, cham, thaï
Principales religions : bouddhisme, taoïsme
Monnaie : dong (1$ CA = 14218 dongs)

◆ En 1976, après la fin de la guerre du Viêt Nam, le Nord et le Sud se sont réunifiés.

◆ Le Viêt Nam est toujours communiste, mais il encourage l'entreprise privée.

La guerre du Viêt Nam

Après la Seconde Guerre mondiale, un **soulèvement** nationaliste chassa les **Français** du Viêt Nam, mais provoqua une scission entre le **Nord, communiste,** et le **Sud,** soutenu par les États-Unis, dont l'armée fut impliquée dans la **guerre** qui dura de 1961 à 1975. Aujourd'hui, le pays est encore hanté par le souvenir de ce terrible conflit. Depuis 1975, plus de 100 000 personnes ont été estropiées ou tuées par des mines.

Cambodge : un passé glorieux

Le Cambodge a succédé à l'Empire khmer qui régna sur la quasi-totalité de la péninsule indochinoise du XIe au XIVe siècle. Ingénieuse et travailleuse, la civilisation khmère a légué au monde des **trésors technologiques et architecturaux**. Sous la direction éclairée de leurs souverains, les Khmers réalisèrent des ouvrages hydrographiques parmi les plus audacieux de l'histoire. D'innombrables bassins artificiels furent aménagés, emmagasinant l'eau de la mousson. Un vaste réseau de **canaux d'irrigation** la redistribuait jusque dans la moindre rizière. Les fameux **temples khmers** attiraient la faveur divine. Orienté en fonction des points cardinaux, et sa façade tournée vers l'est, chaque temple raconte le cycle annuel du soleil. Les douves qui l'entourent évoquent l'océan. **Angkor Wat** est le plus célèbre. Il est dédié au dieu **Vishnou**. Il comprend trois niveaux et est ceinturé de quatre murs. Le **17 avril 1975**, à la faveur d'une guerre civile, des insurgés, les **Khmers rouges**, s'emparent de la capitale, **Phnom Penh**. Les nouveaux dirigeants appliquent alors une politique radicale visant à purifier le pays de la civilisation urbaine. Dans la nuit du 17 au 18 avril 1975, les cités sont vidées de leurs habitants, envoyés de force dans les campagnes. L'élimination des élites, les mines anti personnelles, la malnutrition et la maladie entraînent une catastrophe humanitaire. L'établissement du nombre des victimes est un travail laborieux sur lequel les spécialistes ne s'entendent toujours pas.

L'héritage français

Entre 1887 et 1954, la France a dirigé le **Cambodge**, le **Laos** et le **Viêt Nam**, réunis sous la bannière de l'**Indochine**. L'influence française demeure encore quelquefois dans certains domaines. Ainsi, un peu partout dans le pays, on continue à fabriquer des baguettes de pain. Les Français ont aussi laissé leur architecture en héritage, notamment dans les capitales de ses anciennes colonies : Phnom Penh, Vientiane et Hanoi.

Laos

Nom officiel : République démocratique populaire lao
Superficie : 236 800 km^2
Population : 6 521 998 hab.
Capitale : Vientiane
Langues : lao, français
Principale religion : bouddhisme
Monnaie : kip (1$ CA = 8 031 kips)

◆ Dans la langue lao, le nom du pays (Lan Xang) signifie « le million d'éléphants ».

◆ Le pays est couvert à 40 % de forêts.

◆ La libéralisation de son économie a permis d'ouvrir la porte aux investisseurs étrangers, et en 1997, le Laos fut admis à l'Asean, l'association des pays d'Asie du Sud-Est.

Les tribus montagnardes

Dans les **collines** du **Viêt Nam** et du **Laos**, le long de la frontière chinoise, vivent de nombreuses **tribus** presque entièrement **coupées du monde extérieur**. La plupart d'entre elles cultivent du riz et d'autres produits agricoles. Appelés « montagnards » par les Français et **moi** (« sauvages ») par les Vietnamiens de souche, ces peuples représentent environ 10 % de la population vietnamienne, un chiffre encore plus élevé au Laos. Les plus nombreux sont les **Muongs**, les **Tays**, les **Tais** et les **Nungs**, chacun de ces groupes comptant environ un million d'habitants.

Cambodge

Nom officiel : royaume du Cambodge
Superficie : 181 035 km^2
Population : 13 995 904 hab.
Capitale : Phnom Penh
Langue : khmer
Principale religion : bouddhisme
Monnaie : riel (1$ CA = 3 351,5 riels)

◆ En 1975, les Khmers rouges, dirigés par Pol Pot, s'emparèrent du pouvoir.

◆ Environ 2 millions de personnes furent tuées sous le régime de Pol Pot, qui fut chassé par les forces vietnamiennes en 1979.

◆ La nouvelle Constitution de 1993 a instauré une monarchie parlementaire.

◆ Chaque année, environ un million de touristes visitent le pays.

Thaïlande, Malaisie et pays voisins

Thaïlande

Nom officiel : royaume de Thaïlande
Superficie : 513 115 km²
Population : 65 068 149 hab.
Capitale : Bangkok
Langues : thaï, dialectes régionaux
Principale religion : bouddhisme
Monnaie : baht (1$ CA = 27,60 bahts)

◆ Avant de devenir la Thaïlande – « le pays des hommes libres » – en 1939, le pays s'appelait le Siam.
◆ Bien que la plupart des Thaïlandais soient bouddhistes, quatre provinces du Sud sont à majorité musulmane. Dans les années 1970, des séparatistes musulmans se sont insurgés. Après une période d'accalmie dans les années 1990, les troubles ont repris en 2004.
◆ La boxe thaïe, également appelée muay thaï, est le sport national.

Tourisme

Voici dix des sites les plus visités de la région.

◆ **Chiang Mai** Ville ancienne, Thaïlande.
◆ **Le Grand Palace** Bangkok.
◆ **Koh Samui** Île pour vacanciers, Thaïlande.
◆ **Kota Kinabalu** Sabah, Malaisie.
◆ **Krabi** Île pour vacanciers, Thaïlande.
◆ **Les tours Petronas** Malaisie.
◆ **Phuket** Station balnéaire, Thaïlande.
◆ **L'hôtel Raffles** Singapour.
◆ **Le marché flottant de Damnoen Saduak** Ratchaburi, Thaïlande.
◆ **Le Wat Pho** Temple, Bangkok.

La monarchie thaïlandaise

Indépendant depuis 1238, le **royaume** de Thaïlande est dirigé par la **dynastie Chakri** depuis 1782. C'est le seul pays d'Asie du Sud-Est à ne jamais avoir été **colonisé**, ce qu'il doit à l'astucieuse politique d'occidentalisation menée au XIXe siècle par ses rois. Le souverain actuel est Bhumibol Adulyadej (Rama IX), 9e roi Chakri. La famille royale est très respectée : chaque séance de cinéma s'ouvre sur un portrait du roi accompagné de l'hymne national.

Birmanie

Nom officiel : Myanmar
Superficie : 676 553 km²
Population : 47 373 958 hab.
Capitale : Rangoon (Yangon)
Langues : birman, dialectes locaux
Principales religions : bouddhisme, animisme
Monnaie : kyat (1$ CA = 5,36 kyats)

◆ Depuis 1988, la Birmanie subit la tyrannie d'une junte militaire, régulièrement accusée par la communauté internationale de bafouer ostensiblement les droits de l'homme.
◆ La Birmanie fait partie des dix pays les plus pauvres du monde.
◆ Les Inthas du lac Inle habitent dans des villages sur pilotis entourés de jardins flottants.

Les tribus malaisiennes

La plupart des Malaisiens de **Bornéo** appartiennent à des groupes ethniques différents, dont le plus important est celui des **Ibans** (environ 600 000 individus). Les **Bidayuhs**, autre groupe important, sont environ 170 000. Les **Kadazans** constituent, quant à eux, la principale tribu de l'État de **Sabah**, à l'est de Bornéo. Quelques tribus indigènes du groupe des **Orangs Aslis** peuplent la péninsule malaisienne.

Malaisie

Nom officiel : Malaisie
Superficie : 329 758 km²
Population : 24 821 286 hab.
Capitale : Kuala Lumpur
Langue : malais
Principales religions : islam, bouddhisme, hindouisme, christianisme
Monnaie : ringgit (1$ CA = 2,92 ringgits)

◆ La Malaisie est coupée en deux par la mer de Chine méridionale. Elle partage l'île de Bornéo avec l'Indonésie et Brunei.
◆ La Malaisie constitue un véritable creuset ethnique. Les Malais représentent à peine la moitié de sa population, le reste étant composé d'un quart de Chinois de souche, d'un dixième d'Indiens et de diverses tribus indigènes.

Le Singapore Sling

Le célèbre **cocktail** asiatique de couleur rose fut inventé pour un public féminin à l'hôtel Raffles de **Singapour** dans les années 1900. Il est généralement composé de **grenadine**, de **gin**, de **cherry brandy**, de **jus de citron** et de **soda**.

Singapour

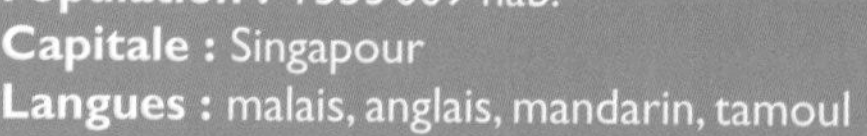

Nom officiel : république de Singapour
Superficie : 646 km²
Population : 4 553 009 hab.
Capitale : Singapour
Langues : malais, anglais, mandarin, tamoul
Principales religions : bouddhisme, islam, christianisme, hindouisme
Monnaie : dollar de Singapour (1$ CA = 1,27 dollars de Singapour)

◆ Le comptoir colonial de Singapour fut fondé par les Britanniques en 1819. Il devint indépendant en 1965.
◆ Les Chinois représentent plus des trois quarts de la population singapourienne. Les autres sont des Malais ou des Indiens.
◆ Les Singapouriens sont le deuxième peuple le plus riche d'Asie après les Japonais.
◆ Singapour signifie en sanskrit « la cité du lion ».

Indonésie et pays voisins

Indonésie

Nom officiel : république d'Indonésie
Superficie : 1 919 317 km^2
Population : 234 693 997 hab.
Capitale : Jakarta
Langues : indonésien, javanais et environ 530 langues locales
Principales religions : islam, christianisme, hindouisme, animisme (l'athéisme y est interdit)
Monnaie : roupie (1$ CA = 8 365 roupies)

- Avec plus de 17 000 îles, l'Indonésie est le plus grand archipel de la planète et le quatrième pays le plus peuplé du monde, après la Chine, l'Inde et les États-Unis.
- L'Indonésie est le pays qui compte le plus de musulmans au monde. Ils constituent 87 % de la population indonésienne.

Brunei

Nom officiel : sultanat de Brunei
Superficie : 5 765 km^2
Population : 374 577 hab.
Capitale : Bandar Seri Begawan
Langues : malais, anglais, mandarin
Principale religion : islam
Monnaie : dollar de Brunei (1$ CA = 1,29 dollars de Brunei)

Les vastes réserves de pétrole et de gaz naturel de Brunei lui assurent près de la moitié de son PIB.

Avec un secteur agricole marginal, Brunei est presque entièrement dépendant de ses importations alimentaires.

Les habitants de Brunei ne paient ni taxes ni impôts.

Le sultan de Brunei fait partie des hommes les plus riches du monde.

Le tsunami

Le tsunami du 26 décembre 2004 est l'une des **pires catastrophes naturelles** de l'histoire récente. Le **séisme** survenu au large de l'île indonésienne de **Sumatra** a entraîné un **gigantesque raz-de-marée** qui a dévasté une grande partie des côtes de **Sumatra**, de la **Thaïlande**, des îles **Andaman** et **Nicobar**, du **Sri Lanka** et de l'État du Tamil Nadu, en **Inde**. Le tsunami a fait plus de 160 000 victimes et près de 2 millions de sans-abri.

PETITE INFO

Les 17 000 îles d'Indonésie s'étendent sur une zone maritime de plus de **5 000 km** de long. Plus de la moitié de la population est concentrée à Java. Le reste vit essentiellement à Sumatra, Bornéo et Sulawesi.

Une histoire ancienne

L'existence de **Brunei** a été révélée pour la première fois au VIIe siècle : les **Chinois** et les **Arabes** parlaient alors d'un royaume à l'embouchure du fleuve portant le même nom. Le sultanat de **Brunei** a connu, entre le XVe et le XVIIe siècle, une période faste au cours de laquelle son influence s'étendait sur l'île de Bornéo et sur une grande partie des Philippines. Le souverain actuel serait un descendant du premier **sultan** converti à l'**islam** (1348).

Philippines

Nom officiel : république des Philippines
Superficie : 300 000 km^2
Population : 91 077 287 hab.
Capitale : Manille
Langues : philippin (tagal), anglais, environ 70 dialectes locaux
Principale religion : christianisme
Monnaie : peso (1$CA = 36,78 pesos)

- Colonie espagnole à partir de 1565, les Philippines ont été cédées aux États-Unis en 1898 avant d'acquérir leur indépendance en 1946.
- Les Philippines sont constituées d'environ 7 100 îles.
- Avec 73 millions de fidèles, les Philippines abritent la deuxième communauté catholique au monde, après celle du Brésil.
- Un tiers des 12 millions d'habitants de Manille vit dans des bidonvilles.

Timor-Oriental

Nom officiel : République démocratique du Timor-Oriental
Superficie : 15 007 km^2
Population : 1 084 971 hab.
Capitale : Dili
Langues : tétoum, portugais, indonésien, dialectes locaux
Principale religion : christianisme
Monnaie : dollar (1$ CA = 0,88 dollar)

- Le Timor-Oriental a acquis son indépendance en 2002.
- L'actuel président, José Ramos-Horta, a reçu le prix Nobel de la paix pour son action pendant l'occupation indonésienne.
- Le Timor affiche le quatrième taux de chômage le plus élevé du monde : là-bas, le fléau touche près d'un adulte sur deux.

Une manne financière

Les **transferts financiers** des 10 % de Philippins travaillant à l'étranger s'élèvent à environ 8 milliards de dollars par an. Pour honorer ses travailleurs émigrés, le gouvernement de Manille a fait de décembre le « **mois des travailleurs expatriés** ».

LE SAVIEZ-VOUS ?

Contrairement au reste de l'Indonésie, **Bali** est majoritairement **hindoue** depuis le IXe siècle. L'hindouisme balinais diffère de celui de l'Inde, car il incorpore certaines croyances traditionnelles de l'île.

Le prix de la liberté

La lutte pour l'indépendance du **Timor-Oriental** a coûté la vie à plus d'un **quart** de sa population. Après le retrait des **forces d'occupation** indonésiennes, l'île a connu un regain de violence de la part des **loyalistes** indonésiens, entraînant un déploiement de forces internationales de **maintien de la paix**.

Îles du Pacifique

Kiribati

Nom officiel : république de Kiribati
Superficie : 810 km²
Population : 107 817 hab.
Capitale : Tarawa
Langues : gilbertien (dialectes insulaires), anglais
Principale religion : christianisme
Monnaie : dollar australien (1$ CA = 1,02 dollar australien)

◆ Kiribati est composé de 33 atolls flottant dans un espace maritime de 3 500 000 km².
◆ Avant son indépendance, en 1979, Kiribati s'appelait les îles Gilbert.
◆ L'île Caroline fut baptisée île du Millénaire en 1999, car c'est la première à avoir vu le jour se lever sur le troisième millénaire.

Fidji

Nom officiel : république des Fidji
Superficie : 18 376 km²
Population : 918 675 hab.
Capitale : Suva
Langues : fidjien, anglais
Principales religions : christianisme, hindouisme, islam
Monnaie : dollar fidjien (1$ CA = 1,38 dollars fidjiens)

◆ La population fidjienne est divisée entre Fidjiens indigènes et Indiens de souche. Ils se mêlent très rarement, ce qui crée parfois des tensions politiques.
◆ Aux îles Fidji, ne pas voter est un crime passible de prison. Seuls les Chiliens et les Égyptiens sont soumis à la même loi.

Le rugby

Le rugby est un des sports les plus populaires dans le Pacifique. Les îles **Tonga**, **Samoa** et **Fidji** possèdent toutes des équipes nationales de **haut niveau**, au même titre que la Nouvelle-Zélande. Mais c'est surtout dans le **rugby à sept** qu'elles excellent. En 1997, les Fidji ont ainsi remporté la **coupe du monde** de cette discipline.

Micronésie

Nom officiel : États fédérés de Micronésie
Superficie : 702 km²
Population : 107 862 hab.
Capitale : Palikir (dans l'île de Pohnpei)
Plus grande ville : Kolonia
Langues : anglais, langues micronésiennes et polynésiennes
Principale religion : christianisme
Monnaie : US dollar (1$ CA = 0,81$ US)

◆ La Micronésie rassemble 607 îles et atolls couvrant un espace maritime de 2 500 000 km².
◆ En 2004, le typhon Sudel a dévasté l'île de Yap, réduisant en pièces l'essentiel de ses infrastructures.

Îles Marshall

Nom officiel : rép. des îles Marshall
Superficie : 181 km²
Population : 61 815 hab.
Capitale : Majuro
Langues : marshallais, anglais, japonais
Principale religion : christianisme
Monnaie : US dollar (1$ CA = 0,81$ US)

◆ Les îles Marshall sont devenues indépendantes en 1986. État librement associé aux États-Unis, elles n'ont cependant pas le contrôle de leur défense.
◆ Le peuple des îles Marshall est celui qui reçoit le plus d'aide économique au monde. Les États-Unis donnent à chacun de ses habitants pas moins de 17 721,38 $ par an.
◆ L'archipel comprend 32 îles et atolls principaux, dont Bikini (qui donna son nom au maillot de bain), Eniwetok et Kwajalein.

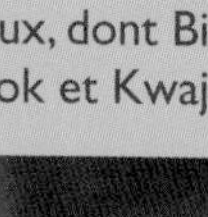

Palau

Nom officiel : république de Palau
Superficie : 458 km²
Population : 20 842 hab.
Capitale : Koror
Langues : anglais, dialectes locaux
Principales religions : christianisme, animisme
Monnaie : US dollar (1$ CA = 0,81$ US)

◆ En 1978, l'archipel de Palau a refusé de faire partie de la fédération de Micronésie pour devenir, en 1981, une république autonome associée aux États-Unis et membre de l'ONU.
◆ Il est constitué de 300 îles divisées en six groupes.
◆ Les relations avec les Américains se sont tendues lorsque ces derniers ont voulu introduire des armes nucléaires dans leur base militaire.

Nauru

Nom officiel : république de Nauru
Superficie : 21 km²
Population : 13 528 hab.
Capitale : pas de capitale officielle
Plus grande ville : Yaren
Langues : nauruan, anglais
Principale religion : christianisme
Monnaie : dollar australien (1$ CA = 1,02 dollar australien)

◆ Constituée d'une seule île baignant dans un territoire maritime de 12 miles nautiques, Nauru est la plus petite république du monde.
◆ L'île est exploitée pour ses phosphates ; la plus grande partie de son territoire est en friche. Nauru doit tout importer, à commencer par l'eau, qui vient d'Australie.

Papouasie-Nouvelle-Guinée

Nom officiel : Papouasie-Nouvelle-Guinée
Superficie : 462 840 km²
Population : 5 795 887 hab.
Capitale : Port Moresby
Langues : pidgin, motu, anglais, dialectes locaux
Principales religions : christianisme, animisme
Monnaie : kina (1$ CA = 2,68 kinas)

◆ La Papouasie-Nouvelle-Guinée est devenue indépendante de l'Australie en 1975.
◆ Elle possède plus de 700 langues vernaculaires. Seulement 1,5 % de sa population parle l'anglais, la langue officielle.

Tonga

Nom officiel : royaume des Tonga
Superficie : 748 km²
Population : 116 921 hab.
Capitale : Nuku'alofa
Langues : tonguien, anglais
Principale religion : christianisme
Monnaie : pa'anga (1$ CA = 1,66 pa'angas)

◆ Les Tonga, anciennement Îles des Amis (Friendly Islands), comprennent plus de 700 îles, dont seulement 36 sont habitées.
◆ Devenues indépendantes en 1970 après sept décennies de protectorat britannique, elles constituent la dernière monarchie polynésienne.
◆ Le tourisme représente leur principale source de revenus.

Samoa

Nom officiel : État indépendant des Samoa
Superficie : 2 831 km²
Population : 214 265 hab.
Capitale : Apia
Langues : samoan, anglais
Principale religion : christianisme
Monnaie : tala (1$ CA = 2,21 talas)

◆ Les Samoa, dont la majorité des habitants vit à Upolu, sont composées de neuf îles volcaniques.
◆ Les Samoans constituent la deuxième communauté de Polynésie après les Maoris. Ils sont très croyants. De nombreux villages ont ainsi instauré un bref couvre-feu le soir, pour permettre aux gens de prier chez eux.

Tuvalu

Nom officiel : Tuvalu
Superficie : 26 km²
Population : 11 992 hab.
Capitale : Fongafale (île de Funafuti)
Langues : tuvaluan, anglais
Principale religion : christianisme
Monnaie : dollar australien (1$ CA = 1,02 dollar australien)

◆ Avant son indépendance en 1978, Tuvalu s'appelait les îles Ellice.
◆ Les neuf îles qui la composent se situent toutes à moins de 4,50 m au-dessus du niveau de la mer. Avec le réchauffement climatique, elles risquent de disparaître sous les eaux.
◆ En 2000, Tuvalu a loué pour 50 millions de dollars son nom de domaine Internet (.tv) à une société californienne, pour une période de 12 ans.

Les Papous

La Papouasie-Nouvelle-Guinée est un pays très montagneux et couvert de **forêts**. Ses vallées bordées de pentes escarpées abritent un millier de **tribus**, dont la plupart ne comptent que quelques centaines de membres. Entretenant très **peu de contacts** les unes avec les autres ou avec le monde extérieur, elles ont pu conserver leurs **langues** et leurs **cultures**.

La France dans le Pacifique

La France possède des îles dans le Pacifique. Située à 1 500 km de l'Australie, la **Nouvelle-Calédonie** fait partie des collectivités d'outre-mer, comme la **Polynésie française**, les îles **Loyauté** (au sud de Vanuatu) et **Wallis-et-Futuna** (entre les Fidji et Tuvalu).

Vanuatu

Nom officiel : république de Vanuatu
Superficie : 12 190 km²
Population : 211 971 hab.
Capitale : Port-Vila
Langues : bichelamar (créole), anglais, français
Principale religion : christianisme
Monnaie : vatu (1$ CA = 84,49 vatus)

◆ La république de Vanuatu, autrefois appelée les Nouvelles-Hébrides, est devenue indépendante de la Grande-Bretagne et de la France en 1980.
◆ Elle est composée de 83 îles, dont plusieurs abritent des volcans en activité.
◆ Vanuatu signifie « sur notre terre pour toujours » en bichelamar.

Îles Salomon

Nom officiel : îles Salomon
Superficie : 27 556 km²
Population : 566 842 hab.
Capitale : Honiara (île de Guadalcanal)
Langues : mélanésien, anglais, papou, dialectes mélanésiens
Principale religion : christianisme
Monnaie : dollar des îles Salomon (1$ CA = 6,52 dollars des îles Salomon)

◆ Le pays est constitué de plusieurs grandes îles volcaniques.
◆ En 2003, l'intervention à Guadalcanal d'une force de maintien de la paix menée par les Australiens a permis de mettre fin à des violences tribales qui duraient depuis cinq ans.

Australie et Nouvelle-Zélande

Australie

Nom officiel : Australie
Superficie : 7 686 850 km²
Population : 20 434 176 hab.
Capitale : Canberra
Plus grande ville : Sydney
Langues : anglais et environ 200 langues aborigènes
Principale religion : christianisme
Monnaie : dollar australien (1$ CA = 1,02 dollar australien)

Nouvelle-Zélande

Nom officiel : Nouvelle-Zélande
Superficie : 270 534 km²
Population : 4 115 771 hab.
Capitale : Wellington
Plus grande ville : Auckland
Langues : anglais et maori
Principale religion : christianisme
Monnaie : dollar néo-zélandais ($ CA = 1,17 dollar néo-zélandais)

Australiens célèbres

- **Rupert Murdoch** (né en 1931) Magnat de la presse, originaire de Melbourne.
- **Thomas Keneally** (né en 1935) Romancier. *La Liste de Schindler*, film aux sept oscars, fut inspiré d'un de ses romans.
- **Germaine Greer** (née en 1939) Féministe, auteur de *la Femme eunuque* (1970).
- **Geoffrey Rush** (né en 1951) Acteur.
- **Mel Gibson** (né en 1956) Acteur et réalisateur.
- **Nicole Kidman** (née en 1967) Actrice.
- **Kylie Minogue** (née en 1968) Actrice de la série télévisée *Neighbours* et chanteuse.
- **Cate Blanchett** (née en 1969) Actrice.
- **Lleyton Hewitt** (né en 1981) Joueur de tennis. Vainqueur de l'open des États-Unis (2001) et de Wimbledon (2002).

Les États australiens

État	Capitale
Territ. de la capitale australienne	Canberra
Nouvelle-Galles du Sud	Sydney
Victoria	Melbourne
Queensland	Brisbane
Australie-Méridionale	Adélaïde
Australie-Occidentale	Perth
Tasmanie	Hobart
Territ. du Nord	Darwin

Premiers habitants

L'Australie et la Nouvelle-Zélande étaient déjà habitées avant l'arrivée des Européens. La présence des **Aborigènes** en Australie remonterait à 50 000 ans. Venus de Polynésie, les **Maoris**, eux, auraient débarqué en Nouvelle-Zélande entre le IXᵉ et la fin du XIIIᵉ siècle. Les Aborigènes d'Australie ont pourtant dû patienter jusqu'en 1967 pour obtenir le droit de vote, soit un siècle après leurs voisins maoris, dont on enseigne toujours la langue et la culture dans la plupart des écoles.

LE SAVIEZ-VOUS ?

Chaque année, une nuée de touristes converge vers **Queenstown**, la « capitale mondiale de l'aventure », située en Nouvelle-Zélande, pour y pratiquer des sports extrêmes : saut à l'élastique, parachutisme, héliski…

Sydney

Beaucoup de gens croient que **Sydney** est la capitale de l'Australie. Avec plus de 4 millions d'habitants, incluant d'importantes communautés ethniques, c'est en effet la ville la plus grande et la plus cosmopolite du pays. Sydney est célèbre pour son **Opéra** et pour son **pont suspendu** (Harbour Bridge), mais aussi pour ses nombreux **festivals** communautaires.

Néo-Zélandais célèbres

- **Sir Edmund Hillary** (1919-2008) Originaire d'Auckland, il fut le premier à atteindre le sommet de l'Everest, en 1953.
- **Colleen Mac Cullough** (née en 1937) Romancière de mère néo-zélandaise, auteur du best-seller *Les oiseaux se cachent pour mourir* (1983).
- **Sir Peter Blake** (1948-2001) Il a remporté, entre autres, la prestigieuse coupe de l'America, ce qui lui a valu l'anoblissement par la reine d'Angleterre. Il fut assassiné par des pirates en 2001.
- **Peter Jackson** (né en 1961) Réalisateur de la trilogie du *Seigneur des anneaux* et du remake de *King Kong*.
- **Russell Crowe** (né en 1964) Acteur originaire de Wellington.

Tourisme

Voici dix des sites les plus visités en Australie et en Nouvelle-Zélande.

- **La plage de Bondi** Sydney, Australie.
- **L'île Christmas** Territoire australien situé dans l'océan Indien.
- **Le parc national de Fiordland** Île du Sud, Nouvelle-Zélande.
- **La Grande Barrière de corail** Au large des côtes du Queensland.
- **Hobart** Capitale de la Tasmanie.
- **Le parc national de Kakadu** Vaste étendue sauvage dans le Territoire du Nord, en Australie.
- **Les Alpes du Sud** Dans l'île du Sud, en Nouvelle-Zélande.
- **Sydney Harbour Bridge** Le plus grand pont suspendu en acier du monde.
- **L'Opéra de Sydney** Inauguré en 1973, il attire chaque année 2 millions de spectateurs.
- **Uluru** Territoire du Nord. Appelée aussi Ayers Rock, c'est la montagne sacrée des Aborigènes.

Les groupes de pression

La plupart des groupes de pression étaient au départ des associations locales ou nationales nées dans les années 1960-1970. Les groupes de pression s'intéressent avant tout aux problèmes liés à l'environnement et aux droits de l'homme. Mais certains défendent d'autres causes, comme l'élimination des mines antipersonnel. Jusqu'aux années 1990, les groupes de pression utilisaient le courrier postal dans leurs campagnes d'information ; aujourd'hui, ils utilisent Internet et envoient des e-mails ciblés.

Amnesty International

Amnesty International est née de l'engagement d'un homme. En 1961, l'avocat britannique **Peter Benenson** écrit pour un journal anglais un article sur les conditions intolérables dans lesquelles deux étudiants portugais ont été emprisonnés pour avoir porté un toast au nom de la liberté. Cet article sera repris par de nombreux autres journaux dans le monde entier. Aujourd'hui, **Amnesty International** est une association qui œuvre en faveur de la libération des « **prisonniers de conscience** » et du respect des droits de l'homme. Elle a obtenu le **prix Nobel de la paix** en 1977.

Survival

Survival est une association basée à Londres qui défend les **droits des peuples indigènes** dans le monde. Fondée en 1969, elle a aujourd'hui des sympathisants et des employés dans 82 pays. Outre ses campagnes contre les gouvernements, les banques, les entreprises et les armées de guérilla qui cherchent à faire taire les peuples indigènes à leur seul profit, Survival s'efforce également d'**informer** le monde développé sur les **menaces** qui pèsent sur ces peuples. L'association a été à la pointe du combat pour la protection des terres des **Yanomamis** de la forêt amazonienne contre les industries minières et les promoteurs immobiliers.

Contre le nucléaire

Ces derniers temps, la campagne pour le **désarmement** nucléaire s'essouffle. Mais les quelque 2 000 organisations impliquées dans cette bataille forment un réseau international toujours actif, **Abolition 2000**. L'objectif principal de ce réseau est la mise en place d'une convention internationale pour empêcher la **prolifération** des armes nucléaires.

Greenpeace

Créée en 1971 par des militants américains et canadiens, Greenpeace dispose de bureaux dans **41 pays différents**, et ses actions sont soutenues par des millions de **sympathisants**. Son siège social se trouve à Amsterdam. Greenpeace cherche avant tout à attirer l'attention du public sur les **problèmes environnementaux** à travers des campagnes de protestation. Son premier succès fut, en 1972, d'obliger le gouvernement américain à stopper ses essais nucléaires en Alaska. Depuis, elle en a obtenu d'autres, dont la mise en place d'un moratoire sur la pêche à la baleine.

WWF

Fondé en 1961 par sir Julian Huxley et sir Peter Scott, le **World Wildlife Fund (WWF)** fut la première véritable association internationale de **protection** de la **nature**. Il compte aujourd'hui plus de 5 millions d'adhérents et des bureaux dans plus de 30 pays. Le WWF travaille activement à la protection des **espèces menacées** et de leur **habitat**, en finançant les scientifiques et les équipes impliquées dans ce combat. Il tente également de trouver des solutions lorsque le développement devient une menace pour l'environnement naturel. Le WWF travaille en coopération avec les habitants des zones qu'il cherche à protéger.

PETITE INFO

La Confédération paysanne, née en 1987 et célèbre pour son combat contre les OGM, est dirigée par le très médiatique **José Bové**. Ce dernier a été condamné pour avoir démonté le McDonald's de Millau.

LE SAVIEZ-VOUS ?

En 2000, Bill et Melinda Gates ont créé une **fondation** visant à développer des programmes de santé et d'éducation dans le monde. Pour la lancer, Bill Gates a fait un premier don de **5 milliards de dollars**.

Oxfam

Oxfam est un des plus importants ONG (organisme non gouvernemental) et a été créé en 1942 pour venir en aide aux victimes de famine en Grèce.

QUIZ 201

Pot-pourri

Dix questions sur des sujets divers et variés.

1994 Quelle est la plus grande île du monde ?

1995 Quel pays du Maghreb a pour voisins la Libye et le Maroc ?

1996 Quel est le deuxième plus grand pays d'Amérique latine ?

1997 Comment appelle-t-on la Lituanie, l'Estonie et la Lettonie ?

1998 Dans quelle ville polonaise fut signé un pacte de défense en 1955 ?

1999 Quel pays d'Europe a pour voisins l'Allemagne et la Hongrie ?

2000 Comment appelle-t-on la péninsule située entre la mer Rouge et le golfe Persique ?

2001 Quelle est la ville la plus australe du monde ?

2002 Quel État des États-Unis se situe en partie dans le cercle polaire arctique ?

2003 Quelle est la nationalité d'un habitant de Bassora ?

QUIZ 202

Anagrammes

Un indice et des lettres. À vous de faire le puzzle.

2004 SFM Organisation non gouvernementale qui vient en aide aux victimes.

2005 POINTUE Président russe.

2006 ALPEN Pays frontalier de l'Inde.

2007 HADLATINE Pays du Sud-Est asiatique.

2008 AMOURIN Langue parlée à Bucarest.

2009 IGLOOMEN Pays voisin de la Chine et de la Russie.

2010 SAPY-SAB Pays de la tulipe et du vélo.

2011 MYSTANE Organisation non gouvernementale luttant pour les droits de l'homme.

2012 VALESDIM Archipel de l'océan Indien.

2013 TIME VAN Pays du Sud-Est asiatique.

QUIZ 203

Pot-pourri

Dix questions sur des sujets divers et variés.

2014 Quel pays du Sud-Est asiatique a obtenu son indépendance en mai 2002 ?

2015 À quel pays appartient la Basse-Californie ?

2016 Quel pays avait pour monnaie le florin avant la mise en circulation de l'euro ?

2017 Dans quel pays se trouve La Mecque ?

2018 Quel pays d'Amérique latine appartient à l'Opep ?

2019 Que signifie moudjahidin ?

2020 Quel pays africain fut créé par des esclaves affranchis ?

2021 Dans quel pays se trouve l'ancienne ville de Babylone ?

2022 De quel pays dépend le Groenland ?

2023 Quelle principauté a pour voisines la Suisse et l'Autriche ?

QUIZ 204

Musique !

Des questions pour nos amis mélomanes.

2024 Dans quelle ville américaine le jazz est-il né ?

2025 Quelle ville est célébrée dans une chanson de Frank Sinatra ?

2026 Quel pays d'Asie sert de cadre à l'intrigue du célèbre opéra de Giacomo Puccini *Madame Butterfly* ?

2027 Quel chanteur blanc a symbolisé la lutte contre l'apartheid dans les années 1980 ?

2028 De quel pays Charles Aznavour est-il originaire ?

2029 Quelle est la nationalité de Björk ?

2030 De quel pays Julio Iglesias est-il originaire ?

2031 Qui a composé la chanson *Frédéric* en 1962 ?

2032 Quel pays d'Amérique latine Madonna célèbre-t-elle dans une chanson récente ?

2033 Quelle ville du Sud-Est asiatique Murray Head célèbre-t-il dans une de ses chansons ?

QUIZ 205

Mondes perdus

Les civilisations ne sont pas immortelles.

2034 Dans quel pays Machu Picchu se trouve-t-elle ?

2035 Sur quelle île le temple de Borobudur se trouve-t-il ?

2036 Dans quel pays les vestiges de la ville de Troie se trouvent-ils ?

2037 Dans quel pays les ruines mayas de Chichén Itzá se trouvent-elles ?

2038 À côté de quelle capitale du Maghreb Carthage se trouve-t-elle ?

2039 Dans quel pays d'Asie du Sud-Est le temple d'Angkor se trouve-t-il ?

2040 Dans quelle ville peut-on admirer le Parthénon ?

2041 Dans quel pays peut-on découvrir Antakya, autrefois appelée Antioche ?

2042 Dans quel pays se trouve la cité antique de Tikal ?

2043 Quelle île les Romains appelaient-ils Hibernia ?

QUIZ 206

Cette année-là

La mémoire des dates est un don du ciel...

2044 En quelle année la Grande-Bretagne a-t-elle rendu Hongkong à la Chine ?

2045 En quelle année le mur de Berlin s'est-il effondré ?

2046 En quelle année les États-Unis ont-ils obtenu leur indépendance ?

2047 En quelle année l'Alberta s'est jointe au Canada ?

2048 Au cours de quelle décennie du XIXe siècle Singapour a-t-elle été créée ?

2049 En quelle année l'Inde est-elle devenue indépendante ?

2050 En quelle année l'empereur du Japon a-t-il renoncé à son ascendance divine ?

2051 En quelle année l'État d'Israël a-t-il été créé ?

2052 En quelle année l'Australie a-t-elle accueilli les Jeux Olympiques pour la première fois ?

2053 En quelle année fut-il mis fin à l'apartheid en Afrique du Sud ?

QUIZ 207

Avions, trains et voitures

Des quatre réponses proposées, une seule est bonne.

2054 Comment s'appelle la plus connue des compagnies aériennes russes ?
- A Aeroflot
- B Aeroflit
- C Aeroflap
- D Aeroflop

2055 Dans quelle ville fut construit le premier métro du monde ?
- A New York
- B Londres
- C Hongkong
- D Moscou

2056 Quel est le nom du train à grand vitesse espagnol ?
- A La Flecha
- B El Veloz
- C El Rápido
- D El AVE

2057 La plus longue autoroute des Amériques part de l'Alaska. Où s'arrête-t-elle ?
- A Au Canada
- B Au Mexique
- C Au Guatemala
- D Au Chili

2058 Franz-Joseph-Bahnhof est une gare de chemin de fer. Où se trouve-t-elle ?
- A À Berlin
- B À Zurich
- C À Vienne
- D À Hambourg

2059 Dans quel pays la voiture la plus vendue au monde fut-elle conçue ?
A En Allemagne
B Aux États-Unis
C En Italie
D Au Japon

2060 Quelle compagnie aérienne a CA pour code d'identification ?
A Colombian Airways
B Chile Airways
C Air Canada
D Air China

2061 Comment s'appelle la principale compagnie aérienne australienne ?
A Kangaroo Airlines
B Air Kiwi
C Quantas
D Koala Sky

2062 Dans quelle ville le Sky Train transporte-t-il ses passagers ?
A Seattle
B Vancouver
C Melbourne
D Auckland

2063 Votre avion vient d'atterrir à l'aéroport de Changi. Où êtes-vous ?
A À Singapour
B À Hongkong
C En Thaïlande
D En Indonésie

QUIZ 208

Ça commence par...

L'initiale est donnée, à vous de trouver la suite !

2064 Quel continent commençant par la lettre A n'a aucun résident permanent ?

2065 La nationalité de Jacques Brel commence par la lettre B. Quelle est-elle ?

2066 Quel célèbre amphithéâtre romain commence par la lettre C ?

2067 Quel horrible personnage commençant par un D sévit en Roumanie ?

2068 Dans quel pays commençant par la lettre E peut-on visiter des pyramides ?

2069 Quelle danse commençant par la lettre F est originaire d'Espagne ?

2070 Dans quelle ville européenne commençant par la lettre G la Croix-Rouge fut-elle créée ?

2071 Quelle ville commençant par la lettre H a été rendue célèbre par un joueur de flûte ?

2072 Quelle religion commençant par la lettre I est majoritaire en Irak ?

2073 De quelle nationalité, commençant par la lettre J, était Bob Marley ?

QUIZ 209

Au fil de l'eau

Connaissez-vous les fleuves du monde ?

2074 Quel est le plus long fleuve du monde ?

2075 Par quel fleuve Rome est-elle traversée ?

2076 Dans quel pays la Lena coule-t-elle ?

2077 Quel est le plus long fleuve français ?

2078 Quel fleuve prend sa source en Allemagne pour se jeter dans la mer Noire ?

2079 Lequel de ces deux fleuves est le plus long : le Mississippi ou le Missouri ?

2080 Quel fleuve traverse la ville de Bagdad ?

2081 Quel fleuve tire son nom du mot celtique *renos*, qui signifie couler ?

2082 Quel est l'autre nom du fleuve Congo ?

2083 Quel est le deuxième plus long fleuve du monde ?

QUIZ 210

P ou Q ?

L'initiale est donnée, à vous de trouver la suite !

2084 Quel pays a donné son nom à un chapeau et à un canal ?

2085 Quelle île des Caraïbes commençant par la lettre P a pour capitale San Juan ?

2086 Quel État d'Australie commence par la lettre Q ?

2087 Quel pays musulman est un voisin de l'Inde ?

2088 Quelle est la capitale de l'Équateur ?

2089 Quelle est la monnaie du Mexique ?

2090 Quel est le voisin de l'Arabie saoudite dont le nom commence par un Q ?

2091 Quelle est la capitale de la Corée du Nord ?

2092 Quel est le pays voisin de l'Australie dont le nom composé commence par la lettre P ?

QUIZ 211

Cuisines du monde

Saurez-vous localiser toutes ces spécialités culinaires ?

2093 De quel pays viennent le carpaccio et l'osso-buco ?

2094 De quel pays les moules-frites sont-elles la spécialité ?

2095 Quel est le pays d'origine du *döner kebab* ?

2096 Dans quel pays emballe-t-on les repas dans des boîtes appelées *bento* ?

2097 De quel pays vient le guacamole ?

2098 Dans quel pays mange-t-on au petit déjeuner des rouleaux de riz cuits à la vapeur appelés *banh cuon* ?

2099 Du sud de quel pays le *masala dosa*, plat végétarien, est-il originaire ?

2100 Dans quel pays se régale-t-on de *tapas* ?

2101 Dans quel pays, adepte du pain noir, a-t-on le choix entre 300 variétés de pain ?

2102 Quel pays du Sud-Est asiatique est le spécialiste du *gado gado* ?

QUIZ 212

Combien ?

Saurez-vous donner les bons chiffres ?

2103 Avec combien de pays le Mexique partage-t-il ses frontières ?

2104 À 10 000 habitants près, combien de personnes vivent à Ushuaia ?

2105 Combien de pays sont nés du démantèlement de l'ex-Yougoslavie ?

2106 Combien d'étoiles le drapeau syrien comporte-t-il ?

2107 Combien d'années Boris Eltsine est-il resté président ?

2108 Combien de drapeaux de provinces canadiennes sont ornés d'un animal ?

2109 Combien de pays ont adhéré à l'Union européenne en 2004 ?

2110 Combien y a-t-il de cents dans un shilling au Kenya ?

2111 Combien y a-t-il de pays enclavés en Amérique du Sud ?

2112 Combien y a-t-il de pays de la péninsule Arabique dont le nom commence par la lettre O ?

QUIZ 213

Retour aux sources

Qu'évoquent pour vous ces noms de la géographie ?

2113 Quel pays tire son nom de celui qui découvrit l'Amérique ?

2114 Quel pays d'Amérique centrale a un nom qui signifie « côte riche » ?

2115 Quel pays appelait-on autrefois la Rhodésie du Nord ?

2116 Quelle île-État de la Méditerranée tient son nom du mot cuivre en grec ?

2117 Quel est le pays dont l'anagramme est le nom de la capitale du Pérou ?

2118 Quel pays d'Amérique centrale s'appelait Honduras britannique jusqu'en 1973 ?

2119 Quel fleuve d'Afrique a des affluents noir, blanc et rouge ?

2120 Quel pays du Moyen-Orient tire son nom d'un fleuve qui forme une partie de sa frontière ?

2121 Quelle capitale asiatique est l'anagramme de l'ancienne capitale du même pays ?

2122 Quel pays d'Asie tire son nom d'un roi espagnol du XVIe siècle ?

QUIZ 214

Sports du monde

Des quatre réponses proposées, une seule est bonne.

2123 Quel est le pays dont l'équipe de rugby est connue sous le nom de Springboks ?
- A L'Angleterre
- B L'Écosse
- C L'Afrique du Sud
- D Le Canada

2124 Quelle est la nationalité du footballeur Roberto Carlos ?
- A Espagnole
- B Brésilienne
- C Fidjienne
- D Suisse

2125 Où le joueur de tennis Bjorn Borg est-il né ?
- A Au Danemark
- B En Finlande
- C En Islande
- D En Suède

2126 Quelle est la nationalité du joueur de tennis Leander Paes ?
- A Australienne
- B Indienne
- C Pakistanaise
- D Sri Lankaise

2127 Dans quel pays le pilote automobile Mika Hakkinen est-il né ?
- A En Finlande
- B En Islande
- C En Suède
- D En Norvège

2128 Pour quel pays le boxeur Lennox Lewis a-t-il combattu aux Jeux Olympiques de 1984 ?
- A Le Canada
- B Les États-Unis
- C La Jamaïque
- D Le Viêt Nam

2129 Quel pays a été champion olympique de basket en 2004 ?
- A Les États-Unis
- B L'Argentine
- C Le Canada
- D La Russie

2130 Quel pays a remporté le plus de titres lors de la coupe du monde de rugby à sept ?
- A Les Fidji
- B L'Australie
- C L'Angleterre
- D La France

2131 Quelle est la nationalité de l'haltérophile Hossein Rezazadeh ?
- A Afghane
- B Égyptienne
- C Irakienne
- D Iranienne

2132 Quel pays a remporté la coupe du monde de football en 1986 ?
- A L'Argentine
- B L'Uruguay
- C Le Mexique
- D Le Brésil

QUIZ 215

À une consonne près

Un indice et les voyelles pour reconstituer le mot.

2133 _O_A_I_A Pays d'Amérique centrale.

2134 __U_E__E_ Capitale de la Belgique.

2135 _E_ _A__IE__E La plus grande mer intérieure du monde.

2136 _U_E__OU__ Petit pays voisin de l'Allemagne et de la France.

2137 A_A_IE _AOU_I_E Premier producteur mondial de pétrole.

2138 _I_A_ Pays du Moyen-Orient avec un arbre sur son drapeau.

2139 _A_A_A__A_ Île au large de l'Afrique.

2140 _OU_A_IE Bucarest en est la capitale.

2141 _E__U Premier Premier ministre de l'Inde indépendante.

2142 _I_I__OU_ Grande banque américaine en difficulté en 2009.

QUIZ 216

Tous azimuts

Connaissez-vous votre mappemonde ?

2143 Lequel de ces deux pays est le plus au nord : le Kenya ou le Mali ?

2144 Lequel est le plus proche de l'équateur : la Colombie ou l'Uruguay ?

2145 Lequel est le plus à l'est : le Mozambique ou la Somalie ?

2146 Où le soleil se couche-t-il en premier : à Porto Rico ou à Cuba ?

2147 Les îles Tonga sont-elles au nord ou au sud de l'équateur ?

2148 Où le soleil se lève-t-il en premier : en Zambie ou au Cameroun ?

2149 Quel est le plus méridional des continents ?

2150 Quel pays se situe le plus à l'est : l'Iran ou l'Irak ?

2151 Par quel tropique l'Égypte est-elle traversée : le tropique du Cancer ou le tropique du Capricorne ?

2152 Quel est le pays le plus méridional de la péninsule Arabique ?

QUIZ 217

Examen de conduite

Dix questions à propos de voitures et de pilotes.

2153 Quelle est la nationalité du champion de formule 1 Michael Schumacher ?

2154 Dans quel pays est né le constructeur automobile Skoda ?

2155 Quel pays asiatique possède le deuxième plus vaste réseau routier du monde ?

2156 Dans quel pays peut-on assister au grand prix de formule 1 de Sepang ?

2157 De quelle nationalité était le pilote Ayrton Senna ?

2158 Quel pays peut s'enorgueillir d'être la patrie de Ferrari et de Lamborghini ?

2159 De quel côté de la route les Hongrois roulent-ils ?

2160 Dans quel pays se trouve la ligne d'arrivée du rallye Dakar ?

2161 Allemagne et Suisse mises à part, où peut-on rouler sur une *Autobahn* ?

2162 De quel pays asiatique les voitures Daewoo viennent-elles ?

QUIZ 218

Pot-pourri

Dix questions sur des sujets divers et variés.

2163 Dans quel pays peut-on visiter le parc national de Yankari ?

2164 Quelle est la religion la plus pratiquée sur l'île Maurice ?

2165 Quel est le sport national des îles Fidji ?

2166 Quelle était la nationalité d'Alfred Nobel, l'inventeur de la dynamite ?

2167 Dans quel pays est enclavé le royaume du Mustang ?

2168 De quel pays Maputo est-elle la capitale ?

2169 Dans quelle capitale d'Asie se trouvent les tours Petronas ?

2170 De quel grand archipel d'Asie du Sud-Est Luçon et Mindanao sont-elles les principales îles ?

2171 De quel côté du Danube se trouvait la ville de Buda ?

2172 Dans quel pays des manifestations pacifiques ont-elles forcé le président Chevarnadzé à démissionner ?

QUIZ 219

« Quizine » internationale

Un tour du monde de la gastronomie en dix questions.

2173 Quel est le nom du plat traditionnel coréen à base de chou ?

2174 De quel pays le *biltong* est-il une spécialité ?

2175 Au Japon, comment appelle-t-on les boulettes de riz couronnées de lamelles de poisson cru et enroulées dans une feuille d'algue ?

2176 De quel pays les *nachos*, bouchées à base de chips de maïs, sont-ils une spécialité ?

2177 Quel est le nom du pot-au-feu russe à base de chou et de betterave ?

2178 Qu'est-ce que le *gravlax* suédois ?

2179 Quel est le nom écossais de la panse de brebis farcie ?

2180 En cuisine chinoise, que sont les *dim sum* ?

2181 Dans quel État des Antilles peut-on consommer un plat à base d'*ackee* et de poisson séché ?

2182 Quelle épice rare donne-t-elle sa belle couleur jaune au riz de la paella ?

QUIZ 220

Mots manquants
Trouvez le mot qui correspond aux trois locutions.

2183 _____ d'Amérique, été_____, océan _____.

2184 Cercle _____, ours _____, étoile _____.

2185 Encre de _____, porcelaine de _____, mer de _____.

2186 Salade _____, poupée _____, roulette _____.

2187 Alphabet _____, sandwich _____, profil _____.

2188 Nouvelle-_____, _____ équatoriale, golfe de _____.

2189 Croix de _____, fièvre de _____, ordre de _____.

2190 Sauce _____, péniche _____, vache _____.

2191 Clef _____, crème _____, filer à l'_____.

2192 Couteau _____, petit-_____, garde _____.

QUIZ 221

Vrai ou faux ?
Une affirmation est-elle toujours une vérité ?

2193 La Mauritanie est un archipel de l'océan Indien.

2194 Des îles ont été créées de toutes pièces au large de Dubaï.

2195 Djibouti est la capitale de l'Érythrée.

2196 L'Autriche est un pays neutre.

2197 La Slovénie est une région du nord de la Russie.

2198 Au Kazakhstan, on utilise des aigles pour chasser le gibier.

2199 Le français est la langue officielle du Congo.

2200 Les îles Fidji sont plus à l'ouest que les Philippines.

2201 La Russie est membre de l'Organisation mondiale du commerce depuis 2005.

2202 São Tomé et Príncipe se trouvent dans les Caraïbes.

QUIZ 222

Anagrammes
Un indice et des lettres. À vous de faire le puzzle.

2203 VOILEBI Pays d'Amérique latine.

2204 DELINAS Île de l'Atlantique.

2205 QUEGILEB Devenue indépendante en 1830.

2206 MOUNRACE Vainqueur de la coupe d'Afrique des nations en 2002.

2207 LAMEGLANE Était divisée jusqu'en 1990.

2208 REGALIE Pays africain.

2209 TRANGENIE Le huitième plus grand pays du monde.

2210 GRANDEE Les États-Unis ont envahi cette île des Caraïbes en 1983.

2211 SERIAL Pays créé après la Seconde Guerre mondiale.

2212 IRONICSEME Archipel du Pacifique composé de 607 petites îles.

QUIZ 223

Pot-pourri
Dix questions sur des sujets divers et variés.

2213 De quel pays du Moyen-Orient Damas est-elle la capitale ?

2214 Dans quel pays européen se trouvent les villes les plus septentrionales du monde ?

2215 Comment s'appelle l'hôtel où fut inventé le cocktail Singapore Sling ?

2216 Quelle princesse s'est engagée dans la campagne contre les mines antipersonnel ?

2217 Dans quelle ville Franz Kafka est-il né ?

2218 Quel type de commerce permet de rétribuer correctement les paysans des pays pauvres ?

2219 Durant quelle décennie du XIXe siècle la Croix-Rouge a-t-elle été créée ?

2220 Dans quel pays le delta du Niger se trouve-t-il ?

2221 Quel pays conquit le Honduras en 1539 ?

2222 De quel pays africain Kigali est-elle la capitale ?

QUIZ 224

Îles du monde
Testez vos connaissances insulaires.

2223 À quel pays appartiennent les îles de Shikoku et de Kyushu ?

2224 À quel archipel appartiennent Jersey et Guernesey ?

2225 Avec quel autre pays Haïti partage-t-il l'île d'Hispaniola ?

2226 À quel pays les îles des Cyclades appartiennent-elles ?

2227 Sur quelle île peut-on observer l'Etna ?

2228 À quel pays les îles Andaman appartiennent-elles ?

2229 Sa capitale se trouve sur l'île de Java. Quel est ce pays ?

2230 De quel pays Auckland est-elle la ville principale ?

2231 De quel célèbre archipel les îles Isabela, San Salvador et San Cristóbal font-elles partie ?

2232 Quel pays a pour capitale Phnom Penh ?

QUIZ 225

Empires et colonies
Sur certains empires, le Soleil ne se couchait jamais.

2233 Quel royaume gouverna la Guyana jusqu'à son indépendance ?

2234 En quelle année le Portugal a-t-il rendu Macao à la Chine ?

2235 De quel pays les Philippines ont-elles obtenu leur indépendance en 1946 ?

2236 Quel pays colonisé par l'Allemagne appelait-on autrefois le Sud-Ouest africain ?

2237 Quelle ancienne colonie portugaise est devenue un État indien ?

2238 Quels pays formaient autrefois l'Indochine française ?

2239 De quel pays le Kalimantan est-il une province ?

2240 Quel sultanat est devenu indépendant de la Grande-Bretagne en 1984 ?

2241 Quel État des Antilles a été gouverné par les États-Unis de 1899 à 1902 ?

2242 Quel pays d'Afrique porte le nom d'un ancien royaume de l'actuel Nigeria ?

QUIZ 226

Questions tribales
Des quatre réponses proposées, une seule est bonne.

2243 Dans quel pays vit la majorité du peuple yanomami ?
- A En Indonésie
- B Au Mali
- C Au Soudan
- D Au Brésil

2244 Quel pays la plupart des Maoris considèrent-ils comme leur patrie ?
- A Le Canada
- B L'Afrique du Sud
- C La Nouvelle-Zélande
- D La Chine

2245 Sur quel continent les Pygmées vivent-ils ?
- A L'Afrique
- B L'Asie
- C L'Amérique latine
- D L'Océanie

2246 Laquelle de ces associations défend les droits des tribus opprimées ?
- A Médecins sans frontières
- B Survival
- C Amnesty International
- D La Fondation de France

2247 Sur les rives de quel fleuve vivent les Ogonis ?
- A Du Mékong
- B De l'Amazone
- C Du Niger
- D Du Mississippi

2248 Dans quel pays se trouve la forêt de Mau, où vivent les Ogieks ?
- A Au Kenya
- B En Libye
- C Au Yémen
- D En Iran

2249 Dans quel désert peut-on rencontrer des Touaregs ?
- A Le désert de Gobi
- B Le désert du Namib
- C Le désert du Sahara
- D Le désert d'Atacama

2250 Dans quelle région d'Afrique vivent la plupart des Hutus et des Tutsis ?
- A Dans le Sud
- B Au centre
- C Dans l'Ouest
- D À Madagascar

2251 Outre la Namibie, dans quel autre pays les Himbas vivent-ils ?
- A En Angola
- B En Somalie
- C En Mauritanie
- D Au Gabon

2252 Quel pays abrite les Mursis, les Bodis et les Konsos ?
- A Le Maroc
- B L'Éthiopie
- C L'Argentine
- D Le Viêt Nam

QUIZ 227

Ça commence par...
... la première lettre de l'alphabet.

2253 Quel pays d'Afrique commence et se termine par la lettre A ?

2254 Quel est le plus long fleuve d'Amérique latine ?

2255 Quelle est la plus grande ville des Pays-Bas ?

2256 Comment s'appelle la plus célèbre association de défense des droits de l'homme ?

2257 De quel pays d'Asie centrale Kaboul est-elle la capitale ?

2258 Quelle région du sud du Portugal est connue pour ses plages ?

2259 Qui était le leader politique des Palestiniens jusqu'en 2004 ?

2260 Quelle est la plus grande chaîne de montagnes européenne ?

2261 Comment s'appellent les indigènes d'Australie ?

2262 Quelle est la capitale de la Grèce ?

QUIZ 228

Vrai ou faux ?
Une affirmation est-elle toujours une vérité ?

2263 Ankara est la capitale de la Turquie.

2264 Le xérès est une liqueur fabriquée au Portugal.

2265 Le Liechtenstein doit son nom à la famille qui le dirige.

2266 Les Fidji font partie de la Micronésie.

2267 Le gouvernement du Tibet en exil est basé en Inde.

2268 Le Ghana est un pays d'Amérique latine.

2269 La capitale de la Mongolie s'appelle Shangri-La.

2270 Les Américains ont été les premiers à envoyer une sonde spatiale sur la Lune.

2271 La République dominicaine est un pays des Caraïbes.

2272 La Tunisie est un voisin du Maroc et de la Libye.

QUIZ 229

À l'écran
Dix questions sur les stars et les grands classiques.

2273 Quel célèbre film des années 1940 met en scène Humphrey Bogart et Ingrid Bergman ?

2274 Qui joue Antoine dans le film *Mon oncle Antoine* de Claude Jutras ?

2275 Quel pays Yul Brynner dirigeait-il dans *le Roi et moi*, film musical sorti en 1956 ?

2276 Dans quel ghetto se situe l'action du film *le Pianiste* (2002) ?

2277 Dans quel film Tom Cruise joue-t-il un vétéran de la guerre civile à qui on demande de former un groupe de soldats japonais ?

2278 Quel péplum de Sergio Leone se passe sur une île grecque ?

2279 Quel drame de Federico Fellini met en scène Anita Ekberg et Marcello Mastroianni dans la Rome des années 1960 ?

2280 Pour quel film tourné en 2004 Sophie Okonedo a-t-elle été nominée aux Oscars ?

2281 Dans quel film allemand de 1930 Marlene Dietrich joue-t-elle une chanteuse de cabaret ?

2282 Dans quel pays a été tourné le film *Buena Vista Social Club* (1999) ?

QUIZ 230

Questions capitales
Certaines villes sont plus importantes que d'autres.

2283 Où ont eu lieu les jeux Olympiques d'été en 2004 ?

2284 Au cœur de quelle capitale européenne peut-on s'asseoir sur la place Wenceslas ?

2285 De quel pays d'Asie du Sud-Est Séoul est-elle la capitale ?

2286 Quelle est la capitale du plus grand pays d'Amérique latine ?

2287 Quelle est la capitale administrative de l'Afrique du Sud ?

2288 Quelle est la capitale de la Libye ?

2289 Quel pays des Caraïbes a pour capitale Bridgetown ?

2290 Quelle est la capitale de la Sierra Leone ?

2291 De quel pays d'Amérique centrale Managua est-elle la capitale ?

2292 Quelle capitale est située entre le golfe Persique et la mer Caspienne ?

QUIZ 231

Sport
Dix questions pour nos amis sportifs.

2293 Quelle est la nationalité du golfeur Gary Player ?

2294 Quelle est la nationalité du champion de tennis Roger Federer ?

2295 Quelle ville a accueilli les jeux Olympiques d'été de l'an 2000 ?

2296 Quel pays a remporté le plus de coupes du monde de football ?

2297 Quel pays Nadia Comaneci représentait-elle aux jeux Olympiques de 1976 ?

2298 Quelle est la nationalité du hockeyeur Victor Petrenko ?

2299 Quel événement sportif marqua le monde du hockey en 1972 ?

2300 Dans quel pays le grand prix de formule 1 d'Hockenheim se court-il ?

2301 Dans quelle ville les jeux Olympiques d'hiver de 1984 ont-ils été organisés ?

2302 Dans quelle île le golfeur Vijay Singh est-il né ?

QUIZ 232

La tour de Babel
Êtes-vous un sémiologue distingué ?

2303 À quelle autre langue asiatique le *bahasa indonesia* est-il apparenté ?

2304 Quelle langue parle-t-on le plus en République dominicaine ?

2305 Dans quel pays d'Asie parle-t-on le tagalog ?

2306 Quel est le seul pays d'Amérique latine qui a pour langue officielle l'anglais ?

2307 Quelle est la langue officielle du Cambodge ?

2308 Quelles sont les deux langues les plus parlées à Chypre ?

2309 Dans quel pays africain l'amharique est-il la langue indigène la plus parlée ?

2310 Quelle langue parle-t-on le plus dans le Pacifique Sud ?

2311 Quelle langue régionale parle-t-on autour de Saint-Jacques-de-Compostelle ?

2312 De quel pays le malgache provient-il ?

QUIZ 233

Espaces infinis
Des quatre réponses proposées, une seule est bonne.

2313 Dans quel pays peut-on admirer le parc national de Yosemite ?
A Le Tadjikistan
B Les États-Unis
C La Somalie
D L'Australie

2314 Où se trouvent les plaines de Poleski ?
A En Pologne
B Au Portugal
C Au Pakistan
D Au Paraguay

2315 Où peut-on escalader le Kilimandjaro, le plus haut sommet d'Afrique ?
A En Ouganda
B Au Kenya
C En Tanzanie
D Au Tchad

2316 À quel pays le désert de Taklimakan appartient-il ?
A À l'Égypte
B À la Syrie
C Au Mexique
D À la Chine

2317 Dans quel pays d'Afrique la densité forestière est-elle la plus forte ?
A En Mauritanie
B Au Cameroun
C Au Ghana
D Au Gabon

2318 Où se trouve la plaine de Nullarbor ?
A En Afrique du Sud
B Au Canada
C En Inde
D En Australie

2319 De quel pays la péninsule du Kamtchatka fait-elle partie ?
A La Russie
B La Norvège
C La Finlande
D Le Japon

2320 Dans quel pays peut-on se promener dans les parcs de Nameri et de Kanha ?
A Le Kenya
B L'Inde
C L'Éthiopie
D Le Pakistan

2321 Où peut-on découvrir les massifs du Zagros et de l'Elbourz ?
A Au Turkménistan
B Au Yémen
C En Jordanie
D En Iran

2322 Quel est le pays le moins densément peuplé ?
A L'Islande
B La Libye
C La Mongolie
D Le Canada

QUIZ 234

Cherchez l'intrus
Un des éléments n'a rien de commun avec les autres.

2323 La France, l'Espagne, l'Autriche, le Burundi.

2324 La Norvège, la Turquie, le Danemark, la Suède.

2325 L'Ouganda, le Nigeria, la Tanzanie, le Honduras.

2326 Cuba, la Jamaïque, les Samoa, la Barbade.

2327 La Nouvelle-Zélande, l'Australie, le Viêt Nam, le Canada.

2328 La Colombie, l'Équateur, la Bolivie, le Tchad.

2329 Vancouver, Toronto, Yellowknife, Halifax.

2330 Abolition 2000, Le commerce équitable, Amnesty International, World Wildlife Fund.

2331 Madagascar, le Sri Lanka, l'Islande, le Kazakhstan.

2332 La Martinique, les îles Vierges, La Réunion, Mayotte.

QUIZ 235

Stars du show-biz
Acteurs et chanteurs du monde entier.

2333 Dans quel pays Antonio Banderas est-il né ?

2334 Quel célèbre acteur américain a joué dans de nombreux westerns spaghettis ?

2335 Dans quelle capitale Charlie Chaplin est-il né ?

2336 Quelle est la nationalité de Kylie Minogue ?

2337 Dans quel pays le chanteur Bono est-il né ?

2338 Quelle est la nationalité de l'acteur Gael García Bernal ?

2339 Sur quelle île la chanteuse Gloria Estefan est-elle née ?

2340 D'où l'actrice Maggie Cheung est-elle originaire ?

2341 Quelle est la nationalité de l'acteur Rutger Hauer ?

2342 Quelle actrice le prince Emmanuel Philibert de Savoie a-t-il épousée en 2003 ?

QUIZ 236

Anagrammes
Des îles et des lettres. À vous de faire le puzzle.

2343 KOKODAHÏ L'une des quatre principales îles du Japon.

2344 SHANDLET Archipel appartenant au Royaume-Uni.

2345 MODEQUINI Île située entre la Martinique et la Guadeloupe.

2346 WALISESU Île indonésienne qu'on appelait autrefois Célèbes.

2347 NABHEÏR Émirat du golfe Persique.

2348 ENGLANDOR Île glaciale de l'Atlantique Nord.

2349 SEL RANDESIGNE Groupe d'îles des Caraïbes.

2350 GOTBOA Accompagne Trinidad.

2351 JAQUEMOR Île espagnole.

2352 BANRAZZI Fait partie de la Tanzanie.

QUIZ 237

Un monde qui bouge
Un quiz sur des moyens de transport autour du monde.

2353 Dans quelle ville se trouve le siège social d'Airbus ?

2354 Comment s'appelle le constructeur automobile dont le nom signifie « voiture du peuple » ?

2355 Quel pays possède le plus grand réseau ferré du monde ?

2356 Quels sont les deux pays reliés par le pont d'Øresund ?

2357 Avec quelles compagnies aériennes pouvait-on voyager en Concorde ?

2358 Quel pays possède le plus grand réseau routier du monde ?

2359 Dans quelle ville italienne construit-on les motos Ducati ?

2360 Quel fut le premier train à relier Tokyo à Osaka en 1964 ?

2361 Dans quelle ville a-t-on mis en service le premier train à lévitation magnétique ?

2362 Dans quelle ville peut-on prendre le Star Ferry ?

QUIZ 238

Pot-pourri
Dix questions sur des sujets divers et variés.

2363 Quel pays asiatique a été, en 1996, le théâtre d'un soulèvement maoïste ?

2364 Quelle est la langue officielle du Brésil ?

2365 Quel État insulaire est situé à la pointe de la péninsule malaise ?

2366 Quelle célèbre force de police canadienne fut fondée par sir John Macdonald en 1873 ?

2367 Comment s'appelle l'association dont le logo représente une bougie entourée de fil barbelé ?

2368 Quelle est la capitale dont le nom signifie « le victorieux » en arabe ?

2369 Quel Premier ministre suédois fut assassiné en 1986 ?

2370 Quel est le seul pays d'Amérique latine dont le littoral est entièrement tourné vers la mer des Caraïbes ?

2371 Quels sont les trois pays qui se partagent l'île de Bornéo ?

2372 Dans quel pays peut-on visiter l'ancienne cité de Tombouctou ?

QUIZ 239

Régions et provinces
Dix questions pour plonger à l'intérieur des États.

2373 Quelle est la principale ville du Nord-Darfour, au Soudan ?

2374 Quel est le seul pays voisin du Lesotho ?

2375 Quelle province est la plus populeuse au Canada ?

2376 Quel est le plus occidental des États mexicains ?

2377 Dans quel pays se trouve la Poméranie-Occidentale ?

2378 Dans quel département se trouve Lauterbourg, la ville la plus orientale de France métropolitaine ?

2379 Dans quel pays d'Amérique centrale se trouve la région de Petén ?

2380 Quel est la capitale de l'Ontario ?

2381 À quel pays le Kosovo appartenait-il avant 2008 ?

2382 De quelle région allemande Stuttgart est-elle la capitale ?

QUIZ 240

Changements de nom
Des quatre réponses proposées, une seule est bonne.

2383 Quel pays insulaire était autrefois une colonie britannique appelée Ceylan ?
- A L'île Maurice
- B Le Sri Lanka
- C Madagascar
- D Taïwan

2384 Quel est l'ancien nom d'Istanbul ?
- A Constantinople
- B Alexandrie
- C Caesarea Augusta
- D Leptis Magna

2385 Comment appelait-on autrefois le Suriname ?
- A La Guyane française
- B La Guinée belge
- C La Guyane hollandaise
- D La Guyane britannique

2386 Quel pays fut envahi par la Chine en 1949 ?
- A Taïwan
- B La Mongolie
- C Le Viêt Nam
- D Le Tibet

2387 Lequel de ces pays n'a jamais appartenu à l'Afrique-Occidentale française ?
- A La Mauritanie
- B L'Algérie
- C Le Niger
- D Le Sénégal

2388 On l'appelait jadis le Tanganyika. Quel est son nom aujourd'hui ?
- A Tonga
- B Tunisie
- C Tanzanie
- D Togo

2389 Lequel de ces pays n'est pas indépendant ?
- A Le Kirghizistan
- B Le Kurdistan
- C Le Kazakhstan
- D L'Azerbaïdjan

2390 Lequel de ces pays s'est séparé en deux, suite à la révolution de velours ?
- A La Tchécoslovaquie
- B L'Indochine
- C La Corée
- D Le Congo belge

2391 Comment s'appelait la République démocratique du Congo avant 1997 ?
- A La Fédération congolaise
- B La Rhodésie
- C La Zambie
- D Le Zaïre

2392 Comment appelait-on le Burkina Faso jusqu'en 1984 ?
- A La Côte de l'Or
- B La Haute-Volta
- C La Guyane française
- D Le Niger

QUIZ 241

Ça commence par...
L'initiale est donnée, à vous de trouver la suite !

2393 Quelle religion pratiquée en Jamaïque a pour initiale la lettre R ?

2394 Quel pays ayant pour initiale la lettre C a été dirigé pendant 50 ans par Fidel Castro ?

2395 Quel pays ayant pour initiale la lettre K est voisin de la Tanzanie ?

2396 Quel pays ayant pour initiale la lettre N est en Amérique centrale ?

2397 Quel pays ayant pour initiale la lettre I a 17 000 îles ?

2398 Quel pays ayant pour initiale la lettre G a inventé la démocratie ?

2399 Quel pays ayant pour initiale la lettre O est en Afrique centrale ?

2400 Dans quel pays ayant pour initiale la lettre P se trouve Auschwitz ?

2401 Quel pays ayant pour initiale la lettre K a pour voisin l'Irak ?

2402 Quel pays ayant pour initiale la lettre B est le voisin de l'Afrique du Sud ?

QUIZ 242

Vrai ou faux ?
Une affirmation est-elle toujours une vérité ?

2403 Marie Curie est née en France.

2404 Les bagels sont un plat japonais.

2405 Le Burkina Faso se trouve en Afrique de l'Ouest.

2406 Une personne sur dix née aux Philippines habite et travaille à l'étranger.

2407 La présence militaire française à Djibouti assure au pays la moitié de ses revenus.

2408 La République centrafricaine se trouve entre le Cameroun et le Soudan.

2409 L'Unicef défend les droits des enfants.

2410 Brazzaville est la capitale du Gabon.

2411 La Gambie est le plus petit pays d'Afrique continentale.

2412 Pour visiter la ville de Riga, il faut se rendre en Pologne.

QUIZ 243

Pot-pourri
Dix questions sur des sujets divers et variés.

2413 Quelle est la capitale de l'Arabie saoudite ?

2414 Quelle était la nationalité de l'écrivain africain Mongo Béti, décédé en 2001 ?

2415 Quel est le nom du lac salé qui sépare Israël de la Jordanie ?

2416 Dans quel pays l'équipe nationale de rugby s'appelle-t-elle Ikale Tahi ?

2417 Quels sont les deux pays voisins du Liban ?

2418 De quel pays d'Asie du Sud-Est Vientiane est-elle la capitale ?

2419 Quel pays d'Amérique latine dirigea Alfredo Stroessner ?

2420 Quelle est la nationalité de l'ancien champion de formule 1 Emerson Fittipaldi ?

2421 Dans quel pays peut-on visiter le château de Bran ?

2422 Quelle est la capitale de la Croatie ?

QUIZ 244

Hissez les couleurs !
Dix questions sur des drapeaux.

2423 Quel est le nom du drapeau britannique ?

2424 Quel pays a un fusil AK-47 sur son drapeau ?

2425 Quel pays adopta un nouveau drapeau en 1995, suite à un différend avec la Grèce ?

2426 Quel est le pays africain dont le drapeau est très inspiré de la bannière étoilée américaine ?

2427 De quelle couleur est l'étoile du drapeau vietnamien ?

2428 Quelles sont les trois couleurs du drapeau béninois, symbolisant l'unité africaine ?

2429 Quel est le pays dont le drapeau est entièrement vert ?

2430 Quel oiseau est représenté sur le drapeau de la Zambie ?

2431 Combien de couleurs le drapeau ukrainien compte-t-il ?

2432 Quel est le pays africain dont le drapeau est constitué d'une étoile blanche sur fond bleu ?

QUIZ 245

Art monumental
Saurez-vous retrouver le nom des villes qui abritent chacun de ces monuments ou sculptures ?

2433 Le monument des Découvertes.

2434 La colonne de Nelson.

2435 *La Ville dévastée.*

2436 La porte de Brandebourg.

2437 Leifur Eriksson.

2438 Johann Strauss.

2439 Pierre le Grand.

2440 *La Petite Sirène.*

2441 Le *Centaure* de César.

2442 Le Manneken Pis.

QUIZ 246

La bonne couleur

Remplissez le blanc par la bonne couleur.

2443 Vert, jaune et _____ sont les couleurs du drapeau jamaïcain.

2444 Le détroit du Bosphore relie la mer _____ à la Méditerranée.

2445 Le canal de Suez est le trait d'union entre la Méditerranée et la mer _____.

2446 Le rhum _____ est une des spécialités des Antilles françaises.

2447 Les All _____ constituent l'équipe de rugby de Nouvelle-Zélande.

2448 Le grand _____ polynésien attire beaucoup de plongeurs.

2449 C'est au nord de Khartoum, au Soudan, que le Nil Bleu se jette dans le Nil _____.

2450 La Côte de l'_____ et le Togoland britannique sont devenus indépendants en 1957 en formant le Ghana.

2451 Le cap d' _____ est le point le plus septentrional de la côte brésilienne.

2452 L'espace maritime séparant la Chine de la péninsule coréenne s'appelle la mer _____.

QUIZ 247

Pot-pourri

Dix questions sur des sujets divers et variés.

2453 Dans quelle ville suisse siège le Haut-Commissariat pour les réfugiés (HCR) ?

2454 Dans quel pays se trouve le quartier commercial Shinjuku ?

2455 À quel pays Mayotte appartient-elle ?

2456 Quelle association humanitaire est présente dans 37 pays africains ?

2457 Qui succéda à Valéry Giscard d'Estaing à la présidence de la République française ?

2458 Qu'est-ce qui est souvent présenté sous le nom d'or noir ?

2459 En 1987, quelle chanteuse française évoque l'avancée du désert en Afrique dans une chanson intitulée *la Chanson d'Azima* ?

2460 Dans quel pays Oussama Ben Laden est-il né ?

2461 Dans quel océan se baigne-t-on à La Réunion ?

2462 Quel pays a organisé la coupe du monde de football avec le Japon en 2002 ?

QUIZ 248

Bons et méchants

Un indice et des lettres. À vous de faire le puzzle.

2463 GATUSOU CHINEPOT Ancien dictateur chilien.

2464 LILB GESTA L'un des hommes les plus riches du monde.

2465 RANDOLO L'un des meilleurs footballeurs brésiliens.

2466 LOP TOP Chef historique des Khmers rouges au Cambodge.

2467 LENICE DINO Star de la chanson.

2468 NEOCALI ESCUECUCA Ancien dictateur communiste d'Europe de l'Est.

2469 ZNARF THRESBUC Un des plus grands compositeurs classiques autrichiens.

2470 VADRONA ZACRIDAK Criminel de guerre serbe.

2471 TREBOR EGUMBA Dictateur africain.

2472 MLASA KYAHE Actrice célèbre originaire du Mexique.

QUIZ 249

À la mer !

Dix questions sur des sujets très maritimes.

2473 Dans quel pays le canal de Suez se trouve-t-il ?

2474 Au large de quel pays passe-t-on le cap Horn ?

2475 Au large de quel pays passe-t-on le cap de Bonne-Espérance ?

2476 De quel pays souverain le détroit du Danemark sépare-t-il le Groenland ?

2477 Entre quels pays est situé le détroit de Béring ?

2478 Quel siècle a vu l'ouverture du détroit de Panamá ?

2479 Vers quelle mer les côtes lituaniennes sont-elles tournées ?

2480 De quelle mer le golfe d'Oman est-il le prolongement ?

2481 Entre quels pays le détroit de Malacca forme-t-il une frontière naturelle ?

2482 Quelle est la plus grande ville indienne du golfe du Bengale ?

QUIZ 250

À boire et à manger

Dix questions sur des boissons et des aliments.

2483 De quel pays européen le goulasch est-il un des plats traditionnels ?

2484 De quelle région française le kouign-amann est-il une spécialité ?

2485 Les *dolmas* et les *baklavas* sont très populaires dans deux pays. Lesquels ?

2486 Quel type de vin hongrois Louis XIV décrivait-il comme « le vin des rois, le roi des vins » ?

2487 De quel pays latino-américain vient le *matambre*, pièce de bœuf roulée et farcie ?

2488 Dans quel pays asiatique peut-on commander des *momos*, raviolis farcis de viande et cuits à la vapeur ?

2489 Le *chicken kiev* tire son nom de la capitale d'un pays européen. Lequel ?

2490 De quel pays le tajine est-il originaire ?

2491 De quel pays la tequila est-elle originaire ?

2492 Où mange-t-on de la soupe *tum yam* et *banh chung* ?

QUIZ 251

C'est capital

Dix questions capitales pour des géographes éclairés.

2493 Quelle île des Caraïbes a pour capitale Castries ?

2494 Quelle est la capitale de la Papouasie-Nouvelle-Guinée ?

2495 De quel archipel du Pacifique Suva est-elle la capitale ?

2496 Quelle est la capitale de la Lituanie ?

2497 De quel pays africain Lomé est-elle la capitale ?

2498 Quelle capitale proche-orientale a été édifiée sur les ruines de l'antique Rabbath-Ammon, capitale des Ammonites ?

2499 Quel est le pays d'Amérique latine dont la capitale fut fondée par les Espagnols en 1567 ?

2500 Quel royaume haut perché a pour capitale Thimphu ?

2501 Quelle est la capitale la plus méridionale du monde ?

2502 Quelle est la capitale du Cameroun ?

QUIZ 252

Bonne pioche

Des réponses proposées, une seule est bonne.

2503 De quelle origine serait le nom de Québec ?
- **A** Algonquine
- **B** Montagnaise
- **C** Iroquoise

2504 Que veut dire Sierra Leone en espagnol ?
- **A** Lions du désert
- **B** Désert tempétueux
- **C** Montagne du lion
- **D** Longue côte

2633 Carlos Santana, Emiliano Zapata, Octavio Paz, Gael Garcia Bernal.

2634 Kaboul, Tachkent, Bichkek, Douchanbe.

2635 Riga, Tallinn, Vilnius, Kaunas.

2636 Survival, Amnesty International, WWF, Greenpeace.

2637 Sango, kikongo, lingala, fang.

2638 Tala, kina, vatu, franc Pacifique.

2639 La Scala, Pompéi, le Colisée, le Forum.

2640 Éthiopie, Somalie, Érythrée, Djibouti.

2641 Plzen, Brno, Prague, Ostrava.

QUIZ 266

Culture
Connaissez-vous l'étendue de votre culture ?

2642 Quelle est la nationalité d'Hercule Poirot, le fameux détective des romans d'Agatha Christie ?

2643 Dans quel pays d'Asie l'action du film *la Déchirure* se déroule-t-elle ?

2644 Dans quelle ville Marlon Brando danse-t-il avec Maria Schneider ?

2645 Quel est le seul pays à être nommé dans le titre d'un film de James Bond ?

2646 Quelle comédie de Woody Allen comporte dans son titre le nom d'une ville égyptienne ?

2647 Dans quelle ville italienne habite Shylock, personnage d'une pièce de Shakespeare ?

2648 De quelle nationalité était Georges Simenon ?

2649 Dans quel pays se trouve le pont sur la rivière Kwaï ?

2650 Quelle est la nationalité du dramaturge Henrik Ibsen ?

2651 Dans quelle ville indienne se déroule *la Cité de la joie*, de Dominique Lapierre ?

QUIZ 267

Au pouvoir
Un indice et des lettres. À vous de faire le puzzle.

2652 PERSIANICLUB S'opposent aux démocrates.

2653 ARMTRIDENT Ancien président français.

2654 EGRENAL TROMSO Constructeur automobile.

2655 ALCONIS Nom du dernier tsar de Russie.

2656 BISONCRUEL Devenu Premier ministre italien en 2001.

2657 KACLR Premier ministre du Canada entre 1979 et 1980.

2658 ENSTILE A succédé à Mikhaïl Gorbatchev.

2659 BOPAL CORSABE Ancien baron de la drogue en Colombie.

2660 FORMSTOIC Concepteur de logiciels.

2661 CLOVISEMI Ancien chef d'État yougoslave accusé de crimes contre l'humanité.

QUIZ 268

Retour aux sources
Connaissez-vous l'origine de ces noms de lieux ?

2662 Quelle est la république asiatique dont le nom signifie « la cité du lion » ?

2663 Quel métal précieux a donné son nom à un pays d'Amérique latine ?

2664 Quel est le nom officiel de la Birmanie depuis 1989 ?

2665 Quel est l'immense pays d'Amérique dont le nom signifie « population » ou « village » en algonquin ?

2666 Quel pays appelait-on autrefois le Siam ?

2667 Quelle capitale porte le nom d'un général britannique, vainqueur de Waterloo en 1815 ?

2668 Que signifie Beijing (Pékin) en Chinois ?

2669 Quel est le nom du plus fameux temple khmer ?

2670 Comment s'appelle l'archipel dont le nom signifie en grec « les petites îles » ?

2671 Quel est le pays africain dont le nom se traduit par « pays des hommes intègres » ?

QUIZ 269

Pot-pourri
Dix questions sur des sujets divers et variés.

2672 Au large de quel pays arabe peut-on découvrir les îles Bubiyan ?

2673 Dans quel pays l'écrivain Gabriel García Márquez est-il né ?

2674 Quel pays d'Amérique latine doit son nom à une ville européenne ?

2675 Quelle est la nationalité de l'acteur Leslie Nielsen ?

2676 De quelle république Askar Askaïev a-t-il été le président de 1991 à 2005 ?

2677 Dans quel pays se trouve la Bohême ?

2678 À quel pays appartient le territoire qui sépare les côtes lituaniennes des côtes polonaises ?

2679 Quel homme d'Église opposé au régime militaire du Salvador fut assassiné en 1980 ?

2680 Quel pays a gagné le concours 2004 de l'Eurovision ?

2681 Quelle était la capitale des États-Unis avant Washington D.C. ?

QUIZ 270

Out of Africa
Dix questions sur le berceau de l'humanité.

2682 De quel pays Hastings Banda était-il le président à vie jusqu'en 1994 ?

2683 Quel nom de capitale vient d'un mot arabe signifiant « trompe d'éléphant » ?

2684 De quel pays Letsie III est-il devenu le roi à deux reprises – en 1990, puis en 1996 ?

2685 Qui est à l'origine du coup d'État de 1971 contre le président ougandais Milton Obote ?

2686 Dans quel océan les îles du Cap-Vert se trouvent-elles ?

2687 Quel pays a été la cible en 2004 d'une tentative de coup d'État auquel le fils de Margaret Thatcher aurait été mêlé ?

2688 Dans quel pays d'Afrique se trouve la région montagneuse du Drakensberg ?

2689 Dans quel pays une guerre civile et une famine ont-elles tué plus de 1 million de personnes entre 1977 et 1992 ?

2690 Combien de pays africains ont un littoral en Méditerranée ?

2691 Quel pays se trouve entre le Bénin et le Ghana ?

QUIZ 271

Économie et finances
Des quatre réponses proposées, une seule est bonne.

2692 Quelle est la première puissance économique mondiale ?
A La Chine
B Le Japon
C La Russie
D Les États-Unis

2693 Quel est le nom de la monnaie indienne ?
A Le ringgit
B La roupiah
C La roupie
D Le rufiyaa

2694 Lequel de ces pays n'a pas adopté le dollar ?
A L'Australie
B La Nouvelle-Zélande
C L'Afrique du Sud
D Le Bélize

2695 Laquelle de ces unités monétaires a la plus forte valeur ?
A Un franc suisse
B Un peso
C Un euro
D Un yen

2696 Où aurez-vous besoin de dirhams pour faire vos courses ?
A En Algérie
B En Tunisie
C Au Maroc
D En Lybie

2697 Si vous payez en hrivna, dans quel pays vous trouvez-vous ?
- **A** Russie
- **B** Albanie
- **C** Ukraine
- **D** Bulgarie

2698 Où ne peut-on pas encore payer en euros ?
- **A** Au Danemark
- **B** Au Luxembourg
- **C** En Autriche
- **D** En Grèce

2699 Combien de kopecks pouvez-vous obtenir avec un rouble ?
- **A** 5
- **B** 10
- **C** 50
- **D** 100

2700 Quelle monnaie utilise-t-on en Arabie saoudite ?
- **A** Le riyal
- **B** Le dinar
- **C** Le manat
- **D** Le dram

2701 Quel ancien État soviétique a adopté le lari ?
- **A** L'Ukraine
- **B** La Géorgie
- **C** L'Estonie
- **D** La Lettonie

QUIZ 272

Cherchez l'intrus

Un des éléments n'a rien de commun avec les autres.

2702 La Suède, la Somalie, la Suisse, l'Espagne.

2703 Kiribati, Paris, Londres, Tokyo.

2704 L'Amazone, le Nil, la Baltique, le Gange.

2705 La Réunion, la Grenade, Guernesey, le Gabon.

2706 La Malaisie, le Mali, la Mongolie, le Myanmar.

2707 La Hongrie, l'Albanie, la Grèce, la Yougoslavie.

2708 La tequila, le café, la vodka, le rhum.

2709 Le Salvador, le Ghana, le Nigeria, la Tanzanie.

2710 Le prince Charles, la princesse Anne, le prince Harry, la princesse Astrid.

2711 Le Cap-Vert, le Nil, l'Amazone, le Mékong.

QUIZ 273

Droits d'auteur

Dix chefs-d'œuvre et artistes à découvrir.

2712 À quel conflit le chef-d'œuvre de Picasso *Guernica* fait-il référence ?

2713 De quelle île Ernest Hemingway s'est-il inspiré pour écrire *le Vieil Homme et la mer* ?

2714 Quelle était la nationalité de l'auteur de *Guerre et Paix* ?

2715 Quel homme d'État a écrit *Un long chemin vers la liberté* (2002) ?

2716 Quel artiste florentin a peint *la Naissance de Vénus* ?

2717 Quelle était la nationalité de l'artiste Paul Klee ?

2718 Quel écrivain tchèque est devenu président de son pays en 1989 ?

2719 Quel écrivain et opposant nigérian a été tué en 1995 ?

2720 Quel est le nom de l'artiste mexicaine interprétée par Salma Hayek dans un film sorti en 2003 ?

2721 Quelle est la nationalité de Nadine Gordimer, prix Nobel de littérature en 1991 ?

QUIZ 274

Pot-pourri

Dix questions sur des sujets divers et variés.

2722 De quelle association l'abbé Pierre est-il la figure emblématique ?

2723 Où se trouve le port de Dar es-Salaam ?

2724 Que signifie le sigle FMI ?

2725 De quel continent les styles de musique highlife et soukouss sont-ils originaires ?

2726 À quel pays l'île de Zanzibar est-elle rattachée ?

2727 Quelle est la seule ville du monde à s'étendre sur deux continents ?

2728 Quel pays a offert aux États-Unis la statue de la Liberté en signe d'amitié ?

2729 Dans quel pays la ville de Dubrovnik se trouve-t-elle ?

2730 Quel pays a remporté la première coupe du monde de football de l'Histoire ?

2731 Dans quel pays l'association Reporters sans frontières est-elle basée ?

QUIZ 275

Histoires d'eau

Dix questions sur des lacs, rivières et mers.

2732 Dans quel pays le majestueux delta du Mékong se déploie-t-il ?

2733 Au bord de quel fleuve les anciennes cités de Babylone, Sumer et Our ont-elles été bâties ?

2734 Quelle mer reliée à la mer Noire et à la mer Egée appelait-on jadis Propontis ?

2735 Quel est le nom de la rivière qui traverse la ville où est né Shakespeare ?

2736 Quels sont les trois pays baignés par le lac Victoria ?

2737 Dans quelle ancienne république soviétique se trouve le lac Sevan ?

2738 Quelle capitale a-t-on bâtie sur les berges de la rivière Vltava ?

2739 Sur quelle île indonésienne le lac Toba se trouve-t-il ?

2740 Quel fleuve prend sa source au lac Baïkal pour se jeter dans la mer de Kara ?

2741 Quels sont les deux pays que borde la mer d'Aral ?

QUIZ 276

Afrique

Savez-vous de quels pays africains chacune des villes énumérées ci-dessous est la capitale ?

2742 Tunis.

2743 Nouakchott.

2744 Khartoum.

2745 Dakar.

2746 Porto-Novo.

2747 Malabo.

2748 Kinshasa.

2749 Dar es-Salaam.

2750 Gaborone.

2751 Mbabane.

QUIZ 277

Ça commence par...

L'initiale est donnée, à vous de trouver la suite !

2752 Ancienne république de Yougoslavie commençant par un C.

2753 Plus grande île située au large du continent africain commençant par un M.

2754 Pays naguère aux mains des talibans commençant par un A.

2755 Ville sainte du Proche-Orient commençant par un J.

2756 Quel pays dont l'initiale est un K fut envahi par l'Irak en 1990 ?

2757 Quel pays dont l'initiale est un P a pour voisins l'Ukraine et l'Allemagne ?

2758 Quelle ville dont l'initiale est un I est la capitale de la Turquie ?

2759 Quelle est la ville italienne dont l'initiale est un V où l'on ne circule pas en voiture ?

2760 Quelle île des Caraïbes dont l'initiale est un J a pour capitale Kingston ?

2761 Quel est le vin espagnol dont l'initiale est un X ?

QUIZ 278

Groupes de pression

Contester pour un monde plus juste.

2762 Quelle association de protection de la nature a pour logo un panda ?

2763 Que signifient les initiales ONG ?

2764 Quel est le nom de l'association humanitaire dont le logo est très proche du drapeau suisse ?

2765 Quelle association humanitaire est connue sous le sigle MSF ?

2766 Dans quel pays le siège d'Oxfam est-il situé ?

2767 Quel célèbre groupe de pression né en 1961 œuvre notamment pour la libération des prisonniers politiques ?

2768 Qui fut condamné pour avoir démonté un McDonald ?

2769 Quel avocat a écrit en 1961 l'article qui est à l'origine d'Amnesty International ?

2770 Dans quel pays le siège de Greenpeace International se trouve-t-il ?

QUIZ 279

Hommes d'État

Des hommes qui méritent d'être connus.

2771 De quel pays Mugabe est-il devenu le Premier ministre en 1980 ?

2772 Qui était Premier ministre de la Grande-Bretagne avant Tony Blair ?

2773 En Allemagne, qui succéda à Helmut Kohl à la chancellerie ?

2774 De quel pays Vicente Fox Quesada fut-il élu président en 2000 ?

2775 En 1949, qui est devenu le premier président de la République populaire de Chine ?

2776 Quel pays a eu comme Premiers ministres Shimon Peres et Yitzhak Rabin ?

2777 De quel pays Hirohito fut-il l'empereur jusqu'en 1989 ?

2778 En quelle année le général de Gaulle est-il mort ?

2779 Qui Juan Carlos a-t-il épousé en 1962 ?

2780 De quel pays Anouar el-Sadate fut-il président ?

QUIZ 280

Scènes de roman

Saurez-vous localiser la toile de fond de ces romans ?

2781 *La Mort d'Artemio Cruz*, de Carlos Fuentes

2782 *Un Américain bien tranquille*, de Graham Greene

2783 *Les Âmes mortes*, de Nikolaï Gogol

2784 *Smilla ou l'Amour de la neige*, de Peter Høeg

2785 *Une maison pour monsieur Biswas*, de V.S. Naipaul

2786 *La Constance du jardinier*, de John Le Carré

2787 *La Maison aux esprits*, d'Isabel Allende

2788 *Le Tueur aveugle*, de Margaret Atwood

2789 *Le Palais du désir*, de Naguib Mahfouz

2790 *Une saison blanche et sèche*, d'André Brink

QUIZ 281

Questions de taille

Dix questions sur des records très géographiques.

2791 Quel est le deuxième pays le plus peuplé du monde ?

2792 Quelle est la plus grande île des Caraïbes ?

2793 Quel pays possède le plus grand littoral ?

2794 Quel est le plus grand pays d'Afrique ?

2795 Quelle est la troisième puissance économique mondiale ?

2796 Quelle est la plus grande ville chinoise ?

2797 Quel pays compte le plus grand nombre de musulmans ?

2798 Quel est le plus grand pays scandinave ?

2799 Quel est le pays le plus peuplé d'Afrique ?

2800 Quel est le plus petit des États états-uniens ?

QUIZ 282

Pot-pourri

Dix questions sur des sujets divers et variés.

2801 Où se trouvent les monts Zagros ?

2802 Quel pays d'Amérique latine est le huitième producteur mondial de pétrole ?

2803 Quelle est la capitale de la Somalie ?

2804 Quel écrivain péruvien fut candidat à l'élection présidentielle de 1990 ?

2805 Dans les Caraïbes, combien y a-t-il de pays dont le nom commence par Saint ou Sainte ?

2806 De quel archipel du Pacifique Viti Levu est-elle l'île principale ?

2807 Quel film de 1973 retrace l'histoire vraie d'un Français (Henri Charrière) condamné au bagne ?

2808 Quelle capitale d'Asie appelait-on à l'origine Pishpek ?

2809 Dans quel pays peut-on naviguer sur les lacs Albert, Édouard et Victoria ?

2810 Dans quel pays Kofi Annan est-il né ?

QUIZ 283

La tour de Babel

Des quatre réponses proposées, une seule est bonne.

2811 Quelle langue entend-on le plus à la Barbade ?
A L'anglais
B Le néerlandais
C Le français
D L'espagnol

2812 Laquelle de ces langues parle-t-on le plus dans le monde ?
A L'arabe
B Le chinois
C L'espagnol
D Le français

2813 Quelle est la deuxième langue la plus parlée aux États-Unis ?
A L'anglais
B L'italien
C L'espagnol
D Le français

2814 De quelle langue européenne l'afrikaans est-il issu ?
A Le danois
B Le polonais
C L'italien
D Le néerlandais

2815 Quelle est l'autre langue officielle du Pérou aux côtés de l'espagnol ?
A Le quechua
B Le portugais
C L'allemand
D Le guarani

2816 De quel pays le cingalais et le tamoul sont-ils les langues principales ?
A L'Inde
B Le Sri Lanka
C Le Soudan
D Le Belize

2817 Quelle langue les Hongkongais parlent-ils le plus ?
A Le cantonais
B Le mandarin
C Le coréen
D L'anglais

2818 De quel pays le mandarin est-il la langue officielle ?
A Taïwan
B Le Viêt Nam
C La Corée du Nord
D Le Cambodge

2819 Quelle langue la plupart des Bosniaques parlent-ils ?
A Le macédonien
B Le serbo-croate
C L'albanais
D Le slovène

2820 De quelle république insulaire le divehi est-il la langue officielle ?
A Les Seychelles
B Le Cap-Vert
C L'île Maurice
D Les Maldives

QUIZ 284

À une consonne près

Un indice et les voyelles pour reconstituer un pays.

2821 _O_A_I_UE Ancienne colonie portugaise en Afrique.

2822 __O_A_UIE Elle s'est séparée de la République tchèque le 1er janvier 1993.

2823 _U_I_IE Un pays du Maghreb.

2824 _OU_A_ Pays africain dont le Darfour fait partie.

2825 _E_E_UE_A Un pays d'Amérique latine riche en pétrole.

2826 _U_AÏ Un des sept Émirats arabes unis.

2827 _I_UA_IE Premier pays Balte à devenir indépendant de l'URSS.

2828 _A_E_OU_ Voisin du Nigeria.

2829 __OA_IE Autrefois, elle faisait partie de la Yougoslavie.

2830 __E_A_E Pays insulaire des Caraïbes.

QUIZ 285

Pot-pourri

Dix questions sur des sujets divers et variés.

2831 Quelle est la capitale du Kenya ?

2832 Lequel est le plus au nord : le Botswana ou le Tchad ?

2833 Sur quel continent la Guyane française se trouve-t-elle ?

2834 Quel archipel du Pacifique porte le nom d'un roi d'Israël ?

2835 Dans quelle ville australienne peut-on admirer un Opéra au toit en forme de voiles ?

2836 Combien l'Égypte a-t-elle de voisins ?

2837 Quelle Cubaine a écrit *la Douleur du dollar* ?

2838 Quelle est la nationalité de l'acteur Mike Myers ?

2839 Quel fleuve né aux confins de l'Angola termine sa course au Mozambique ?

2840 À quel océan la mer d'Arabie (ou mer d'Oman) appartient-elle ?

QUIZ 286

Musique du monde

Pour nos amis mélomanes et géographes !

2841 Quel groupe a connu la gloire avec *The Final Countdown* ?

2842 Quelle ville espagnole Freddie Mercury a-t-il chantée avec Montserrat Caballé ?

2843 Quelle est la nationalité de la chanteuse Noa ?

2844 De quelle région le chanteur algérien Lounès Matoub, assassiné en 1994, était-il originaire ?

2845 Dans quel pays vivent Patricia Kaas, Marie Laforêt et Phil Collins ?

2846 Quelle était la nationalité du groupe Scorpions ?

2847 À quelle île Harry Belafonte dit-il adieu dans une de ses chansons ?

2848 Dans quel pays Mozart est-il né ?

2849 En 1986, quel groupe remporta un énorme succès avec *Take my Breath Away* ?

2850 De quel pays les membres du groupe AC/DC venaient-ils ?

QUIZ 287

Questions capitales

Certaines villes sont plus importantes que d'autres.

2851 Quelle capitale s'appelait autrefois Salisbury ?

2852 Quelle capitale des Caraïbes a une cathédrale Notre-Dame et une place du Champ-de-Mars ?

2853 Quelle capitale s'appelait autrefois Ribat al-Fath (« le camp de la victoire ») ?

2854 Quelle ville l'Ouganda a-t-il choisie pour capitale en 1962, lors de son indépendance ?

2855 En 1991, quelle ville a remplacé Lagos comme capitale du Nigeria ?

2856 Quelle est la capitale du Suriname ?

2857 Quelle est la capitale la plus septentrionale du monde ?

2858 Quelle est la capitale la plus proche de l'équateur ?

2859 Comment s'appelle la capitale de Madagascar ?

2860 Quelle capitale d'Amérique latine porte le nom d'une fête religieuse ?

QUIZ 288

En petites coupures

Et si on parlait d'argent...

2861 En quelle année eut lieu l'adoption majoritaire de l'euro ?

2862 De quel pays le shekel est-il la monnaie ?

2863 Quelle est la monnaie de l'Australie ?

2864 Quel est le nom de la monnaie qui a précédé le peso argentin ?

2865 Quelle est la monnaie de Hongkong ?

2866 Quelle est la monnaie du Mexique ?

2867 Le yuan chinois est-il convertible ?

2868 Depuis quand le rouble est-il pleinement convertible ?

2869 De quel pays le dalasi est-il la monnaie ?

2870 Quel est le nom de la monnaie pakistanaise ?

QUIZ 289

À une consonne près

Un indice et les voyelles pour reconstituer le mot.

2871 _A_OUA_IE-_OU_E__E-_UI_EE Pays situé au nord de l'Australie.

2872 _O_IA Capitale de la Bulgarie.

2873 _O__I_I__ Fondateur de la République démocratique du Viêt Nam.

2874 _A__O__E Pays qui s'appelait autrefois le Kampuchéa.

2875 _I__U___EU_ Le père autrichien de la psychanalyse.

2876 _O_O_E_ Îles situées entre Madagascar et la côte est de l'Afrique.

2877 _A_OA Archipel du Pacifique.

2878 __A_EU_IO_ Département d'outre-mer faisant partie de l'Union Européenne.

2879 A_A_A_A Le désert le plus sec du monde, au nord du Chili.

2880 _O__O_IE État d'Asie situé entre deux grands pays.

QUIZ 290

Le plus grand

L'un est plus grand que les autres. Lequel ?

2881 L'Afrique, l'Asie, l'Australie, l'Europe.

2882 La Sardaigne, Ibiza, Minorque, Corfou.

2883 L'océan Arctique, l'océan Indien, l'océan Pacifique, l'océan Atlantique.

2884 La Biélorussie, le Turkménistan, l'Ukraine, l'Ouzbékistan.

2885 Le Nigeria, le Lesotho, le Rwanda, le Burundi.

2886 Londres, New York, Paris, Tokyo.

2887 Le lac Toba, le lac de Garde, le lac Windermere, le lac Victoria.

2888 L'Estonie, la Lituanie, la Lettonie, la Pologne.

2889 Le pays de Galles, l'Angleterre, l'Écosse, l'Irlande du Nord.

2890 Wal-Mart, Auchan, Adidas, Boeing.

QUIZ 291

À l'écran

Dix questions sur les stars et les grands classiques.

2891 Dans quelle ville J. R. Ewing vivait-il ?

2892 Dans quel pays le film *la Cité de Dieu* (2002) se passe-t-il ?

2893 Dans quelle ville Jackie Chan est-il né ?

2894 Quel film de Terry Gilliam porte le nom, en anglais, d'un pays d'Amérique latine ?

2895 Quel pays est de loin le premier producteur de films du monde ?

2896 De quelle guerre le film *Apocalypse Now* montre-t-il la monstruosité ?

2897 Quelle est la nationalité de l'acteur principal du film *Crocodile Dundee* ?

2898 Dans quel pays d'Asie James Bond combat-il l'homme au pistolet d'or ?

2899 Qui a réalisé le film *Stalingrad* en 2001 ?

2900 Quelle ville le film indien *le Mariage des moussons* a-t-il pour toile de fond ?

QUIZ 292

Mots manquants

Trouvez le mot qui correspond aux trois locutions.

2901 L'Empire _____, chiffre_____, un travail de _____.

2902 Mer de _____, barrière de _____, _____ noir.

2903 Guitare _____, grippe _____, omelette _____.

2904 Style _____, château de _____, traité de _____.

2905 Whisky_____, pub _____, trèfle _____.

2906 Cidre _____, André _____, calvaire _____.

2907 _____ Bleu, _____ Blanc, crocodile du _____.

2908 Massage _____, boxe _____e, _____ baht.

2909 Afro-_____, cigare _____, salsa _____e.

2910 Calendrier _____, Empire _____, astrologie _____.

QUIZ 293

Pot-pourri

Dix questions sur des sujets divers et variés.

2911 Qui a fondé la World Wildlife Fund avec Julian Huxley ?

2912 Quel est le chef-lieu de la Polynésie française ?

2913 Quel pays a le plus haut taux de divorce ?

2914 Quel est le pays d'Amérique centrale dont le nom signifie « profondeurs » en espagnol ?

2915 Quelle ville européenne a été la capitale de deux pays distincts à des périodes différentes ?

2916 Qui a succédé à Laurent Kabila lorsqu'il fut assassiné en 2001 ?

2917 Quelle est la religion majoritaire au Cachemire ?

2918 Quelle forme de commerce l'association Andines défend-elle ?

2919 Quel est le pays européen dont plus d'un quart du territoire se situe au-dessous du niveau de la mer ?

2920 Contre quel fléau le réseau international Abolition 2000 lutte-t-il ?

QUIZ 294

Altitude

Dix questions de très haute élévation.

2921 De quelle nationalité est la compagnie aérienne Aer Lingus ?

2922 Quel est le plus haut sommet du Québec ?

2923 Où est né Stelios Haji-Ioannou, le fondateur d'Easyjet ?

2924 Dans quel pays tous les avions de l'armée de l'air sont-ils marqués d'une étoile ?

2925 Quelle est la plus haute capitale du monde ?

2926 Quel est le pays dont la compagnie aérienne nationale a pour emblème un oiseau de paradis ?

2927 Si vous voyagez par Cathay Pacific Airlines au départ de Paris, où avez-vous le plus de chances d'atterrir ?

2928 Dans quel pays se trouvent huit des dix plus hauts sommets du monde ?

2929 De quel pays le premier touriste spatial s'est-il envolé ?

2930 Quelle est la nationalité de la compagnie aérienne Garuda ?

QUIZ 295

La voix de son maître

Saurez-vous compléter ces dix citations ?

2931 « Pauvre _____, si loin de Dieu et si près des États-Unis ». (Porfirio Diaz)

2932 « _____ nous apporte toujours quelque chose de nouveau ». (Pline l'Ancien)

2933 « Oui, nous aimons ce _____ ». (Hymne national de la Norvège)

2934 « Peu m'importe qu'il y ait du sucre aux _____, il faut qu'on me l'apporte ». (Condorcet)

2935 « Le monde, c'est un bateau norvégien rempli de réfugiés afghans en rade au large de l'_____ ». (Marie Darrieussecq)

2936 « Heureux les amoureux sur les montagnes _____ ». (Prévert)

2937 « Ton Christ est juif, ta pizza est italienne, ton café est _____ et tu reproches à ton voisin d'être étranger ! » (Julos Beaucarne)

2938 « Je lâcherais tout, même la proie, pour _____ ». (Alphonse Allais)

2939 « Je parle espagnol à Dieu, italien aux femmes, français aux hommes et _____ à mon cheval ». (Charles Quint)

2940 « Une colonie est un pays dont les fonctionnaires appartiennent à un autre pays. Exemple : l'_____ est une colonie française, la France une colonie corse ». (Daniel Pennac)

QUIZ 296

Hommes d'État

Des hommes qui méritent d'être connus.

2941 Où se trouve la seule monarchie hindoue du monde ?

2942 Quel pays s'est choisi en 2001 un ancien roi comme Premier ministre ?

2943 Outre Brunei, quel pays est gouverné par un sultan ?

2944 Quel pays européen a rétabli la monarchie en 1975 ?

2945 Quelle reine est le chef d'État de 16 pays ?

2946 De quel pays un danseur est-il devenu roi en 2004 ?

2947 Quel est le pays où le chef d'État est traditionnellement élu par une grande assemblée (loya jirga) ?

2948 Qui fut le premier président de l'ancienne république de Colombie, qui rassemblait l'actuelle Colombie, le Venezuela, l'Équateur et Panamá ?

2949 Le Moro Naba est le roi du peuple mossi. Dans quel pays la plupart de ses sujets vivent-ils ?

2950 De quel pays Bhumibol Adulyadej est-il devenu roi en 1946 ?

QUIZ 297

Pot-pourri

Dix questions sur des sujets divers et variés.

2951 Quel type de maillot de bain tire son nom d'un atoll situé dans les îles Marshall ?

2952 Lequel de ces pays est le plus proche de l'équateur : la Tanzanie ou le Botswana ?

2953 À quel pays les États-Unis louent-ils la baie de Guantánamo ?

2954 Dans quel continent le vaudou est-il né ?

2955 Quel leader chinois a inspiré les rebelles communistes népalais ?

2956 Dans quel océan les îles Fidji et Kiribati baignent-elles ?

2957 Lequel est le plus au nord : Panamá ou la Colombie ?

2958 Quel désert couvre la majorité du territoire malien ?

2959 Dans quelle ville égyptienne les obsèques de Yasser Arafat ont-elles eu lieu ?

2960 Quel océan vient lécher les côtes ghanéennes ?

QUIZ 298

Un sou est un sou

Dix questions sur des sujets économiques et financiers.

2961 Quel grand magasin anglais fut créé en 1849 ?

2962 Quelle est la plus importante place financière d'Asie ?

2963 Quel grand quartier d'affaires doit son nom à des fortifications érigées par des colons hollandais en 1653 ?

2964 Dans quel pays peut-on acheter son poisson au marché flottant de Damnoen Saduak ?

2965 Quels pays sont membres de l'ALENA (Association de libre-échange nord-américain) ?

2966 Quel pays est la quatrième puissance économique ?

2967 Quelle ville italienne abrite le marché de Portaportese ?

2968 Quel est le principal partenaire commercial des États-Unis ?

2969 Quelle est la spécialité de l'entreprise suisse Victorinox ?

2970 Où la Banque mondiale a-t-elle son siège ?

QUIZ 299

Hauts sommets

Dix questions d'un très haut niveau.

2971 Quelle chaîne de montagnes sépare la Sibérie de la partie européenne de la Russie ?

2972 Dans quel État des États-Unis peut-on admirer le Grand Canyon ?

2973 Dans quel pays se trouve la chaîne des Balkans ?

2974 Quel massif montagneux est un bastion du peuple berbère ?

2975 Quelle est la chaîne de montagnes dont le nom signifie « la maison de la neige » ?

2976 Comment s'appelle la chaîne de montagnes qui s'étend de la Slovaquie à la Roumanie ?

2977 De quelle principauté le président de la République française est-il coprince ?

2978 De quelle région d'Amérique latine la pomme de terre est-elle originaire ?

2979 Dans quel royaume himalayen parle-t-on le dzongkha ?

2980 Dans quelle république caucasienne le Premier ministre a-t-il été assassiné dans l'enceinte de l'Assemblée nationale en 1999 ?

QUIZ 300

Première et... dernière

Chaque réponse commence et se termine par la même lettre.

2981 Ville d'Asie centrale située sur l'ancienne route de la soie.

2982 Déesse de la sagesse qui a donné son nom à une ville grecque.

2983 Capitale de l'Érythrée, en Afrique.

2984 Archipel situé au nord de l'île Maurice.

2985 Une machette est représentée sur le drapeau de ce pays africain.

2986 Deuxième ville de Suède.

2987 État américain voisin de l'Indiana et de la Virginie-Occidentale.

2988 Capitale du plus peuplé des pays africains.

2989 Capitale du Burkina Faso.

2990 Capitale du Kazakhstan.

SCIENCES ET

TECHNIQUES

SCIENCES ET TECHNIQUES

Les domaines de la science

Les sciences constituent un ensemble de savoirs au cœur de différents domaines d'étude dont l'impact influe sur les sociétés et les modes de vie. Au cours des XVIIe et XVIIIe siècles, on reliait la science à la philosophie et à la théologie. À partir du XIXe siècle, on l'associe à un savoir rigoureux et vérifiable. Les techniques constituent un savoir fondé sur des connaissances scientifiques et des procédés éprouvés par des pratiques. Elles régissent tous les domaines d'activités, tels que l'industrie, l'informatique, l'ingénierie, les transports, etc.

La physique

Science des propriétés et des interactions de la **matière**, du **mouvement** et de l'**énergie**. Ses lois sont le plus souvent formulées à l'aide des mathématiques. ◆ L'**acoustique** est la science des sons. ◆ L'**électromagnétique** s'intéresse aux phénomènes liés à l'électricité et au magnétisme. ◆ La **mécanique** est l'étude des forces s'exerçant sur les objets, hormis les particules subatomiques et les objets évoluant à une vitesse proche de celle de la lumière ou subissant une gravité exceptionnelle. ◆ La **mécanique quantique** traite du comportement des particules subatomiques, des objets évoluant à une vitesse proche de celle de la lumière ou subissant une gravité exceptionnelle. ◆ L'**optique** est l'étude de la lumière et de ses propriétés. ◆ La **physique atomique** est l'étude des atomes et de leur comportement. ◆ La **physique des particules** est l'étude des constituants fondamentaux de la matière au niveau subatomique. ◆ La **physique des solides** étudie les propriétés des milieux solides et denses. ◆ La **thermodynamique** étudie la chaleur et ses rapports avec les autres formes d'énergie.
La physique, qui cherche à comprendre le monde observable, s'est longtemps appelée **philosophie naturelle**. Au XXe siècle, de nouvelles découvertes sur l'atome et l'espace donnèrent naissance à la **physique quantique**. On tente aujourd'hui d'associer ces deux systèmes de connaissances.

Les sciences de la vie

Traitant des êtres vivants, elles comprennent la **zoologie**, la **botanique**, la **bactériologie**, l'**entomologie** (insectes), l'**ichthyologie** (poissons), l'**ornithologie** (oiseaux) et les sciences ci-après. ◆ L'**anthropologie physique** est l'étude de l'évolution et des variations des caractères physiques de l'homme. ◆ L'**écologie** est l'étude des rapports entre les êtres vivants et leur milieu. ◆ L'**embryologie** est l'étude des formes de vie humaine et animale avant leur naissance. ◆ La **génétique** est la science des caractères héréditaires et de leurs variations chez les êtres vivants. ◆ La **microbiologie** est la biologie des organismes microscopiques. ◆ La **morphologie** est l'étude des formes et de la structure des animaux et des plantes. ◆ La **physiologie** est l'étude des fonctions des organes et des tissus des êtres vivants. ◆ La **taxinomie** est la science de la classification des plantes et des animaux selon leurs caractéristiques.
Les sciences de la vie s'intéressent aussi à la génétique (**décodage du génome humain**), à l'écologie et à la microbiologie.

Les mathématiques

C'est la science des nombres, des quantités et des formes. Elle se divise en **mathématiques pures** (théoriques) et en **mathématiques appliquées**. ◆ L'**algèbre** est l'étude des propriétés des nombres ; elle représente les nombres variables ou inconnus par des symboles et des lettres. ◆ L'**arithmétique** est l'étude des opérations simples entre les nombres. ◆ Le **calcul** est une opération destinée à connaître le résultat de la combinaison de plusieurs nombres entre eux. ◆ La **géométrie** est l'étude de l'espace, au moyen de figures à deux ou trois dimensions. ◆ Les **probabilités** sont le calcul de la possibilité d'un événement. ◆ La **théorie des ensembles** traite de groupes d'éléments ; elle étudie leurs propriétés et leurs relations. ◆ La **statistique** est la science de la collecte, de l'organisation et de l'interprétation de données numériques. ◆ La **trigonométrie** est l'étude mathématique des triangles. Compter est une activité naturelle à l'homme.

Les sciences de la Terre

Elles s'intéressent à l'origine et à la structure de la Terre, aux phénomènes physiques (**géologie**), aquatiques (**hydrologie**) et atmosphériques (**sciences atmosphériques**). ◆ L'**aéronomie** est l'étude des couches supérieures de l'atmosphère et des phénomènes lumineux qui s'y produisent. ◆ La **climatologie** est l'étude des systèmes climatiques terrestres. ◆ La **géochimie** est la science de la structure chimique de la Terre et de ses modifications. ◆ La **géophysique** est l'étude des propriétés physiques de la Terre (comme la gravité) et de leurs modifications. ◆ La **glaciologie** est l'étude des glaciers et des calottes glaciaires. ◆ L'**hydrologie** est l'étude des eaux proches de la surface du sol, comme les rivières et les fleuves. ◆ La **limnologie** est l'étude des lacs et des mers intérieures. ◆ La **météorologie** est l'étude et la prévision du temps. ◆ L'**océanographie** est l'étude des mers et des océans. ◆ La **géologie physique** comprend la **géomorphologie** (forme des reliefs) ; la **minéralogie** (minéraux) ; la **paléontologie** (fossiles) ; la **pétrographie** et la **pétrologie** (roches) ; la **stratigraphie** (sédiments) et la **géologie structurelle** (structure de la Terre). ◆ La **sismologie** est l'étude des séismes.

La chimie

Science de la composition des substances et de leurs interactions (**réaction** chimique), la chimie comprend l'étude des éléments (constitués d'un seul type d'atome) et des **composés** (constitués de plusieurs types d'atomes). ◆ La **biochimie** est l'étude des processus chimiques à l'intérieur des organismes vivants. ◆ La **chimie organique** traite des composés contenant du carbone, qui sont présents dans toutes les formes vivantes. ◆ La **chimie inorganique** traite de tous les éléments et composés autres que ceux contenant du carbone. ◆ La **chimie physique** est l'étude des réactions chimiques, y compris les effets de la chaleur ou de la pression et les mouvements moléculaires. ◆ La **chimie des polymères** traite des composés organiques ou minéraux constitués de grandes molécules dans lesquelles se répètent un ou plusieurs atomes, ou groupes d'atomes. Il existe des polymères naturels et artificiels, ces derniers étant les plastiques.

Les premières techniques

Les peintures rupestres attestent que, il y a 20 000 ans, les chasseurs étaient déjà armés de lances, d'arcs et de flèches. Les outils en pierre et le feu aidèrent les premiers hommes à survivre dans le milieu hostile des âges glaciaires et postglaciaires. L'agriculture, la poterie et le textile sont contemporains des premières civilisations. La maîtrise des métaux et l'invention de la roue permirent des progrès techniques dans l'Égypte, la Grèce et la Rome antiques. Les âges de la pierre, du bronze et du fer se caractérisent par l'usage de ces matériaux pour fabriquer les outils et les armes.

L'agriculture

Les traces les plus anciennes de l'**agriculture** remontent à 9000-8000 av. J.-C., au Moyen-Orient. En Irak, les chasseurs-cueilleurs commencèrent à domestiquer des moutons sauvages. La culture du **riz** débuta en Chine vers 6500 av. J.-C., et l'agriculture se répandit dans le sud de l'Europe, en Égypte et en Inde à partir de 6000 av. J.-C.

La poterie

La **cuisson de l'argile** remonte à 30 000 ans. Les **premiers vases en céramique** connus appartiennent à la période Jômon de la culture japonaise et datent d'environ 12 000 ans. La poterie apparut en Afrique du Nord il y a environ 9 500 ans, en Asie Mineure et dans le sud de l'Europe 500 ans plus tard, en Inde il y a environ 8 000 ans, et dans le bassin de l'Amazone il y a environ 6 000 ans.

La roue

L'image la plus ancienne de la roue figure sur une tablette d'argile sumérienne provenant d'Ourouk (Mésopotamie) et datant de 3500 av. J.-C. Les roues découvertes au Moyen-Orient dans des tombes datent de la même époque. Les premières avaient la forme de **rondins**. Les **roues à rayons,** nées vers 2000 av. J.-C. en Asie Mineure, permirent l'invention du chariot. Les roues étaient aussi employées dans la poterie depuis 3500 av. J.-C. en Mésopotamie. La première mention d'une **roue hydraulique** pour actionner une meule à blé date de 85 av. J.-C., en Grèce.

Le travail des métaux

L'**exploitation** des minerais purs débuta par celle du cuivre, dans les Balkans, vers 7000 av. J.-C. L'**extraction** par **fusion** des métaux et leur fonte furent mises au point au Moyen-Orient vers 6200 av. J.-C. Le bronze fut employé vers 3500-2500 av. J.-C. au Moyen-Orient puis en Europe, et vers 2000 av. J.-C. en Chine. Le **fer** fut exploité vers 1500-1000 av. J.-C. en Asie Mineure, au Ier millénaire av. J.-C. en Europe et vers 600 av. J.-C. en Chine. Le **cuivre** et l'**or** furent employés au Pérou et en Amérique du Nord à partir du Ier siècle de notre ère.

Le feu

Bien que les hominidés d'Afrique (nos ancêtres bipèdes) aient connu l'usage du feu depuis plus de 1,4 million d'années, l'homme ne le maîtrisa (grâce au **silex**) qu'il y a environ 9 000 ans. Le feu dispensait de la **chaleur**, permettait la **cuisson** des aliments et facilitait la **chasse**. Essentiel à l'époque des fourneaux (poteries) et des forges (outils), il servait aussi à défricher les terres pour la culture.

CHRONOLOGIE

8000 av. J.-C. Culture du blé et de l'orge, élevage du mouton et de la chèvre au Moyen-Orient.
7000 av. J.-C. Premiers outils en cuivre en Asie Mineure et dans les Balkans.
6000 av. J.-C. Débuts de l'irrigation en Mésopotamie. Poterie, culture du riz et domestication d'animaux en Chine.
4500 av. J.-C. La technique du labourage apparaît en Europe.
4000 av. J.-C. Emploi du cuivre en Égypte.
3500 av. J.-C. Tour de potier en usage en Inde; char à roues en Inde et en Mésopotamie.
3000 av. J.-C. Production de bronze en Égypte et en Mésopotamie. Introduction du tour de potier en Chine.
2640 av. J.-C. Début de l'industrie chinoise de la soie.
2300 av. J.-C. Début de la poterie en Amérique centrale. Usage du bronze en Méditerranée orientale.
2250 av. J.-C. Construction de la première retenue d'eau.
2000 av. J.-C. Le bronze est utilisé en Inde et en Chine.
1440 av. J.-C. Travail des métaux en Amérique du Sud.
1400 av. J.-C. Premier usage du soc de charrue en fer en Inde.
1350 av. J.-C. Le char de combat est introduit en Chine.
1200 av. J.-C. L'agriculture se répand en Amérique du Nord.
1000 av. J.-C. Adoption du fer autour de la Méditerranée.
600 av. J.-C. Première utilisation du fer en Chine.

Le filage et le tissage

Le tissage des fibres animales ou végétales date de 7000 av. J.-C., au Moyen-Orient; les premiers outils furent la **quenouille** (un axe sur lequel sont enroulées les fibres) et le **fuseau**, destiné à les filer. Le plus vieux **textile** connu d'Asie Mineure est de la même époque. Les premiers **métiers à tisser** la laine datent de 5000 av. J.-C.

Les outils et les armes

Le plus vieil outil en pierre connu fut façonné par *Homo africanus* en Éthiopie, il y a 2,4 millions d'années. La première espèce capable d'utiliser les outils en vue de cultiver la terre fut *Homo habilis*, qui vivait en Afrique de l'Est. Le plus vieil outil en bois (une **lance**) a été découvert à Shöningen, en Allemagne; il date de 400 000 ans.
Les premiers outils étaient des pierres taillées pour découper la viande.
On recense une centaine de types d'outils en pierre et en os datant de la colonisation humaine de l'Europe (il y a 40 000 ans), dont des aiguilles et des pointes de flèche.

Les systèmes numéraux

L'étude des nombres et de leurs relations constitue la théorie des nombres. Les premiers nombres étaient des nombres naturels et des fractions, mais les anciens Grecs connaissaient des nombres irrationnels (ni entiers, ni fractionnaires). On pense que le nombre zéro fut utilisé pour la première fois en Inde vers 628.

Les types de nombres

Entiers naturels: sans virgule ni décimale: 1, 2, 3, 4, etc. Ce sont les nombres les plus simples.
Entiers relatifs: précédés de + ou –, ils sont positifs ou négatifs. Exemples: –3, –2, –1, 0, 1, 2, 3, 4, etc. (le + est omis).
Rationnels: ils peuvent être exprimés par une fraction (1/3, 5/8) ou une décimale (1,125 et 0,003).
Irrationnels: ils ne peuvent être exprimés sous forme de fraction exacte car ils ne résultent pas de la division de deux entiers. Les racines carrées de 2, de 3 ou de 5 en sont des exemples, ainsi que pi.
Réels: ils comprennent tous les nombres rationnels et irrationnels.

Les suites

Les **suites numériques** sont des séries de nombres qui sont déterminées par une règle; par exemple, la suite 1, 2, 3, 4, 5... est formée par la règle «ajouter 1 au nombre précédent».
Dans une **suite arithmétique**, la différence entre les nombres successifs est fixe (**différence commune**); par exemple, 2, 7, 12, 17, 22... est une suite arithmétique dont la différence commune est +5.
Dans une **suite géométrique**, la différence entre les nombres successifs résulte de la multiplication du premier par un nombre fixe (**le multiple commun**); 2, 4, 8, 16, 32... est une suite dont le multiple commun est 2.

Qu'est-ce que pi ?

Pi (π) est défini comme le rapport de la circonférence d'un cercle à son diamètre. Il calcule la longueur des cercles. La fraction 22/7 ou 3,14159 est utilisée comme équivalent approximatif.

Les grands nombres

- **Milliard** 1 + 9 zéros ◆ **Billion** 1 + 12 zéros
- **Billiard** 1 + 15 zéros ◆ **Trillion** 1 + 18 zéros
- **Trilliard** 1 + 21 zéros ◆ **Quatrillion** 1 + 24 zéros
- **Quatrilliard** 1 + 27 zéros ◆ **Quintillion** 1 + 30 zéros
- **Centillion** 1 + 100 zéros

La spirale de Fibonacci

Une série de rectangles peut être construite en se basant sur la suite de Fibonacci ou sur les proportions du nombre d'or. Lorsque l'on dessine une spirale à travers les rectangles, elle a les mêmes proportions que la coquille d'un nautile.

GLOSSAIRE

Facteur Nombre qui divise exactement un autre nombre : les facteurs de 12 sont 1, 2, 3, 4, 6 et 12.
Nombre premier Nombre entier qui ne peut être divisé exactement que par lui-même et par 1, comme 2, 3, 53, 71.
Nombre parfait Nombre entier qui est égal à la somme de tous ses facteurs : 28 est égal à la somme de ses facteurs 1, 2, 4, 7 et 14.
Infini (symbole : °) Quantité mathématique qui n'a pas de limite.

La suite de Fibonacci

Dans la suite ci-dessous, chaque nombre s'obtient en additionnant les deux nombres précédents. Leonardo Fibonacci découvrit cette suite au XIIIe siècle; elle a des applications inattendues dans les arts, l'architecture, l'astronomie et... les mathématiques.

0 1 1 2 3 5 8 13 21 34 55

La proportion géométrique que l'on appelle le nombre d'or (1,618) vient de la suite de Fibonacci. En effet, le rapport de deux nombres consécutifs de cette suite (34÷55 ou 55÷34) approche toujours1,618 ou 0,618, chiffres qui donnent des proportions considérées comme plaisantes à l'œil.

Les systèmes de numération

Le système indo-arabe en usage aujourd'hui fut progressivement adopté en Europe à partir du Xe siècle. C'est un système positionnel et additif où la valeur d'un chiffre dépend aussi de sa place dans un nombre. Par exemple, le chiffre 2 représente des valeurs différentes dans les nombres suivants: 200 (2 x 100), 2 000 (2 x 1 000) et 1 002 (1 000 + 2). Ce système est plus compact que les systèmes additifs, comme les chiffres romains, où, par exemple, 300 s'écrit CCC, la lettre C symbolisant 100 répété trois fois. Notre système numéral est décimal – à base 10. Mais n'importe quel nombre peut servir de base à un système numéral: par exemple, on emploie le système sexagésimal (base 60) pour le temps: 60 secondes = 1 minute; 60 minutes = 1 heure.
◆ **Mésopotamien** Symboles cunéiformes pour 1 (clou) et 10 (chevron), base 60, pas de zéro. ◆ **Égyptien** Des hiéroglyphes pour 1, 10, 100, 1000, 10 000, 100 000, 1 million, système additif, base 10, pas de zéro. ◆ **Maya** Trois symboles, système positionnel et additif avec espace, base 20, le zéro existe. ◆ **Grec** Lettres pour les unités, les dizaines et les centaines, système additif, base 10, pas de zéro. ◆ **Romain** I (1), V (5), X (10), L (50), C (100), D (500), M (1000), système additif-soustractif (IX = 9, XI = 11), base 10, pas de zéro. ◆ **Indien** Système positionnel décimal comprenant le zéro et utilisant les symboles 0 à 9. ◆ **Arabo-européen** En usage vers le XVe siècle, adapté du système indien. ◆ **Arabo-européen moderne** Le système universel d'aujourd'hui. ◆ **Binaire Base 2.** En usage dans l'informatique, les deux symboles 0 et 1 représentant les conditions électroniques «oui» et «non».

LE SAVIEZ-VOUS ?

Les systèmes numéraux **grec** et **romain**, utilisant de nouveaux symboles à chaque nouvelle puissance de 10, auraient nécessité un nombre infini de symboles. Le système **maya**, lui, pouvait exprimer n'importe quel nombre avec trois symboles.

L'emploi des nombres

Le plus ancien outil à calculer est l'abaque. Encore employé en Asie, il était en usage en Europe jusqu'au XVIIe siècle. Leonardo Fibonacci introduisit les chiffres arabes (1, 2, 3, 4, 5, 6, 7, 8, 9 et 0) auprès des mathématiciens européens au XIIIe siècle. La notion de décimales – ou fractions décimales – est attribuée à al-Uqlidisi, un mathématicien arabe du Xe siècle. Elle fut popularisée en Europe à la fin du XVIe siècle par le mathématicien flamand Simon Stevin.

Les fractions

Dans une fraction, le nombre situé au-dessus du trait de fraction est le numérateur, le nombre en dessous est le **dénominateur**. Une **fraction propre** a un numérateur plus petit que le dénominateur. Une **fraction impropre** a un numérateur plus grand.

◆ Si des fractions ont le même dénominateur, par exemple 3/7 et 2/7, leur **addition** et leur **soustraction** s'effectuent en ajoutant ou en soustrayant les numérateurs. Si les dénominateurs sont différents, par exemple 3/8 et 1/3), les fractions doivent être converties en fractions équivalentes, ayant le même dénominateur. Par exemple, 3/8 + 1/3 = 9/24 + 8/24 = 17/24.

◆ Pour **multiplier** des fractions, on multiplie les numérateurs entre eux et les dénominateurs entre eux. Par exemple, 2/3 x 1/5 = 2/15.

◆ Pour **diviser** des fractions, on change le signe ÷ en x, et on renverse la deuxième fraction. Par exemple, 2/3 ÷ 5/6 = 2/3 x 6/5 = 12/15 = 4/5.

◆ Pour **convertir** les fractions en décimales, on divise le numérateur par le dénominateur. Par exemple, 3/5 = 3 ÷ 5 = 0,6.

L'algèbre

Le mot algèbre vient de l'arabe *al-djabr*, « science de la réduction ». Elle vise à trouver des **nombres inconnus** à partir de données connues. L'algèbre fut étudiée dès le XVIIIe siècle av. J.-C. en Mésopotamie, en Égypte, en Chine et en Inde. Le Perse **al-Kharezmi** mit au point au IXe siècle apr. J.-C. le procédé d'équilibrage des valeurs pour résoudre les équations. **François Viète** élabora les symboles algébriques modernes au XVIe siècle.

Le calcul des pourcentages

◆ Un pourcentage est une fraction dont le dénominateur est **100**. Ainsi, 30 pour 100 (30 %) = 30/100 = 3/10 = 0,3. ◆ Pour calculer le pourcentage d'un nombre (par exemple, 25 % de 10), on multiplie le **premier nombre** par le **deuxième**, puis on divise le résultat par 100 : 25 x 10 = 250 ; 250 ÷ 100 = 2,5 ; 25 % de 10 font 2,5.

◆ Pour calculer quel pourcentage représente un nombre par rapport à un autre (par exemple, 48 par rapport à 75), on divise le **premier nombre** par le **deuxième**, puis on multiplie le résultat par 100 : 48 ÷ 75 = 0,64 ; 0,64 x 100 = 64. Donc 48 représente 64 % de 75.

◆ Pour calculer le pourcentage de réduction ou d'augmentation lorsqu'un nombre décroît ou augmente, on divise la **différence** entre les deux nombres par la **quantité de départ**, puis on multiplie le résultat par 100.

Dans cet exemple d'augmentation, la différence entre 24 et 30 est 6, 6 ÷ 24 = 0,25 ; 0,25 x 100 = 25. Donc le pourcentage d'augmentation est 25 %.

Les puissances et les racines

Le terme **puissance** indique le nombre de fois par lequel un nombre est multiplié par lui-même. Ainsi, 9 peut s'exprimer par 3 à la puissance 2 ou 3^2 car 3 x 3 = 9 ; 27 peut s'exprimer par 3 à la puissance 3 ou 3^3 car 3 x 3 x 3 = 27. Le petit chiffre en haut est son **exposant**.

Tout nombre élevé à la puissance 2 s'appelle un **carré** (le carré de 2, ou 2^2, est 4). Tout nombre élevé à la puissance 3 s'appelle un **cube** (le cube de 2, ou 2^3, est 8). Tout nombre élevé à la puissance 1 est lui-même ($5^1 = 5$). Un **exposant négatif** (disons 8^{-2}) indique qu'il faut diviser 1 par le résultat obtenu si l'exposant avait été positif. Par exemple, $8^2 = 64$, mais $8^{-2} = 1 \div 64 = 1/64$ ou 0,015 6. De même, $10^{-1} = 1 \div 101 = 1/10$ ou 0,1 ; $10^{-2} = 1 \div 10^2 = 1/100$ ou 0,01 ; $10^{-3} = 1 \div 10^3 = 1/1000$ ou 0,001.

Si un nombre est la puissance d'un autre (par exemple, 16 est la puissance de 4 dans 4^2), le plus petit nombre est la **racine** du plus grand. La racine de la puissance 2 est une **racine carrée** (donc 4 est la racine carrée de 16). La racine de la puissance 3 est une **racine cubique** ($4^3 = 64$, donc 4 est la racine cubique de 64). Au-delà viennent les racines quatrième, cinquième, etc.

On représente les racines par le symbole √. Par exemple, $\sqrt{\mathbf{64}} = 8$ ($8^2 = 64$), $\sqrt[3]{\mathbf{64}} = 4$ ($4^3 = 64$), $\sqrt[4]{\mathbf{64}} = 2{,}828\,427$ ($2{,}828\,427^4 = 64$).

En sciences et en mathématiques, les très grands nombres sont souvent exprimés par **notation scientifique** (ou forme standard). Ainsi, le nombre 6 000 000 000 000 (6 billions) peut s'écrire 6×10^{12}, en d'autres termes, 6 suivi de 12 zéros.

Le théorème de Fermat

Le dernier théorème connu de Pierre de Fermat fut découvert après sa mort griffonné dans la marge d'un livre. Il affirmait que l'équation $x^n + y^n = z^n$ ne pouvait pas être résolue si x, y, z et n étaient des entiers supérieurs à 2. En 1993, **Andrew Wiles** réussit à le démontrer.

Quelques mathématiciens

◆ **Jacques Bernoulli (1654-1705).** Mathématicien suisse. Avec son frère Jean (1667-1748) et son neveu Daniel (1700-1782), il contribua à élaborer le calcul et les probabilités.

◆ **Georg Cantor (1845-1918).** Pionnier allemand de la théorie des ensembles.

◆ **Pierre de Fermat (1601-1665).** Français, fondateur de la théorie des probabilités et de la théorie des nombres modernes.

◆ **Kurt Gödel (1906-1978).** Logicien et mathématicien américain, il est l'auteur de deux théorèmes importants (1931).

◆ **Muhammad ibn Musa al-Kharezmi (v. 780-v. 850).** Perse, fondateur de l'algèbre, il contribua à développer le système de numération décimal indo-arabe.

◆ **Gottfried Wilhelm Leibniz (1646-1716).** Philosophe allemand, il formula les procédés du calcul.

◆ **John Napier (1550-1617).** Écossais, inventeur des logarithmes et d'un système de calcul, les « réglettes de Napier ».

◆ **John Forbes Nash (1928).** Mathématicien américain, prix Nobel d'économie pour ses travaux sur la théorie des jeux.

◆ **Isaac Newton (1642-1727).** Mathématicien et physicien anglais. Ses travaux comprennent la formulation du calcul.

Géométrie et trigonométrie

La géométrie et la trigonométrie sont des sciences voisines qui traitent des longueurs, des angles, des formes, des surfaces et des volumes. La géométrie est l'étude mathématique de l'espace. Elle utilise les figures planes et les solides. La trigonométrie traite des propriétés des triangles. On l'utilise en topographie, dans la navigation et en physique pour calculer la hauteur et la distance de points inaccessibles.

Les points et les lignes

Un point est une position dans l'espace ; il n'a pas de dimension. Une ligne relie deux ou plusieurs points ; elle n'a qu'une dimension (la longueur) et peut être droite ou courbe. Voici certains types de lignes. ◆ **Axe de symétrie** Droite divisant un plan en deux moitiés identiques. ◆ **Perpendiculaire** Droite dont la rencontre avec une autre droite forme un angle droit (90°). ◆ **Parallèle** Droite qui reste à la même distance d'une autre droite, quelle que soit sa longueur. ◆ **Tangente** Droite qui n'a qu'un seul point de contact avec un cercle.

Les angles

Un angle est une figure formée par l'intersection de deux droites. Les angles sont mesurés en degrés (°) ou en radians (rad). Il en existe six types principaux. ◆ **Angle obtus** Angle mesurant plus de 90° mais moins de 180°. ◆ **Angle plat** Angle mesurant 180°. ◆ **Angle aigu** Angle mesurant moins de 90°. ◆ **Angle droit** Angle mesurant 90°. ◆ **Angle rentrant** Angle supérieur à 180° mais inférieur à 360°. ◆ **Angle rond** Angle mesurant 360°.

Les quadrilatères

Un quadrilatère est une figure plane à quatre côtés droits (polygone à quatre côtés). La somme des quatre angles intérieurs d'un quadrilatère fait toujours 360°. Il en existe six types principaux. ◆ **Parallélogramme** Les côtés opposés sont parallèles et d'égale longueur. ◆ **Losange** Parallélogramme dont les quatre côtés sont égaux. ◆ **Rectangle** Les côtés opposés sont parallèles et de même longueur. Les quatre angles intérieurs sont droits. ◆ **Carré** Rectangle ayant quatre côtés égaux. ◆ **Trapèze** Deux côtés opposés, parallèles et d'inégale longueur ; deux côtés non parallèles. ◆ **Cerf-volant** Deux paires de côtés adjacents et égaux ; angles opposés égaux.

Les triangles

Un triangle est une figure plane à trois côtés. La somme des trois angles intérieurs d'un triangle fait toujours 180°. Il en existe six types. ◆ **Triangle équilatéral** Trois côtés égaux, chaque angle intérieur mesure 60°. Trois axes de symétrie. ◆ **Triangle isocèle** Deux côtés égaux et deux angles intérieurs égaux. Un axe de symétrie. ◆ **Triangle quelconque** Trois côtés inégaux et angles intérieurs différents. Pas d'axe de symétrie. ◆ **Triangle acutangle** Tous les angles sont aigus (inférieurs à 90°). ◆ **Triangle rectangle** Un angle intérieur de 90°, les autres sont aigus. ◆ **Triangle obtusangle** Un angle obtus (supérieur à 90°).

Cercles, sphères et cônes

La géométrie s'intéresse en outre aux propriétés des courbes et des formes qu'elles délimitent, qu'elles soient planes (comme le cercle) ou solides (comme la sphère). ◆ **Cercle** Plan délimité par une courbe (la circonférence) dont tous les points sont à égale distance du centre. ◆ **Ellipse** Plan délimité par une courbe dont tous les points sont déterminés par la somme des distances à deux points fixes appelés foyers. ◆ **Cylindre** Solide de forme tubulaire ayant un même diamètre sur toute son étendue. ◆ **Cône** Solide à base circulaire dont les côtés se rencontrent au sommet.

Combien de côtés ?

Les plans entourés de trois droites ou plus sont des **polygones.** Hormis les **triangles** et les **quadrilatères**, tous portent un nom d'origine grecque précisant le nombre de leurs côtés : **pentagone** (5 côtés), **hexagone** (6), **heptagone** (7), **octogone** (8), **ennéagone** (9), **décagone** (10), et ainsi de suite.

La trigonométrie appliquée

Si on connaît la grandeur d'un angle aigu *(x)* d'un triangle et la longueur d'un de ses côtés, on peut calculer la longueur des deux autres côtés par les **rapports trigonométriques**, **sinus** (sin), **cosinus** (cos) et **tangente** (tan), inscrits dans des tables ou donnés par une calculette scientifique. Si $x = 40°$ et le côté adjacent (a) = 4,5 cm, quelle est la longueur du côté opposé (o) ? Selon les rapports, $\tan x = o \div a$. Tan 40° = 0,839. Donc $0{,}839 = o \div 4{,}5$. Donc $o = 4{,}5 \times 0{,}839 = 3{,}78$.

Les mathématiciens

◆ **Thalès de Milet** (v. 625-v. 547 av. J.-C.). Philosophe grec, auteur de théorèmes fondamentaux sur les angles.
◆ **Euclide** (v. 330-260 av. J.-C.). Mathématicien grec, il jeta les bases de la géométrie pour plus de 2 000 ans.
◆ **Leonhard Euler** (1707-1783). Mathématicien suisse, il développa la topologie (étude des formes et des surfaces).
◆ **August Ferdinand Möbius** (1790-1868). Mathématicien allemand, cofondateur de la topologie.
◆ **Nicolaï Lobatchevski** (1792-1856). Mathématicien russe, il a montré que des géométries non euclidiennes sont envisageables.
◆ **Bernhard Riemann** (1826-1866). Mathématicien allemand, il a développé la géométrie non euclidienne.

Pythagore (v. 570-v. 480 av. J.-C.)

Son théorème permet de calculer la longueur du plus grand côté (l'**hypoténuse**) d'un **triangle rectangle** quand les longueurs des deux autres côtés sont connues. Dans un triangle rectangle, le **carré de l'hypoténuse** égale la somme des carrés des deux autres côtés.

Les probabilités et la statistique

Assez voisines, les probabilités et la statistique sont des branches des mathématiques qui analysent des faits passés et étudient la possibilité de survenue d'événements aléatoires. Elles fournissent des méthodes rationnelles pour prédire et collecter des données. Les probabilités sont l'expression mathématique de la possibilité qu'un événement particulier se produise. La théorie des probabilités fut élaborée au XVIIe siècle par les mathématiciens Blaise Pascal, Pierre de Fermat et Galilée. La statistique s'attache à recueillir des données numériques et à les interpréter. L'emploi de techniques d'échantillonnage et de statistiques est au cœur de la recherche marketing.

Les probabilités

La probabilité qu'un événement se produise peut être calculée en divisant le nombre d'occurrences nécessaires par le nombre total d'**occurrences possibles**. Le résultat est exprimé sous forme de **fraction**, de **nombre décimal** ou de **pourcentage**. Dans le cas d'**événements multiples**, si l'on veut que **l'un et l'autre** se produisent, comme dans le fait d'obtenir un 5 puis un 6 en jetant un dé, les probabilités sont multipliées. Chaque occurrence a une probabilité de 1/6, mais comme on ne relancera le dé que si le premier jet a donné le résultat escompté, la probabilité totale est de 1/36.
En revanche, si l'on veut que **l'un ou l'autre** (et peu importe lequel) des événements se produise, comme dans le fait d'avoir un 5 ou un 6 en un seul jet, les probabilités s'ajoutent : 1 chance sur 6 pour un 5 plus 1 chance sur 6 pour un 6 donnent 1 chance sur 3 d'obtenir un 5 ou un 6.

La loterie

Nombreux sont les pays à recourir à la **loterie** pour engranger des recettes. La plupart des loteries ont un nombre fixe de boules qui indiquent les numéros gagnants, aussi la probabilité de choisir les bons numéros peut être calculée.

Loterie	Boules tirées	Chances
Loto-Québec (Can.)	6 sur 49	1 sur 13 983 816
PowerBall (É.-U.)	5 sur 45 plus 1 sur 42	1 sur 80 089 128
The Big Game (É.-U.)	5 sur 50 plus 1 sur 36	1 sur 76 275 360
Lotto (G.-B.)	6 sur 49	1 sur 13 983 816
Loto (France)	6 sur 49	1 sur 13 983 816
Lotto (Scandinavie)	6 sur 48	1 sur 12 271 512
Lotto (Hongkong)	6 sur 47	1 sur 10 737 573
Tattslotto (Australie)	6 sur 45	1 sur 8 145 060
Lotto (Irlande)	6 sur 42	1 sur 5 245 786

Les paris

Les turfistes se réfèrent aux **cotes** des chevaux, qui indiquent le gain possible si le cheval choisi arrive placé ou gagnant. Une cote de 5 contre 1 sur un cheval signifie que le parieur empochera cinq fois sa mise (son **enjeu**). Plus la cote est élevée (20/1), plus le gain est élevé, mais le risque aussi.

Les moyennes

Une façon pratique d'interpréter les données numériques est de leur donner une **valeur moyenne.** Les trois principaux types de moyennes sont la **moyenne arithmétique**, la **valeur médiane** et le **mode**.

◆ La **moyenne arithmétique**, ou moyenne, s'obtient en totalisant les valeurs, puis en divisant la somme par leur nombre. Dans la série ci-dessous, la moyenne est 40,09

24 35 68 25 46 79 24 45 36 38 21

◆ La **valeur médiane** est la valeur du milieu dans une suite de nombres. Dans l'exemple ci-dessous, qui contient 11 nombres, 36 est la valeur médiane. Si le nombre des valeurs est pair, la médiane est la moyenne arithmétique des deux valeurs du milieu.

21 24 24 25 35 36 38 45 46 68 79

◆ Le **mode** ou **dominante** est la valeur la plus fréquente dans une suite. Ici, le mode est 24, la seule valeur qui apparaît plus d'une fois.

21 24 24 25 35 36 38 45 46 68 79

Tableaux et graphiques

On utilise volontiers tableaux et graphiques pour présenter des **informations statistiques**. Ces visuels révèlent parfois des données invisibles sur une simple table.

◆ Les graphiques permettent de confronter divers types de données. Un exemple est le report des notes obtenues à un examen sous forme de **pourcentages** sur l'axe horizontal (axe des *x*), et du nombre total d'élèves obtenant chaque note – la fréquence cumulée des notes – sur l'axe vertical (axe des *y*). Ce type de présentation permet le calcul des **percentiles** pour analyser les résultats. Pour trouver le 50e percentile, on tire une ligne horizontale depuis le milieu de l'axe des *y* jusqu'à la courbe des résultats. La ligne verticale qui part de cette intersection à l'axe des *x* montre le résultat de ce percentile. Le 25e percentile (**quartile** inférieur) et le 75e percentile (quartile supérieur) servent souvent dans l'analyse.

◆ Les **camemberts** permettent de visualiser des données statistiques par un cercle représentant le nombre total d'éléments divisé en tranches de tailles proportionnelles.

◆ Les **barres** montrent les résultats à la verticale ou à l'horizontale (avec des longueurs proportionnées). Ce genre de graphique permet de comparer des éléments, et peut révéler des **tendances** si les barres sont placées sur un axe temporel.

Le temps et les distances

Dans la Mésopotamie et l'Égypte anciennes, les architectes et les géomètres avaient besoin de systèmes de mesure fiables. Si tous les Anciens se repéraient à l'aide des étoiles, la navigation exigeait des outils plus précis pour compter le temps et effectuer des relevés à vue qui soient fidèles. Les cadrans solaires étaient sujets aux variations saisonnières. Les horloges mécaniques pouvaient varier d'une heure; l'horloge atomique ne varie que d'une seconde pour 1,7 million d'années.

Les premières horloges

Les tout premiers cadrans solaires (gnomons) étaient équipés d'une tige verticale (le style) qui projetait une ombre sur le sol. Le premier modèle gradué est égyptien et date du VIIIe siècle av. J.-C. Le géomètre arabe Abu al-Hasan conçut au début du XIIIe siècle des gnomons réglables, qui éliminaient les différences de durée horaire dues aux variations des saisons. Les **horloges à eau** (clepsydres) furent probablement inventées en Égypte. L'heure était indiquée par le niveau d'eau contenue dans un réservoir. Des modèles différents furent conçus plus tard en Amérique et en Afrique.

CHRONOLOGIE

v. 3500 av. J.-C. Les Égyptiens inventent le cadran solaire.
v. 1500 av. J.-C. La clepsydre (horloge à eau) est créée en Égypte, sous le Nouvel Empire.
1090 apr. J.-C. La clepsydre à échappement est mise au point en Chine.
1353 La première horloge publique est installée au sommet d'une tour à Milan, en Italie.
v. 1410 L'architecte Filippo Brunelleschi crée l'horloge à ressort.
1510 Peter Henlein, serrurier allemand, invente la montre de poche.
1657 Christiaan Huygens invente l'horloge à pendule.
1868 L'horloger suisse Georges Frédéric Roskopf fabrique la première montre à bon marché.
1922 L'horloger anglais John Harwood invente le mécanisme à remontoir automatique.
1926 La Rolex Oyster, première montre étanche, est créée en Suisse.
1929 L'horloger américain Warren Alvin Morrison invente l'horloge à cristal de quartz.
1971 La première montre digitale à diode électro-luminescente est élaborée par les ingénieurs américains George Theiss et Willy Crabtree.

Les calendriers

La division de l'année en **12 mois** selon les **cycles lunaires** vient des anciens Égyptiens. Le **calendrier julien** (adopté par Jules César) fut élaboré par l'astronome Sosigène d'Alexandrie, qui l'introduisit en 46 av. J.-C. Fondé sur l'**année solaire** de 365,25 jours, il corrigeait le décalage cumulatif de 3 mois du calendrier égyptien. Le **calendrier grégorien**, qui corrigeait un décalage supplémentaire de 10 jours (environ 11 minutes par an) du modèle julien, fut adopté par une partie de l'Europe en 1582. En 1793, les révolutionnaires français tentèrent de l'abolir.

Instruments de navigation

En navigation, il est essentiel de pouvoir calculer avec précision sa position sur la mer. Le calcul de la **latitude** (distance à l'équateur) est depuis longtemps possible en mesurant l'angle de l'étoile Polaire à l'horizon: l'**astrolabe nautique** (inventé au VIe siècle, à moins qu'il n'ait été conçu dans la Grèce antique), l'**arbalestrille** et le **quartier de Davis** (XVIe siècle), l'**octant** (1730) et le **sextant** (1757) ont progressivement amélioré les calculs et l'orientation.
La **longitude** (distance au méridien origine) ne pouvait être calculée qu'en comparant les différences de temps suivant la rotation de la Terre; les calculs précis ne furent possibles qu'en 1761, grâce au **chronomètre n° 4** de John Harrison, une horloge de bord.
Il est probable que le **compas de marine**, qui autorisait des calculs d'orientation précis (direction du navire) ait été inventé en Chine vers 2600 av. J.-C. Il est mentionné en Europe à partir de 1217.

CHRONOLOGIE

v. 2300 av. J.-C. La plus ancienne carte connue gravée en Mésopotamie.
100 apr. J.-C. Marinus de Tyre conçoit les longitudes.
v. 150 Ptolémée dresse 26 cartes du monde connu.
1569 Mercator dessine le monde en tenant compte de la rotondité de la planète.
1757 John Campbell invente le sextant.
1761 Le chronomètre n° 4 de John Harrison apporte une plus grande précision.
1767 Le *Nautical Almanac* anglais publie des tables précises de la position des étoiles et des planètes plusieurs fois par an.
1964 La marine américaine crée le système de navigation par satellite.
1978-1995 Le *global positioning system* (GPS) américain améliore la précision de la navigation.

Le baromètre

1643, le savant italien Evangelista Torricelli découvrit la **pression atmosphérique** en constatant que le niveau du mercure en suspension dans un tube de verre montait et descendait en fonction du changement du temps. Le **baromètre anéroïde** fit son apparition en 1843.

La mesure des distances

Le *cubit* égyptien, ou coudée, comptait 52,4 cm. Il fut conçu avant 3000 av. J.-C. Les unités plus petites étaient le *djeba*, ou doigt, de 1,86 cm (1 *cubit* = 28 *djeba*), et le *shesep*, ou palme (1 *shesep* = 4 *djeba*). Les plus grandes distances se mesuraient en *khet* (bâtons) de 100 *cubit* et en *iteru* de 20 000 *cubit*.
Les Romains avaient le *digitus* (1,85 cm), le *palmus* (7,4 cm = 4 *digiti*), le *pes* (29,6 cm = 4 *palmi*), le *passus* (1,48 m = 5 *pes*), le *stadium* (185 m = 125 *passi*) et le *milliar* (1 480 m = 8 *stadia*). Jusqu'au XIXe siècle, la plupart des mesures employées dans les différents royaumes d'Europe s'inspiraient en partie du **système romain**. Le **système métrique standard** fut élaboré sous la Révolution française et s'étendit à presque tout l'Occident au milieu du XIXe siècle. Au Canada, à partir de 1975, le système métrique remplace progressivement le système impérial.

La mécanique étudie les effets des forces sur les objets. Ses subdivisions sont la statique, qui traite des masses, des poids et de la gravité, et la dynamique, qui traite des forces et des objets en mouvement. Le physicien le plus influent dans cette discipline fut Isaac Newton (1642-1727). Jusqu'en 1900, la mécanique s'intéressait presque exclusivement au comportement des objets dans l'univers perceptible. Depuis 1900, elle s'intéresse aussi au comportement des objets non perceptibles, tels ceux qui frôlent la vitesse de la lumière. La figure de proue de la mécanique moderne fut Albert Einstein.

Masse, poids et gravité

◆ La masse est la quantité de matière dont est constitué un objet. Elle est indissociable du **poids** dans la vie courante (et se mesure en kilogrammes), mais elle n'est pas déterminée par la **gravité**. ◆ Le **poids** est la force qu'exerce un objet quand il est soumis à la gravité. En physique, le poids est mesuré en newtons (N). On le détermine en multipliant la **masse** d'un objet par la **force de gravité** qui agit sur lui. ◆ La **gravité**, concept dû à Newton, est la force qu'exercent tous les objets les uns sur les autres, proportionnellement à leur masse et à la distance qui les sépare. La gravité de la Terre fait tomber les objets sur le sol et maintient la Lune en orbite autour d'elle.

Force, mouvement et friction

◆ La **force** est une influence qui modifie la position, la forme, le mouvement ou la vitesse de déplacement d'un objet en ligne droite. ◆ L'**inertie** est la tendance des objets à rester au repos ou en mouvement tant qu'ils ne subissent pas l'effet d'une force extérieure. ◆ L'**impulsion** est la quantité de force qui modifie la course d'un objet en mouvement. ◆ La **friction** est la force qui résiste au mouvement relatif de deux objets en contact l'un avec l'autre.

Einstein

D'origine allemande, Albert Einstein (1879-1955) est un des plus grands physiciens des temps modernes. Ses découvertes concernent la **physique quantique**, la **thermodynamique** et la **relativité**. Il reçut le prix Nobel de physique en 1921.

Les lois de Newton

Les trois **lois de Newton** (1687) sont fondamentales dans la mécanique.

1. Un objet reste au repos ou continue à se déplacer en ligne droite tant qu'une force extérieure n'agit pas sur lui.
2. Tout changement de position, de mouvement ou de vitesse d'un objet est proportionnel à la force agissant sur lui et à sa masse.
3. Toute action produite par une force s'accompagne d'une réaction égale et opposée.

CHRONOLOGIE

330 av. J.-C. Le philosophe grec Aristote livre la première étude complète de la mécanique dans *De la physique*.

550 Jean Philopon suggère que la vélocité d'un objet en mouvement est proportionnelle à la force appliquée sur la résistance.

1355 Jean Buridan développe une théorie de l'impulsion et de la résistance de l'air sur les objets en mouvement.

1440 Nicolas de Cusa suggère que la Terre se déplace dans l'espace.

1604 Galilée prouve que les objets tombent sur le sol selon une accélération constante, quelle que soit leur masse.

1609 Johannes Kepler découvre les lois qui régissent le mouvement des corps dans le système solaire.

1613 Galilée esquisse le principe de l'inertie.

1687 Isaac Newton déduit des lois de Kepler la loi de la gravitation universelle.

1760 Mikhaïl Lomonossov publie ses lois de la conservation de l'énergie et de la masse.

1797 Henry Cavendish mesure la constante gravitationnelle de Newton.

1887 Albert Michelson et Edward Morley prouvent la vitesse constante de la lumière dans le vide.

1889 Selon George Fitzgerald, les objets en mouvement se contracteraient en approchant la vitesse de la lumière.

1905 Albert Einstein publie sa théorie de la relativité restreinte.

1916 Einstein publie sa théorie de la relativité générale.

GLOSSAIRE

Distance Longueur d'une droite entre deux points. C'est une quantité scalaire (elle a une grandeur, mais pas de direction).

Déplacement Distance parcourue, plus direction du mouvement. C'est une quantité vectorielle (qui a une direction et une grandeur).

Vélocité Vitesse et direction du mouvement. C'est une quantité vectorielle.

Vitesse Quantité scalaire, calculée en divisant la distance parcourue par le temps écoulé (exprimée, par exemple, en mètres par seconde, m/s).

Accélération Degré de variation de la vélocité d'un objet en déplacement, mesurée en divisant la variation de la vitesse (m/s) par le temps que dure cette variation (m/s/s ou m/s^2).

Qu'est-ce que la relativité?

La **relativité restreinte** traite de deux découvertes datant des années 1880 : 1. la **vitesse de la lumière** (c pour célérité, en langage scientifique) est la seule constante dans un Univers en mouvement ; 2. le mouvement absolu et l'espace absolu de Newton n'existent pas. Einstein suggère que la masse (m) et l'énergie (E) sont convertibles ($E = mc^2$), que la masse et la longueur d'un objet doivent changer avec sa vitesse, et que le temps lui-même, si l'on se réfère à un objet se déplaçant à une vitesse proche de celle de la lumière, doit ralentir. La **relativité générale** développe ces conclusions en proposant que l'espace et le temps sont un unique phénomène, et que la « gravité » est le produit de **distorsions de l'espace-temps** causées par la masse.

L'énergie

Dans l'univers physique, tout phénomène implique une transformation d'énergie : une forme d'énergie se transforme en une autre. En science, l'énergie permet d'accomplir un travail ou une action. Le travail est un mouvement, une augmentation de la température, ou tout autre changement. L'énergie et le travail sont indissociables et se mesurent avec les mêmes unités : joules (J), kilojoules (kJ), calories (cal) et, pour les gaz et l'électricité, kilowattheures (kWh). La puissance est la quantité d'énergie fournie ou « brûlée » par unité de temps. On la mesure en watts (W) ou joules par seconde, en kilowatts (kW) et en chevaux-vapeur (Ch).

Le bang

Il se produit quand un objet se déplace **plus rapidement que le son**. Il est dû à la soudaine libération de la pression de l'air qui s'accumule devant l'objet (de la même façon que les vagues devant l'étrave d'un navire). Plus l'objet est grand, plus le bang – l'onde de choc – est puissant.
La **vitesse du son** dans l'air est de 1 220 km/h (339 m/s).

La température

L'énergie calorifique (la chaleur) dégagée par un élément est mesurée en degrés.

100 milliards de °C	Explosion d'une supernova
1 milliard de °C	Explosion nucléaire
510 millions de °C	Température la plus élevée atteinte en laboratoire
14 millions de °C	Centre du Soleil
50 000 °C	Étoile naine bleue
6 000 °C	Surface du Soleil
3 380 °C	Point de fusion du tungstène
2 550 °C	Filament d'ampoule électrique
600 °C	Lave en fusion
100 °C	Ébullition de l'eau
58 °C	Record de chaleur sur la Terre
0 °C	Gel de l'eau
– 18 °C	Gel de l'eau de mer
– 38,9 °C	Gel du mercure
– 89,2 °C	Record de froid sur la Terre
– 200 °C	Liquéfaction de l'air
– 268,9 °C	Liquéfaction de l'hélium
– 270 °C	Température dans l'espace
– 273,16 °C	Zéro absolu

L'énergie convertible

Un homme se réveille et allume sa lampe de chevet ; il transforme l'**électricité** en **chaleur** et en **lumière**. Son petit déjeuner contient de l'**énergie chimique** fournie par la photosynthèse, le processus végétal qui convertit la **lumière solaire** (libérée par l'**énergie nucléaire**) en nourriture. S'il court (ou travaille), l'homme transforme l'**énergie alimentaire** en **énergie cinétique** et en chaleur corporelle ; s'il gravit une colline, en **énergie potentielle**. Aucune énergie n'est créée ou détruite. Qu'elle soit potentielle ou dynamique, elle change seulement de forme. C'est la loi de la conservation de l'énergie.

Les différents types d'énergie

Tout objet inerte possède de l'énergie. Quand des objets se déplacent ou changent de nature, l'énergie se transforme.

◆ **Chimique** Énergie **stockée dans les molécules chimiques**, comme celles du carburant d'une navette spatiale. Quand elles brûlent, leur énergie chimique se transforme en énergie calorique.

◆ **Électrique** Déplacement de particules subatomiques infinitésimales, chargées d'électricité et appelées **électrons**. Lorsqu'un courant électrique traverse un **conducteur** – un fil –, les électrons sautent d'un atome à un autre le long du conducteur.

◆ **Potentielle** Énergie d'un objet en fonction de sa **position** ou de sa **forme**. Plus une navette spatiale s'élève en luttant contre la gravité terrestre, plus son énergie potentielle augmente.

◆ **Nucléaire** Énergie assurant la **cohésion du noyau des atomes**. Une partie de cette énergie est libérée lors de réactions nucléaires comme celles du Soleil et des centrales nucléaires. Pendant la réaction, la matière détruite se transforme en énergie calorifique, en énergie cinétique, en radiations électromagnétiques et en lumière.

◆ **Cinétique** Énergie possédée par tout objet en mouvement. Elle est proportionnelle à la masse : un camion de 10 tonnes a 10 fois plus d'énergie qu'une voiture de 1 tonne se déplaçant à la même vitesse. Si la vitesse double, l'énergie est multipliée par 4 ; si elle triple, elle est multipliée par 9, etc.

◆ **Sonore** Énergie prenant la forme d'**ondes de pression** ou de **vibrations** (alternance rapide de pressions hautes et basses) dans l'air, un milieu solide ou liquide. Dans les oreilles, l'énergie sonore se transforme en **impulsions nerveuses** vers le cerveau.

◆ **Calorifique** Forme d'énergie qui rend un objet chaud. Elle est due à la **vibration** ou au **mouvement des atomes** : plus ils bougent rapidement, plus un objet est chaud. La **combustion du carburant** crée de la chaleur dans les moteurs. La chaleur se propage par **radiation** (comme la lumière), par **conduction** à travers un matériau (comme l'électricité) ou par **convection** (l'ascension d'un liquide ou d'un gaz chaud parce qu'il est plus léger que les matières froides qui l'environnent).

◆ **Lumineuse** Forme d'**énergie électromagnétique** la plus connue. Elle est produite par des objets chauds, par certaines réactions chimiques et nucléaires, par la fluorescence ou par d'autres facteurs.

PETITE INFO

Un **vaisseau spatial** au décollage émet une pression acoustique pouvant atteindre 190 dB. À titre de comparaison, un **soupir** produit 20 dB, un **aspirateur** 80 dB et un **concert de rock** 110 dB.

Le bâtiment et le génie civil

Bien qu'ils aient beaucoup en commun, le bâtiment et le génie civil constituent deux domaines différents de l'industrie de la construction. Le bâtiment concerne la construction des édifices, publics ou privés, religieux ou militaires, etc. Le génie civil s'occupe des travaux publics : construction de routes, de ponts, de barrages, de canalisations et de tunnels. Les anciens Romains excellaient dans cette discipline. Concevoir les bâtiments revient aux architectes, alors que les ingénieurs s'assurent que les édifices seront solides et stables.

Notions d'architecture

Au fil du temps, de nombreuses inventions ont résolu les difficultés que présentaient les ouvertures et le poids des toitures. Les espaces intérieurs sont devenus plus confortables.

◆ **Linteau et montants** Un linteau repose sur des montants. Cette idée simple permit de créer des passages et de supporter la toiture.

◆ **Voûte en berceau** Déjà utilisée par les Romains, elle sert à former la toiture. Deux voûtes peuvent se croiser à 90°. La voûte d'arête est le croisement à angle droit de deux voûtes en berceau.

◆ **Arc en plein cintre** Le poids de la toiture est transmis aux colonnes ou aux murs porteurs. Les Romains, puis l'art roman, firent un usage intensif de l'arc en plein cintre.

◆ **Arc-boutant** Invention du gothique, l'arc-boutant transmet le poids des niveaux supérieurs de l'église à un contrefort situé à l'extérieur de l'édifice.

◆ **Arc en ogive** Fleuron du gothique, cet arc brisé permit de monter plus haut et de percer plus d'ouvertures. Des contreforts absorbaient la poussée latérale du poids de la superstructure.

◆ **Coupole** Autre invention romaine, la coupole est une sorte d'arc en trois dimensions. Elle peut être parfaitement sphérique ou brisée si elle prend appui sur un arc en ogive. Elle peut surmonter le croisement de deux voûtes à 90°.

Tours : quelques records

Empire State Building New York (E.-U) 381 m ◆ **Shun Hing Square** Shenzhen (Chine) 384 m ◆ **CITIC Plaza** Guangzhou (Chine) 391 m ◆ **Central Radio and TV Tower** Pékin (Chine) 417 m ◆ **Jin Mao Tower** Shanghai (Chine) 421 m ◆ **Menara Kuala Lumpur** (Malaisie) 421 m ◆ **Sears Tower** Chicago (E.-U) 442 m ◆ **Petronas Towers** Kuala Lumpur 452 m ◆ **Oriental Pearl Tower** Shanghai 468 m ◆ **Taipei 101** (Taïwan) 508 m ◆ **Tour du CN** Toronto (Canada) 553 m ◆ **Tour Ostankino** Moscou (Russie) 537 m ◆ **Burj Dubaï** Plus de 800 m Fin de la construction en 2008.

LE SAVIEZ-VOUS ?

Des styles d'architecture tels que ceux d'**Habitat 67**, du **Musée des Beaux-Arts du Canada** et de la **Grande bibliothèque du Québec**, ont contribué à embellir le paysage urbain.

Célébrer les dieux

Jusqu'à la fin du XIXe siècle, tous les grands édifices étaient religieux. Les pyramides d'Égypte étaient les tombeaux des pharaons (vénérés comme des dieux vivants) et les **pyramides à degrés** d'Amérique centrale étaient le théâtre de sacrifices rituels. Le plus grand et le plus ancien édifice en bois est un **temple bouddhiste** situé à Nara, au Japon. Dans le monde chrétien, les **cathédrales** étaient les édifices les plus monumentaux jusqu'à la **tour Eiffel**, en 1889.

Le plus grand dôme du monde

Le **dôme du Millennium** de Londres, achevé en 1999, est le plus grand dôme du monde. Avec 320 m de diamètre, il couvre une superficie égale à douze terrains de football. Il est constitué d'une toile de fibre de verre recouverte de Teflon, soutenue par un réseau de câbles en acier rayonnant de douze mâts, également en acier, de 90 m de haut. L'édifice doté du plus grand palier de bureaux (61,6 ha) est le Pentagone, à Washington. Avec plus de 13 millions de mètres cubes, les ateliers de construction de Boeing, près de Seattle (États-Unis), détiennent un autre record mondial.

À l'assaut du ciel

Au début du XXe siècle, les immeubles de dix étages étaient considérés comme très élevés. On les appela **gratte-ciel**. Après la destruction des **Twin Towers,** le 11 septembre 2001, la ville de New York a adopté le projet d'une tour encore plus haute, dessinée par le studio Libeskind. L'édifice surpassera les 419 m des Twin Towers pour atteindre 533 m.

CHRONOLOGIE

- **v. 6000 av. J.-C.** Emploi de briques séchées au soleil au Moyen-Orient.
- **v. 2650-2500 av. J.-C.** Pyramides de Gizeh.
- **v. 2200 av. J.-C.** Premier pont connu, à Babylone.
- **v. 1500 av. J.-C.** Invention du système linteau-montants en Égypte.
- **IVe siècle av. J.-C.** Les Romains inaugurent l'arc en plein cintre. Premières voies romaines militaires pavées.
- **IIIe siècle av. J.-C.** Premiers tronçons de la Grande Muraille de Chine.
- **IIe-Ier siècle av. J.-C.** Aqueducs romains.
- **v. 126 apr. J.-C.** Le dôme du Panthéon, à Rome, est édifié avec du béton coulé.
- **VIe siècle** Premier pont suspendu, en Chine.
- **XIIe siècle** Cathédrales gothiques : arcs en ogive et arcs-boutants.
- **1756** John Smeaton redécouvre le ciment hydraulique, connu des Romains au IIIe siècle av. J.-C.
- **1773** Premier pont métallique, sur la Severn, en Angleterre.
- **1815** Invention du macadam par l'Écossais John McAdam.
- **1825-1843** Premier tunnel creusé sous la Tamise.
- **1852** L'Américain Elisha Otis invente l'ascenseur.
- **1869** Canal de Suez.
- **1883** Pont de Brooklyn, à New York.
- **1885** Premier gratte-ciel à structure d'acier, à Chicago.
- **1889** Tour Eiffel, à Paris.
- **1894** Premier Escalator, à Coney Island (États-Unis).
- **1924** Première autoroute, en Italie.
- **1928** Invention du béton précontraint.
- **1931** Empire State Building, à New York.
- **1994** Tunnel sous la Manche.
- **1995** Pont de Normandie.
- **1997** Pont de la Confédération (Î.-P.-É., Canada).
- **2004** Viaduc de Millau.

Les routes

Les Romains furent les premiers à construire un réseau routier, afin de pouvoir déployer rapidement leur infanterie.
La **révolution industrielle** apporta des progrès considérables : au tournant du XIXe siècle, des ingénieurs comme Pierre Trésaguet en France et John McAdam en Grande-Bretagne revêtirent les routes d'une **chaussée imperméable**, composée de couches de pierres calibrées et compactées, bombée pour drainer les eaux de pluie. Aux pierres concassées fut ajouté du goudron pour obtenir le **macadam**. Le béton de ciment recouvert de **bitume** l'a remplacé depuis.

Un pont sur l'eau

- Un **pont cantilever** est un pont métallique dont la travée centrale s'appuie en porte à faux sur des travées autonomes, soutenues par une pile et ancrées à la rive.
- Dans un **pont en arc**, la forme du cintre répartit le poids.
- Dans un **pont suspendu**, le tablier est suspendu par des câbles en acier ou des chaînes en fer, rattachés à chaque pylône et tendus d'une rive à l'autre.
- Un **pont à haubans** ressemble à un pont suspendu, mais ses câbles sont rattachés aux piles, qui supportent la totalité du poids du tablier.

Se déplacer sous la terre

Le premier **tunnel** connu, destiné aux piétons, fut creusé sous l'Euphrate, en Mésopotamie, vers 2100 av. J.-C.
Le plus vieux **tunnel routier** connu, de 38 m de long, fut percé par les Romains sur la via Flaminia en l'an 76.
Ce n'est qu'au XVIIe siècle que l'on commença à employer l'explosif pour creuser la roche. En 1815, l'ingénieur français Marc Brunel inventa le **tunnel à bouclier**, une structure protectrice constituée de tubes métalliques que l'on posait à mesure que l'on pénétrait la roche.
De nos jours, la percée s'effectue à l'aide d'un immense **tunnelier**. Quant aux **tunnels sous-marins** de hauts-fonds, leurs sections préfabriquées peuvent être immergées directement.

222 années d'écart

L'Iron Bridge, bâti en 1779 près de Telford, en Angleterre, est le plus **vieux pont en arc et en fonte** du monde. Le pont du Millennium sur la Tyne, à Newcastle, est ouvert depuis 2001. C'est un pont ultramoderne pour piétons et cyclistes, dont le tablier courbe se relève pour livrer passage aux bateaux.

PETITE INFO

La **Panaméricaine** est la plus longue route du monde. S'étendant sur plus de **24 000 km**, ce réseau routier part du Texas, aux États-Unis, et traverse toute l'Amérique centrale jusqu'au Chili.

Des lignes de démarcation

Le plus long ouvrage d'art du monde est la Grande Muraille de Chine, qui totalise quelque 6 325 km.
La clôture la plus longue est la Dingo Fence, en Australie, qui s'étend sur 8 500 km à travers le Queensland et l'Australie-Méridionale. Elle protégeait les moutons en pâture des chiens sauvages.

Quelques records de tunnels

- **Le plus long tunnel ferroviaire** Seikan (Japon, 1988), 54 km.
- **Le plus long tunnel sous l'eau** Le tunnel sous la Manche (France-Angleterre, 1994), 50 km, dont 38 km sous la mer. En moyenne, le tunnel est à 46 m sous le fond de la mer. Il y a trois tunnels : deux pour les trains et un pour le service.
- **Le plus long tunnel routier** Laerdal (Norvège, 2000), 24,5 km.
- **Le plus long (et le plus ancien) métro** Le métro de Londres (commencé en 1863), 390 km.

Quelques records de ponts

- **Le plus long cantilever** Pont de Québec, Canada : 549 m.
- **Le plus long pont en arc** Pont de New River Gorge, États-Unis : 518 m.
- **Le plus long pont suspendu** Akashi-Kaikyo, Japon : 1 990 m.
- **Le plus long pont à haubans** Tatara, Japon : 890 m.

Voies navigables et ouvrages hydrauliques

Les Égyptiens et les Mésopotamiens construisirent des **barrages** et des **canaux d'irrigation** en 3000 av. J.-C.
Le **canal le plus long** encore en usage est le Grand Canal de Chine. Ses 1 780 km furent percés dès 485 av. J.-C.
Au Ier siècle apr. J.-C., les Chinois se servaient déjà d'**écluses** pour passer les biefs. Le plus long réseau de voies navigables est celui du Saint-Laurent, en Amérique du Nord : ses 1 200 km de rivières et de canaux relient les Grands Lacs à l'Atlantique.
Les Romains disposaient du plus grand réseau d'aqueducs pour apporter l'eau dans leurs cités : il totalisait une longueur de 610 km. Aujourd'hui, l'**aqueduc** le plus long s'étend sur 1 670 km et alimente Tripoli, en Libye.
La retenue d'eau la plus longue est celle d'Yaciretá-Apipé : ses 70 km s'étirent sur le fleuve Paraná entre l'Argentine et le Paraguay.

Électricité et magnétisme

Intimement liés, électricité et magnétisme sont dus à l'activité des électrons, des particules subatomiques chargées électriquement. Dans l'électricité statique, les électrons sont plus stables. Ce genre d'électricité est créé par l'accumulation d'électrons dans un objet, lui conférant une charge électrique. Le courant électrique passe à travers des matériaux appelés conducteurs. Il ne peut franchir les isolants. Le magnétisme est causé par des électrons évoluant dans les molécules d'un solide ou d'un conducteur, ce qui crée un champ magnétique autour d'un fil électrique.

Qu'est-ce que l'électricité ?

◆ Les **particules** dans les **atomes** ont une **charge électrique positive** ou **négative**. Normalement, les charges négatives et positives se neutralisent. Mais, dans certains matériaux, on peut provoquer un **surplus** ou un **déficit** en électrons (particules de charge négative) par le **frottement** ou d'autres moyens. Cela crée l'**électricité statique**.

◆ Dans les **conducteurs**, les électrons éloignés des atomes sont faiblement liés. Quand le courant électrique passe dans un fil, les électrons sautent d'un atome à un autre, traversant une distance infime, mais l'effet de dominos aboutit au **transfert d'énergie** tout au long du fil.

L'électricité dans la nature

L'**éclair** est provoqué par un déséquilibre des charges positive et négative dans un nuage d'orage dû au tourbillon des particules de glace en suspension. Le sommet du nuage accumule la charge positive et sa base, la charge négative. La différence peut devenir si grande que l'**électricité statique** se décharge entre deux nuages ou entre un nuage et le sol. Chez l'homme et l'animal, l'impulsion nerveuse consiste en de minuscules **décharges électriques** le long des nerfs.

La conduction

Les matériaux se classent selon leur propension à laisser circuler ou non l'électricité. ◆ Les **conducteurs** abondent en électrons libres et opposent peu de résistance au courant électrique.

◆ Les **isolants**, comme le caoutchouc, ont peu d'électrons libres et résistent au passage du courant. ◆ Les **semi-conducteurs** conduisent l'électricité de façon modulable, selon le voltage utilisé. Ils sont utilisés pour fabriquer des puces. ◆ Les **supraconducteurs**, comme les métaux dont la température est proche du zéro absolu, n'offrent presque aucune résistance.

La supraconduction

Près du zéro absolu (– 273 °C), certains métaux deviennent supraconducteurs. Le courant passe **sans perdre de force** et sans chauffer le conducteur. Des matériaux en céramique acquièrent les propriétés de la supraconduction à plus de 100 °C au-dessus du zéro absolu, ce qui rend possible l'exploitation industrielle de la **supraconduction**.

GLOSSAIRE

Ampère (A) Intensité du courant électrique. Du nom du savant français **André-Marie Ampère** (1775-1836), qui découvrit comment mesurer le courant électrique.

Coulomb (C) Unité de mesure de la charge électrique. Du nom du savant français **Charles de Coulomb** (1736-1806), qui expérimenta les charges électrostatiques.

Farad (F) Unité de la capacité d'un condensateur électrique. D'après le nom du savant britannique **Michael Faraday** (1791-1867).

Ohm (W) Unité de résistance électrique. Du nom du savant allemand **Georg Simon Ohm** (1789-1854), qui découvrit la relation entre le courant, le voltage et la résistance.

Volt (V) Unité de force électromotrice. Du nom du savant italien **Alessandro Volta** (1745-1827), qui inventa la première pile électrique.

Watt (W) Unité de puissance électrique consommée. Du nom du savant écossais **James Watt** (1736-1819), qui élabora les machines à vapeur.

Qu'est-ce que le magnétisme ?

◆ Le **magnétisme** est invisible, mais ses effets sont mesurables. ◆ Dans les fils électriques et les **aimants**, les **électrons** créent des champs de force : les **champs magnétiques** qui, s'ils sont alignés, se renforcent mutuellement et peuvent aimanter d'autres matériaux. ◆ Chaque aimant a un pôle nord et un pôle sud, qui se repoussent ou s'attirent selon que leur influence est contraire ou identique. ◆ La Terre se comporte comme un aimant avec ses **pôles magnétiques** nord et sud.

L'électromagnétisme

C'est le Danois **Hans Œrsted** qui découvrit le rapport entre l'électricité et le magnétisme. En 1819, il constata qu'un courant électrique passant dans un fil faisait osciller l'aiguille d'une **boussole** placée à proximité ; et ce parce que le courant électrique crée un **champ magnétique** autour du fil. On découvrit ensuite que, lorsqu'un fil électrique est enroulé sur une bobine, celle-ci accroît le champ magnétique. En 1825, **William Sturgeon** démontra que l'on pouvait augmenter la puissance du champ magnétique en plaçant du minerai de fer dans la bobine électrique. **Michael Faraday** montra l'effet inverse : le champ magnétique induit un courant électrique. En 1831, il créa un courant en insérant un aimant droit dans une bobine. Le principe de l'**induction électromagnétique** était né. Faraday découvrit en outre qu'un conducteur laissant passer un courant dans un champ magnétique subit une force ; c'est le principe du **moteur électrique** et des machines électriques modernes.

LE SAVIEZ-VOUS ?

Le pôle nord d'un aimant est l'extrémité qui s'oriente vers le nord. Or seuls s'attirent les **pôles magnétiques opposés.** Cela signifie que le pôle Nord terrestre est en réalité un pôle sud magnétique.

L'utilisation de l'électricité

Rien n'a autant changé la vie quotidienne que, au XXe siècle, la distribution de l'électricité et l'invention d'appareils électriques. La découverte capitale, après le moteur et l'éclairage électriques, fut celle du courant alternatif par Nikola Tesla. Elle permit de produire de l'électricité de manière fiable dans les centrales électriques, de la transmettre et de l'utiliser en sécurité pour faire tourner diverses machines. Une autre révolution a été celle de l'électronique. Elle commença par l'invention de la diode, par John Ambrose Fleming, en 1904, suivie par celle, non moins importante, du transistor en 1947, puis de la puce en 1958.

Les moteurs électriques

◆ Le **moteur électrique** est l'invention la plus importante dans le domaine de l'électricité. Dans sa plus simple expression, il consiste en une bobine de fil pivotant dans un **champ magnétique** entre les pôles d'un aimant permanent ou d'un **électroaimant.** Le courant qui traverse la bobine (appelée l'**armature**) crée son propre champ magnétique, doté de forces d'attraction et de répulsion agissant entre la bobine et le champ magnétique qui l'entoure. L'interaction de ces forces crée le mouvement : en tournant, la bobine entraîne un axe.

◆ Le **moteur à courant continu** (CC) fonctionne avec un courant constant, à partir d'une **batterie**. L'énergie est transmise à l'armature par deux langues métalliques flexibles, les balais, fixées de part et d'autre de l'armature. Deux autres plaquettes, les **commutateurs**, sont fixées à l'armature. Le contact entre les balais et les commutateurs crée un mouvement rotatif continu.

◆ Le **moteur à induction** utilise le courant alternatif (CA) et ne fonctionne qu'avec ce type de courant. L'armature consiste en une série d'épaisses boucles de cuivre fixées à la surface d'une barre de fer dont les extrémités sont reliées à un anneau de cuivre.

◆ Le **moteur synchrone** (CA) tourne à une vitesse constante en fonction de la fréquence de l'alimentation électrique. Il est utilisé pour les horloges électriques.

Confort domestique

La découverte de l'effet calorifique du courant électrique par le Britannique **Humphry Davy**, en 1801, est à l'origine de la plupart des appareils de chauffage et d'éclairage.
Le premier appareil à exploiter ce principe fut la **lampe à arc**, inventée par Davy en 1807. Alors que de nombreux scientifiques cherchaient à obtenir de la lumière par un filament chauffé dans une ampoule en verre, ce sont l'Anglais **Joseph Swan** et l'Américain **Thomas Edison** qui y parvinrent, en 1878-1879.
En 1902, le chimiste français **Georges Claude** découvrit le phénomène lumineux du passage de l'électricité à travers le **néon**. Le chauffage électrique domestique apparut dans les années 1880. La résistance du radiateur électrique rougeoit, émet la chaleur par rayonnement infrarouge et chauffe l'air qui entre en contact avec elle.

Thomas Edison

Le « père de l'invention », Thomas Alva Edison (1847-1931), a déposé **1 093 brevets** : c'est plus que tout autre inventeur. Esprit systématique, il ouvrit en 1876 une « usine à inventions » où lui et ses collaborateurs conçurent des produits destinés à être aussitôt fabriqués.
Le premier brevet d'Edison concernait un **indicateur de votes électrique**, mais la plupart de ses inventions portaient sur la **télégraphie**. Il s'intéressa au téléphone et mit au point, un an après le succès de **Bell**, un microphone perfectionné qui fut utilisé un siècle durant. Ses inventions les plus connues sont le **phonographe** (**gramophone**) et l'**ampoule électrique**.

La diode

Une diode ne laisse circuler le courant que dans un sens et sert de redresseur pour transformer le courant alternatif en courant continu. Brevetée en 1904, la **diode de Fleming**, ou valve, permit des innovations importantes, comme la radio (en transformant un signal radio CA en signal CC), et signa l'avènement de l'électronique.

… VOUS ?

Nombre d'inventions ne sont estimées à leur juste valeur que des années plus tard. Quand on demanda à **Michael Faraday** à quoi pouvait servir sa dynamo électrique, il ne sut que dire sur le moment, mais il répondit : « À quoi sert un bébé ? »

CHRONOLOGIE

- **v. 1790** L'Italien Alessandro Volta découvrit la pile électrique.
- **1829** L'Américain Joseph Henry construit le moteur électrique.
- **1831** Faraday invente le générateur électrique et le moteur rotatif.
- **1832** Pixii élabore la génératrice à courant continu.
- **1840** Horloge électrique.
- **1841** Première bobine d'induction par Louis Breguet.
- **1843** L'Écossais Alexander Bain met au point la télécopie.
- **v. 1860** Le Français Georges Leclanché invente la pile dont dérivent les batteries à piles sèches.
- **1863-1880** Premier éclairage électrique permanent, par lampe à arc, en France.
- **1877** Thomas Edison conçoit le phonographe.
- **1881** Alexander Graham Bell, inventeur du téléphone, crée le détecteur à métaux.
- **1888** L'Américain d'origine croate Nikola Tesla élabore le générateur électrique à courant alternatif.
- **1889** Premier four électrique.
- **1890** Premier train électrique.
- **1902** Air conditionné.
- **1904** L'Anglais John Ambrose Fleming invente la diode (le premier composant électronique).
- **1907** Apparition de l'ampoule électrique à longue durée de vie à filament de tungstène. Première machine à laver électrique.
- **1927** L'Américain Philo Farnsworth réalise la première transmission télévisée électronique.
- **1931** Premier rasoir électrique.
- **1935** L'Américain Adolph Rickenbacker invente la guitare électrique.
- **1938** L'Américain Chester Carlson crée la photocopie électrostatique.
- **1946** Four à micro-ondes.
- **1947** Des Américains inventent le transistor.
- **1948** Premier ordinateur programmable, élaboré à l'université de Manchester.
- **1953** Radio transistor.
- **1958** L'Américain Jack Kilby fabrique le premier circuit intégré (puce).
- **1960** Premier pacemaker, de la taille d'une télé.
- **1979** Premier baladeur.
- **2001** iPod.

La production d'énergie

Environ 90 % de l'énergie consommée dans le monde (et presque 65 % de l'électricité) proviennent de l'exploitation de carburants fossiles. L'énergie nucléaire représente moins de 8 % de la consommation mondiale d'énergie. Les centrales hydroélectriques fournissent 2,5 % de l'énergie mondiale, et une proportion infime provient de sources renouvelables. Le Canada se classe au troisième rang mondial pour sa consommation d'électricité par habitant. L'Islande, le Malawi, la Norvège, le Paraguay et la Zambie produisent plus de 99 % de leur électricité à partir d'énergies renouvelables.

Le fonctionnement d'une centrale électrique ?

Les centrales électriques produisent de la vapeur afin d'actionner des turbines qui génèrent de l'**électricité**. Du charbon est d'abord mélangé à de l'**air préchauffé**, avant d'être brûlé dans un fourneau. La chaleur obtenue fait bouillir de l'eau contenue dans des canalisations. L'eau se transforme en **vapeur surchauffée**, laquelle, comprimée dans les turbines, fait tourner un **alternateur**, générateur de courant électrique. À la sortie des **turbines**, la vapeur est refroidie dans un condenseur.

Vieille querelle

Bien que Thomas Edison eût créé la première centrale électrique du monde, en 1882, il avait misé sur le mauvais cheval : son usine produisait du **courant électrique continu** (CC). Son rival, **George Westinghouse**, qui exploitait les inventions de **Nikola Tesla**, choisit le **courant alternatif** (CA). L'avantage du CA est de pouvoir, avec un transformateur, élever ou abaisser le voltage. On peut transmettre le courant à haut voltage sur de longues distances (lignes à haute tension) sans qu'il subisse trop de pertes, puis en baisser le voltage pour l'emploi domestique. Le CC n'est pas aussi aisé à manipuler et son transport sur de grandes distances s'accompagne d'importantes pertes dues à l'échauffement des câbles.

Les carburants fossiles

Les carburants fossiles – **charbon**, **pétrole** et **gaz naturel** – se sont formés il y a des millions d'années, à partir des restes organiques de végétaux et d'animaux qui se sont transformés au sein d'épais sédiments. ◆ **Avantage** : extraire des carburants fossiles et les consumer pour produire chaleur et électricité est facile et bon marché. Ces carburants peuvent être transportés par pipe-lines ou à bord de tankers jusqu'aux centrales ou dans des raffineries, où ils fourniront de nombreux dérivés chimiques. ◆ **Inconvénient** : les carburants fossiles produisent du gaz carbonique, un gaz à effet de serre responsable du réchauffement de la planète, et des polluants comme l'anhydride sulfureux (responsable des pluies acides). En outre, leurs gisements sont limités.

La réaction en chaîne

En montrant, en 1905, que la **désintégration de la masse** peut libérer une quantité énorme d'énergie, la **théorie de la relativité restreinte** d'Albert Einstein jette les bases de l'ère nucléaire. En 1938, en Allemagne, Fritz Strassmann et Otto Hahn réalisent la **fission** (division) d'atomes d'**uranium** en bombardant leurs noyaux de particules subatomiques appelées neutrons. Lorsqu'un neutron frappe le noyau lourd d'un atome d'**uranium 235**, celui-ci se scinde en noyaux plus légers. Apparaissent alors des neutrons supplémentaires, qui scindent à leur tour des atomes U-235. C'est une **réaction en chaîne**. Les particules produites sont plus légères que le noyau d'uranium d'origine. C'est la masse perdue qui crée l'énergie – chaleur et radiation. La **fission** de 1 kg d'uranium produit autant d'énergie que 2 000 tonnes de charbon ou 8 000 barils de pétrole.

La géothermie

L'Islande est située à un endroit où la croûte terrestre est en expansion. Les roches en fusion (le magma) remontent vers la surface, où elles forment parfois des coulées de lave. **L'eau chaude** qui s'écoule des roches est utilisée pour chauffer les habitations de Reykjavík, tandis que la **vapeur géothermique** sert à produire de l'électricité.

CHRONOLOGIE

- **370 av. J.-C.** Emploi du charbon en Chine.
- **v. 211 av. J.-C.** Forage d'un puits de gaz en Chine.
- **915 apr. J.-C.** Emploi de moulins à vent en Perse.
- **1799** Le Français Philippe Lebon fait breveter l'éclairage de ville au gaz.
- **1807** Mise en service, à Londres, de l'éclairage urbain au gaz de houille, inventé par Lebon.
- **1827** Le Français Benoît Fourneyron réalise la première turbine hydraulique.
- **1859** Premier forage pétrolier, à Oil Creek, en Pennsylvanie (États-Unis).
- **1872** Fabrication des premiers gazoducs, à New York et en Pennsylvanie.
- **1881** Construction d'une centrale hydroélectrique expérimentale en Allemagne.
- **1881** Première génératrice hydraulique au Canada sur les chutes Chaudière.
- **1882** Thomas Edison inaugure la première centrale électrique, à New York.
- **1902** Mise en place des plus gros générateurs du monde, Shawinigan (Québec).
- **1904** Première centrale géothermique, à Lardarello (Italie).
- **1938** Otto Hahn et Fritz Strassmann, en Allemagne, divisent des atomes d'uranium à l'aide de neutrons.
- **1941** Le premier aérogénérateur moderne est construit aux États-Unis.
- **1942** Premier réacteur nucléaire en fonctionnement, à l'université de Chicago.
- **1954** Première centrale nucléaire du monde à Obninsk, en URSS.
- **1960** Première centrale à énergie solaire construite au Turkménistan.
- **1967** Première centrale marémotrice en France.
- **1979** Accident de Three Mile Island, aux États-Unis
- **1986** Accident de Tchernobyl, en Ukraine.
- **1991** Première fission nucléaire contrôlée en Angleterre.

Superphénix

Après le choc pétrolier de 1973, la France décida de construire un **surgénérateur** (RNR). Superphénix sortit de terre en 1976, à Creys-Malville, sur le Rhône. Le fleuron du parc électronucléaire français avait une puissance électrique de 1 200 MW. « Bête noire » du mouvement antinucléaire, il fut la cible d'une violente **polémique** et d'un attentat à la roquette en 1982. Après les accidents de Three Mile Island et de Tchernobyl, le gouvernement décida en 1998 de démanteler Superphénix, qui était encore au stade expérimental.

Le fonctionnement d'une centrale nucléaire

L'**uranium** se présente d'ordinaire sous l'aspect de **barres** (crayons). Un modérateur – de l'eau normale, de l'**eau lourde** (contenant du deutérium à la place de l'hydrogène) ou du **graphite** – ralentit les neutrons pour qu'ils pénètrent dans les noyaux d'uranium et provoquent la **réaction en chaîne**. Des barres de commande permettent de contrôler la puissance du réacteur. Un **fluide**, le **caloporteur** – gaz ou liquide –, circule dans le cœur pour extraire la chaleur et la vapeur obtenue.

Les déchets nucléaires

L'énergie nucléaire produit des **déchets radioactifs**. Ils se classent en trois catégories A, B et C, selon leur niveau de radioactivité et leur durée de vie. Les déchets de haute activité à vie très longue (C) comprennent les produits de la fission de noyaux d'uranium comme le **strontium 90**, le **césium 137** et le **barium 140** ou le **plutonium**. Avant d'être stockés, ces combustibles sont traités. Le **centre de la Hague**, en France, assure ce genre de traitement.

L'énergie des marées

La plus grande réserve d'énergie de la planète est constituée par le **mouvement continuel** des océans. On distingue deux sortes de mouvements : le **flux** et le **reflux** des marées causés par l'**attraction lunaire**, et le mouvement des vagues causé par le vent. La force des **marées** peut être exploitée par une **centrale marémotrice**. Une **digue** et un **barrage** doté de vannes permettent de remplir ou de vider un estuaire. La plus grande centrale marémotrice du monde, dans l'estuaire de la Rance, en France, date de 1967.

L'hydroélectricité

L'énergie hydroélectrique fait partie des **sources d'énergies renouvelables** en raison du cycle de l'eau. Le Canada, et en particulier le Québec, possède d'abondantes ressources en eau ainsi qu'une géographie fournissant de nombreuses possibilités pour la production d'énergie. Celle-ci a joué un rôle important dans le développement économique et social du pays au cours des trois derniers siècles.

L'énergie géothermique

La chaleur qui règne au centre de la Terre représente une énergie colossale. Mais elle n'est exploitable qu'en certains points chauds : les régions volcaniques où les roches échauffées, ou la lave, sont proches de la surface. Dans les **geysers**, l'eau souterraine entre en ébullition et sa vapeur est collectée pour produire de l'électricité. Ailleurs, on verse de l'eau sur les roches surchauffées pour obtenir de l'eau chaude. La première centrale géothermique, celle de **Lardarello**, en Italie, date de 1904. La plus grande, **les Geysers**, en Californie, fournit jusqu'à 1 900 MW. Cependant, la production de ce genre d'énergie doit souvent être limitée pour éviter qu'elle ne s'épuise trop vite.

L'énergie éolienne

Les moulins à vent existent depuis plus de mille ans. Ils servaient jadis à pomper de l'eau ou à moudre le grain. Le premier générateur électrique éolien fut construit au Danemark vers 1890. Dans les années 1920, le Français Georges Darreius inventa une **turbine à vent**, dotée de trois grandes hélices, qui ressemblait à un gigantesque batteur à œufs ; elle pouvait s'orienter dans n'importe quelle direction. Les **aérogénérateurs** modernes sont équipés de deux ou trois immenses **pales** pouvant atteindre 65 m d'envergure et contrôlées par ordinateur. Ils sont souvent installés en groupe sur les reliefs venteux, sur le littoral ou au large. Les deux plus grandes installations – de 5 000 turbines chacune – sont en Californie. Elles **ne polluent pas** et leur **coût de fonctionnement** est **réduit**.

PETITE INFO

En 2004, le Canada s'est classé au **6e rang** mondial des producteurs d'énergie. À l'exception de l'uranium, il a fourni **3,5 %** des produits et services énergétiques mondiaux.

La biomasse

La biomasse est constituée de **matière organique renouvelable** provenant d'animaux et de végétaux vivants, ou morts depuis peu, et de leurs déchets. Elle inclut la paille, le purin, le papier, le sucre, etc. L'exploitation de ce genre d'énergie est satisfaisante sur le plan écologique tant que la biomasse peut se renouveler.

L'énergie solaire

L'exploitation de l'**énergie solaire** permet de faire fonctionner des chauffe-eau domestiques dans les régions ensoleillées, au moyen de **panneaux solaires** installés sur le toit des maisons. L'électricité est produite de deux manières. ◆ Les **centrales thermosolaires** concentrent le rayonnement solaire sur un foyer au moyen d'un jeu de miroirs orientables. La chaleur obtenue permet de produire de la **vapeur** ou de l'**eau chaude**. La plus grande centrale thermosolaire du monde se trouve dans le désert Mohave, en Californie. ◆ Les **modules photovoltaïques** utilisent des cellules photoélectriques à base de **silicium** cristallin, qui transforment le rayonnement en électricité. Ce moyen est bien adapté aux sondes spatiales, aux radiotéléphones des autoroutes et aux villages isolés. Il est aussi utilisé pour les calculettes et les voitures expérimentales.

Les navires

Un navire flotte car son poids équivaut à celui de l'eau déplacée par sa coque, ce qui le soulève. Quand il est métallique, il flotte parce que sa coque est creuse et peut déplacer, au minimum, son propre poids d'eau. Plus l'eau est froide et plus la charge d'un navire est légère, plus sa ligne de flottaison est basse. La densité de l'eau salée diminue quand celle-ci se réchauffe. Aux premiers moyens de propulsion qu'étaient la pagaie, la perche, puis la rame et la voile, succédèrent la vapeur, le diesel, le moteur électrique, la turbine à gaz et enfin la propulsion nucléaire.

L'évolution de la voile

Les premiers navires étaient **gréés en carré** : une simple voile carrée était fixée à un **mât**. Ce gréement n'était efficace que par vent arrière. Au Ve siècle, les Arabes inventèrent la voile latine, premier gréement **aurique**, qui permettait de tirer parti de la direction du vent.

◆ **GRÉEMENT CARRÉ** La voile, quadrangulaire, était immobile, on utilisait d'énormes avirons.

◆ **GRÉEMENT LATIN** La voile, triangulaire, enverguée à une antenne, était plus maniable.

◆ **CARAVELLE** Les marins portugais affinèrent les caractéristiques de la voile latine au XVe siècle.

◆ **GALION** Navire de guerre et de transport entre l'Europe et l'Amérique qui apparut vers 1550.

◆ **CLIPPER** Sa coque élancée en faisait un navire de commerce rapide.

◆ **KETCH** Navire de course à poupe carrée dont le grand mât est à l'avant et le mât d'artimon, devant la barre.

Se déplacer sous l'eau

Les sous-marins et autres submersibles ont des coques capables de résister en **plongée** à 1 atmosphère (pression de l'air au niveau de la mer) tous les 10 m. Leur flottabilité variable leur permet de plonger et de remonter à volonté. La plupart des sous-marins ont des **ballasts** qui se remplissent d'eau et se vident par **air comprimé** pour modifier leur flottabilité. Les **barres de plongée** (ailerons horizontaux réglables) assurent la stabilité de l'engin lorsqu'il navigue sous l'eau. Les sources d'énergie sont des batteries, des moteurs Diesel et/ou un réacteur nucléaire.

PETITE INFO

D'après la légende, c'est dans son bain qu'**Archimède** réalisa que tout corps plongé dans l'eau déplace un volume d'eau égal. Il découvrit que, si un corps déplace un volume d'eau pesant plus que son propre poids, il flotte.

Quelques records

◆ **Clipper le plus rapide** *Lightning* (1854) : 436 miles nautiques (807 km) en 24 heures – vitesse maximale de 21 nœuds (39 km/h).

◆ **Plus grand navire de croisière** *Queen Mary 2* (sorti des Chantiers de l'Atlantique en 2003) : 345 m de long, 150 000 tonnes, 2 600 passagers.

◆ **Traversée de l'Atlantique la plus rapide** *Cat-Line V* en 1998 : 2 jours, 20 h et 9 min – vitesse moyenne de 41,28 nœuds (76,37 km/h).

◆ **Plongée la plus profonde** Jacques Piccard et Donald Walsh dans le bathyscaphe *Trieste* (1960) : 10 911 m.

◆ **Plus gros navire** Supertanker *Jahre Viking* (1980) : 458,50 m de long.

De plus en plus profond

◆ **9 à 12 m** Limite de plongée sans équipement, mais certains plongeurs peuvent atteindre 30 m.

◆ **30 à 50 m** Limite de plongée autonome (avec bouteilles).

◆ **700 m** Limite de plongée avec scaphandre lesté.

◆ **900 m** Limite de plongée du bathysphère occupé par Beebe et Barton en 1934. Limite d'évolution normale d'un sous-marin.

◆ **6 600 m** Limite de plongée des sous-marins profonds, tel *le Nautile*, habités ou non.

◆ **10 911 m** Record de plongée à bord du bathyscaphe en acier *Trieste*, en 1960.

CHRONOLOGIE

v. 3200 av. J.-C. Embarcations égyptiennes en bois à quille.

2500-1200 av. J.-C. Trières minoennes et mycéniennes, équipées d'un éperon à la proue.

v. 700-500 av. J.-C. Navires de guerre grecs à deux (birèmes) ou trois rangées (trirèmes) de rames.

v. 400-500 apr. J.-C. Boutres arabes, gréés de voiles latines.

VIIIe-Xe siècle Bateaux vikings, avec une rame comme gouvernail.

Avant 1200 Les Chinois inventent le gouvernail.

v. 1450 Premiers trois-mâts.

v. 1540-1600 Galions à trois ou quatre mâts, capables de manœuvres complexes.

1787 Premier vaisseau propulsé par la vapeur, un bateau à aubes.

1800 Premier sous-marin alimenté en air comprimé.

1836 L'hélice est brevetée.

1837 Le *Great Western*, premier vapeur transocéanique, à aubes latérales.

1845 Le transatlantique *Great Britain*, premier navire à hélice.

1863 Premier sous-marin motorisé.

1864 Première victoire d'un sous-marin contre un navire de surface.

1869 La percée du canal de Suez signe le déclin des clippers.

1897 Premier navire à turbine à vapeur.

1898 Premier sous-marin à moteur à essence (en surface) et à moteur électrique (en plongée).

1902 Lancement du cinq-mâts prussien *Preussen*.

1906 Lancement du cuirassé anglais *Dreadnought*, doté de cinq tourelles d'artillerie.

1908 Premier sous-marin à moteur Diesel.

1910 Premier vaisseau à moteur Diesel.

1914-1918 ; 1939-1945 Développement des sous-marins pendant les conflits mondiaux.

1916 *L'Argus*, premier porte-avions.

1959 Premier aéroglisseur.

1975 Le *Nimitz*, porte-avions américain à propulsion nucléaire.

1992 Le *Seacat*, un ferry de type catamaran, permet de traverser rapidement la Manche.

Voitures, motos et bicyclettes

Environ 700 millions de voitures circulent aujourd'hui dans le monde. La production de masse a permis de réduire le coût de construction des automobiles. Dans la plupart des pays développés, on compte pratiquement une voiture pour environ deux personnes. Le nombre d'automobiles augmente de presque 5 % par an dans le monde industriel, ce qui aggrave l'engorgement du trafic et la pollution. Malgré les recherches sur les carburants de remplacement et les nouvelles énergies, la majorité des voitures utilise un moteur à combustion interne, alimenté à l'essence.

Le cycle à quatre temps

La plupart des voitures ont un moteur à **quatre temps** qui fournit de la puissance tous les deux tours de **vilebrequin**.

◆ **Admission** La soupape d'admission s'ouvre et le piston descend. Le mélange air-essence est aspiré dans le cylindre.

◆ **Compression** Le piston remonte. Le mélange inflammable air-essence est comprimé.

◆ **Explosion** Une étincelle enflamme le mélange. L'explosion des gaz repousse le piston vers le bas.

◆ **Échappement** Le piston remonte. La soupape d'échappement s'ouvre. Les gaz brûlés sont évacués.

Lauréats

Les modèles les plus vendus dans le monde sont : la **Ford modèle « T »** avec plus de 15 millions d'unités entre 1908 et 1927, la **VW Coccinelle**, avec 22 millions d'unités depuis 1936, et enfin la **Toyota Corolla**, qui atteignait 29 millions d'unités vendues en janvier 2002.

Les voitures de stars

◆ James Bond pilotait une **Aston Martin DB5** dans *Goldfinger*, *Opération Tonnerre* et *Golden Eye*.

◆ Dans *Bullitt*, Steve McQueen pilotait une **Ford Mustang**.

◆ *Braquage à l'italienne* et *la Panthère rose* révélèrent la **Mini-Cooper** dans sa version originale.

◆ Les voitures de *Un amour de Coccinelle* et de ses suites étaient des **Coccinelle Volkswagen**.

Les moteurs du futur

Électrique (batterie ou cellules photovoltaïques) Nécessite un rechargement fréquent et/ou des batteries pour l'usage nocturne. Peut polluer.

Hybride (moteur électrique et moteur à essence) Complexe, mais rentable si le moteur se branche sur les batteries au moment du freinage. Quelques émissions de gaz polluants.

Biomasse (éthanol ou biodiesel) Carburant renouvelable. Faibles émissions de gaz à effet de serre.

Air comprimé Une révolution dans la thermodynamique. Non polluant et énergie inépuisable.

La petite reine

Vers **1790**, le célérifère du comte de Sivrac était un deux-roues sans pédales. Le baron von Drais y ajouta un **siège** et une direction en 1818. En 1839, Macmillan l'équipa d'un **engrenage**. Puis apparut le vélocipède, doté de pédales (1861), le penny-farthing, doté d'une grosse roue avant de 1,50 m de diamètre (1870), et enfin, la bicyclette, aux roues de même diamètre (1879). Le **dérailleur** fut une autre innovation (1909), comme le **VTT** (1973) puis l'emploi de la fibre de carbone dans la fabrication des vélos de course (années 1980).

Les motos

La production de motos deux cylindres débuta en 1894, suivie en 1895 par la création d'un moteur puissant et compact à quatre temps. En 1903, l'**Indian Company** (États-Unis) lança la **V-twin**, un moteur à deux cylindres. L'embrayage fut amélioré en 1911, le démarreur électrique et les freins à tambour apparurent en 1914. Les premiers **scooters** (Vespa et Lambretta) furent produits en 1947. Vers 1959, les constructeurs japonais commençaient à dominer le marché. En 1968, Honda lança son premier modèle doté de freins à disque. Les années 1980-1990 virent l'apparition du **turbocompresseur** et du moteur à injection.

CHRONOLOGIE

1769-1770 Nicolas Cugnot construit le fardier, premier véhicule mécanique mû par la vapeur.

1860 Étienne Lenoir élabore un moteur à gaz à allumage électrique, futur moteur à explosion.

1889 Daimler et Benz mettent au point un tricycle à moteur à essence.

1891 Panhard et Levassor inventent la première voiture à moteur frontal à propulsion. Elle sera fabriquée en série.

1892 L'ingénieur Rudolf Diesel brevette le moteur à combustion interne.

1893 Wilhelm Maybach, un associé de Daimler, crée le carburateur moderne.

1894 Une de Dion-Bouton à vapeur gagne la course automobile Paris-Rouen, avec une moyenne de 18,7 km/h.

1895 Michelin invente le pneu pour les roues des voitures.

1900 Première Daimler Mercedes, avec châssis en acier.

1901 Le conducteur d'une Ford 12 chevaux-vapeur gagne la première course automobile au Canada (Winnipeg).

1908 Sortie de la Ford modèle « T », de Henry Ford, première voiture fabriquée à la chaîne.

1912 Starter électrique.

v. 1920 Premiers camions et bus à moteur Diesel.

1924 Frein hydraulique.

1935 Ferdinand Porsche conçoit la Volkswagen (la « voiture du peuple ») à la demande d'Adolf Hitler.

1939 Transmission automatique.

1941 Début de la production de la Jeep.

1948 Michelin met au point le pneu radial Goodyear, le pneu sans chambre à air. Sortie en France de la 2 CV Citroën.

1951 Frein à disque.

1959 Lancement en Angleterre de la Mini.

Milieu des années 1970 Premier choc pétrolier et début des recherches pour la création de moteurs plus économiques.

1980 Le Japon devance les États-Unis sur le marché de l'automobile.

1997 Premières voitures à moteur hybride (essence-électricité), produites au Japon.

Au XIXe siècle, le train contribua à l'essor économique de nombreux pays. La France, entre 1852 et 1869, se couvrit d'un réseau ferroviaire de 17 430 km alors que celui des États-Unis atteignait 14 500 km en 1850. Le Canada possédait 26 699 km de lignes ferroviaires en 1897 et 57 000 km en 1920. La construction de la Transcanadienne, à partir des années 1930, a contribué à l'augmentation du nombre de véhicules et à rendre l'utilisation du train moins attrayante. Le train joue encore un rôle dans le transport de passagers et dans le transport des marchandises.

Les principes de base

L'idée fondamentale du chemin de fer est d'éviter le maximum de **friction** en utilisant des roues métalliques sur des rails métalliques.

Le transport d'une charge par le rail ne nécessite en effet que le dixième de l'énergie (mesurée en **chevaux-vapeur**) que demanderait le transport de la même charge par la route. **Trois systèmes** de propulsion ont été utilisés.

1. L'énergie de la vapeur On fait monter la pression dans une chaudière séparée. Elle actionne des pistons dont le mouvement est transmis aux roues de la locomotive par des bielles.

2. Le moteur diesel Un générateur produit de l'électricité. Le fioul injecté dans les cylindres s'enflamme. Les pistons s'ébranlent.

3. L'énergie électrique Un courant électrique circulant sur un troisième rail ou le plus souvent par caténaire est capté par la locomotive, équipée d'un puissant moteur électrique.

Les derniers progrès

L'amélioration de la sécurité, le respect de l'environnement, l'engorgement du trafic routier et la concurrence des transports aériens sur les moyennes distances suscitent des recherches et des innovations techniques et commerciales.

- **Réseaux automatisés** Si la conduite automatique existe depuis les années 1970 sur le réseau RATP, Météor est la première ligne à pilotage automatique intégral.
- **Trains à grande vitesse** Aérodynamiques et dotés de puissants moteurs électriques, ils atteignent de grandes vitesses sur des voies spécialement conçues. Le Shinkansen japonais et le TGV français en sont des exemples réussis.
- **Trains à sustentation magnétique** Cette technique de l'ingénieur Hermann Kemper est née en 1934. Les projets allemands et japonais de trains maglev (**magnetic levitation trains**) ont débuté vers 1970. Ils « glissent » entre 1 et 10 cm au-dessus d'une voie spéciale, grâce à la présence d'un champ magnétique. Un Transrapid (électroglisseur) a été inauguré en Chine en janvier 2003.
- **Trains à suspension pendulaire** En inclinant sa caisse dans les courbes, le train pendulaire réduit ou annule la force centrifuge et peut aller plus vite. Le Pendolino, en Italie, et l'X-2000, en Suède, sont actuellement en service.

CHRONOLOGIE

1712 Première machine à vapeur par Thomas Newcomen.
Années 1760 James Watt développe et améliore la machine à vapeur.
1801 Le premier chariot à vapeur de l'Anglais Richard Trevithick.
1804 Première locomotive sur rails, de Richard Trevithick.
1825 Ouverture de la première ligne de chemin de fer, en Angleterre.
1835 Première voie ferrée en Allemagne, sur laquelle roule la locomotive de Stephenson *Der Adler*.
1858 Premier éclairage des compartiments (au gaz), en France.
1861 Premier tramway à Montréal. Il disparaît en 1956.
1862 Le Suisse Niklaus Riggenbacht invente le chemin de fer à crémaillère.
1879 L'Allemand Werner von Siemens fait la démonstration du premier moteur électrique pour locomotive.
1897 Le Français Léon Serpollet invente l'autorail, véhicule automoteur.
1912 Mise en service de la locomotive Diesel, en Allemagne.
1916 Le Transsibérien, la plus longue voie ferrée, ouvre après 25 ans de travaux.
1954 Mise en service du 1er métro du Canada, à Toronto. Celui de Montréal, mû par l'électricité, est mis en service en 1966.
1962 Essais de l'aérotrain en France par Bertin et Guienne, inventeurs de la technique du coussin d'air.
1964 Mise en service du Shinkansen (train-obus) au Japon (Tokyo-Osaka).
1991 Jonction des tunnels ferroviaires franco-anglais sous la Manche, dont le parcours totalise 50 km.

Voyager sous la terre

L'Angleterre inaugure son premier **tunnel ferroviaire** en 1830 et sa première **voie ferrée souterraine** en 1863. À Paris, la première **ligne de métro** fut inaugurée en 1900. La construction du Métro de Montréal débute en 1962 en même temps que celle de la Place Ville-Marie, le plus grand **complexe souterrain** au monde. À sa mise en service, en 1966, le métro de Montréal possède quatre lignes, entièrement souterraines, desservant 65 stations et assurant le transport de plus de 700 mille passagers chaque jour.

Records de vitesse

La vitesse a été un argument décisif du chemin de fer dès ses débuts. À mesure que les techniques progressent, on enregistre de nouveaux **records**.

- **Le train à vapeur le plus rapide** Le Mallard anglais établit le record de 203 km/h en 1938.
- **Le train en service le plus rapide** Le TGV (train à grande vitesse) français a atteint les 515 km/h pendant des essais.
- **Le train maglev le plus rapide** 552 km/h sur une voie d'essai au Japon, en 1999.

Les machines volantes

Le physicien et aérostier français Jacques Charles (1746-1823) développa les principes du vol en ballon et réalisa la première ascension d'un ballon à hydrogène en 1783. L'inventeur anglais George Cayley (1773-1857) expliqua à partir de 1809, les principes de l'aérodynamisme des machines volantes plus lourdes que l'air. Les vols humains devinrent possibles grâce à l'invention d'une source d'énergie légère et puissante, le moteur à combustion interne, mis au point à la fin du XIXe siècle.

Les principes du vol

Le **profil aérodynamique** de l'aile crée la **force élévatrice**. Quand l'avion accélère sur la piste d'envol, l'air qui passe sur la face supérieure – bombée – de l'aile a plus de distance à parcourir et s'écoule donc plus vite vers l'arrière que l'air qui passe sous l'aile – au profil presque plat. La **différence de pression** qui en résulte assure la **portance** et soulève l'aile.
1. Décollage L'aile d'un avion moderne est dotée de volets sur le bord de fuite, qui sont sortis pour accroître la portance.
2. Vol de croisière Les volets hypersustentateurs sont rentrés pour réduire la traînée (force opposée à la poussée des moteurs).
3. Atterrissage Les volets sont sortis pour assurer la portance en vitesse réduite. Les **spoilers (aérofreins)** fixés sur la face supérieure de l'aile pivotent vers le haut.

L'hélicoptère

◆ Le **rotor** de l'hélicoptère assure à la fois le rôle des ailes d'un avion et celui de ses hélices. Il exerce la **traction** et la **portance** en tournant sur lui-même. C'est une aile en hélice.
◆ Pour diriger précisément son appareil, le pilote dispose d'instruments complexes, grâce auxquels il oriente sa machine dans n'importe quelles **direction** et **inclinaison**.
◆ L'action du rotor exerçant un couple, une **contre-force** tend à faire tourner l'aéronef sur lui-même, dans le sens opposé à celui du rotor. Cette réaction est compensée par un dispositif **anticouple**, le petit rotor de queue.

Records de vol

◆ **Plus haute altitude en avion** 37 649,99 m, le 31 août 1977, par le pilote russe Alexander Fedorov, sur un MIG-25.
◆ **Plus haute altitude en avion, en vol horizontal** 25 929,03 m, le 28 juillet 1976, par les Américains Robert Helt et Larry Elliott, sur un Lockheed SR-71A Blackbird.
◆ **Plus haute altitude en ballon** 34 667,90 m, le 4 mai 1961, par les officiers de marine américains Malcolm Ross et Victor Prather, sur le *Lee Lewis Memorial.*
◆ **Plus grande vitesse en avion, en ligne droite** 3 529,46 km/h, le 28 juillet 1976, par les Américains Eldon Joersz et George Morgan, sur un Lockheed SR-71A Blackbird.
◆ **Premier aéronef à voler sans escale autour du monde et sans ravitaillement** Voyager, du 14 au 23 décembre 1986 ; conçu par l'Américain Burt Rutan et piloté par Dick Rutan et Jeana Yeager.

Ballons et dirigeables

Le principe du **vol en ballon** est qu'une enveloppe emplie d'air chaud ou d'un gaz plus léger que l'air (l'hydrogène ou l'hélium) s'élève et peut porter une charge. Les **dirigeables** sont des ballons propulsés. Les **frères Montgolfier** furent les premiers à réaliser un vol en ballon à air chaud, en 1783, suivis la même année par **Jacques Charles** et son ballon à hydrogène. Un autre Français, **Henri Giffard**, pilota le premier dirigeable, en 1852. Les dirigeables les plus réputés étaient ceux de la firme allemande **Zeppelin**, jusqu'au drame du *Hindenburg* en 1937.

Le moteur à réaction

Frank Whittle en 1930-1941 et Hans von Ohain en 1937-1941 mirent au point le **turboréacteur** destiné aux avions. Le premier **avion à réaction** du monde fut le **Heinkel He178** (1939). L'air, aspiré par une soufflante, est comprimé par un **compresseur** puis mélangé au carburant et enflammé. Les gaz chauds, qui actionnent la turbine, sortent à grande vitesse par les tuyères d'éjection. La rapide sortie des gaz crée en réaction la **poussée** de l'appareil dans l'atmosphère.

LE SAVIEZ-VOUS ?

Sans moteur, les planeurs s'élèvent en exploitant les **courants chauds ascendants (thermiques)**. Le Britannique George Cayley, l'Allemand Otto Lilienthal et le Français Octave Chanute en furent les pionniers, au XIXe siècle.

CHRONOLOGIE

1783 Première ascension humaine en ballon, par François Pilâtre de Rozier et le marquis d'Arlandes, à Paris.
1890 Premier vol mécanique, réalisé par le Français Clément Ader, sur 50 m.
1903 Orville Wright effectue le premier vol mécanique contrôlé à Kitty Hawk, aux États-Unis.
1909 Louis Blériot traverse la Manche dans un monomoteur.
1919 John Alcock et Arthur Whitten Brown réussissent le premier vol transatlantique sans escale, dans un biplane Vickers Vimy.
1923 Premier hydravion Viking, construit au Canada, à effectuer un vol.
1927 Charles Lindbergh accomplit le premier vol transatlantique en solitaire, sans escale, de New York à Paris.
1928 Inauguration du service aéropostal Canada-USA par un avion Fairchild de la Canadian Colonial Air Lines.
1937 L'incendie du dirigeable *Hindenburg* à Lakehurst (États-Unis) signe la fin de ce moyen de transport commercial.
1939 Vol en Allemagne du premier avion à réaction, le Heinkel He178. Igor Sikorsky conçoit le premier hélicoptère sûr.
1949 Mise en service du premier avion de ligne à réaction, le De Havilland Comet.
1966 Mise en service en Grande-Bretagne du Hawker Siddeley Harrier, premier avion à décollage et atterrissage verticaux.
1968 Mise en service en URSS du Tupolev Tu-144, le premier avion de ligne supersonique.
1970 Mise en service du Boeing 747 jumbo jet.
1976 Mise en service du Concorde franco-britannique, l'avion de ligne supersonique le plus rapide.
1979 Un aéronef à pédales, *Gossamer Albatross*, piloté par Bryan Allen, traverse la Manche.
1981 *Solar Challenger*, premier engin propulsé à l'énergie solaire, effectue un vol longue distance.
1999 *Breitling Orbiter III*, piloté par Bertrand Piccard et Brian Jones, est le premier ballon à effectuer le tour du monde sans escale.

Les armes

De tout temps, les guerres ont suscité des innovations techniques dont certaines réappropriations par la société civile représentent un progrès dans un monde apaisé. Deux avancées majeures ont révolutionné les conflits terrestres : la métallurgie et l'utilisation du cheval. L'apparition des armes à feu, entre le XVe et le XVIe siècle, fut une autre avancée notoire. Conçues à l'origine pour le combat rapproché à pied puis à cheval, les armes s'emploient désormais pour combattre à distance et détruire des objectifs très ciblés.

Panoplie des armes de jet

Les **armes de jet** les plus anciennes, apparues à la préhistoire, furent l'**arc** et la **fronde**. L'arc en bois fut amélioré par l'emploi de corne et de nerfs. La guerre de Cent Ans vit la confrontation de l'**arbalète** française, lente, et du grand arc anglais, rapide. Le « bâton à feu », inventé vers 1400, devint plus sûr avec le **fusil à silex**. Son expansion dans les années 1660 remplaça l'**arquebuse**. Il resta l'arme classique de l'infanterie pendant 150 ans. La première **artillerie** était composée de **catapultes** qui expédiaient des pierres ou des projectiles en métal. On employait des **engins de siège** pour abattre les murailles des forteresses. La **bombarde**, née au XIVe siècle, inspira le **canon de siège**, qui laissa place au **canon de campagne** monté sur roues.

La cavalerie

Il fallait être riche pour acheter et entretenir un **destrier**. Dans l'Antiquité, les combattants à cheval étaient rares. Le **chevalier** en armure du Moyen Âge, noble animé par l'esprit chevaleresque, disparut à la fin de la guerre de Cent Ans et avec l'avènement de l'arme à feu. Le cavalier portant **plastron** et **sabre** connut un second succès lors des **guerres napoléoniennes**, au début du XIXe siècle. Ses derniers descendants chargèrent héroïquement les chars allemands, en Pologne, en 1939.

Le bouclier et l'armure

Le **bouclier** était un élément défensif important jusqu'à la fin du Moyen Âge. Le port du **casque** et de l'**armure**, rare dans l'Antiquité, se généralisa vers la fin de l'époque romaine pour persister jusqu'à la fin de la guerre de Cent Ans environ. L'**armure d'écailles** (pourpoint et jambières de cuir recouverts de pièces métalliques se chevauchant) est le type le plus ancien : il date de 500 av. J.-C. Le **haubert** ou **cotte de mailles** (petits anneaux en fil de fer entrelacés puis rivés) date d'environ 450 av. J.-C, mais il fut réellement en usage du VIe au XIVe siècle. La lourde **armure de plaques** de fer ou d'acier offrait une meilleure protection. Au XVe siècle, les armures avaient atteint un haut degré de sophistication. Chaque élément avait sa propre désignation (gorgerin, chanfron, épaulière, plastron, brassard, cubitière, gantelet, etc.).

Les armes blanches

Les plus vieilles **armes de poing** sont la **lance**, la **massue**, la **masse d'armes** et la **hache de guerre**, toutes d'anciennes armes de chasse. L'**épée** devint une arme vers 1200 av. J.-C. avec l'essor de la métallurgie. Les épées étaient plutôt courtes avant l'adoption de la lourde **spatha** romaine. Au Moyen Âge, les fabricants d'épées redoublèrent d'ingéniosité en remettant les lames plusieurs fois au feu pour transformer le **fer** en **acier**. L'épée resta l'arme blanche de prédilection malgré la prolifération des **armes d'hast** comme la **guisarme** et la **hallebarde**, employées par les gens à pied contre les cavaliers. Les armes comme la **masse** et le **fléau**, dotés de têtes à clous, étaient destinées à défoncer l'**armure** de l'adversaire. L'avènement de l'**arme à feu** rendit l'armure inefficace. La lourde **épée à deux mains** s'allégea puis déclina face à la longue et fine **rapière** italienne du début du XVIIe siècle. Le **sabre** de cavalerie s'inspira des épées d'Asie Mineure comme le **cimeterre**, dont la lame incurvée assurait un tranchant sans égal. Les armes à feu à répétition, comme le **revolver** et la **mitraillette**, reléguèrent l'épée au rang de souvenir à la fin du XIXe siècle.

CHRONOLOGIE

v. 30000 av. J.-C. Emploi de la lance, du bâton et de l'arc.
v. 4000 av. J.-C. Utilisation de boucliers par les soldats égyptiens.
v. 2500 av. J.-C. Les soldats sumériens portent une armure.
v. 1600 av. J.-C. En Perse, emploi du cheval de bataille.
v. 1500 av. J.-C. En Grèce, port de l'armure en bronze.
v. 500 av. J.-C. L'arc composite est inventé en Perse, l'arbalète, en Chine.
v. 400 av. J.-C. En Grèce, développement de la catapulte.
Ier siècle av. J.-C. Uniformisation des armes et des armures dans les légions romaines, développement d'une artillerie mobile.
668 Les Byzantins inventent une arme incendiaire, le feu grégeois.
v. 950 Début de l'édification de mottes fortifiées en Europe.
1241 Les Mongols utilisent la poudre à canon à Sajo (Hongrie).
fin du XIIIe siècle Apparition du grand arc anglais *(longbow)*.
v. 1425 Apparition de l'arquebuse.
v. 1460 Le serpentin porte-mèche améliore la mise à feu et la visée des armes à feu portatives.
1647 L'invention de la baïonnette en France rend superflue la présence de fantassins non armés sur les champs de bataille.
fin du XVIIe siècle Multiplication en Europe des places d'armes entourées de murailles épaisses pour résister aux sièges d'artillerie.
1792 Emploi de roquettes par les soldats de Mysore, en Inde, contre les forces britanniques.
v. 1850 Apparition des fusils à culasse.

Le mousquet

La première arme à feu d'épaule fut l'**arquebuse**, inventée en Espagne au milieu du XVe siècle. Elle fut remplacée par le **mousquet**, de même origine, qui se posait sur un **fourquin**. Il tirait des balles de 57 g à 160 m mais n'était pas précis.

Le tir rapide

L'Américain **Hiram Maxim** inventa en 1884 le premier fusil entièrement **automatique** qui exploitait l'énergie de chaque recul pour charger la munition suivante. Adopté en 1887, le **fusil Lebel** équipa les régiments français pendant la Première Guerre mondiale et au-delà. En 1898 naquit le **Luger**, une arme de poing qui équipera la marine de guerre allemande en 1904; le Luger parabellum sera utilisé dans presque toutes les armées du monde. En 1915, les Italiens fabriquèrent le premier **pistolet-mitrailleur**. Les **fusils d'assaut** comme le Sturmgewehr 44 allemand (1944), dont s'inspira Mikhaïl **Kalachnikov** pour créer l'AK-47 (1947), puis le FAL (fusil automatique léger) belge et bien d'autres modèles d'armes d'épaule se succéderont.

Les blindés

Lors du premier conflit mondial, Français et Britanniques introduisirent des blindés sur le champ de bataille pour tenter de gagner la guerre de position. Les premiers **chars** furent mis en service dans la Somme, en 1916. Pendant la Seconde Guerre mondiale, les blindés furent le fer de lance de l'avancée éclair allemande et jouèrent un rôle décisif dans toutes les armées d'Europe. En 1944, l'année de la plus forte production, 51 128 chars alliés et 19 002 chars allemands entraient en service. Doté de systèmes de navigation et de ciblage assistés par ordinateur, d'armes sophistiquées, de moteurs performants, d'une protection contre les mines, de roquettes et d'armes chimiques ou biologiques, le char moderne reste un véhicule d'assaut terrestre indispensable, mais cher.

Les armes nucléaires

La première **bombe atomique**, portant 60 kg d'**uranium fissile**, a été larguée sur **Hiroshima**, au Japon, en 1945. Son explosion, égale à 15 000 tonnes de TNT, détruisit 67 % de la ville et tua instantanément 66 000 personnes. Les bombes **thermonucléaires**, ou **bombes à hydrogène**, utilisent la fusion du deutérium ou du tritium, les isotopes de l'hydrogène. Au début des essais, en 1952, leur explosion équivalait à celle de 50 mégatonnes (50 millions de tonnes) de TNT. La **bombe à neutrons** est une arme thermonucléaire dont l'explosion réduite émet cependant une immense vague de **radiations mortelles**, composées de neutrons et de rayons gamma.

La guerre aérienne

Le **bombardement stratégique**, l'**attaque au sol** et le **combat aérien** ont été inventés lors de la Première Guerre mondiale. Pour la première fois, le 30 août 1914, un monoplan allemand Rumpler largue quatre bombes de 2 kg chacune sur Paris. La Seconde Guerre mondiale verra les **bombardements en piqué** de la guerre éclair, les **tapis de bombes** et la suprématie des **porte-avions** sur les autres navires de guerre. Récemment, notamment en Afghanistan en 2001, on a vu l'action croisée des hélicoptères, des missiles de croisière et des bombardiers de haute altitude.

La guerre navale

Les premiers vaisseaux de guerre embarquaient des armes terrestres (comme les arcs et les flèches des fantassins). Puis apparurent l'**éperon** des galères grecques et les **gaillards** abritant les archers dans les navires du Moyen Âge. Les **galions** du XVIe siècle et leurs rangées de canons précédèrent les grandes **escadres** du XVIIIe siècle.

Le **blindage**, la **vapeur** et le **canon de marine** bouleversèrent les combats au XIXe siècle, avant l'arrivée du **sous-marin** (1905), du **destroyer** (1906) et du **porte-avions** (1918) au XXe siècle. Les **missiles de croisière nucléaires**, lancés par sous-marin, et les **missiles balistiques** constituent les armes actuelles.

PETITE INFO

En service depuis 1983, le chasseur bombardier américain Lockheed F-117A Nighthawk, est un **avion furtif,** indétectable.

Les armes intelligentes

Ce sont des **munitions** (souvent des missiles) dotées d'un guidage par ordinateur qui leur permet d'identifier leur cible. Par exemple, le **missile à guidage laser** se dirige lui-même vers sa cible, indiquée par le laser de l'avion de reconnaissance. Le **missile de croisière**, lui, reconnaît son parcours préenregistré, jusqu'à sa **cible finale**.

Les autres armes

Les armes chimiques apparurent lors de la Première Guerre mondiale, lorsque les Allemands lancèrent des **obus à gaz** sur les lignes russes, à Bolimov, en 1914. Pendant la Seconde Guerre mondiale, les moyens de protection comme le **masque** limitèrent un tel usage. De nombreux pays possèdent des **armes chimiques**, dont l'emploi est pourtant interdit par des conventions internationales. Les États-Unis ont également mis au point des armes « non mortelles » – comme le **laser**, l'**arme sonique** et le **pistolet à impulsion électronique** (taser), qui causent de violentes douleurs par vibration interne.

LE SAVIEZ-VOUS ?

Depuis les V2 allemands, ces **bombes volantes** utilisées contre les villes anglaises en 1944, jusqu'au Trident 2 américain des années 1990, en passant par les SS-6 soviétiques, les missiles sont devenus des armes sophistiquées et redoutables.

CHRONOLOGIE

- **1862** Création de la Gatling, la première mitrailleuse à canons rotatifs.
- **1880** Adoption de la culasse sur les canons.
- **1897** Mise au point, en France, du canon de 75 mm à tir rapide, doté d'un cylindre de recul absorbant l'énergie du tir de l'obus.
- **1911** Premier envol d'un avion du pont d'un navire de guerre, aux États-Unis.
- **1914-1918** Apparition du blindé, des gaz, du lance-flammes et de l'avion de combat pendant la Première Guerre mondiale.
- **1942** Mise en service du bazooka antichar, dans l'armée américaine.
- **1944** L'Allemagne lance les V1 et les V2 sans pilote sur l'Angleterre.
- **1950** Emploi de l'hélicoptère pendant la guerre de Corée.
- **1957** L'URSS et les États-Unis se défient en déployant des missiles intercontinentaux.
- **1991** Généralisation des armes intelligentes pendant la guerre du Golfe.

Dans l'espace

Commencée en 1957, l'exploration de l'espace au voisinage de la Terre se poursuit. Celle de l'espace au-delà du système solaire est une perspective encore lointaine. Dans les années 1920, le physicien américain Robert Goddard et l'ingénieur allemand Wernher von Braun furent, chacun de leur côté, les pionniers de la fuséologie. Initiateurs des programmes spatiaux, les États-Unis et l'ex-URSS ont été rejoints dans cette aventure par une quinzaine d'autres pays. L'explosion, en février 2003, de la navette Columbia avait relancé le débat sur l'utilité des vaisseaux habités, alors que les Chinois s'apprêtaient à envoyer un homme dans l'espace.

Le fonctionnement des fusées

Les fusées sont actuellement le seul **moyen de propulsion** dans le vide sidéral. Au lancement, une très forte pression est obtenue en brûlant d'énormes quantités de carburant solide (**oxyde d'aluminium**) ou liquide (**hydrogène**) avec de l'oxygène. La puissante **éjection des gaz** par les **tuyères** qui se trouvent à l'extrémité de la **chambre de combustion** crée une pression telle que la fusée est propulsée vers le haut.

Les sondes spatiales

Les vaisseaux spatiaux non habités, ou **sondes**, explorent l'espace sans risquer de vies humaines. Ils continuent de transmettre leurs données en poursuivant leur course dans le cosmos, ou peuvent atterrir sur d'autres planètes.

Venera 7	Sonde soviétique, lancée le 17 août 1970. Arrivée sur Vénus le 15 décembre 1970, elle a transmis de faibles signaux pendant 23 minutes. Premier objet terrien à se poser sur une autre planète.
Voyager 1 et 2	Sondes américaines lancées le 5 septembre et le 20 août 1977. Elles ont transmis des images de Jupiter, Saturne, Uranus et Neptune (1979-1989).
Galileo	Sonde américaine lancée en octobre 1989. Le module d'atterrissage a été perdu sur Jupiter à la fin de 1995. Le module orbital continue d'envoyer des images de la planète et de ses lunes.
Pathfinder	Sonde américaine lancée en décembre 1996. Arrivée sur Mars le 4 juillet 1997. Données transmises par Sojourner, le module d'exploration, mais le contact a été perdu en septembre 1997.
Cassini-Huygens	Sonde américano-européenne lancée en octobre 1997. Cassini a atteint l'orbite de Saturne en juillet 2004. Le module Huygens, de l'Agence spatiale européenne, explora l'atmosphère de Titan peu après.

La navette spatiale

La navette spatiale est le premier vaisseau spatial **réutilisable**. Elle peut emporter 29 tonnes en orbite et un équipage de deux à huit personnes. Cinq navettes ont servi aux voyages spatiaux : Columbia et Challenger (désintégrés en 2003 et en 1986), Discovery, Atlantis et Endeavour. La navette est protégée lors de son entrée dans l'atmosphère par un **bouclier thermique** en **céramique**. Le bouclier de Columbia, qui explosa le 1er février 2003, aurait été endommagé au décollage.

PETITE INFO

Les **produits dérivés** de la **recherche spatiale** sont nombreux : montres à quartz, cœur artificiel, stylo à bille à cartouche pressurisée, capteur CCD utilisé dans la photographie numérique, etc.

Les principes du voyage spatial

Ils ont été élaborés en 1903 par le Russe **Konstantine Tsiolkovski**. Ce physicien prédit la **propulsion des fusées** dans l'espace, calcula la vitesse que doit atteindre une fusée pour se libérer de la **gravité terrestre** (40 000 km/h) et préconisa l'emploi de **carburants liquides** et de **fusées à plusieurs étages**, destinés à être largués une fois leur carburant respectif épuisé. Dès qu'il s'est affranchi de l'attraction terrestre, un vaisseau spatial se déplace par impulsion, guidé par ses moteurs. Il requiert des systèmes de communication et de survie fiables, ainsi qu'un bouclier thermique robuste pour résister à la chaleur lors de la rentrée dans l'atmosphère terrestre.

CHRONOLOGIE

- **1957** L'URSS place le satellite Spoutnik en orbite terrestre et Spoutnik 2 emmène la chienne Laïka.
- **1961** Youri Gagarine (URSS) accomplit la première orbite terrestre à bord de Vostok 1.
- **1962** John Glenn est le premier Américain dans l'espace.
- **1963** Valentina Terechkova est la première femme à aller dans l'espace.
- **1965** Alexei Leonov est le premier à marcher dans l'espace et la sonde américaine Mariner 4 envoie des images de Mars.
- **1968** Apollo 8 effectue la première orbite lunaire.
- **1969** Neil Armstrong et Edwin Aldrin marchent sur la Lune.
- **1971** L'URSS lance Salyut 1, première station orbitale autour de la Terre.
- **1973** Skylab, la première station américaine, est lancée.
- **1975** Apollo 18 (États-Unis) et Soyuz 19 (URSS) s'amarrent dans l'espace.
- **1981** La navette spatiale américaine Columbia accomplit son premier vol.
- **1984** Marc Garneau, premier astronaute canadien à aller dans l'espace (navette Challenger).
- **1986** La navette Challenger explose.
- **1992** Roberta Lynn Bondar, médecin, deuxième astronaute canadien et première femme à bord de la navette américaine Discovery.
- **1995** Valeri Polyakov achève un séjour de 14 mois dans la station spatiale Mir.
- **1998** La Russie lance la première partie de la Station spatiale internationale.
- **2001** Mir s'écrase dans le Pacifique.
- **2003** Lancement réussi du premier taïkonaute, le colonel Yang Liwei, à bord du vaisseau Shen-zou-V.

Le spectre électromagnétique

Le rayonnement électromagnétique est une émission d'ondes d'énergie due à l'oscillation électrique et aux champs magnétiques. Les physiciens décomposent ce rayonnement en un spectre dont les différents domaines sont fonction de fréquences et de longueurs d'onde spécifiques. Nos sens ne détectent que la chaleur (infrarouges) et la lumière visible. Dans le vide, les ondes électromagnétiques voyagent à environ 300 000 km par seconde, la vitesse de la lumière. Elles traversent la matière à des vitesses plus faibles. James Clerk Maxwell établit les théories de l'électromagnétisme dans les années 1860.

Newton et la lumière

Jusqu'au XVIIe siècle, on pensait que la lumière blanche était une couleur. Vers 1666, le jeune **Isaac Newton** constata qu'un mince faisceau de lumière blanche traversant un **prisme** se décompose en un spectre où se déploient les couleurs de l'arc-en-ciel. Il conclut qu'en **réfractant** la lumière blanche, le prisme révèle à des angles légèrement différents les couleurs dont elle se compose. Il publia ses conclusions dans *Optiks* en 1703.

La fréquence et la longueur d'onde

◆ La **fréquence** est le nombre d'oscillations d'une onde électromagnétique par seconde. Elle se mesure en **hertz** (Hz). ◆ La **longueur d'onde** est la distance que parcourt une onde électromagnétique en une seule oscillation. Elle se mesure en **mètres** (m). ◆ Aux fréquences élevées correspondent les longueurs d'onde courtes, et inversement: **longueur d'onde = vitesse de la lumière ÷ fréquence**.

La couleur

Les couleurs sont la lumière émise sous différentes longueurs d'onde, allant du **rouge**, l'onde la plus longue, au **violet**, l'onde la plus courte. La **rétine** (la surface interne de l'œil) est sensible aux longueurs d'onde du rouge, du vert et du bleu (les **couleurs primaires**). Le cerveau reconstitue les associations de ces longueurs d'onde pour percevoir des milliers de nuances différentes.
Il existe deux types de couleurs primaires dans les procédés de reproduction: les couleurs par **synthèse additive** et celles par **synthèse soustractive**. Ainsi, les écrans de télévision rendent les couleurs en synthétisant les trois **couleurs primaires additives**: le rouge, le vert et le bleu. L'imprimerie fait de même avec les trois **couleurs primaires soustractives**: cyan, magenta et jaune.

Les photons et les quanta

Les **photons** sont des **particules d'énergie lumineuse**, ou **quanta** (des grains de lumière), qui véhiculent l'**interaction électromagnétique**. Ce sont des **particules élémentaires**. Leur existence avait été prédite par Max Planck et Albert Einstein pour expliquer le comportement particulaire de la lumière.

Ondes et écrans

La plupart des rayonnements électromagnétiques, comme les **micro-ondes**, les rayons **infrarouges**, **ultraviolets**, **X** et **gamma**, peuvent être **dangereux** pour l'homme. L'aptitude d'une matière – y compris la peau humaine – à résister à leur pénétration dépend de l'**énergie** et de la longueur d'onde du rayonnement ainsi que de la densité de cette matière.

◆ **ONDES RADIO Jusqu'à 3 000 MHz** Employées par les émissions de radio et de télévision, les réseaux de télécommunication, les téléphones sans fil, les réseaux informatiques sans fil, les radiotélescopes.

◆ **MICRO-ONDES De 3 000 MHz à 300 GHz** Utilisées dans les fours à micro-ondes, les téléphones portables, le radar, les télescopes à récepteurs à micro-ondes, les réseaux de télécommunication. Absorbées par les molécules d'eau au cœur des aliments chauffés dans un four à micro-ondes, mais non par le plastique ou la céramique.

◆ **RAYONS INFRAROUGES De 300 GHz à 400 THz** Employés dans les radiateurs électriques, les toasters, les télécommandes, la surveillance aérienne, les appareils de vision nocturne, les caméras à images thermiques, les télescopes à récepteurs à infrarouge. Émis par les objets chauds et perçus sous forme de chaleur. Détectés par les yeux de certains animaux.

◆ **LUMIÈRE VISIBLE De 400 à 750 THz** Utilisée par la photographie, le cinéma, la télévision, les cellules photo-électriques. Détectée par l'œil humain. Engendre la photosynthèse des végétaux. Réfractée, elle donne les couleurs de l'arc-en-ciel.

◆ **RAYONS ULTRAVIOLETS De 750 THz à 300 PHz** Employés pour les appareils de vision nocturne, la stérilisation du matériel médical, les azurants optiques des poudres de lavage. Accélèrent le bronzage, voire causent des brûlures solaires et peuvent déclencher certains types de cancers. Peuvent être détectés par les yeux des insectes. Le rayonnement ultraviolet du Soleil est absorbé par la couche d'ozone de l'atmosphère terrestre.

◆ **RAYONS X De 300 PHz à 30 EHz** Utilisés par le matériel d'imagerie médicale pour la vérification des joints et des soudures métalliques, par les procédés de destruction des cellules cancéreuses. Traversent divers solides comme les tissus humains, peu denses. Peuvent causer des mutations génétiques, des cancers et endommager le matériel électronique.

◆ **RAYONS GAMMA Plus de 30 EHz** Employés pour l'analyse des structures denses dans le domaine industriel et la destruction des cellules cancéreuses. Émis lors des réactions nucléaires. Peuvent traverser les solides, à l'exception des plus denses. Provoquent des mutations génétiques et des maladies liées à la radioactivité.

LE SAVIEZ-VOUS ?

L'écran métallique de la porte d'un **four à micro-ondes** est une grille dont les trous ont 2 mm de diamètre. Les micro-ondes ne peuvent pas passer par ces orifices, alors que la lumière, dont les ondes sont plus courtes, peut traverser la grille.

Observer l'Univers

L'incapacité de l'œil à accommoder le regard sur des objets situés à des distances astronomiques ou sur des objets microscopiques est palliée par l'emploi de télescopes et de microscopes. Les lentilles opèrent par réfraction : la lumière est déviée lorsqu'elle passe d'un milieu (comme l'air) à un autre (verre des lentilles). Les miroirs améliorent l'observation visuelle (dans les télescopes) par la réflexion, en dirigeant la lumière sur l'image étudiée. Les microscopes électroniques permettent d'observer des objets invisibles à l'œil nu ; les radiotélescopes fournissent des images de phénomènes non visuels, comme les ondes radio.

Galilée

L'Italien Galilée (1564-1642) fut le premier à utiliser la **lunette astronomique** pour observer les étoiles. Il découvrit l'irrégularité de la surface lunaire, identifia les lunes de Jupiter et confirma que la Voie lactée est constellée d'étoiles. Il prouva la théorie de l'astronome polonais **Copernic** selon laquelle la Terre tourne autour du Soleil, en étudiant les taches solaires. Un tribunal de l'Inquisition le condamna comme **hérétique** pour cette dernière découverte qui contredisait les dogmes de l'Église, pour qui la Terre était au centre de l'Univers.

L'œil de Hubble

Le **télescope spatial Hubble** est un puissant système optique composé d'un télescope à réflexion. Son orbite terrestre, située à 966 km d'altitude, lui permet d'échapper aux effets de distorsion de l'atmosphère. Sa résolution est dix fois supérieure à celle de tout autre télescope sur la Terre. Lancé en 1990, il montra des défaillances, corrigées en 1993.

Les télescopes

◆ La **lunette astronomique** (**télescope à réfraction**) a deux lentilles : l'objectif, qui effectue la mise au point de l'image, et l'oculaire, une lentille grossissante. ◆ Le **télescope à réflexion** est muni d'un **miroir concave** pour effectuer la mise au point de l'image dirigée dans l'oculaire. Le **miroir élimine** l'**aberration chromatique** (**distorsion** des couleurs due à l'effet de prisme).

Les télescopes actuels

◆ La **plus grande lunette astronomique** du monde se trouve à l'Observatoire de Yerke, aux États-Unis. La lentille de son objectif mesure 102 cm de diamètre. ◆ Le **plus grand télescope à réflexion** est installé à Zelenchukskaya, en Russie. Son miroir a un diamètre de 6 m. ◆ La découverte des **radiosources cosmiques**, dans les années 1930, a entraîné la création de **radiotélescopes** utilisant un réflecteur parabolique pour capter les ondes radio. Le radiotélescope de Nançay, en Sologne, a un miroir fixe de 300 m de diamètre. ◆ Le **plus grand réflecteur parabolique**, celui d'Arecibo, à Puerto Rico, a un diamètre de 305 m.

Les microscopes d'aujourd'hui

Les progrès de la physique offrent des instruments plus efficaces que le **microscope optique**. Ils grossissent 1 million de fois et plus, et permettent même de réaliser des images d'atomes. Le microscope électronique à **transmission**, inventé en 1932, émet un rayon d'électrons à travers un spécimen extrêmement fin, créant une image sur un écran fluorescent ou une plaque photographique. Le microscope à **balayage électronique**, inventé en 1935 mais utilisé seulement depuis 1965, déplace un **rayon d'électrons** sur la surface d'un spécimen placé dans une chambre **à vide**. D'autres innovations incluent le **microscope à balayage électronique à effet tunnel** et le **microscope à force atomique**, inventés dans les années 1980. Ils utilisent une pointe de dimension comparable à celle d'un atome pour balayer la surface du spécimen. Le **microscope acoustique** à balayage utilise les ultrasons pour analyser le spécimen.

Les microscopes optiques

Ils exploitent l'effet grossissant des **lentilles convexes**. Ils diffèrent des loupes car ils ont deux lentilles ou plus : l'une, l'**objectif**, grossit l'objet ; l'autre, l'oculaire, grossit l'image de la première lentille. L'agrandissement peut atteindre 1 500 fois. Les spécimens d'étude sont fixés sur une plaque de verre et éclairés par-dessous.

CHRONOLOGIE

1289 La plus ancienne mention de lunettes se trouve dans un document de l'Italien Sandro di Popozo.

Années 1590 Les lunettiers hollandais Hans et Zacharias Janssen construisent le premier microscope optique.

1608 Le fabricant hollandais de lentilles Hans Lippershey invente le télescope.

v. 1670 Le physicien britannique Isaac Newton met au point le télescope à réflexion.

1887 Le médecin suisse Adolf Eugen Frick fabrique les premières lentilles de contact rigides.

1932 Les scientifiques allemands Ernst Russka et Max Knoll créent le microscope à transmission électronique.

1935 Max Knoll élabore le microscope électronique à balayage.

1937 L'astronome Grote Reber construit le radiotélescope.

Années 1970 Mise au point du microscope acoustique aux États-Unis.

1981 Des chercheurs d'IBM, l'Allemand Gerd Binning et le Suisse Heinrich Rohrer, inventent le microscope à balayage à effet tunnel, capable de décomposer des atomes.

Les lunettes

◆ Les **lunettes** utilisent la **réfraction** pour corriger l'incapacité éventuelle de l'œil à axer la lumière sur la surface de la rétine.

◆ Les **lentilles convexes** ont été mises au point à la fin du XIIIe siècle, en Italie et en Chine. Elles corrigent l'hypermétropie (mauvaise vision de près) en déplaçant le point focal devant la rétine.

◆ Les **lentilles concaves** sont apparues au milieu du XVe siècle. Elles corrigent la myopie (vue courte) en déplaçant le point focal vers l'arrière dans la rétine.

◆ L'**ophtalmologie** est née à la fin du XVIIe siècle.

Navigation et télédétection

Au cours du XXe siècle, des instruments sophistiqués furent mis au point pour détecter la position d'objets à distance. Si ces techniques avaient surtout des applications militaires, leur utilisation civile ne tarda pas à se répandre. Le sonar et le radar ont été développés pour détecter les appareils ennemis invisibles par retour d'écho des ondes sonores ou radio – le sonar pour les sous-marins, le radar pour les navires de surface ou les aéronefs en vol. Le principe de la radionavigation et du radar est l'émission d'un étroit faisceau d'ondes. Le sonar envoie des ondes sonores à haute fréquence qui se propagent à grande vitesse dans l'eau – contrairement aux ondes radio, qui ne s'y diffusent pas.

Qu'est-ce qu'un radar ?

Le radar est un système de détection et de navigation par émission d'**ondes électromagnétiques** et réception de leur écho.
Le **radar Pulse**, le type le plus répandu, émet de brèves impulsions radio et détermine la distance de l'objet en fonction du temps que met l'écho à revenir. Une antenne directionnelle calcule l'emplacement de la cible.
Le radar a été développé en France, en Angleterre, en Allemagne, aux États-Unis et au Japon dans les années 1930.
Il est employé pour la détection des missiles balistiques intercontinentaux, le guidage des missiles, le contrôle du trafic aérien, mais aussi par les militaires, les astronomes, les météorologues, la police de la route, etc.

La radionavigation

La radionavigation a été élaborée pendant la Seconde Guerre mondiale pour diriger les bombardiers de nuit vers leurs cibles. Le système allemand **Knickebein** fut mis au point par Hans Plendl dès 1934. Il utilisait une onde radio émise depuis Kleve, dans l'ouest de l'Allemagne, pour guider un aéronef vers sa cible (des signaux en morse l'avertissaient s'il s'écartait de sa route). Une onde interceptrice émise de Bredstadt, dans le nord de l'Allemagne, signalait à l'avion son arrivée au-dessus de la cible. Les procédés Gee (anglais) et Loran (américain) étaient similaires. Le **vor**, un des systèmes modernes de radionavigation, utilise des balises radio pour surveiller les couloirs aériens. Associé au radar, il améliore le contrôle aérien avec un nombre réduit de centres au sol.

Le gyrocompas

Un objet qui tourne sur lui-même conserve son axe de rotation. L'axe d'un gyroscope est conçu pour s'orienter vers le nord en dépit de toute autre influence. Parce qu'ils indiquent le vrai nord (le nord géographique), les gyrocompas sont très employés dans la marine.

Qu'est-ce qu'un sonar ?

Le sonar est un système de détection des objets sous l'eau.

L'**Asdic** fut développé par les chercheurs alliés en 1917-1918. La marine américaine le rebaptisa sonar pendant la Seconde Guerre mondiale.

Le **sonar actif** détecte sous forme d'ultrasons (fréquences très élevées) les échos sonores des ondes qu'il a émises.

Le **sonar passif** détecte les sons qu'émet la cible, par exemple un navire ou un sous-marin.

Les sonars modernes équipent les navires. Ils peuvent être également fixés sur des bouées acoustiques, larguées par avion.

L'**écho-sondeur** des navires privés utilise l'écho d'un sonar renvoyé par le fond marin pour calculer la profondeur de l'eau.

CHRONOLOGIE

1904 L'Allemand Christian Hülsmeyer construit un radar primitif.
1908 L'Allemand Herman Anschütz-Kaempfe invente le gyrocompas.
1917-1918 Les navires alliés sont équipés de l'Asdic.
1922 Guglielmo Marconi a l'idée d'utiliser l'écho des ondes radio pour détecter les navires.
1934 Le premier détecteur d'obstacles (radar) est conçu, fabriqué et mis au point à Paris, par le Français Maurice Ponte.
1936 Un radar est installé sur le *Normandie* pour détecter les icebergs.
1938 Un réseau de radars, capables de signaler les raids aériens, jalonne les côtes sud et est des îles Britanniques.
1940-1941 Les Britanniques brouillent les systèmes de radionavigation guidant les bombardiers allemands vers leurs cibles anglaises.
1964 Création du premier système de navigation par satellite, par l'armée américaine.
1978-1995 Mise au point du GPS Navstar pour l'armée américaine.
Depuis 1997 Généralisation de l'emploi civil du GPS.

Sigles

Asdic *Anti-Submarine Detection Investigation Committee*
GPS *Global Positioning System*
Loran *Long-range Radio Navigation System*
Radar *Radio Detection and Ranging*
Sonar *Sound Navigation and Ranging*
Vor *Very high frequency Omnidirectional Range*

Le positionnement global

Conçu par l'armée américaine, le **GPS** est le système de navigation le plus utilisé dans le monde. Proche du principe de triangularisation, il se base sur des signaux réglés par horloge atomique, émis par des satellites placés sur des orbites précises ; au moins quatre satellites sont en permamence détectables de n'importe quel point de la Terre. L'utilisateur compare les signaux reçus des divers satellites pour localiser un objet ou une personne, à quelques mètres près.

Les télécommunications

La télécommunication est un procédé de communication à distance, par des moyens électriques ou électroniques. Les transmissions par câble (télégraphie et téléphonie) ou sans fil (radiotélégraphie et radiotéléphonie) s'effectuent de façon extrêmement rapide, presque instantanée. Le premier procédé de télécommunication, le télégraphe, resta en usage jusqu'en 1999. Le téléphone permit pour la première fois de transmettre la voix humaine à distance. D'abord rares, les téléphones se répandirent dans le monde dès les années 1920. Les premiers réseaux de télécommunication préfigurèrent la télécommunication moderne.

Télégraphes et télégrammes

La télégraphie est l'envoi et la réception de messages codés par impulsion électrique à travers un réseau de fils. Les scientifiques britanniques **Charles Wheatstone** et **William Cooke** inventèrent la télégraphie électromagnétique en 1837 – mais le premier message télégraphié avait été envoyé dès 1804, par l'Espagnol **Francesco Salva**. En 1838, le **code de Samuel Morse** simplifia cette technique en permettant d'envoyer les messages sur une seule ligne. Le duplex et le multiplex (échanges simultanés) apparurent en 1872. Dès 1858, l'emploi de bandes perforées permit d'émettre jusqu'à cent mots par minute. Le Français **Émile Baudot** mit au point le téléimprimeur (transfert de caractères) à partir de 1855.

L'histoire du téléphone

En 1876, **Alexander Graham Bell**, Américain d'origine écossaise, réussit à convertir les sons en impulsions électriques et à les transmettre par un fil. Une languette métallique, que des ondes sonores faisaient vibrer, émettait un infime courant variable dans un électroaimant. Ce courant arrivait dans un second électroaimant, à l'extrémité d'un fil de connexion, où une languette métallique, similaire à la première, réagissait en reproduisant les sons d'origine. En quelques mois, Bell perfectionna le système pour rendre les paroles audibles. Son téléphone fut breveté en 1876.
Thomas Edison inventa et améliora le microphone et le transmetteur en 1877. Un an plus tard fut ouvert le premier **central téléphonique**, avec vingt et un abonnés. Les appels à longue distance (de New York à Boston) devinrent possibles en 1884. L'**autocommutateur téléphonique** (sans opératrice) fut développé par Alvin Brown Strowger (États-Unis) en 1889. Ce n'est qu'en 1960 qu'apparut l'**autocommutateur électronique**.

LE SAVIEZ-VOUS ?

En 1890, Édouard Branly fabriqua un petit tube de verre contenant une pincée de limaille métallique. C'était le premier récepteur sensible aux ondes hertziennes, appelé **radioconducteur.**

La CB

La CB (*Citizen's Band*) est un procédé de communication vocale par radio à distance moyenne (**émetteur-récepteur**). L'idée de réserver une bande de fréquences radio aux particuliers naquit aux États-Unis dans les années 1940, parmi les routiers. Dans les années 1970, la CB connut un succès phénoménal, puis l'apparition des téléphones mobiles entraîna son déclin.

Qu'est-ce que les ondes radio ?

Les ondes radio sont les **ondes électromagnétiques** qui possèdent les longueurs d'onde les plus grandes et les fréquences les plus basses.

- Hormis les **micro-ondes** (qui sont également employées dans les télécommunications), les ondes radio comprennent les ondes à ultra-haute fréquence (**UHF**), les ondes à très haute fréquence (**VHF**), ainsi que les **ondes courtes, moyennes** et **longues,** qui sont utilisées dans la bande AM des fréquences radio.
- L'existence des ondes radio avait été pressentie par le physicien écossais **James Clerk Maxwell,** dans les années 1860. Elle fut prouvée par l'Allemand **Heinrich Hertz** en 1888.
- L'Italien **Guglielmo Marconi** découvrit en 1895 que l'on pouvait détecter à distance les ondes radio à l'aide d'une antenne. Sa trouvaille allait inaugurer l'ère de la télécommunication sans fil.
- En 1901, Marconi envoya le premier signal télégraphique sans fil de l'Angleterre au Canada, à travers l'Atlantique.

Le télécopieur

Le premier procédé de transmission d'images par télégraphie ou par téléphonie était un télécopieur.

- Le Britannique **Frederick Blakewell** mit au point un premier télégraphe copieur en 1850, en utilisant des messages écrits avec une encre non conductrice, un stylet électrique actionné par un pendule et un transmetteur à cylindre.
- Le premier scanner optique, créé par l'Allemand **Arthur Korn** en 1902, possédait des cellules photoélectriques pour renforcer le contraste de l'image ; son récepteur employait du papier photographique.
- L'amélioration de la télécopie, à partir des années 1920, aboutit à la **xérographie** (formation d'images par électricité statique attirant les pigments pulvérisés) dans les années 1950. L'apparition du modem dans les années 1980 permit de transmettre rapidement des documents sur simple papier.

Le câble et le satellite

La télécommunication par câble est apparue avec le télégraphe. Les premiers **câbles télégraphiques transatlantiques** ont été posés en 1886, le premier câble téléphonique transatlantique, en 1956, et le premier câble transatlantique de fibres optiques, en 1988. Dès 1962, avec le lancement de **Telstar**, les **satellites** ont offert une alternative intéressante. Des signaux sont émis du sol vers le satellite, qui les amplifie et les transmet aux récepteurs de l'autre côté de l'océan. Les satellites de communication sont aujourd'hui utilisés là où le câble n'existe pas ou est saturé. Parfois, des liaisons par micro-ondes entre les centraux complètent les câbles. Grâce aux **câbles en fibres optiques**, il est possible d'échanger des données numérisées par Internet.

Les télécommunications aujourd'hui

◆ La **numérisation** des sons et d'autres types de données est à la base des procédés modernes de télécommunication. Les liaisons s'effectuent par **câble en fibres optiques**, satellite ou **micro-ondes**.

◆ Les systèmes de télécommunication actuels utilisent essentiellement le réseau téléphonique. Créé à l'origine pour véhiculer la voix sous forme **analogique** (ondes sonores), il assure désormais l'échange de données **numériques** par le biais de téléphones fixes, de télécopieurs, d'ordinateurs ou de mobiles.

◆ Les réseaux de **téléphonie mobile**, ou **cellulaire**, jouent un rôle croissant. Les zones couvertes sont divisées en **cellules**, chacune possédant un émetteur-récepteur (relais de transmission). Ces stations sont toutes reliées par fibres optiques, micro-ondes ou autres procédés au central, le **commutateur** du réseau. Les téléphones mobiles allumés émettent des signaux continus qui permettent aux ordinateurs des stations de les suivre.

Quelques appareils

◆ **Télécopieur** Utilise des signaux analogiques via un modem.

◆ **Téléphone numérique** Transmet et reçoit les signaux numériques.

◆ **Téléphone filaire** Émet et reçoit les sons sous forme d'impulsions électriques analogiques.

◆ **Central local** Numérise les signaux analogiques. Achemine directement les appels locaux.

◆ **Central principal** Achemine les signaux numériques.

◆ **Communication par satellite** Sert de relais en l'absence de réseau câblé.

◆ **Répétiteur** Amplifie les signaux entre les centrales.

◆ **Liaison micro-ondes terrestres** Relie les centrales par des antennes paraboliques.

◆ **Cellulaires** Reliés aux relais par micro-ondes.

◆ **Relais** Relie les mobiles au commutateur de réseau (central) par des câbles en fibre optique.

◆ **Commutateur de réseau** C'est le central d'une cellule de téléphonie mobile.

Le succès du cellulaire

Le marché du téléphone mobile a récemment connu une explosion fulgurante dans le monde entier.

◆ Les appareils de première génération, apparus dans les années 1980, étaient des radiotéléphones portables cellulaires, dotés de gros combinés utilisant des **signaux analogiques**.

◆ Dans les années 1990, les appareils de deuxième génération possédaient des combinés miniaturisés à **signaux numériques**. Puis vint l'emploi du **WAP** (Wireless Application Protocol), offrant des fonctions multimédias.

◆ Les appareils actuels de troisième génération, qui offrent le **haut débit**, permettent d'utiliser la visioconférence, Internet et d'autres fonctions. Ils sont surtout adaptés aux réseaux européens, japonais et nord-américains.

◆ En 2006, au Canada, il y avait plus de 18,5 millions d'abonnés à la téléphonie sans fil. Les Canadiens ont envoyé 4,1 milliards de messages textes lors des trois premiers mois de 2008.

La voix numérisée

Les réseaux de télécommunication modernes véhiculent toutes sortes de données en les numérisant sous forme de **chiffres binaires**. Les sons émis par le téléphone sont codés par un **convertisseur analogique-numérique**, qui mesure leur amplitude sonore 8000 fois par seconde, sur une échelle de 0 à 255. Chaque mesure est transmise par une suite successive d'impulsions représentant des chiffres binaires. À la réception, les sons d'origine sont reconstitués par un **convertisseur numérique-analogique**.

Les liaisons par micro-ondes

Les micro-ondes sont une forme de **rayonnement électromagnétique** que n'altèrent pas les mauvaises conditions météorologiques. Ils contribuent donc de manière essentielle à l'efficacité des systèmes de télécommunication modernes.

◆ Les téléphones cellulaires communiquent avec l'émetteur-récepteur du central local de leur cellule au moyen de micro-ondes sur une fréquence particulière. Ils changent de fréquence quand l'utilisateur change de cellule.

◆ Les liaisons entre les relais locaux et les principaux centres du réseau général sont également assurées par micro-ondes, grâce à des **antennes paraboliques** installées en divers endroit dégagés et stratégiques.

Téléavertisseur

Le téléavertisseur, un instrument destiné à transmettre un message simple, utilise une fréquence radio particulière. Les premiers téléavertisseurs alertaient l'utilisateur de l'arrivée d'un message. L'appareil de seconde génération affiche le message sur un écran LCD (à cristaux liquides). Ce procédé téléphonique fut breveté en 1949 par l'Américain **Al Gross**.

LE SAVIEZ-VOUS ?

Les réseaux de téléphonie cellulaire numérique fonctionnent par impulsions de 217 Hz environ. Le **cerveau** est-il affecté par ce rayonnement? Les études scientifiques n'ont pas permis de trancher cette délicate question.

CHRONOLOGIE

1837 Charles Wheatstone et William Cooke, pionniers du télégraphe électrique.

v. 1855 Le Français Émile Baudot met au point le téléimprimeur.

1858 Pose du premier câble télégraphique transatlantique.

1872 Thomas Edison développe la transmission télégraphique en multiplex.

1876 Graham Bell invente le téléphone.

1878 Premier centre téléphonique, aux États-Unis.

1901 Guglielmo Marconi transmet le premier signal radio à travers l'Atlantique.

1947 Les laboratoires américains Bell inventent le téléphone cellulaire.

1958 Invention du modem.

1961 Premiers satellites de télécommunication.

1970 Apparition du câble de fibres optiques.

1978 Création des systèmes de téléphonie cellulaire à Chicago et à Tokyo.

1993 Établissement du premier réseau de téléphones cellulaires numériques, à Los Angeles, aux États-Unis.

2008 Il y aurait plus de 3,3 milliards d'abonnés à la téléphonie cellulaire dans le monde.

La radio et la télévision sont des inventions du XXe siècle. Apparus dans les années 1920, elles ont bouleversé la société en profondeur. Les émissions radiophoniques et télévisuelles sont transmises par les ondes radio. Des signaux porteurs, réglés sur des fréquences particulières, sont réservés aux émetteurs par des autorités de régulation afin d'empêcher des interférences indésirables. Le câble et le satellite jouent un rôle prépondérant dans la transmission télévisuelle. La révolution numérique améliore la qualité du son et de l'image. En outre, Internet permet de capter des émissions radio du monde entier.

Comment fonctionne la télévision ?

Les images obtenues par une caméra sont séparées en couleurs rouge, bleue et verte, puis scannées électroniquement en 525 ou 625 lignes horizontales. Le signal des couleurs est associé à un **signal audio** pour le son, à un **signal de synchronisation** et à une onde radio pour la transmission. Les signaux sont reçus par le téléviseur, dont l'écran recrée les images au moyen de **canons à électrons**. Les points phosphorescents **(luminophores)** sont stimulés par le balayage des faisceaux d'électrons.

Changement de décor

◆ Les premiers téléviseurs et les récepteurs radio (1930-1950), encastrés dans un **meuble en bois,** avaient des écrans arrondis et petits (13, 23 ou 30 cm de diamètre).

◆ Entre 1950 et 1970, l'habillage extérieur des téléviseurs privilégiait le **plastique** tandis que les progrès techniques permettaient de réduire leur taille. Le perfectionnement du **tube à rayon cathodique** apporta des écrans plus grands et rectangulaires. La plupart des postes étaient en noir et blanc.

◆ Grâce aux progrès des années 1970, on vit apparaître des postes miniatures, **portables**, au son amélioré, dotés d'écrans plus grands et plus plats, et la **couleur** se généralisa.

◆ Depuis les années 1980, l'enregistrement vidéo, le **son stéréophonique**, les écrans larges et de haute définition, ainsi que les installations **cinema-maison**, au look high-tech, témoignent de la sophistication des techniques.

◆ L'**écran plat plasma** remplace progressivement l'encombrant tube à rayon cathodique qui abritait les canons à électrons. Le procédé PDP utilise une grille d'électrodes dans laquelle circule un courant électrique dirigé vers des cellules individuelles appelées **pixels**. Dans chacun d'eux, des sous-pixels rouges, bleus et verts s'allument de manière sélective pour créer l'image.
La résolution des PDP est actuellement de 1100 lignes.

Comment fonctionne la radio ?

Les ondes sonores sont détectées par un **microphone** et converties en impulsions électriques. Ces dernières sont transformées par un **oscillateur**. L'émetteur radio change les **vibrations mécaniques** en **ondes électromagnétiques**. Ces ondes sont détectées par un **récepteur radio** réglé sur leur fréquence. Dans le récepteur, les impulsions électriques du signal sonore sont séparées par un **démodulateur**, amplifiées et reconverties en ondes sonores audibles grâce à un **haut-parleur**. Dans la **modulation d'amplitude** (AM), l'amplitude (puissance) de l'onde porteuse est modifiée pour créer un signal modulé mieux adapté. Dans la **modulation de fréquence** (FM), la fréquence de l'onde porteuse est modifiée pour correspondre au signal sonore, ce qui réduit les interférences. Le son le plus parfait est émis par **radiodiffusion audionumérique** (DAB), où les ondes sonores sont numérisées puis décodées par une puce d'ordinateur.

CHRONOLOGIE

1888 L'Allemand Heinrich Hertz démontre l'existence des ondes radio. Le Français Édouard Branly conçoit l'émetteur-récepteur, le « cohéreur ».

1895 L'Italien Guglielmo Marconi et le Russe Alexander Popov transmettent des signaux radio.

1895 Ducretet et Popov réalisent la première transmission radio du sommet de la tour Eiffel.

1909 Première radiodiffusion, de la station KCBS à San Francisco.

1922 Début des émissions quotidiennes émises de la tour Eiffel. Naissance de la première station de radiodiffusion française.

1923 Vladimir Zworykin invente l'iconoscope, la caméra de télévision électronique.

1928 La General Electric (États-Unis) et la BBC (Angleterre) commencent leurs transmissions télévisées.

1931 Première transmission d'une image de 30 lignes en banlieue parisienne.

1935 Première émission officielle de télévision française du ministère des PTT, à Paris.

1940 Premières émissions FM (modulation de fréquence), aux États-Unis.

1951 Débuts de la télévision en couleurs, aux États-Unis.

1955 Commercialisation du transistor, aux États-Unis.

1962 Lancement du satellite de télécommunication Telstar.

1975 Premiers réseaux de télévision par câble et satellite, aux États-Unis.

1994 Débuts de la télévision numérique par satellite.

1996 Premières radiodiffusions sur Internet.

1998 Émissions de télévision numérique par stations terrestres.

PETITE INFO

La première station française de radio, **CBF**, ouvre à Montréal en 1937. En 1952, on diffuse la première émission télé en noir et blanc. La couleur n'est apparue qu'en 1966.

La radio sur Internet

On peut capter des émissions radio sur son ordinateur, via Internet, grâce au **format *audio streaming*** (diffusion en temps réel). De nombreuses stations de radio offrent la possibilité d'écouter leurs émissions sur le Web.

La photographie et le cinéma

Le mot photographie vient du grec *photos,* lumière, et *graphein,* écrire. Un appareil photo enregistre des impressions lumineuses sur un film photosensible ou bien sous forme de données numériques, au moyen d'un capteur à transfert de charge (CCD). Une caméra de cinéma enregistre une série d'images fixes dont la projection sur écran donne l'illusion du mouvement. L'enregistrement d'une scène dépend de la qualité et de la quantité de lumière (exposition) qui atteint le film ou le capteur CCD.

La cinématographie

La caméra est équipée d'un moteur assurant l'entraînement régulier de la **bobine de film**. Celui-ci a 8, 16, 35 ou 70 mm de largeur. Un système de griffes fait avancer le film du magasin de la caméra jusque dans la **chambre d'exposition**, où il passe derrière un obturateur pivotant pour être exposé au rythme de 24 ou 30 images par seconde. Le film exposé est automatiquement entraîné et enroulé dans le réceptacle. Le **projecteur** utilise un mécanisme similaire pour passer la bobine développée devant une lampe. Chaque prise de vue est successivement envoyée sur l'écran par le rayonnement puissant de la lampe.

L'appareil photo

Un appareil photographique comprend un **viseur**, un diaphragme pour contrôler l'**ouverture** et un système de **lentilles** pour faire le point sur l'image désirée. Les lentilles d'un **téléobjectif** rapprochent l'image d'un objet éloigné mais réduisent la perspective. Les lentilles d'un **grand angle** élargissent le champ de vision mais dilatent la perspective. Le **zoom** permet des variations entre les visions au téléobjectif et le grand angle. Le premier appareil portable, créé par la société Kodak d'Eastman, date de 1888. L'Allemand Oskar Barnack inventa le premier appareil miniature en 1912. Le **reflex** 35 mm est apparu en 1935, les appareils numériques, en 1996.

CHRONOLOGIE

v. 1725 L'Allemand Johann Schultze découvre que les sels d'argent sont sensibles à la lumière.
1827 Nicéphore Niépce réalise la première photographie, sur une plaque d'étain recouverte de bitume de Judée.
1839 Louis Daguerre invente le daguerréotype, qui fixe une image sur une plaque de cuivre argentée en chambre noire.
1872 Le photographe anglais Eadweard Muybridge saisit l'image d'un cheval au galop.
1873 Apparition du papier au bromure d'argent pour les films photographiques.
1890-1894 Thomas Edison invente la première caméra.
1895 Les frères Lumière ouvrent la première salle de cinéma, à Paris.
1927 *The Jazz Singer,* premier film parlant au son synchronisé.
1932 Le procédé Technicolor est utilisé pour la première fois dans les dessins animés.
1969 Le CCD ouvre l'ère de la photographie numérique.
1982 L'animation du film *Tron* est réalisée par ordinateur.
Depuis 1990 La numérisation devient indispensable aux films d'animation (comme *Toy Story,* en 1995) et aux trucages des grandes productions.

La production d'un film

La production d'un film comporte trois étapes principales.
◆ **Préproduction** Le producteur approuve l'idée du film et choisit un réalisateur pour le diriger. Le producteur et le réalisateur négocient un budget. Les acteurs et les techniciens sont recrutés. Le scénariste finalise le scénario.
◆ **Production** Les décors sont créés. Le réalisateur dirige les acteurs et les caméramen pendant les prises de vue. Dialogues, effets sonores et effets spéciaux peuvent être ajoutés après.
◆ **Postproduction** Le monteur assemble les parties du film et lui donne sa forme finale. On ajoute la musique. Enfin, le film sort dans les salles.

Les types d'appareils photo

Professionnel	Appareil grand format, proche de ceux du XIXᵉ siècle. Les épreuves positives ont une dimension de 13 x 10 cm. Pour des prises de vue statiques de haute qualité.
Reflex	Appareil offrant de nombreuses possibilités. Son système de prisme permet de composer l'image directement au moyen du viseur. Films de 35 mm ou 5,5 x 5,5 cm.
Compact	Appareil miniaturisé à viseur indépendant. L'optique intérieure ne peut être modifiée. Films de 35 mm ou plus petits.
Polaroid	Appareil compact permettant d'obtenir une épreuve positive quelques secondes après la prise de vue.
***Advanced photo system* (APS)**	Appareil compact employant des films en cassette. Le zoom et le système électronique intégrés permettent des images panoramiques.
Numérique	Les images sont enregistrées numériquement par des cellules électroniques.

Termes techniques

◆ **Ouverture du diaphragme** Se rétracte ou s'élargit selon l'intensité de la lumière. Mesurée en focales (f), elle dose la quantité de lumière nécessaire à l'impression du film. ◆ **Profondeur de champ** Dépend de l'ouverture du diaphragme. Zone nette en avant et en arrière du sujet sur lequel est faite la mise au point. Une grande ouverture (comme f : 1,4) donne peu de profondeur, seuls les objets près du foyer sont précis. Une petite ouverture (comme f : 22) donne une plus grande profondeur. ◆ **Sensibilité du film** Mesurée en ISO, elle indique la vitesse d'impression du film. À ISO 400 et plus, la lumière peut être réduite. ◆ **Vitesse d'obturation** Temps pendant lequel le diaphragme reste ouvert et laisse passer la lumière. À 1/100 de seconde ou moins, les sujets mouvants restent nets.

PETITE INFO

Mickey Mouse, la créature de Walt Disney, apparut dans *Steamboat Willie,* en 1928. ***Blanche-Neige et les sept nains*** (1937) fut le premier long-métrage d'animation.

Enregistrer le son et les images

L'enregistrement du son, possible dès la fin du XIXe siècle, permit l'extraordinaire essor d'une industrie des loisirs au début du XXe siècle. Les appareils de reproduction du son utilisent un procédé électromécanique (disques), électromagnétique (bandes ou cassettes) ou numérique (CD). Avant l'ère de la numérisation, la sonorisation des films était réalisée au moyen d'un procédé optique. La bande-son était enregistrée sur la même bobine que les images du film.

Le premier enregistrement sonore

En 1877, Thomas Edison cherchait à enregistrer sur papier les sons des signaux en morse. Il testa un procédé pour la **voix humaine** en récitant une comptine dans un pavillon relié à un diaphragme venant du microphone d'un téléphone. Une **pointe de lecture** fixée au diaphragme enregistrait ses vibrations sur un **cylindre rotatif** couvert de papier humidifié. Quand Edison fit rejouer le cylindre, les impressions firent vibrer le stylet et le diaphragme. Il entendit faiblement sa propre voix répéter la comptine.

Du muet au parlant

Les premiers films étaient muets et souvent accompagnés au piano dans les salles de projection. Dès 1907, l'invention de l'amplificateur permit de créer des **films sonores**. La Warner Brothers utilisa le Vitaphone, un phonographe à disque, pour *The Jazz Singer* (1927), le premier film à **voix synchronisées**. Vingt ans plus tard, le procédé Photophone était devenu standard. La **bande-son optique** était intégrée à la bobine du film.

Le disque, la cassette et le CD

Les trois supports servant à enregistrer le son et à le reproduire furent le disque, puis la bande magnétique, et enfin le CD. Si le disque ne permettait aucun réenregistrement, la bande magnétique et le CD offrent aux particuliers cette possibilité, en plus de la reproduction sonore. ◆ **DISQUE** Les vibrations sonores, inscrites par oscillations dans un **microsillon**, sont parcourues par un diamant. Le haut-parleur convertit les impulsions électriques pour reproduire le son. ◆ **BANDE OU CASSETTE** Les données sonores sont captées par **variation magnétique** dans le revêtement métallique de la bande. La tête de lecture transmet les signaux électriques au haut-parleur. ◆ **CD AUDIO** Les données numériques sont stockées sous forme de **microcuvettes** et de **méplats** microscopiques. Un laser suit la spirale et un convertisseur numérique-analogique décode les sons binaires.

Le juke-box

En 1889, l'Américain Louis Glass installa dans un saloon de San Francisco un phonographe Edison à pièces. En 1905 fut inventé un juke-box à 24 cylindres enregistreurs. Mais le vrai **juke-box électrique** n'apparut qu'en 1927. Cette machine devint populaire grâce aux innovations de **Rudolph Wurlitzer**, en 1934.

La vidéo et le DVD

◆ En 1951, la bande magnétique fut le premier support utilisé pour enregistrer en **vidéo** (par signaux de télévision). Les données étaient enregistrées (ou reproduites) comme des informations audio, mais avec des têtes multiples. Sony introduisit en 1975 un format de haute qualité, le **Betamax**, mais c'est le format **VHS** de JVC, moins sophistiqué, qui devint standard.
◆ Le **DVD** (*Digital Versatile Disc*) apparut en 1995, au Japon. Sa surface à double couche permet d'enregistrer et de stocker jusqu'à 25 fois plus de données que sur un ancien support vidéo ou un disque CD laser ; il peut contenir un film.

CHRONOLOGIE

1878 Thomas Edison crée la Edison Speaking Phonograph Company.
1886 Les Américains Charles Turner et Chichester Bell inventent les cylindres enregistreurs en cire.
1888 Emile Berliner invente le disque et fabrique le premier gramophone.
1898 L'inventeur danois Valdemar Poulson étudie le rôle du magnétisme dans l'enregistrement sonore.
1925 Amélioration du microphone.
1931 Alan Blumlein, de la société EMI, invente l'enregistrement « binaural » (stéréo).
1935 La première bande enregistreuse (le Magnetophon) est mise au point en Allemagne par Fritz Pfleumer, les sociétés BASF et AEG.
1941 Première utilisation du son stéréo au cinéma.
1948 CBS utilise le vinyle pour des disques LP (à longue durée d'écoute).
1963 La société hollandaise Philips crée la cassette d'enregistrement.
1965 La firme japonaise Sony produit le premier enregistreur vidéo.
1969 Aux États-Unis, Ray Dolby invente le système de réduction de nuisance sonore Dolby.
1979 Akio Morita, de la firme Sony, invente le baladeur.
1982 Sony et Philips mettent au point le disque compact (CD).
1992 Sony lance le minidisque numérique réenregistrable.
2001 Mise sur le marché des DVD et DVD-R (réenregistrables).

Sigles

CBS Columbia Broadcasting System (États-Unis)
EMI Electric & Musical Industries Ltd (Grande-Bretagne)
JVC Japanese Victor Company (groupe Matsushita)
RCA Radio Corporation of America
RKO Radio-Keith-Orpheum Corporation (États-Unis)

Faire ses propres films

À partir de 1932, on fabriqua, pour les cinéastes amateurs, des **caméras** et des projecteurs faciles d'emploi, utilisant des films de 8 mm. L'invention de la cassette vidéo enregistrable, dans les années 1970, et de la première caméra vidéo (**Caméscope**), en 1980, permit aux particuliers de réaliser des films vidéo. Les progrès de l'informatique dans les années 1980 offrirent la possibilité d'enregistrer les données sur disque compact. Puis vint la commercialisation du **Caméscope numérique** et des systèmes informatiques de réalisation audio et sonore.

L'imprimerie

L'impression est la reproduction de textes et d'illustrations à de multiples exemplaires. Il existe plusieurs procédés d'impression. L'agencement des caractères pour former les textes s'appelle la composition. Les illustrations sont reproduites en fines lignes au moyen de matrices en bois ou de plaques en métal gravées, ou bien en points minuscules sur des trames en demi-teinte. La plaque d'impression reçoit l'encre puis est mise en contact avec le papier par une presse. La presse de Gutenberg imprimait 16 copies à l'heure, les rotatives modernes, 80 000 journaux à l'heure.

Les procédés d'impression

Il existe trois techniques d'impression.

◆ La **typographie** C'est la technique la plus ancienne. Les caractères ou les illustrations en relief sont disposés à l'envers sur une **plaque d'impression**. Le rouleau encreur imprègne les zones en relief, qui apparaissent à l'endroit sur le papier.

◆ La **lithographie** Elle utilise la répulsion réciproque de l'eau et de la matière grasse. La planche est une pierre lithographique qui retient le gras du dessin, tracé à la craie ou à l'encre. Le dessin est fixé sur une pierre humidifiée qui refuse l'encre d'impression aux endroits vierges, tandis qu'elle la retient aux endroits dessinés.

◆ L'**offset** C'est l'opposé de la typographie. Les caractères ou les illustrations sont **gravés** par procédé photographique sur une plaque spécialement traitée. L'encre, déposée sur toute sa surface, est repoussée par un film d'eau recouvrant la plaque, mais reste sur les parties gravées. Un cylindre intermédiaire en caoutchouc, le blanquet, reporte l'encre sur le papier.

Le *Soutra du Diamant*

L'œuvre imprimée la plus ancienne du monde (sous forme de rouleau) est un texte bouddhiste appelé *Soutra du Diamant*. Elle fut imprimée en Chine en 868, à l'aide d'un **bloc d'imprimerie** en bois de 75 cm de longueur, portant à la fois le texte et des illustrations. Une partie du rouleau (4,50 m) est conservée au British Museum, à Londres.

Les polices de caractères

Les **caractères** étaient déjà très diversifiés au début de l'imprimerie (**Gutenberg** utilisa, par exemple, des caractères gothiques pour sa Bible, réalisée en 1455). Depuis, des milliers de polices ont été inventées, certaines dotées d'**empattements** – les traits plus ou moins épais à la base et au sommet des jambages (Palatino, Bodoni, Garamond, Baskerville…) – et d'autres qui en sont dépourvues (Helvetica, Gill sans, Geneva, Arial, Avant-garde…). La plupart des caractères acceptent une graisse variable (gras, demi-gras, moyen, léger) et différents styles (italique, petites majuscules).

La composition

Jusqu'à la fin du XIXe siècle, les imprimeurs plaçaient un par un les caractères en métal dans un cadre pour composer la future page à imprimer. La **Linotype** et la **Monotype** bouleversèrent le procédé permettant de mouler à chaud des lignes entières de caractères à mesure qu'un compositeur actionnait un clavier mécanique. Aujourd'hui, grâce à l'ordinateur, des pages entières sont transformées en film d'impression ou saisies par des presses numériques.

Gutenberg

L'Allemand **Johann Gutenberg**, orfèvre à Mainz, est considéré comme l'inventeur de l'imprimerie moderne. Il réussit dans les années 1430 à fabriquer des **caractères métalliques** (alliage de plomb, d'antimoine et d'étain). Avec ses associés, Johann Fust et Peter Schöffer, il effectua, vers 1450, la synthèse des différentes techniques d'imprimerie existantes et mit au point la presse à vis. La *Grammaire latine de Donatus* (1451) est le premier livre connu à avoir été imprimé par Gutenberg.

CHRONOLOGIE

IXe siècle av. J.-C. Début de l'imprimerie, en Chine, avec des matrices en bois gravé.

1450 Gutenberg modernise l'imprimerie en Europe.

1461 Albrecht Pfister imprime les premiers livres illustrés.

1468 Première imprimerie française, à la Sorbonne.

1477 Début de la reproduction de gravures en Europe.

1719 Jakob Le Blon invente l'imprimerie à quatre couleurs et la gravure sur métal.

1798 Aloys Senefelder invente la lithographie.

1852 William Fox Talbot invente le procédé d'impression d'images en demi-teinte.

1865 Richard Hoe invente la presse rotative à grande vitesse.

Années 1880 Les machines Linotype et Monotype mécanisent la composition.

1939 William Huebner invente une machine à photocomposition.

1984 Apparition du logiciel d'édition de bureau.

1990 Apparition des presses numériques : l'imprimerie sans plaque est désormais possible.

CMJN

Comme on ne peut ni mélanger les couleurs sur une page, ni employer un nombre illimité d'encres, l'**impression en couleurs** fait appel à quatre encres. La superposition des impressions en bleu **cyan** (C), rouge **magenta** (M), **jaune** (J), puis **noir** (N) fournit une gamme complète de couleurs au tirage. La photographie de l'image à reproduire est traitée afin de séparer ses couleurs sur quatre films recevant chacun une des quatre couleurs de base. Les clichés tramés portent de multiples points, dont le nombre varie selon l'intensité désirée de chaque couleur. L'association finale des clichés C, M, J et N reproduit l'image d'origine. Lors de l'impression, les quatre encres sont appliquées l'une après l'autre sur la feuille de papier.

Le laser

Le laser est un instrument produisant un rayon lumineux extrêmement puissant. Un rayon laser peut parcourir de grandes distances et rester suffisamment concentré pour fournir une énergie très élevée. Il est possible de créer un rayon à partir de substances solides, liquides ou gazeuses – on emploie souvent des rubis artificiels – et à partir de réactions chimiques. Des lasers naturels existent dans l'espace. Par exemple, une partie de la nébuleuse d'Orion produit un rayon laser dont la fréquence est proche de l'infrarouge.

Du maser au laser

En 1953, en étudiant une théorie avancée par Einstein, le physicien américain **Charles Townes** conçut l'ancêtre du laser. Appelé maser, l'appareil produisait un rayon de micro-ondes, mais pas de lumière. Townes et son collègue **Arthur Schawlow** pensèrent que l'on pouvait appliquer le même principe à la lumière visible. Un autre physicien américain, **Theodore Maiman**, créa le premier laser en 1960. Mais les difficultés techniques et le manque de moyens empêchèrent à l'époque tout développement pratique. Ce n'est qu'à partir des années 1990 que l'on put tirer des applications utiles du laser.

Comment fonctionne un laser ?

Un atome excité par la chaleur, la lumière ou la collision avec d'autres atomes émet des photons d'**énergie lumineuse**. S'il est irradié par la lumière sur une longueur d'onde particulière, il émet une énergie lumineuse en phase avec cette longueur d'onde, ce qui **amplifie** la lumière. Celle-ci est renforcée à chaque passage entre deux miroirs – l'un normal, l'autre semi-transparent – aux extrémités d'un tube, jusqu'à ce qu'elle produise un **rayon laser**.

La SF

La science-fiction n'a pas manqué de prédire l'avènement du laser, arme aussi puissante que terrifiante, qui peut traverser n'importe quelle matière. On a pu voir, dans la *Guerre des étoiles*, les chevaliers Jedi armés de leur fameux **sabres laser**. H.G. Wells, dans son roman *la Guerre des mondes* (1898), décrivait une arme imaginaire très proche du laser.

Les hologrammes

Un hologramme est l'image d'un objet réalisée en scindant un rayon laser en deux. Une partie est dirigée vers une plaque photographique, qui vient se réfléchir sur la plaque ; l'autre est dirigée vers l'objet. Lorsque la lumière, de même fréquence que le laser, illumine l'hologramme, une **image à trois dimensions** apparaît. L'inventeur de ce processus est le physicien britannique d'origine hongroise Dennis Gabor.

Lasers en action

◆ **Codes-barres** On utilise le laser pour scanner les codes-barres imprimés sur les emballages des articles de consommation courante. Sa sensibilité est telle que le passage rapide de l'article devant les rayons suffit pour enregistrer le code.

◆ **CD** Le laser sert à enregistrer et à reproduire tous les types de données numériques, comme celles des CD et des DVD. D'importantes quantités de données sont ainsi codées sur de petites surfaces.

◆ **Industrie** Le laser permet d'obtenir des alignements parfaits dans la construction (forage), des perforations précises dans des substances dures (diamants), des coupures et des soudures microscopiques (microcircuits), mais aussi de vérifier des instruments de précision.

◆ **Impression laser** Les données d'un fichier informatique contrôlent l'activation du laser lorsqu'il scanne le tambour de l'imprimante. Le toner (l'encre) n'est attiré que par les zones du tambour non illuminées par le laser. L'impression laser est d'une qualité exceptionnelle.

◆ **Spectacles laser** Des lasers peu puissants contribuent à créer un spectacle futuriste, par l'association de miroirs et d'autres artifices.

◆ **Mesures** L'efficacité de la lumière du laser augmente spectaculairement la précision des mesures. Un laser réfléchi sur un miroir placé sur la Lune a permis de mesurer la distance de la Terre à la Lune à quelques centimètres près.

◆ **Fibres optiques** Vu la fréquence élevée de la lumière du laser, on peut la moduler pour qu'elle véhicule de grandes quantités d'informations. La lumière laser circulant à l'intérieur de câbles en fibres optiques permet la transmission de données à grande vitesse.

◆ **La monnaie et les cartes de paiement sécurisé** L'emploi d'hologrammes sur les billets et les cartes de paiement sécurisé les rend difficiles à contrefaire.

◆ **Chirurgie** Un scalpel au laser est suffisamment précis pour intervenir au niveau cellulaire en microchirurgie ; la chaleur dégagée permet de cautériser des microcoupures. La chirurgie de l'œil utilise le laser pour réparer une rétine décollée ou des vaisseaux endommagés.

◆ **Armes** L'armée emploie le laser pour guider certaines armes et bombes vers les cibles. Les satellites militaires en sont équipés.

LE SAVIEZ-VOUS ?

Le laser est si précis que l'on peut l'exploiter pour détecter les **vibrations** de la vitre d'une fenêtre causées par des ondes sonores. Un laser de surveillance peut même enregistrer, de l'extérieur, une conversation dans une pièce.

La production de masse

La production de masse est la production mécanisée et standardisée de biens alimentaires et non alimentaires pour le marché de masse. Ébauchée lors de la révolution industrielle, au XVIIIe siècle, elle devint effective au XXe siècle, avec le développement des chaînes de production. La production de masse repose sur la spécialisation des ouvriers et des machines pour une rentabilité accrue. L'informatisation et la robotisation du travail ont révolutionné les procédures industrielles depuis les années 1970.

Le travail à la chaîne

L'industrialisation s'est accompagnée de la **spécialisation** et de la **division du travail**. Les employés se sont vu confier des tâches spécifiques et routinières. Le travail à la chaîne a amplifié le phénomène en déplaçant le poste de travail vers l'ouvrier. C'est l'Américain **Henry Ford** qui en eut l'idée en observant des tapis roulants dans une usine de Chicago. Dès 1913, il généralisa l'idée dans ses usines en déplaçant automatiquement les châssis de voiture vers chaque poste de travail. Ce système a réduit le temps perdu par les ouvriers à passer d'un véhicule à l'autre.
Aujourd'hui, la main-d'œuvre est de plus en plus remplacée par des robots, et le déplacement des éléments à monter est contrôlé par **ordinateur**.

La robotique

Le terme **robot** a été forgé par l'écrivain tchèque Karel Capek pour sa pièce *RUR (les Robots universels de Rossum)*, dans les années 1910. Le mot vient du tchèque *robota*, travail forcé ou tâche pénible.
En 1942, l'écrivain de science-fiction Isaac Asimov imagina dans sa nouvelle *Cercle vicieux* trois lois de la robotique. La première stipule qu'un robot ne peut ni porter atteinte à un être humain ni, en restant passif, laisser cet être humain exposé au danger.
Les robots jouent un rôle primordial dans l'industrie, l'**exploration spatiale** (exemple de Sojourner, lancé vers Mars en 1997 par la Nasa), la chirurgie ou encore les loisirs et la guerre. En 1999, Sony présenta un **chien-robot** nommé Aibo, bourré d'électronique. Son intelligence artificielle lui permet de reconnaître 75 commandements verbaux.

CHRONOLOGIE

1733 Le Britannique John Kay invente la navette volante pour accélérer le tissage, jusqu'alors réalisé avec une navette lancée à la main.

1765 L'ingénieur écossais James Watt crée la machine à vapeur, qu'il perfectionnera plusieurs fois.

1797 Le mécanicien britannique Henry Maudslay conçoit la tour à décolleter les filetages, qui permet de produire des vis et des boulons précis et interchangeables.

1833 Joseph Whitworth, l'apprenti de Maudslay, met au point des appareils de mesure de haute précision pour l'outillage industriel.

1881 Frederick Taylor introduit la notion de rationalisation du travail des ouvriers à la Midvale Steel Company, aux États-Unis (taylorisation du travail).

1885-1890 Les frères Reinhard et Max Mannesmann créent le laminage de tubes d'acier en un seul bloc, permettant de fabriquer des tubes sans soudure.

1913 Henry Ford conçoit la fabrication à la chaîne pour la production de ses voitures modèles « T ».

1938 Les mécaniciens américains Willard Pollard et Harold Roselund mettent au point une machine programmable pour diffuser la peinture.

1948 Le professeur Norbert Wiener, du Massachusetts Institute of Technology (États-Unis), publie *Cybernetics*, qui expose ses théories du contrôle des systèmes électroniques et mécaniques.

1962 Aux États-Unis, la General Motors installe le premier robot industriel, construit par Unimation Inc.

1969 Le contrôle par microprocesseur commence à transformer la robotique industrielle. Il aboutira au développement de la MOCN (machine-outil à commande numérique).

Humanoïdes artificiels

Dès leur origine, qui remonte à la pièce de Karel Capek et au film futuriste de Fritz Lang *Metropolis* (1927), les robots qui peuvent adopter ou simuler un comportement humain (androïdes) ou animal sont devenus populaires. Ce fut le cas de **R2D2** et de **C3PO** dans l'épopée de *la Guerre des étoiles*, de George Lucas. Hormis ces personnages sympathiques, les récents films de SF ont vu fleurir les robots hyper-sophistiqués chargés d'accomplir des missions que l'homme ne pourrait mener à bien, notamment dans *Terminator* ou *Robocop*.

Henry Ford

À partir de 1913, l'influence de Ford dans la production industrielle bouleversa l'industrie automobile. En 1908, les usines Ford produisaient 18 000 modèles « T », qui se vendaient à plus de 1 000 $ pièce. Vers 1923, la production américaine était multipliée par cent grâce aux chaînes de montage qui sortaient 1,8 million de modèles « T ». Le prix chuta en dessous de 300 $ pièce : Ford avait créé un marché de masse pour ses voitures. Plus de 15 millions de modèles « T » ont été vendus aux États-Unis entre 1908 et 1927.

Les ordinateurs

Le plus ancien instrument de calcul fut sans doute l'abaque, inventé en Chine vers 2600 av. J.-C. Aujourd'hui, les ordinateurs assistent l'homme dans presque tous ses calculs. La complexité, la vitesse et la puissance des ordinateurs ont plus que doublé tous les deux ans depuis le début des années 1980. Les plus importants progrès en informatique ont été réalisés dans la fabrication et la miniaturisation des composants d'ordinateur. Les recherches actuelles portent sur des ordinateurs plus rapides, utilisant l'activité optique, chimique ou quantique (électron unique) des machines plutôt que l'électricité.

Du tube à la puce

Toutes les données numériques sont des nombres **binaires** (0 et 1), car le courant électrique n'a que deux états: en activité et à l'arrêt. Toute opération nécessite un passage rapide entre ces deux états, assuré par des commutateurs. Dans les ordinateurs de première génération, les commutations étaient effectuées par des tubes cathodiques. Dès 1947, les ordinateurs de deuxième génération utilisaient le **transistor**, un commutateur plus petit. À la fin des années 1960, ceux de la troisième génération possédaient des transistors et d'autres composants intégrés à un simple circuit. À partir de 1974, ceux de la quatrième génération étaient équipés de **microprocesseurs** dotés de milliers de transistors minuscules, rassemblés sur une puce en silicium. Les puces des ordinateurs actuels, de la cinquième génération, en contiennent des millions.

Les bases de l'ordinateur

Les ordinateurs fonctionnent toujours grâce à plusieurs organes.
◆ **Microprocesseur** Également appelé unité centrale. Ce microcircuit traite les données et coordonne les périphériques d'entrée, de sortie et de mémorisation des données.
◆ **Circuits de la mémoire vive** Microcircuits mémorisant les programmes et les données en cours d'utilisation. Celles-ci sont perdues quand l'ordinateur est éteint.
◆ **Bios** Circuit stockant des données essentielles, même quand l'ordinateur est éteint, ainsi que les instructions pour son redémarrage.
◆ **Carte mère** Circuit imprimé principal.
◆ **Lecteur du disque dur** Support principal et permanent du stockage des programmes et des données. Ces dernières sont mémorisées sous forme de signaux magnétiques, sur des disques en métal. Les données sont « lues » et « écrites » sur des disques tournant sur eux-mêmes, par des têtes magnétiques similaires à celles d'un magnétophone.

LE SAVIEZ-VOUS ?

On appelle les erreurs de programme des **bugs**. C'est le pionnier de l'informatique Grace Hopper qui, en 1945, a rajeuni ce terme signifiant insecte, punaise, lorsque son ordinateur tomba en panne parce qu'une mite s'y était glissée.

Le déchiffrement

Pendant la Seconde Guerre mondiale, les Alliés s'efforçaient de percer les codes secrets ennemis. Découvrir les clefs des messages codés était une tâche qui mobilisait des milliers de spécialistes en décryptage.
À Bletchley Park, à 80 km de Londres, **Alan Turing** et son équipe de savants britanniques conçurent Colossus, un ordinateur volumineux capable d'accomplir ce travail. Opérationnel à la fin de 1943, Colossus contenait 1 500 tubes cathodiques. Il permit de déchiffrer les messages émis par les machines à encoder allemandes **Enigma**.

Silicon Valley

Cette vallée californienne, située entre San Francisco et San José, concentre des sociétés hi-tech spécialisées dans la micro-informatique. Ces industries utilisent notamment le **silicium** *(silicon)* comme élément de base des composants électroniques.

Les périphériques

◆ **HAUT-PARLEURS** Le rendu sonore des ordinateurs rivalise avec celui des chaînes hi-fi. ◆ **SOURIS** Permet de sélectionner les données sur l'écran.
◆ **CLAVIER** Numérise les données que saisit l'utilisateur. ◆ **MONITEUR** Affiche les données sous forme de textes, de graphiques, de photos ou de séquences vidéo.
◆ **MÉMOIRE EXTERNE** Stockage auxiliaire de données. ◆ **LECTEUR EXTERNE** Pour lire des supports tels un Zip ou une disquette.
◆ **LECTEUR CD-DVD** Lit les programmes, les jeux et les films. ◆ **IMPRIMANTE** À jet d'encre ou laser.
◆ **SCANNER** Instrument photoélectrique qui numérise les images ou les textes imprimés.

CHRONOLOGIE

1642 Le mathématicien français Blaise Pascal construit la Pascaline, un calculateur mécanique capable d'effectuer des additions et des soustractions.
1801 Le Français Joseph-Marie Jacquard conçoit un métier à tisser utilisant des cartes perforées.
1834 L'Anglais Charles Babbage crée la machine analytique, dotée d'une mémoire pour enregistrer les nombres.
1887 Le Français Léon Bollée invente la machine à multiplier.
1890 Herman Hollerith met au point une machine à statistiques, à cartes perforées, pour tabuler les résultats du recensement américain de 1890. En 1891, il fonde la future société IBM.
1943-1945 L'armée américaine construit l'Eniac *(Electronic Numerical Integrator and Computer)* pour effectuer des calculs complexes de balistique.
1944 IBM et l'université de Harvard élaborent l'ordinateur Mark I.
1945 Le mathématicien américain John von Neumann prédit que l'ordinateur aura des fonctions multiples basées sur des programmes mémorisés.
1971 Ted Hoff développe le microprocesseur chez Intel.
1977 Steve Jobs et Steve Wozniak lancent l'Apple II.
1981 IBM sort le Personal Computer.
1984 Apple commercialise le Macintosh.
1985 Microsoft lance le système d'exploitation Windows.
1998 Microsoft est la société la plus riche du monde, avec plus de 260 milliards de dollars d'actif.

Les jeux sur ordinateur

Les premiers jeux vidéo se pratiquaient sur diverses consoles, prédécesseurs de celles de Sony, Sega, Nintendo et Microsoft actuelles. Ce n'est qu'à la fin des années 1990 que les ordinateurs sont devenus des plates-formes acceptant la plupart des jeux, lorsque leurs capacités vidéo commencèrent à rivaliser avec celles des consoles. Le Salon international du jeu vidéo, qui se déroule à Los Angeles, montre l'engouement pour ce type de loisirs. Ci-dessous, les jeux les plus connus de ces 30 dernières années.

Jeu	Date	Développeur	Commentaires
Pong	1972	Atari Corporation	Simple simulation de parties de tennis ; proposée sur de nombreuses consoles.
Space Invaders	1978	Taito Corporation	Sur console. A connu un succès phénoménal. Il consiste à repousser des vagues d'attaques extraterrestres.
Sim City	1989	Maxis	Premier d'une série où les joueurs doivent bâtir leur ville et leur monde en fonction d'intérêts humanitaires, d'interactions générées par une intelligence artificielle, etc.
Doom	1993	id Software (John Romero / John Carmack)	Vendu à des millions d'exemplaires, paru partiellement en shareware (*try before you pay*, « essayez avant de payer »).
World of Warcraft	1995	Blizzard Entertainment	Jeu en ligne en temps réel. 9 millions d'abonnés (un record) s'adonnent à ce jeu de rôle dans un univers médiéval fantastique.

Parler aux machines

Les programmes des ordinateurs sont écrits dans des **langages de programmation**. Cela va des langages assez simples, comme les codes machine (écrits en chiffres binaires), jusqu'aux plus élaborés, tels Basic et Cobol, en passant par des langages comme Java.
Plus un langage est sophistiqué, plus il répond aux besoins spécifiques du programmeur. Ces programmes complexes doivent être traduits par d'autres programmes en langage machine, afin que l'ordinateur puisse les comprendre.

PETITE INFO

Il existe **divers systèmes d'exploitation**, certains pour PC, d'autres pour Macintosh. Unix pour les très gros ordinateurs et les serveurs de réseau. Windows pour les PC, MacOS pour les Macintosh.

Terminologie de l'informatique

BIOS *Basic Input / Output System*. Logiciel autonome qui lance les fonctions de mise en route de l'ordinateur.
Bootup Procédure suivie par l'ordinateur lorsqu'on l'allume.
Octet Signifie « par huit ». Groupe de huit bits, unité fondamentale des données numériques.
Vitesse d'horloge Vitesse à laquelle fonctionne un microprocesseur, exprimée en mégahertz (MHz).
GUI *Graphical User Interface*. Logiciel utilisant des images (icônes) pour représenter les commandes sur l'écran.
Modem Modulateur-démodulateur. Appareil permettant d'envoyer des données numériques par une ligne téléphonique.
Réseau Relation entre deux ordinateurs ou plus, qui se partagent des données.
OS *Operating System* ou système d'exploitation. Logiciel standard accomplissant les fonctions de base de l'ordinateur.
RAM *Random-Access Memory*. Mémoire temporaire des données. Si les données dans la RAM ne sont pas sauvegardées sur un disque, elles sont perdues lorsque l'ordinateur est éteint.
ROM *Read-Only Memory*. Mémoire permanente (souvent stockée sur une puce séparée) qui contient les instructions de base de l'ordinateur. Ses données sont conservées lorsque l'ordinateur est éteint.
VDU *Visual Display Unit*. Le moniteur – un écran semblable à celui d'un téléviseur, ou à cristaux liquides (LCD), ou plasma.
Virus Programme caché, diffusé par malveillance sur Internet et destiné à endommager les ordinateurs d'autrui.

PC ou Mac ?

En 1981, IBM ouvrit la conception de son ***personal computer*** à la concurrence. Le PC devint un standard informatique, marginalisant les autres modèles. Seul **Apple**, grâce à son esprit d'innovation, put prétendre le concurrencer, avec son **Macintosh**, destiné à l'origine aux professions créatives.

Le futur de l'informatique

La technologie informatique a connu des **progrès** si rapides que même les prédictions les plus récentes sont en passe d'être réalisées. Plusieurs tendances se profilent à l'horizon.

- Les microprocesseurs vont continuer de se miniaturiser – jusqu'à l'échelle **atomique** ou **subatomique** – et de se répandre dans la société. L'influence de l'informatique sur les activités culturelles, commerciales et privées n'en est qu'à ses débuts.
- La distinction entre l'homme et l'ordinateur risque de ne plus être aussi nette. On parle d'**implanter** des puces dans le corps humain pour en améliorer les capacités, alors que les ordinateurs pourraient intégrer des cellules issues de l'organisme humain – peut-être des cellules nerveuses. Dans ce domaine, il conviendra de poser des limites pour éviter les abus relevant de la bioéthique.
- On assistera à une meilleure interactivité entre les ordinateurs. L'intelligence artificielle produira des logiciels capables d'apprendre et de communiquer via Internet.

La révolution Internet

Internet est un réseau mondial de réseaux d'ordinateurs qui communiquent entre eux et s'autoadministrent librement, en permettant l'acheminement de données. L'idée technique sur laquelle repose Internet est la commutation de paquets, conçue par Paul Baran en 1962. Les données envoyées sont scindées en petits paquets électroniques, individuellement transférés sur une voie ou une autre par des routeurs, à une vitesse de transfert optimale. On se connecte à Internet le plus souvent par le modem de son ordinateur branché à un cable, une ligne téléphonique ou une connexion plus rapide ADSL.

Le jargon du Web

Dorsale Lien principal entre de grands réseaux Internet.
E-mail *Electronic mail,* courrier électronique via Internet.
HTML *Hypertext Markup Language.* Langage informatique d'Internet.
HTTP *Hypertext Transfer Protocol.* Procédures de communication entre les serveurs et les navigateurs.
Hypertext Texte d'une page Web qui possède des liens cliquables (hyperliens) vers d'autres pages Web.
FAI Fournisseur d'accès à Internet. Société qui fournit l'accès à Internet à ses abonnés.
JPEG *Joint Photographic Experts Group.* Format de compression destiné à transmettre des graphiques.
Serveur Tout ordinateur équipé pour fournir des fichiers à d'autres ordinateurs sur un réseau.
Spam Courrier indésirable distribué via Internet (argot).
TCP / IP *Transmission Control Protocol / Internet Protocol.* Procédures universelles de connexion à Internet.
URL *Uniform Resource Locator.* Adresse unique de chaque page Web.

Les noms de domaine

Internet est administré par une instance internationale qui a délégué ses pouvoirs à des registres (les NIC : *Network Information Centers*) de différentes zones. Ces zones regroupent deux catégories : la catégorie géographique (2 lettres : .fr [France], .be [Belgique], .ca [Canada], etc.) et la catégorie générique (3 lettres et plus : .asso, .presse, .gouv). Chaque registre possède ses propres règles d'attribution de noms de domaine (le nommage) aux sociétés et organismes présents sur le Net. Voici des exemples de **suffixes de domaine** français et étrangers.

.com société commerciale
.gouv gouvernement ou administration publique
.org organisation à but non lucratif
.net fournisseur d'accès et réseau Internet, organisme intervenant dans l'organisation du Web
.amb ambassade (exemple : amb-canada.fr est l'adresse de l'ambassade du Canada à Paris, France)

WWW

Le World Wide Web (**WWW**, **W3** ou **Web**) est l'univers d'Internet. Il se compose de serveurs qui utilisent Internet pour fournir plus d'un milliard de pages Web, des fichiers créés dans le langage HTML et d'autres. On accède à ces fichiers grâce à des logiciels de navigation installés dans l'ordinateur hôte. Les pages Web peuvent contenir des graphiques, des sons, des animations, des programmes, etc.

Berners-Lee

Le scientifique britannique Tim Berners-Lee est l'**inventeur du World Wide Web**. Alors qu'il travaillait au Cern (Conseil européen des recherches nucléaires) à Genève, vers 1990, il conçut les protocoles URL, HTTP et HTML, qui sont à la base du fonctionnement du Web.

CHRONOLOGIE

1969 Des chercheurs de l'armée et de l'université américaines mettent au point l'Arpanet *(Advanced Research Projects Agency Network).*
1974 Telnet, première version commerciale de l'Arpanet. Vint Cerf, le fondateur de l'Arpanet, teste la mise en réseau de réseaux sur un Internet.
1984 Le système des noms de domaine est mis au point pour identifier les ordinateurs sur Internet.
1991 Ouverture d'Internet au trafic commercial ; abonnements fournis par le premier FAI.
1993 Marc Andreessen et Eric Bina créent le navigateur Mosaic pour les pages Web. Plus tard, le navigateur Netscape se généralise.
2000 Le nombre d'ordinateurs hôtes s'élève à 95 millions. Il existe plus d'un milliard de pages Web.

Portails et moteurs de recherche

Les portails et moteurs de recherche aident les usagers à trouver de l'information dans Internet. De nombreux sites compilent de vastes index, à l'aide de personnes ou de programmes appelés Web Crawlers ou Web Spiders.
Portails et moteurs de recherche les plus utilisés au Canada

Nom	URL	Description
Google	www.google.ca	moteur de recherche
MSN Sympatico	www.sympatico.msn.ca	moteur de recherche et portail de services
Yahoo	http://qc.yahoo.com www.yahoo.ca	moteur de recherche et portail de services
Toile du Québec	www.toile.com	répertoire des sites web québécois
Copernic	www.copernic.com	moteur de recherche

http://www.selectionclic.com/srd/

Type de protocole de transfert — Nom du serveur — Nom de domaine — Nom du dossier racine

La matière

La matière est ce qui constitue les solides, les liquides et les gaz dans l'Univers. Elle est constituée d'atomes, de molécules et de particules subatomiques. Toute matière est inerte : elle tend à rester immobile ou en mouvement. La masse, c'est- à-dire la quantité de matière contenue dans un objet, est un index d'inertie de cet objet. La matière exerce une attraction gravitationnelle sur une autre matière, qui se mesure par le poids. La majeure partie de la matière noire dans l'Univers est invisible, car elle n'émet pas de rayonnement électromagnétique. Sa présence est révélée par son effet gravitationnel. Selon la théorie de la relativité d'Albert Einstein, matière et énergie sont équivalentes.

Qu'est-ce qu'un atome ?

Les atomes sont les **plus petites particules d'éléments chimiques** possédant les propriétés de ces éléments. On peut diviser les atomes, mais ce ne sont plus alors les atomes de l'élément d'origine. Les atomes sont extrêmement petits – environ un dix-millionième de millimètre de largeur – et comportent des particules subatomiques encore plus petites. La majeure partie de la masse d'un atome est concentrée dans son **noyau,** autour duquel tournent des **électrons**. Le noyau, plusieurs fois plus petit que l'atome, contient presque toute sa masse. Il est constitué de **protons** et de **neutrons**. Chaque proton et chaque neutron sont composés d'un ensemble de trois particules, appelées quarks haut et bas, et maintenues par les gluons. Les électrons, de minuscules particules d'énergie dotées d'une charge électrique négative, tournent en orbite autour du noyau. Le nombre d'électrons d'un atome détermine sa particularité chimique.

Qu'est-ce qu'une molécule ?

La plupart des substances sont constituées de plus d'un atome. Ces **groupes d'atomes** qui sont reliés entre eux par des liaisons chimiques sont les **molécules**. Certaines molécules possèdent un seul type d'atomes ; ainsi, une molécule d'oxygène est formée de deux atomes d'oxygène. La majorité des molécules comportent plus d'un type d'atomes. Les formules chimiques précisent, sous forme abrégée, combien d'atomes contient une molécule. Par exemple, la formule de l'eau H_2O indique qu'une molécule d'eau possède un atome d'oxygène (O) relié à deux atomes d'hydrogène (H). Celle de l'acide sulfurique H_2SO_4 indique qu'une molécule d'acide sulfurique possède deux atomes d'hydrogène (H), un de soufre (S) et quatre d'oxygène (O).

Copier la création

Dans un immense tunnel circulaire et souterrain du Cern (Conseil européen des recherches nucléaires), à Genève, on accélère des **particules subatomiques** jusqu'à une vitesse proche de celle de la lumière pour provoquer leur collision. Les réactions produisent de nouvelles particules, qui permettraient de comprendre les circonstances de la création de l'Univers.

Casser l'atome

Pendant des siècles, les savants ont cru que les atomes étaient les plus petites particules indivisibles. En 1919, le Néo-Zélandais Ernest Rutherford désintégra artificiellement un atome. En 1932, John Cockroft et Ernest Walton divisèrent des atomes de lithium en les bombardant de protons. En 1938, Lise Meitner, Otto Hahn et Fritz Strassmann réussirent à scinder des noyaux d'uranium avec des neutrons. Cela conduisit au développement des **armes atomiques** et de la **puissance nucléaire**.

La masse, le volume et la densité

En général, la matière se dilate quand elle est plus chaude. Les gaz sont composés de molécules évoluant dans un espace, aussi leur densité (masse par unité de volume) dépend de la masse des molécules et de la taille du contenant. À l'état solide et liquide, la densité d'une substance dépend de la cohésion des molécules. Les solides ayant plus de cohésion que les liquides, ils sont plus denses. L'**eau** refroidie en dessous de 4 °C se dilate légèrement. La glace étant encore moins dense, elle flotte sur l'eau.

Les états de la matière

Dans tout l'Univers, la matière existe principalement sous trois formes ou états : **solide**, **liquide** et **gazeux**. Les molécules sont disposées différemment selon les substances et agissent différemment entre elles selon l'état de la substance.

◆ **Solide** Les molécules, disposées de manière fixe, en trois dimensions, peuvent vibrer mais pas changer de position.

◆ **Liquide** Les molécules, plus lâches, peuvent bouger et changer de position, ce qui permet aux liquides de s'épancher.

◆ **Gaz** Les molécules, plus largement espacées que dans les états solide et gazeux, se déplacent à de grandes vitesses.

Les **solides** possèdent **une forme et une taille fixes**, et sont plus ou moins durs. Les liquides et les gaz sont des fluides. Les **liquides** présentent un **volume fixe** (ce qui n'est pas le cas des gaz) et remplissent un récipient jusqu'à un niveau donné en fonction de leur volume. Un gaz libéré dans un récipient vide et rigide se dilate pour occuper tout son espace, aussi grand soit-il. La plupart des substances changent d'état, passant du solide au liquide et du liquide au gazeux, à des températures spécifiques appelées points de fusion et d'ébullition. Les molécules d'un liquide (ou d'un gaz) se déplaçant plus que celles d'un solide, elles transfèrent plus d'énergie. Cette énergie doit être fournie (sous forme de chaleur) par la fusion ou l'ébullition. Appelée **chaleur latente**, elle n'augmente pas la température ; aussi, la glace qui fond et l'eau qui en résulte sont toutes les deux à 0 °C. Les points de **fusion** et d'**ébullition** sont influencés par la pression. Sous certaines pressions, des solides se transforment en gaz sans passer par un état liquide : c'est la sublimation. Le gaz carbonique solide se transforme en gaz sous une pression atmosphérique normale.

LE SAVIEZ-VOUS ?

Le **mercure** est le seul métal à l'état liquide à une température normale. Il gèle et se solidifie à –39 °C. Comme d'autres métaux, le mercure se dilate quand il est chauffé ; c'est ainsi que fonctionne le thermomètre à mercure.

Les éléments

Les éléments sont les substances chimiques les plus simples et les plus fondamentales. Ils ne peuvent pas être divisés en éléments chimiques plus simples. On connaît au total 112 éléments, dont environ 90 sont naturels. Les autres sont produits par la réaction nucléaire. Les atomes d'un spécimen d'élément pur constituent un ensemble chimique spécifique. Tous les atomes d'un élément ont le même numéro atomique, qui indique le nombre de protons ou d'électrons dans l'atome. Le nombre de neutrons peut quant à lui varier. Les atomes d'un élément doté de neutrons supplémentaires s'appellent des isotopes.

Le tableau périodique

Le tableau dresse la liste de 112 éléments dans l'ordre croissant de leur **numéro atomique**. Le symbole de chaque élément est indiqué ainsi que sa **masse atomique relative** (le poids d'un atome de cet élément comparé au poids d'un atome de tout autre élément). Lorsqu'un élément n'a pas d'isotope stable, le numéro de la masse de l'isotope ayant la plus grande durée de vie est précisé entre parenthèses. Chaque ligne représente une **période**. Le nombre d'électrons dans les éléments augmente à mesure que l'on parcourt une période de gauche à droite. En outre, l'ordre des éléments va des métalliques aux non métalliques. Huit colonnes ou **groupes**, numérotés de I à VIII, encadrent le tableau. Les atomes des éléments d'un même groupe possèdent un nombre identique d'électrons périphériques (la dernière orbite) et réagissent de manière similaire. Les **éléments de transition** sont des métaux dont la dernière orbite électronique est semblable. Les **métalloïdes** possèdent certaines propriétés des métaux et certaines de celles des non-métaux.

Créés par l'homme

Plus de vingt **nouveaux éléments** et des dizaines d'**isotopes** d'éléments naturels ont été **créés artificiellement**. Un certain nombre d'entre eux sont le produit de réactions nucléaires et sont très radioactifs. Certains éléments ont été créés en accélérant le mouvement des particules élémentaires dans le noyau d'atomes lourds, afin de provoquer leur fission.

Quelques records

- Le métal le plus dense : l'osmium
- Le non-métal le plus dense : l'iode
- Le métal le moins dense : le lithium
- Le point de fusion le plus élevé : 3410 °C (le tungstène)
- Le point de fusion le plus bas : – 272,2 °C (l'hélium)
- Les meilleurs conducteurs : l'argent, puis le cuivre
- Le plus dur : le diamant (carbone)
- Le plus répandu dans l'Univers : l'hydrogène
- Le solide le plus répandu dans la croûte terrestre : le silicium (27,7 %)

Les éléments du corps

La composition du corps varie en fonction de la quantité de graisse (qui contient surtout des atomes de carbone, d'hydrogène et d'oxygène). Ci-dessous, les pourcentages chez un adulte.

- Oxygène : 65 % ◆ Carbone : 18 %
- Hydrogène : 10 % ◆ Azote : 3 %
- Calcium : 1,5 % ◆ Autres : 2,5 %

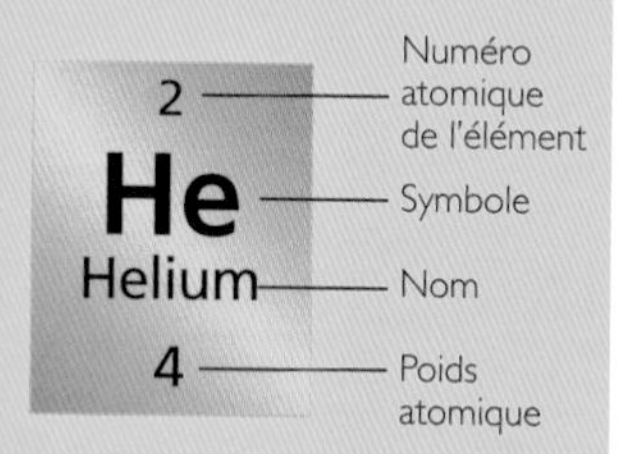

L'inventeur du tableau

Le chimiste russe **Dmitri Mendeleïev** (1834-1907) publia sa première version du tableau périodique des éléments chimiques en 1869. Il laissa des vides pour les éléments alors inconnus, qui furent découverts plus tard.

I	II											III	IV	V	VI	VII	VIII
1 H Hydrogène 1																	2 He Hélium 4
3 Li Lithium 6,9	4 Be Béryllium 9,01											5 B Bore 10,81	6 C Carbone 12,0	7 N Azote 14,01	8 O Oxygène 16	9 F Fluor 19	10 Ne Néon 20,18
11 Na Sodium 23	12 Mg Magnésium 24,5											13 Al Aluminium 26,98	14 Si Silicium 28,09	15 P Phosphore 30,97	16 S Soufre 32,06	17 Cl Chlore 35,45	18 Ar Argon 39,94
19 K Potassium 39,1	20 Ca Calcium 40,1	21 Sc Scandium 44,96	22 Ti Titane 47,88	23 V Vanadium 50,94	24 Cr Chrome 51	25 Mn Manganèse 54,94	26 Fe Fer 55,85	27 Co Cobalt 58,93	28 Ni Nickel 58,69	29 Cu Cuivre 63,55	30 Zn Zinc 65,38	31 Ga Gallium 69,72	32 Ge Germanium 72,6	33 As Arsenic 74,92	34 Se Sélénium 78,96	35 Br Brome 79,9	36 Kr Krypton 83,8
37 Rb Rubidium 85,5	28 Sr Strontium 87,6	39 Y Yttrium 88,91	40 Z Zirconium 91,22	41 Nb Niobium 92,91	42 Mo Molybdène 95,94	43 Tc Technétium (98)	44 Ru Ruthénium 101,07	45 Rh Rhodium 102,91	46 Pd Palladium 106,42	47 Ag Argent 107,87	48 Cd Cadmium 112,41	49 In Indium 114,82	50 Sn Étain 118,69	51 Sb Antimoine 121,7	52 Te Tellure 127,6	53 I Iode 126,9	54 Xe Xénon 131,29
55 Cs Césium 132,9	56 Ba Baryum 137,4	57-71 Série des lanthanides	72 Hf Hafnium 178,49	73 Ta Tantale 180,95	74 W Tungstène 183,85	75 Re Rhénium 186,21	76 Os Osmium 190,2	77 Ir Iridium 192,22	78 Pt Platine 195,08	79 Au Or 196,97	80 Hg Mercure 200,59	81 Tl Thallium 204,38	82 Pb Plomb 207,2	83 Bi Bismuth 208,98	84 Po Polonium (209)	85 At Astate (210)	86 Rn Radon (222)
87 Fr Francium (223)	88 Ra Radium (226)	89-103 Série des actinides	104 Rf Rutherfordium (261)	105 Db Dubnium (262)	106 Sg Seaborgium (263)	107 Bh Bohrium (264)	108 Hs Hassium (265)	109 Mt Meitnérium (266)	110 Uun Ununnilium (369)	111 Uuu Unununium (266)	112 Uub Ununbium (277,15)						

57 La Lanthane 138,91	58 Ce Cérium 140,12	59 Pr Praséodymium 140,91	60 Nd Néodymium 144,24	61 Pm Prométhium (145)	62 Sm Samarium 150,36	63 Eu Europium 151,96	64 Gd Gadolinium 157	65 Tb Terbium 158,93	66 Dy Dysprosium 162,50	67 Ho Holmium 164,93	68 Er Erbium 167,26	69 Tm Thulium 168.93	70 Yb Ytterbium 173.04	71 Lu Lutécium 174.97
89 Ac Actinium (227)	90 Th Thorium 232,04	91 Pa Protactinium 231,04	92 U Uranium 238,03	93 Np Neptunium (237,05)	94 Pu Plutonium (244)	95 Am Américium (243)	96 Cm Curium (247)	97 Bk Berkelium (247)	98 Cf Californium (251)	99 Es Einsteinium (252)	100 Fm Fermium (257)	101 Md Mendélévium (258)	102 No Nobélium (259)	103 Lr Lawrencium (260)

- métaux
- non-métaux
- éléments de transition
- métalloïdes

Les composés et les réactions

Une molécule est la plus petite unité de substance chimique prenant part à une réaction. Bien qu'une molécule puisse être constituée d'un simple atome, la plupart des molécules ont deux atomes ou plus. La plus grande molécule contient des millions d'atomes. Si une substance contient plus d'un type d'atomes, on l'appelle un composé. Les atomes d'une molécule sont maintenus ensemble par des liens de diverses sortes, que l'on peut rompre ou modifier par les réactions chimiques.

Les différents composés

Les composés sont **organiques** (composés du carbone) ou **inorganiques** (tout autre composé). Mais on peut aussi les classer d'après le lieu où on les trouve, leur type d'atomes ou le type de liens qui unit leurs atomes. Leur classification est donc surtout pratique. En 1828, le chimiste allemand **Friedrich Wöhler** réfuta la séparation entre la chimie organique et la chimie inorganique en produisant de l'urée organique à partir de cyanate d'ammonium inorganique. Ils possèdent les mêmes atomes disposés différemment: $CO(NH_2)_2$ et NH_4CNO.
◆ **Composés inorganiques** Eau (H_2O), sel (chlorure de sodium, NaCl), craie (carbonate de calcium, $CaCO_3$) Considérés comme appartenant au monde du non-vivant, ils incluent toutes les substances, à l'exception des composés du carbone (sauf les carbonates, qui sont dits inorganiques). Leurs atomes subissent une liaison ionique, covalente ou métallique.
◆ **Composés organiques** Méthane (CH_4) ; acétylène (C_2H_2) ; éthanol (C_2H_5OH), vinaigre (acide acétique, C_2H_5COOH) Considérés comme les composés et les produits des organismes vivants, ils contiennent tous des atomes de carbone, souvent liés à de l'hydrogène et à d'autres atomes. La plupart des liaisons sont covalentes, mais des liaisons ioniques se produisent dans les acides organiques (comme l'acide acétique) et leurs composés.

Les formules et les équations

Une **formule chimique** est la représentation abrégée des sortes et des nombres d'atomes constituant une molécule. Elle indique également comment ces atomes sont disposés. Par exemple, la formule du nitrate d'ammonium est NH_4NO_3 : il y a deux atomes d'azote (N) dans chaque molécule, mais un de ses atomes appartient au groupe des ammoniums (NH_4) et l'autre au groupe des nitrates (NO_3).
Une **équation chimique** décrit les changements que produit une réaction. Grâce aux formules, pourvu que les équations soient équilibrées (même nombre de chaque atome de part et d'autre), on peut voir combien de molécules participent à la réaction et comment elles réagissent. Par exemple, en se dissolvant dans l'acide nitrique, le cuivre produit du nitrate de cuivre, de l'oxyde nitrique et de l'eau. L'équation ci-dessous montre qu'un atome de cuivre mis en présence de deux molécules d'acide sulfurique réagit en produisant une molécule de sulfate de cuivre, une molécule de dioxyde de soufre et deux molécules d'eau : $\mathbf{Cu + 2H_2SO_4 \rightarrow CuSO_4 + SO_2 + 2H_2O}$.

Le feu aux poudres !

Si la **poudre** a été inventée en Chine vers le VIIe siècle, il fallut attendre 600 ans pour la découvrir en Occident. La poudre contient du nitrate de potassium pulvérisé (nitre ou salpêtre), du soufre et du carbone (charbon). Excité par une étincelle, le nitrate de potassium oxyde le soufre et le carbone très rapidement. Cela produit des gaz : azote, gaz carbonique et monoxyde de carbone. La chaleur engendrée dilate les gaz sous forme d'explosion.

Les liens chimiques

Plusieurs sortes de liens maintiennent la cohésion des atomes individuels dans les molécules composées. Tout dépend du comportement des électrons autour du noyau. ◆ **Liaison convalente** Deux atomes adjacents s'échangent chacun un électron. Cette paire d'électrons tourne autour des deux atomes, les liant fortement entre eux. ◆ **Liaison ionique** Des électrons sont transférés entre des atomes, les transformant en ions (atomes chargés électriquement). L'attraction électrostatique entre les ions les maintient ensemble. ◆ **Liaison métallique** Des atomes perdent des électrons périphériques, qui évoluent librement et se comportent comme une « colle » électrostatique.

Deux applications

◆ **Brûlage** Le gaz naturel, principalement le méthane (CH_4), brûle avec l'oxygène de l'air en produisant du gaz carbonique et de la vapeur d'eau : $\mathbf{CH_4 + 2O_2 \rightarrow CO_2 + 2H_2O}$.
◆ **Corrosion** Certains métaux réagissent avec l'oxygène en formant un oxyde métallique : c'est le procédé de l'oxydation. La rouille, qui est un oxyde de fer, est le produit d'une transformation complexe nécessitant de l'eau, du gaz carbonique et de l'oxygène. La ternissure de l'argent est plus simple. L'argent réagit avec le sulfure d'hydrogène (H_2S) et l'oxygène de l'air, en donnant le sulfure d'argent noir (Ag_2S) : $\mathbf{4Ag + 2H_2S + O_2 \rightarrow 2Ag_2S + 2H_2O}$.

Acides et bases

Les **acides** sont des substances qui libèrent des ions d'hydrogène (H^+, atomes d'hydrogène ayant une charge électrique positive) dans l'eau. Leur goût est acide et ils attaquent de nombreux métaux en formant des sels. À l'opposé, les **bases** réagissent avec les ions d'hydrogène en formant des substances neutres (ni acides ni basiques). En se dissolvant dans l'eau, certaines bases forment des ions hydroxyles, chargés négativement (OH^-) : les **alcalis**, au goût amer. L'acidité et la basicité se mesurent sur l'échelle du **pH** (ci-contre). Une substance au pH élevé est basique (alcaline), une substance au pH bas est acide. Un pH de 7 est neutre.

Substance	pH
Acides chlorhydrique, nitrique, sulfurique	0
Acides gastriques	1
Jus de citron	2
Vinaigre, pomme acide	3
Pluie acide	4
Eau de pluie	5
Lait, urine, salive	6
Eau distillée, sang	7
Eau de mer	8
Bicarbonate de soude	9
Médicament anti-acide	10
Ammoniaque	11
Eau savonneuse	12
Nettoyant de four	13
Soude caustique	14

La radioactivité

La radioactivité est l'émission de radiations par des éléments naturels ou artificiels. Les éléments naturellement radioactifs ou leurs isotopes ont souvent un poids atomique élevé, comme l'uranium et le radium. D'autres éléments peuvent être rendus radioactifs si on les bombarde de radiations. Les réactions nucléaires comprennent la fission, la fusion et la transmutation (conversion du noyau atomique). La radiation est constituée de particules et d'ondes électromagnétiques. Elle est dangereuse car elle produit des ions qui causent la mutation des cellules vivantes.

La fission et la fusion

La **fission** divise le noyau d'un atome en petits fragments. Quand la chaleur d'une explosion due à la fission agglomère violemment les noyaux, c'est la **fusion**. Elle libère plus d'énergie que la fission, mais génère moins de sous-éléments radioactifs.

Alpha, bêta, gamma

Les noyaux radioactifs instables émettent des particules subatomiques ou des radiations. Il en existe de trois sortes. Les particules **alpha** (une feuille de papier les arrête) contiennent deux protons et deux neutrons. Les particules **bêta** (un écran d'aluminium de 5 mm d'épaisseur les arrête) sont des électrons se déplaçant très rapidement. Les rayons **gamma** (certains pénètrent dans un écran en plomb de 4 cm d'épaisseur) sont une radiation électromagnétique, comme les rayons X.

La datation radio-isotopique

La vitesse de décroissance des radio-isotopes peut indiquer l'âge d'un objet. La datation par le radiocarbone utilise la décroissance du **carbone 14** (C14). Cet isotope reste constant dans l'atmosphère grâce aux rayons cosmiques qui bombardent les atomes d'azote, aussi l'air et les êtres vivants en contiennent-ils la même quantité. Mais, dès qu'un organisme meurt, son taux de C14 décroît et devient de l'azote 14, avec une demi-vie de 5 730 ans. La mesure du taux de C14 peut indiquer l'âge d'un objet vieux de 50 000 ans.

Marie Curie

Née Marya Sklodowska, en 1867, Marie épousa **Pierre Curie** (1859-1906) et partagea avec lui et **Henri Becquerel** le **prix Nobel** en 1903, pour leurs travaux sur la radioactivité. Elle gagna un second prix en 1911, pour avoir isolé le radium, mais mourut de leucémie en 1934, après s'être exposée à des matériaux radioactifs. Sa fille, **Irène Joliot-Curie** (1897-1956), partagea en 1935 un prix Nobel avec son mari **Jean-Frédéric Joliot-Curie** (1900-1958) pour leur étude de la radioactivité artificielle.

Le saviez-vous ?

Les particules à forte énergie qui traversent un milieu transparent, comme l'eau, le font briller. C'est la **radiation de Cerenkov** : l'équivalent lumineux d'une explosion sonore, causé par des particules plus rapides que la lumière dans l'eau.

La décroissance radioactive

Quand un isotope radioactif libère une particule alpha ou bêta, il se dégrade et devient l'isotope d'un autre élément. La **demi-vie** mesure sa vitesse de décroissance. La dégradation d'un atome est aléatoire, mais en un temps donné – la demi-vie –, la moitié des atomes d'un matériau se dégrade. Dans le même laps de temps, la moitié de ce qui reste se dégrade, et ainsi de suite. Chaque radio-isotope décroît différemment, avec une demi-vie allant de quelques fractions de seconde à des milliards d'années. Finalement, il se forme un **élément stable**, comme le plomb.

Thorium 232	14×10^{9} années
Radium 228	5,8 années
Actinium 228	6,1 années
Thorium 228	1,9 année
Radium 224	3,6 jours
Radon 220	55 secondes
Polonium 216	0,15 seconde
Plomb 212	11 heures
Bismuth 212	61 minutes
Polonium 212	300×10^{-9} secondes
Plomb 208	stable

Les isotopes

Les principaux radio-isotopes naturels à vie longue finissent par se dégrader en formant des **isotopes stables du plomb**. L'uranium 238 et le radium 226 deviennent du plomb 206. L'uranium 235 et le plutonium 239 (artificiel) se changent en plomb 207, le thorium 232 finit en plomb 208. Le neptunium 237 (artificiel) et l'uranium 233 deviennent du bismuth 209.

Quelques grands noms

- **Luis Alvarez** (1911-1988) Mit au point un système d'observation des particules éphémères formées pendant les réactions nucléaires.
- **Henri Becquerel** (1852-1908) Découvrit la radioactivité en 1896. Prix Nobel en 1903.
- **Niels Bohr** (1885-1962) Développa la théorie quantique de la structure atomique. Prix Nobel en 1922.
- **James Chadwick** (1891-1974) Découvrit le neutron et contribua au développement des armes nucléaires.
- **Enrico Fermi** (1901-1954) Découvrit la transmutation des éléments par les neutrons. Construisit un réacteur nucléaire.
- **Hans Geiger** (1882-1945) Inventa le compteur Geiger, qui sert à détecter les rayons alpha, bêta et gamma.
- **Otto Hahn** (1879-1968) Avec Fritz Strassmann (1902-1980) et Lise Meitner (1878-1968), découvrit la fission nucléaire de l'uranium.
- **Joseph John Thomson** (1856-1940) Fondateur de la physique des particules.

Les minéraux et le pétrole

L'exploitation minière, connue en Chine depuis 370, est une des plus anciennes activités industrielles, sur laquelle repose en partie notre civilisation moderne. Les périodes de la préhistoire et de la protohistoire sont désignées par le matériau dominant des outils de l'époque : âges de la pierre, du bronze (d'abord cuivre et arsenic, plus tard, cuivre et étain) et du fer. Les produits de l'exploitation minière se classent en métaux et minéraux précieux, en métaux ferreux (fer) et métaux non ferreux, et en minéraux non métalliques.

Exemples d'emploi des minéraux

◆ **Précieux Diamant** Souvent synthétique. Outils de découpe, de meulage. **Or** Lingots, joaillerie, contacts électriques. **Platine** (et iridium, palladium, osmium, rhodium, ruthénium) Catalyseurs dans les processus industriels et les pots d'échappement. **Argent** Photographie, décoration, monnaies, circuits électriques, batteries.
◆ **Ferreux Chrome** Durcissement et placage de l'acier. **Cobalt** (et manganèse, molybdène, nickel, etc). Acier, placage, catalyseurs. **Fer** Alliages avec du carbone, du silicium et d'autres métaux pour produire de l'acier. **Tungstène** Ampoules électriques, éléments thermorésistants.
◆ **Non ferreux Aluminium** Alliages pour navires, avions, câbles, boîtes de conserve et ustensiles de cuisine. **Cuivre** Câbles, laiton et bronze. **Plomb** Batteries, roulements, enceintes de confinement (nucléaire). **Magnésium** Alliages avec zinc et aluminium. **Étain** Placages, alliages. **Titane** Vaisseaux spatiaux, oxyde pour peinture. **Uranium** Combustible nucléaire, ballast, missiles. **Zinc** Placages, alliages.
◆ **Non métalliques Charbon** Produits chimiques, fonderie, carburant. **Spath-fluor** Aciérie, plastiques. **Phosphates** Fertilisants. **Potasse** Fertilisants, détergents, verre. **Soufre** Acide sulfurique.

PETITE INFO

Le **Cullinan** est le plus gros **diamant** jamais trouvé (3 106 carats, de la taille d'un poing). Découvert en Afrique du Sud en 1905, il a été fractionné en plusieurs pierres, dont la Grande Étoile d'Afrique et la Petite Étoile d'Afrique.

Les forages profonds

◆ **Extraction souterraine** Les méthodes dépendent de la forme du **filon**. Un **puits** vertical ou horizontal est creusé dans le sol, d'où partent des galeries. Le minerai peut être extrait par la méthode **des chambres et piliers** (les piliers sont des bandes non exploitées servant de soutènement), celle **des longues tailles** (entre deux galeries parallèles) ou par **foudroyage** (effondrement de la veine de minerai).
◆ **Extraction au fond des mers** Le sable riche en minerai, le gravier et la vase sont pompés dans les fonds sous-marins. Le sel et le magnésium sont extraits par évaporation de l'eau de mer.

Les chiffres du pétrole

Les deux tiers des réserves mondiales de pétrole se trouvent au **Moyen-Orient**, un quart en Arabie saoudite. **L'exploitation en mer** s'est accrue après les années 1940, tandis que les stocks souterrains diminuaient. Un tiers du pétrole provient des gisements marins.

10 plus grands producteurs de pétrole, 2005	(millions de barils par jour)
Arabie saoudite*	9,44
Russie	9,22
États-Unis	5,12
Iran*	3,88
Chine	3,63
Mexique	3,32
Norvège	2,71
Nigeria*	2,43
Koweït*	2,43
Canada	2,30

* membres de l'Opep

L'exploitation en surface

Extraction à ciel ouvert On utilise des explosifs et de lourdes machines pour déblayer les morts-terrains (couvertures rocheuses cachant le gisement) et pour forer la roche jusqu'aux veines affleurant la surface.

Mines en terrasses On déblaie les **stériles** (roches sans minéraux exploitables) recouvrant le gisement. Les étages de minerai sont exploités par niveaux successifs.

Carrières On y emploie les techniques similaires à l'extraction à ciel ouvert lorsque les morts-terrains sont peu importants ou inexistants.

Les carburants du progrès

Pendant son **raffinage,** le **pétrole brut,** qui est un mélange d'hydrocarbures, se vaporise à une température comparable à celle de l'ébullition de l'eau. La première composante à se distiller est la **fraction** d'essence. Le **craquage catalytique** permet de produire plusieurs types d'hydrocarbures pour obtenir des carburants antidétonants destinés aux moteurs thermiques et à des produits chimiques spécifiques. La production de ces dérivés du pétrole a donné naissance à l'industrie pétrochimique.
◆ **Gaz** (méthane, éthylène, butane). Fioul, matières pétrochimiques.
◆ **Essence** Carburant des voitures, motos et avions à hélices.
◆ **Kérosène** Principalement utilisé pour le carburant des avions à réaction.
◆ **Gasoil** Carburant des voitures, tracteurs, navires de petit tonnage.
◆ **Fioul domestique** Carburant des chaudières de certains bâtiments.
◆ **Lubrifiant** Destiné à réduire la friction dans les moteurs.
◆ **Fioul** Carburant lourd des navires de gros tonnage.
◆ **Bitume** Fraction semi-solide utilisée pour le revêtement des routes.

Et l'homme créa les polymères

CHRONOLOGIE

1862 Le Britannique Alexander Parkes crée le premier plastique, la Parkésine, dérivée de la cellulose.
1884 Le Français Hilaire de Chardonnet dépose le brevet de la soie artificielle, ou Rayonne, dérivée de la cellulose.
1869 Les chimistes américains John et Isaiah Hyatt développent le Celluloïd.
1907 Le chimiste d'origine belge Leo Baekeland crée la Bakélite, le premier plastique entièrement synthétique.
1913 L'Allemand Klatte fait breveter la polymérisation du chlorure de vinyle: naissance du PVC.
1929 L'usine allemande IG Farben brevette le polystyrène.
1930 Apparition du Plexiglas.
1931 Wallace Carothers, de chez Du Pont de Nemours, invente le Néoprène.
1933 Le chimiste britannique Reginald Gibson invente le polyéthylène.
1938 Roy Plunket, de chez Du Pont de Nemours, découvre le Teflon.
1941 Invention du polyester par les Britanniques James Dickson et Rex Whinfield.
1950 Production du plastique acrylique, aux États-Unis.
1959 Du Pont de Nemours développe le Lycra.

De la cellulose à la cellophane

La cellophane est une feuille de viscose transparente issue de la cellulose, un hydrate de carbone naturel, constituant des végétaux. Inventée par le chimiste suisse **Jacques Brandenburger** en 1908, la cellophane s'obtient en traitant la cellulose avec de la soude caustique et du sulfure de carbone. La cellulose est ensuite régénérée dans un bain de coagulation.

La peinture acrylique

Toutes les peintures comportent deux éléments, un **pigment** et un **liant**. À l'origine, les peintures étaient fabriquées avec des pigments liés à l'huile, des colles naturelles, de la cire d'abeille, etc. Dans les années 1940, des chimistes eurent l'idée d'ajouter à des pigments en poudre un polymère acrylique soluble dans l'eau. La peinture acrylique était née.

Les plastiques

Le mot plastique vient du grec *plastikos*, signifiant «relatif au modelage». La structure chimique des plastiques présente de longues chaînes de molécules – les macromolécules – issues d'un procédé appelé polymérisation. Les types de plastiques les plus importants sont: les **thermoplastiques**, qui fondent à la chaleur, comme le polystyrène et le polychlorure de vinyle ou PVC; les **plastiques thermodurcissables** comme la Bakélite, les résines époxy et le polyuréthanne; les **polyamides**, servant à produire des feuilles, des films ou des fibres, comme le Nylon; et les silicones, chimiquement neutres, employés pour l'isolation et en chirurgie esthétique. Les récentes inventions comprennent les **polymères à mémoire de forme**, que l'on peut déformer et qui reprennent leur forme initiale sous l'effet de la chaleur, et les plastiques **biodégradables**, à base de gaz carbonique et d'eau, ou de sucre.

Des fibres artificielles

- **Lycra** Tissu en polyuréthanne, plus solide et plus élastique que les tissus similaires à base de caoutchouc. Surtout employé pour les sous-vêtements et les vêtements de sport.
- **Kevlar** Plastique cinq fois plus solide que l'acier, inventé en 1971 par Stephanie Kwolek (société Du Pont de Nemours). Utilisé pour les pneus, les câbles, les casques militaires et les gilets pare-balles.
- **Nylon** Polyamide réputé pour sa solidité, sa résistance à l'abrasion et aux produits chimiques, et son élasticité. Entre dans la composition de tissus, de fils, de cordages et de moules industriels.
- **Orlon** Fibre acrylique associant solidité, légèreté et résistance à la décoloration. Employé dans la fabrication de pull-overs et d'autre articles vestimentaires.
- **Rayonne** Nom d'une grande variété de fibres synthétiques issues de la cellulose. Sa production dépasse celle de toute autre fibre. La rayonne viscose sert à la fabrication de vêtements, de meubles et de moquettes.
- **Dacron** (ou terylène) Polyester d'une élasticité remarquable, résistant à l'étirement. Le produit filé sert à fabriquer les rideaux, les vêtements et les fils. On le mélange avec la laine.

Les dérivés du pétrole

Le traitement du pétrole brut donne naissance à de nombreuses susbstances pétrochimiques servant à fabriquer une grande variété de produits chimiques.

◆ **Propylène** (propène) C_3H_6 Gaz incolore et inflammable servant à fabriquer des plastiques en polypropylène.
◆ **Éthylène** $CH_2 = CH_2$ Gaz incolore et inflammable servant à fabriquer le polythène et le PVC. Composé organique de synthèse le plus utilisé.
◆ **Styrène** $C_6H_5CH = CH_2$ Liquide incolore servant à fabriquer les caoutchoucs et les résines synthétiques, ainsi que les plastiques comme le polystyrène.

PETITE INFO

Un **polymère** (du grec *polloi*, beaucoup, et *merês*, partie) est un composé macromoléculaire dans lequel se combinent plusieurs grandes molécules à partir d'une molécule simple, le **monomère**.

LE SAVIEZ-VOUS ?

Peu de **contenants en plastique** sont recyclables. Pourtant, chaque jour, on persiste à utiliser une très grande quantité de contenants de plastique.

Les colles

Un adhésif est une substance qui colle ensemble deux surfaces. Les adhésifs naturels (colles) comprennent le bitume, la cire d'abeille et les gélatines d'origine animale. Les adhésifs modernes, comme l'époxy, les résines et les supercolles, sont plus efficaces.

Les cycles de la vie

Tous les organismes vivants partagent des caractéristiques qui les différencient du monde inanimé. Les virus, difficiles à classer, se trouvent à la frontière entre l'univers du vivant et celui du non-vivant. Deux éléments sont essentiels à la survie et au développement de tout organisme : le carbone et l'azote, qui sont constamment recyclés dans l'environnement. Les règnes végétal et animal sont le théâtre d'une multitude d'interactions propices à la vie. Le règne végétal n'est pas tributaire du règne animal pour sa survie, alors que les animaux ont besoin des plantes pour respirer et se nourrir.

Les fonctions vitales

Les organismes vivants assurent leur survie par six processus.

- **Adaptation** À court terme, ils s'adaptent aux changements de leur milieu en modifiant leur comportement. Leur adaptation à long terme est assurée par l'évolution.
- **Croissance** Les organismes vivants se développent : les animaux jusqu'à leur maturité, les plantes, jusqu'à leur mort.
- **Nutrition** Deux processus chimiques s'opèrent dans les cellules : la production d'énergie par transformation de substances, et la création de substances complexes.
- **Mouvement** La plupart des animaux se déplacent librement, les végétaux s'étendent grâce à leur croissance.
- **Reproduction** La reproduction sexuée (accouplement) ou asexuée (mitose) garantit la survie des espèces.
- **Réaction** Tous les organismes vivants répondent à des stimuli.

La contribution des plantes à la vie

La **photosynthèse**, qui se produit dans toutes les plantes vertes, assure la continuité de la vie sur terre, en fournissant des éléments nutritifs aux animaux et aux végétaux. La **chlorophylle**, contenue dans de minuscules organites appelés **chloroplastes**, absorbe l'énergie solaire. Celle-ci sert aux chloroplastes pour synthétiser du **glucose**, un hydrate de carbone simple, provenant de la décomposition du gaz carbonique de l'atmosphère et de l'évaporation de l'eau du sol. L'**oxygène**, « résidu » de la photosynthèse, est libéré dans l'air. Animaux et végétaux utilisent cet oxygène pour décomposer les nutriments par la **respiration**.

Un autre monde

Contrairement aux végétaux et aux animaux, les **virus** n'ont pas de **parois cellulaires** et ne **croissent** pas. Ils contiennent des matériaux génétiques et peuvent **se reproduire**, mais seulement en prenant le contrôle d'une partie du mécanisme cellulaire des végétaux ou des animaux hôtes. Des scientifiques considèrent les virus comme les plus petits êtres vivants, d'autres, comme des entités chimiques très complexes, capables de réplication (copie d'eux-mêmes).

Les cycles de la vie

Essentiels à toutes les formes de vie, le **carbone** et l'**azote** subissent un recyclage permanent dans les organismes vivants, ainsi que dans la terre, la mer et l'atmosphère. Les organismes vivants libèrent dans l'atmosphère du **gaz carbonique** en respirant. Les végétaux absorbent ce gaz pendant la **photosynthèse** et libèrent de l'oxygène. Les végétaux absorbent l'azote présent dans le sol sous forme de composés inorganiques. Les herbivores mangent des plantes et sont dévorés à leur tour par des carnivores. L'azote retourne dans le sol sous forme de déjections.

Le cycle de l'azote

Pour que végétaux et animaux puissent utiliser l'**azote**, il doit être fixé sous forme de composés chimiques, les **nitrates**. La lumière fixe une partie de l'azote de l'atmosphère en la transformant en oxydes d'azote, qui, dissous, retombent sur terre. L'azote constitue **78 % de l'atmosphère terrestre**, mais il ne peut être utilisé directement par les animaux. Les bactéries **nitrifiantes** (fixant l'azote), présentes dans la mer, le sol et certaines racines, convertissent l'azote en nitrates. D'autres bactéries convertissent des nitrates en azote, qui retourne dans l'atmosphère.

La respiration

Elle consiste à absorber de l'oxygène pour oxyder les substances organiques, puis à expirer le gaz carbonique. Ce processus se déroule au niveau des cellules vivantes, dans les **mitochondries**, grâce auxquelles de l'énergie est libérée à partir des nutriments. Le glucose (produit de la décomposition de nutriments complexes) s'associe à de l'oxygène pour former du gaz carbonique et de l'eau, qui sont expulsés. Des molécules chargées d'énergie se forment et assurent le **métabolisme** en permettant aux animaux et aux végétaux de vivre et de croître.

La vie en miniature

L'autodidacte hollandais **Anton Van Leeuwenhoek** (1632-1723) fit des découvertes étonnantes lorsqu'il utilisa le microscope qu'il avait construit et qui pouvait grossir 200 fois. Il fut le premier à voir, dessiner et décrire des bactéries, des protozoaires et d'autres micro-organismes qu'il appela animalcules. Ses découvertes infirmèrent la théorie de la génération spontanée des formes de vie inférieures.

LE SAVIEZ-VOUS ?

Le nécrophore est un coléoptère qui enterre les cadavres d'animaux pour nourrir ses larves. Le bousier, un scarabée, fait de même avec des excréments des mammifères. Ces **insectes** participent à leur manière au grand cycle de la vie.

L'hypothèse Gaïa

Avancée en 1968 par le Britannique **James Lovelock**, celle-ci suggère que la biosphère de la planète et son environnement physique se comportent comme un vaste organisme. Ainsi, toute la matière vivante contribuerait sous ses différentes formes à une permanente régulation de la vie sur terre. Gaïa est le nom de la Terre, mère des Titans et des Cyclopes, dans la mythologie grecque.

Les organismes vivants

Tous les organismes vivants sont constitués d'unités appelées « cellules », les structures qui assurent les plus petites fonctions vitales. Si certains organismes sont unicellulaires (constitués de cellules simples), la majorité des végétaux et des animaux sont formés d'unités pluricellulaires. La plupart des cellules sont trop petites pour être visibles sans microscope. Le corps humain en contient environ 10 000 milliards. Les cellules sont le siège de réactions chimiques complexes, auxquelles participent les protéines, les hydrates de carbone, les lipides et les acides nucléiques.

La structure cellulaire

Les **cellules animales** sont dépourvues de paroi cellulaire et de vacuole. Les cellules végétales sont uniques du fait qu'elles comportent des chloroplastes (contenant la chlorophylle, site de la photosynthèse), une paroi cellulaire solide et une vacuole centrale remplie de sève. La vacuole assure la rigidité de la cellule. Toute cellule est isolée du milieu environnant et des autres cellules par une fine membrane, le **cytoplasme**. Elle possède de petites structures, les **ribosomes**, composées de protéines et du matériel génétique, l'**ADN**. Chez toutes les cellules, excepté les bactéries, l'ADN se situe dans le **noyau**. Les organites cellulaires internes comprennent : ◆ le **réticulum endoplasmique**, un réseau d'échange où sont synthétisées les graisses et où se trouvent les ribosomes ; ◆ les **lysosomes**, qui décomposent les toxines et les autres substances étrangères ;
◆ les **mitochondries**, où sont décomposés les nutriments nécessaires à l'énergie vitale.

La chimie de la vie

Tous les organismes vivants sont constitués d'au moins 60 % d'eau, auxquels s'ajoutent des éléments chimiques fondamentaux.
◆ Les **protéines** Le matériau de base du corps. Elles incluent les **enzymes**, qui contrôlent les activités biochimiques. Les protéines sont constituées de chaînes d'**acides aminés** porteuses d'atomes d'azote, de carbone, d'oxygène et d'hydrogène.
◆ Les **hydrates de carbone** Constitués d'atomes de carbone, d'hydrogène et d'oxygène, ils forment la cellulose (matériau fondamental des plantes), l'amidon et les sucres.
◆ Les **lipides** À base de carbone, d'hydrogène et d'oxygène, ils incluent les huiles, les graisses, les phospholipides (qui forment les membranes cellulaires) et les stéroïdes (comme les hormones).
◆ Les **acides nucléiques** Il s'agit de l'ADN et de l'ARN.

Les organismes simples

De nombreux organismes existent sous la forme de cellules indépendantes. Parmi les plus rudimentaires, il en est de taille microscopique comme la **bactérie** et la **spiruline** (algue). On les classe dans le règne des **procaryotes**. La majorité des autres organismes unicellulaires se classent dans le règne des **protistes** : leurs caractéristiques sont proches de celles des animaux (c'est le cas des amibes et des protozoaires) ou des végétaux (telles les diatomées et autres algues). Un troisième groupe, celui des levures, inclut les **champignons unicellulaires**.

Les cellules, les tissus et les organes

Bien que toutes les cellules soient pourvues des mêmes éléments fondamentaux, leur taille, leur forme et leur fonction varient énormément. Un agrégat de cellules similaires, ayant une fonction spécifique, s'appelle un **tissu**. Les groupes de tissus forment des **organes**. L'organisme humain ou animal est constitué de quatre principaux types de **tissus**.
◆ Le **tissu conjonctif** assure les fonctions de cohésion et de nutrition de différentes parties du corps. Il recouvre les parois des articulations, des vaisseaux sanguins et des muscles.
◆ L'**épithélium**, aux cellules étroitement imbriquées, recouvre les membranes, la peau et les glandes.
◆ Le **muscle**, aux cellules allongées, peut se contracter.
◆ Le **tissu nerveux** constitue le cerveau et le système nerveux.

Les naturalistes

◆ **Aristote** (384-322 av. J.-C.) A étudié l'anatomie animale et ses fonctions.
◆ **Pline l'Ancien** (v. 23-79) Auteur d'une **Histoire naturelle** en 37 volumes.
◆ **Galien** (v. 129-210) Médecin fondateur de l'anatomie comparée.
◆ **Léonard de Vinci** (1452-1519) Auteur de dessins anatomiques détaillés.
◆ **André Vésale** (1514-1564) Auteur du premier ouvrage d'anatomie.
◆ **William Harvey** (1578-1657) Découvrit la circulation du sang.
◆ **Marcello Malpighi** (1628-1694), **Anton Van Leeuwenhoek** (1632-1723) et **Robert Hooke** (1635-1703) Utilisèrent le microscope pour leurs observations.
◆ **Carl von Linné** (1707-1778) Fonda un système de classification et de dénomination des plantes.
◆ **Georges Cuvier** (1769-1832) Fonda la paléontologie (étude des fossiles).
◆ **Charles Darwin** (1809-1882) et **Alfred Russel Wallace** (1823-1913) Auteurs de la théorie de l'évolution.
◆ **Matthias Scheilden** (1804-1881) et **Theodor Swann** (1810-1888) Étudièrent les cellules des organismes vivants.
◆ **Gregor Mendel** (1822-1884) Découvrit les lois de l'hérédité.
◆ **Louis Pasteur** (1822-1895) et **Robert Koch** (1843-1910) Fondèrent la bactériologie.
◆ **Thomas Hunt Morgan** (1866-1945) Montra que les chromosomes portent les gènes.

Question de taille

La taille moyenne des cellules animales est de 0,01 à 0,02 mm. Celle des plantes est légèrement supérieure. Les **plus grandes cellules** sont celles de l'œuf : environ 0,1 mm chez la femme, la taille d'une balle de tennis chez l'autruche (le jaune est plus petit). Les cellules du cerveau sont si petites qu'elles peuvent n'avoir que 0,005 mm, mais certaines cellules nerveuses, plus minces qu'un cheveu, peuvent atteindre 1,20 m de long.

La génétique et l'ADN

La génétique, c'est-à-dire l'étude de l'hérédité, a transformé les sciences du vivant et la recherche médicale. Les caractères héréditaires d'un individu, dictés par les gènes, se transmettent d'une génération à l'autre. Les gènes se trouvent dans le noyau de chaque cellule, sur les chromosomes. Ils consistent en segments d'acide appelé ADN. Il s'agit d'une macromolécule composée d'unités, les bases. La séquence de ces bases forme un code chimique, le code génétique.

Qu'est-ce que l'ADN ?

ADN est le sigle d'**acide désoxyribonucléique**. Cette molécule est située sur les chromosomes du **noyau** de chaque cellule. Elle gouverne la fabrication des protéines dont la cellule a besoin. Ces protéines contrôlent les caractéristiques d'un organisme.

L'ADN est constitué de chaînes de paires d'unités appelées bases. Il y a quatre bases: l'**adénine** (A), la **cytosine** (C), la **guanine** (G) et la **thymine** (T). L'adénine s'apparie toujours avec la thymine, et la cytosine avec la guanine. Le code génétique consiste en une série de «mots de trois lettres», les séquences de ces bases. Lorsque les cellules se divisent, l'ADN se reproduit par réplication, en copiant rigoureusement le programme codé.

Le séquençage

Le séquençage de 24 types de **chromosomes humains** a mobilisé les chercheurs dans vingt centres de séquençage répartis dans six pays. En 2002, le centre français Génoscope a achevé le séquençage du bras long du chromosome 14 humain, contenant 87 millions de bases, ainsi que l'inventaire de tous ses gènes. Quantité de recherches sur le séquençage s'effectuent un peu partout sur la planète, c'est le cas entre autres de Génome Canada et de Génome Québec, afin d'identifier les nombreux gènes responsables des maladies génétiques. Des recherches ont déjà donné des résultats permettant de connaître la source de certaines maladies et d'améliorer leur traitement. Alors que l'on ne connaissait moins d'une centaine de gènes en 1990, plus de 1 400 sont aujourd'hui identifiés.

Le génome humain

L'ADN humain contient environ 3 milliards de paires de bases et quelque 100 000 gènes, ou plus. La tentative de déchiffrement du génome, le code génétique de l'homme, entreprise par le consortium international de séquençage du génome humain, a débuté en 2000 pour aboutir en avril 2002, avec deux ans d'avance. L'enchaînement des 3 milliards de «lettres» qui constituent la séquence du génome humain est désormais connu avec précision.

GLOSSAIRE

Chromosomes Structures du noyau d'une cellule contenant l'ADN.

Gène Particule d'un chromosome dont dépend le caractère héréditaire d'un individu. Formé de segments d'ADN, il donne naissance à un autre gène par réplication. Il peut subir une mutation.

Génome Série complète des gènes d'un organisme.

Homozygote Sujet ou cellule dont les deux chromosomes d'une paire portent au même emplacement deux gènes semblables, par opposition à **hétérozygote,** dont les deux chromosomes d'une paire portent au même emplacement deux gènes dissemblables.

Phénotype Manifestation apparente du patrimoine héréditaire d'un gène.

Dominant ou récessif?

Le moine autrichien **Gregor Mendel** (1822-1884) découvrit les mécanismes de l'hérédité grâce à des expériences sur des petits pois. Il constata que les caractères des parents se transmettent à leurs descendants par des facteurs héréditaires, les gènes, un par caractère de chaque parent. Pour la couleur des yeux, certains caractères sont **dominants** (yeux bruns), d'autres, **récessifs** (yeux bleus). Un gène dominant se manifeste toujours : une personne portant le gène des yeux bruns a toujours les yeux bruns. Un gène récessif n'apparaît que s'il est hérité des deux parents. Si ceux-ci portent les versions dominante et récessive (allèles) d'un gène, les gènes se manifesteront au hasard: un descendant aura le caractère récessif, un autre non.

Le génie génétique du clonage

La compréhension du rôle des gènes et de leur composition permet aux chercheurs de procéder à des transformations génétiques. Ce savoir relève du **génie génétique**.

Il est possible d'extraire des gènes responsables de maladies héréditaires ou d'ajouter ceux d'un autre organisme pour renforcer chez l'animal ou la plante sa résistance à la maladie. Le **clonage** est la production d'individus identiques en ajoutant des noyaux supplémentaires dans les cellules. Mais les organismes clonés vieillissent plus vite que les individus normaux. Le premier mammifère à avoir été cloné était Dolly, une brebis née en 1996.

Quel sexe ?

Chaque cellule de l'organisme possède un nombre spécifique de **chromosomes,** le plus souvent ordonnés par paires (un chromosome venant de chaque parent). La plupart des humains possèdent 46 chromosomes par cellule (23 paires). La 23e paire diffère selon le sexe: les femmes héritent d'un chromosome X de chaque parent; les hommes d'un chromosome Y du père et d'un chromosome X de la mère. Les spermatozoïdes sont porteurs d'un seul chromosome, X ou Y. Sur les 46 chromosomes légués à l'enfant, un seul détermine le sexe. La mère transmettant le chromosome X, c'est le père qui détermine le sexe, selon que le spermatozoïde est porteur d'un X ou d'un Y.

La révolution agricole

Depuis que l'homme a cessé de chasser pour s'établir en communauté, son besoin de nourriture l'a conduit à diriger et à améliorer une production agricole. L'homme a toujours cherché, à travers les âges, à maîtriser les techniques de la culture et de l'élevage. Les progrès des techniques agricoles se manifestent par les perfectionnements de la fertilisation et de l'outillage, par la création de nouvelles espèces et de nouvelles méthodes agraires, et par la mise en œuvre de politiques agricoles concertées.

Modifier la nature

Depuis les débuts de l'agriculture, l'homme a appris à choisir les plantes et les animaux les mieux adaptés à la production et à la consommation. Les études sur l'**hérédité** effectuées au XIXe siècle par **Gregor Mendel** ont rendu possible la **sélection des espèces**, tandis que l'évolution des techniques améliorait la qualité de l'élevage et de la culture. À partir de 1996-1997, du soya et du maïs **génétiquement modifiés** étaient commercialisés dans l'Union européenne. Mais la culture et l'élevage d'organismes génétiquement modifiés ou OGM – qui ont reçu un caractère ou une propriété non héréditaire – suscitent la méfiance du public.

L'agriculture robotisée

Dès le XIXe siècle, la vapeur remplaça la force animale dans certaines fermes, mais c'est le moteur à combustion interne qui modernisa l'agriculture. Les premiers tracteurs ont été fabriqués vers 1918 mais ce n'est qu'après la Seconde Guerre mondiale que leur usage se répandit au Canada. Dans les années 1930, une moissonneuse-batteuse pouvait couper et battre 0,8 ha de cultures à l'heure. Aujourd'hui, ce type de machine peut être équipé d'un capteur de rendement embarqué, associé au système de positionnement GPS, à une cartographie informatique et à un quantimètre destiné à évaluer le volume de grain absorbé par la moissonneuse-batteuse.

Les engrais et les pesticides

La révolution agricole des cinquante dernières années est d'ordre **chimique**, mécanique et génétique. Utilisés dès le début du XIXe siècle, les **fertilisants artificiels** se sont largement répandus après l'invention par le chimiste allemand Fritz Haber, en 1913, d'un engrais fabriqué à partir de la synthèse de l'ammoniac. La sécurité des cultures repose en partie sur l'emploi de pesticides. Le **DDT**, le premier **insecticide**, découvert en 1939, fut massivement utilisé avant d'être interdit en 1972. La recherche génétique s'emploie à développer des **cultures OGM** capables de résister aux parasites, mais les résultats sont décevants car celles-ci n'apportent pas l'amélioration de la rentabilité escomptée.

CHRONOLOGIE

- **v. 8000 av. J.-C.** Premières cultures au Moyen-Orient.
- **v. 5000 av. J.-C.** Premières rizières en Chine.
- **v. 3500 av. J.-C.** La culture du maïs se répand en Amérique. En Mésopotamie, charrues tirées par des bœufs.
- **v. 3000 av. J.-C.** Irrigation par le *shaduf* (système de pompage de l'eau) en Égypte.
- **v. 500 av. J.-C.** En Chine, apparition du soc de charrue en fer.
- **v. 300 av. J.-C.** Labourage à la herse.
- **v. 800** Les champs sont ouverts en Europe.
- **XVIe siècle** Introduction en Europe de la tomate, du maïs et de la pomme de terre venus d'Amérique.
- **1701** L'agronome britannique Jethro Tull crée la première machine à semer.
- **1786** Batteuse mécanique à traction animale.
- **1840** Travaux sur les engrais de l'Allemand Justus von Liebig.
- **1884** Apparition de la moissonneuse-batteuse.
- **Années 1920** Apparition des tracteurs à essence.
- **Années 1960** Cultures à haut rendement.
- **Années 1990** Cultures génétiquement modifiées.

La culture hydroponique

Les plantes se nourrissent par leurs racines. Outre l'eau, elles ont besoin de **nutriments** essentiels. Les fertilisants naturels, comme le purin, se décomposent dans la terre en de plus simples éléments chimiques que les plantes absorbent dans le sol pour développer leurs racines, leurs feuilles, leurs fleurs, leurs graines et leurs fruits. La **culture hydroponique** (**sans** le support du **sol**) fournit tous ces nutriments sous forme de substances chimiques qui, dissoutes dans l'eau, s'acheminent jusqu'aux racines des plantes. Les plantes se développent dans un **milieu neutre** – vermiculite, sable ou billes artificielles – qui n'entrave pas le développement des racines. L'apport de lumière et de nutriments est contrôlé par ordinateur.

La pisciculture

Bien que l'accroissement de l'**élevage de poissons en milieu clos** soit récent, cette pratique est ancienne. Des peuples d'Asie du Sud-Est élèvent par exemple des bandengs (poissons-lait) dans les étangs de leurs villages depuis des siècles.

L'irrigation

L'**eau** est un élément primordial pour les cultures. En valeur absolue, la moitié de la production de l'alimentation agricole vient des **terres irriguées**. Les anciens Chinois, puis les Égyptiens, irriguaient déjà leur terre il y a des milliers d'années. Aujourd'hui, les plans d'irrigation impliquent la création de vastes retenues d'eau, mais cela n'est pas sans conséquences sur l'environnement. Éviter le gaspillage et la dégradation du milieu en assurant la distribution de l'eau est l'objectif recherché.

LE SAVIEZ-VOUS ?

Environ **450 fromages fins** sont produits au Canada. Plus de **80 %** de ceux-ci sont fabriqués au Québec.

L'industrie alimentaire

L'industrie alimentaire a bouleversé notre façon de manger depuis une trentaine d'années. Toutefois, les techniques modernes de l'industrie alimentaire ne font pas l'unanimité chez ceux qui se soucient de la qualité de leur alimentation. Ce sont surtout les modes de fabrication des aliments qui sont mis en question. La présence croissante d'additifs chimiques dans notre assiette – exhausteurs de goût, conservateurs, résidus de pesticides… – est au cœur d'un débat crucial sur la santé du consommateur.

Les méthodes traditionnelles

Les techniques de **conservation alimentaire** sont destinées à empêcher la prolifération des micro-organismes dans les denrées.

◆ **Séchage** Les micro-organismes ne peuvent croître que si la moisissure présente dans la nourriture atteint un certain niveau de développement. Pour éviter cela, les méthodes traditionnelles incluent l'exposition au soleil ou à l'air libre, le séchage au-dessus d'un feu ou dans un four. La lyophilisation – extraction de l'eau par interaction du vide et du froid – a été inventée en 1938 et mise en pratique avec le café instantané.

◆ **Salaison et fumaison** Dès l'Antiquité, on conservait les viandes et les poissons dans l'huile, le sel ou les épices. L'alcool, l'acide acétique (vinaigre), le **salage** et le **fumage** (pour la viande et le poisson) sont aujourd'hui encore utilisés.

Le bio

Les aliments bio sont issus d'un mode de production fondé sur des principes de protection de l'environnement, de maintien de la biodiversité et de respect des cycles biologiques naturels. L'**agriculture biologique** exclut le recours aux pesticides et aux engrais chimiques de synthèse, aux organismes génétiquement modifiés (OGM), aux antibiotiques et aux hormones de croissance, à l'irradiation, aux agents de conservation chimiques, etc.

La réfrigération alimentaire

On emploie la glace pour conserver les aliments depuis 3 000 ans. On allait la chercher dans les montagnes et on l'entreposait dans des caves. L'époque moderne a vu l'apparition des camions réfrigérés, des glacières, etc. Les systèmes mécaniques actuels de réfrigération utilisent l'évaporation ou l'expansion d'un fluide.

◆ **1834** Jacob Perkins invente le premier réfrigérateur, utilisant l'évaporation d'éther sous pression.

◆ **v. 1845** John Gorrie crée un système de réfrigération utilisant l'expansion de l'air comprimé.

◆ **v. 1860** En France, les frères Carré élaborent un système à évaporation d'ammoniac liquide.

◆ **1873** Karl von Linde construit le premier petit réfrigérateur à compression.

◆ **1905** En Suède est mis au point un réfrigérateur à absorption sans pompe.

◆ **Années 1920** Les réfrigérateurs domestiques se généralisent. Ils utilisent l'ammoniac, le chlorure de méthyle ou le dioxyde de soufre, puis les CFC (chlorofluorocarbures). On recourt depuis 1980 à de nouveaux produits réfrigérants pour remplacer les CFC.

Le fast-food

Lorsque le **comte anglais de Sandwich** (1718-1792) réclama une tranche de viande entre deux tranches de pain pour pouvoir manger sans quitter sa table de jeu, il créa le sandwich. La restauration rapide est, pour sa part, une invention américaine. La première chaîne de distribution de hamburgers, White Castle, démarra en 1921 en vendant des petits pâtés à la viande. Ce n'est que dans les années 1950 qu'apparurent les **grandes sociétés de fast-food**. Burger King s'est lancé dans cette activité en 1954, à Miami. Maurice et Richard McDonald, qui avaient ouvert en 1940 un restaurant à San Bernardino, en Californie, commencèrent à se forger un empire international dans les années 1950. Quant à la marque Pizza Hut, spécialiste des pizzas, elle fut fondée en 1958.

Ingrédients et arômes artificiels

◆ **Margarine** Le chimiste français Hippolyte Mège-Mouriès inventa la margarine en 1869. Ses principaux ingrédients étant une huile issue de la graisse de bœuf et un acide gras, l'acide margarique, il la baptisa oléomargarine. La plupart des margarines contiennent aujourd'hui des huiles végétales.

◆ **Arômes artificiels** La première version chimique d'un arôme naturel fut l'éthylvanilline (arôme **vanille**), fabriqué dans les années 1870. Le **glutamate monosodique** fut découvert au Japon en 1908. On le trouve à l'état naturel dans les algues. Il sert à relever le goût de nombreuses denrées.

◆ **Édulcorants artificiels** Le premier d'entre eux a été la **saccharine**, découverte en 1879. Son pouvoir sucrant est 300 fois supérieur à celui du sucre raffiné. Les autres édulcorants comprennent l'aspartame, les cyclamates et le sucralose. Leur innocuité a été remise en cause et certains d'entre eux sont interdits dans divers pays.

◆ **Divers substituts à la viande** Parmi les denrées végétales élaborées pour se substituer à la viande figure le tofu, un pâté de soya, riche en **protéines végétales**.

◆ **Succédanés au goût japonais** Le surimi, qui se présente sous la forme de bâtonnets de crabe artificiel, et le kamaboko, un gâteau de poisson pasteurisé à base de poisson haché, sont épaissis à l'amidon et relevés avec des arômes.

Les conserves

L'Italien Lazzaro Spallanzani découvrit au XVIIIe siècle que les extraits de viande chauffés pendant 1 heure dans des flacons en verre scellés se gardaient pendant des semaines. En France, Nicolas Appert mit au point en 1795 l'**appertisation**, où les denrées placées dans des bocaux scellés sont bouillies à l'abri de l'air. L'emploi de boîtes en fer-blanc se généralisera 15 ans plus tard. Les découvertes de Louis Pasteur sur les **micro-organismes** permirent d'expliquer leur sensibilité à la chaleur.

La médecine

Notre connaissance du corps humain et des infections a considérablement progressé au cours des cinq derniers siècles. Les médecins disposent aujourd'hui d'un large éventail de techniques, d'examens et d'appareils de diagnostic leur permettant d'explorer l'intérieur du corps humain. Le traitement, qu'il fasse appel aux médicaments ou à la chirurgie, peut nécessiter le recours à des machines, à des transplantations ou à des greffes artificielles.

L'étude du corps humain

Toutes les religions anciennes interdisaient la **dissection**. Cependant, au VIIIe siècle av. J.-C., en Inde, **Sushruta** étudia l'anatomie en découpant des cadavres. Ce n'est qu'à partir de 1300, en Europe, que la formation médicale comprit la dissection (de cadavres de criminels principalement). Le premier ouvrage d'**anatomie**, rédigé par André Vésale, parut en 1543. La découverte de la **circulation du sang** par William Harvey, en 1628, ainsi que l'invention du **microscope**, vers 1590, et celle des **rayons X**, en 1895, furent d'autres grandes étapes de la médecine.

Comprendre les infections

Pendant des siècles, on attribua la cause des infections aux seuls miasmes émanant des matières décomposées et de l'eau putride. La première observation de **micro-organismes** fut faite au XVIIe siècle, grâce au microscope. À la fin des années 1850, Louis Pasteur avança la théorie des germes. L'Allemand Robert Koch prouva ensuite la responsabilité des **bactéries** dans l'anthrax et la tuberculose. La détection des **virus**, dans les années 1890, fut corroborée après 1940, par leur observation au microscope électronique.

CHRONOLOGIE

- **v. 8000 av. J.-C.** Pratique de la trépanation.
- **v. 400 av. J.-C.** Hippocrate étudie le paludisme.
- **v. 170 apr. J.-C.** Galien prouve le rôle des artères et des veines.
- **1543** Le Flamand André Vésale écrit le premier ouvrage illustré d'anatomie.
- **1628** William Harvey découvre la circulation sanguine.
- **1694** Première observation d'une bactérie au microscope.
- **1726** Stephen Hales mesure la pression sanguine.
- **1753** James Lind préconise le citron contre le scorbut.
- **1796** Edward Jenner crée le vaccin contre la variole.
- **1805** Extraction de la morphine (de l'opium).
- **1857** Théorie des germes de Louis Pasteur.
- **1882** Robert Koch isole la bactérie de la tuberculose.
- **1895** Utilisation des rayons X.
- **1899** Isolation de l'aspirine.
- **1921** Isolation et emploi de l'insuline contre le diabète.
- **1928** Alexander Fleming découvre la pénicilline.
- **1938** Premier rein artificiel.
- **1944** Première opération à cœur ouvert.
- **1954** Vaccination contre la poliomyélite.
- **1967** Première transplantation cardiaque.
- **1974** Scanner à résonance magnétique nucléaire.
- **1983** Découverte du virus du sida par Luc Montagnier.

Les groupes sanguins

La découverte des groupes sanguins A, B, AB et O par **Karl Landsteiner**, en 1900, a permis de sauver des millions de personnes, qui purent être transfusées après des accidents et des opérations chirurgicales. Avant que l'on puisse vérifier la compatibilité sanguine, les transfusions se soldaient parfois par une embolie ou la mort du patient. Landsteiner et Wiener découvrirent, en 1940, le facteur rhésus (Rh), positif ou négatif, qui était la cause de ces accidents liés à l'incompatibilité.

Les outils de diagnostic

Les médecins fondent le traitement des maladies et des troubles organiques sur un diagnostic précis. Ils disposent de méthodes traditionnelles et d'appareils assistés par ordinateur.

◆ **LES TECHNIQUES DE BASE** servent à la recherche de symptômes (douleurs, raideurs, fièvre, rougeurs...). Le **stéthoscope**, destiné à ausculter le cœur et les poumons, a été inventé par René Laennec en 1815. Le **thermomètre clinique** a été inventé par Thomas Allbutt en 1867. Le premier **tensiomètre** fut employé en 1860. En 1896, Riva Ricci mit au point un modèle doté d'un brassard gonflable et d'un manomètre.

◆ **L'EXAMEN DE L'INTÉRIEUR DU CORPS** ne fut longtemps possible que par la chirurgie exploratoire. En 1895, Wilhelm Röntgen utilisa les **rayons X** pour obtenir des images cliniques du squelette. L'**échographie**, apparue dans les années 1950, détecte les échos sonores à haute fréquence émis par les organes internes. L'**endoscope** permet de voir et d'opérer à l'intérieur des cavités internes, au moyen d'un éclairage par fibre optique, d'un oculaire grossissant et d'une petite caméra vidéo. La **tomographie** axiale transverse, couplée à un ordinateur, est un procédé radiologique permettant l'étude en coupe des tissus, par émission de rayons X. La **scanographie à résonance magnétique** exploite l'interaction d'ondes radio et d'atomes d'hydrogène dans l'organisme, placé dans un puissant champ magnétique, pour étudier la structure des tissus. La **tomographie par émission de positrons** permet l'observation des activités métaboliques et neurochimiques au moyen d'un marqueur radioactif.

◆ **LA MESURE DES ACTIVITÉS ÉLECTRIQUES** est un des procédés efficaces utilisés par les spécialistes du cœur et du cerveau. L'**électrocardiographie**, inventée en 1903 par le médecin hollandais Willem Einthoven, enregistre les activités électriques du cœur grâce à des électrodes placées sur la peau. L'**électroencéphalographie** fait de même avec l'activité du cerveau. Il a été élaboré en 1929 par Hans Berger.

◆ **L'EXAMEN DES TISSUS** relève de l'histologie (étude des cellules), de l'hématologie (étude du sang), de la pathologie (étude des maladies) et d'autres spécialités. L'histologie et la pathologie utilisent le **microscope** afin de déceler les anomalies tissulaires et d'étudier les micro-organismes et d'autres signes de maladie. Les **analyses sanguines** et **urinaires** comprennent des examens microscopiques et chimiques, car de nombreuses maladies s'accompagnent de modifications chimiques des fluides corporels.

Les médicaments

Les progrès de la chimie, au XIXe siècle, avec la découverte des corps simples et des principes actifs des végétaux, a permis d'analyser les propriétés thérapeutiques des diverses substances.

◆ Les **médicaments naturels** incluent les analgésiques, comme l'aspirine, à l'origine dérivée de l'écorce du saule, et la morphine. La digitaline, issue de la fleur de la digitale, permet de réguler le rythme cardiaque. L'insuline, autrefois extraite du pancréas de bovins et de cochons, est utilisée dans le traitement des diabètes.

◆ Les **médicaments de synthèse** sont nés en 1910, lorsque le chimiste allemand Paul Ehrlich développa un composé à base d'arsenic pour tuer la bactérie de la syphilis.

◆ Les **antibiotiques** sont des substances destinées à perturber les micro-organismes pathogènes. La pénicilline a été découverte par Alexander Fleming, en 1928. À l'origine naturels (champignons), les antibiotiques sont aujourd'hui obtenus par synthèse chimique.

◆ Les **médicaments ciblés** sont conçus pour agir sur les récepteurs cellulaires et au niveau des organes. Les structures chimiques de ces médicaments sont élaborées sur ordinateur.

◆ Parmi les **modes d'administration de médicaments** autres que la voie orale (cachets, pilules...) figure l'usage de systèmes comme le patch, l'aérosol, le pistolet à injection rechargeable et la pompe miniaturisée implantée dans l'organisme, qui diffuse des doses contrôlées et régulières de médicament.

La chirurgie

Jusqu'au milieu du XIXe siècle, les opérations chirurgicales étaient effectuées sans anesthésie efficace. Les fréquentes hémorragies et les risques d'infection rendaient ces interventions très risquées.

◆ **Premiers jalons** Avant la découverte de l'anesthésie, on administrait de l'alcool ou de l'opium au patient pour pouvoir l'opérer. Le premier usage de l'**éther** date de 1842, celui du **protoxyde d'azote**, de 1844, et celui du **chloroforme**, de 1847. Aujourd'hui, il existe de nombreux produits **anesthésiants**, injectables ou de contact.

◆ **La chirurgie moderne** Des techniques ont été élaborées pour éviter de procéder à des interventions traumatisantes. En chirurgie non invasive, le praticien utilise un **endoscope** et un moniteur pour se guider. La **chirurgie au laser** lui permet de couper, cautériser et recoudre les tissus au moyen d'un faisceau très fin. En **microchirurgie**, il manipule de minuscules instruments en surveillant ses gestes au microscope binoculaire.

Les appareils médicaux

Grâce au progrès technique, on conçoit de plus en plus de machines spécialisées dans le traitement de certaines maladies et le suivi des patients. ◆ Le **poumon d'acier**, inventé en 1929, permettait aux malades atteints de poliomyélite de respirer en cas de paralysie des muscles de la cage thoracique. Les ventilateurs médicaux modernes sont moins encombrants. ◆ La **pompe cardio-pulmonaire**, apparue en 1953, permet des opérations à cœur ouvert en prenant en charge la circulation et l'oxygénation du sang. ◆ Les **dialyseurs,** mis au point aux Pays-Bas en 1943, assurent l'épuration du sang à la place des reins défaillants. ◆ Les **dispositifs de monitorage** des patients se sont généralisés depuis les années 1970, grâce à la microélectronique.

Les greffes d'organes

Ce n'est qu'au milieu du XXe siècle que progressa la technique des greffes. En 1943 fut employé pour la première fois un **rein artificiel** (dialyseur), appareil d'épuration extrarénale. C'est à la même époque que l'on utilisa pour la première fois un stimulateur cardiaque externe. En 1960, on réussit l'implantation d'un **pacemaker**, et en 1969, on greffa le premier **cœur artificiel**. Depuis, les greffes de véritables cœurs se sont révélées bien plus efficaces. Si la première **greffe de rein** a été réalisée en 1933, cette opération ne fut couronnée de succès qu'en 1954. La première **transplantation cardiaque** fut accomplie en 1967 par l'équipe du Pr Christiaan Barnard.

Ambroise Paré

Contemporain d'Érasme et d'André Vésale, **Ambroise Paré** (1509-1590) est considéré comme le père de la chirurgie moderne. Après une carrière de barbier, puis de chirurgien-barbier militaire, il devint le chirurgien des rois Henri II, François II, Charles IX et Henri III. C'est lui qui inventa la ligature des artères pendant les amputations.

Les médecines douces

Hors du champ de la médecine conventionnelle, les médecines douces offrent un large choix de méthodes de soin, traditionnelles ou modernes. Pratiquées seules ou en association avec la médecine orthodoxe, elles constituent une thérapeutique complémentaire. Elles comprennent, entre autres, des traditions curatives anciennes comme l'**acupuncture** chinoise, la médecine **ayurvédique** indienne et la **phytothérapie** occidentale. D'autres méthodes, plus récentes, incluent l'**homéopathie** (élaborée par Samuel Hahnemann en 1810), l'**ostéopathie** (mise au point par Andrew Taylor Still dans les années 1870) et la **chiropraxie** (créée par Daniel David Palmer en 1895).

La médecine préventive

Les plus grands progrès réalisés dans le domaine de la **santé publique** ne sont pas tant dus au traitement des maladies qu'à leur prévention. Ainsi le médecin anglais Edward Jenner préconisa-t-il en 1796 la **vaccination** contre la variole, une maladie désormais éradiquée. Les politiques de santé publique sont donc importantes. En outre, une alimentation équilibrée, riche en vitamine C (par l'apport de fruits et légumes) et en minéraux, prévient d'éventuelles carences qui fragilisent la santé.

Contraception et conception

Les méthodes anticonceptionnelles ont connu un progrès considérable avec l'apparition, en 1960, de la **pilule**, un contraceptif oral accessible au plus grand nombre. Dans le même temps, la résolution des problèmes d'infertilité par la procréation médicalement assistée s'est également perfectionnée. La **fécondation in vitro** (FIV) – où l'ovule est fécondé hors de l'utérus puis réimplanté dans l'utérus – a été développée en Angleterre dans les années 1960 et 1970.

LE SAVIEZ-VOUS ?

En 2008, des chercheurs canadiens ont réalisé une **première anesthésie** entièrement automatisée.

La science-fiction

La science-fiction est un genre littéraire et cinématographique dans lequel écrivains et scénaristes expriment leur vision du futur en exploitant les hypothèses de la science. Aux précurseurs de la fin du XIXe siècle comme Jules Verne et H.G.Wells ont succédé Robert Heinlein (*Histoire du futur,* 1939-1950), Arthur C. Clarke (*2001 : l'Odyssée de l'espace,* 1968), Isaac Asimov (*les Robots,* 1967) et bien d'autres visionnaires. On trouve de plus en plus d'auteurs canadiens et québécois qui excellent dans ce genre et dont le lectorat ne cesse de croître.

Idées reçues

Si la science-fiction était peu considérée autrefois, il en est tout autrement maintenant. On ignore souvent que, parmi les grands auteurs, beaucoup sont des scientifiques diplômés impliqués dans des recherches sérieuses. Leurs romans sont lus par la communauté scientifique, pour qui l'imagination et la créativité sont essentielles au développement des sciences.

Des rêves devenus réalités

La science-fiction joue un rôle important dans l'avancée des **sciences et des techniques**. Dans certains domaines, comme le voyage vers la Lune, plusieurs auteurs avaient raison sur les faits, mais ils se trompaient sur les moyens. Jules Verne imaginait un gigantesque canon pour propulser les hommes dans l'espace. Hergé fut plus près de la réalité avec *On a marché sur la Lune,* publié en 1953. Des séries télévisées comme ***Star Trek*** donnent même lieu à des études scientifiques sérieuses.

Quelques classiques de SF

◆ ***Frankenstein*** (1818) de **Mary Shelley** L'un des premiers romans modernes de science-fiction. Le héros est un monstre créé par l'homme.
◆ ***De la Terre à la Lune*** (1865) de **Jules Verne** Après Diogène, Voltaire ou Poe, Jules Verne envoie l'homme sur la Lune.
◆ ***La Machine à explorer le temps*** (1895) de **H.G.Wells** Un classique du voyage dans le temps à l'origine d'un genre à part entière.
◆ ***Last and First Men*** (***Les Derniers et les Premiers*** ,1930) de **Olaf Stapledon** Exploration des origines et de l'avenir de l'homme et du cosmos. Une fresque éblouissante.
◆ ***Les Mutants*** (1953) de **Henry Kuttner** Mise en scène de la peur des humains face à des robots télépathes différents d'eux.
◆ ***I, Robot*** (***les Robots*** ,1967) de **Isaac Asimov** Neuf nouvelles qui présentent les robots comme des alliés de l'espèce humaine.
◆ ***Neuromancer*** (***le Neuromancien***, 1984), de **William Gibson** Le cyberespace et les milieux virtuels.

Best-sellers scientifiques

Des ouvrages **scientifiques** sont devenus des best-sellers, le plus souvent de manière inattendue. En voici des exemples.
◆ ***De l'origine des espèces*** (1859) de **Charles Darwin** Expose la théorie de l'évolution, en contradiction avec le créationnisme de la Genèse. L'ouvrage fit scandale.
◆ ***The Universe around Us*** (***l'Univers mystérieux***, 1929) de **James Jeans** Une étape importante dans la vulgarisation de la cosmologie moderne.
◆ ***Silent Spring*** (***le Printemps silencieux***, 1962-1968) de **Rachel Carson** L'ouvrage lança le mouvement écologique en dénonçant l'utilisation abusive des pesticides.
◆ ***The Double Helix*** (***la Double Hélice***, 1968, 1999) de **James Watson** Le récit de la découverte de l'ADN par un des scientifiques qui ont participé aux recherches.
◆ ***The Right Stuff*** (***l'Étoffe des héros***, 1980, 1987) de **Tom Wolfe** Histoire de la conquête spatiale américaine contée de manière passionnante.
◆ ***A Brief History of Time*** (***Une brève histoire du temps***, 1988) de **Stephen Hawking** Best-seller international expliquant les concepts les plus complexes de la physique et de la cosmologie.

Savants et inventeurs sur grand écran

À quelques exceptions près, lorsque le cinéma s'intéresse à la science, il cultive l'archétype du **savant fou** ou de l'**inventeur excentrique**.
◆ ***Paris qui dort*** (1923) de **René Clair** Comédie où un savant fou invente un rayon qui paralyse tout Paris.
◆ ***L'Île du Dr Moreau*** (1932) de **Earl Kenton** Charles Laughton interprète un vivisecteur, le Dr Moreau du roman de H. G.Wells. Nouvelles versions en 1977 et en 1996.
◆ ***Docteur Folamour*** (1963) de **Stanley Kubrick** Une satire cinglante où Peter Sellers prend fait et cause pour le progrès et la guerre froide.
◆ ***Retour vers le futur*** (1985) de **Robert Zemeckis** Un voyage dans le temps à bord d'une voiture de sport, la DeLorean.
◆ ***Les Palmes de M. Schulz*** (1997) de **Claude Pinoteau** Récit amusant et éducatif de la découverte du radium par Pierre et Marie Curie, mais peu fidèle à l'Histoire – sauf la reconstitution du laboratoire.
◆ ***La Porte des étoiles*** (1994) de **Roland Emmerich** Le Dr Jackson est un jeune anthropologue qui part à la découverte d'une planète en empruntant un sas temporel.

LE SAVIEZ-VOUS ?

Le roman de **Jules Verne** *Paris au vingtième siècle* semble avoir souffert d'une **déformation temporelle**. Son œuvre visionnaire fut rejetée par l'éditeur en 1863 et ne fut publiée qu'en 1996, soit plus d'un siècle plus tard.

Les sciences de pointe

Une partie des recherches actuelles relatives aux nouvelles technologies se concentre sur la miniaturisation des composants des futurs ordinateurs quantiques. Dans le domaine des communications, l'évolution des technologies liées à Internet a permis d'offrir des applications dans presque tous les domaines, dont ceux des réseaux et de la téléphonie, tous mieux adaptés et plus performants. Mais il en est de même dans d'autres domaines de l'activité humaine. La recherche médicale a franchi une étape capitale avec le projet sur le génome humain. La séquence du génome humain est désormais connue avec précision.

Nouvelles technologies

La plupart des spécialistes s'accordent sur la possibilité de voir bientôt disparaître l'ordinateur tel qu'on le connaît. Grâce à la **miniaturisation,** un ordinateur pourrait prochainement tenir dans un téléphone portable, voire une paire de lunettes. La réussite du séquençage du génome humain permettra à la **biotechnologie** de créer de nouvelles molécules.

Atomisation

La miniaturisation, une des principales tendances de la technologie, permet déjà d'importantes économies en matériaux et une plus grande maniabilité des robots. Grâce à la **nanotechnologie**, on réalisera des instruments mécaniques et électroniques à l'échelle moléculaire, voire atomique.

Un monde virtuel

Les orientations actuelles laissent penser que le **cyberespace** décrit par l'écrivain de science-fiction William Gibson est en train de devenir une réalité. L'augmentation de la puissance des ordinateurs permet en effet de traiter l'énorme quantité de données nécessaires pour créer des environnements virtuels. En outre, le développement des neurotransmetteurs électroniques – capables de communiquer avec le cerveau humain sans procédé invasif – pourrait rendre les **interfaces virtuelles** réalisables.

La compétitivité canadienne

Les progrès de l'électronique, de l'informatique et de la biotechnologie ont des applications nombreuses dans les industries innovantes aussi bien que traditionnelles. Dans les domaines de la construction aéronautique et ferroviaire entre autres, des sociétés québécoises et canadiennes ont développé une expertise unique sur le plan mondial. L'énergie et le transport sont des domaines où convergent de nombreuses innovations technologiques, tout comme la médecine, les communications et la conception et la production de biens et services en général.

L'environnement

Les technologies **vertes**, qui favorisent l'exploitation de sources énergétiques durables, le recyclage, l'installation d'usines moins polluantes et l'élimination des substances chimiques nocives, sont au goût du jour. À l'avenir, la production de conditionnements **biodégradables** aboutira à la disparition de millions de tonnes d'emballages en papier et en plastique ; les nouveaux conditionnements se dissoudront sous l'effet du soleil et de la pluie.

Voir et entendre

Le succès du **téléphone cellulaire** continue sur sa lancée grâce aux avancées techniques autorisant l'ajout de plus en plus de nouveaux services. Les mobiles peuvent recevoir des documents **vidéo en temps réel** (par Internet). Les progrès à venir incluent les services bancaires électroniques, le télécontrôle des robots domestiques, l'accès à Internet par commande vocale et la traduction instantanée dans plusieurs langues.

L'espace

Après le lancement, le 2 juin 2003, de la sonde **Mars Express** par l'Agence spatiale européenne, la Nasa a envoyé **New Horizons,** le 19 janvier 2006, vers Pluton et Charon. Viendront ensuite le lancement d'**Europa Orbiter** par la Nasa, en 2008, et celui de la sonde japonaise **Planet C** vers Vénus, prévu pour juin 2010. Avec la mission **Kepler**, la Nasa a pour objectif de détecter l'existence de planètes similaires à la Terre dans d'autres parties de notre galaxie.

Alfred Nobel

Le Suédois Alfred Nobel (1833-1896) était chimiste et ingénieur. Détenteur de 355 brevets, il a inventé la **dynamite** (1867) et la **balistite** (1887), une poudre de nitroglycérine sans fumée. Ses nombreuses usines d'explosifs lui assurèrent une immense fortune, dont il légua la majeure partie afin que fût constitué un fonds visant à encourager, par l'attribution de prix, les défenseurs de la paix, les écrivains et les artisans du progrès scientifique. Les prix Nobel sont décernés dans les domaines de la **chimie** et de la **physique**, de la **physiologie** ou de la **médecine**, de la **littérature** et de la **paix**. Un nouveau prix, celui d'**économie**, a été créé en 1969. Parmi les lauréats les plus célèbres figurent Adolf von Baeyer, Henri Becquerel, Marie Curie, Ivan Pavlov, Francis Aston, John Bardeen, Otto Hahn, Linus Pauling, Frederick Sanger, Sidney Altman, Thomas Cech, Guglielmo Marconi, Max Planck, Albert Einstein, Louis-Victor de Broglie, Dennis Gabor, Ernst Ruska, Pierre-Gilles de Gennes. William Lawrence Bragg est le plus jeune lauréat. Il reçut le Nobel de physique alors qu'il n'avait que 25 ans.

Lois et formules fameuses

Les lois scientifiques, corroborées par l'expérience, définissent, codifient et prédisent des phénomènes naturels. Une loi n'est valide que si elle repose sur des corrélations entre des phénomènes physiques. Les exceptions aux lois scientifiques servent à tester leur validité. Beaucoup de lois scientifiques fixent des rapports mathématiques entre les phénomènes observés, au moyen de formules précises. Une hypothèse est une théorie qui reste à démontrer. C'est une spéculation scientifique qui devra être testée, et que l'expérience se chargera de valider ou d'invalider.

Les lois de la physique

Hormis les lois de **Newton** sur le mouvement et les théories d'**Einstein** sur la relativité, les lois les plus universelles sont probablement les trois **lois de la thermodynamique**.

1. L'énergie d'un système thermodynamique peut être convertie sous d'autres formes (comme le travail ou la chaleur), mais son total reste constant : c'est le principe de la **conservation de l'énergie**.

2. Dans un système thermodynamique, l'énergie disponible pour la conversion décline inexorablement avec le temps : c'est le principe de l'**accroissement de l'entropie**.

3. L'entropie d'un système **thermodynamique** n'est égale à zéro qu'à la température du zéro absolu.

Les lois de la thermodynamique, science qui étudie l'énergie calorifique et ses applications, furent formulées au XIXe siècle et au début du XXe, alors que l'on portait une attention soutenue au rendement des machines à vapeur ou à combustion interne.

PETITE INFO

La fameuse équation d'Albert Einstein, **$E = mc^2$**, met sur le même plan la matière et l'énergie. Cette théorie sur la relativité restreinte bouleversa la manière dont les scientifiques voyaient l'Univers.

Les lois et les règles de l'électricité

Les trois unités de base de l'électricité sont reliées par une formule simple : 1 W est la puissance obtenue lorsque 1 V de tension agit sur 1 A de courant (puissance = voltage x ampères) : **W = V x A**

AUTRES LOIS CONNUES DE L'ÉLECTRICITÉ

- **Loi de Coulomb** La loi fixée en 1785 par le physicien français Charles Coulomb stipule que la force électrostatique entre deux charges distantes est proportionnelle au produit des charges divisé par le carré de leur distance entre les deux corps.
- **Loi d'Ohm** Publiée par le physicien allemand Georg Ohm en 1827, la loi d'Ohm stipule que la tension U aux bornes d'un conducteur ohmique (résistance) est égale au produit de sa résistance R par l'intensité I du courant qui le traverse ($U = RI$).
- **Loi de Lenz** En 1833, le physicien allemand Heinrich Lenz observa qu'un courant induit forme un champ magnétique, s'opposant au mouvement qui l'induit.
- **Lois de Kirchhoff** L'Allemand Gustav Kirchhoff nota en 1845-1846 que, dans un circuit électrique, la somme algébrique des intensités qui arrivent à un nœud est nulle (loi des nœuds) et que la somme algébrique des différences de potentiel dans une maille fermée est nulle (loi des mailles).

Les lois de la chimie

De nombreuses lois ont été formulées dans le domaine de la chimie. Parmi les plus connues figurent celles qui s'appliquent au comportement et aux propriétés des gaz.

Loi de Boyle et Mariotte Publiée en 1662 par le chimiste irlandais Robert Boyle et découverte indépendamment par le physicien et chimiste français Mariotte, la loi qui porte leurs deux noms stipule qu'à température constante le volume d'un gaz est inversement proportionnel à la pression qu'il subit.

Loi de Charles ou de Gay-Lussac Établie en 1787 par le physicien et chimiste français Jacques Charles, et démontrée par Louis Joseph Gay-Lussac en 1802, elle dérive de la loi de Boyle et Mariotte : pour un volume de gaz donné, plus haute est sa température, plus grande est sa pression, et inversement.

Loi de la pression partielle de Dalton Formulée par le chimiste britannique John Dalton en 1801, elle stipule que la pression totale exercée par un mélange gazeux est égale à la somme des pressions qui seraient exercées si chacun des gaz occupait seul le volume du mélange initial.

Loi et nombre d'Avogadro Le physicien et chimiste italien Amedeo Avogadro fut le premier à définir la molécule en la distinguant de l'atome. Son hypothèse, publiée en 1811, fut plus tard reconnue comme loi : dans les mêmes conditions de température et de pression, deux volumes égaux de gaz différents contiennent le même nombre de molécules. Avogadro émit une autre hypothèse sur le nombre d'atomes ou de molécules contenus dans une mole (quantité de matière) : le nombre (ou constante) d'Avogadro fut démontré par le chimiste autrichien Josef Loschmidt.

Loi de Moore

En 1965, Gordon Moore, cofondateur de la société Intel, nota que le nombre de transistors que l'on peut fixer sur une puce en silicium (donc la puissance des processeurs des ordinateurs) doublait chaque année. La loi de Moore, qui annonce le perfectionnement rapide des ordinateurs, est un truisme.

LE SAVIEZ-VOUS ?

L'**équation de Drake** (1961) prétend définir le nombre d'espèces intelligentes dans notre galaxie. Mais un des paramètres, le taux d'étoiles naissantes, est une pure spéculation : la formule ne peut aboutir à une conclusion valide.

Le système international d'unités

La normalisation des unités de mesure a rendu la communication scientifique plus fiable. Ce système a été adopté par le Canada en 1970. Les unités approuvées sont appelées unités SI, ou unités du système international d'unités. Ce système est contrôlé par le Bureau international des poids et mesures (BIPM). Les symboles des unités SI ont désormais une valeur internationale. Ce système évolue en fonction des progrès et des nouvelles techniques de mesure.

Les unités SI

Le système SI compte sept unités de base indépendantes.

- **mètre** (m) = longueur
- **kilogramme** (kg) = masse
- **seconde** (s) = temps
- **ampère** (A) = intensité du courant électrique
- **kelvin** (K) = température thermodynamique
- **candela** (cd) = intensité lumineuse
- **mole** (mol) = quantité de matière

Créés en 1799, le **mètre** et le **kilogramme** furent officiellement adoptés par le BIPM en 1946, tout comme la **seconde** et l'**ampère**. Le **kelvin** et la **candela** ont été adoptés en 1954, la **mole**, en 1971.

Douze autres unités SI dérivent directement des unités SI de base, comme celles de la superficie (**mètre carré**, m^2), du volume (**mètre cube**, m^3), de la vitesse (**mètre par seconde**, m/s), de l'accélération (**mètre par seconde carrée**, m/s^2).

Vingt-deux autres unités, qui émanent également des unités SI de base, possèdent des noms et des symboles spéciaux. La correspondance entre ces unités dérivées et les unités SI de base peut requérir des formules mathématiques complexes : l'**ohm**, par exemple, est ainsi défini par $m^2/kg/s^{-3}/A^{-2}$. Ce groupe comporte les unités suivantes.

- **becquerel** (Bq) = radioactivité
- **degré Celsius** (°C) = température Celsius
- **hertz** (Hz) = fréquence
- **joule** (J) = énergie ou travail
- **newton** (N) = force
- **ohm** (Ω) = résistance électrique
- **pascal** (Pa) = pression ou contrainte
- **radian** (rad) = angle plan
- **volt** (V) = différence de potentiel électrique
- **watt** (W) = puissance électrique

Une dernière série d'unités découle des unités SI. Le moment d'une force (**newton par mètre**, N/m) et la vitesse angulaire (**radian par seconde**, rad/s) en font partie.

PETITE INFO

Les **étalons** du système britannique sont visibles à Trafalgar Square, à Londres : on y trouve l'***inch*** (le pouce, 2,54 cm), le ***foot*** (le pied, 30,48 cm), le ***yard*** (91,44 cm) et le ***chain*** (66 pieds).

Les unités non SI tolérées

L'emploi de treize unités non SI est couramment accepté, comme la mesure du temps en **minutes** (min), **heures** (h) et **jours** (j), la mesure angulaire en **degrés** (°), **minutes** (') et **secondes** ("), celle du volume des liquides en **litres** (L) et de la masse en **tonnes** métriques ou tonnes (t). Les grandeurs qui en résultent sont convertibles avec les unités SI : par exemple, 1 minute = 60 secondes (les secondes étant l'unité SI de base du temps). L'emploi d'autres séries d'unités est accepté pour des raisons historiques, mais leur définition doit être explicite. Il en va ainsi du **mile nautique**, du **nœud**, de l'**hectare** (ha), de l'**angström** (Å), du **curie** (Ci) et du **röntgen** (R). 1 mile nautique = 1 852 m, par exemple.

Préfixes SI

Les multiples d'unités s'écrivent avec des préfixes.

Préfixe	Symbole	Valeur
exa-	E	10^{18}
péta-	P	10^{15}
téra-	T	10^{12}
giga-	G	10^{9}
méga-	M	10^{6}
kilo-	k	10^{3} (1000)
hecto-	h	10^{2} (100)
déca-	da	10
déci-	d	10^{-1} (1/10)
centi-	c	10^{-2} (1/100)
milli-	m	10^{-3} (1/1000)
micro-	μ	10^{-6}
nano-	n	10^{-9}
pico-	p	10^{-12}
femto-	f	10^{-15}
atto-	a	10^{-18}

Les conversions

Certaines unités non SI sont couramment employées. Par exemple, cinq unités différentes ont été utilisées pour mesurer la température : dans l'ordre historique, le fahrenheit, le réaumur, le celsius, le kelvin et le rankine. L'échelle **Fahrenheit** reste en usage en Grande-Bretagne et aux États-Unis, bien que l'unité de température dérivée du SI soit le degré **Celsius**.

L'échelle Celsius, de l'astronome suédois Anders Celsius (1701-1744), plaçait le point d'ébullition de l'eau à 0 degré et le point de congélation à 100 degrés. Elle a été inversée en 1948 (point de congélation de l'eau = 0 °C).

Le degré **Kelvin** (1 K), employé par les scientifiques, égale 1 degré Celsius (1 °C), mais le zéro absolu de l'échelle Kelvin est différent (environ –273,15 °C). Les formules de conversion entre les degrés Fahrenheit et les degrés Celsius sont :

°C = (°F – 32) x 5/9

°F = (°C x 1,8) + 32

LE SAVIEZ-VOUS ?

Lorsqu'on l'institua, en 1799, le **mètre** devait équivaloir au dix-millionième d'une ligne reliant le pôle Nord à l'équateur. Les mesures précises actuelles montrent que cela aurait donné 0,2 mm de plus que 1 m.

Les normes

À plusieurs reprises, les souverains ont tenté d'uniformiser les poids et les mesures. En France, dans un capitulaire de 1789, Charlemagne avait instauré des normes pour tout l'empire. Ce n'est toutefois qu'après la Révolution qu'apparurent les premières normes nationales. Le Canada a adopté le système international d'unités en 1970. Toutefois, la conversion véritable n'a eu lieu que 10 ans plus tard.

3594 Les Canadiens soucieux de leur santé évitent de consommer des aliments produits à partir d'OGM. Que signifie ce sigle ?

3595 Dans les années 1920, quelle école d'art française décomposait les objets en éléments géométriques ?

3596 Avec quel gaz, très léger et ininflammable, gonfle-t-on les ballons ?

3597 Quelle est l'unité de mesure employée pour définir la pureté de l'or et le poids des diamants ?

QUIZ 362

Palette de couleurs

Dix questions où tout est question de couleur.

3598 Quelle organisation « verte » lutte pour la protection et la sauvegarde de l'environnement ?

3599 De quelle couleur devient le papier de tournesol lorsqu'on le plonge dans l'acide ?

3600 De quelle couleur devient le papier de tournesol plongé dans une solution alcaline ?

3601 Quel est le métal plus précieux que l'or qui est de couleur blanc grisâtre ?

3602 Quelle pierre précieuse, généralement rouge, utilise-t-on pour produire la lumière de nombreux lasers ?

3603 Comment le superordinateur Deep Blue, construit par IBM, gagna-t-il sa réputation en 1996 ?

3604 Quelles sont les trois couleurs primaires ?

3605 Quel élément, qui se présente souvent en cristaux jaune clair, était extrait de Sicile et des Apennins ?

3606 De quelle couleur sont le minerai de cuivre et la malachite, une pierre semi-précieuse ?

3607 De quelle couleur est la boîte noire qui enregistre les paramètres de vol des avions ?

QUIZ 363

À la fortune du pot

Dix colles difficiles.

3608 Les birèmes en avaient deux, les trirèmes, trois. De quoi s'agit-il ?

3609 Comment s'appelait l'épée du roi Arthur ?

3610 Dans quel pays fut découvert le *Soutra du Diamant*, la plus ancienne œuvre imprimée connue ?

3611 Quelle société de jeux vidéo a été fondée par Nolan Bushnell, le créateur de *Pong* ?

3612 Qu'est-ce qui fait le plus de bruit : un concert de rock, un aspirateur, un soupir ou une navette spatiale au décollage ?

3613 Quelle série fantastique à succès, créée aux États-Unis par Gene Roddenberry en 1966, met en scène le capitaine Jame Tiberius Kirk et son officier M. Spock ?

3614 En médecine, quel type d'affection désigne le suffixe « ite » ?

3615 Qui a prédit que la puissance des ordinateurs allait doubler tous les 2 ans ?

3616 Combien d'octets y a-t-il dans 1 Ko ?

3617 Quelles particules fondamentales de l'atome ont une charge électrique de + 2/3 ou de – 1/3 ?

QUIZ 364

Vous pariez combien ?

Des quatre réponses proposées, une seule est bonne.

3618 Lequel de ces mots désigne l'argent engagé dans un pari ?
- **A** La caisse
- **B** Le dépôt
- **C** Le gage
- **D** L'enjeu

3619 La loterie est très populaire au Québec. À combien s'élèvent les lots remis aux gagnants par Loto-Québec en 2004 ?
- **A** 2 milliards de dollars
- **B** 650 millions de dollars
- **C** 981 millions de dollars
- **D** 1 milliard de dollars

3620 Qu'obtient-on si l'on additionne les faces opposées d'un dé ?
- **A** Six
- **B** Sept
- **C** Huit
- **D** Neuf

3621 Qu'est-ce qui détermine le sexe du futur bébé ?
- **A** Le sperme
- **B** L'ovule
- **C** La date de conception
- **D** La Lune

3622 Quel est le pourcentage de 1 000 pour 10 000 ?
- **A** 1 %
- **B** 0,1 %
- **C** 0,01 %
- **D** 10 %

3623 À la roulette, combien de chances y a-t-il pour que la boule s'arrête sur un chiffre particulier ?
- **A** 1 sur 34
- **B** 1 sur 35
- **C** 1 sur 36
- **D** 1 sur 37

3624 Laquelle de ces quatre loteries nationales offre le plus de chances de gagner ?
- **A** Lotto 6/49
- **B** Super 7
- **C** Extra
- **D** Banco

3625 Quel mathématicien a élaboré la théorie des probabilités ?
- **A** August Möbius
- **B** Blaise Pascal
- **C** René Descartes
- **D** Gottfried Leibnitz

QUIZ 365

À la fortune du pot

Dix questions pour vous mettre en jambes.

3626 Quel appareil de calcul, ancêtre du boulier, utilise des billes enfilées sur des tiges ?

3627 Dans quelle ville française fut inventée la baïonnette ?

3628 Depuis quel centre spatial de la Guyane française sont lancées les fusées spatiales européennes ?

3629 Quel état de la matière a la plus grande densité, l'état liquide ou l'état gazeux ?

3630 Le sonar utilise-t-il des sons à haute ou à basse fréquence ?

3631 La première machine volante (1886) de Clément Ader, baptisée *Éole* et mue par un petit moteur à vapeur de 20 chevaux, avait la forme de quel animal ?

3632 Que signifient les lettres de PC ?

3633 Combien d'électrons possède un atome d'hydrogène ?

3634 Au cours de quel siècle fut attribué le prix Nobel pour la première fois ?

3635 Quelle formule fameuse démontre que la matière et l'énergie sont équivalentes ?

QUIZ 366

Pot-pourri

Dix questions en tout genre.

3636 Au cours de quel siècle eurent lieu les premières radiodiffusions ?

3637 De quand date la première ligne du métro montréalais : 1960, 1966 ou 1959 ?

3638 Quel alliage contenant du cuivre est utilisé pour fabriquer les instruments de musique ?

3639 Ce fut le premier sous-marin atomique construit par les Américains et son nom fait référence à *Vingt Mille Lieues sous les mers*, de Jules Verne. Quel est son nom ?

3640 Quel est l'avantage pour un auditeur de recevoir des émissions radio sur FM plutôt que sur ondes moyennes ?

3641 Quelles personnes emploient des expressions comme « canal », « à toi, la station », « QTH » ?

3642 En quelle année l'air conditionné a-t-il été inventé : 1902, 1922 ou 1942 ?

3643 Que signifient les lettres FM dans le domaine de la radiodiffusion ?

3644 Par quel système peut-on désormais écouter la radio sur Internet : l'*audio streaming*, le *stereo streaming* ou le *radio streaming* ?

QUIZ 367

De l'or à l'or noir
Dix questions liées à l'énergie.

3645 Quel pays d'Asie est le plus grand producteur de charbon ?

3646 Le charbon est un carburant fossile de quelle origine ?

3647 Comment s'appelle un chercheur d'or qui recueille les paillettes d'or dans les rivières ou sur les terrains aurifères ?

3648 Quelle est l'unité standard de la puissance électrique ?

3649 Quel groupement de pays contrôle plus de la moitié du commerce mondial du pétrole ?

3650 Que sent le gaz naturel pur ?

3651 Sous quel nom est connu le charbon naturel fossile existant en plusieurs variétés et contenant entre 75 et 95 % de carbone pur ?

3652 Quelle partie du monde consomme environ 16 % de l'énergie mondiale, derrière les États-Unis ?

3653 Quels métaux sont utilisés dans une batterie NiCad ?

3654 Qu'est-ce qui consomme le plus d'électricité à la minute : un sèche-cheveux, un radiateur électrique à trois résistances, un ordinateur ou un téléviseur ?

QUIZ 368

Sur mesure
Dix questions en rapport avec les mesures.

3655 À Avignon, il contenait 94,41 litres, en Angleterre, 28,80 litres, à Nîmes, 25,40 litres. Quelle est cette ancienne mesure de capacité ?

3656 Lorsque l'on se trouve dans un ascenseur en mouvement, qu'est-ce qui change : notre masse ou notre poids ?

3657 Combien de milligrammes y a-t-il dans un kilogramme ?

3658 Que mesure-t-on par la formule « mètres par seconde au carré (m/s^2) » ?

3659 Sous le roi Dagobert, en l'an 650, où étaient conservés les étalons des mesures royales ?

3660 Quelle est la vitesse en km/h d'un navire filant 20 nœuds ?

3661 Autrefois, le quintal mesurait 100 livres. Quel poids est-ce que cela ferait aujourd'hui ?

3662 Comment appelait-on autrefois le poids qui servait à peser les métaux précieux ?

3663 Si le noyau d'un atome était grand comme une boule de billard posée au pied de la tour Eiffel, où se situeraient les orbites de ses électrons ?

3664 Qu'est-ce qui, en 1799, formait la dix-millionième partie de l'arc de méridien terrestre compris entre le pôle Nord et l'équateur ?

QUIZ 369

Le futur est à nos portes
Rétablissez l'ordre des lettres et retrouvez le terme caché.

3665 TELIRAE VITERULLE Technologie qui imite le monde réel.

3666 VIERCLA VRITEUL Mini-projecteur à laser destiné à remplacer le clavier classique de l'ordinateur.

3667 BROQUETOI Science des machines intelligentes, capables d'accomplir des actions automatiques complexes.

3668 NIEGE TIQUENEGE Science de la manipulation de l'ADN.

3669 RAI PREMMOIC Futur carburant pour la combustion interne dans les moteurs de voitures.

3670 E-PAPRE Futur écran électronique composé d'une fine couche de circuits contrôlant un film plastique conducteur parcouru par de l'encre électronique.

3671 DEDAGRABIOBLES Ce que deviendront tous les sacs en plastique grâce aux nouvelles technologies.

3672 ECOTHBONIOLIGE Méthode utilisant des organismes vivants et la technologie pour la recherche dans l'industrie agroalimentaire.

3673 WNE ONZSRIHO Sonde que l'ASE prévoit de lancer en 2006 vers Pluton et Charon.

3674 SATINOT SAPITALE ONANANITRETILE Station orbitale dont la construction a été suspendue après l'explosion de Columbia.

QUIZ 370

Il faut être futé
Dix questions où il est question de chiffres.

3675 Que mesure-t-on en multipliant la gravité par la masse ?

3676 Quels sont les caractères qui permettent de représenter les nombres ?

3677 À quelle association internationale peut-on se joindre si l'on a un QI supérieur ou égal au 98e percentile ?

3678 Quel nombre contient le titre d'un roman de Ray Bradbury sur la censure des livres dans un âge futuriste ?

3679 Que donne 32 divisé par 1/4 ?

3680 Combien y a-t-il de bits dans un octet ?

3681 Dans l'ancienne Babylone, le calcul utilisait un système de numération sexagésimal. Sur quelle base repose ce système ?

3682 Combien y a-t-il de feuilles de papier dans une ramette ?

3683 Combien y a-t-il de pages dans une feuille ?

3684 Sous quel nom connaît-on la Bible dite de 42 lignes, imprimée vers 1454-1456 ?

QUIZ 371

C'est du passé, mais c'était utile
Des quatre réponses proposées, une seule est bonne.

3685 Qui a inventé la machine à ensemencer à traction chevaline ?
A Cat Stevens
B Antoine de Lavoisier
C Jethro Tull
D Antoine Parmentier

3686 Qu'a inventé le verrier américain Edward Libbey en 1893 ?
A Le verre pare-balles
B Le cristal au plomb
C Le double vitrage
D La fibre de verre

3687 Que découvrit le chimiste britannique Humphry Davy en 1807 ?
A L'aluminium
B L'hélium
C L'électricité
D Le plomb

3688 Quelle était la nationalité de l'inventeur de l'éclairage au gaz ?
A Anglaise
B Suisse
C Française
D Belge

3689 Qu'a inventé Ambrose Fleming en 1904 ?
A La diode
B Le four électrique
C La pénicilline
D La conduite à gauche

3690 Qui a inventé le phonographe ?
A Léonard de Vinci
B Thomas Edison
C Léon Zitrone
D Bill Gates

3691 Où se situait la cité de Tyr, réputée dans l'Antiquité pour ses teintures ?
A En Italie
B En Turquie
C En Grèce
D Au Liban

3692 Qu'est-ce que l'Invar, mis au point en 1890 par le Suisse Charles Guillaume ?
A Un alliage fer-nickel
B Un plastique
C Un carburant
D Un lubrifiant

3693 Qui le premier employa le terme caoutchouc ?
A Charles de La Condamine
B Jean d'Alembert
C Denis Diderot
D André Michelin

3694 En quelle année fut inventée la télécopie ?
A 1843
B 1800
C 1770
D 80 av. J.-C.

QUIZ 372

La vie en miniature
Dix mini-questions.

3695 Quel jeu miniaturisé, fabriqué par Nintendo, s'est vendu à plus de 100 millions d'exemplaires ?

3696 Quel instrument, introduit dans les écoles au cours des années 1970, a changé la manière de faire les calculs ?

3697 Quel savant français découvrit le vaccin contre la rage ?

3698 Quel instrument, inventé au XVIIe siècle, permit aux savants d'observer des micro-organismes ?

3699 Quel appareil stéréo miniaturisé bouleversa l'écoute de la musique enregistrée ?

3700 Tiny était une voiture pliable, propulsée par un moteur électrique. Dans quel pays frontalier de la France était-elle construite ?

3701 Comment surnomme-t-on le processeur miniature situé au cœur de tout ordinateur domestique ?

3702 Quels instruments optiques ont été conçus par Léonard de Vinci mais n'ont été fabriqués qu'à partir de 1887 ?

3703 Quel appareil de télécommunication, aujourd'hui si petit qu'il tient dans la poche, avait la taille d'une brique quand il fut commercialisé, dans les années 1980 ?

3704 Unicellulaires, dépourvues de noyau, ce sont les plus petits organismes vivants. Qui sont-elles ?

QUIZ 373

Prêt à surfer ?
Dix questions en rapport avec Internet.

3705 Que signifient les lettres www ?

3706 Que sont Alta Vista, Google et Yahoo ?

3707 Quand on récupère des fichiers d'un site Web, que fait-on ?

3708 Quel mot commençant par « H » désigne un moyen de connexion électronique entre deux fichiers ou deux pages Web du Net ?

3709 Dans sa messagerie, comment appelle-t-on un message au contenu fantaisiste, que l'on est prié de faire circuler, au risque d'encombrer le réseau ?

3710 Comment appelle-t-on les messages envoyés d'un ordinateur à un autre via le réseau Internet ?

3711 Qu'est-ce qui permet le plus souvent à un ordinateur de se connecter au réseau Internet ?

3712 Quel est l'État dont le site Web est dirigé par les serveurs Raphaël, Michel et Gabriel ?

3713 Quelles sont les trois lettres qui, à la fin d'une adresse Internet, indiquent un site à vocation non lucrative ?

3714 L'île de Tuvalu, en Océanie, vendit pour 50 millions de dollars le code qui lui avait été attribué pour son adresse Internet. Quel était ce code ?

QUIZ 374

En voyage
Dix questions pour vous évader.

3715 Quel train emprunte la plus longue voie ferrée du monde, entre Moscou et Vladivostok ?

3716 Quel véhicule scientifique ont construit le physicien suisse Auguste Piccard et son fils Jacques ?

3717 Quels animaux furent les premiers à aller dans l'espace ?

3718 Comment appelle-t-on un train qui glisse sur des rails parcourus d'électroaimants ?

3719 De quoi sont composées les traînées de condensation que laissent derrière eux les avions évoluant à haute altitude ?

3720 Quel océan George Harbo et Frank Samuelsen furent-ils les premiers à traverser à la rame, en 1896 ?

3721 Que signifient les initiales RER ?

3722 Où peut-on trouver un funiculaire ?

3723 Comment appelle-t-on un avion propulsé par l'action contraire des gaz chauds expulsés à grande vitesse de ses tuyères ?

3724 Pourquoi le pilote et le copilote d'un avion commercial ne mangent-ils pas la même nourriture ?

QUIZ 375

À la fortune du pot
Dix questions en tout genre.

3725 Quel est le nom du chasseur français pouvant atteindre 2 125 km/h à 11 000 m d'altitude et destiné à équiper le porte-avions *Charles-de-Gaulle* ?

3726 Laquelle des sept couleurs du spectre de la lumière visible est souvent omise dans les ouvrages récents sur le sujet ?

3727 Quel métal, aujourd'hui interdit, était jadis utilisé dans les thermomètres ?

3728 Dans quel pays se trouve l'accélérateur de particules du Cern ?

3729 Que transportent les oléoducs ?

3730 Quelle épaisseur devrait avoir un écran pour arrêter les rayons bêta, composés d'électrons de charge négative ou positive ?

3731 L'un des fondateurs de l'informatique, le Britannique Turing Alan Mathison, aida les Alliés à percer le secret d'Enigma. Dans quel domaine utilise-t-on le test de Turing, destiné à déterminer si un ordinateur pense ?

3732 Qui réussit, au milieu des années 1990, à démontrer le théorème de Fermat ?

3733 Quelles particules subatomiques sont absorbées par les barres de commande d'un réacteur nucléaire ?

3734 En quoi la première loi de la thermodynamique diffère-t-elle de celle de la conservation de l'énergie ?

QUIZ 376

Inventions à travers les âges
Tout est question de dates.

3735 L'aspirateur a été inventé en 1901 ? 1910 ? 1921 ? 1930 ?

3736 On peut déguster du café instantané depuis 1938 : vrai ou faux ?

3737 Auriez-vous pu porter une montre digitale en 1971 ?

3738 En quelle année le téléphone a-t-il été inventé : 1876 ? 1886 ? 1896 ? 1896 ?

3739 Auriez-vous pu manger des sardines en conserve au milieu du XIXe siècle ?

3740 Le ruban adhésif transparent a été inventé en 1930 ? 1940 ? 1950 ? 1960 ?

3741 L'invention du code-barres date de 1949 : vrai ou faux ?

3742 Les premiers disques datent de 1888 ? 1898 ? 1908 ? 1918 ?

3743 Le fer à cheval a été inventé au IIe siècle, mais avant ou après J.-C. ?

3744 La boussole magnétique date du Ier siècle après J.-C. : vrai ou faux ?

QUIZ 377

À la fortune du pot

Une série de questions méli-mélo.

3745 Dans quelle série de films de science-fiction voit-on des chevaliers Jedi combattre avec des sabres laser ?

3746 L'eau se dilate-t-elle ou se contracte-t-elle quand elle devient solide ?

3747 Quel système de navigation basé sur les ondes radio est utilisé par les contrôleurs aériens ?

3748 En 1937, il prit feu en vol au-dessus de Lakehurst, près de New York. De quoi s'agit-il ?

3749 Qu'est-ce qui circule entre les deux charges opposées d'un nuage d'orage ?

3750 Quelle méthode scientifique permet la reproduction asexuée d'un individu par l'introduction d'une de ses cellules dans un ovule dont le noyau a été supprimé ?

3751 Que désignent les références Sony Ericsson T-200, Samsung V200 et Nokia 7250 ?

3752 Quel auteur français du XIXe siècle, très intéressé par les inventions de l'avenir, était un véritable visionnaire concernant les évolutions du monde actuel ?

3753 Quel nom symbolise le nombre 3,14159 ?

3754 À quoi servent les logiciels QuarkXPress et InDesign ?

QUIZ 378

Pot-pourri

Dix questions bien mélangées.

3755 Qu'est-ce qu'un millième de gramme ?

3756 Comment appelle-t-on l'embarcation en peau de phoque tendue sur une légère armature en bois ?

3757 Quel est le troisième rapport trigonométrique, après le sinus et le cosinus ?

3758 Dans quel album de Tintin le professeur Wolff explique-t-il le fonctionnement d'un réacteur nucléaire au capitaine Haddock et au jeune reporter ?

3759 Sur quel continent fut découverte la plus ancienne poterie ?

3760 Par quel terme désigne-t-on l'ensemble des réactions physiques et chimiques qui ont lieu à l'intérieur d'un organisme vivant, produisant de l'énergie et permettant la croissance ?

3761 Quel est le principal type de particule élémentaire ?

3762 Quel est le nombre premier racine carrée de 361 ?

3763 Comment nomme-t-on le conducteur par lequel entre ou sort le courant électrique d'une batterie ?

3764 Quel élément architectural en forme d'arc et daté du gothique est très présent dans les églises et les cathédrales ?

QUIZ 379

On mélange tout

Rétablissez l'ordre des lettres et retrouvez le terme caché.

3765 TEFFE ED RERES Autre nom du réchauffement de la planète.

3766 POSIDETINOCOM Transformation subie par la matière organique morte sous l'action des bactéries et des champignons.

3767 SITUS Structure du corps composée de cellules d'un seul type.

3768 ZAOTE Gaz présent dans l'atmosphère terrestre et qui doit être converti chimiquement pour que les végétaux puissent l'absorber.

3769 NOTIPADATA Changement de comportement ou de forme, suite à des modifications du milieu.

3770 NYSOPHOTTHESE Phénomène grâce auquel il y a assez d'oxygène sur la planète pour nous permettre de respirer.

3771 SOMEMOCHRO Élément du noyau des cellules formé d'une molécule d'ADN associée à des protéines.

3772 DUCREPRONIOT Une des six fonctions communes à toute vie animale et végétale.

3773 NIERESTOP On les trouve surtout dans la viande, le poisson et les œufs.

3774 TOCYLASMEP Matière ressemblant à de la gelée et constituant le matériau principal des cellules animales et végétales.

QUIZ 380

En parlant de composés

Dix questions de chimie.

3775 Quels sont les deux éléments chimiques qui composent l'eau (H_2O) ?

3776 Quels sont les trois éléments présents dans tous les hydrates de carbone ?

3777 Que libère toujours la rupture de liens chimiques ?

3778 Quelle molécule géante se présentant sous la forme d'une double chaîne en spirale, présente dans les chromosomes, est le siège des caractères génétiques ?

3779 Quel mot commençant par « C » désigne le procédé qui accélère les réactions chimiques ?

3780 Quel est le lien chimique le plus fort : le lien ionique ou le lien covalent ?

3781 Quels composés organiques complexes sont constitués d'acides aminés et se trouvent dans les poissons ?

3782 Quel composé à base de carbone constitue le principal élément du gaz naturel ?

3783 Quelles sont les deux substances que l'on obtient en ajoutant du sodium à de l'eau ?

3784 Qu'indique le suffixe « ate » dans le nom d'un composé chimique ?

QUIZ 381

Ça commence par...

Les réponses commencent par la lettre entre guillemets.

3785 Quel mot commençant par « P » désigne un appareil destiné à stimuler le muscle cardiaque et à réguler ses battements ?

3786 Quel mot commençant par « Q » désigne une forme cristalline de la silice qui est surtout employée dans l'horlogerie ?

3787 Quel mot commençant par « P » désigne à la fois un langage informatique, la pression et un célèbre mathématicien ?

3788 Quel mot commençant par « C » désigne un étui à flèches ?

3789 Quel mot commençant par « T » désigne un appareil de télécommunication portable qui alerte son propriétaire de l'arrivée d'un message écrit ?

3790 Quel mot commençant par « P » désigne la science qui étudie les propriétés et les interactions de la matière et de l'énergie ?

3791 Quel mot commençant par « S » désigne des bâtonnets japonais à base de chair de poisson pulvérisée, relevée d'arôme artificiel de crabe ?

3792 En chimie, quel élément a pour symbole « P » ?

3793 Quel mot commençant par « P » désigne une particule de lumière ?

3794 Quel mot commençant par « Q » désigne des particules d'énergie ?

3897 Que signifient les lettres de DVD ?

3898 Quel fut le premier support de reproduction du son numérique accessible au public ?

3899 Quelle sorte de fichier peut être envoyé par courriel sous forme de document attaché JPEG ?

3900 Les images d'un écran de télévision numérique sont produites par de nombreux « éléments d'image » de très petite taille. De quoi s'agit-il ?

3901 Quel fut le premier long-métrage d'animation entièrement réalisé sur ordinateur ?

3902 L'un est le système optique traditionnel, qui produit une image sur un support chimique, l'autre remplace le film par des capteurs électroniques qui traitent l'image en pixels. Quels sont ces deux procédés ?

3903 Comment s'appelle le transfert des règles de communication entre deux systèmes d'ordinateur ?

QUIZ 393

Temps forts

Dix questions en rapport avec le temps.

3904 Dans quel film de Robert Zemeckis voit-on l'acteur Michael J. Fox se déplacer dans le temps ?

3905 Quelle est l'origine du mot lundi ?

3906 Cette fête populaire, qui correspond au solstice d'été, existait bien avant le christianisme. Quelle est-elle ?

3907 En quoi le carbone 14 est-il utile aux archéologues ?

3908 Quel type d'horloge, appelée aussi clepsydre, était utilisée dans l'antique Athènes pour mesurer le temps de parole des orateurs ?

3909 Sur quelle planète du système solaire l'expression « le jour s'éternise » serait-elle très à propos ?

3910 Quel instrument destiné à perfectionner les horloges Galilée créa-t-il ?

3911 En rapport avec quel mouvement apparent le temps sidéral est-il compté ?

3912 Le Concorde quittait Paris à 11 h 15 et volait pendant 3 h 30 pour atteindre New York. À quelle heure locale atterrissait-il à l'aéroport de New York ?

3913 Qu'est-ce qui peut être romain, julien, républicain ou grégorien ?

QUIZ 394

On se connecte

Rétablissez l'ordre des lettres et retrouvez le terme caché.

3914 ENTRETIN Réseau international reliant des millions d'ordinateurs et de téléphones.

3915 TELRAGEMME Message décodé du télégraphe et remis en mains propres.

3916 AMHARG LLEB L'inventeur du téléphone.

3917 LITESSATEL Appareils servant à relayer des messages entre différentes parties du monde.

3918 ORIDA Système de transmission et de réception par rayonnement électromagnétique.

3919 CLULELE Réseau assurant la connexion de téléphones cellulaires.

3920 RIBEF QUITEPO Câble transmettant de la lumière à la place de l'électricité.

3921 MITROSIEE TIONRAGENE Famille de téléphones cellulaires équipés de la technologie WAP.

3922 VUICRE Métal dont sont faits les câbles traditionnels du téléphone.

3923 HRAEGEPELT Appareil permettant de communiquer à distance par l'intermédiaire de signaux codés sur une ligne électrique.

QUIZ 395

À la fortune du pot

Questions pour aiguiser votre réflexion.

3924 Quel mot commençant par « C » désigne le phénomène par lequel la chaleur se déplace dans l'eau ?

3925 Quelle société japonaise, fondée en 1889 pour fabriquer des cartes à jouer, sortit la première console, la Famicom, qui se vendit à 2,5 millions d'exemplaires ?

3926 Qu'ont en commun la France, les États-Unis, la Grande-Bretagne, la Russie et la Chine ?

3927 En 1962, Philippe Dreyfus, ingénieur chez Bull, se servit des mots « information » et « automatique » pour forger un mot nouveau. Lequel ?

3928 Avec quelle arme primitive David tua-t-il le géant Goliath dans la Bible ?

3929 Le vitriol est un acide de quel type ?

3930 Le software regroupe les éléments immatériels des ordinateurs. Qu'est-ce que le hardware ?

3931 Qui remet la médaille et le diplôme de cinq des six prix Nobel attribués chaque année ?

3932 Pourquoi la première Bible imprimée par Gutenberg est-elle surnommée Bible de 42 lignes ?

QUIZ 396

Êtes-vous au courant ?

Dix questions liées à l'électricité.

3933 Dans un circuit électrique, quel instrument lumineux est symbolisé par une croix dans un cercle ?

3934 Quel physicien français a donné son nom à l'unité SI de base du courant électrique ?

3935 Quelle invention de G. Bell est appréciée par les chasseurs de trésors ?

3936 Quel mot commençant par « C » désigne un instrument qui fait qu'une dynamo fournit un courant électrique continu ?

3937 Quel est le composant électronique utilisé à la fois comme amplificateur et comme interrupteur ?

3938 Thalès de Milet avait découvert que l'ambre jaune frotté attirait des objets légers. Comment s'appelait cet ambre en grec ?

3939 Quelle est la résistance effective de deux résistances de 100 ohms dans un circuit parallèle ?

3940 Comment appelle-t-on l'étude des propriétés de la matière aimantée ?

3941 Quelles particules subatomiques transmettent l'électricité à travers des solides ?

3942 Quel mot commençant par « S » désigne une bobine de fil cylindrique qui devient un aimant quand le courant électrique passe à travers ?

QUIZ 397

Pot-pourri

Dix questions en tout genre.

3943 Quelle est l'opération qui consiste à retirer un nombre d'un autre nombre ?

3944 Quel élément métallique a donné son nom à une période historique ?

3945 Quel est l'élément naturel qui, favorisé par l'irrigation, permet de fertiliser les terres ?

3946 Quel est le métal semi-conducteur dont le nom en anglais évoque une vallée californienne ?

3947 Quel est l'élément chimique qui forme la structure fondamentale de toute forme de vie sur la Terre ?

3948 Dans le domaine de la radioactivité, à quoi font référence X et gamma ?

3949 Quelle est la technique qui consiste à acheminer l'eau dans les champs ?

3950 Quel physicien, connu pour sa loi de la gravité, développa le calcul ?

3951 En statistique, comment appelle-t-on un groupe de population destiné à être étudié ?

3952 La décomposition des sucres dans l'organisme pour libérer de l'énergie porte un autre nom. Lequel ?

QUIZ 398

À la fortune du pot

Dix questions diverses et variées.

3953 En France, quel est ce petit terminal électronique de données vidéotexte, aujourd'hui largement dépassé par Internet ?

3954 Dans le langage technique militaire, le porte-avions *Charles-de-Gaulle* est un PAN. Que signifie ce sigle ?

3955 Quel roi de France institua une armée royale permanente et un impôt pour en financer l'entretien ?

3956 À qui a-t-on fait la remarque suivante à l'école : « Vous n'arriverez pas à grand-chose » ?

3957 Quels objets métalliques collectionnent les numismates ?

3958 Dans quelle partie de la cellule végétale, animale ou humaine est stocké l'ADN ?

3959 La plus grande usine marémotrice du monde se situe sur le littoral atlantique de quel pays européen ?

3960 À quelles fins militaires fut mis au point le sonar ?

3961 Au cours de quelle décennie fut créé le premier satellite de navigation ?

3962 Qu'ont découvert Pierre et Marie Curie en juillet et décembre 1898 ?

QUIZ 399

Parlons santé

Dix questions de médecine, chimie et biologie.

3963 Les termes spécialisés de coryza et de rhinite désignent quelle inflammation des muqueuses nasales ?

3964 Quel produit contribuant à la prévention des caries est souvent présent dans les dentifrices ?

3965 Lorsque le médecin américain Morton réalisa la première anesthésie chirurgicale par inhalation, en 1846, quelle substance employa-t-il ?

3966 Sous quel nom connaît-on mieux l'acide acétylsalicylique, à l'origine produit à partir de l'écorce de saule ?

3967 En quelle année naquit l'Anglaise Louise Brown, le premier bébé-éprouvette ?

3968 Quelles sont les plantes dont la médecine moderne redécouvre les vertus curatives et dont les effets bénéfiques sur l'organisme sont connus depuis l'Antiquité ?

3969 Quelle femme fut la première à recevoir un prix Nobel, en 1903 ?

3970 Comment appelle-t-on la médecine par les plantes ?

3971 Quel appareil mesure l'activité électrique du cœur ?

3972 De quelle épidémie est responsable le VIH, découvert en 1983 par le médecin français Luc Montagnier et le chercheur américain Robert Gallo ?

QUIZ 400

La dernière frontière

Dix questions liées à l'espace.

3973 En octobre 1990, la sonde européenne Ulysse devait mesurer l'activité solaire. À quelle vitesse se dirigeait-elle vers Jupiter ?

3974 À qui Hergé envoya-t-il en 1969 un dessin inspiré de son album *On a marché sur la Lune* ?

3975 Quelle sonde spatiale a emporté à son bord un enregistrement du *Clavier bien tempéré*, de Jean-Sébastien Bach, au-delà du système solaire ?

3976 Comment s'appelle le lanceur européen de satellites, en exercice depuis le 24 décembre 1979, à Kourou ?

3977 Combien de navettes spatiales destinées à évoluer au-delà de l'atmosphère terrestre ont-elles été construites : 5, 10 ou 15 ?

3978 Que sont le V2, Ariane, ou Titan-Gemini ?

3979 On lance les fusées vers l'est pour bénéficier de la vitesse de rotation de la Terre. Quelle est cette vitesse ?

3980 Qu'arriva-t-il à Pluton entre 1979 et 1999, qui se reproduira entre 2207 et 2227 ?

3981 Sur quelle lune de Jupiter la sonde Galileo a-t-elle observé des volcans en activité ?

3982 La Nasa a mis au point des stylos fonctionnant en apesanteur. Qu'utilisaient de leur côté les Soviétiques ?

NATURE

NATURE

Les origines de la vie

La vie est apparue sur la Terre il y a environ 3,8 milliards d'années. Les premières formes de vie étaient des organismes unicellulaires, similaires aux bactéries d'aujourd'hui. Pendant deux milliards d'années, ce furent les seuls êtres vivants sur la Terre. Avec le temps, ces organismes contribuèrent à modifier l'atmosphère. Absent à l'origine, l'oxygène commença à apparaître tandis que diminuait le niveau de gaz carbonique.

Qu'est-ce que la vie ?

Tous les êtres vivants ont des caractéristiques en commun :
- l'aptitude à **croître**, à se **développer** et à **répondre à des stimuli** comme la lumière ;
- un métabolisme assurant des transformations chimiques internes ;
- l'aptitude à utiliser ou à créer de l'**énergie** ;
- l'aptitude à se **reproduire** ;
- un patrimoine **génétique** (ADN) ;
- des **membranes cellulaires** permettant d'échanger des substances chimiques avec l'environnement.

Seuls les êtres qui ont ces caractéristiques sont vivants du point de vue biologique.

Comment la vie a commencé

Deux grandes théories tentent d'expliquer comment la vie est apparue sur terre. Selon la première, elle aurait commencé dans des conditions de **chaleur extrême**. Cette chaleur a pu provenir de l'activité géothermale – la vie aurait débuté dans les fonds océaniques, à proximité d'**évents hydrothermaux**. On suppose également que la chaleur était issue de la foudre. En 1953, les scientifiques américains Stanley Miller et Harold Urey mirent cette idée à l'épreuve. Ils simulèrent la **foudre** en employant un puissant courant électrique qu'ils firent passer dans un composé chimique censé avoir existé dans les mers et l'atmosphère primitives de la Terre. Ils obtinrent ainsi des acides aminés, les matériaux de construction des protéines. L'autre théorie veut que la vie soit apparue dans des conditions de froid extrême, comme dans les diverses périodes des anciens âges glaciaires.

Les premières formes de vie

Les seuls êtres à avoir existé durant la première moitié de l'histoire de la Terre furent les **bactéries**. Elles évoluaient dans un monde sans oxygène et survécurent en transformant à leur profit une grande variété de minéraux. Certains de leurs descendants, les **archées**, existent encore dans quelques-uns des milieux les plus hostiles de la planète, comme les sources chaudes des régions volcaniques. Les archées adoptèrent de nouvelles formes, les eubactéries. Un de leurs groupes, les **cyanobactéries** (ou algues bleues), commença à transformer par photosynthèse l'énergie du Soleil pour produire des glucides.

Des fossiles vivants

Ce sont les témoins des époques reculées et ils ne sont pas tous microscopiques. Les **stromatolithes** actuels, édifiés par les cyanobactéries vivant dans les sédiments des eaux peu profondes, sont similaires à ceux qui se sont agrégés il y a 3,5 milliards d'années. Les microbes à l'intérieur des stromatolithes se protègent des radiations ultraviolettes en sécrétant un gel qui fixe les sédiments à leurs parois. Lorsque les sédiments s'épaississent, ils ne laissent plus passer la lumière ; les cyanobactéries migrent vers la lumière et une nouvelle lamelle se forme. C'est ainsi que croît le stromatolithe.

Changement d'atmosphère

Avant l'apparition de la vie sur terre, l'atmosphère était composée de gaz nocifs éjectés durant des millions d'années par les volcans. Il s'agissait surtout de gaz carbonique, d'azote et de vapeur d'eau, ainsi que d'acide sulfurique, de méthane et d'ammoniac. Cela changea avec la genèse des cyanobactéries et le début de la **photosynthèse** : la décomposition de l'eau et du gaz carbonique par la lumière donna naissance à des glucides et à de l'oxygène. En proliférant, les algues bleues enrichirent l'air en oxygène au détriment du gaz carbonique. Il y a 2 milliards d'années, l'azote avait supplanté le gaz carbonique et l'oxygène atteignait le centième de son volume actuel.

Des ancêtres sur Mars ?

Durant les premières centaines de millions d'années de son histoire, Mars a connu des conditions semblables à celles de la Terre. Il se peut donc que la vie y soit apparue. Sous l'effet d'impacts cosmiques, des rochers ont pu être arrachés de la planète rouge et venir frapper la Terre au début de l'existence du système solaire. Ils peuvent y avoir laissé les premières formes de vie.

PETITE INFO

Les **cyanobactéries**, l'une des formes les plus anciennes de vie, furent les premiers organismes à libérer lentement de l'**oxygène** dans l'atmosphère terrestre.

s formes de vie complexes

miers organismes complexes apparurent
1 milliards d'années. Ce n'étaient plus de simples
es. Les premiers organismes pluricellulaires firent
parition il y a 720 millions d'années, 4 milliards
es après la formation de la planète et plus de
rds d'années environ après l'apparition de la vie.
50 millions d'années eut lieu un bouleversement
évolution. Parmi de nouvelles formes de vie
ent les ancêtres des cordés, ou animaux
rés. Dès la formation de la Terre, les continents
essé de se déplacer, les plaques terrestres
: lentement sur le manteau inférieur.
nbrien, le visage de la planète était très différent :
nimale se cantonnait dans les mers et les
s. Dénuée de toute végétation, la Terre
recouverte que par de simples déserts.

Une nouvelle forme de vie

Il y a 2,1 milliards d'années apparut un nouveau groupe d'êtres unicellulaires. À l'opposé de leurs prédécesseurs, ces **eucaryotes** possédaient un **noyau** à l'intérieur de la cellule, qui contenait son matériel génétique. Au cours de réactions chimiques internes liées à leur métabolisme, les eucaryotes élaborèrent différents éléments cellulaires spécifiques. Un de leurs groupes, les ancêtres des algues, développa des **chloroplastes** – corpuscules cellulaires, sièges de la photosynthèse. La structure élaborée des eucaryotes leur permit d'adopter une grande diversité de formes. Les descendants des premiers eucaryotes existent encore aujourd'hui.

Les organismes pluricellulaires

Pendant la majeure partie de l'histoire de la Terre, la vie était représentée par des êtres unicellulaires. Il y a 720 millions d'années environ, certains d'entre eux s'agrégèrent. Les cellules individuelles de ces colonies jouèrent des rôles spécifiques puis se mirent à dépendre les unes des autres pour survivre. Les premiers organismes pluricellulaires comprenaient des **algues** similaires à celles que l'on voit aujourd'hui et toutes sortes d'**animaux** étranges depuis longtemps disparus et connus seulement par leurs fossiles.

Les cordés

Il y a un peu plus de 500 millions d'années, les océans virent naître de nouvelles formes animales. Ainsi apparurent les ancêtres de notre propre groupe, les **cordés**. Le plus ancien cordé connu, le **pikaia**, fit son apparition il y a 530 millions d'années environ. Le début du **cambrien** fut marqué par l'avènement des cordés et aussi de nombreux autres groupes d'animaux toujours présents aujourd'hui. Les plus anciens fossiles d'**arthropodes** – un groupe important comprenant les crustacés, les arachnides et les insectes – datent de cette période, comme ceux des premiers **échinodermes** et des **mollusques**.

L'ère des poissons

Avant que les premiers animaux ne rampent vers la terre ferme, les océans grouillaient de **poissons**. Dénué de mâchoire, le premier d'entre eux, apparu il y a environ 500 millions d'années, était parent des myxines et des lamproies d'aujourd'hui.
Il y a 460 millions d'années survinrent des poissons pourvus d'une mâchoire, ce qui leur permit de s'élever au sommet de la chaîne alimentaire. Au dévonien, il y a 400 millions d'années, apparurent les **requins** et les **raies**. Ces créatures se nourrirent d'autres poissons plus lents qui les avaient précédés. Le dévonien vit aussi l'évolution des **poissons osseux**, par exemple *Dunkleosteus*, géant des premiers âges, un formidable prédateur qui atteignait 10 m de long. Le groupe des poissons osseux est celui qui contient le plus grand nombre d'espèces actuelles.

PETITE INFO

Apparus au cambrien, les **trilobites** étaient les animaux marins les plus communs d'alors. La plupart, tel *Phacops*, se protégeaient des prédateurs en se roulant en boule.

La couche d'ozone

À mesure que les **cyanobactéries** proliféraient sur la Terre, le taux d'**oxygène** augmentait dans l'atmosphère. Finalement, il y a environ 2,1 milliards d'années, les molécules d'oxygène des couches supérieures de l'atmosphère se combinèrent entre elles en formant une mince couche d'ozone. En arrêtant les rayons ultraviolets nocifs du Soleil, la couche d'ozone améliora les conditions de vie sur la surface de la planète.

La vie conquiert la Terre

Les plantes terrestres, apparues il y a 500 millions d'années, furent rapidement suivies par les mollusques terrestres et de nouveaux types d'invertébrés, comme les insectes. Des embryons de pattes apparurent chez les poissons il y a 400 millions d'années. Certains d'entre eux gagnèrent la terre; leurs descendants, les amphibiens, devaient cependant retourner dans l'eau pour se reproduire. C'est par l'intermédiaire des reptiles que les animaux vertébrés ont pu coloniser de nouveaux milieux terrestres.

Supercontinent

Durant le carbonifère, les diverses plaques continentales se réunirent en une énorme masse terrestre. Les paléontologues appellent ce supercontinent la Pangée, ce qui veut dire «toute la Terre». Au cours de leur évolution, les végétaux et les animaux terrestres investirent de nouvelles régions sans avoir de mers à traverser.

Les végétaux terrestres

Les premiers organismes à photosynthèse qui s'établirent sur les rivages furent les **cyanobactéries**. À mesure que s'épaississait la couche d'ozone, elles furent suivies par les **végétaux terrestres**: de nouveaux organismes issus des **algues vertes**, croissant dans les milieux d'eau douce. Les premières véritables plantes terrestres, les mousses, apparurent il y a 500 millions d'années environ. Un autre groupe, les plantes vasculaires, proliféra à l'intérieur des terres. Bien que dérivant des mousses, elles se reproduisirent sans avoir besoin d'eau pour disséminer leurs cellules sexuelles. Les plantes vasculaires les plus anciennes, ***Cooksonia***, apparurent il y a 420 millions d'années. Ressemblant un peu à la vigne, elles n'avaient ni racines ni feuilles. Leurs courtes pousses libéraient leurs spores au gré du vent. Aujourd'hui, les plantes vasculaires comprennent les fougères, les cycadales, les conifères et les plantes à fleurs.

Les premières forêts

En se répandant sur terre, les plantes vasculaires donnèrent naissance à de nouvelles formes plus grandes. À la fin du **dévonien** (il y a 360 millions d'années) se développèrent les forêts. Des **lycopodes en massue** géants comme le lépidodendron atteignaient 40 m de hauteur. En dessous croissaient jusqu'à 15 m de hauteur les **queues-de-cheval** comme les calamites et les **fougères arborescentes**. Peu après apparurent les premiers **conifères**. Les forêts, plus épaisses dans les zones humides et littorales, étaient fréquemment inondées. En pourrissant, les feuilles mortes et les autres déchets organiques formèrent le sol. Les arbres abattus par les tempêtes et emportés par les inondations finirent par être comprimés sous le poids d'autres déchets végétaux pour former le **charbon**.

Le monde des arthropodes

Le vestige le plus ancien de la vie terrestre est le fossile d'un arthropode inconnu datant de 460 millions d'années. 100 millions d'années plus tard, la Terre grouillait de créatures. Les **araignées**, les **scorpions** et les **chilopodes** côtoyaient les premiers insectes, dont certains avaient déjà des ailes. Des **libellules** aussi grosses que des mouettes chassaient les insectes volants tandis que les **podures** et les **cancrelats** se gavaient de végétaux en décomposition, à proximité de **diplopodes** de 2 m de long.

Des nageoires aux pattes

Les premiers vertébrés terrestres furent les **amphibiens**, descendants des poissons d'eau douce capables de respirer l'air. On pense que ces poissons se mirent à chasser les animaux invertébrés qui venaient de coloniser la Terre. On n'a pas encore trouvé de fossiles d'animaux intermédiaires entre les poissons et les amphibiens. Au début du dévonien, les **sarcoptérygiens** (comprenant aujourd'hui les **cœlacanthes** et les **poissons à poumons**) élaborèrent des nageoires charnues, pourvues d'un embryon de squelette. On suppose que ce squelette a donné naissance, des millions d'années plus tard, aux pattes des amphibiens les plus anciens que l'on connaisse, comme ***Acanthostega***, qui vécut dans les marais du Groenland à la fin du dévonien, il y a 360 millions d'années.

L'avènement des reptiles

Même si les amphibiens étaient capables de gagner la terre, leur milieu naturel était aquatique. Leur peau nue et humide était fragile, ce qui les obligeait à retourner dans l'eau pour procréer. Au carbonifère, entre – 360 et – 286 millions d'années, apparurent d'autres créatures à **peau sèche** et à **œufs à coquille**. Capables de coloniser des habitats encore plus éloignés des rivages, ces reptiles vertébrés dominèrent la terre ferme. Les premiers reptiles ressemblaient aux lézards actuels, mais d'autres espèces évoluèrent. Au début du permien, il y a 245 millions d'années, c'étaient des géants. Les reptiles dotés d'un grand voile cutané dorsal comme le **dimétrodon** carnivore pouvaient mesurer 4 m de long.

LE SAVIEZ-VOUS ?

Avant de gagner la terre ferme, les organismes complexes devaient être protégés du **rayonnement ultraviolet** par la **couche d'ozone**. L'**eau** des mers et des rivières leur assurait cette protection, tel un écran solaire.

Du changement dans l'air

Comme les plantes colonisaient la Terre, la quantité d'**oxygène** émise dans l'**atmosphère** s'accrut. À l'époque où apparurent les premières plantes vasculaires, le taux d'oxygène représentait le dixième de ce qu'il est aujourd'hui. L'expansion des forêts au cours du dévonien augmenta sensiblement ces proportions. Pendant ce temps, la quantité d'azote s'accrut également, du fait de la réaction de l'oxygène avec l'ammoniac présent dans l'atmosphère.

La classification du vivant

Les biologistes classent l'ensemble du vivant en cinq règnes différents : les monères (procaryotes), les protistes, les champignons, les végétaux et les animaux. Il existe des rapports plus ou moins étroits entre les êtres vivants. On peut remonter depuis un organisme jusqu'à la première étincelle de vie, il y a 3,8 milliards d'années. La vie sur la Terre repose sur le carbone. Les substances qui constituent la matière vivante – protéines, lipides, glucides et ADN – sont structurées d'après cet élément.

La vie en deux super-règnes

Toutes les formes de vie entrent dans deux super-règnes, celui des **procaryotes,** qui inclut les êtres les plus simples, et celui des **eucaryotes**. Ce dernier se divise en quatre règnes : **protistes**, **champignons**, **végétaux** et **animaux**. Le règne des protistes a fini par inclure les organismes eucaryotes qui n'ont pas les critères définissant les champignons, les animaux et les végétaux.

Les procaryotes

Ce groupe inclut les êtres les plus simples et les plus primitifs – ceux qui n'ont pas de noyau cellulaire. Il n'a qu'un règne – les monères. Toutes les **bactéries**, dont les **archées** et les **eubactéries**, sont des procaryotes.

Les eucaryotes

Tous les organismes non procaryotes se classent dans les eucaryotes. Ceux-ci incluent des **organismes unicellulaires et pluricellulaires**. À l'opposé des procaryotes, chaque cellule eucaryote a un **noyau** qui contient son ADN.

LES PROTISTES : la plupart d'entre eux sont unicellulaires et aquatiques. Les algues furent longtemps classées parmi les végétaux, mais ce sont des protistes.

LES CHAMPIGNONS : ils vivent exclusivement sur ou dans l'hôte dont ils se nourrissent. Certains sont unicellulaires, d'autres pluricellulaires.

LES VÉGÉTAUX : tous les organismes pluricellulaires vivant sur le sol et dépendant de la lumière solaire. De rares espèces sont aquatiques.

LES ANIMAUX : ils peuvent se déplacer et se nourrissent d'autres êtres vivants. La plupart ont des organes sensoriels. Tous sont pluricellulaires.

L'inventeur du système

C'est Carolus Linnaeus, ou Carl Linné, qui inventa le système moderne de la nomenclature biologique en 1758 en s'inspirant des Français Bernard et Antoine de Jussieu. Carl Linné naquit en Suède, le 23 mai 1707. Fils d'un pasteur luthérien, il s'intéressa très tôt aux végétaux et étudia la botanique et la médecine. Il élabora son système de classification alors qu'il était professeur à l'université d'Uppsala. En 1761, il fut annobli et prit le nom de Carl von Linné. Il devint également le médecin personnel de la famille royale de Suède.

Les niveaux de classification

Les êtres vivants se classent dans des groupes qui se subdivisent entre eux. Voici, par exemple, le cas de l'amanite tue-mouches, qui est toxique :

- RÈGNE : champignons
- PHYLUM : basidiomycètes
- CLASSE : hyménomycètes
- ORDRE : tricholomatales
- FAMILLE : amanitacées
- GENRE : *Amanita*
- ESPÈCE : *Amanita muscaria*

Les virus

Ils sont une énigme biologique. La plupart de ces **parasites** minuscules ne sont pas plus gros qu'un brin d'ARN (structure génétique simple) enveloppé dans une capside de protéine. Sans la présence d'un hôte, ils ne peuvent rien faire. Une fois dans la cellule hôte, ils utilisent ses structures pour se répliquer et même muter. Le fait que les virus possèdent si peu de caractères spécifiques à la vie signifie qu'ils **ne sont pas vivants**, bien qu'ils aient un lien avec les organismes vivants. Théoriquement, les virus se sont développés à partir de segments de matériel génétique rudimentaire et sont devenus parasites dans le but de survivre.

PETITE INFO

Les **virus** sont l'une des causes des **maladies de l'homme** et d'autres organismes vivants.

Les bactéries

Les bactéries sont les organismes vivants les plus primitifs. Elles existent depuis 3,8 milliards d'années – presque deux fois plus longtemps que les autres formes de vie.
Les bactéries se divisent en deux groupes, les archées et les eubactéries. Les eubactéries se subdivisent en cyanobactéries (algues bleues) et en bactéries hétérotrophes – qui se nourrissent de substances extérieures sans les synthétiser. La majorité des espèces bactériennes sont hétérotrophes. Les bactéries ont colonisé tous les milieux.

Une bactérie typique

Les bactéries ont une même structure de base. Leur **ADN** flotte dans le **cytoplasme** semi-liquide, contenu par une **membrane cellulaire poreuse** souvent entourée d'une **paroi cellulaire poreuse.** Certaines bactéries sont dotées d'un **flagelle** pour se mouvoir. La plupart sont unicellulaires, mais certaines cyanobactéries se regroupent en colonies. Les bactéries n'ont pas d'organites, mais contiennent des ribosomes pour synthétiser les protéines.

Un univers

Les bactéries sont très répandues dans la **croûte terrestre**. On estime que leur quantité excède celle de tous les êtres vivant à la surface. Elles foisonnent dans les anfractuosités des roches, sous le plancher marin, où elles décomposent les particules rocheuses.

Elles sont partout

Les bactéries vivent presque partout, y compris sur nos cheveux et notre peau. Elles produisent la plaque dentaire, décomposent la sueur et sont aussi responsables de l'acné et des furoncles. On les trouve sur **des montagnes aux fosses océaniques**, sur les arbres et dans les fissures rocheuses ou les déserts glacés de l'Arctique. Beaucoup contribuent à métamorphoser les roches en métaux comme le fer ou en composés inorganiques comme les sulfates.

Bactéries utiles

La plupart des bactéries sont inoffensives; certaines sont même bénéfiques, par exemple pour la **digestion**. Il y a plus de bactéries dans nos intestins que de cellules (ADN compris) dans notre corps. On utilise des bactéries pour fabriquer des **aliments** comme le yogourt et, en **médecine**, pour produire des antibiotiques comme la streptomycine.

Les archées

Les archées sont **les plus archaïques** des êtres vivants. Apparues à une époque où la Terre était très différente d'aujourd'hui, elles ne peuvent s'adapter qu'à des milieux rappelant les conditions qui existaient alors. Les archées prolifèrent donc dans les sources chaudes et près des évents hydrothermaux, au fond des océans.

Les bactéries et les maladies

Le mot bactérie est naturellement associé à celui de **germe**. Il est vrai que les bactéries sont à l'origine de nombreuses maladies qui affligent l'humanité. Voici quelques-unes des coupables.

Espèce	Maladie	Commentaire
Bordetella pertussis	Coqueluche	La 7e maladie infectieuse la plus mortelle au monde : plus de 300 000 morts par an.
Clostridium botulinum	Botulisme	Une forme rare d'empoisonnement alimentaire. La bactérie produit une neurotoxine fort dangereuse, qui peut entraîner la paralysie et la mort.
Clostridium tetani	Tétanos	La bactérie fabrique une toxine qui provoque des spasmes musculaires.
Corynebacterium diphtheriae	Diphtérie	Infection de la gorge entraînant des difficultés respiratoires.
Listeria monocytogenes	Listériose	Non mortelle, elle expose cependant les personnes âgées aux risques de méningite.
Mycobacterium tuberculosis	Tuberculose	La 4e maladie infectieuse la plus mortelle au monde : plus de 1,6 million de morts chaque année.
Salmonella typhi	Typhoïde	Maladie intestinale qui se répand à cause de mauvaises conditions d'hygiène.
Streptococcus pyogenes	Scarlatine	Non mortelle; les symptômes sont une éruption généralisée et des douleurs à la gorge.
Vibrio cholerae	Choléra	Se répand sous forme d'épidémie, par contamination des aliments et de l'eau.
Yersinia pestis	Peste	Transmise par les puces de rat. Désormais rarissime, elle ne sévit plus en Europe.

Les cyanobactéries

Premiers organismes à photosynthèse, les cyanobactéries exploitaient l'énergie solaire pour produire des glucides et de l'oxygène. Comme les plantes, elles utilisent la **chlorophylle**, et d'autres substances sensibles à la lumière, telle la **phycocyanine**, un pigment bleuâtre. Sa présence avec la chlorophylle vaut aux cyanobactéries le surnom d'algues bleues, mais ce ne sont pas des algues et certaines utilisent la **phycoérythrine**, un pigment rouge. Les cyanobactéries, **aquatiques**, vivent dans la mer ou dans les sols humides, où elles convertissent l'azote de l'atmosphère en composés azotés nécessaires aux végétaux.

Les protistes

Les protistes forment un groupe très divers incluant la grande majorité des eucaryotes unicellulaires (organismes à noyau cellulaire). La plupart des protistes sont aquatiques ou parasitaires. Ceux qui vivent sur le sol, comme les myxomycètes, apprécient l'humidité. Les protistes parasitaires affectent une grande variété d'organismes, dont les humains. Beaucoup sont porteurs de maladies. Les algues sont actuellement classées dans les protistes mais sont ici traitées à part p. 309.

Des êtres minuscules

Nous sommes environnés de protistes. Comme les bactéries, ils vivent dans le sol et s'accommodent de presque tous les milieux aquatiques, de la simple mare jusqu'aux océans. Mais, contrairement aux bactéries, les protistes n'existent hors de l'eau que sous forme de **kystes** dans une coque et seule la présence d'eau peut les ramener à la vie. La majorité des protistes qui ne sont pas des algues sont des organismes unicellulaires indépendants, se nourrissant d'autres protistes ou de bactéries. Ceux qui ont un mode de vie parasitaire se nourrissent des cellules ou des déchets cellulaires de leurs hôtes. Quelques espèces provoquent des maladies. De vastes colonies de protistes marins **dinoflagellés** influent parfois sur leur milieu.

Les amibes

Elles ont des membranes cellulaires flexibles. Elles avalent leurs proies en projetant des pseudomembres appelés **pseudopodes**. Certains protistes ne vivent qu'en tant qu'amibes. D'autres changent de forme à volonté : les amibes flagellées se métamorphosent en kystes lorsque l'eau se fait rare et redeviennent amibes en présence de nourriture.

Les myxomycètes

Ils forment un groupe très particulier d'organismes. Certains se présentent sous la forme d'une grande masse visqueuse, constituée d'une seule **cellule géante** dotée de multiples noyaux. D'autres myxomycètes sont des **amibes unicellulaires** capables de s'agréger en colonies massives alors composées d'organismes pluricellulaires. La reproduction des myxomycètes est similaire à celle des champignons. Lorsque les conditions sont favorables, ils forment parfois un pied qui porte des spores, lesquelles donnent naissance à des amibes.

Les radiolaires

Ces êtres unicellulaires se distinguent des autres protistes par la **coque à base de silice** qui les enveloppe. On en sait peu sur leur nature et sur la faculté de ces corps unicellulaires à produire des squelettes si complexes. Les radiolaires, dont la taille varie de 0,3 à 2 mm, forment un groupe très diversifié. On y trouve des suspensivores et des prédateurs. Certains vivent même en symbiose avec des algues unicellulaires, dont la photosynthèse leur fournit l'énergie indispensable.

Les protistes et les maladies

Les protistes sont responsables de certaines des maladies dégénératives les plus virulentes. Ces protistes pathogènes sont très répandus dans les régions tropicales. En voici des exemples :

- CRYPTOSPORIDIUM PARVUM : provoque la cryptosporidiose, une des principales causes des coliques et des diarrhées dans la population mondiale.
- ENTAMOEBA HISTOLYTICA : provoque l'amibiase, qui se manifeste par la dysenterie amibienne.
- GIARDIA INTESTINALIS : provoque la lambliase ; maladie non mortelle mais qui peut entraîner la dégénérescence irréversible des intestins. Transmise par l'eau contaminée.
- LEISHMANIA : provoque la leishmaniose, transmise par le phlébotome.
- NAEGLERIA FOWLERI : provoque la méningo-encéphalite, qui pénètre dans le cerveau à travers la muqueuse nasale. La maladie est rare mais mortelle.
- PLASMODIUM : provoque le paludisme, la cinquième maladie infectieuse la plus mortelle, responsable de plus d'un million de décès par an. Le paludisme est transmis par des moustiques.
- TOXOPLASMA GONDII : provoque la toxoplasmose, transmise par les chats. Le fœtus peut subir des lésions si la mère est atteinte.
- TRICHOMONAS VAGINALIS : provoque la trichomonase, maladie sexuellement transmissible.
- TRYPANOSOMA GAMBIENSE : provoque la trypanosomiase, ou maladie du sommeil. Transmise par la mouche tsé-tsé.
- TRYPANOSOMA CRUZI : provoque la maladie de Chagas, répandue en Amérique du Sud et en Amérique centrale, qui affecte le système nerveux et peut être mortelle.

Les flagellés

Ce groupe très varié de protistes a un point commun, le flagelle, un organe locomoteur en forme de fouet auquel elles doivent leur nom. Les **flagelles**, qui peuvent être uniques ou agencés par paires, prennent racine sur la membrane cellulaire. Les flagellés se déplacent dans l'eau ou d'autres milieux liquides en imprimant au flagelle un mouvement rotatif ou latéral. Les flagellés présentent des formes complexes. Les choanoflagellés, par exemple, les **ancêtres probables de tous les animaux**, se servent de leur flagelle unique, entouré d'une collerette, pour se mouvoir et se nourrir. Parmi ces protistes, certains flagelles sont fixés par des pédoncules. Les bactéries sont entraînées par le flagelle à la base de la collerette puis avalées.

Les ciliés

Ils comprennent certains des protistes les plus **grands** et les plus **complexes** – mais ils sont tous unicellulaires. Certains atteignent une taille de 2 mm. Ils vivent dans tous les milieux aquatiques du globe, depuis l'océan jusqu'aux flaques d'eau. Les ciliés se nourrissent de bactéries ou d'autres protistes. Certains sont parasitaires.

LE SAVIEZ-VOUS ?

Des **ciliés** vivent dans les intestins des animaux, facilitant la digestion. D'autres protistes aident à la digestion : certaines amibes, qui ne vivent que dans les termites, décomposent le bois.

Le règne végétal

Les plantes constituent un élément clef de la vie sur terre. Organismes multicellulaires, elles utilisent l'énergie solaire pour se nourrir. Les cellules végétales ont la particularité d'être entourées d'une paroi de cellulose souple et épaisse. La plupart possèdent également en leur centre, une vacuole contenant de la sève cellulaire. Théoriquement, toutes les plantes croissent sur terre. Les quelques espèces aquatiques sont issues d'ancêtres terrestres. Plus de 250 000 espèces végétales sont répertoriées à ce jour.

La classification des plantes

La flore se divise en **plusieurs groupes** plus ou moins apparentés, comme l'illustre l'arbre généalogique ci-dessous, qui montre également l'évolution de ces groupes. En haut, les **plantes primaires, hépatiques, mousses** et apparentées, qui seraient issues directement de l'**algue verte**. Les plantes plus récentes apparaissent au bas du schéma.

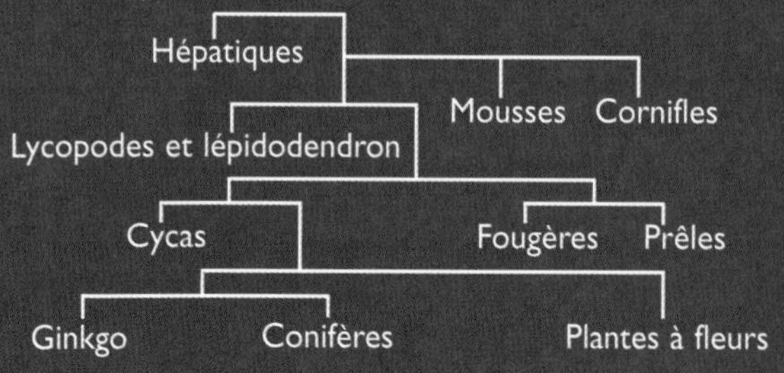

Hépatiques
Mousses
Cornifles
Lycopodes et lépidodendron
Cycas
Fougères
Prêles
Ginkgo
Conifères
Plantes à fleurs

Comment se nourrissent les plantes?

La **photosynthèse** permet aux plantes d'utiliser la lumière solaire pour générer des **glucides** à partir du gaz carbonique et de l'eau. Chaque cellule de la feuille contient des **chloroplastes**, dans lesquels se produit la photosynthèse. La structure fine et plate de la feuille permet à la lumière de les atteindre tous. À la surface, les **stomates** (pores) laissent filtrer l'air pour que se produise l'échange gazeux. Par temps chaud et sec, ces stomates peuvent se refermer pour limiter la perte d'eau.

Énergie solaire

Les feuilles utilisent la lumière du soleil pour produire les nutriments nécessaires à la vie de la plante, en suivant plusieurs étapes:

- La feuille puise l'énergie solaire.
- L'eau pénètre dans la plante par les racines et monte vers la feuille.
- Le gaz carbonique de l'atmosphère pénètre dans la feuille.
- Le glucose se forme et les cellules de la plante stockent sucres et amidon.
- Sucres et amidon sont scindés.
- L'énergie se dégage.
- L'oxygène se forme et s'échappe dans l'atmosphère.
- La décharge d'énergie produit du gaz carbonique.

Racines et rhizomes

La plupart des plantes possèdent des racines souterraines qui **absorbent l'eau et les minéraux.** Celles des plantes vasculaires leur permettent aussi de s'ancrer dans le sol et de croître à la verticale. D'autres plantes se propagent par le biais de **tiges souterraines (rhizomes)** qui se répandent en sous-sol et en surface. Parmi les espèces dotées de rhizomes, on compte iris, fougères et bananiers.

La multiplication des plantes

Les plantes ont maintes façons de se reproduire. La plus connue est la **reproduction sexuée** des plantes à fleurs. Organes mâle et femelle produisent des cellules sexuelles individuelles qui se combinent pour former une graine. À maturité, elle tombe et donne une nouvelle plante. Les organes mâle et femelle peuvent se trouver dans une seule ou dans deux plantes. Certaines espèces sont sexuées et ne produisent que des fleurs mâles ou femelles. Les **conifères** se reproduisent aussi ainsi mais ne forment pas de vraies fleurs. Les **plantes primaires** (mousses, fougères…) se reproduisent différemment, à l'aide de spores au lieu de graines. La plupart des plantes peuvent aussi se reproduire par des **greffons**, créant alors des versions génétiquement identiques d'elles-mêmes. Certains arbres, comme le frêne, sont dotés de **surgeons**, pousses qui croissent à partir des racines ou de la base de la tige.

Les plantes au cinéma

- La Dame aux camélias 1953
- La Tulipe noire 1964
- Orange mécanique 1971
- Rosebud 1974
- The Rose 1979
- La Rose pourpre du Caire 1985
- Fanfan la Tulipe (reprise) 2003
- Le Dahlia noir 2006

Les stratégies de survie

Les plantes ayant colonisé la surface de la Terre, leur présence ou leur absence définissent la plupart des habitats. Le secret de leur survie est la variété. Elles ont évolué en une grande diversité de formes, chacune reflétant une stratégie efficace de survie.
Sous les tropiques, l'évolution est liée à la quête de lumière, donnant des arbres et des plantes qui croissent sur les branches des autres. Mais, dans le désert, les plantes ont de longues racines et des feuilles grasses.

Les noms de plantes

Les plantes sont désignées par un nom en deux parties (le genre et l'espèce), sauf les plantes de jardin.
Les **cultivars** issus d'une espèce se voient ajouter des qualificatifs, par exemple *Clematis alpina* 'Frances Rivis'. Lors du croisement de deux espèces, le nom de ces dernières est oublié au profit d'un nouveau nom.
Le x désigne une plante hybride. Ainsi, l'hybride de deux hellébores, *Helleborus niger* et *H. argutifolius,* devient *Helleborus x nigercors.*

Les plantes primaires

Les plantes primaires regroupent toutes les plantes ne produisant pas de graines. Elles se présentent sous deux formes : les sporophytes et les gamétophytes. Les unes produisent les autres, et inversement. Les botanistes parlent alors de génération alternée. Les plantes les plus primaires – cornifles, hépatiques et mousses – sont en général de taille réduite, peu visibles et de structure simple, sans grande différenciation tissulaire. Lycophytes, prêles et fougères possèdent des tissus vasculaires (des vaisseaux transportant la sève), que l'on retrouve chez les plantes à graines.

Les lycophytes

Ce terme générique regroupe **isoètes** et **pieds-de-loup** et désigne le groupe le plus ancien de plantes vasculaires. De nos jours, elles ne sont pas très nombreuses, mais, au début du carbonifère (de – 360 à – 286 millions d'années), elles dominaient la planète, formant des forêts denses dont certaines espèces dépassaient 35 m de haut. La plupart des espèces modernes sont des plantes basses des forêts tropicales, même si certaines croissent dans les zones tempérées. Les pieds-de-loup vont de la plante basse aux formes arborescentes, et la plupart sont persistantes. Elles se distinguent de toutes les autres plantes vasculaires par la présence de **microphylles** à la place de feuilles (aussi appelées mégaphylles). Les microphylles sont de petites structures simples dotées d'un seul vaisseau ou veine.

Une ressemblance précoce

Cornifles et **hépatiques** nous donnent un aperçu de ce que pouvaient être les premières formes de vie terrestre. Bien que vertes, elles ne ressemblent guère aux autres plantes. La plupart sont dépourvues de branches, de tiges et de feuilles. À bien des égards, ce sont plus des lichens que des plantes. En dépit de nombreuses similitudes, la cornifle possède un sporophyte long et hérissé qui pousse toute sa vie sur la plante gamétophyte parente. Bien que discrètes, les hépatiques sont fort répandues dans tous les environnements, des régions arctiques aux tropiques.

Les fougères

De toutes les plantes primaires, ce sont les fougères qui ont le mieux résisté à l'épreuve du temps, constituant un groupe prospère de plus de 12000 espèces. Les fougères sont présentes depuis le dévonien (de – 408 à – 360 millions d'années). Issues du même ancêtre que les prêles, elles se sont vite diversifiées. De nos jours, elles vont des plantes basses aux formes arborescentes, tel *Dicksonia*. La plupart des fougères croissent dans les milieux humides et abondent surtout sous les tropiques. Toutefois, certaines espèces sont relativement robustes, comme *Pteridum aquilinum*, qui survit souvent aux autres plantes, même en terrain sec.

Les prêles

Autrefois gigantesques, avec des arbres de plus de 30 m, les prêles ne comprennent plus qu'un seul genre : *Equisetum*. De la trentaine d'espèces qui subsistent, la plupart sont de petites plantes herbues, même si quelques espèces tropicales atteignent 3 m de haut.

Les mousses

Souvent négligées à cause de leur taille réduite, les mousses comptent pourtant parmi les groupes les plus diversifiés, avec plus de **10 000 espèces** répertoriées à ce jour.

Nom	Description et commentaire
***Andreaeopsida* (andréales)**	Mousses d'un rouge plus ou moins foncé, parfois presque noires, dont les sporanges sont divisés en quatre ou en huit. Elles poussent sur les pierres.
***Bryopsida* (mousses arthrodontes)**	De taille réduite, dotées de minuscules feuilles vertes, elles représentent plus de 95 % des mousses.
***Polytrichopsida* (mousses nématodontes)**	Les experts reconnaissent ces mousses, similaires aux précédentes, grâce à la structure des appendices entourant le sporange.
***Sphagnopsida* (sphaignes)**	Les plus complexes des mousses. À maturité, elles sont dépourvues des rhizomes qui servent aux autres mousses à absorber les nutriments. Fréquentes dans les tourbières, elles sont vertes et spongieuses et se présentent en touffes.

Les plantes en chansons

- *Les fleurs de macadam* — Jean-Pierre Ferland
- *Le Temps des cerises* — Yves Montand
- *Les Roses de Picardie* — Yves Montand
- *Les Roses blanches* — Berthe Sylva
- *Des fleurs pour Salinger* — Indochine
- *Mon amie la rose* — Natacha Atlas
- *Magnolias Forever* — Claude François
- *Comme un p'tit coquelicot* — Marcel Mouloudji
- *L'important c'est la rose* — Gilbert Bécaud

La multiplication

Les plantes primaires se présentent sous deux formes. Les sporophytes produisent des **spores**, qui engendrent directement de nouvelles plantes. Les gamétophytes produisent des **gamètes** (cellules reproductrices), qui doivent s'unir pour créer une nouvelle plante. Les spores donnent des gamétophytes mâles ou femelles. Deux gamètes produisent toujours un sporophyte. Chez certaines plantes primaires, comme les **mousses**, le sporophyte pousse sur le gamétophyte femelle. Chez d'autres, telles les **fougères**, le sporophyte germe et vit séparément.

LE SAVIEZ-VOUS ?

Cornifles et **hépatiques** se développent surtout dans les milieux humides. Si elles sont rarement plus grandes que la paume d'une main, certaines espèces tropicales peuvent cependant couvrir des arbres.

Les champignons

Les champignons appartiennent au règne fongique. Ils ressemblent aux végétaux mais n'utilisent pas la photosynthèse. Beaucoup d'entre eux produisent de la chitine, une substance naturelle qui ne se retrouve que dans l'exosquelette des arthropodes. La majorité des champignons se nourrit d'organismes vivants ou de leurs débris. D'autres décomposent les matières inorganiques. Les champignons sont unicellulaires ou pluricellulaires.

Les champignons visibles

Quand nous parlons de champignons, nous pensons aux **champignons comestibles** ou **toxiques**. En réalité, ces organismes sont le produit d'un seul ordre de champignons, les tricholomatales, parmi de nombreux autres. Les champignons comestibles et toxiques sont des **corps fructifères**, ce qui explique qu'on ne les trouve qu'à une époque de l'année. Le champignon qui les produit est invisible, caché dans le sol ou le bois d'où émerge le fruit ou carpophore. Les espèces comestibles et toxiques ont la même structure: un chapeau protecteur recouvrant des tubes ou des lames d'où sont libérées les spores. De nombreux champignons toxiques ont une couleur rougeâtre.

Des réseaux invisibles

La plupart des champignons pluricellulaires vivent dans le substrat qu'ils parasitent. Ils forment des réseaux imbriqués appelés **hyphes**. Invisibles individuellement à l'œil nu, celles-ci ne deviennent visibles que lorsqu'elles s'agglomèrent. Les champignons peuvent vivre des décennies ou des siècles. Certains d'entre eux représentent quelques-uns des **plus grands organismes** qui soient. L'hyphe d'un spécimen d'armillaire commun *(Armillaria ostoyae)* déterrée dans les forêts de l'Oregon, aux États-Unis, s'étendait sur plus de 890 ha – soit 1 220 terrains de football. On pense qu'elle avait 2 400 ans.

Les moisissures

Bien qu'elles soient plus petites qu'eux, les moisissures sont similaires aux champignons. Elles sont constituées de nombreuses hyphes proliférant sur ou dans la substance dont elles se nourrissent. Les moisissures se reproduisent par des **spores** que libèrent soit des cellules particulières, soit des expansions microscopiques: les basides. À l'inverse des graines, les spores ont une structure simple dénuée d'embryon ou de forme préparatoire à la reproduction. Ils germent et croissent sur leur lieu de subsistance.

Le royaume des parasites

De nombreux champignons parasitent d'autres organismes vivants, s'insinuant dans leurs tissus et les absorbant. Il arrive que la plante ou l'animal en meure mais, le plus souvent, la victime réagit en produisant de nouveaux tissus. La plupart des plantes et des végétaux hébergent un champignon au cours de leur existence. Ces organismes entraînent des affections diverses, comme la **rouille des feuilles**. Mais tous les champignons ne sont pas des parasites: certains organismes bénéficient de leur présence. De nombreux végétaux vivent ainsi en symbiose avec tel champignon poussant autour de leurs racines. L'hyphe et leurs racines forment la mycorhize, qui leur permet de prélever dans le sol le phosphore et les autres minéraux indispensables.

Les levures

Elles regroupent toutes les formes de champignons **unicellulaires**. Certaines, comme la levure de boulanger *Saccharomyces cerevisiae*, sont utiles à l'homme. D'autres, comme *Candida albicans*, sont pathogènes. Certaines levures se révèlent dimorphiques: unicellulaires la plupart du temps, elles deviennent pluricellulaires dans certaines conditions.

Les champignons et les maladies

Les champignons sont responsables d'un très grand nombre d'affections, plus désagréables que fatales.

◆ CANDIDA ALBICANS: provoque le muguet. La levure peut se développer dans la bouche, sur la peau, dans les intestins et le vagin. Elle peut provoquer d'insupportables démangeaisons.

◆ CRYPTOCOCCUS NEOFORMANS: provoque la cryptococcose. Les spores inhalées peuvent germer et se développer dans les poumons ou pénétrer dans le sang, puis se répandre sur la peau, dans le cerveau ou dans les os. L'infection n'est grave que chez les personnes souffrant du sida. Elle disparaît généralement d'elle-même sans traitement particulier.

◆ PITYROSPORUM OVALE: provoque les pellicules. Cette affection entraîne une surproduction de cellules qui finissent par mourir. Les squames se détachent et tombent sur les épaules.

◆ TRICHOPHYTON RUBRUM: provoque la mycose du pied. Ce champignon parasitaire est le plus répandu des quatre espèces responsables. La sudation excessive des pieds favorise le pied d'athlète.

◆ TRICHOPHYTON TONSURANS: provoque la teigne. Diverses espèces de parasites provoquent la teigne, *T. tonsurans* étant la plus courante. *T. canis*, qui affecte normalement les chiens, touche également l'homme.

LE SAVIEZ-VOUS ?

Les champignons digèrent tout – **même les CD**. *Geotrichum candidum* a pu décomposer l'aluminium et la résine de polycarbonate composant le disque et dévorer les micro-alvéoles qui y sont gravées.

Les algues

Les algues sont des organismes aquatiques synthétisant leur nourriture par photosynthèse. Elles sont unicellulaires ou pluricellulaires et comprennent certains des plus grands organismes vivant sur la Terre. Les algues se divisent en trois groupes : les algues brunes, les algues rouges et les algues vertes. Bien que toutes se ressemblent, on pense que chacun de ces groupes a surgi isolément dans le passé de la Terre.

Les algues unicellulaires

Elles forment la base de toute la chaîne alimentaire marine. Ces organismes minuscules, n'excédant parfois pas 40 millionièmes de mètre de long, forment le **phytoplancton** qui occupe les niveaux supérieurs de la mer. Grossies à la loupe, ces algues sont souvent d'une extraordinaire beauté, dont la variété n'exclut cependant pas des formes la plupart du temps symétriques. La majeure partie du phytoplancton marin est constituée de chromophytes, ou **algues brunes**. Ces organismes peuvent se déplacer librement comme les flagellés et les diatomées. La plupart des **algues vertes** vivent en eau douce. Certaines espèces croissent également sur le sol. Des milliards de diatomées flottent sur la mer. Non seulement les autres organismes s'en nourrissent, mais elles produisent de l'oxygène.

Des codes couleur

Jusqu'alors classées dans les végétaux, les algues se placent désormais parmi les protistes, en attendant la création d'un nouveau règne. Il y a trois groupes d'algues. Chaque groupe utilise différents pigments pour réaliser la photosynthèse, aussi peut-on facilement reconnaître ses membres par leur couleur.

◆ **Les rhodophytes,** appelés algues rouges, ont un pigment rouge, la phycoérythrine.

◆ **Les algues vertes** utilisent comme pigments les chlorophylles a et b.

◆ **Les chromophytes,** ou algues brunes, ont comme pigments la chlorophylle c et la fucoxanthine.

Plus profond

Les **algues rouges** vivent à une plus grande profondeur que leurs congénères. Le pigment qu'elles utilisent pour la photosynthèse, la **phycoérythrine,** absorbe la lumière bleue, qui voyage plus loin dans l'eau que les autres couleurs. En absence de concurrents, les algues rouges prospèrent paisiblement dès 30 m de profondeur. On en a même trouvé un spécimen associé à la vie des coraux à 268 m de profondeur. Cependant, toutes les algues rouges ne vivent pas en profondeur. Par exemple, *Calliblepharis ciliata* aime les eaux côtières.

Les gènes verts

Les **algues vertes** et les **végétaux** ont des gènes similaires. Tous deux utilisent les mêmes formes de chlorophylle pour assurer la photosynthèse. Les végétaux ont dû **évoluer** à partir des algues vertes. Les différences génétiques entre les deux règnes viendraient des processus d'adaptation des végétaux à la vie terrestre.

Quelques algues marines

S'il existe un millier d'espèces d'algues sur les côtes françaises, on recense 30 000 espèces connues à la surface de la Terre.

◆ **Chêne marin *(Fucus vesiculosus),*** de type brun. Ramifié, doté de vésicules aérifères. S'épanouit dans les lieux rocheux de la zone intertidale.

◆ **Harpon de Neptune *(Asparagopsis armata),*** de type rouge. Épais rameaux plumeux dotés de rameaux secondaires barbelés. Originaire d'Australie, introduit en Méditerranée en 1925.

◆ **Dulse *(Rhodymenia palmata),*** de type rouge. Longs rubans fins translucides. Se consomme toute l'année.

◆ **Goémon noir *(Ascophyllum nodosum),*** de type brun. Ses vésicules aérifères sont circulaires. Forme une ceinture étendue à mi-marée.

◆ **Kelp géant *(Macrocystis pyrifera),*** de type brun. Algue envahissante dont le thalle peut atteindre 60 m de long. Une espèce, introduite dans la Manche, a pu être arrachée. Forme des « forêts » denses (ou macrocyste) dans le Pacifique, au large de l'Amérique, de la Nouvelle-Zélande et de l'Australie.

◆ **Laminaire digitale *(Laminaria digitata),*** de type brun. Type de varech dont le thalle peut mesurer de 1 à 2 m. Très commune sur les côtes rocheuses.

◆ **Varech denté *(Fucus serratus),*** de type brun. Forme palmée ; peut atteindre 1 m de long. S'épanouit dans tous les endroits rocheux.

◆ **Laminaire saccharine *(Laminaria saccharina),*** de type brun. Peut atteindre 3 m de long. Lame au bord gaufré. Se fixe sur la roche par un crampon. S'épanouit sur les rochers au niveau des basses mers.

◆ **Himanthalia allongée *(Elongata himanthalia),*** de type brun. Disque portant deux lanières aplaties mesurant de 1 à 3 m. S'épanouit dans les cuvettes rocheuses.

PETITE INFO

Le **lichen** est un champignon et une algue unicellulaire. Le champignon fournit son habitat à l'algue, qui lui apporte sa nourriture par la photosynthèse.

LE SAVIEZ-VOUS ?

Les coraux ne sont pas les seuls à édifier des **récifs** : les algues le font aussi. Comme le corail, certaines algues rouges sécrètent du carbonate de calcium, donnant naissance à des concrétions assez grandes pour gêner la navigation côtière.

Les conifères et les cycas

Conifères et cycas sont les deux plus vastes groupes de plantes appartenant aux gymnospermes, dont les graines reposent nues sur des écailles. De nos jours, 601 espèces de conifères et 289 de cycas sont répertoriées. Également gymnospermes, les gnètes comptent quant à eux 69 espèces et le ginkgo, une seule. Apparus il y a environ 300 millions d'années, les cycas sont les plus primaires des gymnospermes. Depuis le jurassique (de –208 à –144 millions d'années), ils n'ont guère évolué. Les conifères remontent à environ 290 millions d'années. De nos jours, ils comptent parmi les organismes vivants les plus anciens et les plus grands.

La pollinisation

Malgré l'absence de fleurs, conifères et cycas produisent du pollen. Celui du conifère est porté par le vent à partir de structures similaires au cône qui apparaissent à certaines périodes de l'année. Dans la plupart des espèces, les arbres produisent à la fois des cônes mâles et des cônes femelles. Chez certaines, tels les ifs et les genévriers, il existe des arbres des deux sexes. Quant aux cycas, ils sont toujours soit mâles soit femelles. Le pollen est transporté par les insectes, notamment les scarabées.

Les types de conifères

L'ordre des conifères comprend de nombreux genres, dont voici les principaux.

Nom	Genre	Caractéristiques
Cèdre	*Calocedrus, Cedrus, Thuja*	Bois et feuillage parfumés. Tous les cèdres ne se ressemblent pas.
Cyprès	*Chamaecyparis, Cupressus*	Feuilles en forme d'écailles et petits cônes globuleux.
Sapin	*Abies, Pseudotsuga*	Aiguilles de longueur régulière, cônes ovoïdes dressés, graines blanchâtres ou brunes.
Sapin-ciguë	*Tsuga*	Aiguilles de longueur variable sur une même branche.
Mélèze	*Larix*	Feuilles en forme d'aiguilles disposées en spirale sur les jeunes pousses ou en groupes sur les branches. Toutes les espèces ont un feuillage caduc.
Pin	*Pinus*	Aiguilles de longueur régulière, cônes bosselés en leur centre.
Épicéa	*Picea*	Aiguilles de longueur régulière, cônes constitués d'écailles ligneuses, graines quasi noires.
If	*Amentotaxus, Austrotaxus, Cephalotaxus, Taxus, Torreya*	Aiguilles plates et alignées, graines contenues dans des cônes plus pulpeux que ligneux.

Les aiguilles

Le **mélèze**, qui perd ses aiguilles en hiver, est très répandu dans les régions montagneuses, où le sol est gelé durant six mois de l'année. La chute des aiguilles permet de retenir l'eau dans un environnement où la plupart des arbres à feuillage persistant succomberaient à la sécheresse.

Les cônes

Les cônes des conifères et des cycas protègent les graines durant leur développement. À maturité, ils s'ouvrent pour les libérer. Il en existe de toutes tailles et formes. Parmi les plus petits, celui du **cèdre rouge** *(Thuja plicata)*, qui dépasse rarement 1 cm de long. Celui du **pin de Californie** *(Pinus coulteri)* est le plus long, jusqu'à 36 cm, et peut peser jusqu'à 4,5 kg. D'autres cônes sont plus longs encore, mais jamais aussi massifs. C'est toutefois le cycas tropical qui l'emporte : les cônes d'*Encephalartos* et de *Lepidozamia* peuvent atteindre 1 m de long et 40 kg.

Les records

- **Le plus grand** arbre encore vivant est un séquoia *(Sequoia sempervirens)* de Californie baptisé Mendocino Tree, qui culmine à 112 m.
- **Le plus gros** arbre répertorié fut le Lindsey Creek Tree, un séquoia abattu lors d'une tempête, en 1905, et qui pesait 3 300 t.
- **Le plus vieil** arbre serait le pin de Bristlecone *(Pinus longaeva)*, qui pousse dans les montagnes Rocheuses. Il aurait 4 600 ans.
- **L'Eon Tree**, un séquoia abattu en 1977, comptait pas moins de 7 223 anneaux, autant d'années d'une vie qui commença avant l'âge du bronze.

Les feuilles

Conifères et cycas possèdent un feuillage très différent. Les conifères ont de nombreuses feuilles en forme d'écailles, très petites, adaptées à un environnement sec et au gel, en hiver. Les cycas, dotés d'immenses frondes, vivent surtout dans les régions tropicales et subtropicales, où il pleut beaucoup.

Le saviez-vous ?

Ni conifère, ni cycas, le **ginkgo** *(Ginkgo biloba)* n'a guère changé depuis l'époque des dinosaures. Dernier survivant d'une famille autrefois nombreuse, il pousse à l'état primaire en Chine.

Les plantes à fleurs

Les angiospermes, ou plantes à fleurs, sont le groupe le plus répandu et le plus prospère. Elles peuplent pratiquement toute la planète, jusqu'à l'Antarctique. Seules plantes à produire de véritables fleurs, elles se répartissent en monocotylédones et dicotylédones. Plus de 240 000 espèces d'angiospermes sont répertoriées à ce jour.

La classification des plantes à fleurs

Il existe plusieurs systèmes de classification des angiospermes. Le plus répandu est celui du botaniste américain Arthur Cronquist (1919-1992), établi en 1988.

- **Alismatidées** (500 espèces) : zostère, plantain d'eau.
- **Arécidées** (5 600 espèces) : arum, lentille d'eau, palmier, bandanus.
- **Astéridées** (60 000 espèces) : lilas de Chine, gentiane, garance, menthe, belle-de-jour, pervenche, plantain, viorne, achillée.
- **Caryophyllidées** (11 000 espèces) : cactées, œillet, herbe-à-sept-têtes.
- **Commélinidées** (5 000 espèces) : lycopode, ériocaulon, jonc, laîche, éphémère, graminées (dont le bambou).
- **Dilléniidées** (25 000 espèces) : balsa, bégonia, cacaotier, câprier, cotonnier, bruyère, fromager, mauve, pivoine, primevère, théier, violette, saule.
- **Hamamélidées** (3 400 espèces) : aulne, hêtre, bouleau, orme, figuier, noyer blanc, charme, mûrier, ortie, chêne, pacanier.
- **Liliidées** (26 500 espèces) : agave, aloès, crocus, jonquille, freesia, glaïeul, hosta, jacinthe, iris, lis, oignon, orchidée, perce-neige, scille, tulipe, igname, yucca.
- **Magnoliidées** (12 000 espèces) : bouton-d'or, laurier, magnolia, poivre, pavot, nénuphar.
- **Rosidées** (58 000 espèces) : carotte, cerisier, agrumes, géranium, vigne, rhubarbe, houx, hortensia, palétuvier, érable, gui, myrtille, pêcher, pois, prunier, protée, rafflésie, rosier, saxifrage, euphorbe.
- **Zingibéridées** (3 800 espèces) : maranta, bananier, broméliacées, gingembre, héliconie, chanvrier.

Une feuille ou deux ?

C'est la structure de leur embryon qui distingue **monocotylédones** et **dicotylédones**. Les premières ne produisent qu'un seul cotylédon, petite feuille qui s'insère dans l'axe de la plantule. Chez les secondes, le germe produit deux cotylédons faciles à scinder en deux. Elles se distinguent également par leur feuillage : les premières ont des feuilles longues et étroites avec des nervures parallèles ; chez les secondes, elles sont plutôt arrondies avec des nervures ramifiées.

PETITE INFO

Le breuvage mythologique des dieux est le **nectar**. De nos jours, ce terme désigne la substance gluante grâce à laquelle les fleurs attirent insectes et pollinisateurs.

La structure d'une fleur

La fleur est essentiellement un organe contenant tous les éléments nécessaires à la reproduction. Les fleurs destinées à être pollinisées par des animaux ont des caractéristiques qui attirent certains d'entre eux.

- Les **pétales** colorés indiquent la présence de la fleur aux pollinisateurs, tels les insectes.
- Les **sépales** assurent la protection du bouton.
- Le **style** relie le stigmate à l'ovaire.
- Les **anthères** produisent le pollen, qui renferme les gamètes mâles.
- Le **stigmate** reçoit le pollen. Les gamètes mâles issus du pollen partent vers l'ovaire.
- L'**ovaire** renferme les gamètes femelles (cellules sexuelles).

La diversité des fleurs

Il existe des fleurs de toutes formes, tailles et couleurs. Cette diversité est le fruit d'une large gamme de **stratégies de reproduction** utilisées par ces plantes. Certaines produisent des fleurs mâles et femelles distinctes, tandis que d'autres allient les deux au sein d'une même structure. La méthode de pollinisation influe également sur l'aspect de la fleur. Les espèces faisant appel au vent forment souvent des grappes de fleurs simples, reposant sur de longues tiges ou pendant des branches.

Les origines des plantes

Si les plantes de nos jardins vivaient à l'origine en pleine nature, il en existe aujourd'hui de nombreux cultivars et hybrides qui ressemblent encore à leurs équivalents sauvages. Voici les origines de certaines espèces :

- **Buddleja davidii** : province du Sichuan (Chine)
- **Camellia japonica** : Japon
- **Canna indica** : Antilles, Amérique centrale et du Sud
- **Clematis montana** : Népal et Tibet
- **Dicksonia antarctica** : Australie, Tasmanie, îles subantarctiques
- **Euphorbia characias** : Europe méditerranéenne
- **Fatsia japonica** : Japon
- **Forsythia suspensa** : Chine
- **Fuchsia magellanica** : Chili
- **Geranium psilostermon** : Turquie et Arménie
- **Helianthus annuus (tournesol)** : États-Unis, Canada et Mexique
- **Hosta ventricosa** : Chine et Corée du Nord
- **Hydrangea anomala** : Nord-est de la Russie, Corée, Japon, Taïwan
- **Jasminum officinale** : Inde, Népal, Bhoutan, Birmanie, Chine
- **Lavandula angustifolia** : Europe méditerranéenne
- **Ligustrum ovalifolium (troène)** : sud-ouest des États-Unis
- **Magnolia grandiflora** : sud-est des États-Unis
- **Osteospermum jucundum** : Afrique du Sud
- **Passiflora caerulea (passiflore)** : Argentine, Bolivie (Sud), Paraguay, Brésil (Sud), Uruguay
- **Phlox subutala** : est des États-Unis et Canada
- **Tulipa greigii (tulipe)** : Asie centrale
- **Wisteria floribunda** : Japon
- **Zantedeschia aethiopica (arum)** : Afrique du Sud

Évolution et extinction

L'évolution est le résultat des changements apparus au cours des générations à la suite de modifications de l'environnement. Les animaux évoluent en fonction de ces changements et acquièrent même parfois des formes nouvelles, dépendant de facteurs vitaux comme la recherche de nourriture ou la lutte pour la vie. Les organismes qui ne parviennent pas à s'adapter aux changements s'éteignent. Le phénomène de l'évolution fut mis en évidence pour la première fois par le naturaliste anglais Charles Darwin au XIXe siècle, ce qui suscita une violente controverse dans une société où l'on croyait encore que le monde avait été créé par Dieu en 7 jours. Sa théorie permit de répondre à un grand nombre de questions et en particulier d'expliquer l'apparition d'espèces non apparentées mais se ressemblant à travers le globe.

Charles Darwin

Charles Darwin (1809-1882) est né à Shrewsbury, en Angleterre. Il obtient un diplôme de théologie à Cambridge, en 1831, puis participe en qualité de naturaliste durant 5 ans à l'expédition du *Beagle* en Amérique du Sud, en Australie et surtout aux Galápagos. Il rapporte de ce périple d'importantes collections de plantes et d'animaux ainsi que le récit de son voyage (*Voyage d'un naturaliste autour du monde*, 1839). Installé dans la campagne anglaise pour des raisons de santé, il rédige son ouvrage majeur exposant sa théorie sur l'évolution du vivant : *De l'origine des espèces par voie de sélection naturelle*, publié en 1859.

Rester en vie

L'une des impulsions les plus impérieuses qui régissent l'évolution est la **lutte pour la vie** entre les **prédateurs** et les **proies**. Une caractéristique de survie adoptée par une espèce se transmettra à la génération suivante. Mais la lutte pour la vie produit parfois des surprises. Les prédateurs peuvent devenir plus rapides et plus agiles, forçant leurs proies à s'adapter. Tel est l'exemple du **guépard** et du **springbok**. Incapables de fuir, les **plantes** se défendent parfois en élaborant des **poisons**. C'est un des résultats de l'évolution. Ainsi, les plantes indigestes ont plus de chances de survivre. Autre stratégie : le **camouflage**. Les créatures qui sont difficiles à déceler courent peu de risques d'être dévorées.

La rivalité des espèces

L'évolution peut être influencée par la **rivalité** des espèces. Dans la forêt pluviale tropicale, par exemple, les **végétaux** rivalisent entre eux en cherchant la lumière du soleil, ce qui pousse certains arbres à augmenter en taille. La rivalité entre les **animaux** résulte parfois de l'émergence de nouveaux comportements. Confrontée à une lutte sans merci, une espèce peut graduellement modifier son régime alimentaire pour ne plus servir de proie. Introduit dans les parcs britanniques en 1876, l'écureuil gris s'est répandu en 1940 dans la campagne proche. En 2000, l'écureuil roux avait perdu son habitat habituel. L'écureuil gris supplanta le roux car, contrairement à ce dernier, il peut se nourrir des noix vertes des forêts de feuillus.

Le climat

Les modifications du climat forcent souvent les espèces à s'adapter au cours de leur évolution. Ainsi, la Terre a connu de nombreuses **périodes glaciaires**. Pour survivre, les mammifères durent élaborer des techniques destinées à se prémunir du froid. Par exemple, le **mammouth laineux** vit la taille de ses oreilles régresser en comparaison de celles de ses prédécesseurs et sa fourrure s'épaissir. Même ses défenses s'allongèrent en s'incurvant pour pouvoir arracher les plantes enfouies sous la neige.

CHRONOLOGIE

L'apparition de la vie Les plus vieux fossiles sont ceux de stromatolithes datant de **3,5 milliards d'années**. Ce sont des structures calcaires édifiées par les cyanobactéries appelées aussi algues bleues.

Les premiers animaux Ils sont sans doute apparus il y a **720 millions d'années**. Les plus anciens fossiles, tels que ceux de *Dickinsonia*, datent de 600 millions d'années.

Les premiers poissons Les fossiles de poissons primitifs, tel *Arandaspis*, ont été trouvés dans des roches datant de **470 millions d'années**.

Les premiers amphibiens Les amphibiens tels que *Proterogyrinus* apparaissent il y a **335 millions d'années**. Ce sont les premiers vertébrés à vivre en partie sur la terre ferme.

Les premiers reptiles Le plus ancien reptile connu, *Hylonomus*, avait l'apparence d'un lézard. Se nourrissant d'insectes et d'autres invertébrés, il mesurait environ 20 cm et vivait il y a **310 millions d'années**.

Extinction À la fin du paléozoïque, il y a **245 millions d'années**, 95 % des espèces vivantes disparaissent de la surface de la Terre.

Les premiers mammifères De petite taille, les mammifères primitifs, tel *Morganucodon*, ressemblaient à des musaraignes. Contemporains des dinosaures, ils apparaissent il y a environ **230 millions d'années**.

Les premiers oiseaux Le plus ancien oiseau connu est *Archaeopteryx*, découvert en Allemagne en 1861. Les terrains où se trouvaient les fossiles datent de **146 millions d'années**.

Extinction Les dinosaures et de nombreuses autres espèces ont disparu il y a **65 millions d'années**. Cette extinction correspond à la fin de l'ère mésozoïque.

L'apparition de l'homme *Homo habilis*, son premier représentant, naît il y a **1,8 million d'années**. Notre espèce, *Homo sapiens*, apparaît entre 200 000 et 140 000 ans.

La spécialisation

La plupart des nouvelles espèces n'ont qu'une alternative pour survivre. Soit elles adoptent un mode **généraliste** en tirant parti d'une nourriture diversifiée, soit elles se **spécialisent** et tirent leur subsistance d'une nourriture spécifique, inaccessible aux autres animaux.
Certaines espèces très étranges se sont ainsi spécialisées dans leur régime alimentaire, comme les fourmiliers (dont le museau s'est développé au cours de l'évolution pour mieux dénicher les fourmis et les termites), les flamants et les chauves-souris. Bien qu'elles n'aient pas de rival, ces espèces courent cependant le risque de s'éteindre, leur unique source de nourriture pouvant se tarir au bout d'un certain temps.

L'insularité

Les îles représentent des niches particulières dans l'évolution. Leur environnement offre des conditions différentes de celles des continents. La plupart des animaux échoués sur les côtes ne tardent pas à donner naissance à de nouvelles espèces. Sur les îles volcaniques, où les prédateurs terrestres sont absents ou rares, les herbivores s'épanouissent en toute tranquillité. Avec le temps, ils ne craignent plus les autres animaux. L'opposé peut se produire. Les îles peuvent constituer des **refuges biologiques** où les formes de vie se conservent alors que les rivalités en jeu dans les continents ont conduit les espèces voisines à l'extinction.

Les Galápagos

Darwin a bâti sa théorie de la sélection naturelle essentiellement à partir d'observations réalisées aux îles **Galápagos**. Il avait remarqué que les pinsons des diverses îles, s'ils paraissaient semblables à première vue, différaient en fait par la **forme de leurs becs**. Darwin fit le lien entre ces différences et le régime alimentaire des oiseaux et démontra qu'elles résultaient d'une adaptation aux sources de nourriture disponibles sur chaque île. Les **pinsons** exploitaient celles qui étaient le plus abondantes ou, au besoin, changeaient complètement d'alimentation.

PETITE INFO
En absence de prédateurs terrestres, la taille des ailes du **cormoran des Galápagos** s'est réduite. Il a perdu son aptitude au vol.

La similitude

Des organismes développent parfois des traits identiques, en raison non de leur parenté mais de leurs modes de vie similaires. C'est ce que l'on appelle l'**évolution convergente**. Les ichthyosaures, les dauphins et les poissons, qui appartiennent à des espèces différentes, ont élaboré la même conformation pour pouvoir évoluer rapidement dans l'eau.

Mémoire perdue

Plus de 2 millions d'espèces ont été découvertes et décrites, et on estime à 100 millions leur nombre total. L'ensemble ne représente toutefois qu'une infime partie de toutes les espèces qui ont existé. Nous en connaissons quelques-unes grâce aux **fossiles**, mais la plupart resteront à jamais inconnues. La formation de fossiles exige des conditions particulières, ce qui limite leur nombre. Les chances de retrouver ces vestiges sont encore plus limitées. Les scientifiques estiment que 99 % des espèces ayant existé, ont disparu sans laisser de traces.

Un âge canonique

Harriet, une tortue géante des Galápagos *(Geochelone elephantopus)*, a vu Darwin de ses propres yeux. Elle fut embarquée à bord du *Beagle* en 1835, puis envoyée en Australie en 1841, où elle devint l'hôte des jardins botaniques de Brisbane. Elle mourut en 2006, à l'âge de 176 ans, dans le zoo australien du Queensland. Cette tortue était **le plus vieux vertébré du monde** connu.

L'évolution humaine

La théorie la plus controversée de **Darwin** concernait l'origine de l'homme, qui aurait évolué à partir de singes primitifs. Même si certains la contestent toujours, de nombreuses preuves fossiles et génétiques viennent la confirmer. Le premier primate, *Proconsul*, est apparu il y a 25 millions d'années. Il a donné naissance à *Homo habilis*, à partir duquel ont évolué *Homo erectus* et *Homo heidelbergensis*, ancêtres d'*Homo sapiens*. L'homme de Neandertal *(Homo neandertalensis)* constitue une lignée différente.

L'extinction

Les espèces vivantes sont susceptibles de disparaître pour différentes raisons. Elles peuvent être éradiquées par l'apparition de **rivaux mieux armés** ou être chassées par de **nouveaux prédateurs**. Les changements climatiques peuvent entraîner la **disparition de leur habitat** ou l'activité volcanique détruire l'île sur laquelle elles vivent. L'extinction des dinosaures aurait, elle, été provoquée par la collision d'un astéroïde avec la Terre.

Les dinosaures, apparus il y a 230 millions d'années, au début du trias, régnèrent sur le monde pendant 165 millions d'années et ont disparu il y a 65 millions d'années. Il s'agissait d'animaux terrestres, incapables de voler. Leur corps était soutenu par des membres redressés, comme chez les mammifères modernes. La plupart étaient recouverts d'écailles comme les reptiles actuels. Certains se nourrissaient de plantes, d'autres de proies, et presque tous étaient ovipares. Un autre groupe descendant des reptiles, les ptérosaures, s'adapta au vol grâce à des ailes membraneuses, alors que survenaient dans les mers de nouveaux reptiles. Les forêts recouvrirent presque toutes les terres et la Pangée commença à se disloquer. Les végétaux adoptèrent également de nouvelles formes : il y a 120 millions d'années apparurent les premières plantes à fleurs.

Avant les dinosaures

À la fin du **permien**, il y a 245 millions d'années, la vie terrestre fut balayée par une **extinction massive** : 95 % de toutes les espèces disparurent. La cause en est inconnue mais les conséquences furent spectaculaires. L'évolution profita de cette occasion pour donner à de nouvelles formes de vie la possibilité d'apparaître, en comblant les vides laissés par leurs prédécesseurs.

PETITE INFO

Le jurassique (– 208 à – 144 millions d'années) fut dominé par des monstres comme ***Argentinosaurus***. Ce dinosaure tire son nom de l'Argentine, où son fossile fut mis au jour.

Les plantes à fleurs

Les plantes à fleurs, ou **angiospermes,** apparurent vers la fin de l'ère des dinosaures, il y a 120 millions d'années. Dominé par les fougères, les cycadales et les conifères, ce modeste groupe proliféra sous de nouvelles formes. Vers la fin du crétacé, il y a 65 millions d'années, les plantes à fleurs étaient devenues le groupe le plus répandu après les conifères, et leurs espèces, les plus diversifiées du monde végétal. Les magnolias sont l'une des rares plantes à fleurs issues du crétacé à perdurer aujourd'hui.

Quand vivaient les dinosaures ?

L'époque à laquelle vivaient les dinosaures est divisée en trois périodes.

◆ Les dinosaures sont apparus dans la première moitié du **trias**, qui débuta il y a 245 millions d'années pour s'achever il y a 208 millions d'années.

◆ Le **jurassique** (de – 208 à – 144 millions d'années) succéda au trias. C'est à cette époque que vécurent les plus grandes espèces de dinosaures.

◆ La plus longue des trois périodes est le **crétacé** (de – 144 à – 65 millions d'années).

◆ Le trias, le jurassique et le crétacé forment l'ère **mésozoïque** (ère du milieu), située entre le paléozoïque (ère ancienne) et le cénozoïque (ère récente).

Les familles de dinosaures

Qui	Quand	Régime	Taille max.	Exemples
Prosauropodes	230-190 MA*	Herbivore	8 m	*Plateosaurus*
Théropodes	230-65 MA	Carnivore	15 m	*Allosaurus*
Fabrosaures	200-135 MA	Herbivore	1,40 m	*Alcodon*
Hétérodontosaures	190-180 MA	Herbivore	1,20 m	*Lycorhinus*
Sauropodes	190-65 MA	Herbivore	40 m	*Diplodocus*
Ankylosaures	185-65 MA	Herbivore	10 m	*Ankylosaurus, Nodosaurus*
Stégosaures	160-65 MA	Herbivore	7,50 m	*Kentrosaurus, Stegosaurus*
Hypsilophodontidés	150-65 MA	Herbivore	4 m	*Hypsilophodon, Tenontosaurus*
Iguanodontidés	145-65 MA	Herbivore	10 m	*Iguanodon, Muttaburrasaurus*
Pachycéphalosaures	115-65 MA	Herbivore	8 m	*Homalocephale, Yaverlandia*
Hadrosaures	100-65 MA	Herbivore	13 m	*Parasaurolophus*
Ceratopsiens	100-65 MA	Herbivore	9 m	*Triceratops horridus*

*MA = millions d'années.

La découverte des dinosaures

C'est un Anglais, William Buckland, qui, le premier, publia la description d'un dinosaure, en 1824. Il s'agissait de ***Megalosaurus***. Un an plus tard, Gideon Mantell décrivit le premier herbivore, ***Iguanodon***. Depuis cette époque, plus de **1 650 espèces ont été découvertes** sur tous les continents, y compris l'Antarctique. Les recherches continuent et donnent d'importants résultats : plusieurs espèces nouvelles sont découvertes chaque année.

La classification des dinosaures

La classification des dinosaures est l'objet d'une grande controverse parmi les scientifiques. Toutefois, la majorité d'entre eux s'accorde à reconnaître douze groupes principaux.

◆ Tous les dinosaures carnivores faisaient partie du groupe des **théropodes**. Il comprend les ancêtres des oiseaux modernes.

◆ Les **sauropodes** étaient les plus grands dinosaures. Ils avaient un long cou, une petite tête et des dents simples, spatulées.

◆ Semblables à de petits sauropodes, les **prosauropodes** ont disparu au début du jurassique.

◆ Le dos des **stégosaures** était protégé par de grandes plaques osseuses. La plupart vivaient au crétacé.

◆ Les **ankylosaures** étaient des herbivores recouverts de plaques osseuses d'où saillaient de longs piquants.

◆ Le haut du crâne des **pachycéphalosaures**, herbivores bipèdes, était fortement épaissi, ce qui atténuait sans doute les chocs lors des combats entre mâles.

◆ Les **cératopsiens** comprenaient *Triceratops*, le plus connu de ces herbivores munis de cornes et protégés par une collerette.

◆ Les pouces des **iguanodontidés** étaient munis d'un éperon osseux. Bien que quadrupèdes, ils pouvaient courir sur deux pattes.

◆ Les **hadrosaures**, herbivores également connus sous le nom de dinosaures à bec de canard, ont vécu au crétacé.

◆ Herbivores rapides, les **hypsilophodontidés** dépassaient rarement la taille d'un homme.

◆ Les **hétérodontosaures** étaient des herbivores primitifs de petite taille. Ils ont disparu au début du jurassique.

◆ Le groupe des **fabrosaures** renferme de petits dinosaures, certains même de la taille d'un poulet.

Un nouveau roi

Pendant 90 ans, ***Tyrannosaurus rex*** détint le record du plus gros carnivore terrestre. Cependant, en 1995, on découvrit en Amérique du Sud le fossile d'un prédateur dont la taille dépassait de 1 m celle du tyrannosaure. Baptisé *Giganotosaurus* (reptile géant) et apparenté à *Allosaurus*, il vivait il y a 90 millions d'années, soit 20 millions d'années avant *Tyrannosaurus rex*.

Question d'œufs

Par rapport à leur taille, les dinosaures pondaient des œufs de petite dimension. Le plus grand que l'on ait trouvé était celui d'un sauropode, ***Hypselosaurus priscus***, mesurant 30 cm de long et 25,5 cm de large.

Se nourrir

Les dinosaures comptaient des carnivores et des herbivores. La plupart des **herbivores** avalaient leur nourriture sans la mâcher. Celle-ci était digérée dans l'intestin, contenant, chez certains, des cailloux (gastrolithes) qui aidaient à la digestion. Des dinosaures du crétacé tel *Iguanodon* développèrent la faculté de mâcher, ce qui améliora aussi la digestion. Les **carnivores** non plus ne mâchaient pas leur nourriture. Les plus gros pouvaient engloutir des morceaux pesant 70 kg. La plupart étaient armés de griffes et de dents redoutables. Les plus grosses griffes appartenaient à *Megaraptor*, un parent d'*Utahraptor* et de *Velociraptor*. Avec 15 cm de long, les dents de *Tyrannosaurus rex* sont les plus impressionnantes. Aplaties mais crénelées sur les bords, elles pouvaient déchirer les chairs et broyer les os. Les **coprolithes** (excréments fossiles) nous renseignent sur leur régime alimentaire.

Fin d'une ère

L'âge des dinosaures prit fin comme il avait commencé, par une extinction massive. Mais cette fois, peu de groupes disparurent, à l'exception des **dinosaures**, des **ptérosaures** et de la plupart des **reptiles marins**. Plusieurs théories tentent d'expliquer ce phénomène. On pense à l'impact d'un énorme astéroïde qui aurait déclenché un cataclysme volcanique planétaire. L'existence d'un gigantesque cratère dans le golfe du Mexique le laisse supposer ; mais le débat n'est pas clos.

PETITE INFO

Les dinosaures dits **herbivores** ne consommaient pas d'herbe à proprement parler, car celle-ci n'est apparue qu'au cénozoïque, bien après l'extinction des derniers dinosaures.

Étymologie

Nom	Signification
Allosaurus	Étrange reptile
Ankylosaurus	Reptile recourbé
Brachiosaurus	Reptile avec des bras
Diplodocus	Double poutre
Iguanodon	Dents d'iguane
Seismosaurus	Reptile qui produit un séisme
Stegosaurus	Reptile à toit
Triceratops	Face à trois cornes
Tyrannosaurus rex	Reptile tyran (roi)
Velociraptor	Prédateur rapide

Ptérosaures et reptiles marins

Dinosaures et ptérosaures avaient sans doute un ancêtre commun qui vivait au début du trias. Les seconds constituent un ordre. Premiers vertébrés capables de voler, les ptérosaures partagèrent les cieux avec les oiseaux durant les 85 derniers millions d'années de leur existence. Comme les oiseaux, les ptérosaures avaient des os poreux très légers. Leurs ailes étaient constituées de membranes cutanées tendues entre le corps et l'extrémité du quatrième doigt, très long. À la même époque, des reptiles marins géants peuplaient les océans. Ils étaient divisés en cinq classes : les plésiosaures, les ichthyosaures, les nothosaures, les placodontes et les mosasaures. Ptérosaures et reptiles marins disparurent avec les dinosaures il y a 65 millions d'années.

Différents ptérosaures

Les premiers ptérosaures étaient de petite taille, dépassant à peine celle d'un corbeau actuel. Ils étaient dotés de longues queues et leurs mâchoires portaient de nombreuses petites dents. La fin du jurassique vit l'apparition d'espèces plus grandes. La queue avait disparu et le nombre de dents, diminué : au début du crétacé, ces dernières étaient totalement absentes. Leur poids s'allégea et leur permit d'atteindre **des tailles qu'aucune autre créature volante n'a jamais atteint depuis**. Le **squelette** des ptérosaures était beaucoup **plus gracile** que celui des dinosaures ou des reptiles marins. C'est la raison pour laquelle on trouve beaucoup moins de fossiles : seulement un peu plus de 120 espèces ont été découvertes jusqu'à présent.

Découvertes

Les ptérosaures et les grands reptiles marins furent découverts avant les dinosaures. Le paléontologue **Georges Cuvier** baptisa le premier ptérosaure *Pterodactylus* en 1809. Douze ans plus tard, le premier reptile marin géant fut découvert en Angleterre. **Henry de La Beche** et **William Conybeare** le nommèrent *Ichthyosaurus*. Le premier dinosaure fut décrit en 1824. Le mot dinosaure fut créé par l'anatomiste anglais **Richard Owen** en 1841, à partir du grec *deinos* (terrible) et *sauros* (reptile ou lézard).

PETITE INFO

Les **tortues marines** actuelles sont apparues au trias et vivaient donc en même temps que les dinosaures. Elles ne sont plus représentées aujourd'hui que par huit espèces.

Le plus grand animal volant

En 1971, le paléontologue Douglas Lawson découvrit au Texas un fossile qui provoqua la stupéfaction. Il mit au jour un os de très grande taille qui se révéla être celui d'un ptérosaure. Celui-ci reçut le nom de *Quetzalcoatlus*, d'après le dieu aztèque représenté comme un serpent à plumes. D'autres découvertes confirmèrent que *Quetzalcoatlus* était bien **le plus grand animal ayant jamais volé,** avec une envergure minimale de 11 m, plus importante que celle des chasseurs Spitfire utilisés lors de la Seconde Guerre mondiale. Malgré sa taille, *Quetzalcoatlus* était étonnamment léger. Grâce à ses os creux, il pesait environ 100 kg, un poids à peine supérieur à celui d'un homme.

Maîtres des océans

Alors que les dinosaures régnaient sur la terre et les ptérosaures dans les airs, d'énormes reptiles peuplaient les océans. **Les plus importants étaient les ichthyosaures et les plésiosaures.**

- Les **ichthyosaures** (« reptiles-poissons ») sont apparus bien avant les dinosaures, il y a 240 millions d'années. Ces animaux étaient très rapides et ils **ressemblaient beaucoup aux dauphins actuels** au début du jurassique. Comptant parmi les espèces marines les plus rapides, *Ophthalmosaurus* avait des yeux très développés, indiquant qu'il devait chasser en profondeur.
- Les **plésiosaures** (« proches des reptiles ») sont apparus juste après les dinosaures et comprenaient deux formes très différentes : des espèces au long cou telles que *Cryptoclidus* et *Elasmosaurus*, se nourrissant de poissons, et des prédateurs comme *Kronosaurus* et *Liopleurodon*, ou pliosaure. Ce dernier atteignait une taille gigantesque : il mesurait 25 m de long et pesait quelque 150 tonnes, ce qui en fait **le plus grand prédateur de tous les temps**.

LE SAVIEZ-VOUS ?

Les deux premiers grands **reptiles marins** à être décrits furent découverts par Mary Anning. *Ichthyosaurus* (décrit en 1821) et *Plesiosaurus* (décrit en 1824) ont été trouvés près de Lyme Regis, où elle vivait.

Autres animaux préhistoriques

La vie animale est apparue il y a au moins 500 millions d'années. Depuis, un grand nombre d'espèces ont vu le jour avant de disparaître. Les premiers animaux étaient tous des invertébrés. On ignore généralement quelle apparence ils avaient, mais certaines formes, telles les méduses, ont subsisté jusqu'à nous. Les premiers vertébrés – des poissons – furent suivis par les amphibiens et les reptiles. Avant l'ère des dinosaures, la Terre était dominée par des reptiles géants comme *Dimetrodon*. L'extinction des dinosaures laissa un grand vide dans lequel s'engouffrèrent les mammifères et les oiseaux. Des espèces contemporaines des dinosaures, tels les crocodiles, survécurent et se développèrent parallèlement à ces deux groupes.

Les premiers animaux

Les premiers êtres vivants sont apparus un peu plus de 3 milliards d'années avant les dinosaures. Pendant une grande partie de cette période, la planète ne fut peuplée que par des **organismes unicellulaires** tels que les bactéries. Il y a 550 millions d'années, au début de l'ère paléozoïque, une grande variété d'**invertébrés marins** apparut. Parmi eux, les **trilobites**, vivant sur les fonds marins, ressemblaient à des cloportes mais atteignaient 70 cm de long. Des milliers d'espèces se développèrent mais toutes avaient disparu au début du mésozoïque. Un autre groupe important est celui des **ammonites**, qui figurent parmi les fossiles les plus connus. Elles ont existé pendant 300 millions d'années avant de disparaître à la fin du mésozoïque. Leurs proches parents, les céphalopodes comme le nautile *(Nautilus pompilius)* et les calmars, sont toujours présents aujourd'hui. Les premiers animaux terrestres étaient aussi des invertébrés – mollusques et ancêtres des arthropodes modernes.

Dents de sabre !

Les **tigres à dents de sabre** étaient de redoutables prédateurs. Les premiers, de petite taille, apparurent il y a environ 5 millions d'années. Trois millions d'années plus tard, ils étaient devenus des géants. ***Smilodon***, qui vivait en Amérique il y a encore 11 000 ans, était beaucoup plus gros qu'un tigre actuel. Ses canines supérieures, recourbées vers le bas, mesuraient plus de 18 cm de long.

Les premiers oiseaux

Les premiers oiseaux apparaissent au jurassique il y a environ 150 millions d'années. On pense qu'ils sont issus de dinosaures carnivores. La mise au jour, en Chine, de fossiles de **dinosaures à plumes** vient appuyer cette théorie. Quatre espèces ont été récemment découvertes : *Sinosauropteryx* en 1996, *Protarchaeopteryx* en 1997, *Caudipteryx* et *Confuciusornis* en 1998. **Le plus ancien oiseau connu** est *Archaeopteryx*, trouvé en Allemagne en 1861. Après la disparition des dinosaures, de nombreuses formes nouvelles émergèrent. Le **plus grand oiseau** (3,70 m) était le moa géant *(Dinornis maximus)*, qui vivait en Nouvelle-Zélande jusqu'à une époque récente – il disparut peu après l'apparition des premiers hommes sur l'île, il y a 1 000 ans. **Le plus gros oiseau** (500 kg), *Dromornis stirtoni*, vivait dans le centre de l'Australie il y a environ 15 millions d'années. Il a disparu il y a seulement 25 000 ans. *Phorusrhacos longissimus*, avec 2,50 m de haut, était **le plus grand prédateur** d'Amérique du Sud jusqu'à l'arrivée des tigres à dents de sabre, il y a 2 millions d'années, lorsqu'elle fut reliée à l'Amérique du Nord. *Argentavis magnificens*, un vautour préhistorique, détenait le record de **la plus grande envergure** (6 m). Il volait dans la pampa d'Amérique du Sud il y a 2 millions d'années et disparut il y a 18 000 ans. Il devait peser 80 kg.

PETITE INFO

Deinosuchus est le plus grand crocodile ayant jamais existé. Long de 15 m et pesant 2 tonnes, il aurait pu facilement affronter ***Tyrannosaurus rex.*** Il vivait au crétacé, en Amérique du Nord.

L'ère des mammifères

Après la disparition des dinosaures, les mammifères prirent la relève. Ils existaient déjà depuis 170 millions d'années, mais des **formes entièrement nouvelles** apparurent et occupèrent les niches laissées vacantes. Brontothères, chalicothères et éléphants remplacèrent les dinosaures herbivores géants. Avec un poids de 15 tonnes, *Indricotherium* est le plus grand mammifère terrestre connu. Proche des rhinocéros actuels, il se nourrissait de feuilles et vivait il y a 25 millions d'années. Les carnivores étaient représentés par les créodontes comme *Hyaenodon*, qui avait la taille d'un petit rhinocéros. *Andrewsarchus*, avec 5 m de long, est le plus grand mammifère terrestre carnivore connu. Les cétacés, tel *Basilosaurus*, prirent la place des reptiles marins géants.

LE SAVIEZ-VOUS ?

Megalodon, long de 15 m, fut **le plus grand requin prédateur**. Il vivait il y a 16 millions d'années. Son nom, qui signifie « grandes dents », est des plus appropriés, car certaines mesuraient jusqu'à 17 cm de long.

Géants de l'ère glaciaire

Au moins quatre glaciations se sont produites au cours des deux derniers millions d'années. La plus récente s'est achevée il y a environ 10 000 ans avec **l'extinction** de nombreuses espèces, dont certaines de très grande taille. Le **rhinocéros laineux** *(Coelodonta antiquus)* et l'**ours des cavernes** *(Ursus spelaeus)* étaient beaucoup plus grands que leurs cousins actuels. Le **cerf géant** *(Megaloceros)* avait la taille d'un élan, mais sa ramure pouvait atteindre 3,70 m d'envergure. Le **mammouth laineux** *(Mammuthus primigenius)* vivait encore il y a 4 000 ans sur des îles de l'Arctique, mais sous une forme naine.

Le règne animal

Les animaux représentent le cinquième règne du monde vivant. Ces organismes pluricellulaires se nourrissent d'êtres vivants. Les animaux ont un temps de réaction plus court aux stimuli extérieurs que les végétaux et les champignons. Si certains, telles les éponges, sont statiques, la plupart se déplacent et cherchent activement leur nourriture. Les animaux appartiennent soit au groupe des vertébrés, soit à celui des invertébrés. Les exceptions, les tuniciers et les lancelets, ont les caractéristiques à la fois des vertébrés et des invertébrés.

La thermorégulation

Les animaux à **sang chaud** maintiennent leur température interne à un niveau constant. Ils fabriquent leur propre chaleur en consommant de l'énergie. Les animaux à **sang froid** utilisent les ressources de l'environnement pour conserver une température optimale. Les mammifères et les oiseaux peuvent rester actifs à des températures trop basses pour être tolérées par les reptiles. Cependant, dans les déserts, où la chaleur est élevée et la nourriture rare, les reptiles survivent plus aisément.

Les invertébrés

Ce groupe inclut les animaux qui n'ont ni colonne vertébrale ni épine dorsale. Les invertébrés représentent **plus de 95 % des espèces animales** et se classent en 24 différents phylums (embranchements), dont les principaux suivent.

- Les **arthropodes** : ils regroupent les insectes, les crustacés et les arachnides. Ils ont tous un exosquelette articulé. **1,1 million d'espèces** ont été découvertes, dont plus de 1 million d'insectes.
- Les **mollusques** : ils ont un corps mou et portent souvent une coquille dure externe. Ce phylum inclut les simples coquillages jusqu'aux organismes plus complexes comme les pieuvres. On en connaît **plus de 50 000 espèces**.
- Les **cnidaires** : ces invertébrés simples comprennent les méduses, les anémones de mer et les coraux. Ils sont tous aquatiques. Il en existe **9 400 espèces** vivantes.
- Les **annélides** : s'y rangent tous les vers composés d'une série de segments distincts, tels les vers de terre et les sangsues. Contrairement aux ascaris et aux planaires, les annélides ont une structure complexe. Il en existe **7 000 espèces**.
- Les **échinodermes** : ils présentent une symétrie à cinq branches. Ils regroupent, entre autres, l'étoile de mer, l'oursin et le concombre de mer. Il en existe **5 400 espèces**.

Les éponges

Elles font partie des **animaux les plus simples** et n'ont que six catégories de cellules. Cinq constituent les tissus organiques. Les choanocytes, qui forment la sixième, filtrent l'eau et capturent les aliments grâce à leur collerette. Identiques aux choanoflagellés, ces cellules sont des **protistes** très archaïques.

PETITE INFO

Aves, qui signifie oiseaux en latin, a donné son nom à cette classe d'invertébrés ; le singulier, ***avis***, est à l'origine de nombreux mots comme aviation, aviaire ou avicole.

Entre les deux

Témoins de notre évolution, les cordés invertébrés (anciennement appelés procordés) sont apparus bien avant les vertébrés, avec lesquels ils ont certains points communs tout en étant dépourvus de squelette osseux. Ils sont divisés en deux sous-embranchements : les **tuniciers** – représentant la majorité des espèces, immobiles et au corps semblable à un sac – et les **amphioxius** – mobiles et présentant de fortes ressemblances avec les vertébrés.

Longévité

Comparés aux végétaux, la plupart des animaux ont une vie plutôt courte. Le plus vieux vertébré connu est une **tortue éléphantine** qui a atteint l'âge de 176 ans en 2006. Rares sont les invertébrés à vivre plus longtemps. Certaines éponges calcaires peuvent cependant vivre 5 000 ans

LE SAVIEZ-VOUS ?

À nos yeux, les **animaux** sont souvent les formes de vie les plus évidentes. Pourtant, ils ne représentent qu'une faible partie de la **biomasse** (matière vivante) de chaque habitat.

Les vertébrés

Ce groupe rassemble tous les animaux dotés d'un squelette interne fait de cartilage ou d'os. Les vertébrés regroupent la plupart des grands animaux, mais ne constituent qu'une petite partie des espèces animales.
Il en existe cinq classes.

◆ Les **poissons**: les seuls vertébrés totalement aquatiques, avec **25 000 espèces connues.** Les poissons respirent par des branchies et se déplacent dans l'eau à l'aide de nageoires.

◆ Les **amphibiens**: cette classe inclut les grenouilles, les crapauds, les salamandres, les tritons et les cécilies. Jeunes, les amphibiens ont des branchies, mais les adultes possèdent des poumons. Il en existe environ **4 000 espèces**.

◆ Les **reptiles**: ce sont des vertébrés aérobies à peau sèche et écailleuse. Ils se reproduisent en pondant des œufs. On y classe les crocodiles, les serpents, les lézards, les tortues. Il en existe plus de **6 000 espèces**.

◆ Les **oiseaux**: ils forment la classe de vertébrés la plus nombreuse après les poissons, avec **9 000 espèces vivantes**. Tous les oiseaux ont des plumes, la plupart sont aptes au vol.

◆ Les **mammifères**: ces animaux à sang chaud portent des mamelles. C'est la classe de vertébrés la moins nombreuse, avec les amphibiens, avec à peine plus de **4 000 espèces**. La plupart ont un pelage.

Noms scientifiques

Toute espèce vivante est désignée par un nom latin. Ce nom est composé de deux mots; le nom du tigre, par exemple, est *Panthera tigris*.
Le **premier mot** indique le genre de l'animal et prend toujours une majuscule. Il est commun à plusieurs animaux qui sont proches: dans le cas du tigre, le nom de genre est *Panthera* et il a été attribué à tous les grands félins (lions, panthères, jaguars).
Le **deuxième mot** est propre à l'espèce. Il fait parfois référence à un scientifique ou à la personne qui a découvert l'espèce, mais, le plus souvent, il donne des informations utiles sur l'animal.
Ainsi, le nom latin du cerf sika, *Cervus nippon*, signifie «cerf du Japon».
Parfois, un troisième mot complète le nom.

La classification animale

Avec environ **1,5 million** d'espèces identifiées, et sans doute un nombre encore plus important à découvrir, les animaux sont les êtres vivants les plus diversifiés de la planète.
Le système de classification des êtres vivants utilisé aujourd'hui a été établi en **1758** par le naturaliste suédois **Carl von Linné**, également connu sous le nom de Carolus Linnaeus, le nom latin qu'il s'était lui-même attribué.
Ce système de nomenclature, dite **binominale,** a permis aux zoologistes de dresser un arbre généalogique du règne animal qui met en évidence les liens existant entre différents groupe d'animaux.
Chaque espèce reçoit un nom latin qui permet de l'identifier avec précision.

Niveaux de classification

Le règne animal est divisé en deux phylums qui se subdivisent à leur tour pour permettre l'identification d'un animal, ici le **tigre de Sibérie.**

Règne
Animal

Phylum
Cordés

Classe
Mammifères

Ordre
Carnivores

Famille
Félidés

Genre
Panthera

Espèce
Panthera tigris

Sous-espèce
Panthera tigris altaica

De nouvelles découvertes

Deux siècles et demi après la classification de Linné, les zoologistes pensent que le nombre de vertébrés terrestres inconnus est relativement faible. En revanche, la vie marine recèle probablement d'innombrables espèces restant à découvrir. Toutefois, la grande majorité des nouveaux animaux sera constituée d'**invertébrés**, dont on estime que moins d'une espèce sur vingt a été identifiée et dénommée.

Une classification en perpétuelle évolution

Grâce à l'**analyse génétique**, à la **cladistique** (comparaison des caractéristiques) ainsi qu'aux **nouvelles découvertes** d'espèces, les zoologistes d'aujourd'hui remettent en cause régulièrement les groupes établis de longue date. Ainsi n'est-il pas rare de voir passer un animal d'un ordre à un autre ou d'une famille à une autre.

PETITE INFO

En 1983, on a observé pour la première fois un nouvel invertébré marin, le **loricifère**. Les caractéristiques uniques de cet animal ont justifié la création d'un phylum propre.

Les animaux les plus simples

L'animal le plus simple est un organisme marin baptisé *Trichoplax adhaerens*. Découvert dans un aquarium en Autriche en 1883, il mesure environ 3 mm de large et ressemble à une petite crêpe formée de cellules identiques. *Trichoplax adhaerens* fut d'abord considéré comme la larve d'un animal plus complexe, mais en 1971, il devint l'unique représentant du phylum des placozoaires. Au-dessus se situe celui des spongiaires, qui regroupe les éponges. Comme *Trichoplax* et à la différence des autres animaux, les éponges sont composées de cellules qui ne sont pas groupées en tissus ; la plupart ont un squelette formé de cristaux, les spicules. Elles se nourrissent en filtrant l'eau qui pénètre par les pores de leur paroi et est ensuite rejetée.

Les méduses

Les méduses forment la **classe** des **scyphozoaires** et appartiennent au **même phylum** que les coraux et les anémones de mer, les **cnidaires**. On compte environ 200 espèces de méduses. Au stade larvaire, elles restent à l'état de **polypes**, fixés sur le fond ; adultes, elles deviennent des méduses libres, nageant ou flottant au gré des courants, et sont constituées à 95 % d'eau. Toutes ont des tentacules armés de cellules urticantes pour tuer leurs proies. **La plus venimeuse est la cuboméduse** ou guêpe de mer *(Chironex fleckeri)*, que l'on rencontre au nord de l'Australie et dans certaines régions d'Asie du Sud-Est. En Australie, elle cause plus de décès humains que requins et crocodiles réunis.

Le monde des vers

Avec plus de **65 000 espèces**, les vers sont beaucoup plus nombreux que les vertébrés. C'est parmi eux que l'on trouve l'**animal le plus long**, le ver rubané *Lineus longissimus*, qui vit en mer du Nord et peut atteindre 55 m de long. Ils comprennent aussi quelques-uns des animaux les plus petits et les plus communs : les nématodes ou vers ronds. Ils sont répartis en 8 phylums.

Phylum	Nom courant	Remarques
Acanthocéphales	Vers à crochets	Parasites intestinaux (entre 1,5 mm et 5 m) qui vivent fixés à leur hôte par des crochets.
Annélidés	Vers segmentés	Vers de terre, néréis et sangsues.
Échiuriens		Vers marins qui vivent dans la vase avec une longue trompe mobile.
Némathelminthes	Vers ronds et nématomorphes	Espèces libres et parasites. Comprend aussi les rotifères. Les larves seules des nématomorphes sont parasites.
Némertes	Vers rubanés	Vers marins.
Pentastomides ou **linguatulides**		Parasites des vertébrés (fosses nasales et poumons).
Plathelminthes	Vers plats	Vers parasites (ténias, douves) et espèces libres, non parasites. Un ver coupé en deux formera deux nouveaux individus.
Sipunculiens		Vers marins vivant enterrés dans le sable ou la vase.

Coraux et récifs coralliens

Les récifs coralliens sont constitués d'immenses colonies de minuscules **polypes**, se nourrissant de plancton qu'ils attrapent avec leurs tentacules. La plupart construisent des squelettes calcaires pour se protéger. Leur accumulation forme des récifs. D'autres polypes vivent isolés et n'ont pas de squelette. Les coraux se développent en symbiose avec des **algues** unicellulaires qui leur fournissent des glucides élaborés par photosynthèse. Les coraux sont les seuls animaux bâtisseurs de roches, et les atolls du Pacifique sont l'œuvre des polypes à squelette calcaire (Grande Barrière de corail australienne). On a longtemps pensé que les coraux bâtisseurs de récifs se limitaient aux eaux peu profondes, où les algues ont assez de lumière pour survivre. Mais, dans les années 1990, d'énormes récifs dépourvus d'algues symbiotiques ont été découverts à une grande profondeur dans l'Atlantique Nord.

PETITE INFO

Les **plus gros vers de terre** ont une longueur moyenne de 1,36 m pour un diamètre de 2 cm, mais certains peuvent atteindre 6,70 m de long. Ces vers géants *(Microchaetus rappi)* vivent en Afrique du Sud.

LE SAVIEZ-VOUS ?

Si la **physalie** *(Physalia physalis)* ressemble à une grande méduse, c'est en fait une colonie flottante de polypes ayant des fonctions différentes (nutrition, reproduction…). Le plus grand polype est le flotteur auquel sont rattachés tous les autres.

Les actinies

On recense environ **4 000 espèces** d'anémones de mer ou actinies. Leur taille varie de quelques centimètres à plus de 1 m de diamètre.
On les rencontre **des pôles aux tropiques**, le plus souvent près des côtes. Enfoncées dans le sable ou fixées sur les rochers, elles capturent des poissons et d'autres organismes avec leurs tentacules, armés de **cellules urticantes** appelées nématocystes, et qui peuvent se rétracter. Elles font partie de la même classe que les coraux, les anthozoaires. Comme les coraux, elles ont un mode de reproduction sexué – avec des œufs et des spermatozoïdes –, mais également asexué, par bourgeonnement, ce qui donne un animal identique.

L'apparition des mammifères

Les mammifères apparurent avec les dinosaures, il y a 230 millions d'années. L'extinction des dinosaures permit leur évolution. Il y a 55 millions d'années crûrent les herbes, puis les prairies. Les descendants de divers mammifères s'étant adaptés à cet habitat ont perduré jusqu'à nous. Nos ancêtres issus des forêts colonisèrent les prairies. Les hominidés à station verticale apparurent il y a 5 millions d'années et les véritables humains, du genre *Homo*, il y a 2 millions d'années.

À l'ombre des dinosaures

On a tendance à penser que l'évolution est un processus progressif, où un groupe prend le pas sur un autre du fait de sa supériorité. En fait, l'évolution est plus complexe. Les mammifères n'ont commencé à s'épanouir qu'après la disparition des dinosaures. Pendant les deux tiers de leur histoire, ils n'ont pu se diversifier parce qu'ils ne pouvaient faire face aux dinosaures dans la plupart de leurs niches écologiques.

Enfin de l'herbe...

Les herbacées furent les derniers végétaux à apparaître, il y a 55 millions d'années. Survivant aux incendies et aux inondations, ces petites plantes réussirent à prospérer. Au milieu du miocène, il y a 15 millions d'années, elles finirent par former leurs propres habitats – les prairies.

Mammifères actuels

Les premiers mammifères étaient différents de ceux d'aujourd'hui. Ces animaux à sang chaud et à pelage pondaient des œufs. L'ornithorynque et les échidnés sont les plus archaïques des mammifères actuels et les seuls survivants des **monotrèmes** (mammifères ovipares). Ceux-ci, comme les **marsupiaux** et les **édentés**, groupe dans lequel on trouve les tatous et les paresseux, apparurent à la fin du crétacé. Il y a 35 millions d'années seulement apparurent enfin les **singes**.

Vers le cheval

Les mammifères modifièrent leur constitution pour profiter d'une nouvelle nourriture: l'herbe. Les créatures qui broutaient dans les forêts se risquèrent dans les plaines. Le groupe des chevaux se métamorphosa : en l'espace de 18 millions d'années, ces brouteurs qui n'étaient pas plus grands qu'un chien se développèrent et s'affinèrent. Leurs membres s'allongèrent et le nombre de leurs doigts se réduisit. Cette évolution suivit quatre étapes :
◆ HYRACOTHERIUM Aussi appelé *Eohippus*, cet habitant des forêts tropicales avait quatre doigts aux pattes antérieures et trois aux autres. ◆ MESOHIPPUS Brouteur des forêts clairsemées, il avait trois doigts aux pattes antérieures. ◆ MERYCHIPPUS Premier cheval à s'adapter à la prairie, il avait encore trois doigts aux pattes mais était plus grand que ses ancêtres. ◆ EQUUS Doté d'un sabot à chaque patte, ce genre auquel appartiennent les chevaux actuels apparut il y a 3 millions d'années.

Les origines de l'homme

Bien que l'on ait trouvé des fossiles de nombreuses espèces de notre genre et de genres apparentés, les scientifiques s'interrogent encore sur la nature de leurs rapports avec l'homme. On s'accorde à dire aujourd'hui que l'ancienne théorie selon laquelle *Australopithecus africanus* a évolué par l'intermédiaire d'*Homo habilis* et d'*Homo erectus* pour aboutir à *Homo sapiens* est erronée. Les plus anciens fossiles humains furent retrouvés en Afrique.

Qui	Quand	Commentaires
Aegyptopithecus zeuxis	33 MA*	Le plus vieux primate connu doté de traits simiesques.
Proconsul africanus	25-14 MA	Premier vrai singe. Ancêtre des singes actuels, dont les humains.
Ramapithecus punjabicus	15 MA	Était considéré comme le plus vieil humain. Maintenant, ancêtre direct de l'orang-outan.
Australopithecus afarensis	3,9-3 MA	Premier bipède humain. Lucy, le plus ancien hominidé, appartient à cette espèce.
Australopithecus africanus	3-2,4 MA	Bipède, comme *A. afarensis*, aux traits simiesques.
Homo rudolfensis	2,4-1,6 MA	Souvent reconnu comme la première espèce d'*Homo*.
Panthropus boisei	2,3-1,4 MA	Hominidé herbivore, doté de mâchoires massives et de molaires. Vécut en même temps qu'*Homo habilis*.
Homo habilis	1,9-1,6 MA	Premier hominidé à fabriquer des outils en pierre.
Homo ergaster	1,9-1,5 MA	Taille supérieure à 1,80 m et corps élancé.
Homo erectus	1,8-0,2 MA	Parent proche d'*Homo sapiens* sans en être l'ancêtre.
Homo heidelbergensis	0,5-0,2 MA	Parmi les restes de cette espèce : les plus vieux squelettes humains britanniques (500 000 ans).
Homo neanderthalensis	0,19-0,03 MA	Petite taille, trapu, doté des organes de la parole. Descend d'*Homo heidelbergensis*.
Homo sapiens	0,13 MA-	Notre espèce : seule survivante aujourd'hui du genre *Homo*.

*MA = millions d'années.

Et les oiseaux ?

Les oiseaux apparurent il y a 146 millions d'années. Certains auraient gardé des caractéristiques des dinosaures carnivores, comme les dents, jusqu'à la fin du crétacé. Après l'extinction des dinosaures, les oiseaux évoluèrent pour occuper des niches écologiques vacantes. Il y eut de grands coureurs à plumes édentés. D'autres vécurent dans la mer, tels les **pingouins**, apparus il y a 60 millions d'années. Mais la plupart des oiseaux continuèrent à voler tout en se diversifiant en une multitude d'espèces. Avec 9 000 espèces, ils forment aujourd'hui le **deuxième groupe de vertébrés** après les poissons.

Les mammifères forment la classe qui comprend les plus gros et les plus connus des animaux, ainsi que l'homme. Elle regroupe plus de **4 000 espèces**. Les mammifères sont homéothermes (à sang chaud) et possèdent des poumons et des glandes mammaires. Celles-ci sécrètent du lait servant à nourrir les petits. La plupart sont terrestres, mais trois ordres (cétacés, pinnipèdes et siréniens) sont aquatiques. Les chauves-souris (chiroptères) sont les seuls vertébrés capables de voler en dehors des oiseaux. Tous les mammifères ont des poils à l'exception de ceux qui, comme les dauphins, les ont perdus au cours de l'évolution. Les mammifères sont apparus il y a plus de 230 millions d'années. Les formes primitives ont disparu et les formes actuelles – monotrèmes, marsupiaux et placentaires – remontent au crétacé, il y a environ 100 millions d'années.

Le lait

Tous les mammifères nourrissent leurs petits avec du lait, un aliment très riche qui apporte à l'animal l'ensemble des nutriments dont il a besoin. Le lait contient aussi des **anticorps**, qui protègent le petit des maladies que sa mère a pu contracter. Suivant les espèces, les mammifères ont entre 1 et 31 jeunes à la fois; le **nombre de mamelles varie** de 2, chez les primates, à 29, chez le tenrec commun de Madagascar *(Tenrec ecaudatus)*, qui détient aussi le record de la plus grande portée. Les mammifères entretiennent des liens étroits avec leur progéniture: ceux du grizzli *(Ursus arctos horribilis)* restent jusqu'à 4 ans avec leur mère.

Des dents différenciées

Contrairement aux poissons, amphibiens et reptiles, qui ont de nombreuses dents quasiment semblables, les mammifères sont les seuls animaux à posséder plusieurs types de dents en nombre défini. **Incisives**, **canines** et **molaires** correspondent à trois fonctions précises et sont plus ou moins développées selon le régime alimentaire.

- Les **carnivores** ont de longues canines pointues pour déchirer la chair. Leurs «molaires» (carnassières) ont des arêtes tranchantes.
- Les végétaux étant plus difficile à digérer que la viande, les **herbivores** disposent de molaires à larges surfaces propices au broyage des feuilles, tiges ou graines.
- Les **omnivores**, tels les chimpanzés, ont une alimentation variée et leurs dents sont moins spécialisées que celles des carnivores ou des herbivores.

Adaptations

Si les **dauphins** et les **marsouins** ressemblent à des poissons, ils en sont aussi éloignés que nous. Leur apparence semblable est un exemple d'évolution convergente qui démontre une profonde adaptation au milieu aquatique.

Records

- Le plus lourd: la **baleine bleue** *(Balaenoptera musculus)*, 200 tonnes
- Le plus lourd sur terre: l'**éléphant d'Afrique** *(Loxodonta africana)*, 12 tonnes
- Le plus léger: la **chauve-souris naine** *(Craseonycteris thonglongyai)*, 1,7 à 2 g
- Le plus léger sur terre: le **pachyure étrusque** *(Suncus etruscus)*, 1,5 à 2 g

Les poils

Comme les oiseaux, les mammifères sont **homéothermes**: leur température interne est constante et indépendante des conditions du milieu extérieur. Les poils leur permettent de maintenir leur température en emprisonnant une couche d'air qui joue le rôle d'isolant. Cela limite aussi la quantité de nourriture qu'ils doivent absorber pour produire de l'énergie (y compris la chaleur).

LE SAVIEZ-VOUS ?

L'homme est le seul mammifère réellement **bipède**. Plusieurs espèces peuvent cependant se déplacer sur leurs membres postérieurs, surtout les kangourous, qui n'utilisent leurs pattes

Migrations et déplacements

Grâce aux migrations, les espèces animales exploitent les sources de nourriture saisonnières dans des lieux où elles ne pourraient survivre toute l'année. Les grandes migrations leur permettent de vivre sous un climat favorable et de bénéficier d'une nourriture abondante. Certains animaux font ainsi des réserves de graisse dans un lieu et mettent bas dans un autre, plus sûr. Mais les migrations comportent des risques. Elles nécessitent une dépense d'énergie et sont souvent sources de dangers, tels que rivières en crue ou vastes étendues désertiques. Les animaux ne migrent donc que s'ils y sont contraints. Les déplacements ne sont cependant pas toujours des migrations. Certaines espèces sont simplement nomades : elles se déplacent continuellement tout au long de l'année.

Vers de nouveaux pâturages

Les plus grandes migrations terrestres sont celles des mammifères herbivores. Dans les régions arctiques, l'hiver oblige de nombreuses espèces à partir vers le sud. Celles qui, comme le **caribou**, se nourrissent d'herbe n'ont pas d'autre choix lorsque leur source de nourriture disparaît sous la neige et la glace. Ailleurs, c'est la **sécheresse** qui pousse les herbivores à migrer. En Afrique, dans le Serengeti et le Masai Mara, tous les ans, plus de 1,6 million de **gnous** se déplacent avec les pluies à la recherche de l'herbe tendre. Leur migration annuelle affecte l'ensemble de l'écosystème de la savane. Les **crocodiles du Nil** *(Crocodylus niloticus)*, parfois obligés de jeûner plusieurs mois, prélèvent leur tribut lorsque les gnous traversent les rivières. D'autres prédateurs tels que les **hyènes tachetées** *(Crocuta crocuta)* suivent les troupeaux, s'attaquant aux individus affaiblis ou malades.

Mouvement perpétuel

Les espèces nomades accomplissent le plus grand des voyages puisqu'elles sont toujours en mouvement. Les **dauphins** parcourent ainsi des dizaines de milliers de kilomètres au cours de leur vie. Les plus grands voyageurs sont les oiseaux. Le **martinet noir** *(Apus apus)* parcourt plus de 500 000 km entre le moment où il quitte le nid et celui où il se reproduit, deux ans plus tard. L'**albatros hurleur** *(Diomedea exulans)* couvre également d'énormes distances entre chaque période de reproduction.

Marathon aquatique

Les plus grandes migrations de mammifères sont celles des baleines. Les **baleines grises** *(Eschrichtius robustus)* accomplissent les plus longs trajets. À l'automne, elles quittent l'océan Arctique et longent la côte pacifique jusqu'au Mexique pour mettre bas et se reproduire. Les poissons parcourent aussi de grandes distances. Les jeunes **saumons** *(Salmo salar)* gagnent le centre de l'Atlantique jusqu'à leur maturité sexuelle, tandis que les **anguilles** *(Anguilla anguilla)* se rendent dans la mer des Sargasses pour se reproduire.

Rassemblement royal

Une des migrations les plus spectaculaires est celle des **monarques** *(Danaus plexippus)* d'Amérique du Nord. Ces papillons aux couleurs vives quittent le Canada et le nord des États-Unis en juillet pour aller hiverner au Mexique. Ils parcourent ainsi 2 000 à 3 000 km. Durant ce voyage, les vents peuvent les entraîner de l'autre côté de l'Atlantique, jusqu'en Europe occidentale.

Des millions d'individus

La plus grande des migrations a lieu tous les jours **dans les océans**. Au coucher du soleil, des milliards de minuscules créatures remontent des profondeurs pour se nourrir de phytoplancton en surface. On estime à 1 000 millions de tonnes la masse de ces animaux qui, à l'aube, redescendent vers le fond. **Plusieurs espèces** effectuent d'importantes migrations en mer, mais les données chiffrées sont peu nombreuses.
Les migrations **terrestres** et **aériennes** sont mieux connues.

Animal	Route migratoire	Informations
Caribou ***Rangifer tarandus***	De la toundra à la taïga	Le caribou migre vers le sud en hiver. On en compte 1,3 million au Canada et en Alaska.
Saïga ***Saiga tatarica***	À travers les steppes du Kazakhstan	Près de 2 millions de ces antilopes hivernent au nord de la Caspienne.
Oie blanche ***Chen caerulescens***	De la toundra, au nord du Canada, au centre et au sud des États-Unis	Son aire de reproduction s'étend de l'ouest du Groenland au nord-est de la Sibérie. 3 millions nichent au Canada.
Hirondelle des granges ***Hirundo rustica***	De l'hémisphère Nord à l'hémisphère Sud	Son aire de distribution est presque mondiale et sa population se compte en dizaines de millions. Elle niche dans l'hémisphère Nord.
Pétrel océanite ***Oceanites oceanicus***	Des océans Pacifique, Indien et Atlantique à l'océan Antarctique	C'est l'oiseau marin le plus abondant. 100 millions d'individus viennent se reproduire en Antarctique et dans les terres australes.

LE SAVIEZ-VOUS ?

Au **Moyen Âge**, l'apparition d'animaux à certaines époques de l'année portait à croire que quelques espèces, telle la tourterelle, hibernaient, et que d'autres, comme la bernache nonnette, étaient issues d'animaux totalement différents.

D'un pôle à l'autre

La migration la plus importante est celle d'un oiseau qui part de l'Arctique pour se rendre en Antarctique avant de revenir dans le Nord. La **sterne arctique** *(Sterna paradisea)* niche au cercle polaire en été et **s'envole pour l'Antarctique** dès que les jours diminuent. Elle se nourrit en vol et parvient à destination en plein été austral. C'est l'animal qui profite ainsi le plus des jours les plus longs. Malgré sa petite taille (36 cm), il parcourt **plus de 35 000 km par an**.

Séduction et reproduction

La capacité de se reproduire caractérise toutes les formes de vie. Chez les animaux, la reproduction peut être sexuée ou asexuée. La reproduction asexuée se fait par division ou bourgeonnement d'un organisme. De nombreuses espèces unicellulaires et invertébrées se reproduisent ainsi. La reproduction sexuée implique l'union de deux individus de sexes différents pour donner un nouvel être. C'est celle de tous les vertébrés. Le choix du partenaire prend des formes variées : certains suivent les signaux laissés par les individus du sexe opposé, d'autres attirent l'attention par des parades nuptiales ou combattent pour le droit de s'accoupler.

Message reçu

Les animaux **solitaires** envoient des signaux lorsqu'ils sont prêts à se reproduire. Certains utilisent les **sons** – la femelle du renard *(Vulpes vulpes)* émet ainsi un aboiement aigu. D'autres ont recours aux **odeurs**. En **marquant leur territoire**, des femelles de mammifères renseignent les mâles sur leur état de réceptivité. Celles des papillons de nuit émettent des **phéromones** pour attirer les mâles.

Un ou plusieurs ?

◆ Le nombre de partenaires varie suivant les espèces. Parmi les mammifères, le **record** est détenu par l'**otarie à fourrure** *(Callorhinus ursinus)* : un mâle des îles Pribilof, au large de l'Alaska, s'est accouplé avec… **161 femelles**. L'éléphant de mer septentrional *(Mirounga angustirostris)* peut constituer des harems comptant plus de 100 femelles.

◆ La **monogamie est peu fréquente** dans le règne animal. Elle est surtout le fait d'espèces où les soins aux jeunes nécessitent la présence des deux parents. La plupart des oiseaux sont monogames – tout au moins durant la période de reproduction. Quelques-uns, comme le cygne tuberculé *(Cygnus olor)* et l'albatros hurleur *(Diomedea exulans)*, conservent le même partenaire pendant plusieurs années (notons que l'albatros hurleur a la plus longue période d'incubation : jusqu'à 85 jours).

◆ **Quelques mammifères pratiquent aussi la monogamie.** Les exemples les plus notables sont ceux d'espèces africaines comme l'ourébi commun *(Ourebia ourebi)*, l'oréotrague *(Oreotragus oreotragus)* ou les dik-diks *(Madoqua sp.)*. Ces antilopes pygmées vivent en couples qui se forment pour la vie.

Rivalités et combats

La parade ou la bataille, telle est l'alternative. Chez les mammifères, la plupart des **mâles** se livrent à des combats pour la possession des femelles ou des territoires de reproduction. Ces affrontements peuvent être violents mais ils sont rarement mortels. Le plus souvent, des **comportements** ritualisés permettent aux rivaux de s'évaluer et ne conduisent pas toujours à de vrais combats. Le mâle du cerf élaphe *(Cervus elephus)*, par exemple, vante ses qualités en bramant. Dans ces affrontements, la plupart des animaux cherchent à affirmer leur **supériorité** plutôt qu'à blesser leur rival. Les cornes ou les bois sont utilisés dans ce but. Les cerfs-volants se servent de leurs mandibules qui ressemblent aux bois de cerf.

Stratégies

Pour se reproduire, les espèces adoptent soit une stratégie de type **K**, soit une stratégie de type **r**. La **stratégie K** se caractérise par une progéniture peu nombreuse et des soins aux jeunes importants. La **stratégie r** produit un grand nombre de jeunes ensuite abandonnés. La plupart des oiseaux et des mammifères ont une stratégie de type **K**.

PETITE INFO

Les mâles dominants chez les éléphants de mer et les otaries sont appelés **pachas**. Ils contrôlent leur territoire de reproduction ainsi que les femelles qui choisissent de venir y mettre bas.

Offrandes nuptiales

Plutôt que de se battre ou de faire des concours d'élégance, certaines espèces préfèrent séduire leur partenaire par des offrandes. Les **ptilonorhynchidés** ou **oiseaux à berceaux** ont recours à des constructions qui semblent n'avoir aucune utilité si ce n'est de montrer leur talent. Ces oiseaux d'Australasie élaborent des structures aux formes variées qu'ils décorent d'objets colorés. L'**oiseau-satin** *(Ptilonorhynchus violaceus)* recherche des objets bleus. D'autres oiseaux réalisent des constructions ayant une plus grande utilité, tels les **tisserins** mâles d'Afrique, qui bâtissent des nids où la femelle viendra pondre. Chez les poissons, les mâles de l'**épinoche** *(Gasterosteus aculeatus)* fabriquent un nid à base d'algues qui doit répondre à des spécifications très précises pour que la femelle accepte d'y pondre.

Dans l'arène

Chez certains mammifères et oiseaux, la compétition entre mâles se déroule sur des **terrains d'accouplement**, baptisés leks ou arènes, où les femelles viendront choisir ceux qui leur semblent les meilleurs reproducteurs.

Croissance et développement

À la naissance ou à l'éclosion, les animaux se trouvent à divers stades de développement. Certains, tels les reptiles, sont de minuscules répliques de leurs parents. D'autres, comme les oiseaux, sont très différents des adultes. Les jeunes qui peuvent se nourrir seuls et se déplacer à la naissance sont dits nidifuges. Ceux qui ont besoin des soins de leurs parents sont nidicoles. Certains atteignent leur taille définitive en quelques mois, alors que d'autres mettront des années pour parvenir à l'âge adulte. Chez la plupart des mammifères, y compris l'homme, les yeux ont leur taille définitive à la naissance.

Nouvelle peau

De nombreux animaux **muent** à certaines périodes de leur vie. Les arthropodes tels les arachnides, les crustacés ou les insectes doivent se débarrasser de leur squelette externe rigide (exosquelette) pour pouvoir grandir. Ce processus est aussi appelé ecdysie. Le nouveau squelette durcit au bout de plusieurs heures. La plupart des vertébrés éliminent en permanence des cellules de peau, qui sont automatiquement remplacées. Mais serpents et lézards doivent renouveler entièrement leur épiderme : ils muent.

Responsabilité parentale

Suivant les espèces, les animaux se comportent de façon très différente envers leur progéniture. Ceux qui s'en occupent le plus sont les mammifères. Les éléphants allaitent leurs petits pendant 4 ans et de nombreux autres mammifères continuent à veiller sur leurs jeunes même lorsqu'ils sont sevrés. La femelle du rhinocéros blanc *(Ceratotherium simum)*, quant à elle, protège son jeune jusqu'à l'âge de 1 an.

Le jeu

Le jeu est primordial dans le développement de nombreuses espèces. Il constitue une **préparation à la vie adulte**, une façon de trouver sa place dans la hiérarchie sociale, en particulier chez les mammifères. Le jeu est fréquent chez les carnivores et les animaux sociaux. Il implique parfois des adultes : ainsi, il arrive aux lionceaux d'« attaquer » la queue de leur mère comme si c'était une proie.

PETITE INFO

On peut observer des **métamorphoses** (du grec *meta*, changement, et *morphê*, forme) chez de nombreuses espèces, notamment d'insectes, d'amphibiens ou de poissons.

Frères ennemis

Le **fou masqué** *(Sula dactylatra)*, un oiseau de mer, pond deux œufs. Le second à éclore vit peu de temps. S'il ne meurt pas de faim, il est souvent tué par son frère. Les embryons du **requin-taureau** *(Odontaspis taurus)* pratiquent le cannibalisme intra-utérin, à tel point qu'ils ne sont plus que deux à la naissance (un pour chaque utérus).

Jeunes animaux

Les jeunes de nombreuses espèces sont souvent désignés sous un nom différent de celui de l'adulte.

Jeune	Adulte
Agneau	Mouton
Aiglon	Aigle
Alevin	Poisson
Baleineau	Baleine
Buffletin	Buffle
Caneton	Canard
Chevreau	Chèvre
Chaton	Chat domestique, chat sauvage
Chiot	Chien
Civelle	Anguille
Dindonneau	Dindon
Éléphanteau	Éléphant
Faon	Cerf, daim, chevreuil
Lapereau	Lapin
Lionceau	Lion
Louveteau	Loup
Marcassin	Sanglier
Oison	Oie
Ourson	Ours
Porcelet	Porc
Poulain	Cheval
Poussin	Poule/coq ou oiseau en général
Renardeau	Renard
Serpenteau	Serpent
Souriceau	Souris
Veau	Vache

Les prédateurs

Situés au sommet de la chaîne alimentaire, les prédateurs ou consommateurs secondaires (par opposition aux consommateurs primaires mangeant des plantes, et aux producteurs, les plantes) tuent d'autres animaux pour survivre. Les carnivores ont mis au point une vaste gamme de techniques pour capturer leurs proies. Certains les poursuivent, seuls ou en groupe, d'autres attendent qu'elles viennent à eux. Beaucoup construisent des pièges, ou bien utilisent des leurres, ou encore tuent avec du venin. Quelques-uns se nourrissent de cadavres. Moins nombreux que les herbivores, les carnivores – qui peuvent être une menace pour l'homme et ses troupeaux – comptent le plus grand nombre d'espèces menacées.

L'union fait la force

Chasser en groupe permet aux prédateurs de s'attaquer à des **proies plus grandes**. Une troupe de lions *(Panthera leo)* est capable de tuer un rhinocéros ou un jeune éléphant. Cette façon de chasser s'observe surtout chez les mammifères. Parmi les rares espèces d'oiseaux qui la pratiquent figure le pélican blanc *(Pelecanus onocrotalus)*, qui nage en formation pour rabattre les poissons en eau peu profonde.

Attaque surprise

De nombreux prédateurs capturent leur proie en se dissimulant ou en attendant que celle-ci passe à leur portée. Cette technique de chasse **à l'affût** se retrouve dans tout le monde animal. Parmi ces prédateurs, on trouve le **tigre** *(Panthera tigris)*, la **mante religieuse** *(Mantis sp.)* ou le poisson-pierre *(Synanceia verrucosa)*.

Voler le repas des autres

De nombreux carnivores ne chassent pas : ils survivent en se nourrissant de charognes ou volent le repas des autres espèces. Les **skuas** et les **frégates**, par exemple, forcent des oiseaux marins plus petits à abandonner ou à régurgiter leur proie, dont ils s'emparent.
Si les carnivores n'hésitent pas à récupérer des proies tuées par d'autres, tels les lions, ils sont peu nombreux à ne se nourrir que de cette façon. **Vautours** et **hyènes** consomment surtout des charognes. Les hyènes tachetées *(Crocuta crocuta)* ont des mâchoires très puissantes, capables de broyer les os. Mais elles sont aussi capables de chasser.

Pièges mortels

Quelques prédateurs élaborent des pièges pour capturer leurs proies. Les plus ingénieux sont les **araignées**. Certaines tissent des toiles, d'autres se dissimulent et jaillissent sur leur proie, telles les cténizes. Ces mygales vivent dans des terriers fermés par un opercule. La nuit, celui-ci reste légèrement ouvert pour que l'araignée puisse surveiller l'arrivée de la proie, sur laquelle elle bondit dès qu'elle est à sa portée. Les pédipalpes, en arrière des chélicères, sont très longs chez les cténizes. Une espèce tisse une couverture qu'elle recouvre de sable et sous laquelle elle se tapit, tandis que l'araignée *Deinopis longipes* projette sur ses victimes un filet de soie. Parmi les **insectes**, la larve du fourmilion *(Myrmeleon formicarius)* creuse dans le sable un entonnoir, au fond duquel elle attend que les insectes glissent.

Venin

De nombreux prédateurs utilisent le poison pour tuer ou immobiliser leur proie. Parmi les **reptiles**, on compte deux lézards et plus de 700 espèces de serpents venimeux (le **plus venimeux** de tous étant le serpent marin *Hydrophis belcheri*). Les crochets des serpents venimeux sont situés soit à l'avant (espèces terrestres), soit à l'arrière (espèces terrestres et marines). À l'exception du boomslang africain, les serpents dotés de crochets à l'arrière sont peu dangereux pour l'homme car il leur est difficile d'injecter une grande quantité de venin.

Saut salvateur

Certains ongulés échappent à leurs prédateurs en bondissant, tel le **springbok** africain *(Antidorcas marsupialis)*, qui saute en soulevant ses quatre pattes à la fois. Bien que sa taille ne dépasse pas 90 cm, il peut faire des sauts de 4 m.

LE SAVIEZ-VOUS ?

La **tortue-alligator** agite au fond de l'eau sa langue vermiforme pour attirer les poissons. Un tel comportement, unique chez les reptiles, se rencontre aussi chez la baudroie, qui leurre ses proies avec son filament pêcheur, situé entre les yeux.

Défense et protection

Les animaux trop petits ou trop lents pour échapper aux prédateurs ont mis au point une grande variété de mécanismes de défense. Certains de ces mécanismes sont physiques – armures à toute épreuve, épines impossibles à avaler… – ou relèvent du comportement, comme le réflexe de faire le mort. Les mécanismes de défense physiques ont souvent évolué, donnant naissance à des animaux qui se ressemblent sans pour autant être apparentés.

De solides armures

De nombreux animaux sont dotés d'une véritable armure. Les **tatous** sont ainsi revêtus de plaques cornées reliées par des replis cutanés et peuvent se rouler en boule, tandis que les **pangolins** sont protégés par des écailles d'origine épidermique. La carapace des **tortues** est d'origine osseuse et fait partie du squelette de l'animal. Parmi les **poissons cuirassés**, on trouve les **hippocampes** et les **dragons de mer** *(Pegasidae)*. Chez les invertébrés, presque tous les mollusques sont protégés par des coquilles et la plupart des crustacés ont un squelette externe rigide.

Repas épineux

Épines et piquants sont quelque peu indigestes et de nombreux animaux ont acquis ce type de défense. Parmi les **mammifères**, les hérissons, les tenrecs, les échidnés et les **porcs-épics** sont recouverts de piquants. Ceux des porcs-épics, très longs, peuvent se détacher et progresser à l'intérieur du corps de l'attaquant. Un groupe d'invertébrés, les **oursins**, qui sont protégés par des piquants, a peu évolué depuis 500 millions d'années. Quant aux **poissons porcs-épics** *(Diodon sp.)*, non seulement ils ont des piquants, mais ils peuvent enfler jusqu'à doubler de volume.

Nuage d'encre

La **seiche** déconcerte les prédateurs en émettant un nuage d'encre au moment où elle s'enfuit. C'est avec cette encre que l'on fabriquait autrefois la **sépia**, utilisée pour le dessin et les lavis. On retrouve d'ailleurs ce mot dans le nom latin de la seiche *(sepia)*.

Des armes inhabituelles

Si la plupart des animaux utilisent des méthodes similaires pour échapper aux prédateurs, quelques-uns ont développé des techniques plus originales.

◆ Les **mouffettes** sont les seuls vertébrés qui projettent sur leurs ennemis un liquide nauséabond. Cette substance fétide, produite par les poches anales, repousse les prédateurs et peut être perçue à 1 km de distance.

◆ Des insectes se défendent de la même façon, mais avec des armes différentes. La **fourmi rousse** *(Formica rufa)* projette de l'acide formique et le **bombardier** *(Brachinus crepitans)* émet un gaz qui produit une détonation au contact de l'air.

◆ Un autre mécanisme de défense consiste à **simuler la mort**. C'est ce que font la **couleuvre à collier** *(Natrix natrix)* et l'**opossum de Virginie** *(Didelphis virginiana)*.

◆ Les crabes du genre *Lybia* transportent sur leurs pinces des anémones de mer urticantes pour repousser leurs ennemis.

Mauvais goût

La meilleure façon de ne pas être mangé est d'être **immangeable**. Toutes sortes d'animaux sont soit toxiques soit d'un goût si désagréable que les prédateurs les délaissent. Les glandes cutanées des **musaraignes** exsudent un liquide nauséabond. De nombreux **amphibiens** évitent d'être mangés en sécrétant des substances infectes ou toxiques.

Postures d'intimidation

Avoir l'air dangereux est une bonne façon d'éviter les ennuis. De nombreux animaux y parviennent, notamment les insectes, en imitant des espèces plus grandes.

◆ Quelques espèces gonflent leur corps pour paraître plus grosses. C'est notamment le cas du **crapaud** *(Bufo bufo)* qui, face au danger, se dresse en outre sur le bout de ses doigts.

◆ Les **chats** et les **chiens** hérissent les poils de leur cou quand ils se sentent menacés. Même les **éléphants** étalent leurs oreilles pour avoir l'air plus imposants.

◆ Une autre façon, fréquente chez les carnivores et les primates, consiste à **montrer les dents**. En cas d'attaque, la plupart des mammifères font également beaucoup de bruit pour effrayer leur ennemi.

◆ L'inoffensif lézard australien *Chlamydosaurus kingii* déploie sa collerette en sifflant lorsqu'il est menacé.

Parasitisme et symbiose

Toutes les espèces entretiennent des relations entre elles à un degré quelconque. Mais certains liens sont plus étroits que d'autres, notamment le parasitime et la symbiose. Les parasites sont incapables de survivre sans leur hôte, mais ils lui portent souvent préjudice. Dans le cas de la symbiose, les deux espèces tirent profit de l'association, et parfois même aucune des deux ne peut survivre sans l'autre. La symbiose revêt une importance fondamentale. Sans elle, il n'y aurait ni fleurs, ni oiseaux-mouches, ni papillons. Il n'y aurait pas non plus de coraux, car la plupart vivent en symbiose avec des algues.

GLOSSAIRE

Parasite Organisme associé à un hôte dont il tire sa subsistance mais sans rien lui donner en échange.
Hôte Organisme sur lequel ou dans lequel vit un parasite.
Ectoparasite Parasite qui vit à l'extérieur de son hôte.
Endoparasite Parasite qui vit à l'intérieur de son hôte.
Symbiose Association étroite entre des organismes différents qui bénéficient réciproquement de cette relation.
Symbionte Bénéficiaire d'une association symbiotique.

Des alliés surprenants

◆ Les associations symbiotiques se font souvent autour de la nourriture. Le **ratel** africain *(Mellivora capensis)* et l'**oiseau indicateur** *(Indicator indicator)* sont tous deux amateurs de miel. L'oiseau trouve le nid d'abeilles, que le ratel vient éventrer.
◆ Certains poissons se nourrissent des parasites d'autres espèces. Ainsi, les **labres nettoyeurs** attirent les poissons sur des **stations de nettoyage** où ils les débarrassent de leurs poux et autres parasites. Les **crevettes nettoyeuses** *(Lysmata amboinensis)* assurent le même service.
◆ Un autre type de symbiose existe entre des **gobies** tropicaux et des **crevettes aveugles**. Pendant que le poisson monte la garde, la crevette entretient le terrier qui les protège des prédateurs.

Fleurs et insectes

La plupart des **fleurs** sont le résultat d'une symbiose. Elles produisent du **nectar qui attire les insectes** ou d'autres animaux comme les oiseaux-mouches, qui disséminent ainsi le pollen. Tous retirent un bénéfice de cette relation ; le nectar nourrit l'animal et l'animal assure la pollinisation de la plante. Cette symbiose a participé à l'évolution de groupes entiers d'animaux. Les premières fleurs sont apparues il y a environ **150 millions d'années**, rapidement suivies par les premiers insectes se nourrissant de nectar.

Parasites de l'homme

Un grand nombre d'animaux parasitent l'homme. Parmi les **insectes**, on trouve les poux *(Pediculus sp.)*, les puces *(Pulex irritans)* et les punaises de lit *(Cimex sp.)*. Le pou de l'homme *(Pediculus humanus)* est répandu dans le monde entier ; il se nourrit de sang et transmet le typhus. Les **arachnides** comprennent les tiques et d'autres acariens tels que le sarcopte de la gale *(Sarcoptes scabiei)*. La plupart des endoparasites sont des vers. Parmi les plus dangereux pour l'homme figurent le ténia du porc *(Taenia solium)*, les douves *(Schistosoma sp.)* et un ver nématode, *Wuchereria bancrofti*.

PETITE INFO

Le **coucou européen** *(Cuculus canorus)* pond ses œufs dans le nid des fauvettes et autres passereaux, tandis que le **molothre noir américain** *(Molothrus ater)* compte plus de 220 espèces hôtes.

Pucerons et fourmis

De nombreux **pucerons** échappent aux prédateurs en s'associant avec des **fourmis**. En contrepartie, ils produisent une substance sucrée, le miellat, dont les fourmis se nourrissent.

Vivre parmi les anémones

Rares sont les animaux qui peuvent vivre au sein des tentacules urticants des anémones de mer. Des poissons y trouvent cependant refuge : les **poissons-clowns** *(Amphiprion percula)*, qui sécrètent un mucus empêchant les cellules urticantes de se décharger. L'anémone assure la protection de ces poissons piètres nageurs, mais les avantages qu'elle en retire semblent moins clairs.

Groupements et sociétés

De nombreux animaux vivent avec des membres de leur espèce. L'organisation de ces groupes, temporaires ou permanents, est plus ou moins complexe. Les agrégations les plus simples sont celles qui se forment dans un but de défense. Les relations entre individus sont limitées, sauf lorsqu'un membre du groupe doit faire le guet, par exemple. Les groupes de carnivores sont organisés selon une hiérarchie fondée sur la dominance. Elle détermine qui a le droit de se nourrir le premier et parfois même de se reproduire. Les sociétés animales les plus complexes sont celles des insectes. Leurs membres, pour la plupart, ne se reproduisent jamais mais travaillent et vivent pour assurer l'avenir de la colonie.

Perdus dans la foule

De nombreux animaux vivent en groupe pour **se protéger**. En se rassemblant, ils ont plus de chances d'échapper aux prédateurs, qui ont par ailleurs plus de difficultés à cibler une proie au sein d'un troupeau. Les plus grands rassemblements connus sont formés par le **krill**, des petits crustacés. Un essaim repéré dans l'Antarctique en 1981 comprenait plus de **500 milliards d'individus**. Les **mammifères** qui se regroupent forment des **troupeaux**, les **oiseaux** des **vols** ou des **volées** et les **poissons** des **bancs**.

Réunions familiales

- Dans la plaine du Serengeti, en Tanzanie, entre 500 000 et 800 000 **gazelles de Thomson** effectuent chaque année une migration afin de pallier le manque de nourriture.
- Avant chaque migration, les **cigognes** se réunissent en bandes. En Afrique, on a pu observer des vols de 30 000 à 40 000 individus.
- La plus grande concentration animale observée fut un essaim de **sauterelles des Rocheuses** qui traversa le Nebraska. L'essaim recouvrait 257 000 km^2, soit la superficie de la moitié de la France. Il contenait 12 500 milliards d'insectes.
- La transhumance la plus importante du monde eut lieu en 1886, lorsque 27 hommes à cheval conduisirent 43 000 **moutons de Bacardine** à l'élevage de Beaconsfield (dans le Queensland, en Australie), distant de 64 km.
- Les **chauves-souris** habitent en général des cavernes ou des trous d'arbres, mais elles investissent parfois des sites artificiels comme des mines ou des masures abandonnées. Ce sont des animaux sociables : elles vivent en colonies de 20 à 100 membres, et certaines grottes peuvent abriter plusieurs milliers d'individus.

Une véritable ville

Avant l'arrivée des Européens, les **chiens de prairie** *(Cynomys sp.)* occupaient tout le continent nord-américain. Ils se trouvent aujourd'hui confinés dans des réserves, les prairies ayant disparu. Ces **rongeurs** forment des groupes et vivent dans des terriers, véritable réseau souterrain. Un **groupe familial** comprend un mâle et quatre femelles avec leurs petits. D'autres groupes peuvent rassembler plusieurs mâles et femelles. Chaque groupe défend un territoire en surface. Ces territoires forment des « villes » qui peuvent couvrir une grande superficie.

PETITE INFO

Les **hyènes tachetées** *(Crocuta crocuta)* vivent en bandes pouvant compter jusqu'à 80 individus. Elles sont dirigées par des femelles, plus grosses et plus agressives que les mâles.

Vivre en meute

En groupe, les prédateurs peuvent s'attaquer à des proies plus grandes et avoir un territoire de chasse plus important. Parmi les carnivores, ce mode de vie se rencontre surtout chez les canidés. Chez les **loups** *(Canis lupus)* et les **lycaons** *(Lycaon pictus)*, la meute est dirigée par un couple reproducteur, dit **alpha**. Avec l'aide des autres membres du groupe, ce couple est à même d'élever plus de jeunes.

Insectes sociaux

Quatre groupes d'insectes vivent en sociétés complexes : les **termites**, les **fourmis**, les **guêpes** et les **abeilles**. La colonie se constitue autour d'une femelle reproductrice, la **reine**, dont le seul but est de pondre. Celle-ci est souvent bien plus grande que les autres. Chez les termites, au contraire des autres insectes sociaux, il n'y a qu'un seul mâle reproducteur, le roi.

LE SAVIEZ-VOUS ?

Une espèce de fourmis *(Linepithema humile)*, introduite en Europe depuis l'Argentine, forme **la plus grande colonie connue**. Elle compte des milliards d'individus et s'étend de l'Italie au nord-ouest de l'Espagne.

Sauver la reine et la colonie

Les **abeilles** meurent après avoir piqué un intrus. Incapables de se reproduire, les **ouvrières** sacrifient leur vie pour sauver la reine, préservant ainsi leur lignée génétique. Les **mâles**, tous identiques et incapables de butiner ou de se nourrir seuls, n'ont pour rôle que de **féconder** la reine et de ventiler la ruche.

Des artisans de talent

Si la plupart des animaux dorment et se reproduisent en plein air, certains construisent des abris pour eux et leurs petits. Quelques-uns utilisent, et parfois adaptent, des objets qui leur servent d'outils, en général pour se nourrir. Les structures les plus familières sont les nids des oiseaux, mais de nombreux insectes tels que les abeilles ou les guêpes fabriquent aussi des nids. Parmi les invertébrés bâtisseurs figurent les termites et les araignées. Les mammifères creusent plutôt des terriers. Ces trous ou ces galeries vont de la simple chambre à entrée unique aux réseaux très étendus partagés par plusieurs individus.

L'usage de l'outil

Si l'emploi d'outils est habituellement associé aux primates, tels les chimpanzés *(Pan troglodytes)*, qui introduisent des brindilles dans le nid des insectes pour s'en nourrir, il se rencontre aussi chez de nombreuses autres espèces. Ainsi, les **percnoptères** *(Neophron percnopterus)* brisent les œufs d'autruche à l'aide de pierres et la **loutre de mer** *(Enhydra lutris)* utilise un caillou pour casser les coquillages. Au Japon, les **corneilles noires** *(Corvus corone)* se servent même d'outils humains en plaçant des noix devant des voitures arrêtées. En démarrant, les voitures écrasent la coquille.

Architectes ailés

Pour **déposer leurs œufs**, presque tous les oiseaux construisent des nids qui vont du simple creux dans le sol aux constructions de boue suspendues. Quelques espèces édifient leurs nids sous un **abri commun**, tels les républicains africains *(Philetairus socius)*, comptant parfois jusqu'à 300 couples. Les **plus grands nids** sont ceux des aigles. Le record est détenu par des **pygargues à tête blanche** *(Haliaeetus leucocephalus)* avec un nid de 2,80 m de largeur et 6 m de profondeur.

Nids d'hirondelle

Les soupes à base de nids d'oiseaux sont consommées en Chine depuis plus de 1 500 ans. Les nids utilisés sont ceux des salanganes *(Aerodramus fuciphagus)*, construits avec la salive gluante sécrétée par d'énormes glandes.

Chacun chez soi

On trouve une grande **variété d'abris** suivant les espèces.

Animal	Abri	Description
Ours Famille des ursidés	Tanière	Caverne utilisée pour hiberner et mettre bas
Castor *Castor fiber*	Hutte	Structure de bois entourée d'eau et dotée d'une entrée immergée
Chien de prairie *Cynomys ludovicianus*	Ville	Nombreux terriers séparés proches les uns des autres
Lièvre *Lepus americanus*	Gîte	Dépression dans l'herbe *Lepus* haute où se dissimulent les petits levrauts
Lapin à queue blanche *Sylvilagus floridanus*	Bosquet	Il vit dans des prairies ou dans des zones arbustives
Blaireau d'Amérique (belette) *Taxidea taxus*	Terrier	Chambres et réseau de galeries comportant plusieurs entrées
Loutre d'Amérique *Lutra candiensis*	Terrier	Espace tapissé d'herbe, de feuilles et de brindilles, bûche creuse ou souche
Loup gris *Canis lupus*	Tanière	Forêts de feuillus et de conifères et de la toundra du nord
Abeille *Apis mellifera*	Ruche, nid	Structure formée de rayons de cire comportant des cellules hexagonales
Renard roux ou argenté *Canis argentatis Vulpes vulpes domestica*	Tanière	Terrains semi-boisés de préférence aux grandes forêts denses

Fouisseurs et bâtisseurs

Les **mammifères** qui creusent des **terriers** cherchent à se protéger des prédateurs et des éléments. Mais certains vivent sous terre, tels les **taupes** et les **rats-taupes**, qui voient rarement la lumière du jour. Les premiers se nourrissent de vers de terre, les seconds de tubercules et de racines. Peu de mammifères construisent de véritables structures. Le **castor** est, après l'homme, l'animal dont l'impact sur l'environnement est le plus grand. Il abat des arbres pour créer des digues et des lacs artificiels. Le plus long barrage (700 m) a été signalé aux États-Unis, dans le Montana.
La **chauve-souris du Honduras** *(Ectophylla alba)* se fabrique une tente avec des feuilles. Le mâle du **tisserin de Layard** *(Ploceus cucullatus)* construit un nid très élaboré pour attirer les femelles.

La répartition de la vie

Bien que la vie soit partout présente sur terre, la répartition des espèces n'est pas uniforme. Certains endroits abondent plus que d'autres en espèces et en organismes particuliers. La répartition de la vie est fonction de plusieurs facteurs, notamment du climat, le plus important. Certains groupes d'organismes, les biomes, n'existent que dans des aires géographiques distinctes. D'autres sont disséminés un peu partout, quelques-uns vivent sous toutes les latitudes.

Zoogéographie

Les familles de mammifères peuvent se classer selon des **aires géographiques**. Ainsi, les marsupiaux se concentrent en Australie, et la plupart des édentés, tels les paresseux et les fourmiliers, en Amérique du Sud. La raison en est l'**isolement génétique**. L'Australie est une île depuis la fin du crétacé, comme le fut l'Amérique du Sud avant la formation de l'isthme de Panamá, il y a 2 millions d'années.

L'influence du climat

Le climat influence la croissance des végétaux et donc la répartition des biomes. En général, il est tributaire de l'importance de la **lumière solaire** qui atteint la Terre et de la pluie, associée aux vents et à la situation des terres par rapport à la mer. Exposées au vent du large, les régions côtières sont plus humides et hébergent une vie luxuriante, alors que les régions où le vent souffle des terres sont plus sèches. Généralement, l'intérieur des masses continentales est sec car l'humidité charriée par les vents se transforme en pluie avant de l'atteindre. Les montagnes aussi influencent les précipitations. Les nuages déversent leur humidité sur les versants exposés, qui abritent dès lors une vie plus abondante.

Globe-trotter

De rares espèces ont une telle faculté d'adaptation qu'elles ont colonisé différents biomes dans le monde. La **chouette effraie** *(Tyto alba)* vit dans la savane africaine et la brousse australienne. On la trouve même dans des îles comme les Galápagos.

La diversité des espèces

La richesse de la faune est fonction de l'exubérance de l'habitat et de l'abondance en ressources nutritives. La vie offre par conséquent plus de diversité sous les tropiques que près des pôles et c'est sous ces latitudes que vivent le plus d'animaux. Le **machaon** illustre parfaitement cette influence : on en trouve 501 espèces différentes dans la région située à 10° de l'équateur, mais seulement 37 dans celle située à 30° des pôles. Il en est de même pour la flore. Les animaux se font rares près des pôles du fait d'une végétation éparse, peu propice à leur subsistance ou à celle de leurs proies.

Terminologie

Les scientifiques emploient différents termes pour définir les zones naturelles. Le mot **biome** désigne de grandes communautés d'organismes qui se sont adaptés aux conditions de vie liées à une vaste région écologique, comme la toundra ou le désert. Il désigne aussi ces milieux. Le mot **habitat** définit le type d'environnement dans lequel vivent des espèces individuelles. L'habitat naturel d'un organisme peut être un biome entier ou une partie de ce biome, voire différents biomes.
Se nourrissant presque exclusivement de bambous, les grands pandas ne vivent que dans l'aire limitée où ils poussent.

Aires florales

Comme pour les mammifères, les familles de plantes à fleurs croissent dans des régions particulières. Mais les limites de ces aires sont moins précises, car leurs graines peuvent franchir des barrières naturelles comme les mers.

La toundra

La toundra est un biome qui s'étend entre la forêt boréale et l'océan Arctique – dans les limites septentrionales de l'Europe, de l'Asie, et de l'Amérique du Nord. Elle recouvre aussi de nombreuses îles arctiques. La végétation de la toundra ne croît qu'à de brèves périodes : au printemps et en été. En hiver, le Soleil dépasse à peine de l'horizon ; dans le voisinage des pôles, il disparaît même pendant plusieurs mois. L'Antarctique n'a pas de végétation équivalente, si ce n'est quelques plantes, mais les îles proches verdissent pour la plupart en été.

Les lichens

Parmi les plantes à fleurs et les mousses de l'Arctique s'épanouissent également les lichens. Ces **organismes symbiotiques** – mi-champignons, mi-algues – vivent de presque rien, se contentant de décomposer les minéraux de roches voisines. Ils constituent la **nourriture de base** de nombreux herbivores de la toundra. Les lichens les plus connus de l'Arctique, les **cladonies** *(Cladina rangiferina, C. arbuscula, C. mitis* et autres), forment l'alimentation principale du **renne** *(Rangifer tarandus* – appelé **caribou** au Canada), ainsi que d'autres animaux. Contrairement à la plupart des autres lichens, la cladonie pousse en un épais tapis pouvant atteindre 15 cm de haut.

La chaîne alimentaire

Les plantes arctiques constituent une source de nourriture pour de nombreux herbivores, comme le **lemming des toundras** et le **lemming arctique** *(Lemmus lemmus* et *Dicrostonyx torquatus).* De l'abondance de cette flore dépend l'importance du peuplement des prédateurs, qui fluctue selon des cycles de 3 ou 4 années.

La flore antarctique

Continent grand comme deux fois l'Europe, l'Antarctique n'héberge pourtant que **deux espèces** florales. Elles ne croissent que dans la péninsule antarctique, qui n'est dégagée des glaces que quelques semaines en été : ce sont la **canche antarctique** *(Deschampsia antarctica)* et la **sagine antarctique** *(Colobanthus quitensis),* qui pousse près du rivage. L'Antarctique abrite aussi 70 espèces de mousses et 20 types de trinitaires.

Le permafrost

Dans la région nord de l'Arctique, le sol est gelé toute l'année. L'été, seule la couche supérieure dégèle, le reste du sol restant glacé. L'eau ne pouvant s'infiltrer, la toundra se transforme généralement en un vaste marécage tapissé de **mousses spongieuses**. C'est le terrain de choix des **moustiques**, qui en profitent pour harceler les oiseaux et les autres animaux à sang chaud.

Sur la corde raide

Le froid représente pour la faune de la toundra une sérieuse menace.
La plupart des oiseaux et des mammifères polaires sont protégés par leurs **plumes** ou leur **fourrure** épaisse.
Sous la peau, plusieurs couches de **graisse** renforcent l'isolation thermique.
Les extrémités sont réduites au minimum ; les corps sont ronds et les protubérances, comme les oreilles, sont moins importantes que chez les animaux similaires vivant plus au sud. La neige et la glace handicapent les herbivores ; ceux qui n'hibernent pas doivent s'adapter à ces conditions extrêmes. Le caribou, ou renne, fouille la neige en quête de nourriture avec ses larges sabots incurvés et ses bois développés qui descendent jusqu'au niveau du museau.

La flore de la toundra arctique

Dans la toundra pousse la végétation du **nord des forêts boréales**. Exposés aux vents glacés, les végétaux ne croissent qu'au niveau du sol. Pourtant, la toundra regorge d'espèces florales, avec 1 500 types de plantes. Le bouleau et le saule nains et des arbustes comme l'airelle abritent à leur pied un luxuriant tapis d'herbes, de laîches, de mousses et de saxifrages. Au printemps, la toundra explose en une floraison nouvelle, riche en pavots arctiques, attirant des myriades d'insectes.

PETITE INFO

Quelques plantes **résistantes au gel** offrent dans la toundra un micro-habitat à certaines espèces de moucherons.

La forêt boréale

La forêt boréale, appelée également taïga, recouvre l'hémisphère Nord à partir de 3 200 km environ du pôle Nord. Biome septentrional, elle forme une vaste région s'étendant de l'Amérique du Nord à l'Asie en passant par l'Europe. Elle empiète même par endroits sur le cercle arctique. Principalement constituée de conifères – il n'y a pas de telles forêts dans l'hémisphère Sud –, elle abrite aussi des feuillus résistants au gel comme les saules et les bouleaux. Au nord de la forêt boréale, ses lisières avec la toundra sont bien distinctes ; au sud, les conifères, laissant peu à peu place à de grandes étendues de feuillus, forment une transition avec les forêts mixtes.

La chaîne alimentaire

Les conifères permettent à la majorité des animaux de la taïga d'Amérique du Nord de se nourrir, en particulier aux **insectes** comme les tremex et les scolytes, qui fournissent à leur tour leur subsistance aux **pics** et autres oiseaux. Les **écureuils** sont la proie des **martres**, alors que les mammifères tels les **orignaux** sont chassés par les **loups** *(Canis lupus)*, et les **lièvres** par les **lynx**.

Les conifères

S'ils prédominent dans les forêts boréales, c'est qu'ils se sont **adaptés à la neige et à la glace**. La plupart présentent une silhouette conique et élancée, branches pointant vers le bas, ce qui leur évite d'accumuler trop de neige. Lorsque son poids devient excessif, les branches plient au lieu de casser, et la neige tombe par terre. La plupart des conifères gardent leurs aiguilles (feuilles) tout l'hiver, mais certains, comme les mélèzes, les perdent pour conserver le maximum d'humidité.

Les becs-croisés

Les graines de conifères, lentes à mûrir, sont protégées par les écailles des pommes de pin. Cette disposition met les graines hors d'atteinte de la plupart des oiseaux, sauf des **becs-croisés** (genre *Loxia*), dont le bec en forme de pince, véritable outil de précision, écarte efficacement les écailles des cônes, grâce à ses mandibules qui se chevauchent. Ils peuvent ainsi saisir les graines avec leur langue.

LE SAVIEZ-VOUS ?

Le tiers de tous les arbres de la planète croît dans la forêt boréale, recouvrant 16 600 000 km², soit un dixième des terres du globe.

Le profil du sol de la taïga

Le sol de la taïga se trouvait sous les glaces il y a 10 000 ans seulement, ce qui empêcha l'érosion glaciaire de creuser un système de drainage dans le relief. L'eau de la fonte des neiges et des pluies ne peut donc s'écouler au loin et imbibe le sol en permanence. L'association de l'humidité et du froid retarde la décomposition des aiguilles de pin tombées à terre, contribuant à la formation de tourbières. En s'infiltrant, l'eau s'acidifie et entraîne avec elle les minéraux dans le sous-sol. Il en résulte un sol cendreux, lessivé et particulièrement infertile, le **podzol**.

PETITE INFO

Les racines des **conifères** s'étendent largement sous la surface pour tirer le meilleur parti possible d'un sol peu profond.

Survivre

Dans les forêts boréales, les **étés** sont **courts** et les **hivers longs et rigoureux**. Pour y survivre, les animaux doivent être capables de supporter de longues périodes de diète, ou bien de migrer à la mauvaise saison. Les mammifères qui passent l'hiver dans la taïga se **constituent des réserves de graisse** les mois précédents. Beaucoup d'entre eux **hibernent** au plus fort de l'hiver, entrant dans un sommeil profond pendant lequel leurs processus vitaux se ralentissent pour économiser l'énergie : c'est le cas des ours. Ces derniers sont omnivores, c'est-à-dire que leur nourriture est extrêmement variée. Les grizzlis *(Ursus arctos horribilis)* mangent de tout, des baies jusqu'aux cadavres d'animaux, en fonction de ce qu'ils trouvent. Les oiseaux et d'autres créatures migrent vers le sud pour passer l'hiver dans des contrées au climat plus accueillant.

Le tapis forestier

Les frondaisons des forêts boréales abritent une vie éparse. Privé de lumière solaire, couvert d'un épais tapis d'aiguilles robustes, le sol ne se prête pas à l'enracinement d'autres plantes. Seules les **mousses** y survivent en nombre, avec les **champignons**, qui décomposent les cônes et les matières organiques du sol. Les herbivores sont rares. Le **grand tétras** *(Tetrao urogallus)* possède un estomac capable de digérer les bourgeons et les aiguilles de conifères. D'autres, comme l'**orignal** *(Alces alces)*, comptent sur quelques feuillus pour s'alimenter et parfois sur l'écorce des résineux lorsque les rigueurs de l'hiver les privent de toute autre nourriture.

La forêt tempérée

Les zones tempérées du monde s'étendent entre les régions polaires et les tropiques. Leur végétation très variée est dominée, là où les pluies sont fréquentes, par les forêts. La plus grande partie des régions tempérées de l'hémisphère Nord est couverte de forêts de conifères. Leurs lisières méridionales laissent place à une forêt de feuillus caducifoliés. En Amérique du Nord y prédominent chênes, hêtres, érables et noyers. En Eurasie, chênes et hêtres côtoient marronniers et tilleuls. Plus au sud encore, croissent les arbres à feuilles persistantes, parmi les feuillus caducifoliés. Les forêts tempérées de l'hémisphère Sud sont toutes des forêts de feuillus. De part et d'autre de l'équateur, là où les pluies abondent, croissent des forêts pluviales tempérées.

Le profil du sol

Le sol de la plupart des forêts caducifoliées est **fertile**. Le renouvellement de la « terre brune » est assuré en saison sèche par l'évapotranspiration : la remontée d'eau vers la surface compense son infiltration pendant les pluies. La tiédeur et l'humidité des forêts tempérées accélèrent la dégradation des feuilles tombées à terre, qui forment une épaisse couche d'humus. Les vers et autres invertébrés transforment cette litière, dont les particules décomposées et saturées d'eau finissent par former un horizon d'engorgement coloré, riche en argile et en sels de fer, le **gley**. Les racines des arbres des forêts tempérées plongent profondément dans le sous-sol.

La chaîne alimentaire

Les forêts tempérées d'Amérique du Nord abritent des **phytophages** comme la chenille et le **cerf de Virginie** ou chevreuil (*Arcus palmaris superficialis*), de nombreux omnivores et opportunistes, tels que le **blaireau** (*Taxidea taxus*) et l'**ours noir** (*Ursus americanus*). Les carnivores tels que le **renard roux** (*Vulpes vulpes domestica*) figurent en haut de la chaine.

Les forêts pluviales

La faune et la flore des **forêts pluviales tempérées** sont moins abondantes que celles des forêts pluviales tropicales. Soumises à de fréquentes précipitations et à des températures assez basses (la neige n'est pas rare en hiver), ces forêts s'étendent le long de la côte pacifique de l'Amérique du Nord, dans une partie de l'Extrême-Orient et dans le sud-est de l'Australie. Mousses et lichens tapissent le sol et le tronc des arbres. Les animaux adaptés à ce milieu sont à peu près les mêmes que ceux qui colonisent les forêts tempérées plus sèches du même continent.

Une manne saisonnière

Les animaux des forêts tempérées trouvent à se nourrir toute l'année, sauf dans les forêts caducifoliées, lorsque sévit l'hiver. Comme dans la taïga, certaines créatures **hibernent** ou **migrent** pour éviter la pénurie hivernale.
Les herbivores qui n'hibernent pas se nourissent d'écorces, de bourgeons et de baies en attendant l'arrivée du printemps. Alors éclosent **primevères**, **jacinthes** et autres fleurs qui profitent de l'élévation des températures et du dénuement de la canopée. La floraison entraîne l'arrivée des insectes, qui constituent une source de nourriture pour les oiseaux.
Le printemps est l'époque où les animaux des forêts tempérées ont leurs **petits**.
L'été et l'automne apportent une grande variété de plantes à fleurs et de fruits sur lesquels comptent la plupart des jeunes animaux pour se préparer à affronter le prochain hiver.
En automne, quand les arbres des forêts d'Amérique et d'Europe perdent leurs feuilles, les animaux se repaissent pour se constituer des réserves de graisse. Quant au loir et à l'écureuil, ils préfèrent entreposer leurs victuailles.

Les antipodes

L'**Australie** et la **Nouvelle-Zélande** sont recouvertes de grandes forêts tempérées à feuilles persistantes.
Les mammifères de la forêt tempérée australienne, tel le **phalanger pygmée** (*Cercartetus nanus*), sont presque tous des marsupiaux. Ils ressemblent étrangement à leurs parents placentaires de l'hémisphère Nord.
Les 60 millions d'années d'isolement qu'a connus la Nouvelle-Zélande l'ont privée de mammifères indigènes. Cette situation est mise à profit par une étonnante variété d'oiseaux qui colonisent les niches vacantes. La nuit, le **kiwi** parcourt la forêt néo-zélandaise en quête de vers de terre et de larves d'insectes.

L'Amérique du Sud

L'Argentine et le Chili hébergent les seules forêts caducifoliées en dessous de l'équateur. Elles sont surtout peuplées de **hêtres obliques** (espèce *Nothofagus*), uniques sous ces contrées.

PETITE INFO

Les **forêts tempérées** apprécient les pluies fréquentes. Elles forment la végétation naturelle de l'essentiel de l'Europe, de l'Amérique du Nord-Est, de la Chine, de l'Australie et de la Nouvelle-Zélande.

Les animaux de la forêt

La forêt recouvrait autrefois presque toute la Terre et elle occupe encore de vastes surfaces sur tous les continents, à l'exception de l'Antarctique. Il y a aujourd'hui trois grands types de forêts. La forêt tropicale humide, dans la zone intertropicale, autour de l'équateur, est la plus riche en nombre d'espèces comme en biomasse (masse de matière vivante par unité de surface). La forêt tempérée s'étend au nord et au sud des tropiques. Au nord, les arbres sont à feuilles caduques, tandis que, au sud, leur feuillage est persistant. La forêt de conifères ne se rencontre que dans l'hémisphère Nord. Elle forme une ceinture qui s'étend jusqu'à la toundra et abrite moins d'espèces que les autres types de forêts.

De branche en branche

Le mode de vie arboricole demande des **adaptations particulières**. Ainsi, les petits mammifères, tels les **écureuils**, sont dotés de griffes recourbées pour agripper l'écorce et les **singes** ont une paume allongée et de longs doigts pour pouvoir se suspendre aux branches. Comme nombre d'animaux grimpeurs, les singes-araignées sud-américains ont une queue préhensile. Les doigts des **grenouilles arboricoles** portent des disques adhésifs leur permettant de grimper, et ceux des **geckos** sont munis de crochets microscopiques.

Champ visuel

Pour se déplacer rapidement dans les arbres, il est primordial de pouvoir évaluer les distances. La plupart des mammifères arboricoles, comme les singes, ont une **vision binoculaire**, les champs visuels de chaque œil convergeant pour donner une seule image.

Des abris en hauteur

La plupart de animaux arboricoles passent la nuit sur les branches, mais quelques-uns ont des abris plus solides. L'**écureuil roux** *(Sciurus vulgaris)* construit un nid.
Les **chauves-souris** dorment le jour, suspendues la tête en bas dans des troncs creux. De nombreux petits rongeurs tels que le **muscardin** *(Muscardinus avellanarius)* dorment dans des cavités naturelles. Les pics, comme le **pic à nuque rouge** *(Sphyrapicus nuchalis)*, creusent leur nid dans un tronc d'arbre. Ces cavités seront utilisées par la suite par d'autres animaux.

Voler sans ailes

De nombreuses espèces arboricoles ont résolu le problème du déplacement grâce au **vol plané**, qui leur permet de passer d'un arbre à un autre sans avoir à descendre à terre, où ils risquent de rencontrer des prédateurs. Parmi les animaux qui pratiquent ce mode de locomotion, on trouve des grenouilles, des serpents, des lézards et plusieurs espèces de mammifères, tel l'écureuil phalanger *(Petaurus breviceps)*, un marsupial qui vit en Australie et en Papouasie-Nouvelle-Guinée et se nourrit d'insectes et de nectar.

Forêts de graminées

Dans le sud-ouest de la Chine, le **bambou**, qui est la plus grande herbe du monde, forme de véritables forêts dont l'hôte le plus célèbre est le **grand panda** *(Ailuropoda melanoleuca)*. Celui-ci s'en nourrit presque exclusivement, capturant à l'occasion des oiseaux et des petits mammifères. À la différence des ours, le grand panda peut saisir des objets avec ses pattes. On y rencontre également le **singe doré** *(Rhinopithecus roxellanae)*, très rare, qui mange aussi du bambou.

La vie dans les strates

Les forêts comportent en général deux niveaux, le sol et les branches. Les forêts **tropicales humides**, en revanche, se divisent en **cinq strates différentes**, chacune abritant ses propres espèces. La **canopée** en possède le plus grand nombre, parmi lesquelles la plupart des frugivores. Les **arbres émergents** hébergent les nids et postes d'observation de prédateurs tels que les aigles, tandis qu'au sol vivent les espèces qui consomment surtout ce qui tombe des arbres. La **strate moyenne** et la **strate arbustive** ont peu d'espèces propres, mais elles offrent un refuge aux animaux se nourrissant de feuilles, comme les paresseux. Elles abritent aussi des espèces opportunistes tels les ouistitis et les tamarins et offrent une grande variété de nids aux nombreux oiseaux.

L'écosystème méditerranéen

Comparé aux biomes voisins – la forêt tempérée, la prairie tempérée et le désert –, l'écosystème méditerranéen couvre une étendue relativement modeste dans le monde. La majeure partie de cet écosystème avait à l'origine l'aspect de régions boisées tempérées, surtout en Europe. Ce biome occupe le pourtour méditerranéen de l'Europe, de l'Afrique du Nord et du Moyen-Orient, ainsi que le sud de l'Afrique et de l'Australie. Il s'étend également en Californie et dans d'autres États de l'ouest des États-Unis, où il a pour nom chaparral. La modification de sa flore résulte des activités humaines et de la longue pratique du surpâturage. L'été, les pluies sont rares dans les écosystèmes méditerranéens, voire inexistantes, et les températures élevées. Les hivers sont plus doux et parfois humides.

La chaîne alimentaire

Les civilisations qui se sont succédé autour de la Méditerranée ont fini par entraîner la disparition quasi totale de la vie sauvage et des sites naturels. Les **grands prédateurs** comme le **loup** *(Canis lupus)* et l'**ours brun** *(Ursus arctos arctos)* n'existent plus que dans des endroits isolés. Mais une **grande variété de créatures plus petites**, comme toutes sortes de reptiles et d'oiseaux, prolifèrent dans cette région. Parmi elles, le faucon pèlerin, l'animal le plus rapide qui soit.

Les plantes aromatiques

La plupart des plantes aromatiques croissent dans les biomes méditerranéens. Les essences diffusées par les herbes comme le **romarin** *(Rosmarinus officinalis)*, cultivé pour ses vertus aromatiques et ses bienfaits thérapeutiques, et la **lavande** *(Lavandula sp.)* font fuir les herbivores.
Les plantes méditerranéennes sont capables de **retenir l'humidité**. Bien que leur feuillage ne soit pas plus charnu que celui des plantes grasses du désert, il est souvent vernissé ou velu et réfléchit ainsi les rayons solaires. Les poils piègent l'humidité et réduisent l'évaporation due au vent.

Nulle part ailleurs

De nombreuses régions méditerranéennes abondent en **plantes endémiques** (que l'on ne trouve pas ailleurs). Ces sites, généralement bien délimités, présentent un grand intérêt écologique et bénéficient de l'attention des organismes de sauvegarde de la nature. Parmi les plus importants de ces milieux figurent les sites du pourtour méditerranéen. Leurs 13 000 espèces de plantes endémiques rivalisent avec les 20 000 plantes des Andes, offrant une étonnante biodiversité pour ce type de végétation.
La région du Cap, en Afrique du Sud, possède presque autant de plantes endémiques que la région méditerranéenne.

Les feux de forêt

Les longues périodes de sécheresse et la présence dans l'air des **essences volatiles** émanant des plantes méditerranéennes favorisent la survenue de fréquents incendies. La plupart de ces végétaux survivent au feu et certains s'y sont même adaptés. L'épaisse écorce du **chêne-liège** *(Quercus suber)*, par exemple, a fini par devenir ignifuge.

Le maquis et la garrigue

Le littoral méditerranéen abrite deux types de végétation quelque peu différents.
Le **maquis**, végétation typiquement méditerranéenne, est une terre de broussailles jalonnée d'arbustes, d'herbes sèches et de buissons touffus. La **garrigue** ressemble plus à une lande sèche dénuée d'arbres et d'arbustes. Ceux-ci servirent, il y a des siècles, de bois de chauffage, et ne purent jamais repousser du fait de l'érosion de la terre et du pacage intensif. Dans les autres parties du monde, la végétation de type méditerranéen ressemble au maquis.

LE SAVIEZ-VOUS ?

À part les ancêtres du **blé** et de l'**orge**, deux des premières plantes cultivées, cette région abrite de nombreuses **plantes aromatiques** : ciboulette, thym, origan, ail, sauge…

Arachnides et myriapodes

Comme les insectes et les crustacés, les arachnides appartiennent à la classe des arthropodes, qui ont un squelette externe rigide. Le corps des arachnides est divisé en deux parties. L'avant, ou céphalothorax, porte deux paires d'appendices – les pédipalpes et les chélicères – et quatre paires de pattes. La plupart des arachnides sont des prédateurs d'autres arthropodes. Le groupe comprend les araignées, les scorpions et les acariens. Les myriapodes ou mille-pattes ont une paire d'antennes et un corps formé de nombreux segments : les chilopodes ont une paire de pattes par segment, les diplopodes deux paires.

Acariens et araignées

Les **arachnides les plus nombreux sont les araignées** avec 30 000 espèces recensées. La plupart chassent des insectes, mais quelques-unes, telles les mygales d'Amérique du Sud, sont capables de tuer des animaux de la taille d'une souris. Seulement la moitié des espèces d'araignées tissent des toiles pour capturer leurs proies. Les **plus grandes toiles** individuelles sont celles des néphiles ***(Nephila sp.)*** d'Asie tropicale, dont le diamètre atteint 1,50 m. Les araignées sont très résistantes et certaines peuvent survivre 18 mois sans nourriture. Elles ont aussi une grande longévité : une ***Theraphosa*** a ainsi vécu 26 ans.
Tiques et autres acariens sont proches des araignées. La plupart sont de petite taille et même minuscules. Les **acariens** qui vivent dans la poussière des maisons se nourrissent de débris de peau. Leurs déjections sont responsables de crises d'asthme.

Appendices

Les **scorpions** et les solifuges sont des espèces tropicales. Les **solifuges**, les invertébrés terrestres les plus rapides (16 km/h), ne sont pas des araignées et constituent à eux seuls un ordre. Leurs pièces buccales sont les plus grandes de tous les invertébrés terrestres.
Comme les solifuges, les scorpions sont des prédateurs actifs. Ils capturent leurs proies à l'aide de leurs pédipalpes terminés en pinces et, si nécessaire, les paralysent ou les tuent avec leur aiguillon. L'abdomen articulé et l'aiguillon les différencient de leurs proches parents, les uropyges et les pseudoscorpions.

Arachnides

Araignées

La plus grande	**La plus petite**
La mygale *Theraphosa leblondi* 9 cm	*Anapistula caecula* 0,46 mm

Scorpions

Le plus grand	**Le plus petit**
Le scorpion géant de l'Inde *Heterometrus swammerdami* 29 cm	*Microbothus pusillus* 1,3 cm

Myriapodes

Chilopodes

Le plus grand	**Record de pattes**
La scolopendre géante *Scolopendra morsitans* 33 cm	*Himantarum gabrielis* 354

Diplopodes

Le plus grand	**Record de pattes**
Le mille-pattes géant d'Afrique *Graphidostreptus gigas* 28 cm	Le siphonophore de Californie *Illacme plenipes* 750

Chilopodes et diplopodes

Le terme **myriapode** signifie « un grand nombre de pieds » et les mille-pattes en ont beaucoup plus que n'importe quel animal. Le plus petit nombre de pattes chez les diplopodes est de 24 et les chilopodes en ont au minimum 15 paires, mais aucun mille-pattes n'en a vraiment 1 000. Les **diplopodes** se nourrissent de végétaux. Les diplopodes géants se défendent en sécrétant un liquide toxique. D'autres, plus petits, vivent dans le sol. Les **chilopodes** sont des prédateurs. Le plus rapide est la scutigère *(Scutigera coleoptrata)* d'Europe méridionale, qui peut atteindre 1,8 km/h.

Poison !

- **Diplopodes**, **araignées** et **scorpions** produisent des venins parmi les plus puissants du règne animal.
- Les **araignées** sont les **plus dangereuses** pour l'homme. Plus de 30 espèces peuvent se révéler mortelles. L'araignée brésilienne *(Phoneutria fera)* est la plus venimeuse du monde.
- Les petits scorpions sont plus dangereux que les gros. Le plus venimeux est le scorpion africain *Leiurus quinquestriatus*, mais les espèces du genre *Centruroides*, au Mexique, causent plus de 1 000 morts par an.

LE SAVIEZ-VOUS ?

Les **scorpions** peuvent survivre à la congélation, puis être décongelés avec un chalumeau. Ils résistent bien à la déshydratation et peuvent perdre jusqu'à 40% de leurs fluides organiques sans dommage.

Plus solide que l'acier

La **soie** produite par les **araignées** est la substance d'origine animale la plus résistante, plus solide qu'un fil d'acier de la même épaisseur. Formée de protéines, elle est sécrétée par des glandes situées à l'extrémité de l'abdomen et qui produisent des fils de différentes qualités : certains, lisses, servent à entourer les œufs, d'autres, recouverts de gouttelettes de colle, à capturer les proies.

Les déserts

Là où la pluviométrie annuelle est inférieure à 250 mm s'étendent les déserts. Ils sont limités par la brousse, qui reçoit en moyenne 250 à 500 mm de pluies dans l'année. Ensemble, les déserts et la brousse couvrent approximativement 20 % de la surface terrestre de la planète. La vie dans ces deux biomes est extrêmement limitée. Leur faune et leur flore doivent endurer de longues privations d'eau et se sont adaptées à ces conditions extrêmes. Les déserts chauds et la brousse s'étendent dans les régions subtropicales, près des tropiques du Capricorne et du Cancer, régions de hautes pressions atmosphériques. Ailleurs, le désert s'étend du côté aride des chaînes montagneuses, comme l'Himalaya et les Andes. Les dunes comme celles du Sahara sont un milieu des plus hostiles. Rares sont les plantes à y prendre racine et même les animaux les plus endurants s'y aventurent exceptionnellement.

La chaîne alimentaire

La flore saharienne est pauvre et dispersée. Les rares plantes qui y croissent sont recherchées par les antilopes comme l'**addax** *(Addax nasomaculatus)* et l'**algazelle** *(Oryx tao,* du grec *orux* signifiant pioche), et par les rongeurs telle la **gerboise**. Lorsque la végétation est inexistante, la chaîne alimentaire repose sur les graines et autres matières organiques apportées par le vent. Les lézards et les scorpions se nourrissent d'**insectes** et d'autres petits animaux, mais sont la proie de prédateurs comme le **fennec** *(Fennecus zerda)* et la **vipère cornue** *(Cerastes cerastes)*.

Le désert de Gobi

Comme on le sait, ce n'est pas la chaleur qui définit un désert, mais l'aridité (moins de 250 mm de pluies par an). Le plus grand désert froid (hormis l'Antarctique) est celui de Gobi, en Asie centrale. Les températures descendent bien en dessous de 0 °C en hiver. Les chameaux de Bactriane *(Camelus bactrianus)* portent un long pelage qui leur permet de supporter ces conditions extrêmes.

LE SAVIEZ-VOUS ?

Les plus longues racines appartiennent au figuier sauvage (genre *Ficus*) qui pousse en Afrique du Sud. Elles s'étirent sous terre jusqu'à 120 m de long pour atteindre la nappe d'eau.

Les déserts les plus arides

Les déserts ne se ressemblent pas tous. Certains abritent plus de formes de vie que d'autres.

Désert	Continent	Pluviométrie annuelle
Atacama	Amérique du Sud	1 mm
Sahara	Afrique	12 mm
Nubie	Afrique	18 mm
Arabie	Asie	35 mm
Namib	Afrique	45 mm
Taklimakan	Asie	55 mm
Sonoran	Amérique du Nord	90 mm
Gobi	Asie	125 mm
Turkestan	Asie	145 mm
Mojave	Amérique du Nord	150 mm
Simpson	Australie	185 mm
Great Basin	Amérique du Nord	190 mm
Great Victoria	Australie	200 mm

L'adaptation de la flore

Pour survivre dans le désert, les cellules des végétaux doivent être capables de conserver l'humidité. Les feuilles ou les pieds charnus des **plantes grasses** sont remplis d'un **suc** riche en eau. Chez d'autres plantes, les feuilles sont plus petites ou moins nombreuses que celles des végétaux croissant dans les biomes plus arrosés, pour réduire les pertes d'humidité. Certaines plantes du désert profitent des rares pluies pour germer, fleurir et mourir en quelques semaines. Ces **plantes annuelles et éphémères** vivent le plus souvent en léthargie.
Les plantes grasses échappent aux herbivores en se fondant dans le paysage, tandis que les cactus se protègent à l'aide d'épines. Malgré leur forme charnue, ils ont une parenté avec l'œillet et le statice.

La brousse

Là où les pluies dépassent 250 mm apparaît une végétation différente. Les **buissons d'épineux** à petites feuilles coriaces, comme *Larrea divaricata*, côtoient les touffes d'**herbes résistantes**. Les plantes éphémères côtoient les plantes à bulbe, comme les tulipes (espèce *Tulipa*) et les étoiles de Bethléem *(Ornithogalum arabicum)*. La végétation de la brousse est si dispersée que les racines ne courent pas le risque de s'enchevêtrer.

PETITE INFO

La **Vallée de la Mort**, en Californie, est l'endroit le plus aride d'Amérique du Nord (50 mm de pluie par an). Des mammifères y vivent : renard véloce *(Vulpes velox)*, rat-kangourou *(Dipodomys sp.)*.

Les animaux du désert

Les déserts reçoivent en moyenne moins de 250 mm de pluie par an. Les animaux qui y vivent ont dû s'adapter pour réussir à conserver le peu d'eau qu'ils peuvent trouver. Face à la chaleur, les animaux disposent de particularités physiques ou comportementales pour maintenir une température interne constante. En général, plus un désert est ancien et plus le nombre d'espèces adaptées à cet habitat y est élevé. Le plus vieux désert du monde est celui du Namib, qui abrite, par rapport à sa superficie, le plus d'espèces endémiques. Le plus grand désert est le Sahara, suivi par les déserts d'Australie et d'Arabie.

Un grand buveur

Un **dromadaire** assoiffé *(Camelus dromedarius)* peut absorber le **tiers de son poids en eau en dix minutes**. Ses cellules sanguines, ovoïdes, deviennent sphériques lorsqu'elles reçoivent un apport soudain d'eau. Sa bosse n'est pas une réserve d'eau mais de graisse.

Vivre sans eau

L'eau est rare dans le désert et les animaux qui y vivent ont appris à s'en passer. Certains ne boivent jamais, leur nourriture leur apportant l'eau nécessaire. C'est le cas pour la plupart des reptiles, mais aussi pour un nombre étonnant de mammifères. Les rongeurs tels que les **souris sauteuses** d'Australie, les **rats-kangourous** d'Amérique du Nord et les **gerboises** d'Afrique et d'Asie réussissent à vivre sans eau, tout comme plusieurs espèces d'antilopes dont **l'addax** *(Addax nasomaculatus)*, l'**oryx d'Arabie** *(Oryx leucoryx)*, la **gazelle dorcas** *(Gazella dorcas)*, et l'**oryx-gazelle**, ou gemsbok *(Oryx gazella)*.

Sous le sable

Dans le désert, il est **difficile de se cacher des prédateurs**. Certaines espèces ont résolu le problème en s'enfouissant dans le sable. C'est ce que fait un **lézard** américain, *Uma scoparius*, qui disparaît à la moindre alerte. Des prédateurs ont adopté la même tactique, mais pour guetter leur proie ou bien «nager» à sa recherche. Les **taupes dorées** *(Eremitalpa granti)* la détectent grâce aux vibrations qu'elle produit et qui se propagent dans le sable.

Oreilles et terriers

Dans le désert, **garder une température interne** constante durant la journée est un exercice difficile pour les mammifères, qui sont des animaux à sang chaud. Beaucoup, tels le **renard à grandes oreilles** *(Vulpes macrotis)* et le **lièvre de Californie** *(Lepus californicus)*, possèdent de grandes oreilles qui contribuent à dissiper l'excès de chaleur. C'est aussi le cas du **fennec** *(Fennecus zerda)*, qui vit en Arabie et dans le nord du Sahara – ce carnivore a, par rapport à sa taille, les plus grandes oreilles.

Durant le jour, presque tous s'abritent de la chaleur dans des terriers. La plupart ne deviennent actifs que la nuit et les grandes oreilles des prédateurs se révèlent aussi utiles pour trouver leurs proies dans l'obscurité.

Avancer sur le sable

Il n'est pas facile de se déplacer sur le sable qui, de plus, dans le désert, devient brûlant durant la journée. Les reptiles qui ont une activité diurne ont dû adapter leur comportement pour ne pas se brûler. Certains **lézards**, tel *Callisaurus draconoides* (Amérique du Nord), se déplacent rapidement en courant sur leurs pattes arrière. D'autres, comme *Aporosaura anchietae*, posent leurs pattes alternativement sur le sable. Les serpents, qui n'ont pas de membres, ont trouvé d'autres solutions. Deux espèces se meuvent en progressant par mouvements latéraux successifs, leur corps ne reposant jamais entièrement sur le sol: le **crotale cornu** *(Crotalus cerastes)* d'Amérique du Nord et la **vipère à cornes** *(Cerastes cerastes)* d'Afrique.

LE SAVIEZ-VOUS ?

Certains hôtes du désert du **Namib** arrivent à boire tous les jours. Ainsi, la nuit, un coléoptère, le **ténébrion**, se positionne de sorte que la brume de mer se condense sur lui et coule dans sa bouche.

La forêt tropicale humide

La flore et la faune de la forêt tropicale humide, ou forêt pluviale tropicale, sont les plus riches du monde. Ce biome héberge 40 % de toute la vie sauvage. Le climat y est chaud : les températures oscillent généralement de 20 à 28 °C. Il y pleut pratiquement tous les jours ; la pluviométrie annuelle n'est jamais inférieure à 1 500 mm et peut atteindre 4 000 mm. La végétation est étagée en plusieurs strates. Le couvert forestier culmine généralement vers 25 m de haut alors que la strate arbustive dépasse rarement 10 m. Les arbres émergents peuvent atteindre 45 m de haut. Les forêts tropicales humides existent en Amérique centrale, en Amérique du Sud, en Afrique, en Asie et en Australie, entre les tropiques. Elles sont limitées par la forêt tropicale à rythme saisonnier, les montagnes ou la savane. Le bassin amazonien abrite la plus grande forêt tropicale humide du monde.

Le couvert forestier

La plupart des arbres de la **canopée** développent leur feuillage au sommet de leur tronc, leurs branches s'étalant pour former une épaisse voûte végétale. Les plus grands arbres de la forêt, les arbres émergents, parviennent à traverser ce couvert. Ce sont par exemple le **kapok** *(Ceiba pentandra)* et l'**acajou à grandes feuilles** *(Swietenia macrophylla)*. Des épiphytes, comme les broméliacées, occupent la canopée, où ils s'épanouissent sans autre concurrence végétale.

PETITE INFO

Peu profondes, les **racines** de nombreux arbres de la forêt pluviale s'étalent sur le sol pour soutenir les troncs gigantesques.

Les strates intermédiaires

Sous la canopée, les arbres de plus petite taille **luttent pour la lumière**. Plus jeunes que ceux qui leur font de l'ombre, les arbres des strates inférieures ont un faîte plus étroit pour recevoir le plus de lumière possible entre les fûts des grands arbres. La strate arbustive se compose d'arbustes et de palmiers dont la taille dépasse rarement 6 m de haut.

La chaîne alimentaire

L'une des chaînes alimentaires de la forêt amazonienne se situe au niveau de la canopée. Une grande variété de phytophages, des **toucans** *(Rhamphastos sp.)* aux **singes hurleurs** *(Alouatta sp.)*, se nourrissent de fruits, de fleurs et de feuilles. Ils sont la proie de prédateurs comme le **tayra** *(Eira barbara)* et la **harpie féroce** *(Harpia harpyja)*, qui colonisent la canopée. Plus bas, les **pécaris** *(Tayassu sp.)* et les **agoutis** *(Dasyprocta sp.)* sont la proie des **jaguars** *(Panthera onca)*.

Le tapis forestier

Sombre, humide et étonnamment calme, le tapis forestier abrite **peu d'espèces** animales et végétales comparé à la canopée. Les herbivores terrestres, comme le **tapir** *(Tapirus sp.)*, y complètent leur régime avec des noix et des fruits. De nombreuses créatures sont semi-arboricoles : ainsi, le **coati** *(Nasua sp.)* cherche sa pitance sur le sol ou sur les branches.

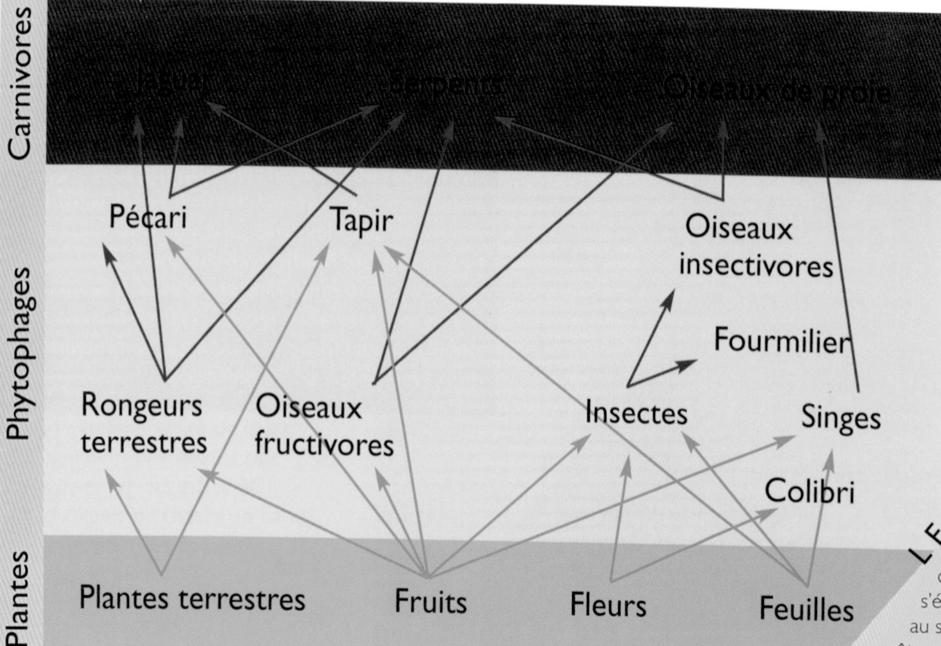

Camouflage

L'épaisseur de la forêt est propice aux embuscades. Pour chasser, de nombreux prédateurs se camouflent dans le feuillage. La plupart des félins tachetés vivent dans ce biome, comme la **panthère nébuleuse** *(Neofelis nebulosa)*, l'**ocelot** *(Felis pardalis)*, le **chat marbré** *(Felis marmorata)* et le **chat-tigre** *(Felis weidi)*.

LE SAVIEZ-VOUS ?

Les **lianes** sont de grandes formations végétales qui se servent des arbres de la forêt tropicale humide pour s'élever vers les cimes. Prenant racine au sol, les plus grandes espèces peuvent être aussi larges que le corps d'un homme.

Les reptiles

Les reptiles forment l'une des cinq principales classes de vertébrés (animaux qui ont une colonne vertébrale) et comprennent les lézards, les serpents, les tortues et les crocodiles. Tous les reptiles sont des animaux à sang froid (poïkilothermes) à respiration aérienne. Leur peau est sèche et pauvre en glandes. Leurs œufs sont enfermés dans une coquille souple et remplis de jaune. À l'exception des serpents, les reptiles possèdent quatre pattes étalées de part et d'autre du corps. Les lézards et les serpents (ordre des squamates) muent régulièrement.

Œufs de reptiles

La plupart des reptiles pondent des œufs, mais certains sont ovovivipares et donnent naissance à des petits déjà formés. La **ponte** la plus importante jamais observée chez un reptile (242 œufs) est celle de la tortue imbriquée *(Eretmochelys imbricata)*. La tortue verte *(Chelonia mydas)* est l'espèce la **plus prolifique** – chaque femelle pouvant pondre jusqu'à 1 100 œufs par an. La durée d'**incubation** est très variable suivant les espèces. La plus longue est celle du crocodile à front lisse de Schneider *(Paleosuchus trigonatus)*, qui peut atteindre 115 jours. Les **plus grands œufs** de reptiles sont ceux du faux gavial *(Tomistoma schlegelii)*, un crocodilien d'Asie du Sud-Est. Ils sont 200 000 fois plus gros que les plus petits œufs, ceux du leptotyphlops de Martinique, qui n'atteignent même pas la taille de cette lettre *o*.

Mangeurs d'hommes

Les crocodiles américains, de l'Orénoque, du Nil et des marais n'hésitent pas à s'attaquer à l'homme, tout comme le caïman noir, l'alligator, l'anaconda, le python réticulé et le varan de Komodo. Mais le **plus dangereux** est le crocodile marin, qui serait responsable de la mort de 2 000 personnes par an.

Le plus grand reptile du monde

Le **crocodile marin** est de loin le reptile actuel le plus imposant. Il peuple les fleuves côtiers de l'Inde jusqu'à l'Australie et se risque même en pleine mer. Ses dents peuvent dépasser 10 cm de long, et, lorsque l'une d'entre elles tombe, elle est rapidement remplacée.

L'habitat des reptiles

Les reptiles sont des animaux à sang froid. En d'autres termes, leur température interne varie en fonction de la température extérieure. Leur activité s'accroît lorsque celle-ci s'élève. Cette caractéristique, associée à la faculté de pouvoir jeûner pendant de longues périodes, les a conduits à peupler des **zones arides et chaudes.** Toutefois, les reptiles ne se limitent pas aux seuls climats chauds. Le plus septentrional, le lézard vivipare *(Lacerta vivipara)*, se rencontre jusqu'au **cercle polaire**, tandis que, au sud, *Liolaemus magellanicus*, un iguane, vit en Terre de Feu.

Régime alimentaire

La plupart des reptiles sont **carnivores**. Les serpents en particulier sont connus pour leur faculté de jeûner longtemps. Le record, pour un serpent, mais aussi pour un vertébré, est détenu par un crotaliné des îles Ryukyu, *Trimeresurus flavoviridis*, qui n'a pas mangé pendant 1 189 jours. Grâce à leur bouche, qui peut se distendre énormément, les **serpents** avalent leur proie entière : la plus grande, un impala de 59 kg, a été trouvée en Afrique dans l'estomac d'un python de Seba *(Python sebae)*. Les **crocodiles** se nourrissent de proies encore plus grandes – le crocodile du Nil *(Crocodylus niloticus)* s'attaque même à des girafes. Les reptiles **herbivores** ou **omnivores** sont soit des lézards, soit des chéloniens, c'est-à-dire des tortues aquatiques ou terrestres. Certains ont des régimes très spécialisés, comme l'iguane marin *(Amblyrhynchus cristatus)*, qui se nourrit exclusivement d'algues. Quelques reptiles carnivores ont aussi un régime particulier, tels les leptotyphlopidés, qui consomment des fourmis et des termites. Le plus grand serpent venimeux – le cobra royal – chasse d'autres serpents.

Records

◆ **Serpents**

Le plus grand : le **python réticulé** *(Python reticulatus)*, 10 m

Le plus gros : l'**anaconda** *(Eunectes murinus)*, 225 kg

Le plus petit : le **leptotyphlops de Martinique** *(Leptotyphlops bilineata)*, 11 cm

Le plus rapide : le **mamba noir** *(Dendroaspis polylepis)*, 19 km/h

◆ **Lézards**

Le plus grand : le **varan de Komodo** *(Varanus komodoensis)*, 3,10 m

Le plus gros : le **varan de Komodo** *(Varanus komodoensis)*, 165 kg

Le plus petit : le **gecko nain de Jaragua** *(Sphaerodactylus ariasae)*, 1,8 cm

Le plus rapide : l'**iguane à queue épineuse** *(Ctenosaura sp.)*, 35 km/h

◆ **Crocodiles**

Le plus grand : le **crocodile marin** *(Crocodylus porosus)*, 7 m

Le plus gros : le **crocodile marin** *(Crocodylus porosus)*, 1 115 kg

Le plus petit : le **caïman à front lisse** *(Paleosuchus palpebrosus)*, 1,50 m

Le plus rapide : le **crocodile de Johnston** *(Crocodylus johnstoni)*, 17 km/h

◆ **Tortues marines et terrestres**

La plus grande : la **tortue luth** *(Dermochelys coriacea)*, 2,90 m

La plus grosse : la **tortue luth** *(Dermochelys coriacea)*, 960 kg

La plus petite : la **tortue musquée** *(Sternotherus odoratus)*, 7,6 cm

La plus rapide : la **tortue luth** *(Dermochelys coriacea)*, 35 km/h

PETITE INFO

Le **caméléon** est connu pour sa faculté de changer de couleur, mais c'est aussi le seul lézard à queue préhensile. Sa langue protractile est la plus longue de tous les vertébrés par rapport à son corps.

La forêt tropicale de mousson

La forêt tropicale de mousson couvre de vastes zones, s'étendant entre les tropiques du Cancer et du Capricorne, en Amérique centrale et du Sud, en Afrique, en Asie et en Australie. Leurs zones les plus humides se fondent avec la forêt pluviale, et les plus sèches avec la savane. Les précipitations y atteignent 1 500 mm par an durant l'unique saison des pluies. On y trouve en grande partie les mêmes flore et faune que dans la forêt pluviale (à cette différence près que les arbres résistent à la sécheresse) et dans la savane, surtout en lisière. Certaines espèces végétales et animales ne sont toutefois adaptées qu'à cet environnement.

Les arbres de la forêt tropicale de mousson

Dans le monde entier, ces forêts abritent des espèces dont les noms nous sont familiers. Certaines sont prisées des jardiniers, d'autres sont recherchées pour leur bois.

Nom	Hauteur	Localisation
Ébénier d'Afrique *Dalbergia melanoxylon*	15 m	Afrique tropicale et Inde occidentale
Balanzan *Acacia albida*	20 m	Afrique tropicale
Banian *Ficus benghalensis*	30 m	Inde et Sud-Est asiatique
Gommier bleu *Eucalyptus globulus*	45 m	Tasmanie et Australie-Méridionale
Gommier à cidre *Eucalyptus gunnii*	25 m	Australie
Sensitive géante *Mimosa pigra*	6 m	Amérique du Sud tropicale, introduite en Afrique, Asie, aux États-Unis et en Australie
Santal *Santalum album*	12 m	Inde méridionale
Gommier des neiges *Eucalyptus pauciflora*	6 m	Australie
Tamarinier *Tamaridus indica*	25 m	Afrique tropicale, Inde et Sud-Est asiatique
Teck *Tectona grandis*	45 m	Inde et Sud-Est asiatique

La chaîne alimentaire

En Inde, les forêts de mousson abritent une large gamme d'animaux, des **insectes** aux **rongeurs** et des **éléphants** *(Elephas maximus)* aux **cervidés**, sans oublier de nombreux prédateurs. Parmi les petits carnivores, on compte la **civette** *(Viverricula indica)* et la **mangouste grise d'Inde** *(Herpestes edwardsi)*. Au sommet de la chaîne trônent le **léopard** *(Panthera pardus)*, le **tigre** *(Panthera tigris)* et le **dhole** *(Cuon alpinus)*, proche du chien sauvage. Mets de choix pour le tigre, le **gaur** est un grand herbivore apparenté au bœuf. Le **lion** *(Panthera leo)*, qui peuplait autrefois ce biome, dans tout le nord-ouest de l'Inde, est aujourd'hui confiné à la forêt de Gir, dans le Gujerat.

Survivre à la sécheresse

La forêt tropicale de mousson compte une saison sèche et une saison des pluies. Si la saison sèche varie selon les régions, elle dure en général au moins 4 mois. Pour survivre, les arbres doivent alors résister. Le **teck** et l'**ébénier** perdent leurs feuilles en attendant le retour des pluies. D'autres, comme l'**eucalyptus** d'Australie, conservent leur feuillage toute l'année et survivent grâce à leurs petites feuilles coriaces, qui perdent peu d'eau.

De minuscules gardiens

De nombreux **acacias** nourrissent les **fourmis** en produisant toute l'année un nectar ou des perles grasses sur les tiges de leurs feuilles. Les fourmis récoltent ces nutriments. En échange, elles protègent l'arbre en tuant les insectes qui viennent dévorer ses feuilles. Elles détruisent aussi les jeunes plants qui entourent la base de l'acacia, et qui risqueraient, en croissant, de priver l'arbre de lumière. Les fourmis font de même avec tous les arbres environnants : elles se propagent sur la moindre branche qui vient toucher leur acacia pour en détruire les bourgeons.

PETITE INFO

Les racines qui poussent sur les branches du **banian** permettent à l'arbre de s'étendre sur une large surface.

Le parcours de la mousson

La saison des pluies du subcontinent indien est appelée mousson. Ses pluies sont portées par un couloir de basses pressions, de l'océan Indien au golfe du Bengale, en général vers la fin du mois de mai. En juin, la mousson monte vers le nord et l'ouest, jusqu'au Pakistan, qu'elle atteint début juillet.

Les insectes

Les insectes sont les animaux qui sont le mieux représentés sur terre : plus d'un million d'espèces ont été découvertes à ce jour. Tous les insectes ont une paire d'antennes et trois paires de pièces buccales. Le corps des insectes se divise en trois parties : la tête, le thorax et l'abdomen. Le thorax est formé de trois segments portant chacun une paire de pattes. L'abdomen comprend onze segments et n'a pas de pattes. La plupart des insectes ont deux paires d'ailes.

Les insectes et l'homme

La classe des insectes comprend quelques espèces utiles à l'homme, mais bien plus nombreuses sont les espèces nuisibles. Si les **abeilles** *(Apis sp.)* produisent du miel et le **bombyx du mûrier** *(Bombyx mori)* de la soie, la **calandre des grains** *(Sitophilus granarius)*, un charançon, détruit les céréales stockées, tandis que la **mite** des vêtements *(Tineola bisselliella)* cause des dégâts à la laine et aux fourrures. La plupart ravagent les cultures, et certains, tels la **vrillette** *(Anobium punctatum)*, l'**horloge de la mort** *(Xestobium rufovillosum)* et les **termites du bois mort** *(Incisitermes minor)*, s'attaquent aux meubles et aux constructions.

En vol

Les insectes sont les **premiers animaux volants**. Les plus vieux fossiles remontent à plus de 350 millions d'années, soit à peine 50 millions d'années après l'apparition des premières espèces terrestres. Parmi ces insectes primitifs figure **le plus grand insecte volant** de tous les temps, *Meganeura monyi*, une libellule de 75 cm d'envergure. Presque tous les insectes actuels ont des ailes, y compris les perce-oreilles, les coléoptères, les cafards ou les sauterelles. L'insecte volant **le plus rapide** est une libellule australienne, *Austrophlebia costalis*, qui atteint des pointes de 58 km/h.

Tueurs innocents

Quelques maladies sont transmises par des insectes.

Maladie	Vecteur
Peste bubonique	Puce du rat *Nosopsyllus fasciatus*
Paludisme	Moustiques du genre *Anopheles*
Maladie du sommeil	Mouche tsé-tsé *Glossina sp.*
Fièvre jaune	Moustiques du genre *Aedes*

Records

- Le plus grand : le **phasme géant** *(Pharnacia kirbyi)*, 33 cm
- Le plus gros : le **goliath** *(Goliathus goliathus)*, 100 g
- Le plus petit : un **hyménoptère chalcidien** (famille des mymaridés), 0,2 mm
- Le plus rapide (à terre) : la **blatte américaine** *(Periplaneta americana)*, 5,4 km/h

Vélocité

Quiconque a aperçu une blatte, ou coquerelle, sait à quel point l'animal est rapide. Cet insecte peut parcourir une distance égale à 50 fois la longueur de son corps en une seconde, l'équivalent de 330 km/h pour un homme. À vitesse maximale, la blatte n'utilise que ses deux pattes arrière, soulevant l'avant de son corps.

PETITE INFO

Le plus vieil insecte connu est un **bupreste doré** *(Buprestis aurulenta)*, qui émergea d'un escalier de pin après y avoir passé 47 ans à l'état larvaire. Une fois sorti, il vécut quelques mois à l'état adulte.

Transformations

Tous les insectes subissent des **métamorphoses** à certaines périodes de leur vie. Ainsi, le **papillon** passe par des transformations très importantes. De chenille, il se transforme en chrysalide d'où émerge l'adulte ailé. Les **coléoptères** connaissent les mêmes changements, telle la **coccinelle**. Celle-ci pond quelque 200 œufs, et chaque œuf donne une larve aptère. Après trois semaines, la larve se fixe à un support et commence à se nymphoser. L'adulte ailé peut vivre un an ou plus. Les larves d'insectes ont des aspects variés. Celles des insectes aquatiques ont des pattes et sont appelées **nymphes**. Celles des abeilles et des guêpes sont apodes, comme les asticots, qui sont les larves des mouches.

Le succès des coléoptères

Avec plus de 370 000 espèces recensées, les coléoptères représentent **le tiers** des insectes. Ils comprennent aussi bien des géants de 19 cm comme le **rhinocéros** *(Oryctes nasicornis)* – un scarabée qui pèse trois fois plus qu'une souris et huit millions de fois plus que le plus petit coléoptère – ou le **dynaste hercule** *(Dynastes hercules)* d'Amérique du Sud – le plus grand coléoptère du monde – que des espèces minuscules tels les insectes de la famille des ptiliidés, mesurant moins de 0,5 mm de long. Les coléoptères ont colonisé pratiquement tous les milieux, à l'exception des océans et des régions polaires. Les plus nombreux sont les charançons (famille des curculionidés), qui comptent plus de 60 000 espèces, soit plus que l'ensemble des vertébrés terrestres.

LE SAVIEZ-VOUS ?

Les **criquets pèlerins** *(Schistocerca gregaria)*, véritable fléau du désert, sont des ravageurs. Comme le criquet migrateur, ils peuvent, sous certaines conditions écologiques, former d'immenses essaims.

La montagne

La plupart des chaînes montagneuses recèlent une grande diversité d'habitats. Les biomes (milieux) évoluent selon l'altitude comme ils le font selon la latitude au niveau de la mer. Près des sommets, les conditions sont les pires qui soient sur terre. Outre le froid et la neige, plantes et animaux doivent pouvoir supporter des vents presque constants. Étant isolées les unes des autres, les chaînes montagneuses abritent souvent une forte proportion d'espèces endémiques qu'on ne trouve nulle part ailleurs. Les chaînes montagneuses du monde se répartissent sur tous les continents. La plupart résultent de la rencontre de plaques lithosphériques et de soulèvements et plissements de la croûte terrestre. C'est dans les chaînes les plus récentes, donc toujours en évolution, que l'on trouve les sommets les plus hauts. Dans les chaînes plus anciennes, comme les puys d'Auvergne, l'érosion a aplani les massifs.

L'edelweiss

L'edelweiss *(Leontopodium alpinum)* pousse au-dessus de la limite des forêts dans les Alpes et autres chaînes montagneuses d'Europe et d'Asie. Ses feuilles sont couvertes d'une sorte de duvet pâle qui retient l'humidité. Ses fleurs sont d'un blanc immaculé – son nom, qui vient de l'allemand, signifie littéralement « blanc pur ».

La chaîne alimentaire

Au-dessus de la limite des forêts, les animaux se font rares. Toutefois, on y trouve une chaîne alimentaire complète. En Himalaya, elle est dominée par l'**once** ou **panthère des neiges** *(Panthera uncia)*, qui chasse les grands herbivores comme le **markhor** *(Capra falconeri)*, espèce de chèvre sauvage, mais qui est souvent contrainte de se rabattre sur des proies plus modestes. Dans cet habitat si hostile, les animaux ne meurent pas toujours du fait des prédateurs.
Leurs carcasses nourrissent alors le **gypaète barbu** *(Gypaetus barbarus)*, énorme vautour qui survole les sommets.

Les zones de végétation

Gravir une montagne n'est pas sans rappeler une expédition vers les pôles. Plus on monte, plus la végétation s'adapte au froid. Les arbres à feuillage caduc cèdent le pas aux conifères, qui à leur tour sont remplacés par la prairie et la lande.
Au sommet des plus hautes montagnes, presque rien ne survit. Les seules formes de vie sont les lichens accrochés à la roche et les organismes microscopiques telles les bactéries, capables de vivre sur ou sous la neige.

Biomes de l'Himalaya oriental

Végétation	Altitude
Toundra et herbages alpestres	4 500 m
Forêt boréale de conifères	3 600 m
Forêt tempérée de conifères et de caducs	3 000 m
Forêt de persistants et de caducs	1 800 m
Forêt humide	300 m
Forêt tropicale pluviale	

La forêt humide

C'est la forêt la plus élevée de l'hémisphère Sud tempéré et subtropical. Les températures basses condensent la vapeur d'eau, créant un brouillard quasi permanent. Ces conditions humides conviennent aux mousses, qui tapissent le sol. **Fougères**, **lichens** et **orchidées** sont également fréquents. Dans les zones subtropicales de l'hémisphère Nord, la forêt humide fait place à la forêt de caducs et de persistants. Dans les régions tempérées, elle disparaît totalement.
C'est dans des zones restreintes de la forêt humide du Rwanda, de l'Ouganda et de la République populaire du Congo que l'on a quelques chances de croiser le gorille des montagnes.

Herbage alpestre et lande

Au-dessus de la limite des forêts, ce sont les petites herbes qui prédominent. En dehors des tropiques, il s'agit surtout des graminées. Près de l'équateur se forment des buissons rabougris qui constituent la lande alpestre. Herbage et lande alpestres possèdent leur propre faune. Dans les Andes, par exemple, de petits camélidés appelés **vigognes** *(Vicugna vicugna)* côtoient les rongeurs tels que le **chinchilla** *(Chinchilla laniger)* et la **viscache des montagnes** *(Lagidium viscacia)*.
Des mammifères à sabots comme le **bouquetin** *(Capra sp.)* et le **yack** *(Bos grunniens)* paissent les herbages alpestres.

La forêt tropicale montagneuse

Dans la cordillère des Andes et les montagnes du Mexique, les pentes qui se dressent au-dessus de la forêt pluviale des basses terres sont tapissées d'une forêt tropicale montagneuse. Ce biome abrite une faune et une flore particulières. La végétation y est moins haute et dense que plus bas. Les **épiphytes** abondent sur les branches des **fougères** arborescentes et des autres arbres. Dans les sous-bois, **fougères** et **mousses** côtoient les **bambous nains**.

LE SAVIEZ-VOUS ?

Le Monde perdu, roman de sir Arthur Conan Doyle, s'inspire des **tépuis**, plateaux abrupts d'Amérique du Sud qui se dressent à des centaines de mètres au-dessus de la jungle. Isolés depuis des millénaires, ils abritent des espèces uniques.

Les animaux des montagnes

Air raréfié, basses températures et maigre végétation rendent les conditions de vie très rudes en montagne. Le nombre d'espèces diminue avec l'altitude. Au-dessus de la limite des arbres, la plupart des niches écologiques ne sont occupées que par une seule espèce et la compétition interspécifique est rare. Au-delà de la toundra, la vie est pratiquement absente. Se déplacer en montagne est difficile, en particulier pour les animaux de grande taille, et seuls les plus agiles survivent. Les herbivores sont bien plus nombreux que les carnivores, et les caprins et les ovins dominent.

Habitats isolés

Les chaînes de montagnes forment des milieux isolés et peu d'animaux se déplacent de l'une à l'autre. Les seuls bovinés sauvages montagnards sont les **yacks** *(Bos grunniens)*, qui ne se trouvent que dans l'Himalaya. La **chèvre des montagnes Rocheuses** *(Oreamnos americanus)* porte le nom de la région où elle vit. Mais, souvent, des zones montagneuses éloignées abritent des espèces voisines. Ainsi, la **marmotte des Alpes** *(Marmota marmota)* est proche de la **marmotte à ventre jaune** *(Marmota flaviventris)*.

Les prédateurs

Les grands carnivores sont rares en montagne. Le **léopard** (ou **panthère**) **des neiges** *(Panthera uncia)*, ou **once**, est le seul grand félin qui vit en altitude. Il ne se rencontre que dans l'Himalaya et en Mongolie, dans l'Altaï. D'une taille similaire à celle de son cousin des plaines, il passe la nuit dans des abris rocheux et part en chasse à l'aube. Braconné pour sa fourrure, il est aujourd'hui en voie de disparition (effectifs estimés à 5 000 individus). En Amérique du Nord et du Sud, le **puma** *(Felis concolor)* se rencontre jusqu'à 5 800 m d'altitude. Des sous-espèces de l'**ours brun** *(Ursus arctos)* vivent dans les montagnes d'Eurasie et d'Amérique du Nord. Le seul ours d'Amérique du Sud, l'**ours à lunettes** *(Tremarctos ornatus)*, se trouve dans les Andes.

Des montagnards

Moutons et **chèvres** sont pratiquement tous des habitants de la montagne. Le **chamois** *(Rupicapra rupicapra)* vit en Europe, ainsi que le bouquetin, qui se rencontre aussi dans le nord-est de l'Afrique et l'ouest de l'Himalaya. En Sibérie et en Amérique du Nord, on trouve trois sous-espèces de **mouflon** *(Ovis canadensis)*, tandis que l'Asie centrale possède ses propres espèces, tel le **tahr de l'Himalaya** *(Hemitragus jemlahicus)*. Le **bouquetin** *(Capra ibex)* possède à l'arrière des pieds des ergots concaves et souples, qui agissent comme des ventouses lorsqu'il grimpe. Ils sont présents chez la plupart des mammifères à sabots fendus, mais peu s'en servent. En terrain plat, les ergots se trouvent au-dessus du sol ; pour grimper, ils servent à assurer la prise.

Les oiseaux

Les oiseaux montagnards se nourrissent en général de **charognes**. Dans l'hémisphère Nord, les **grands corbeaux** *(Corvus corax)* sont souvent les premiers à repérer les carcasses d'animaux morts, suivis par des charognards plus gros, tels le **gypaète barbu** *(Gypaetus barbatus)* d'Europe et d'Asie ou le **condor de Californie** *(Gymnogyps californianus)* en Amérique du Nord, désormais rare. Les montagnes d'Amérique du Sud abritent le plus grand oiseau de proie, le **condor des Andes** *(Vultur gryphus)*, dont l'envergure peut dépasser 3 m. Les vents violents sont habituels en montagne et les oiseaux trop petits pour les affronter demeurent près du sol. Le **tichodrome échelette** *(Tichodroma muraria)*, le « coureur de murailles » d'Eurasie, escalade les rochers par petits bonds, cherchant des insectes qu'il déloge avec son long bec.

Records d'altitude

Les animaux des montagnes sont habitués à vivre parfois à très haute altitude.

Espèce	Altitude
Caïman à front lisse du Venezuela *Paleosuchus trigonatus*	1 300 m
Scorpion de l'Himalaya *Chaerilius insignis*	4 000 m
Crotaliné *Agkistrodon himalayanus*	4 900 m
Loche du Tibet *Triplophysa tenuicauda*	5 200 m
Léopard des neiges *Panthera uncia*	6 000 m
Pika à grandes oreilles *Ochotona macrotis*	6 130 m
Araignée sauteuse de l'Everest *Euophrys everestensis*	6 700 m
Crapaud commun *Bufo bufo*	8 000 m
Chocard à bec jaune *Pyrrhocorax graculus*	8 235 m

Respirer en altitude

En altitude, l'air est raréfié, mais la **vigogne** *(Vicugna vicugna)*, qui vit dans les Andes, n'en souffre pas. Comme chez de nombreux animaux de haute montagne, le nombre de globules rouges, transportant l'oxygène, est très élevé (14 millions/mm^3 de sang contre 5 millions pour l'homme en plaine).

Cours d'eau et plans d'eau douce

On compte une large gamme d'habitats d'eau douce : étangs, lacs, rivières et marais. Si certaines plantes ou animaux ne sont adaptés qu'à un seul, d'autres se plaisent un peu partout. La plupart des grands lacs ou fleuves possèdent leurs espèces propres. Coupés de toute autre zone d'eau douce, ce sont l'équivalent aquatique des îles. Les habitats d'eau douce du monde abritent pratiquement tous les animaux terrestres. Ceux qui n'y vivent pas s'y rendent pour s'abreuver.

Les eaux stagnantes

De la flaque d'eau qui ne persiste que quelques semaines aux lacs existant depuis des milliers d'années, les eaux stagnantes grouillent de vie. **Algues** et micro-organismes se développent dans les zones provisoires, tandis que les lacs possèdent leur propre écosystème. Lacs et étangs ont une importance primordiale dans la vie de nombreuses créatures terrestres. Les **amphibiens**, grenouilles et crapauds, s'y accouplent et y pondent leurs œufs, de même que de nombreux **insectes**. Plantes et animaux des lacs nourrissent une grande variété d'**oiseaux**, qui trouvent dans cet environnement un refuge contre les prédateurs. En été, l'eau des lacs des régions tempérées se sépare en plusieurs couches distinctes : l'épilimnion en haut, puis le métalimnion (couche du saut thermique où la température chute brutalement), et enfin l'hypolimnion, dernière couche d'eau avant la vase.

La chaîne alimentaire d'un lac

Plantes aquatiques et **phytoplancton** forment la base de la chaîne alimentaire de la plupart des lacs. Ils nourrissent divers **invertébrés**, **poissons** et **oiseaux aquatiques**. En Amérique du Nord, on trouve au sommet les poissons prédateurs tels que le **brochet** (Esox americanus americanus) qui, se nourrissent de poissons, de canetons et même de petits animaux, et les oiseaux, tels que le **butor d'Amérique** (Botaurus lentiginosus) qui se nourrissent à leur tour de poissons.

Les marais

Les zones peu profondes d'eau douce sont vite envahies par roseaux, joncs et autres plantes des marais. Si ces eaux sont souvent pauvres en oxygène, elles abritent tout de même bon nombre de poissons. Certains, comme la **carpe** (Cyprinus carpio), en Amérique du Nord et en Europe du Nord, se sont adaptés à une eau pauvre en oxygène. D'autres, comme l'**anguille d'Amérique** (Anguilla rostrata), viennent à la surface aspirer l'air.

PETITE INFO

La **Camargue**, célèbre pour ses chevaux sauvages, était autrefois marécageuse. De nos jours, des terres y sont cultivées et des flamants roses *(Phoenicopterus ruber)* y vivent.

Fleuves et rivières

Ces **habitats dynamiques** sont en mouvement perpétuel. Les animaux qu'ils abritent doivent pouvoir s'agripper ou résister au courant uniquement pour rester sur place. **En amont des cours d'eau**, la plupart des animaux, comme les **nymphes éphémères** et les **plécoptères**, vivent dans les fonds, où les pierres les protègent du flot. Plus en aval, où le courant est moins marqué, la plupart des animaux vivent dans l'eau. On y trouve aussi des algues et des plantes aquatiques qui abritent les poissons. En effet, plus un fleuve s'approche de la mer, plus il ralentit et forme des méandres, laissant des dépôts de limon. Les racines des plantes peuvent se développer dans ces sédiments très riches sans risquer d'être emportées par le courant.

La chaîne alimentaire des fleuves et rivières

La chaîne alimentaire des fleuves et rivières en Amérique dépend moins des plantes que celle des lacs. La plupart des invertébrés se nourrissent d'algues, de déchets et autres feuilles mortes.

La tourbière

La **tourbe** est constituée de matières organiques en décomposition que l'eau empêche de se dégrader totalement dans le sol. Très acide, cette eau ne sied guère à la vie animale. Toutefois, la tourbière abrite de nombreuses plantes endémiques, la plus importante étant la **sphaigne** *(Sphagnum sp.)*, qui forme un épais tapis spongieux.
Toutes les plantes de tourbière doivent faire face à une pénurie de nutriments. Le **rossolis** *(Drosera sp.)* appartient à un groupe qui se nourrit d'animaux. Il prend au piège mouches et autres insectes grâce à ses filaments gluants, puis produit des enzymes pour les digérer.

Les Everglades

Dans le sud de la Floride, les Everglades forment l'une des plus vastes étendues d'eau douce du monde. Pendant une partie de l'année, elles sont presque totalement inondées. Les orages du mois de mai indiquent le début de la saison humide, lorsque ces plaines disparaissent presque entièrement sous l'eau, qui coule imperceptiblement vers la mer.
Au fil de l'hiver débute la saison sèche. L'évaporation concentre alors l'eau en étangs isolés.

Les animaux d'eau douce

Les milieux d'eau douce offrent une grande variété d'habitats. Ils abritent de nombreuses espèces qui partagent des traits communs, semblables souvent à ceux des animaux marins. Les espèces strictement aquatiques peuvent respirer dans l'eau grâce à des branchies. Elles se déplacent à l'aide de nageoires, tandis que les espèces qui vivent également hors de l'eau possèdent souvent des pieds palmés (beaucoup ont aussi des queues aplaties pour faciliter la nage). Malgré leurs ressemblances, les animaux d'eau douce présentent une grande diversité correspondant à différentes adaptations au milieu.

Courant rapide

Dans le cours supérieur des rivières, la vie est une lutte continue contre le courant. Les **poissons** ont un corps hydrodynamique, puissant, comme la truite arc-en-ciel (*Salmo gairdneri*), ou sont assez petits pour s'abriter dans les rochers. Les **larves d'insectes** doivent aussi résister au courant: toutes sont munies de griffes et la plupart ont un corps aplati qui, chez certaines, comme celles des coléoptères (*Psephenidae*), se fixe à la manière d'une ventouse. Ces dernières servent de nourriture à des **oiseaux** vivant près des cours d'eau rapides, tel le cincles d'Amérique (*Cinclus mexicanus*), que l'on retrouve surtout en Colombie-Britannique.

Lacs et étangs

On entend par eaux non courantes aussi bien les mares et les étangs que les lacs ou les grandes mers intérieures. Les espèces que l'on y rencontre peuplent aussi les rivières, mais certaines leur sont spécifiques. La plupart des **amphibiens** se reproduisent dans les lacs et les étangs, tout comme de nombreux **insectes**, dont les libellules et les coléoptères aquatiques.
Les lacs, en raison de leur isolement, abritent souvent des espèces endémiques (que l'on ne trouve pas ailleurs). Le **lac Tanganyika**, en Afrique orientale, possède ainsi plus de 300 espèces de poissons endémiques et le **lac Baïkal** héberge le seul phoque d'eau douce, *Pusa sibirica*.

À l'embouchure des fleuves

Des estuaires se forment souvent à l'embouchure des grands fleuves. Les zones de sédiments vaseux abritent de nombreux invertébrés, tels les **arénicoles**, des vers polychètes dont se nourrissent les **échassiers**.

Vol éphémère

Les **éphémères** (du grec *ephemeros*, « qui vit un jour ») ont une vie adulte des plus brèves – quelques heures à quelques jours – mais leurs larves peuvent vivre 2 ans dans l'eau. L'adulte ailé se reproduit, puis meurt.

En aval des fleuves

Dans leur cours inférieur, les fleuves s'élargissent et le courant diminue. Les espèces y sont nombreuses et en général plus grandes. On y trouve la plupart des 23 espèces de crocodiliens qui existent, dont l'**alligator** *(Alligator mississippiensis)*, les **caïmans** d'Amérique du Sud et le rare **gavial** *(Gavialis gangeticus)*, qui vit dans le sous-continent indien et peut atteindre 6 m de long. Parmi les géants figurent des poissons tels que le **pirarucu** *(Arapaima gigas)* de l'Amazone, mesurant 2,50 m de long, l'**hippopotame** *(Hippopotamus amphibius)*, qui, avec ses 3 tonnes, est **le plus grand mammifère d'eau douce**, et la **loutre géante** d'Amérique du Sud *(Pteronura brasiliensis)*, surnommée *lobo del río* (« loup des fleuves »), qui peut atteindre 2,50 m de long. Elle est en voie d'extinction.

LE SAVIEZ-VOUS ?

Le **piranha rouge** *(Serrasalmus nattereri)* est un redoutable carnivore. Il se nourrit de poissons mais peut s'attaquer à des proies plus grosses. En 1981, plus de 300 personnes ont été dévorées après le naufrage d'un traversier au Brésil.

Entre deux eaux !

Véritables nourriceries pour une grande variété d'animaux marins, les **mangroves**, composées de palétuviers dont les racines plongent dans l'**eau saumâtre** des estuaires et des deltas, abritent des espèces qui leur sont inféodées, tels les **crabes violonistes** (genre *Uca*) ou les **périophthalmes**, capables de vivre hors de l'eau. Ces étranges poissons ont des branchies, mais les échanges gazeux se font aussi à travers leur peau.

Les amphibiens

Les amphibiens forment une classe d'animaux vertébrés. La plupart pondent des œufs qui se développent dans l'eau. Leur peau est fine, souple et souvent humide ou visqueuse. Les adultes ont une respiration aérienne, mais peuvent aussi utiliser l'oxygène de l'eau. Ils ont en général quatre pattes. Leurs pieds sont soit palmés, adaptés à la nage, soit munis de disques adhésifs chez les espèces arboricoles. Tous les adultes chassent activement.

Les différents amphibiens

La classe des amphibiens est divisée en trois ordres:

- les **anoures** (grenouilles et crapauds), dépourvus de queue au stade adulte, ont des membres postérieurs plus longs que les antérieurs;
- les **urodèles** (salamandres et tritons) ont des membres d'égale longueur, et la queue persiste chez les adultes;
- les **apodes** (cécilies) sont des amphibiens tropicaux dépourvus de pattes qui ressemblent à des vers de terre.

Régime alimentaire

- Tous les amphibiens adultes sont **carnivores** et la plupart se nourrissent de proies très petites, excepté la grenouille goliath *(Conraua goliath)*, qui chasse d'autres vertébrés, et le crapaud cornu d'Amazonie *(Ceratophrys cornuta)*, dont la bouche est si énorme qu'il peut avaler des proies presque aussi grosses que lui.
- Quelques têtards sont **phytophages**. Ceux de la grenouille des marais *(Rana palustris)* mangent des plantes aquatiques durant quelques semaines avant de devenir carnivores.

La respiration des amphibiens

Sur le plan de l'évolution, les amphibiens se situent entre les poissons et les reptiles et, au niveau de la respiration, ils présentent des caractéritiques des deux groupes.
Au stade larvaire, la plupart sont aquatiques et respirent à l'aide de **branchies**. Celles-ci disparaissent à l'âge adulte, remplacées par des **poumons**.
La **respiration cutanée** est aussi très importante.
La peau des grenouilles, salamandres, tritons et cécilies est perméable et richement vascularisée, ce qui permet l'absorption de l'oxygène.
Une salamandre nord-américaine, le **ménopome** *(Cryptobranchus alleganiensis)*, atteint 75 cm de long.
Elle ne quitte pratiquement jamais l'eau et respire exclusivement par la peau.

Métamorphoses

Les amphibiens présentent des formes différentes aux stades larvaire et adulte. Ces métamorphoses résument en quelque sorte l'évolution. Les larves, ou têtards, nagent et respirent par les branchies, qu'elles perdent ensuite et qui sont remplacées par des poumons. Chez les **grenouilles** et les **crapauds**, qui à l'éclosion n'ont ni pattes ni queue, les pattes postérieures apparaissent au bout de quelques semaines, suivies par les pattes antérieures, puis la queue disparaît. Les **tritons** qui viennent d'éclore ressemblent à de minuscules adultes, mais ils ont des branchies qui disparaissent aussi par la suite. La plupart des **salamandres** et des **cécilies** pondent hors de l'eau et les petits se métamorphosent avant l'éclosion. Quelques-unes donnent naissance à des têtards déjà formés.

Un saut de géant

Le record de saut en longueur chez une grenouille appartient à l'une des plus petites espèces. En 1975, lors d'un concours de saut organisé en Californie, une grenouille sud-africaine *(Ptychadena oxyrhynchus)*, baptisée Ex Lax, a fait un saut de 5,35 m. La taille de ces grenouilles étant de 6,5 cm, ce saut représente 80 fois la longueur de leur corps.

Attention, danger!

Les **grenouilles venimeuses** d'Amérique tropicale sécrètent des venins neurotoxiques très puissants. Celui de *Dendrobates pumilio* a été utilisé des siècles durant par les Indiens d'Amérique centrale. Le plus dangereux est celui du phyllobate doré *(Phyllobates terribilis)*. Malgré sa taille (3,5 cm de long), un seul individu peut tuer près de 1 000 personnes. Phyllobates et dendrobates arborent des couleurs vives qui signalent le danger. Il en existe environ 60 espèces.

PETITE INFO

La **salamandre géante** du Japon *(Andrias japonicus)*, presque aussi grosse que celle de Chine (40 kg pour 1,50 m de long), se nourrit de grenouilles, de crabes et de poissons.

Records

Grenouilles et crapauds

Le plus grand (pattes étendues)	Le plus gros	Le plus petit (pattes étendues)
Grenouille-taureau d'Amérique du Nord	Grenouille goliath	Une grenouille de Cuba
Rana catesbeiana	*Conraua goliath*	*Sminthillus limbatus*
91,50 cm	3,65 kg	2,90 cm

Salamandres et tritons

Le plus grand	Le plus gros	Le plus petit
Salamandre géante de Chine	Salamandre géante de Chine	Une salamandre mexicaine
Andrias davidianus	*Andrias davidianus*	*Bolitoglossa mexicana*
1,80 m	65 kg	2,50 cm

Les plans d'eau salée

Si la plupart des étendues d'eau salée se trouvent dans les régions côtières, notamment à l'embouchure des fleuves, il existe aussi des lacs salés à l'intérieur des terres. Peu d'espèces végétales se développent dans l'eau salée ; la majorité de celles qui y vivent se sont spécialement adaptées à ces conditions pour gérer le haut niveau de minéraux dissous dans l'eau. Quant aux animaux, la plupart existent également ailleurs : très peu d'espèces sont spécifiques à cet habitat.

La mangrove

Les **palétuviers** sont les **seuls arbres** spécifiquement adaptés à l'eau de mer. Ils supportent ainsi d'avoir les racines submergées, ce qui leur a permis de coloniser de vastes zones dans les estuaires des fleuves et sur le littoral des régions tropicales. Ces arbres de la mangrove absorbent l'air à travers les pores de leurs **racines**. Chez certaines espèces, celles-ci sont de véritables piliers qui poussent à la verticale, dans la vase ou le sable, exposés aux marées basses. Chez d'autres, les racines dotées de pores se concentrent sur les parties situées à l'air libre. Les **graines** de ces arbres sont en forme de flèche de façon à rester plantées dans la vase. Celles qui tombent à marée haute sont souvent emportées, mais elles peuvent flotter et survivre lors de longs trajets en mer pour germer ensuite là où elles ont échoué.

Les racines enchevêtrées des palétuviers procurent une certaine stabilité aux côtes vaseuses. Si on abat ces arbres, la mer chasse rapidement la vase et commence à éroder les terres.

La chaîne alimentaire de la mangrove

Dans les mangroves de Bornéo, les racines abritent des bancs de jeunes poissons marins que chassent diverses variétés d'oiseaux, dont le **martin-pêcheur**, l'**aigrette** et le **héron**. **Périophthalmes** et **crabes violonistes** se nourrissent des algues et déchets comestibles des sédiments, tandis que les **nasiques** *(Nasalis larvatus)* dévorent les feuilles des arbres.

La mer Morte

Située à 396 m au-dessous du niveau de la mer, à l'embouchure du Jourdain, la mer Morte est le point le plus bas du monde. Ses eaux sont **cinq fois plus salées** que celles des océans. Son nom remonte à l'époque où l'on croyait qu'aucune forme de vie n'y était possible. Depuis, il a été prouvé qu'elle abrite plusieurs espèces de **bactéries** et au moins un type d'**algue**.

Régime salé

Si l'eau de mer est mortelle pour la plupart des plantes, quelques rares espèces, appelées **halophytes**, ont trouvé un moyen de gérer ce problème. Certaines rejettent le sel excédentaire par les pores de leurs racines ou de leurs feuilles, telle l'herbe des prés salés *(Distichlis spicata)*, dont les feuilles, dotées de glandes qui rejettent le sel, sont couvertes d'une croûte blanche. D'autres plantes diluent le sel en retenant l'eau dans leurs tissus. Cette dilution donne des plantes possédant des tiges et des feuilles plus épaisses qui rappellent certaines plantes succulentes du désert. Ces deux méthodes permettent aux plantes qui les utilisent de survivre là où la plupart des autres mourraient.

Les lacs salés

Tous les lacs du monde ne sont pas constitués d'eau douce. Certains, dénués de déversoir, ont une salinité importante. La mer Morte et le Grand Lac salé de l'Utah, aux États-Unis, par exemple, affichent une salinité supérieure à celle de la mer. Des siècles d'évaporation y ont concentré les minéraux, créant un environnement hostile à bien des espèces. Quelques organismes peuvent toutefois y survivre.

La **crevette des salines** *(Artemia sp.)* est présente dans de nombreux lacs salés, de même que les larves de la **mouche de sel** *(Ephydra sp.)*. Toutes deux se nourrissent des **algues** et **bactéries** qui y grouillent.

Les estuaires

Un estuaire se forme à l'embouchure de la plupart des fleuves, là où l'eau douce se mêle à l'eau de mer. Le fleuve, dont le flux ralentit, y dépose des sédiments. La vase ainsi formée est colonisée par de nombreux vers annélides tels que le **ver de feu** *(Nereis sp.)* et le **ver arénicole** *(Arenicola sp.)*.

À marée basse, la vase, qui est exposée, permet aux échassiers de se nourrir. Grâce à leur bec si particulier, les flamants filtrent les micro-organismes de l'eau.

Dans les estuaires cohabitent espèces d'eau douce et d'eau de mer. Les poissons des océans constituent des proies pour les **hérons** et les **loutres**. La plupart des plantes se trouvent également sur les côtes vaseuses. La **salicorne** *(Salicornia sp.)* rampe jusqu'au bord de l'eau, formant une barrière devant la **spartine** *(Spartina sp.)* et la **puccinellie** *(Puccinella sp.)*.

La chaîne alimentaire des estuaires

Dans les estuaires, les animaux se nourrissent rarement des plantes présentes. La plupart mangent poissons ou invertébrés qui grouillent dans la vase, lesquels se repaissent d'algues unicellulaires et autres micro-organismes.

Mers et océans

Les océans occupent 71 % de la surface de la Terre et contiennent une grande variété d'espèces. La biomasse y est supérieure à celle de tous les écosystèmes terrestres réunis. On distingue quatre zones principales. Le rivage abrite des espèces qui sont en général capables de vivre hors de l'eau pour de brèves périodes. Les eaux côtières, jusqu'à 500 km du rivage, recouvrent le plateau continental. Au-delà de ce plateau s'étend la haute mer. Hormis le plancton, les espèces y sont relativement peu nombreuses et dispersées. La zone abyssale correspond aux régions où la lumière ne pénètre jamais.

À la dérive

Le **plancton** est à la base de la chaîne alimentaire. Les algues microscopiques (phytoplancton) produisent plus d'oxygène que toutes les plantes terrestres et nourrissent des milliards d'animaux planctoniques (le zooplancton). Ceux-ci sont à leur tour consommés par les animaux filtreurs, depuis les coraux jusqu'aux poissons et à la baleine bleue.

Les eaux côtières

Entre le rivage et la haute mer s'étend le plateau continental. La profondeur y est relativement faible et la concentration en matière vivante, maximale. C'est dans cette zone que l'on rencontre les **récifs coralliens**, qui constituent l'un des écosystèmes les plus riches après la forêt tropicale, et les myriades d'espèces qui y vivent. Les coraux et les algues telles que les laminaires s'y développent grâce à l'**énergie solaire**. Plus loin, la profondeur augmente et la lumière ne parvient plus jusqu'au fond. Ces eaux sont le domaine des **mammifères côtiers**, marsouins et phoques, et de la **plupart des oiseaux marins**, comme les manchots, les pingouins, les cormorans, les canards plongeurs, les goélands et les mouettes.

Poisson au menu

Espèce	Distribution
Anchois *Engraulis sp.*	Atlantique, Pacifique Sud-Est et océan Indien
Cabillaud ou morue *Gadus morhua*	Mer du Nord, Atlantique Nord-Est et Pacifique Nord-Est
Sole *Solea solea*	Méditerranée, Atlantique Est, Manche, mer du Nord
Flétan *Hippoglossus hippoglossus*	Mer du Nord, Atlantique Nord
Maquereau *Scomber sp.*	Océan Indien, Atlantique, Pacifique
Baudroie *Lophius sp.*	Atlantique Nord
Plie ou carrelet *Pleuronectes platessa*	Méditerranée, Atlantique, de l'Islande au Maroc
Sardine ou pilchard *Sardina pilchardus*	Eaux côtières d'Europe
Bar *Dicentrarchus labrax*	Méditerranée, Atlantique, de l'Écosse au Maroc
Thon *Thunnus sp.*	Mers chaudes et tempérées du monde entier
Turbot *Scophthalmus maximus*	Méditerranée, mer Noire, Atlantique Est

Au gré des marées

Les **rivages** offrent des conditions de vie difficiles. Les espèces qui y vivent doivent supporter d'être tantôt dans l'eau, tantôt hors de l'eau, et résister au soleil comme aux vagues. Un grand nombre **s'accrochent aux rochers.** Quelques-unes, telles les moules ou les balanes, sont sessiles : elles passent leur vie adulte fixées au même endroit. D'autres, comme les berniques ou les bigorneaux, sont capables de se déplacer. La plupart sont des **organismes filtreurs** ou des prédateurs de ces derniers. Certains, tels que le crabe enragé *(Carcinus maenas)*, trouvent leur nourriture dans ce que rejette la marée. L'iguane marin *(Amblyrhynchus cristatus)* est le seul lézard qui vit aussi en mer, où il se nourrit d'algues.

Abysses

En dessous de 200 m, la lumière ne pénètre plus. Les premières longueurs d'onde qui disparaissent sont celles des rouges et la plupart des prédateurs abyssaux ne les perçoivent pas. De nombreuses espèces sont d'ailleurs rouges, ce qui les rend invisibles. En l'absence de lumière, certains animaux sont dotés d'**organes lumineux**. D'autres ont des yeux immenses, l'espèce la plus sensible à la lumière étant le crustacé *Gigantocypris*. La bouche redoutable, aux dents acérées, du poisson abyssal *Chauliodus danae* peut s'ouvrir démesurément.

LE SAVIEZ-VOUS ?

Le **saumon rouge** *(Oncorhynchus nerka)* doit son nom au fait que le corps des mâles, argenté et hydrodynamique, devient rouge et se modifie fortement à l'approche du frai : leur mâchoire s'allonge et leur dos devient bossu.

Les grands espaces océaniques

La **haute mer** est de loin l'habitat marin **le plus vaste**, mais c'est aussi celui où la vie est **le moins abondante**. Les sources de nourriture sont inégalement réparties et varient fortement. Les animaux qui vivent dans ce milieu sont dits pélagiques. Toutes les espèces se déplacent et on trouve parmi elles les **poissons les plus rapides**, notamment le voilier *(Istiophorus platypterus)*, le marlin *(Makaira sp.)* ou le thon albacore *(Thunnus albacares)*, qui tous dépassent 75 km/h. Malgré sa taille, la baleine bleue *(Balaenoptera musculus)* est l'un des mammifères marins les plus rapides : elle peut dépasser 30 km/h.

Mollusques et échinodermes

Le phylum des mollusques compte plus de 50 000 espèces. Ces invertébrés possèdent des systèmes sanguin et nerveux très développés. Ils ont un corps mou, non segmenté, et une reproduction sexuée. La plupart sont recouverts par une membrane, le manteau, qui sécrète le carbonate de calcium de la coquille. Les échinodermes, telles les étoiles de mer, sont les seuls animaux ayant une symétrie rayonnée. Leur squelette est formé de plaques calcaires situées sous la peau.

Bras et piquants

On distingue cinq classes d'**échinodermes**:

- Les **étoiles de mer** ou **astéries** (classe des astérides) ont un corps discoïde se prolongeant par cinq bras et se déplacent à l'aide de pieds ambulacraires. La plupart des astérides sont carnivores.
- Les **ophiures** (classe des ophiurides) ont des bras beaucoup plus grêles. La plupart se nourrissent de plancton, et certaines de matières en décomposition, comme les **holothuries**, ou **concombres de mer** (classe des holothurides).
- Les **oursins** (classe des échinides), omnivores, se déplacent sur leurs pieds ambulacraires et sont couverts de piquants mobiles.
- La plupart des **crinoïdes**, comme l'**encrine**, sont des filtreurs, fixés sur le substrat.

Des coques aux seiches

Les mollusques constituent **le plus varié** des groupes d'animaux. En l'absence de squelette, leur corps a pu prendre des formes très diverses au cours de l'évolution. Les plus simples sont les **bivalves**, qui regroupent les moules, les huîtres, les palourdes... Ils sont aquatiques et leur coquille est formée de deux valves réunies par une charnière. Ils se nourrissent en filtrant l'eau et la plupart sont sessiles (fixés). Certains, comme les coquilles Saint-Jacques, peuvent se déplacer en arrière en refermant brusquement les deux valves de leur coquille. Les **gastéropodes** comptent les escargots et les limaces. Ils se déplacent lentement sur leur pied musculeux et leur bouche comporte une langue râpeuse, ou radula. Les **céphalopodes** sont les invertébrés les plus évolués ; ils comprennent les seiches et les calmars, qui ont dix tentacules munis de ventouses, et les poulpes, qui en ont huit. Le calmar géant *(Architeuthis dux)* est le plus grand invertébré du monde. Un spécimen de 3 m de long a été capturé par un chalutier au large de l'Écosse.

GLOSSAIRE

Bivalve « Coquille double ». Moules et coquilles Saint-Jacques sont des bivalves.
Céphalopode « Pied sur la tête ». Seiche et pieuvres sont des céphalopodes.
Échinoderme « Peau épineuse ». Oursins et étoiles de mer sont des échinodermes.
Gastéropode « Estomac sur pied ». Limaces, escargots, berniques et bigorneaux sont des gastéropodes.
Nudibranche « Branchies nues ». La doris est un nudibranche.

Hermaphrodisme et changement de sexe

Tous les mollusques ont une reproduction sexuée, mais certains doublent leurs chances de transmettre leurs gènes en étant à la fois mâle et femelle (hermaphrodites). Les gastéropodes représentent les quatre cinquièmes des espèces de mollusques, et un grand nombre sont hermaphrodites, dont l'**escargot** de nos jardins *(Helix aspersa)*. Le plus grand mollusque terrestre est l'**escargot géant d'Afrique** *(Achatina achatina)*. Le record est détenu par un individu de 39 cm de long. Quelques mollusques, tels que la **patelle** ou **bernique** *(Patella vulgata)*, commencent leur vie en tant que mâles avant de devenir des femelles. Cela pourrait s'expliquer par le fait que les individus plus gros produisent plus d'œufs et que la taille n'influe pas sur la quantité de spermatozoïdes.

Réflexe

Rampant au fond des mers, les **concombres de mer** ont l'air d'animaux sans défense. Mais tout prédateur assez stupide pour s'attaquer à eux aura droit à une désagréable surprise. En cas d'attaque, l'holothurie projette par l'anus des filaments collants qui recouvrent son agresseur.

PETITE INFO

La plupart des bivalves produisent des **perles**, qui se forment lorsqu'un corps étranger pénètre dans la coquille. Les plus belles proviennent des huîtres ; la plus grosse (6,4 kg), d'un bénitier.

LE ... VOUS ?

Les limaces de mer, ou **nudibranches**, sont des mollusques **très colorés**. Ces gastéropodes tropicaux sans coquille se protègent en intégrant dans leur peau les cellules urticantes de leurs proies, des cnidaires.

Tueurs de coraux

Depuis quelques décennies, la Grande Barrière de corail et d'autres récifs coralliens du Pacifique sont menacés par une invasion d'étoiles de mer. L'espèce, baptisée **couronne-d'épines** *(Acanthaster planci)*, aux piquants venimeux, est prédatrice de coraux et certains biologistes pensent que cette prolifération soudaine fait partie d'un cycle naturel. D'autres estiment qu'elle est due à un déséquilibre lié aux activités humaines : le principal prédateur d'*Acanthaster* est le **triton conque** *(Charonia tritonis)*, un gastéropode dont les effectifs ont fortement diminué en raison des collectionneurs de coquillages.

Les côtes

Le littoral offre un environnement difficile pour les animaux, qui, pour y survivre, doivent être aptes à supporter des vagues déferlantes. Les espèces côtières diffèrent selon la nature du sol. Rochers, sable et vase possèdent des propriétés qui peuvent soit favoriser, soit entraver la vie. Les plages sont souvent surplombées d'une falaise. Si elles abritent peu d'animaux en permanence, on y croise un grand nombre d'oiseaux marins venus nicher et se reproduire.

Les côtes sablonneuses

En **bord de mer**, le sable est en mouvement perpétuel, ce qui empêche les algues de s'établir. Les animaux se nourrissent de **plancton** ou d'**algues unicellulaires** et autres micro-organismes présents entre les grains de sable. Les animaux vivant sur la plage, au-dessus de la zone de marée haute, mangent les déchets rejetés par la mer. Parmi eux, des mollusques bivalves tels que les **coques** *(Cardium sp.)* et les **tellines** *(Tellina sp.)* avalent le sable et digèrent ses particules de matières organiques, vivantes ou non.

La chaîne alimentaire des côtes sablonneuses

Sur les plages, on rencontre surtout le **talitre sauteur** *(Talitrus)*, minuscule crustacé qui se nourrit principalement d'algues échouées en état de décomposition. Il est à son tour dévoré par des oiseaux : **tournepierre à collier** *(Arenaria interpres)*, **pluvier grand-gravelot** *(Charadrius hiaticula)* et **mouettes**, ces dernières appréciant particulièrement les crabes.

Les dunes

Les sables en perpétuel mouvement des côtes offrent peu d'ancrage et de nutriments aux plantes. Pourtant, plusieurs espèces se sont adaptées à cet habitat spécifique. En Amérique du Nord, l'**uniole paniculée** *(Uniola paniculata)* enfonce ses longues racines profondément dans le sable des dunes et s'y implante. En Europe, la **fétuque des sables** *(Festuca arenaria)* joue un rôle similaire. La plus importante plante de ce type est sans doute le **roseau des sables** *(Ammophila sp.)*. Présentes dans le monde entier, ces plantes ont de longues feuilles hérissées et enroulées pour retenir l'eau, et des racines souterraines rampantes qui leur permettent de se répandre rapidement sur les dunes récentes. Le liseron des plages *(Ipomoea pes-caprae)* résiste à la chaleur, au sel et au vent. On le trouve souvent près de l'uniole, dans les dunes nord-américaines.

PETITE INFO

Les diverses espèces d'**oiseaux marins** viennent nicher à des niveaux différents de la **falaise**, suivant une répartition verticale.

Les côtes rocheuses

La plupart des **algues** vivent sur les côtes rocheuses. Entre leurs frondes, de petits poissons comme la **blennie** *(Blennius sp.)* côtoient des crustacés, dont les **crevettes** et les **crabes**. Les rochers permettent également à certains filtreurs, dont les **moules** *(Mytilus sp.)* et les **bernacles** *(Balanus sp.)*, de se fixer. À marée haute, patelles et bigorneaux chassent dans les rochers à l'aide de leur radule, sorte de ruban denté qu'ils ont dans la bouche. Quand la mer se retire, ils s'accrochent au rocher pour ne pas se dessécher.

La chaîne alimentaire des côtes rocheuses

C'est le **plancton** qui constitue la principale denrée alimentaire des invertébrés des côtes rocheuses, crabes et crevettes se nourrissant surtout de charognes, et les oiseaux de **mollusques**. L'**huîtrier d'Amérique** *(Haematopus palliatus)* décroche les gastéropodes des rochers ou ouvre les **moules** avant d'en détacher la chair à l'aide de son bec pointu.

Les côtes marécageuses

Sur les plages de vase, algues et animaux côtiers font place à des espèces moins familières. Une plante à fleurs appelée **zostère** *(Zostera sp.)* pousse sous la surface de l'eau, à la limite de la marée basse. **Vers de feu** *(Nereis sp.)* et **arénicoles** s'enfouissent tout autour, tandis que des bancs de poissons trouvent refuge parmi les longues feuilles étroites. Dans les zones situées entre marée haute et marée basse, des mollusques bivalves, les **myes** *(Mya sp.)*, s'enfouissent dans la vase et utilisent de longs siphons pour filtrer l'eau en quête de nourriture.

Les falaises

Au printemps, les falaises côtières attirent les oiseaux marins, qui viennent y pondre leurs œufs à l'abri des prédateurs. Les plus grands, tel le **cormoran huppé** *(Phalacrocorax sp.)*, nichent au pied des falaises, sur les espaces plats, au bord de l'eau. Les espèces de taille plus réduite, comme le **petit pingouin** *(Alca torda)* et le **guillemot** *(Uria aalge)*, se regroupent sur les corniches plus étroites, en hauteur. Le **fou de Bassan** *(Sula sp.)* préfère nicher sur les parties rocheuses, près du sommet, tandis que le **macareux** *(Fratercula arctica)* s'installe dans l'herbe qui pousse jusqu'au sommet de la falaise.

Des oiseaux au long bec

Ce qui distingue les échassiers est la longueur de leur bec, elle-même directement liée à leur alimentation. Les oiseaux côtiers au bec très long, comme la **barge à queue noire** *(Limosa limosa)* et le **courlis** *(Numenius arquata)*, se nourrissent de vers et de mollusques qu'ils trouvent dans les sédiments. Les oiseaux à bec plus court, comme le **bécasseau maubèche** *(Calidris canutus)*, cherchent leurs proies plus près de la surface.

Les eaux côtières

Les eaux côtières sont celles qui bordent le plateau continental ou entourent les îles océaniques. Ce sont les eaux les plus riches de l'océan. Elles recèlent toutes les forêts de varech ainsi que la majorité des récifs coralliens. Ce sont aussi les plus exploitées et les plus polluées. Les eaux côtières abritent de nombreuses espèces spécifiques, mais sont également fréquentées par des animaux vivant au large.

Le varech

Les forêts de varech se développent dans les régions côtières du monde entier, mais surtout dans les eaux tempérées. Le varech est une **algue géante**. La plus grande espèce, celle de Tasmanie *(Macrocystis pyrifera)*, peut atteindre 60 m de long. Comme la plupart des autres algues, le varech se fixe grâce à des structures appelées **polypes**, d'où surgissent de longues bandes, parfois à l'extrémité de **stipes**, tiges qui se dressent grâce à des poches pleines de gaz. Le varech abrite de nombreux animaux, dont certains sont propres à cet habitat. Particulièrement riche, le varech de Californie (ou varech du Pacifique) procure nourriture et abri à une large gamme d'invertébrés et de poissons, parmi lesquels la loutre de mer ou encore le requin.

Les récifs de corail

Les récifs coralliens sont les habitats les plus riches et variés de l'océan, avec une myriade de poissons et d'invertébrés multicolores, dont certains se nourrissent d'algues, d'autres de corail. Au sommet de la chaîne trônent les poissons prédateurs : murènes et requins. Les coraux qui forment ces récifs sont constitués de **colonies de polypes**, animaux minuscules proches des méduses et des anémones de mer, qui sécrètent un **squelette de calcaire**. La plupart de ces polypes vivent en symbiose avec une **algue unicellulaire**. Celle-ci produit des glucides qui s'ajoutent au plancton pris dans les tentacules des polypes. Les récifs de corail se forment principalement près des côtes, surtout dans les eaux tropicales et subtropicales.

Les reptiles marins

Les quelques reptiles qui vivent dans la mer sont en général confinés aux côtes tropicales et subtropicales : sept des huit espèces de **tortues marines**, de même qu'une soixantaine d'espèces de **serpents de mer**.

Les oiseaux côtiers

Si l'on associe souvent le canard à l'eau douce, un nombre surprenant d'espèces passent leur vie en mer. Dans l'hémisphère Nord, la **macreuse** *(Melanitta sp.)* et la **harelde boréale** *(Clangula hyemalis)* nagent au large, plongeant de temps à autre pour pêcher coquillages et crustacés. Parmi les autres oiseaux côtiers, le **cormoran** *(Phalacrocorax sp.)* et le **cormoran huppé** plongent depuis la surface de l'eau pour pêcher tandis que les **sternes** *(Sterna sp.)* plongent, eux, depuis le ciel pour attraper leurs proies. L'**eider à duvet** *(Somateria mollissima)*, quant à lui, ne se rend à terre que pour nidifier.

Les mammifères marins

De nombreuses espèces de mammifères marins ne vivent que près des côtes, tel le **lamantin** *(Trichechus sp.)* de l'Atlantique Ouest tropical et subtropical. Son cousin le **dugong** *(Dugong dugong)* des océans Pacifique et Indien ne mange que des algues et des zostères dans les eaux peu profondes. **Phoques** et **otaries** restent eux aussi près des côtes et viennent se reposer et se reproduire sur les rochers et les bancs de sable. Parmi les autres mammifères marins, on compte plusieurs **dauphins** et **marsouins**, ainsi que la **loutre de mer** *(Enhydra lutris)*, qui longent le littoral pacifique d'Amérique du Nord. La loutre de mer se cantonne aux étendues de varech, où elle se nourrit principalement d'oursins.

Les filtreurs

On les trouve à peu près partout dans les océans, mais surtout sur les côtes. Le plancton dont ils se nourrissent y est en effet plus abondant. Ce sont surtout des invertébrés : **éponges**, **bernacles** et **mollusques bivalves** comme les **huîtres** et les **moules**.

PETITE INFO

Le **crabe porcelaine** *(Porcellanella sp.)* se nourrit de plancton et de déchets organiques qu'il filtre en agitant d'avant en arrière des appendices appelés maxillipèdes.

LE SAVIEZ-VOUS ?

Le **varech** se développe à une vitesse impressionnante (jusqu'à 50 cm par jour). Sa substance gélatineuse, appelée **alginate**, est utilisée comme additif pour épaissir peintures et crèmes glacées.

Crustacés et limules

Les crustacés sont des invertébrés qui forment une classe regroupant le plus grand nombre d'espèces après celle des insectes. La plupart sont aquatiques mais quelques-uns, comme les cloportes, sont terrestres. Leur corps est divisé en trois parties: la tête, le thorax et l'abdomen, bien que la tête et le thorax soient généralement soudés. Les crustacés ont deux paires d'antennes et trois paires de pièces buccales. La larve typique, ou nauplius, est ovale et non segmentée.

Histoire de pattes

Crabes, homards, langoustes et **crevettes** appartiennent à l'ordre des décapodes («dix pieds»). Les crabes et la plupart des homards ont en fait huit pattes, la première paire se terminant en pince.

◆ Les **homards** sont marins et comptent parmi les crustacés **les plus rapides**; des membres du genre *Palinurus* peuvent se déplacer par bonds en arrière à 29 km/h.

◆ La plupart des **crabes** se déplacent latéralement, en raison de la façon dont leurs pattes s'articulent au corps.

◆ Les **crevettes** forment le groupe le plus important. La plupart sont marines.

Crustacés comestibles

Les menus des restaurants affichent souvent des crustacés, mais parmi les 38000 espèces connues, seules quelques-unes sont comestibles. Le **tourteau** *(Cancer pagurus)* et le **homard américain** *(Homarus americanus)* sont les plus courants. On consomme aussi des **écrevisses** *(Astacus sp.)*, espèces d'eau douce, des **crevettes tigrées** *(Penaeus sp.)* et des **langoustines** *(Nephrops norvegicus)*.

Sur terre et en mer

Les **crustacés** ont colonisé pratiquement tous les milieux, des fonds océaniques aux déserts les plus arides. Par exemple, des **crevettes rouges** et des **amphipodes** vivent dans la fosse des Mariannes à 10900 m de profondeur, tandis que les notostracés du genre *Triops* se sont adaptés à la chaleur du bush australien. Si les insectes sont plus abondants en espèces et en nombre, les crustacés les dépassent en termes de masse. Ainsi, le **krill** *(Euphausia superba)*, plancton formé de crustacés semblables à des crevettes, est à la base de tout l'écosystème antarctique car il nourrit aussi bien les poissons et les manchots que les grandes baleines. Le **crabe de cocotier** *(Birgus latro)*, originaire de la zone indo-pacifique, peut dépasser 4 kg, ce qui en fait le plus lourd crustacé terrestre.

Les cloportes

Les cloportes sont les crustacés terrestres les mieux représentés. Dotés de branchies et non de poumons, ils ont besoin d'humidité. Ils se nourrissent de débris végétaux et vivent dans la litière du sol et dans le bois en décomposition. Les femelles portent leurs œufs dans une poche fixée sous leur abdomen. À l'éclosion, les petits sont semblables aux adultes.

PETITE INFO

Les **balanes** et les **anatifes**, qui vivent sur les coques de bateau ou les baleines, sont des **cirripèdes**. Ils se fixent par la tête à des substrats divers et filtrent leur nourriture avec leurs pattes faites de tentacules entortillés.

Records

◆ Le plus grand: le **crabe géant** du Japon *(Macrocheira kaempferi)*, 3,70 m

◆ Le plus lourd: le **homard américain** *(Homarus americanus)*, 20 kg

◆ Le plus petit: une **daphnie** (genre *Alonella*), 0,25 mm

◆ Le plus rapide (à terre): le **crabe fantôme** (Genre *Ocypode*), 7 km/h

Fossiles vivants

Proches parents des arachnides et des crustacés, les limules, également appelées crabes des Moluques, n'ont pratiquement pas changé depuis 150 millions d'années. Bien qu'elles ne soient représentées que par cinq espèces, elles ont leur propre classe, celle des mérostomes, ce qui signifie «bouches segmentées». Contrairement aux crustacés marins, qui pondent en mer, les limules viennent se reproduire à terre.

LE SAVIEZ-VOUS?

Certaines **squilles-mantes** *(Squilla sp.)* tuent leurs proies en les assommant. Elles frappent avec une telle force qu'il est impossible de les maintenir en captivité car elles brisent la vitre de leur aquarium.

Les îles

Il existe deux types d'îles : les îles continentales et les îles océaniques. Les îles continentales font partie du plateau continental, qui surgit de la mer. Certaines, comme la Grande-Bretagne, étaient autrefois attachées au continent par des terres qui furent submergées lors de l'élévation du niveau de la mer. D'autres, comme Madagascar, sont des portions de terres qui se sont détachées des continents pour se retrouver entourées d'eaux profondes. D'origine volcanique, les îles océaniques sont en général plus récentes et situées dans des zones isolées, comme les Galápagos ou Hawaii. Les îles océaniques se peuplent d'espèces spécifiques à mesure que les espèces animales et végétales s'y implantent et s'adaptent à leur nouvel environnement. Certains animaux, comme ceux de la classe des amphibiens, y sont très rares, car incapables de survivre au long trajet nécessaire pour les atteindre.

Les coraux

Les îles océaniques abritent de nombreux **organismes marins** et terrestres. Le **corail** fait partie des premières espèces à coloniser les nouvelles côtes tropicales. Ses filtreurs minuscules sécrètent une substance calcaire pour se protéger. Avec le temps, le corail forme des **récifs** qui protègent à leur tour les îles des assauts de la mer. Ils procurent également nourriture et abri à d'autres colonisateurs, **crustacés** et **poissons**, par exemple.

L'évolution des espèces

La plupart des îles océaniques possèdent une faune et une flore propres. **Oiseaux**, **chauves-souris** et **insectes** y sont parfois transportés par les vents, mais toujours par hasard. Il en est de même pour les **animaux terrestres**, acheminés sur des végétaux flottants. Une fois sur place, ces colonisateurs doivent s'adapter à de nouvelles conditions pour survivre, d'où une évolution plus rapide. Certains évoluent si vite qu'ils donnent naissance à une nouvelle espèce. Chaque île des Galápagos, où vit la tortue géante, possède ses propres sous-espèces.

PETITE INFO

Si elles ne constituent qu'une faible proportion des terres de la planète, les **îles** abritent un grand nombre de **plantes** et d'**animaux uniques**.

Le voyageur des océans

Les **plantes côtières** sont souvent parmi les premières à coloniser les îles. Certaines ont des graines capables de traverser les océans. Pleine d'air et entourée d'une coque qui lui permet de flotter, la noix de coco peut parcourir de grandes distances : c'est pourquoi le **cocotier** *(Cocos nucifera)*, dont les graines tombent dans la mer et partent germer au loin, pousse souvent sur les plages. Les arbres des mangroves produisent eux aussi des graines flottantes.

Des effets venus d'ailleurs

L'introduction de nouvelles espèces peut modifier rapidement l'écosystème d'une île. Celle de prédateurs et d'animaux opportunistes comme le **chat** et le **rat** est très destructrice. En effet, les espèces qui évoluent sur une île sans prédateur tendent à ne plus avoir peur des autres animaux, ce qui en fait des proies faciles. Les oiseaux marins nichant au sol n'ont aucun moyen de protéger leurs œufs et beaucoup sont incapables de voler. Au cours des derniers siècles, un grand nombre d'espèces insulaires se sont ainsi éteintes.

Les oiseaux marins

Les îles océaniques se prêtent idéalement à la **nidification** des oiseaux marins : isolées, elles sont souvent **dépourvues de prédateurs terrestres**. Les oiseaux peuvent ainsi pondre leurs œufs et élever leurs petits en toute quiétude. Si la plupart des espèces voyagent loin pour se nourrir, nombre d'entre elles ne nichent que sur certaines îles. Les oiseaux peuvent ainsi se rassembler et se reproduire. Le plus grand des oiseaux marins, l'**albatros hurleur** *(Diomedea exulans)*, ne fait son nid que sur neuf îles.

Surtsey

Cette île est née d'une **éruption volcanique** au large des côtés d'Islande, en 1963, dans l'Atlantique Nord. En 2003, elle abritait plus de 30 espèces animales et végétales, dont la prêle *(Equisetum arvense)*, l'alchémille *(Alchemilla vulgaris)* et la bourse-à-pasteur *(Capsella bursa-pastoris)*.

Les géants des îles

Faute de concurrence, certains animaux insulaires deviennent géants. Dans l'archipel des Galápagos, l'abondance de plantes et l'absence de prédateurs a favorisé l'apparition de **tortues géantes** *(Geochelone elephantopus)* issues d'ancêtres de taille normale qui seraient arrivés par la mer en flottant depuis l'Amérique du Sud. Sur l'île indonésienne de Flores, des conditions similaires ont engendré un rat long de 45 cm sans la queue, le **rat géant de Flores** *(Papagomys armandvillei)*, qui pèse aussi lourd qu'un petit chien. Le **varan de Komodo** (île de l'archipel indonésien) est le plus grand lézard du monde (jusqu'à 3 m de long).

LE SAVIEZ-VOUS ?

Faute de concurrence, certaines plantes de Nouvelle-Calédonie, dans l'océan Pacifique, tel le **pin de Norfolk** *(Araucaria heterophylla)*, n'ont pas changé depuis le jurassique, il y a quelque 144 à 208 millions d'années.

Les oiseaux

Les oiseaux représentent la deuxième classe de vertébrés avec quelque 10000 espèces. Ce sont les seuls animaux qui possèdent des plumes. Ils ont deux pattes et une paire d'ailes. Leurs mâchoires, dépourvues de dents, présentent un revêtement corné formant le bec. Leurs os sont légers et creux, remplis d'air (pneumaticité), ce qui rend le vol possible.
Leur cœur a quatre cavités et leur température est constante et en moyenne supérieure de 3 °C à celle des mammifères. Les oiseaux qui ne peuvent pas voler sont en général parfaitement adaptés à la nage ou à la course.

Les passereaux

Les passereaux représentent la grande majorité des oiseaux. La plupart sont de petite taille et leur quatrième doigt est tourné vers l'arrière. À l'éclosion, les oisillons sont aveugles et sans plumes; en général, les deux parents leur prodiguent les soins nécessaires jusqu'à ce qu'ils deviennent autonomes. L'ordre des passériformes comprend 56 familles qui regroupent les hirondelles, les mésanges, les bergeronnettes, les alouettes, les pinsons, les grives, les étourneaux, les corbeaux…

Les maîtres des airs

De nombreuses espèces d'oiseaux passent une grande partie de leur vie en vol. La **sterne fuligineuse** *(Sterna fuscata)* ne se poserait pas pendant trois ans, entre le moment où elle quitte le nid et celui où elle niche, tandis que le martinet noir *(Apus apus)* s'accouple même en vol. Les oiseaux utilisent différentes techniques de vol. Les grandes espèces, tels les vautours ou les albatros, parcourent de longues distances **en planant**: les vautours s'élèvent en cercle, portés par les courants d'air chaud, et les albatros glissent au ras des vagues, profitant du moindre souffle. À l'opposé, chez les colibris, les battements d'ailes sont très rapides (jusqu'à 90 par seconde). Ces oiseaux peuvent ainsi **voler sur place** pendant cinquante minutes, et même **en arrière**, ce dont aucune autre espèce n'est capable.

Espèces disparues

Les oiseaux **incapables de voler** sont rares et ils le sont devenus encore plus avec l'accroissement de la population humaine. Parmi ceux qui ont disparu, le plus célèbre est le dodo ou dronte *(Raphus cucullatus)*. Tout comme le **kakapo** ou perroquet-hibou *(Strigops habroptilus)* de Nouvelle-Zélande, qui survit encore en petit nombre, le dodo, vivant sur une île (Maurice), sans prédateur, avait perdu la capacité de voler. L'arrivée des Européens, et des rats qui les accompagnaient, est à l'origine de sa disparition. Le dernier dodo mourut en 1662. D'autres espèces ont disparu au cours de ces derniers siècles. Les 11 espèces de moas, de grands oiseaux proches de l'émeu, furent exterminées par les Maoris au XIVe siècle. Et l'*Aepyornis maximus* de Madagascar s'éteignit au XVIIe siècle.
Le grand pingouin *(Pinguinus impennis)* était l'homologue du manchot dans l'hémisphère Nord.

Les œufs

Le nombre d'œufs pondus par les oiseaux varie selon les espèces. **La ponte la plus importante** jamais enregistrée est celle d'un colin de Virginie *(Colinus virginiatus)*, avec 28 œufs. La durée d'**incubation la plus courte** est celle du quéléa *(Quelea quelea)*, qui est de l'ordre de 10 jours. Les **œufs les plus gros** sont ceux de l'autruche; le record est détenu par un œuf de 2,3 kg. **Les plus petits** sont ceux d'une des plus petites espèces, le colibri nain *(Mellisuga minima)*, un oiseau de la Jamaïque.

PETITE INFO

Les **œufs des kiwis** sont énormes par rapport à la taille de ces oiseaux. Un kiwi *(Apteryx australis)* de 1,7 kg peut pondre en 2 jours deux œufs de 450 g, représentant 26% de son propre poids.

Rapaces diurnes

Les oiseaux de proie se nourrissent d'autres animaux. Aigles, buses, busards, milans, éperviers et faucons sont des prédateurs habiles qui capturent leurs proies grâce à des serres acérées. Quant au bec, robuste et crochu, il sert à déchiqueter la chair. Tous les rapaces diurnes ont une vue perçante. Les vautours ont un odorat très développé et se nourrissent de charognes.
En général, ils sont chauves, ce qui leur permet de plonger la tête dans les carcasses sans trop souiller leur plumage. Le plus grand oiseau de proie, le **condor des Andes** *(Vultur gryphus)*, est un vautour. Les plus petits sont le **fauconnet moineau** *(Microhierax fringillarius)* et le **fauconnet de Bornéo** *(M. latifrons)*, tous deux originaires d'Asie du Sud-Est et de la taille d'un étourneau.

La respiration

La **capacité respiratoire** des oiseaux est beaucoup plus importante que la nôtre. L'air passe à travers les poumons, puis dans des sacs aériens disposés dans le corps et se prolongeant jusque dans les os. À l'expiration, l'air traverse à nouveau les poumons, ce qui permet un apport d'oxygène supplémentaire.

LE SAVIEZ-VOUS ?

L'oiseau qui bat le record d'altitude est certainement le **vautour de Ruppell** *(Gyps ruppellii)*. Un individu fut identifié d'après ses plumes après avoir heurté le moteur d'un avion de ligne à 11 277 m au-dessus de la Côte d'Ivoire.

Rapaces nocturnes

Hiboux et chouettes sont des prédateurs qui, pour la plupart, chassent la nuit. Tous ont des grands yeux placés à l'avant de la tête. Celle-ci est très mobile. Leur ouïe remarquable leur permet de repérer leurs proies dans l'obscurité. L'**effraie des clochers** *(Tyto alba)* est l'espèce la plus répandue. La plus grande est le **grand duc d'Europe** *(Bubo bubo)* et la plus petite la **chevêchette elfe** *(Micrathene whitneyi)* d'Amérique du Nord.

La fauconnerie

On chassait déjà avec des oiseaux de proie deux mille ans avant notre ère. Et on le fait toujours dans certaines régions : ainsi, en Mongolie, les Kazakhs utilisent des aigles royaux *(Aquila chrysaetos)* pour chasser le renard et d'autres animaux à fourrure. Comme beaucoup de sports, la fauconnerie a un vocabulaire propre. Les mâles des faucons et d'autres oiseaux de proie sont appelés tiercelets car leur taille est inférieure d'un tiers à celle des femelles.

Gibier à plumes

Les palmipèdes et les gallinacés sont des oiseaux souvent chassés. Les gallinacés volent mal et vivent surtout à terre.

Famille	Exemples
Anatidés Canards, oies et cygnes (145 espèces)	Canard colvert *(Anas platyrhynchos)* Bernache du Canada *(Branta canadensis)* Cygne tuberculé *(Cygnus olor)*
Méléagrididés Dindons (2 espèces)	Dindon sauvage *(Meleagris gallopavo)* Dindon ocellé *(Agriocharis ocellata)*
Numididés Pintades (10 espèces)	Pintade commune *(Numidia meleagris)* Pintade vulturine *(Acryllium vulturinum)*
Phasianidés Faisans (165 espèces)	Faisan de Colchide *(Phasianus colchicus)* Coq doré *(Gallus gallus)*
Tétraonidés Tétras (18 espèces)	Tétras-lyre *(Lyrurus tetrix)* Grand tétras *(Tetrao urogallus)*

Les manchots du soleil

Les **manchots du Cap** *(Spheniscus demersus)* se rencontrent notamment sur les plages d'Afrique du Sud et sur la côte bordant le désert du Namib. Ils nichent sur le continent et les îles proches. Le manchot des Galápagos *(Spheniscus mendiculus)*, qui niche près de l'équateur, est l'espèce la plus septentrionale.

Vagabonds des mers

Plus de 200 espèces d'oiseaux passent la plus grande partie de leur vie en mer. Les fous, pétrels, puffins et pingouins volent au-dessus des vagues à la recherche de poissons. Quand ils repèrent une proie, certains, telles les sternes, plongent du haut des airs. D'autres, comme les goélands, se posent sur l'eau avant de l'attraper ou, comme les cormorans, plongent après s'être posés.

Records

- La plus grande envergure : l'**albatros hurleur** *(Diomedea exulans)*, 3,60 m
- Le plus grand : l'**autruche** *(Struthio camelus)*, 2,75 m
- Le plus gros : l'**autruche** *(Struthio camelus)*, 160 kg
- Le plus gros oiseau volant : l'**outarde kori** *(Ardeotis kori)*, 19 kg
- Le plus rapide en vol : le **faucon pèlerin** *(Falco peregrinus)*, 350 km/h (en piqué)

Des becs variés

Le bec des oiseaux est constitué par un étui corné recouvrant des mâchoires modifiées. Si les premiers oiseaux avaient des dents, elles ont disparu au cours de l'évolution pour réduire le poids et donc la dépense énergétique en vol.
Le bec revêt des formes variées liées au mode d'alimentation. Celui des oiseaux qui ont un régime non spécialisé comme les corbeaux est relativement simple, tandis que celui des limicoles comme le **courlis cendré** *(Numenius arquata)* est long et fin pour fouiller la vase. Le **flamant rose** *(Phoenicopterus ruber)* filtre la vase avec son bec à la recherche de minuscules organismes. Le bec le plus long est celui du **pélican australien**, *(Pelicanus conspicillatus)*, qui atteint 47 cm et dont la poche a une contenance jusqu'à trois fois supérieure à celle de l'estomac.

Des oiseaux de mer aptères

Quelques oiseaux de mer se sont si bien adaptés à leur milieu qu'ils ont perdu la faculté de voler.
Les **manchots**, qui ont le même ancêtre que l'albatros, ont perdu l'usage de leurs ailes il y a 30 millions d'années – les autres oiseaux marins, plus récemment.
Le **cormoran aptère** des Galápagos *(Nannopterum harrisi)* est le seul membre de l'ordre des pélécaniformes qui soit incapable de voler. Ses ailes atrophiées conservent un jeu complet de rémiges de petite taille.

PETITE INFO

La **pie** *(Pica pica)* qui se rencontre en Europe, en Asie et dans l'ouest de l'Amérique du Nord a la réputation d'être voleuse. Elle fait partie de la famille des corvidés, comme les corbeaux, les craves et les geais.

Oiseaux et drapeaux

Les oiseaux figurent sur les drapeaux de quatorze pays. Six (Albanie, Égypte, Kazakhstan, Mexique, Moldavie, Zambie) ont choisi l'**aigle**. La Dominique a préféré le **sisserou**, un perroquet impérial, l'Équateur, le **condor des Andes**, les îles Fidji, la **tourterelle**, le Guatemala, le **quetzal**, Kiribati, la **frégate**, l'Ouganda, la **grue couronnée**, la Papouasie-Nouvelle-Guinée, le **paradisier de Ragga**, et enfin le Zimbabwe, l'**oiseau du grand Zimbabwe**.

LE SAVIEZ-VOUS ?

L'**eider** *(Somateria mollissima)* fournit un duvet très recherché. La femelle de ce canard le prélève de sa poitrine et en garnit le nid pour protéger ses œufs du froid. On recueille le duvet lorsque les petits quittent le nid.

Le grand large

Les eaux qui s'étendent au large du plateau continental sont étonnamment peu fréquentées. Les proies étant dispersées, les prédateurs doivent souvent parcourir de longues distances pour se nourrir. Les nageurs vigoureux du grand large, comme le requin, sont profilés pour un mouvement optimal et une résistance minimale. D'autres animaux du grand large se laissent simplement dériver au gré des courants. Comme les autres espèces aquatiques, les oiseaux marins doivent voyager loin en quête de nourriture. La plupart pratiquent le vol plané et s'aident des courants ascendants pour économiser leur énergie.

Le phytoplancton

Constitué d'**algues microscopiques** et autres **protistes de photosynthèse**, le phytoplancton se situe à la base de la plupart des chaînes alimentaires des océans. Ayant besoin de nutriments et de lumière (il utilise l'énergie solaire pour produire des nutriments, créant au passage de l'oxygène), il se concentre dans les eaux côtières, là où les fleuves déversent des minéraux dans la mer. Au large, il se développe à la croisée des courants, où l'eau froide – riche en nutriments – monte des profondeurs.

Le zooplancton

Comme le suggère son nom, le zooplancton est constitué d'**animaux planctoniques**. La plupart se nourrissent de phytoplancton, même si certains chassent d'autres animaux planctoniques. Les plus nombreux sont les **copépodes**, minuscules crustacés à peine visibles à l'œil nu. Citons également les **larves** de créatures plus grandes, comme les **balanes** et les **vers des grands fonds**.

La chaîne alimentaire du grand large

Au large, les animaux doivent voyager loin pour se nourrir. De nombreux grands prédateurs, comme le **requin**, l'**espadon voilier** *(Istiophorus sp.)* et le **marlin** *(Tetraptunus et Makaira)*, sillonnent ces eaux en solitaire.

Les bolides des océans

Les **grands prédateurs** du large doivent se montrer rapides pour attraper leurs proies. Le plancton étant rare, les prédateurs sont visibles de loin dans les eaux claires. Pour augmenter leurs chances, **la plupart sont bicolores**. Quand ils se trouvent sous leur proie, leur face sombre se fond avec l'eau. Quand ils sont au-dessus, leur face claire est moins visible que la partie sombre. Prenant leur élan, les requins jaillissent des ténèbres pour surprendre leurs proies.

D'incroyables périples

De nombreux animaux parcourent de longues distances pour se reproduire ou atteindre les lieux de nourriture saisonniers. Voici certains de leurs parcours les plus spectaculaires.

Espèce	Migration
Anguille ***(Anguilla rostrata)***	Des lacs et fleuves, où vit l'anguille adulte, à la mer des Sargasses, dans l'Atlantique Nord, pour se reproduire.
Tortue verte ***(Chelonia mydas)***	Du littoral brésilien, où elle se nourrit, aux plages de l'île de l'Ascension, dans l'Atlantique Sud, pour pondre.
Baleine grise ***(Eschrichtius robustus)***	De l'océan Arctique, où elle se nourrit en hiver, aux eaux chaudes du large de la Basse-Californie, au Mexique, où elle se reproduit.
Baleine à bosse ***(Megaptera novaeangliae)***	De l'océan Arctique, où elle se nourrit en hiver, aux lieux de reproduction proches de l'équateur.
Tortue luth ***(Dermochelys coriacea)***	De l'océan Arctique, où elle se nourrit essentiellement de méduses, aux plages du Surinam pour pondre.

Les patrouilleurs des vagues

Si la majorité des **oiseaux marins** appartiennent à des espèces côtières, certains vivent au large. Les **albatros** (famille des diomédéidés) parcourent de longues distances en quelques battements d'ailes et se laissent porter par les vents. Comme beaucoup d'oiseaux des océans, ils ont une alimentation mixte qui compte poissons, calmars et charognes. Les proies vivantes se font souvent capturer après avoir été remontées à la surface par les dauphins ou d'autres prédateurs marins.

La mer en littérature

- *Moby Dick*, Herman Melville, publié en 1851
- *Vingt mille lieues sous les mers*, Jules Verne, 1869, qui relate les aventures du *Nautilus*.
- *Pêcheur d'Islande*, Pierre Loti, 1886
- *Le Vieil Homme et la mer*, Ernest Hemingway, Pulitzer en 1953
- *Vendredi ou les Limbes du Pacifique*, Michel Tournier, 1967

Au fil de l'eau

Plusieurs types d'animaux flottent sur l'océan, dont des escargots du genre *Lanthina*, qui forment des bulles gélatineuses juste sous la surface de l'eau. Le plus célèbre est la **physalie**, qui est en fait une colonie d'organismes. Un de ces organismes forme un pneumatophore (vésicule gazeuse) tandis que les autres attrapent et digèrent leurs proies.

Baleines et dauphins

Baleines, dauphins et marsouins naissent et vivent dans l'eau, mais ce sont des mammifères. À ce titre, ils respirent de l'air, sont vivipares et allaitent leurs petits. Ils forment l'ordre des cétacés, lui-même divisé en deux sous-ordres : les odontocètes, ou baleines à dents, et les mysticètes, ou baleines à fanons.
Les baleines à dents – dauphins, marsouins et cachalots – sont d'habiles prédateurs. Les baleines à fanons se nourrissent de plancton et comptent dans leurs rangs les plus grands animaux : par ordre décroissant, la baleine bleue, le rorqual commun, la baleine du Groenland et la baleine franche.

Records absolus

Dans le règne animal, les baleines détiennent un grand nombre de records, certains n'étant d'ailleurs pas des plus évidents.

- La baleine du Groenland *(Balaena mystaceus)* possède la **plus grande bouche** du monde. Grande ouverte, elle pourrait avaler un minibus !
- Les **plus longues nageoires** appartiennent à la baleine à bosse *(Megaptera novaeangliae)*. Avec 4,60 m de long, ses nageoires pectorales sont presque deux fois plus longues que celles de n'importe quelle autre baleine.
- La baleine à bosse, au huitième rang pour la taille, est aussi l'espèce la plus étudiée.
- La baleine bleue *(Balaenoptera musculus)* est le **plus grand animal sur terre**. Son petit est le **plus gros nouveau-né** du monde : de 6 à 8 m de long pour 2 à 3 tonnes.
- Le rorqual commun *(Balaenoptera physaluslus)* est, avec la baleine bleue, **le plus bruyant des mammifères** : il peut émettre des sons de 188 dB, plus forts que ceux d'un avion au décollage. Il est aussi le deuxième plus grand mammifère marin.
- Le record de **profondeur en plongée**, parmi les espèces à respiration aérienne, est détenu par le cachalot. Des individus marqués ont été enregistrés à une profondeur de 2 000 m, mais il semble qu'ils soient capables de descendre à 3 000 m.
- Le cachalot *(Physeter macrocephalus)* est le plus grand prédateur et le cinquième par la taille. Il a aussi le **plus gros cerveau** du monde (environ 8 kg).
- L'épaulard ou orque *(Orcinus orca)* est la **plus grande espèce de dauphin**. Les mâles peuvent atteindre 10 m de long.
- Le dauphin d'Hector *(Cephalorhynchus hectori)* est le **plus petit cétacé**.

Le saviez-vous ?

Les **baleines franches** *(Balaena glacialis)* furent ainsi nommées à cause de la facilité de leur capture. Curieuses et peu farouches, elles se laissaient approcher sans méfiance.

Baleines à fanons

Les plus grandes baleines se nourrissent de petits organismes qui sont filtrés par les **fanons**. Ceux-ci forment des lames attachées à la mâchoire supérieure et portent des franges de poils longs et raides qui emprisonnent les proies mais permettent l'expulsion de l'eau.
L'espèce la plus répandue est le petit rorqual, ou rorqual à museau pointu *(Balaenoptera acutorostrata)*, qui atteint 10 m de long. La plus petite, la baleine franche pygmée *(Caperea marginata)*, ne dépasse pas 6,50 m.

Dauphins et marsouins

Les dauphins et les marsouins représentent la moitié des cétacés. À l'exception des globicéphales et autres espèces apparentées, tous les dauphins possèdent un « bec » qui les distingue des marsouins.
Les espèces côtières forment des groupes unis, de 2 à 12 individus chassant souvent ensemble. Les espèces pélagiques se déplacent en groupes importants. Certaines, tel le lagénorhynque à flancs blancs *(Lagenorhynchus acutus)*, forment parfois des concentrations d'un millier d'individus. Le grand dauphin ou souffleur *(Tursiops truncatus)* est l'espèce la plus souvent rencontrée dans les delphinariums. Elle fréquente les eaux tropicales et tempérées.

Le narval

La **longue défense** du mâle narval *(Monodon monoceros)* est la plus grande dent que l'on rencontre chez un animal marin, pouvant même dépasser 3 m de long.
Une femelle sur 30 en possède et un mâle sur 500 en a deux.
Ces défenses sont entre autres utilisées lors de combats entre mâles pour assurer leur position hiérarchique.

Petite info

Le dauphin possède sur le sommet de la tête un **évent**, l'équivalent de nos narines, qui est contrôlé par des muscles puissants et peut se fermer hermétiquement.

Eau douce

Six espèces de cétacés vivent en eau douce. Deux d'entre elles, le tucuxi *(Sotalia fluviatilis)* et le marsouin aptère, se rencontrent également en mer. Les vrais dauphins d'eau douce comprennent les platanistes de l'Indus et du Gange *(Platanista minor* et *P. gangetica)* et le baiji *(Lipotes vexillifer)*, qui vit dans le Yangzi Jiang. Habitant de l'Amazone et l'Orénoque, le boutou *(Inia geoffrensis)* est le plus grand dauphin d'eau douce.

Les poissons

Les poissons sont divisés en trois classes : celle des agnathes comprend les poissons sans mâchoire, les plus primitifs des vertébrés ; les chondrichtyens rassemblent les poissons cartilagineux (requins, raies et chimères) ; les ostéichtyens regroupent les poissons osseux. Les poissons sans mâchoire n'ont pas d'écailles. Leur bouche en forme de ventouse est tapissée de petites dents pointues. Les poissons cartilagineux possèdent des écailles en forme de dents et leur squelette est renforcé par des plaques osseuses. Comme les agnathes, et au contraire des poissons osseux, ils n'ont pas de vessie natatoire. Les poissons osseux forment le groupe le plus nombreux. La plupart ont des branchies. Les dipneustes et quelques autres ordres (sémionotiformes, synbranchiformes, polyptériformes, channiformes) ont des poumons primitifs.

Raies et torpilles

On compte plus de 400 espèces de raies. Comme chez les requins, les plus grandes espèces sont pélagiques et se nourrissent de plancton. La plus grande de toutes – la **raie manta** *(Manta birostris)* – vit dans les mers tropicales et peut atteindre 7 m d'envergure, d'une extrémité à l'autre de ses nageoires pectorales, semblables à des ailes. La plupart des raies sont des prédateurs et quelques espèces possèdent des organes électriques pour tuer leurs proies. La **torpille noire** *(Torpedo nobiliana)* peut envoyer des décharges de 220 V. Le groupe des raies comprend aussi des espèces plus singulières telles que les **poissons-scies** *(Pristis sp.)*, et les **guitares de mer** *(Rhina sp.)*, dont les branchies sont ventrales. La **pastenague** *(Dasyatis americana)* vit près des côtes, du New Jersey jusqu'au Brésil ; elle peut atteindre 1,50 m d'envergure et est dotée d'un aiguillon caudal.

Sans mâchoire

On compte actuellement **45 espèces** de vertébrés aquatiques sans mâchoire. Les myxines se rencontrent en dehors des tropiques. Benthiques et nocturnes, elles se nourrissent de poissons morts ou mal en point, mais aussi d'invertébrés marins. Leurs yeux sont atrophiés et elles détectent la nourriture grâce aux tentacules qui entourent leur bouche. Les **lamproies** *(Lampetra fluviatilis)* sont des parasites qui se fixent par la bouche sur d'autres poissons et forent un trou dans leur chair pour aspirer le sang.

Les anguilles

Avec leur long corps sinueux, les anguilles ressemblent plutôt à des serpents. Mais, contrairement à ceux-ci et aux poissons osseux – sauf les silures –, **elles n'ont pas d'écailles**. Elles comptent plus de 500 espèces vivant dans des milieux très variés – marais, récifs coralliens, pleine mer… Elles consomment surtout d'autres poissons. De nombreux poissons marins anguilliformes sont sédentaires : les **congres** passent la journée dans leur terrier et chassent la nuit ; les hétérochongrinés se tiennent droits, la queue enterrée dans le sable ; les **murènes** guettent leur proie cachées dans les rochers.

Les requins

Les requins sont des prédateurs particulièrement bien adaptés à leur milieu. Les 368 espèces décrites ont colonisé pratiquement toutes les mers, des récifs coralliens aux eaux polaires, des côtes aux grands fonds. Quelques espèces vivent même dans les eaux saumâtres et deux en eau douce : le **requin du Gange** *(Glyphis gangeticus)* vit en Inde dans le fleuve du même nom, et le **requin-bouledogue** *(Carcharhinus leucas)* remonte les fleuves des régions tropicales et subtropicales. Les requins sont les plus gros animaux après les baleines. Même si la **plus grande espèce**, le **requin-baleine**, se nourrit de plancton, la plupart sont de redoutables prédateurs, tel le plus grand d'entre eux, le **grand requin blanc** *(Carcharodon carcharias)*. Leurs sucs gastriques, très acides, leur permettent de digérer aussi les os. Certains, tel le **requin-tigre** *(Galeocerdo cuvier)*, très vorace, avalent même des objets. Comme le requin-baleine, le **requin-pèlerin** *(Cetorhinus maximus)* se nourrit de plancton. Pouvant atteindre 10 m de long, il vit dans des eaux plus froides et se rencontre fréquemment au large des côtes canadiennes. Sur les 368 espèces de requins, **42 sont connues pour avoir attaqué l'homme** – 33 sans provocation – et 11 d'entre elles ont infligé des blessures mortelles. Le plus petit requin est la **roussette** *(Scyliorhinus canicula)*, dont la chair est commercialisée sous le nom de saumonette. À la différence des autres requins, le **requin-marteau commun** *(Sphyrna Zygaena)* est grégaire.

Poissons plats

Alors que la plupart des poissons se déplacent par ondulations latérales, les poissons plats **ondulent verticalement**. Les larves des poissons plats ont une apparence normale, mais, au cours de la croissance, l'un des yeux migre pour venir se placer sur la même face que l'autre. Tous les poissons plats sont **benthiques** et **chassent à l'affût**. En général enfouis sous une fine couche de sable ou de vase, ils ne laissent émerger que leurs yeux. Sur fonds plus durs, certains peuvent même changer de couleur (homochromie).

LE SAVIEZ-VOUS ?

La **baudroie** capture sa proie de façon fulgurante. Après l'avoir attirée en agitant son filament pêcheur, elle l'engloutit en six millièmes de seconde – l'un des mouvements les plus rapides du règne animal.

Hippocampes et dragons

Les **hippocampes** sont des poissons très particuliers vivant près des côtes parmi les algues, auxquelles ils s'accrochent avec leur longue queue préhensile. Comme leurs proches parents, les **aiguilles de mer** et les **dragons de mer**, les hippocampes se nourrissent d'invertébrés qu'ils aspirent par leur bouche tubulaire. Les femelles pondent leurs œufs dans la poche incubatrice des mâles, qui « donnent naissance » à des petits déjà bien formés. Les hippocampes sont proches des épinoches, dont le corps est aussi cuirassé de plaques osseuses.

Les eaux polaires

Les océans Arctique et Antarctique possèdent leur propre écosystème même si certaines espèces, comme l'orque ou épaulard *(Orcinus orca)*, se retrouvent dans ces deux zones. Si la température ambiante varie énormément à proximité des pôles, celle de l'eau ne descend jamais en dessous de – 1,9 °C. Les mammifères marins et les manchots des zones polaires sont protégés par une épaisse couche de graisse appelée blanc. Leurs vaisseaux sanguins se concentrent à la surface de leur peau pour retenir la chaleur.

La chaîne alimentaire de l'Arctique

Les algues microscopiques et autre **phytoplancton** dont se nourrissent les **animaux planctoniques** sont les premiers maillons de la chaîne. Ces derniers sont à leur tour dévorés par les **calmars** et des poissons tels que le **hareng** et autres poissons pélagiques dont se nourrissent les **phoques**, eux-mêmes mangés par certaines **baleines**, comme les **orques**.

La propagation des algues

Au terme d'un long hiver, **lorsque les jours se font plus longs**, les algues apparaissent à la surface des glaces de l'Antarctique et viennent nourrir toutes sortes de poissons et d'invertébrés, dont le **krill**, qui mange également des algues planctoniques. Cette soudaine abondance de nourriture stimule le krill et autres mangeurs d'algues, qui peuvent alors entamer leur période de reproduction.

Le krill

Ces petits crustacés qui ressemblent à des crevettes abondent surtout dans les eaux de l'Antarctique. Au printemps, ils se multiplient pour former de vastes nuées qui peuvent s'étendre sur des kilomètres. Ils nourrissent les animaux marins, mais sont également pêchés et employés dans les produits de la mer destinés à la consommation humaine. Longue d'environ 6 cm, la femelle peut pondre 10 000 œufs.

La chaîne alimentaire de l'Antarctique

Comme dans l'Arctique, le **phytoplancton** constitue la base. Ici, toutefois, le **krill** *(Euphausia superba)* est plus abondant que les poissons et forme la principale source de nourriture de la majorité des animaux de plus grande taille.

Les manchots de l'Antarctique

Le cercle polaire antarctique abrite quatre espèces de manchots : le **manchot empereur** *(Aptenodyptes forsteri)*, le **manchot d'Adélie** *(Pygoscelys adeliae)*, le **manchot papou** *(P. papua)* et le **manchot à jugulaire** *(P. antarctica)*. Comme tous ses congénères de l'Antarctique, à part les empereurs mâles, ce dernier passe l'hiver en mer, se reposant souvent sur les icebergs. C'est le plus petit manchot de l'Antarctique. Le **gorfou doré** *(Eudyptes chrysolophus)*, le **manchot royal** *(A. patagonica)*, le **gorfou sauteur** *(E. crestatus)* et le **gorfou de Schlegel** *(E. schlegeli)* vivent sur les îles situées en dehors du cercle polaire mais toujours dans les eaux de l'Antarctique. Toutes ces espèces se nourrissent de calmars, de poissons et de krill.

La baleine blanche

Le **béluga** *(Delphinapterus leucas)*, aussi appelé baleine blanche, peuple les eaux côtières de l'Arctique. Il vit généralement en groupes de cinq à dix individus, parfois davantage dans les zones où la nourriture abonde. Un béluga adulte peut mesurer jusqu'à 3,60 m de long.

Phoques et morses

Plus de la moitié des vraies espèces de phoques du monde évoluent dans les eaux polaires (au contraire des lions de mer et autres phoques à oreilles, les vrais phoques ne peuvent utiliser leurs nageoires postérieures pour se mouvoir sur terre). Le plus grand est l'**éléphant de mer** *(Mirounga leonina)*, qui peut atteindre 6 m de long. La plupart des phoques polaires se nourrissent de poissons, mais le **phoque crabier** *(Lobodon carcinophagus)* de l'Antarctique mange principalement du krill.

PETITE INFO

Le **morse** ne vit que dans les eaux **arctiques** et **subarctiques**. Il utilise ses défenses pour fouiller dans le sable en quête de coquillages, son principal aliment.

LE SAVIEZ-VOUS ?

Le **poisson des glaces de l'Antarctique** *(Notothenia)* produit son propre antigel. Les glycoprotéines libérées dans son sang abaissent son niveau de gel à – 2,5 °C, température inférieure à celle de l'eau qui l'entoure.

La vie aux pôles

Au nord du cercle polaire arctique, les arbres cèdent la place à la toundra, constituée de plantes basses ou rampantes. Elle s'étend jusqu'aux rivages de l'océan Arctique. En hiver, elle est enveloppée d'un épais manteau neigeux. Le continent antarctique est presque entièrement recouvert de glace, qui subsiste toute l'année. Il n'y a ni toundra ni mammifères terrestres et très peu d'oiseaux y vivent en permanence. La plupart des espèces sont migratrices. Au pôle Nord, la calotte glaciaire flotte sur l'océan Arctique, et s'étend, en hiver, jusqu'au Canada, en Russie et au Groenland. Au pôle Sud, la glace qui recouvre l'Antarctique atteint parfois une épaisseur de 4000 m. Elle se prolonge dans l'océan.

Abondance estivale

La plupart des animaux que l'on trouve près des pôles **n'y vivent que l'été**. Dès que les jours raccourcissent, ils partent pour des cieux plus cléments. La vie renaît au cours du bref été polaire. Le cercle arctique bénéficie d'un ensoleillement permanent grâce auquel la végétation se développe rapidement, en même temps que de nombreux **petits mammifères** tels que les lemmings des toundras *(Lemmus lemmus)* et de grandes populations d'oiseaux venues nicher. En mer, la brusque prolifération de **phytoplancton** (algues) entraîne celle du **krill** *(Euphausia superba)* dans l'Antarctique et du **zooplancton** dans l'Arctique, ce qui attire d'immenses bancs de **harengs** *(Clupea harengus)* et autres poissons filtreurs. Ceux-ci à leur tour nourrissent les oiseaux de mer et les mammifères marins tels que les **baleines grises** *(Eschrichtius robustus)*.

Géants des pôles

On trouve certaines des **plus grandes espèces** dans les régions polaires, tels la **baleine bleue** *(Balaenoptera musculus)* et l'**éléphant de mer** *(Mirounga leonina)*. Avec une surface de peau peu importante par rapport à leur volume, les gros animaux conservent mieux la chaleur que les espèces plus petites. L'**ours polaire** *(Ursus maritimus)* est le plus grand carnivore terrestre ; dressé sur ses pattes postérieures, il peut atteindre 3,40 m de haut. Le record est détenu par un spécimen pesant plus de 1 tonne. Sur l'île Kodiak, climat rude et nourriture abondante conviennent aux plus gros des **ours bruns** *(Ursus arctos)*. Bien que moins grands, ils sont plus trapus et peuvent peser 750 kg.

Parures d'hiver

Le plumage du **lagopède alpin** *(Lagopus mutus)* devient blanc en hiver. Le **renard arctique** *(Alopex lagopus)* et le **lièvre variable** *(Lepus timidus)* ont tous deux un pelage brun durant l'été pour leur permettre de se fondre dans la toundra. De même, l'**hermine** *(Mustela erminea)* présente, en hiver, un pelage blanc, à l'exception du bout de la queue, qui est noir.

Habitats particuliers

Les animaux vivant près des pôles sont peu nombreux. Le **renard arctique**, l'**ours polaire** et la **baleine franche du Groenland** *(Balaena mysticetus)* se rencontrent toute l'année dans l'Arctique, ainsi que plusieurs espèces de phoques. Les **bélugas** *(Delphinapterus leucas)* y vivent en groupes de 5 à 20 individus. En Antarctique, pendant l'hiver, les manchots empereurs mâles assurent l'incubation des œufs sur la banquise alors que les femelles repartent en mer. Le **phoque de Weddell** *(Leptonychotes weddelli)* est le **seul mammifère** que l'on trouve à une **latitude aussi basse**. Il passe la majeure partie de sa vie sous l'eau, creusant des trous dans la glace avec ses dents pour venir respirer à la surface.

Des millions d'individus

La plupart des animaux polaires vivent soit dans l'**Arctique**, soit dans l'**Antarctique**. Quelques-uns se retrouvent aux deux pôles.

Arctique	Antarctique
Baleine à bosse	Albatros
Baleine franche	Baleine à bosse
Baleine grise	Krill
Bélouga	Manchots
Caribou	Orque
Morse	Pétrel géant
Narval	Phoque crabier
Orque	Léopard de mer
Ours blanc	Phoque de Ross
Pingouins	Phoque de Weddell

Survivre au froid

◆ Des insectes et certains poissons des pôles produisent un **antigel**, à base de glycoprotéines, permettant d'abaisser la température à laquelle leur corps gèlerait.
◆ Les goélands et certaines espèces marines ont un **double système de régulation** de la température. Leurs pieds ou leurs nageoires supportent encore mieux le froid que leur corps.
◆ La plupart des oiseaux et mammifères marins possèdent une **épaisse couche de graisse** ou **pannicule adipeux** qui les protège si bien qu'il peut y avoir 42 °C de différence entre la température interne d'un phoque et celle de sa peau.
◆ Entre leur couche de graisse et leur fourrure, les ours polaires ont la **peau noire**. Leurs **poils** sont **transparents** mais semblent blancs en raison de la lumière.

L'océan Antarctique est beaucoup plus froid que l'océan Arctique. Si les températures au pôle Nord peuvent descendre à – 62 °C, au pôle Sud, elles peuvent atteindre – 88 °C.

Phoques et otaries

Phoques et otaries comprennent trois familles regroupées dans l'ordre des pinnipèdes (« pieds ailés » en latin), proches des carnivores terrestres.
Les phoques vrais appartiennent à la famille des phocidés. Ils ont un pelage à poil ras et pas de pavillon auditif. Les otaries font partie de la famille des otaridés. Elles possèdent des pavillons auditifs et leur pelage forme une épaisse fourrure. Au contraire de ceux des phoques, leurs membres postérieurs peuvent se replier et participent à la marche à terre.
La famille des odobénidés comprend un seul membre, le morse, à la peau presque nue.

Adaptation à la nage

Les pinnipèdes ont évolué à partir des carnivores terrestres, il y a 15 millions d'années. Les espèces actuelles présentent des caractères communs avec leurs ancêtres, en particulier au niveau du crâne et des dents.
Leur corps a toutefois subi d'importantes modifications. Chez les **otaries**, les membres postérieurs participent encore à la locomotion à terre, alors que les phoques sont incapables de soulever leur corps. L'aire de répartition de l'**otarie de Californie** *(Zalophus californianus)* s'étend jusqu'aux Galápagos. D'autres adaptations au milieu marin sont moins apparentes. La consommation d'oxygène en plongée diminue de façon importante et le métabolisme ralentit fortement. L'**éléphant de mer du Nord** *(Mirounga angustirostris)* peut retenir sa respiration pendant plus d'une heure et plonger à plus de 1 500 m de profondeur. Le **phoque de Weddell** *(Leptonychotes weddelli)*, se nourrissant de calmars et de poissons des fonds marins, peut plonger jusqu'à 550 m.

Menaces au paradis

La plupart des pinnipèdes vivent dans les mers froides, mais les **phoques moines** ne se rencontrent que dans les zones subtropicales. Le choix de cet habitat a très vite provoqué des conflits avec l'homme. L'une des trois espèces, le phoque moine des Caraïbes *(Monachus tropicalis)*, a déjà disparu, à cause des pêcheurs et du dérangement sur les sites de reproduction.

En dehors de son élément

L'Antarctique n'abrite aucun mammifère, à l'exception des mammifères marins, cétacés et pinnipèdes. Très carnassier, le **léopard de mer** *(Hydrurga leptonyx)* s'attaque surtout aux manchots, qu'il chasse habituellement en mer, mais il lui arrive de tenter sa chance sur la glace.

Records

- Le plus grand : l'**éléphant de mer** *(Mirounga leonina)*, 6 m
- Le plus petit : l'**otarie des Galápagos** *(Arctocephalus galapagoensis)*, 1,50 m
- Le plus répandu : le **phoque crabier** *(Lobodon carcinophagus)*, environ 13 millions
- Le plus rare : le **phoque moine** *(Monachus monachus)*, environ 500

Reproduction

Tous les pinnipèdes viennent se reproduire à terre. Pour échapper aux prédateurs, la plupart se rassemblent en grand nombre sur des plages isolées. Les concentrations les plus importantes sont celles de l'**otarie à fourrure des Pribilof** *(Callorhinus ursinus)*, au large de l'Alaska, sur les îles Saint George et Saint Paul, estimées à quelque 900 000 spécimens. Les espèces qui ne forment pas de colonie ont mis au point d'autres techniques pour se protéger. La femelle du **phoque annelé** *(Pusa hispida)* met bas dans une grotte sous la neige. Le **phoque à capuchon** *(Cystophora cristata)* a la plus courte période de lactation de tous les mammifères (4 jours).

LE SAVIEZ-VOUS ?

Le mâle du **phoque à capuchon** *(Cystophora cristata)* impressionne ses rivaux en gonflant sa tête. Il peut dilater soit sa poche nasale, qui sort alors de la narine, soit la poche noire située à l'avant de la tête, qui se gonfle comme un ballon.

Les grands fonds marins

Les océans profonds de plus de 1 600 m couvrent presque les deux tiers de la planète. En dépit de son importance, ce biome est largement méconnu. Au-delà de 300 m de profondeur, il n'y a pratiquement plus de lumière. Dans cette zone floue, de nombreuses créatures sont transparentes, ce qui les rend plus difficiles à repérer par les prédateurs. Au-delà de 1 000 m, c'est le noir absolu. La majorité des prédateurs se fie au toucher ou aux vibrations pour détecter les proies.

La chaîne alimentaire des profondeurs

Des déchets appelés **neige marine** constituent le premier maillon de la chaîne alimentaire de l'Atlantique. Le **zooplancton** s'en nourrit le jour. La nuit, il migre vers les eaux peu profondes pour manger le phytoplancton. De nombreux prédateurs le suivent. Le **poisson-pélican** *(Saccopharynx)* peut avaler des proies aussi grosses que lui.

La plaine abyssale

Entre les plates-formes continentales s'étend la plaine abyssale, vaste banc de sable dominé par les échinodermes : oursins, astéroïdes et leurs semblables, ainsi que les holothuries. Ils rampent par millions dans les fonds marins sur leurs minuscules pattes, fouillant les sédiments en quête de matières organiques. S'ils sont inégalement répartis, ils couvrent au total une surface pourtant supérieure à celle de tous les biomes terrestres réunis. Ils sont considérés comme les animaux les plus nombreux de la planète. Dans la plaine abyssale, les poissons sont rares. Ce sont surtout des charognards. Parmi les plus grands, on compte le primitif **requin griset** *(Hexanchus)*, qui peut atteindre 8 m de long.

Les geysers des grands fonds

Au cœur de la plaine abyssale, la croûte terrestre présente des failles. Entre les plaques qui s'écartent lentement s'insinue de la roche. Ces failles sont parsemées d'**évents hydrothermaux**, des geysers des grands fonds qui crachent une eau très chaude, riche en minéraux. Ces jets d'eau chaude abritent des formes uniques de vie, dont le spirographe, qui peut supporter des températures de 80 °C.

La neige marine

Au-dessous de 150 m, le manque de lumière rend impossible toute photosynthèse. Seuls des animaux y vivent. Ils attrapent des particules de matières organiques mortes appelées neige marine, qui tombent depuis la surface de l'eau. **Violets** *(ascidies)* et **spirographes** *(polychètes)*, entre autres, s'en nourrissent.

Les nouvelles espèces

Récemment, plusieurs créatures étranges vivant dans les grands fonds sont venues s'ajouter à la liste des espèces connues.

Animal	Caractéristiques
Calmar ovale (famille des magnapinnidés)	Long de 4 m, doté de tentacules disposés comme les rayons d'une roue de bicyclette.
Poulpe à oreilles *(Grimpoteuthis sp.)*	Créature d'aspect étrange qui se déplace à l'aide d'énormes appendices ressemblant à des oreilles d'éléphant.
Baudroie chevelue (ordre des lophiiformes)	Prédateur immobile couvert d'épines et d'appendices ressemblant à des poils dont il se sert pour détecter ses proies.

La bioluminescence

Il s'agit de la capacité de certains animaux à émettre de la lumière. De nombreuses espèces sont bioluminescentes pour éviter d'être vues. La **hache-d'argent** *(Sternoptyx sp.)* possède des rangées de photophores (cellules lumineuses) sur le ventre. Elles génèrent une lumière dont la portée correspond à celle située au-dessus, ce qui rend le poisson invisible pour les prédateurs qui se trouvent en dessous. La bioluminescence est aussi utile pour la chasse. De nombreuses baudroies (ordre des lophiiformes) possèdent des leurres bioluminescents pour attirer leurs proies.

La bataille des grands fonds

Sous les mers, le plus grand invertébré du monde devient la proie du plus grand prédateur actif. Le **calmar géant de l'Atlantique** *(Architeuthis dux)* peut atteindre 18 m de long et peser plus de 2 tonnes. Véritable monstre des profondeurs, il constitue l'aliment principal du **cachalot** *(Physeter macrocephalus)*, qui peut plonger jusqu'à 3 000 m de profondeur pour le trouver. Comme tous les mammifères, le cachalot puise de l'oxygène dans l'air. Toutefois, une seule inspiration permet à ce géant de tenir une heure. C'est la plus grande baleine dentée : adulte, elle peut peser 70 tonnes.

PETITE INFO

Quand on le dérange, l'**ocyropsis** (phylum *Ctenophora*) a un mécanisme d'évasion très efficace : il émet de la lumière pour surprendre ses prédateurs.

Fourmiliers, paresseux et alliés

Autrefois classés, dans l'ordre des édentés, les fourmiliers et les paresseux d'Amérique centrale et du Sud appartiennent aujourd'hui à l'ordre des piloses, et les tatous à celui des cingulates. Seuls les fourmiliers (famille des myrmécophages) sont dépourvus de dents. Les paresseux comportent cinq espèces réparties en deux genres. Les tatous exploitent des habitats très variés et se nourrissent surtout d'invertébrés. L'Afrique et l'Asie ont leur propre version des fourmiliers avec l'oryctérope et les pangolins. L'oryctérope est l'unique représentant de l'ordre des tubulidentés et n'a que des molaires. Les pangolins (ordre des pholidotes) se trouvent en Afrique, en Inde et en Asie du Sud-Est et comptent sept espèces.

Les fourmiliers

Avec ses griffes redoutables, le **grand fourmilier** ou **tamanoir** *(Myrmecophaga tridactyla)* éventre termitières et fourmilières et en ramène les occupants avec sa langue gluante, qui atteint 61 cm de long. Très vorace, il peut engloutir jusqu'à 30 000 insectes par jour. Il dort en se recouvrant avec sa queue.
Le tamanoir, qui vit dans la pampa argentine, est la plus grande des trois espèces de fourmiliers. Le **tamandua** *(Tamandua mexicana)* et le **myrmidon** *(Cyclopes didactylus)*, tous deux arboricoles, ont une queue préhensile et vivent dans la forêt. Le myrmidon, qui atteint à peine 15 cm de long, tient dans la paume d'une main.

PETITE INFO

Les **paresseux** sont des mammifères arboricoles qui vivent la plupart du temps à l'envers. Ces animaux ne retrouvent une posture classique que lorsqu'ils se déplacent sur un tronc ou se trouvent à terre.

Les paresseux

Les paresseux sont les **plus lents** des mammifères. Le bradype ou aï *(Bradypus tridactylus)*, qui possède trois doigts, est le plus lent, avec une vitesse maximale de 4,60 m/min. Les aïs à trois doigts sont plus petits que les unaus à deux doigts.
Les paresseux vivent suspendus aux branches des arbres des forêts tropicales et ne descendent à terre que pour déféquer, tous les 8 à 10 jours. Leur lenteur serait en partie due à leur alimentation, composée uniquement de feuilles, certaines trop toxiques pour d'autres espèces.

L'oryctérope

Avec son long museau, ses oreilles de lapin et son corps trapu, l'oryctérope *(Orycteropus afer)* est l'un des plus étranges mammifères d'Afrique. C'est un animal nocturne et discret qui passe la journée dans son terrier. Il peut atteindre presque 2 m de long pour un poids de 70 kg.

Les tatous

◆ Les tatous sont recouverts de plaques cornées formant une carapace. On compte 20 espèces, de taille très variable, allant du **chlamyphore tronqué** *(Chlamyphorus truncatus)*, pesant à peine 85 g, au **tatou géant** *(Priodontes maximus)*, qui atteint 50 kg.
◆ Tous vivent en Amérique centrale et du Sud, sauf le **tatou à neuf bandes** *(Dasypus novemcinctus)*, que l'on trouve aussi dans le sud des États-Unis.

Les pangolins

Les pangolins ont des traits communs avec les tatous et les fourmiliers mais ne leur sont pas apparentés. Arboricoles, ils se nourrissent de termites et de fourmis qu'ils attrapent avec leur longue langue visqueuse. Ils sont protégés par des écailles imbriquées comme les tuiles d'un toit et périodiquement remplacées. Enroulés sur eux-mêmes, ils offrent peu de prise aux prédateurs.

Les chiroptères (chauves-souris) et les insectivores forment les deux plus grands ordres de mammifères après les rongeurs. Les chauves-souris sont divisées en deux sous-ordres : microchiroptères, espèces carnivores et frugivores, et mégachiroptères, dont les roussettes. Les chauves-souris sont les seuls mammifères volants. On en compte plus de 950 espèces. Les insectivores se caractérisent par leurs dents jugales, qui ont des crêtes coniques aiguës. Tous ne mangent pas des insectes. Ils ont des griffes et un museau allongé. Il en existe quelque 400 espèces. Les tupaïas et les galéopithèques forment deux ordres différents, les tupaiiformes et les dermoptères. Les tupaïas (18 espèces) ont une longue queue touffue et des doigts armés de griffes. Les galéopithèques (2 espèces) planent grâce au repli cutané (patagium) qui relie leurs membres.

L'écholocation

Les chauves-souris insectivores détectent leurs proies grâce à leur sonar. Elles émettent des ultrasons dont l'**écho** leur revient. Lorsque la proie se rapproche, l'écho met moins de temps à revenir et est donc plus fréquent. Les chauves-souris le suivent ainsi jusqu'à la source. Le **noctilion bec-de-lièvre** vit dans les forêts tropicales d'Amérique centrale et du Sud. Il détecte la présence des poissons par les ondulations en surface. L'aile est formée d'une fine membrane reliant le corps aux membres. Les quatre doigts de la main se sont fortement allongés, mais le pouce est resté libre et se termine par une griffe arquée. Certaines chauves-souris se nourrissent de nectar, telle *Leptonycteris nivalis*, une espèce mexicaine, et un grand nombre sont frugivores.

Créatures de la nuit

Animaux nocturnes, les chauves-souris occupent les niches qui sont celles des oiseaux durant le jour. Plus de 80 % d'entre elles sont insectivores, mais certaines chassent des animaux plus gros tels que grenouilles ou rongeurs. Le **noctilion bec-de-lièvre**, *Noctilio leporinus*, se nourrit de poissons qu'il capture en laissant traîner dans l'eau ses pattes postérieures, armées de griffes.
Les mégachiroptères frugivores, ou roussettes, sont les plus grosses chauves-souris. La plus grande de toutes est la **roussette de l'Inde** *(Pteropus giganteus)*, qui atteint un poids de 1,6 kg et une envergure de 2 m.

PETITE INFO

Les **galéopithèques** sont des dermoptères (du grec *derma*, peau, et *pteron*, aile) qui peuvent planer mais non voler. Nocturnes, ils vivent dans les forêts tropicales et se nourrissent de fruits et de feuilles.

Les insectivores

Les insectivores sont de petits mammifères qui se nourrissent surtout d'invertébrés. Parmi eux, on trouve les **taupes**, les **desmans**, les **musaraignes**, les **hérissons**, les **tenrecs** et les **solénodons**. Le plus grand insectivore est un érinacéidé de 1,4 kg d'Asie du Sud-Est, *(Echinosorex gymnurus)*. Le plus petit, le pachyure étrusque *(Suncus etruscus)*, pèse environ 1,5 g. Le **tenzec zébré** peut se reproduire dès l'âge de 3 semaines.

Les tupaïas

Autrefois classés parmi les insectivores, puis parmi les primates, les tupaïas forment aujourd'hui un groupe distinct. À l'aise aussi bien au sol que dans les arbres, ils vivent dans les forêts d'Asie du Sud-Est et d'Inde. Ils sont considérés comme les mammifères les plus proches de ceux qui vivaient à l'ère des dinosaures. *Tupaia tana* est un animal arboricole qui vit à Bornéo et à Sumatra. Comme tous les tupaïas, il est omnivore.

Vampires

Trois espèces de chauves-souris sud-américaines sont **hématophages**. Deux sont inféodées aux oiseaux, mais le vampire commun, ou vampire d'Azara *(Desmodus rotundus)*, s'attaque aux mammifères, dont l'homme. Pour survivre, il a besoin d'une quantité de sang égale à la moitié de son poids. Les vampires mordent leurs victimes durant leur sommeil, puis aspirent le sang avec leur langue. Leur salive contient des anticoagulants.

Les taupes

Détestée des jardiniers, la taupe est une espèce que l'on aperçoit rarement. Si les monticules de terre qui signalent sa présence sont souvent importants, l'animal lui-même est de petite taille. La **taupe d'Europe** *(Talpa europaea)*, par exemple, ne mesure que 15 cm de long. Elle a une portée par an. Toutes sont solitaires. Ces animaux fouisseurs vivent en Europe, en Asie et en Amérique du Nord et ne se rencontrent qu'au moment de la reproduction. Les taupes dorées que l'on trouve en Afrique subsaharienne ne sont pas de véritables taupes bien qu'elles soient insectivores.

Lagomorphes et rongeurs

Lapins et rongeurs appartiennent à deux ordres différents. Les lapins font partie des lagomorphes, qui incluent aussi les lièvres et les pikas. Les rongeurs forment l'ordre des rodentiens, qui se subdivise en trois sous-ordres en fonction de la forme du corps. Tous sont herbivores. Les lapins et les lièvres constituent la famille des léporidés (44 espèces). Leurs oreilles sont longues et leur queue est courte. Les pikas (14 espèces) forment la famille des ochotonidés. Ils ont des oreilles courtes et pas de queue. Le sous-ordre des myomorphes comprend les rongeurs comme la souris, soit plus d'un quart des mammifères, avec, à ce jour, 1 802 espèces recensées. Ils possèdent trois molaires par demi-mâchoire. Ils sont plutôt de petite taille, nocturnes, terrestres et granivores. Le sous-ordre des sciuromorphes comprend des espèces arboricoles (l'écureuil), mais aussi terrestres ou adaptées à la vie aquatique (le castor). Ils ont quatre dents jugales (prémolaires et molaires). Le sous-ordre des cavimorphes inclut des rongeurs au museau arrondi comme le cobaye. Certains creusent des terriers. On y trouve les plus grands rongeurs, tels les porcs-épics et les cabiais.

Les rongeurs : une remarquable réussite

Les rongeurs représentent presque la moitié des espèces de mammifères. Très résistants, ils ont colonisé pratiquement tous les milieux terrestres. Leur succès tient à deux raisons principales : un régime alimentaire très varié et une grande prolificité. La femelle du **lemming** *(Lemmus lemmus)* se reproduit dès l'âge de 14 jours et la **souris** *(Mus musculus)* peut avoir quatorze portées par an. Les rongeurs présentent une grande diversité de formes et de tailles. Parmi eux, on trouve les rats, les souris, les écureuils, les porcs-épics, les castors… Le **cabiai** sud-américain *(Hydrochoeris hydrochaeris)* est le plus grand rongeur. Les mâles adultes atteignent 1,40 m de long. Certains rongeurs, comme les écureuils volants, peuvent planer dans les airs ; d'autres, tels les rats-kangourous et le lièvre sauteur *(Pedetes capensis)*, se déplacent par bonds sur leurs membres postérieurs, très développés.

Les rongeurs et l'homme

Au cours des siècles, les rongeurs ont causé plus de dommages à l'homme que tout autre groupe animal. Vecteurs de nombreuses maladies (peste, typhus…), les rats et les souris sont responsables de plus de morts que toutes les guerres réunies. Le **surmulot** *(Rattus norvegicus)* et la **souris** sont sans doute originaires d'Asie. Ils peuplent tous les continents, y compris l'Antarctique.

PETITE INFO

Les longues incisives tranchantes des **rongeurs** (du latin *rodere*, ronger) ont la particularité d'être à croissance continue. Ceux-ci se trouvent donc dans l'obligation de les user en permanence.

Héros de la littérature enfantine

Les animaux tiennent une place importante dans la littérature enfantine. Les lapins et les rongeurs sont des personnages particulièrement populaires.

Auteur	Œuvre	Personnage	Espèce
Lewis Carroll	*Alice au pays des merveilles (1865)*	**Le Loir**	Loir *Muscardinus avellanarius*
		Le Lièvre de Mars	Lièvre d'Amérique *Lepus americanus*
		Le Lapin blanc	Lapin *Oryctolagus cuniculus*
Beatrix Potter	*Noisette l'écureuil (1903)*	**Noisette**	Écureuil roux *Sciurus vulgaris*
Joel C. Harris	*Oncle Rémus raconte (1880)*	**Petit Père Lapin**	Lapin à queue blanche *Sylvilagus floridanus*
E. B. White	*La Toile de Charlotte (1974)*	**Templeton**	Surmulot *Rattus norvegicus*
Kenneth Grahame	*Le Vent dans les saules (1908)*	**Monsieur Rat d'eau**	Rat d'eau *Arvicola amphibius*

Les pikas

Les pikas sont les plus petits des **lagomorphes**. Ces espèces montagnardes passent l'hiver dans des terriers. Ils se reproduisent en été et, à l'automne, engrangent la nourriture qui leur permettra de survivre tout l'hiver.

Lapins et lièvres

Les lapins et les lièvres sont des herbivores ayant une répartition mondiale. Leur habitat s'étend des forêts tropicales aux déserts. Ce sont des animaux très rapides. Certains des plus gros lièvres, tel le **lièvre d'Alaska** *(Lepus othus)*, peuvent atteindre 80 km/h. Quelques espèces sont menacées de disparition. Le **lapin des Ryukyu** *(Pentalagus furnessi)*, par exemple, ne se rencontre que sur deux petites îles du Japon et sa population totale ne dépasse pas 5 000 individus. Le **lapin des volcans** *(Romerolagus diazi)* est encore plus rare. Il vit sur les pentes des volcans à proximité de Mexico. De tous les lagomorphes, le **lièvre-antilope** *(Lepus alleni)* est celui qui a les plus grandes oreilles. Il vit dans les déserts au nord-ouest du Mexique et dans le sud des États-Unis.

Les carnivores

Si, dans le langage courant, le mot carnivore (du latin *carnis*, chair, et *vorare*, dévorer) fait référence à tout animal se nourrissant de chair, pour les biologistes, il ne s'applique qu'aux membres de l'ordre des carnivores. Il est divisé en deux sous-ordres, les aeluroidés ou félinformes, et les arctoidés ou caniformes, dont le chien est un représentant. L'ordre comprend sept familles. Les pattes des félins ont cinq doigts à l'avant et quatre à l'arrière. Ce sont des chasseurs qui traquent leur proie ou pratiquent l'affût. Les hyènes ont des membres antérieurs plus longs que les membres postérieurs, ce qui leur confère une allure caractéristique. Les viverridés, qui comprennent civettes, genettes et mangoustes, sont les plus proches des carnivores primitifs. Ils ont un corps très allongé, des pattes courtes et, en général, une longue queue.

Félins

La famille des félidés comprend 37 espèces. Toutes, à l'exception du **guépard** *(Acinonyx jubatus)*, ont des griffes rétractiles. On compte sept espèces de grands félins : le **lion** *(Panthera leo)*, le **tigre** *(Panthera tigris)*, le **jaguar** *(Panthera onca)*, le **léopard** *(Panthera pardus)*, la **panthère des neiges** *(Panthera uncia)*, le **guépard** *(Acinonyx jubatus)* et la **panthère longibande** *(Neofelis nebulosa)*. Les lions vivent en Afrique et dans la forêt de Gir, dans l'État du Gujurat, en Inde. Le tigre est le plus grand des félins, et le léopard ou panthère est l'espèce la plus répandue, depuis l'Afrique jusqu'en Asie du Sud-Est.
Les petits félins comptent 30 espèces, dont le puma, l'ocelot, le lynx et le chat sauvage. Le **puma** *(Felis concolor)* a su s'adapter à une grande variété de milieux et son aire de distribution s'étend du Canada à l'Argentine. Comme tous les félins de petite taille, il ronronne mais ne rugit pas. Les lynx se caractérisent par leurs oreilles pointues ornées de touffes de poils et leur queue courte. Le **lynx ibérique** *(Lynx pardinus)* est le félin le plus rare.

Les hyènes

La famille des hyénidés comprend quatre espèces. **L'hyène tachetée** *(Crocuta crocuta)* est la seule espèce sociable. Elle est carnivore, tout comme **l'hyène brune** *(Hyaena brunnea)* et **l'hyène rayée** *(Hyaena hyaena)*. Le **protèle** *(Proteles cristatus)* se nourrit exclusivement de termites et de fourmis. Sa denture est réduite par rapport à celles des autres espèces, qui sont capables de broyer les os. Les hyènes ne se rencontrent qu'en Afrique, à l'exception de l'hyène rayée, que l'on trouve de l'Afrique du Nord au Moyen-Orient et en Inde.

Civettes et autres mangoustes

- La famille des viverridés est la plus importante et compte environ 75 espèces, toutes originaires d'Afrique et d'Eurasie.
- Cette famille comprend des espèces variées, depuis la minuscule **mangouste naine** *(Helogale parvula)*, de 320 g, jusqu'à la **civette d'Afrique** *(Civettictis civetta)*, qui atteint 20 kg.
- Presque tous les viverridés possèdent des glandes à musc et celui des civettes, notamment, est utilisé dans les parfums.
- Genettes et civettes sont nocturnes, au contraire des mangoustes.

Menaces sur les félins

L'aire de distribution des lions et des tigres délimitait autrefois la frontière entre l'Afrique et l'Eurasie, mais elle s'est aujourd'hui considérablement réduite. **Le lion de Barbarie** *(Panthera leo leo)*, que l'on trouvait du Maroc jusqu'en Égypte, **n'existe plus à l'état sauvage**, tout comme le lion du Cap *(P. l. melanochaitus)*. Trois sous-espèces de tigres, celles de Bali *(Panthera tigris balica)*, de Java *(P. t. sondaica)* et de la Caspienne *(P. t. virgata)*, sont désormais éteintes.

Hybrides

Lions et tigres sont des espèces si proches qu'ils peuvent se reproduire entre eux. Les hybrides sont appelés **ligres** si le père est un lion et **tigrons** si c'est un tigre. Les mâles sont infertiles, alors que les femelles sont fécondes. On a observé des croisements entre des lions et des léopards dans des zoos japonais et italiens. Les petits sont appelés **léopons**.

Animaux et voitures

Les firmes automobiles ont souvent associé les animaux à leur logo.

Marque	Animal
Alfa Romeo	Serpent
Bobcat	Lynx
Dodge	Bélier
Ferrari	Cheval
Jaguar	Jaguar
Lamborghini	Taureau
Peugeot	Lion
Porsche	Cheval
Saab	Griffon (tête)
Vauxhall	Griffon

LE SAVIEZ-VOUS ?

En malais, en thaïlandais et en de nombreuses autres langues d'Asie du Sud-Est, le mot **lion** se traduit par *singa* ou *singh*. Le nom de famille de tous les sikhs est d'ailleurs Singh, et Singapour signifie la « ville des lions ».

Les canidés

La famille des **canidés** comprend 37 espèces de taille très variable, depuis le **renard de Blandford** *(Vulpes cana)*, qui pèse 1,3 kg, jusqu'au **loup** *(Canis lupus)*, atteignant 103 kg. Le loup était autrefois l'un des carnivores les plus abondants. Pratiquement exterminé en Europe et aux États-Unis, il ne subsiste que dans des zones isolées. Les canidés sont des carnivores aux longues pattes et à la queue touffue. La plupart sont d'excellents coureurs, qui se déplacent en prenant appui sur la pointe des doigts. Parmi les grandes espèces, beaucoup, tel le **dhole** d'Asie *(Cuon alpinus)*, vivent en meute et poursuivent leurs proies sur de longues distances. Toutefois, la plupart des **coyotes**, **chacals** et **renards** sont solitaires et chassent des proies de petite taille. Le canidé le plus répandu est le **renard roux** *(Vulpes vulpes)*. Son aire de répartition englobe l'Amérique du Nord, l'Eurasie et l'Afrique du Nord. Il a aussi été introduit en Australie.

Belettes, visons et martres

La famille des **mustélidés** regroupe belettes, hermines, martres, loutres, blaireaux, visons et moufettes. Ce sont en général des animaux de petite taille, au corps long et souple et aux pattes courtes. Le plus gros est la loutre de mer, qui atteint 45 kg. Les mustélidés se rencontrent des pôles jusqu'aux tropiques et beaucoup sont de redoutables prédateurs en hiver. **L'hermine** *(Mustela erminea)*, proche de la belette, est le seul mustélidé dont le pelage devient blanc.

PETITE INFO

Le **glouton** *(Gulo gulo)* est renommé aussi bien pour sa force que pour son insatiable appétit. Quand il est affamé, il n'hésite pas à disputer leurs proies aux loups et même aux ours. Il vit dans la taïga et la toundra.

Vie aquatique

Les loutres appartiennent à la famille des **mustélidés**, qui compte 11 espèces. Elles se nourrissent exclusivement de poissons. Elles peuplent les rivières de tous les continents, sauf l'Australie et l'Antarctique. La plus grosse est la **loutre géante** *(Pteronura brasiliensis)* d'Amérique du Sud et la plus petite, la **loutre cendrée** *(Aonyx cinerea)* d'Asie du Sud-Est et d'Inde du Sud, qui ne dépasse pas 90 cm de long. La **loutre de mer** *(Enhydra lutris)* a une fourrure remarquablement isolante. Vivant sur la côte ouest de l'Amérique du Nord, elle dort sur l'eau, accrochée à une grande algue laminaire pour éviter de dériver.

Le bandit masqué

Avec son masque noir et blanc et sa grande queue cerclée de noir, le **raton laveur** *(Procyon lotor)* est l'un des animaux les plus familiers d'Amérique du Nord. Ce carnivore de la famille des **procyonidés** a su s'adapter à des milieux très divers, y compris les abords des villes, où il semble se satisfaire de ce qu'il trouve dans les poubelles ou de cadavres d'animaux tués sur les routes. Son régime habituel est constitué d'œufs et de petits animaux. Parmi les autres procyonidés, on trouve notamment le **coati** d'Amérique du Sud *(Nasua nasua)*.

L'ours

Bien que classés dans les carnivores, les représentants de la famille des **ursidés** sont omnivores. La plus petite des sept espèces est l'ours malais *(Helarctos malayanus)*, qui mesure à peine 1,40 m de long. **L'ours brun** est le plus répandu. Le grizzli *(Ursus arctos horribilis)* d'Amérique du Nord est l'une des sous-espèces d'ours brun. Les autres sont l'ours des neiges *(U. a. pruinosus)*, l'ours syrien *(U. a. syriacus)* et l'ours isabelle *(U. a. isabellinus)* de l'Himalaya.

LE SAVIEZ-VOUS ?

L'ours en peluche (le *teddy bear* des Anglo-Saxons) est né en 1902 lorsque le président américain **Theodore Roosevelt** (Teddy) épargna un ours au cours d'une partie de chasse. L'histoire, reprise par la presse, devint vite célèbre.

L'Europe

L'Europe est le plus petit mais le plus densément peuplé des continents. Anciennement presque entièrement couvertes de forêts, ses terres sont converties aujourd'hui en majorité à l'agriculture. La plupart des régions sauvages se trouvent dans les pays de l'Est, en Scandinavie et dans les Alpes. Ailleurs, la flore et la faune sauvages sont préservées dans des parcs naturels (208 au total, soit plus que sur chaque autre continent). Les biomes comprennent la toundra, la forêt boréale, la forêt tempérée, la montagne, les milieux méditerranéens et les régions humides (eaux douces ou salées).

Parcs nationaux

La création des parcs nationaux en France et en Europe a été influencée par celle des parcs nationaux aux États-Unis, État pionnier dans la protection des grands espaces. En Europe, les plus célèbres sont: ◆ le parc national de **Thingvellir** (Islande) ◆ le parc national d'**Oulanka** (Finlande) ◆ le parc national de **Cairngorms** (Écosse) ◆ le parc national de **Dartmoor** (Angleterre) ◆ le parc national de **Snowdonia** (pays de Galles) ◆ le parc national **Hoge Veluwe** (Pays-Bas) ◆ le parc national de la **Forêt de Bavière** (Allemagne) ◆ le parc national de **Bialowieza** (Pologne) ◆ le parc national des **Tatras** (Pologne) ◆ la réserve de **Casabianda** (Corse) ◆ la réserve de **Chambord** (France) ◆ le parc national de la **Vanoise** (France) ◆ le parc national de **Port-Cros** (France) ◆ le parc national des **Abruzzes** (Italie) ◆ le parc national de **Gerês** (Portugal) ◆ le parc national **d'Ordesa et du Mont-Perdu** (Espagne) ◆ le parc national de **Yosgat** (Turquie).

La Forêt-Noire

Recouvrant le sud-ouest montagneux de l'Allemagne, elle est limitée au sud et à l'ouest par le Rhin, qui la sépare des Vosges et des régions septentrionales de la Suisse. La Forêt-Noire est peuplée de grands conifères dont le couvert épais masque la lumière, d'où son nom.

Principales régions

Les fjords norvégiens
Les eaux froides des vallées glaciaires inondées accueillent de grands mammifères marins telle l'orque *(Orcinus orca)*. Le veau marin *(Phoca vitulina)* fréquente les côtes atlantiques de l'Europe.

Les Highlands
Cette région d'Écosse, la plus sauvage des îles Britanniques, héberge l'aigle royal *(Aquila chrysaetos)*, la martre *(Martes martes)*, le cerf *(Cervus elaphus)* et le chat sauvage *(Felis sylvestris)*.

Les îles Hébrides
S'échelonnant à l'ouest de l'Écosse, elles attirent au printemps les oiseaux de mer, qui s'y reproduisent en masse. Il y a plus de fous de Bassan *(Sula bassana)* sur le littoral britannique que partout ailleurs.

Les Pyrénées
Hôte de l'ours brun *(Ursus arctos arctos)*, du loup *(Canis lupus)* et de l'isard *(Rupicapra rupicapra)*, cette chaîne montagneuse séparant la France et l'Espagne est faiblement peuplée.

La Camargue
En partie asséchée, la Camargue reste une des plus vastes zones humides d'Europe.

Le Coto de Doñana
Le delta du Guadalquivir comprend de nombreux marais. À la belle saison s'y réunissent les plus grandes colonies d'oiseaux aquatiques d'Europe. On y trouve l'aigle impérial ibérique *(Aquila adalberti)* et le très rare lynx ibère *(Lynx pardinus)*.

Les plaines polonaises
Dans ses nombreux marécages se développent une flore et une faune uniques.

La forêt boréale
De rares vestiges de la forêt primaire d'Europe subsistent ici et là. L'un des mieux préservés est la forêt de Bialowieza, en Pologne, où les loups chassent encore le bison d'Europe *(Bison bonasus)*. Celui-ci est le plus grand animal terrestre d'Europe. Il atteint 1,80 m au garrot.

La toundra
L'Islande et l'extrême nord de la Scandinavie sont couverts de toundra. On y trouve l'ours polaire *(Thalarctos maritimus)*. Il n'y a pas de renne *(Rangifer tarandus fennicus)* en Islande, mais il parcourt tout le nord de la Scandinavie.

Les monts Sarek
Cette chaîne de montagnes de 1 600 km de long forme l'épine dorsale de la Scandinavie. Ses flancs et ses vallées profondes abritent le glouton *(Gulo gulo)* et l'élan d'Europe *(Alces alces)*.

La Sierra de Cazorla
Cette région calcaire abrite 30 espèces de plantes locales et le bouquetin des Pyrénées *(Capra pyrenaica)*.

Les Alpes
Le dernier grand site vraiment sauvage d'Europe abrite la marmotte *(Marmota marmota)*, le bouquetin *(Capra ibex)*, le chamois…
Les chamois des Alpes sont les isards des Pyrénées.

Le pourtour méditerranéen
Chaud et sec en été, doux en hiver, son climat favorise la présence d'une flore exceptionnelle.

Le delta du Danube
Le plus grand fleuve d'Europe se divise en de nombreux bras avant de se jeter dans la mer Noire. On y trouve le pélican blanc *(Pelecanus onocrotalus)* et l'ibis falcinelle *(Plegadis falcinellus)*.

L'Asie

Le plus grand continent du monde abrite plus de la moitié de la population mondiale. Les habitats naturels sont menacés d'extinction, surtout dans le Sud et le Sud-Est asiatiques, où de grandes régions sauvages disparaissent chaque année au profit de l'agriculture et des plantations commerciales. Les forêts pluviales tropicales du sud-est sont parmi les plus vastes du monde, tandis que le nord est surtout couvert de taïga. Le tsunami qui s'est abattu sur certains pays riverains de l'océan Indien le 26 décembre 2004 (250 000 morts) a profondément perturbé les écosystèmes de la région.

Les fleuves

Les fleuves d'Asie se jettent dans trois océans – Arctique, Pacifique et Indien – et en Méditerranée. Ils abritent des animaux étranges : salamandre géante (genre *Andrias*) et dauphins d'eau douce.

LE SAV

Plus de la moitié des 36 espèces de **félidés** vivent en Asie, dont le chat pêcheur (*Prionailurus viverrinus*), le chat du désert (*Felis margarita*), le chat tacheté de rouille (*P. rubiginosus*) et le chat à tête plate (*P. planiceps*).

Parcs nationaux

L'Asie compte de nombreux parcs nationaux parmi lesquels figurent : ◆ la réserve naturelle de **Barguzin** (Féd. de Russie) ◆ la réserve naturelle de **Stolby** (Féd. de Russie) ◆ la réserve naturelle de **Naurzum** (Kazakhstan) ◆ le parc national de **Khaziranga** (Inde) ◆ le parc national de **Corbett** (Inde) ◆ le parc national de **Ranthambore** (Inde) ◆ le parc national de **Sariska** (Inde) ◆ le parc national de **Khao Luang** (Thaïlande) ◆ le parc national **Rara** (Népal) ◆ le parc national de **Berbak** (Indonésie) ◆ le parc national de **Langkat** (Indonésie) ◆ le parc national de **Lu Shan** (Chine) ◆ le parc national de **Wulingyuan** (Chine) ◆ le parc national **Aso-Kuju** (Japon) ◆ le parc national **Nikko** (Japon) ◆ le parc national d'**Akan** (Japon).

Principales régions

◆ **La forêt boréale**
La plupart des régions sauvages de Russie sont constituées de forêts boréales, la taïga. Dans l'est, on trouve le tigre de Sibérie (*Panthera tigris altaica*), ailleurs, le loup (*Canis lupus*) et l'ours brun (*Ursus arctos arctos*). Le sanglier (*Sus scrofa*), très répandu dans le monde, fréquente les forêts d'Europe, d'Asie et d'Afrique du Nord.

◆ **La mer Caspienne**
Alimentée par la Volga et l'Oural, la mer Caspienne possède sa propre faune, comme le phoque de la Caspienne (*Pusa caspica*) ou l'esturgeon béluga (*Huso huso*), source du fameux caviar.

◆ **La steppe**
Ces prairies semi-arides s'étendant en Russie et vers la mer Noire hébergent l'antilope saïga (*Saiga tatarica*) et le loup.

◆ **Le désert d'Arabie**
Le plus grand désert du monde après le Sahara est aussi l'un des plus désolés. Parmi ses rares grands mammifères figurent le chinkara (*Gazella dorcas*) et l'oryx d'Arabie (*Oryx leucoryx*). Les carnivores comprennent l'hyène rayée (*Hyaena hyaena*) et le fennec (*Fennecus zerda*).

◆ **Le lac Baïkal**
La plus profonde étendue d'eau douce du monde a son espèce de phoques, le phoque Baïkal (*Pusa sibirica*).

◆ **Le désert de Thar**
Le Grand Désert indien s'étend de l'autre côté de la frontière du Pakistan, où il est appelé Cholistan. C'est un désert de sable chaud.

◆ **L'Altaï**
Cette chaîne de montagnes qui s'étire de la Russie à la Chine et à la Mongolie possède le plus haut sommet de Russie, le mont Belukha (4 506 m). L'Altaï est fréquenté par l'antilope du Tibet (*Pantholops hodgsoni*), une espèce en voie d'extinction, très prisée pour sa peau. Le chien viverrin (*Nyctereutes procyonoides*), cousin du raton laveur, vit dans les forêts d'Extrême-Orient.

◆ **La péninsule du Kamtchatka**
Par sa taille, l'ours brun (*Ursus arctos arctos*) de cette région isolée de la Russie rivalise aisément avec le redoutable kodiak de l'Alaska.

◆ **La forêt tempérée**
De la forêt mixte tempérée d'Asie restent quelques traces dans le sud-est de la Sibérie et l'extrême nord-ouest de la Chine. Parmi les animaux qui y vivent figure la rare grue du Japon (*Grus japonensis*).

◆ **Le désert de Taklimakan**
Entre les montagnes chinoises de Tien Shan et de Kunlun, au nord du Tibet, ce désert froid constitué de dunes est désolé.

◆ **L'Himalaya**
Au-dessus des arbres, le léopard des neiges (*Panthera uncia*) chasse le bharal (*Pseudois nayaur*) et le markhor (*Capra falconeri*).

◆ **Le désert de Gobi**
Le plus grand désert froid du monde s'étend sur 1 million de kilomètres carrés, à une altitude de 1 200 m. Il est constitué de plaines sableuses et caillouteuses.

◆ **Rann de Kutch**
Cette région de désert et de marais salés est l'asile du khur du Pakistan occidental (*Equus hemionus khur*).

◆ **Sundarbans**
La plus grande forêt de mangrove borde le Bangladesh et le Bengale. Y survit le gavial du Gange (*Gavialis gangeticus*), reptile aquatique.

◆ **La forêt de mousson**
C'est ce qui subsiste en Inde de la végétation primaire. Le tigre du Bengale (*Panthera tigris tigris*) et le léopard (*Panthera pardus*) y chassent le cerf sambar (*Cervus unicolor*) et le cerf axis (*Axis axis*). Le gaur (*Bos gaurus*) et l'éléphant d'Asie (*Elephas maximus*), entre autres, fréquentent aussi ce biome.

◆ **La forêt pluviale tropicale**
L'essentiel de la forêt pluviale tropicale d'Asie est en Indonésie. À Sumatra et à Bornéo, on y trouve les orangs-outans (genre *Pongo*). Le gibbon à mains blanches (*Hylobates lar*) est l'une des neuf espèces de gibbons du Sud-Est asiatique.

L'Océanie

L'Océanie est le plus petit continent du monde après l'Europe. C'est aussi le moins peuplé après l'Antarctique, avec une population faisant 4 % de celle de l'Europe. L'Australie et les autres îles de l'Océanie se sont séparées du reste du monde il y a plus de 65 millions d'années. Cette singularité fait que l'on trouve en Océanie une flore et une faune uniques au monde et des espèces vivantes qui ont disparu ailleurs depuis longtemps. La plus grande partie de l'Océanie est une terre sauvage. Les biomes comprennent la forêt pluviale tropicale, la forêt tempérée et le désert.

Les loriquets

Les perroquets sont bien représentés en Océanie. En Australie, ils se divisent en loriquets et en cacatoès. La Nouvelle-Zélande a sa propre espèce de perroquets, dont font partie le kaka *(Nestor meridionalis)* et le kakapo *(Strigops habroptilus)*.

LE SAVIEZ-VOUS ?

En Nouvelle-Zélande, la **hatérie** *(Sphenodon punctatus)* est un fossile vivant. Cet animal, qui rappelle le lézard, a une excroissance sur la tête, sorte de «troisième œil».

Parcs nationaux

Il existe en Australie près de **3 000 zones protégées**, dont beaucoup de réserves et de refuges établis par des associations ou des particuliers. Il y a aussi près de **340 parcs nationaux** officiels ; parmi les plus fréquentés par les touristes figurent : ◆ le parc national de **Bald Rock** ◆ le parc national de **Belair** ◆ le parc national de **Canarvon** ◆ le parc national d'**Egmont** ◆ le parc national d'**Eungella** ◆ le parc national de **Kakadu** ◆ le parc national de **Mount Field** ◆ le parc national de **Nornalup** ◆ le parc national de **Thornton** ◆ le parc national de **Warrumbungle** ◆ le parc national de **Yanchep**.

Principales régions

La forêt pluviale tropicale
Elle couvre l'ensemble de la Nouvelle-Guinée. L'absence de singes permet aux kangourous arboricoles (genre *Dendrolagus*) de proliférer en se nourrissant dans les arbres. Il y a des millions d'années, la forêt pluviale tropicale couvrait l'Australie. Elle ne survit plus que dans le Queensland. Cette forêt abrite le paradisier *(Paradisaea raggiana)*, magnifique oiseau au plumage chatoyant et à la parade nuptiale élaborée.

Le plateau de Kimberley
Cette région compte moins de 40 000 habitants. Des formations rocheuses spectaculaires abritent de grands varans (genre *Varanus*) et des marsupiaux tel le wallaby *(Macropus agilis)*.

Les habitats méditerranéens
Cette région clémente du sud de l'Australie héberge une flore abondante et unique. On y trouve diverses espèces rares de marsupiaux, tel le rat-kangourou à nez court *(Bettongia penicillata)*. Le diable épineux *(Moloch horridus)* aime les sables du Sud et de l'Ouest australiens.

Les récifs de la Grande Barrière
Le plus grand récif corallien du monde s'étire du sud de la Nouvelle-Guinée au large du Queensland, en Australie, jusqu'au détroit de Curtis. La plupart des îles qui ponctuent le Pacifique Sud sont nées de l'activité volcanique. Elles recèlent une faune et une flore typiques.

La savane arbustive
Les chénopodes comme *Maireana oppositifolia (Maireana sp.)* y apprécient les sols semi-arides et salins.

Les bras de mer
Les vallées creusées au cours du dernier âge glaciaire caractérisent le sud-ouest de la Nouvelle-Zélande. Inondées par la mer, elles rappellent les fjords de Scandinavie.

La prairie de spinifex
Là où la terre est trop sèche pour supporter des arbres, le spinifex prend le relais. Cette plante grasse abrite des lézards et des marsupiaux. L'émeu *(Dromaius novaehollandiae)*, le plus grand oiseau d'Australie, s'y plaît aussi.

La forêt à rythme saisonnier
Ce type de forêt est dominé par les eucalyptus. On y rencontre, entre autres, le koala *(Phascolarctos cinereus)*, le martin-chasseur géant *(Dacelo novaeguineae)* et le possum volant *(Petaurus breviceps)*.

Les monts Snowy
Cette chaîne du sud-est de l'Australie abrite plusieurs espèces uniques, dont l'opossum-pygmée des montagnes *(Burramys parvus)*, découvert en 1966.

La lande à mallee
Baptisée d'après le nom australien de l'eucalyptus nain *(Eucalyptus sp.)*, qui y prolifère, cette lande abrite le leipoa ocellé *(Leipoa ocellata)*, un oiseau qui construit un dôme végétal pour couver ses œufs.

La forêt pluviale tempérée
S'étendant dans le sud-est de l'Australie et en Tasmanie, ce biome possède les plus grands arbres du monde.

Les monts MacDonnell
Cette chaîne montagneuse court d'est en ouest dans le centre de l'Australie. Au sud réside le plus fameux des sites australiens, le monolithe Uluru. Seules survivent ici les créatures les plus résistantes, tel le pétrogale d'Australie occidentale *(Petrogale lateralis)*.

Les Alpes néo-zélandaises
Cette chaîne est le dernier sanctuaire de nombreux oiseaux endémiques. Le takahe *(Notornis mantelli)* a été redécouvert ici en 1948. Le kéa *(Nestor notabilis)* et les trois types de kiwis *(Apteryx sp.)* s'y trouvent aussi.

Marsupiaux et monotrèmes

Les marsupiaux forment un ordre de mammifères dont la plupart des 266 espèces recensées vivent en Australie. Les nouveau-nés sont minuscules et, souvent, poursuivent leur développement dans une poche. L'ordre des monotrèmes, quant à lui, ne comprend que trois espèces. Ce sont les plus primitifs des mammifères et, contrairement aux autres, qui sont vivipares, les monotrèmes pondent des œufs. Leurs glandes mammaires débouchent sur une zone sans mamelon et le lait s'écoule le long des poils. Les petits se nourrissent en suçant le pelage imbibé de lait.

Des sosies marsupiaux

Les marsupiaux australiens occupent pratiquement toutes les niches prises ailleurs par les mammifères placentaires. On trouve ainsi une taupe marsupiale, des souris marsupiales, des chats marsupiaux, et les **kangourous** et les **wallabies** sont l'équivalent des gazelles et des antilopes.
Il y a 30 000 ans, il existait des marsupiaux de grande taille. En Australie, le prédateur *Thylacoleo carnifex* avait l'allure et la taille d'un lion, et l'herbivore *Diprotodon* était aussi gros qu'un rhinocéros actuel. En Amérique du Sud, *Thylacosmilus* ressemblait au tigre à dents de sabre.

Prématurés

Après une gestation de quelques semaines, les marsupiaux donnent naissance à des petits minuscules qui n'ont pas achevé leur développement. Chez la plupart des espèces, le nouveau-né rampe vers la poche marsupiale et commence à téter ; chez celles qui n'ont pas de poche, il cherche une mamelle et s'y fixe. Chez tous, la mamelle gonfle de façon à remplir la bouche du petit afin que celui-ci ne tombe pas.

Diversité

Les marsupiaux peuplent de nombreuses régions du globe. Plusieurs espèces de **coucous** arboricoles se rencontrent en Indonésie et les 65 espèces d'opossums ne se trouvent qu'en Amérique. La plupart vivent en Amérique du Sud, mais l'aire de répartition de l'**opossum de Virginie** *(Didelphis virginiana)* s'étend jusqu'au nord du Canada. Les opossums ont la gestation la plus courte de tous les mammifères. Chez certains, dont **l'opossum aquatique** *(Chironectes minimus)*, elle dure à peine 12 jours.

Mammifères ovipares

Les trois espèces de **monotrèmes** se trouvent en Australasie. **L'ornithorynque** vit dans les cours d'eau d'Australie et de Tasmanie, se nourrissant de crustacés et d'autres invertébrés qu'il attrape avec son bec. Les mâles possèdent un éperon venimeux aux pattes postérieures. Les **deux espèces d'échidnés** se nourrissent de fourmis et de termites.

Régime alimentaire

Les marsupiaux sont aussi bien carnivores qu'herbivores ou omnivores. Les plus gros d'entre eux, les **kangourous**, sont herbivores. Parmi les prédateurs, on trouve le **chat marsupial** *(Dasyurus sp.)* et le **diable de Tasmanie** *(Sarcophilus harrisii)*. Le **loup marsupial** ou loup de Tasmanie *(Thylacinus cynocephalus)* est certainement éteint. Comme le koala, le **grand phalanger volant** *(Petauroides volans)* se nourrit de feuilles d'eucalyptus.

Records

◆ Le plus grand marsupial est le **kangourou roux** *(Macropus rufus)*. Il atteint 1,80 m et 90 kg. Le **kangourou gris** *(Macropus giganteus)*, qui vit dans le bush australien, est le plus grand marsupial après le kangourou roux.
◆ Le plus petit marsupial est le **planigale** à longue queue *(Planigale ingrami)*, qui mesure 12 cm de long et ne pèse que 4,5 g.
◆ Le plus grand monotrème est l'**échidné à bec courbe** *(Zaglossus bruijini)*, qui atteint 90 cm et pèse jusqu'à 10 kg.
◆ Le plus petit monotrème est l'**ornithorynque** *(Ornithorhynchus anatinus)*, dont la taille n'excède pas 75 cm de long pour 2,4 kg.

PETITE INFO
Il n'y a jamais eu de **mammifères terrestres** en Nouvelle-Zélande. Les niches habituellement occupées par les marsupiaux ou autres mammifères le sont par des oiseaux, tels les kiwis.

Vivre avec la nature

La plupart des contrées les plus reculées de la Terre sont habitées par des peuples indigènes : pasteurs nomades, chasseurs-cueilleurs ou paysans pratiquant la culture de subsistance. Ils forment souvent des groupes ethniques, ou tribus, qui possèdent leurs propres langue, culture et croyances. Le mode de vie de nombreuses peuplades est menacé par l'exploitation commerciale des ressources forestières, agricoles ou minières.

Les pasteurs nomades

Avant l'avènement de l'agriculture raisonnée, les éleveurs se déplaçaient avec leurs troupeaux en quête de pâturages. En Tanzanie et au Kenya, les **Massaïs** parcourent les terres avec leurs bêtes comme le faisaient leurs ancêtres. Les gardiens de troupeaux massaïs ne tuent pas leurs vaches mais boivent leur sang, qu'ils ajoutent à du lait. Les **Mongols**, grands pasteurs nomades d'Asie, élèvent des moutons et des chevaux. Ils fabriquent du yogourt et du fromage à partir du lait de brebis. L'hiver, ils tuent quelques bêtes et vivent principalement du mouton.

Les Massaïs

Les Massaïs vivent dans des manyattas, petits groupes de huttes sombres, faites de bouse de vache autour d'une armature de bois. Le village est protégé par des haies d'épineux très denses et, le soir, le troupeau y trouve refuge. Quand ils migrent, ces semi-nomades détruisent complètement par le feu le village qu'ils quittent.

Les peuples de l'Arctique

Le climat du cercle arctique est si rude qu'il est impossible d'y exploiter une ferme. Les indigènes sont **chasseurs** ou **pasteurs nomades**. En Amérique du Nord et au Groenland, les **Inuits** chassent le phoque et d'autres animaux sauvages pour survivre. D'autres peuples inuits, dont les **Yu'pits** du nord-est de la Sibérie, partagent ce mode de vie. Les **Nenets** de Sibérie vivent, eux, de l'élevage de rennes. Comme beaucoup d'éleveurs de rennes, les Samis de Scandinavie (Lapons) commercent avec les Inuits.

Les Sans

Vivant dans la brousse du Kalahari, les Sans (ou Bochimans) sont le dernier peuple d'Afrique à subsister de la chasse et de la cueillette hors de la forêt. **Semi-nomades**, ils vivent et se déplacent en groupes réunissant quelques familles allant parfois jusqu'à 80 personnes. Les Sans n'ont **pas de chef** et ils partagent entre eux tout ce qu'ils trouvent ou attrapent. Les travaux sont répartis selon les sexes – les **hommes chassent** des antilopes comme le **grand koudou** *(Strepsiceros strepsiceros)*. Ils font preuve d'une grande patience en harcelant le gibier jusqu'à épuisement. Ils emportent de l'eau avec eux, mais empêchent leur proie de boire, ce qui l'affaiblit et la rend incapable à la longue de s'enfuir. Les **femmes**, quant à elles, s'adonnent à la **cueillette**, ramassant ici et là des racines, des fruits et des larves.

PETITE INFO

Les **chamans piaroas** du Venezuela font cuire des tarentules, qui sont un des ingrédients qui entrent dans la composition des drogues pour les rituels religieux.

Les peuples des forêts

Les forêts n'abritent pas seulement des végétaux et des animaux, mais aussi des peuples, dont certains n'ont pratiquement aucun contact avec le monde extérieur.

Peuplade	Terres	Population	Principales caractéritiques
Amungmes	Papouasie -Occidentale	13 000	Une des 250 tribus des hauts plateaux. Luttent contre l'exploitation minière de leur terre.
Awás	Brésil	300	Chasseurs-cueilleurs nomades.
Guaranis	Paraguay, Brésil, Bolivie, Argentine	80 000	En conflit avec les gouvernements nationaux pour leurs droits du sol. Ont déjà perdu leurs terres.
Jarawas	Îles Andaman (Inde)	200-300	Chasseurs-cueilleurs vivant en complet isolement.
Makuxis	Brésil, Guyane	24 000	Luttent pour la création d'une aire indigène.
Ogieks	Forêt de Mau (Kenya)	20 000	Beaucoup sont fermiers, certains chasseurs-cueilleurs.
Penans	Sarawak (Malaisie)	10 000	350 à 500 sont des chasseurs-cueilleurs nomades.
Pygmées	Afrique centrale	250 000	Nombreuses tribus et dialectes différents.
Yanomamis	Brésil, Venezuela	27 000	Vivent en maisons communautaires appelées yanos, chacune pouvant abriter 400 personnes.

Les Aborigènes

Ils ont un passé culturel exceptionnel. Avant l'arrivée des Britanniques, ils parlaient au moins 200 dialectes sur tout le territoire australien. Il reste encore aujourd'hui quelques traces de leur passé ; le mode de vie de certains Aborigènes a même peu changé depuis des milliers d'années. Leur respect de la nature les empêchait de rester trop longtemps sur une terre de peur qu'elle ne s'épuise. Ils avaient coutume de ne rien perdre et mangeaient donc un animal ou une plante dans son intégralité.

Les effets de la pollution

Les polluants sont des substances chimiques dont l'impact sur l'environnement est nocif. La plupart sont fabriqués par l'homme. La majorité de ces polluants vient des activités industrielles, des transports, de la production d'électricité et de l'agriculture. Cette pollution entraîne, entre autres effets, les pluies acides, le réchauffement de la planète et l'appauvrissement en ozone. Il serait possible de stabiliser – voire renverser – la situation si des mesures efficaces étaient prises durablement à l'échelle mondiale.

Le DDT

Annoncé comme un **insecticide révolutionnaire** en 1939, le DDT s'est révélé **catastrophique** pour l'environnement. Ce produit chimique contaminait toute la chaîne alimentaire. Les oiseaux de proie et d'autres familles d'oiseaux finissaient par pondre des œufs anormaux. Cette faune fut mise en péril car les insectes dont elle se nourrit faillirent disparaître complètement.

Les polluants les plus courants

La plupart des polluants sont des gaz invisibles qui contaminent l'air que nous respirons. Ces polluants sont directement dommageables pour notre santé et l'environnement.

Polluant	Source	Impact sur l'environnement
Gaz carbonique	Carburants fossiles	Réchauffement et pollution de la planète
CFC	Aérosols, circuit réfrigérant des réfrigérateurs	Destruction de la couche d'ozone et réchauffement de la planète
Méthane	Agriculture	Réchauffement et pollution de la planète
Oxydes d'azote	Véhicules à explosion	Pluies acides et réchauffement de la planète
Anhydride	Centrales électriques au charbon	Pluies acides sulfureuses

Le réchauffement de la planète

L'utilisation de carburants fossiles entraîne les pluies acides. Elle favorise aussi le réchauffement de la planète. Le **gaz carbonique** (CO_2) ainsi produit, agit comme un gaz à effet de serre dans l'atmosphère, piégeant la chaleur du soleil, qui devrait normalement être renvoyée dans l'espace. L'élévation des taux de CO_2 est **aggravée par la déforestation**, puisque les plantes sont moins nombreuses à filtrer ce gaz par la photosynthèse. Bien que le CO_2 soit le principal facteur du réchauffement de la planète, ce n'est pas le seul. Il existe d'autres gaz à effet de serre tels le **bioxyde d'azote** (NO_2), émanant des gaz des moteurs à explosion, et le **méthane** (CH_4), produit par les cheptels et l'activité bactérienne dans les rizières. À long terme, ce réchauffement va entraîner des **bouleversements climatiques** et **élever le niveau des mers**.

LE SAVIEZ-VOUS ?

L'Allemagne est le plus grand producteur européen d'**énergie de source éolienne**. En 2007, l'Allemagne dispose d'une capacité de 22,3 GW. C'est une intéressante solution **non polluante** de remplacement du charbon, du pétrole et du gaz.

Les pluies acides

Les gaz acides qu'émettent les centrales de production énergétique, les véhicules à explosion et les grands complexes industriels s'échappent dans l'atmosphère et se combinent à l'humidité pour former des gouttelettes de pluie acide dans les nuages. Ces nuages sont emportés par le vent avant qu'ils ne se transforment en pluie. Les pluies acides pénètrent dans le sol et contaminent les racines des arbres. Une bonne partie des pluies acides qui tombent sur le Canada, par exemple, entraîne le lent dépérissement des lacs et des forêts. L'émission de pluies acides fait l'objet de mesures environnementales destinées à en diminuer les effets au niveau mondial.

La pollution agricole

L'emploi abusif des **fertilisants**, des **herbicides** et des **pesticides** a un impact négatif sur l'environnement et l'homme. Les fertilisants chimiques contaminent les lacs et les rivières, entraînant la prolifération d'algues au détriment d'autres formes de vie. Les herbicides et les pesticides tuent les organismes d'eau douce. Ils ont des effets nocifs sur les animaux et les plantes qu'ils sont censés protéger. L'effet des polluants chimiques agricoles sur les écosystèmes altère toute la chaîne alimentaire.

L'appauvrissement en ozone

La couche d'ozone filtre les **radiations ultraviolettes** émises par le Soleil. Ce rayonnement détruit les cellules vivantes et favorise le cancer de la peau. Dans les dernières décennies, la couche d'ozone s'est rétrécie localement. Ce phénomène est imputable à l'émission de **chlorofluorocarbones** (CFC), qui réagissent avec l'ozone dans la haute atmosphère et la détruisent. Des cristaux de glace se forment dans l'air au-dessus des calottes polaires et facilitent la réaction chimique qui transforme les CFC en substances nocives pour l'ozone.

Les marées noires

Chaque jour, de grandes quantités de pétrole transitent sur les mers. Ces transports débouchent parfois sur un désastre écologique. L'**échouage de pétroliers** a des conséquences dramatiques pour la vie maritime et côtière. Les poissons, les crustacés, les oiseaux et la flore en sont les premières victimes.

La protection de la nature

La protection de la vie sauvage et des sites naturels mobilise un grand nombre de personnes, de groupes locaux et d'organismes internationaux rayonnant dans le monde entier. Ce mouvement s'est amplifié à mesure que l'homme prenait conscience des dangers croissants qui menacent l'environnement. L'effort conjugué des associations écologistes n'a pas encore réussi à enrayer la dégradation de la planète, mais il a contribué à freiner la tendance. Dans le passé, ces groupes avaient comme priorité la sauvegarde de la nature ; ils coopèrent désormais également avec les autochtones.

Les priorités

Les organisations de protection de la nature bénéficient de ressources limitées. Bien qu'elles aient l'appui de divers gouvernements, elles ne peuvent pas tout faire. À l'échelon mondial, elles ont fixé des priorités en identifiant **des sites remarquables pour leur biodiversité** – des espaces naturels où se concentrent des espèces florales et fauniques supérieures en nombre à la moyenne. On y trouve des organismes uniques au monde. Ces sites existent dans le bassin méditerranéen, aux Antilles et dans le centre du Chili. En améliorant leur protection, on espère réduire le nombre des espèces en voie d'extinction.

Pourquoi agir ?

Le but principal est la **préservation de la biodiversité**. Les substances naturelles utiles à l'homme, comme celles qui servent dans la recherche médicale, sont innombrables. En outre, la conservation et la valorisation du patrimoine naturel sont essentielles, car l'homme ne peut survivre seul. Les autres formes de vie constituent un cadre naturel où l'homme vit en symbiose.

Recréer des habitats

À mesure que s'accroît la population mondiale, les habitats naturels disparaissent sous la **pression de l'urbanisation** et la **généralisation de l'agriculture**. Si rien n'est fait, de nombreux sites sauvages disparaîtront. Mais il subsiste encore dans quelques parties du monde des habitats naturels que des organisations écologiques contribuent à restaurer. Sur l'île de la Réunion et l'île Maurice, par exemple, de vastes domaines ont retrouvé leur état originel et les espèces endémiques qui avaient disparu ont pu être réintroduites avec succès.

LE SAVIEZ-VOUS ?

De nombreux organismes de **conservation du patrimoine naturel** œuvrent tant au Québec que dans le reste du Canada, tels que la Société canadienne pour la conservation de la nature.

L'écotourisme

Voyager pour découvrir la flore et la faune sauvages est une formule qui s'est popularisée depuis une vingtaine d'années. L'écotourisme attire de nombreux voyageurs dans le monde entier. Ce tourisme **a l'avantage de promouvoir le respect de la nature et de soutenir économiquement les peuples autochtones**. Cependant, il ne faudrait pas que cette formule se transforme en un tourisme de masse qui ferait plus de tort que de bien aux sites naturels, aux animaux sauvages et aux indigènes.

Des actions différentes

En général, les organismes d'aménagement et de protection de l'environnement se spécialisent dans un ou deux domaines précis. Certains, comme le **WWF** (World Wildlife Fund), se vouent à la protection des espèces et des habitats, soit en créant des réserves, soit en œuvrant sur le terrain. D'autres, comme **Greenpeace**, s'attachent plutôt à sensibiliser le public aux problèmes liés à la sauvegarde de l'environnement. Ces organismes militent aussi pour responsabiliser les pouvoirs publics.

Protéger les mers

C'est en mer que se trouvent les plus vastes étendues naturelles de la Terre. Pourtant, les océans sont les espaces les moins protégés car, d'un pays à l'autre, les juridictions ne sont pas harmonisées entre elles. Il existe cependant des **réserves maritimes** dans les eaux nationales de divers pays. Le Programme d'action national du Canada met en place des stratégies pour la protection de l'environnement marin, la **prévention de la pollution** et la **gestion intégrée** des activités au sein des eaux des estuaires, du littoral et de la mer.

PETITE INFO

Les **baleines** sont bien plus belles vivantes ! Lors de l'**observation des cétacés**, des règles importantes sont à suivre pour ne pas mettre leur vie en péril.

La contrebande

La majorité des espèces en danger se trouve sous la protection de lois internationales. La convention relative au commerce international de la faune et de la flore menacées d'extinction réglemente l'importation, l'exportation, la réexportation et le transit des différentes espèces classées. Douaniers et experts sont formés dans l'identification des espèces répertoriées sur une liste rouge.

L'impact de l'homme

Au cours des derniers siècles, la population mondiale s'est accrue à un rythme fulgurant. La Chine compte plus d'habitants aujourd'hui que la planète entière il y a cent cinquante ans. Cette explosion démographique a entraîné la disparition de vastes régions sauvages et de la faune qui y était associée. La chasse à outrance a encore accru le problème. Nombreuses sont les espèces qui ont disparu, mais, heureusement, les efforts des défenseurs de l'environnement ont permis d'en sauver un certain nombre.

Élevage en captivité

Si les zoos étaient autrefois destinés à amuser le public, leur rôle est aujourd'hui bien plus important car ils servent de refuge aux espèces menacées. Plusieurs d'entre elles ont ainsi été sauvées de l'extinction. L'**oryx d'Arabie** *(Oryx leucoryx)*, exterminé par les chasseurs dès 1972, peuple de nouveau le désert depuis que les zoos de Phoenix et de San Diego ont réussi à le faire se reproduire en captivité. Le **cerf du père David** *(Elaphurus davidiensis)*, éteint en Chine dès 1894, a été réintroduit à partir d'individus provenant du zoo de Londres. D'autres programmes d'élevage sont en cours. L'un d'eux devrait permettre la réintroduction du **tamarin-lion** *(Leontopithecus rosalia)* au Brésil. Le **condor de Californie** *(Gymnogyps californianus)*, qui avait disparu en 1987, a été sauvé grâce à un programme d'élevage en captivité.

Préserver l'environnement

À la frontière du Montana et du Wyoming, aux États-Unis, le parc national de **Yellowstone** est célèbre pour ses geysers et ses paysages grandioses. Des troupeaux de bisons d'Amérique *(Bison bison)* y vivent en liberté. Créé en 1872 par le président Grant, c'est aussi le plus ancien parc national du monde. La création de Yellowstone allait ouvrir la voie : en 1879, le gouvernement de Nouvelle-Galles du Sud, en Australie, suivait l'exemple et créait le **Royal National Park**. Six ans plus tard, le parc national **Banff** voyait le jour en Alberta, au Canada.

Espèces rares

L'**UICN** (Union internationale pour la conservation de la nature et des ressources naturelles) classe les espèces animales en plusieurs catégories : à faible risque ; vulnérables ; menacées ; gravement menacées ; au bord de l'extinction. Ainsi, cette organisation élabore une liste rouge internationale des animaux menacés de disparition. Tous les 3 ans, une version imprimée est publiée à l'occasion de l'assemblée générale de l'UICN.

Des z'animaux au zoo

Créé à l'occasion de l'exposition coloniale de 1931, dans le but de faire découvrir au public quelques animaux exotiques, le **zoo de Vincennes** a rapidement connu un véritable essor. En effet, le succès fut tel que la ville de Paris et le muséum s'associèrent pour développer un parc zoologique sur une quinzaine d'hectares. Inauguré en 1934, ce zoo conçu sur le modèle novateur de celui de Hambourg (suppression des grilles pour se sentir en immersion totale avec les animaux, dissimulation des infrastructures et des abris dans des faux rochers…) héberge quelque 1 200 animaux.
Le zoo parisien fait figure de Petit Poucet comparé à celui de **San Diego**. En effet, le zoo américain et le Wildlife Park couvrent près de 770 ha et abritent plus de 7 000 animaux. Le zoo fut créé en 1916 et le parc, où s'ébattent de grands troupeaux dans d'immenses enclos, en 1972.

Pionniers de l'environnement

La protection de l'environnement est un concept relativement récent. Les premières associations de protection de la nature sont apparues à la fin du XIXe siècle – **George Bird Grinnell** créa l'Audubon Society en 1886 –, mais ce n'est qu'à partir du milieu du XXe siècle que le mouvement prit de l'ampleur. L'un des pionniers fut **sir Peter Scott**, qui fonda le Wildfowl & Wetlands Trust en Angleterre en 1946 et devint, en 1961, le premier président du World Wildlife Fund (aujourd'hui simplement appelé WWF). C'est lui qui créa le célèbre logo à l'effigie du panda. Scott fut soutenu dès le début par le premier directeur général de l'Unesco, **sir Julian Huxley**. Petit-fils du darwiniste Thomas Huxley et frère du célèbre écrivain Aldous Huxley, il a également participé à la création de l'Union internationale pour la conservation de la nature et des ressources naturelles (UICN). De nombreux hommes et femmes ont contribué au développement du mouvement de défense de l'environnement. Parmi eux, on peut citer **Gerald Durrell**, dont les nombreux ouvrages ont éveillé l'intérêt pour le monde animal. En 1959, il créa le zoo de Jersey ainsi que le Durrell Wildlife Conservation Trust. Le commandant français **Jacques-Yves Cousteau** a grandement contribué ici comme ailleurs à la prise de conscience des dangers qui menacent la mer et la planète.

LE SAVIEZ-VOUS ?

Certains animaux ont tiré profit de l'expansion humaine. Ainsi, les populations d'animaux vivant des récoltes, telles celles du **moineau domestique** *(Passer domesticus)*, se sont accrues en même temps que la nôtre.

Les animaux dans l'agriculture

Les premiers animaux à être domestiqués ont certainement été les moutons et les chèvres. Leur domestication a commencé il y a au moins 10 000 ans. Celle des bovins, plus tardive, date d'environ 2 000 ans avant notre ère. La sélection de nouvelles races est un phénomène beaucoup plus récent. La plupart des races de bovins, moutons, chèvres et porcs n'existent que depuis quelques siècles. La sélection se poursuit toujours et cherche à créer des animaux toujours plus gros et plus productifs. Au siècle dernier, les progrès ont été remarquables. Ainsi, en 1925 une poule pondait en moyenne 100 œufs par an. Aujourd'hui, la plupart en pondent au moins 200.

Les bovins

Le bœuf domestique est représenté par deux espèces : ***Bos taurus***, qui comprend les races d'origine européenne, et ***Bos indicus***, avec les races à bosse africaines et asiatiques. Toutes les races européennes sont issues d'une espèce aujourd'hui disparue, l'**aurochs** *(Bos primigenius)*, qui a survécu jusqu'en 1627 dans le sud-est de l'Europe. L'origine de *Bos indicus* est moins sûre. Pour certains, il descendrait du kouprey *(Bos sauveli)* du Cambodge et du Laos ; pour d'autres, il serait la forme actuelle d'une espèce autrefois sauvage. La plus commune des vaches laitières est l'anglaise dairy shorthorn.

Les bovins domestiques

On recense actuellement 277 races de bovins domestiques. Voici quelques-unes des plus répandues.

Race	Pays d'origine	Lait ou viande
Aberdeen Angus	Écosse	Viande
Beefmaster	États-Unis	Viande
Brahmane	Inde	Lait
Blonde d'Aquitaine	France	Viande
Charolaise	France	Viande
Dairy Shorthorn	Angleterre	Lait
Frisonne/Holstein	Pays-Bas	Lait
Hereford	Angleterre	Viande
Jersey	Îles Anglo-Normandes	Lait
Limousine	France	Viande
Normande	France	Lait
Simmenthal	Suisse	Viande

Les porcins

Les porcs domestiques, qui ont pour ancêtre le **sanglier** *(Sus scrofa)*, sont apparus il y a environ 5 000 ans. La sélection des principales races actuelles a commencé au XVIIIe siècle, et de nombreux pays ont développé leurs propres races à partir de la **landrace** danoise. Les **saddleback** peuvent avoir des portées comptant jusqu'à 14 petits.

Race	Pays d'origine	Viande/ jambon
Berkshire	Angleterre	Viande
Chester white	États-Unis	Jambon
Gloucester Old Spot	Angleterre	Viande
Hampshire	États-Unis	Les deux
Landrace	Danemark	Jambon
Large black	Angleterre	Jambon
Large white (Yorkshire)	Angleterre	Jambon
Piétrain	Belgique	Viande
Saddleback	Angleterre	Les deux
Cochon nain vietnamien	Viêt Nam	Viande

Les caprins

Les **chèvres** sont élevées essentiellement pour leur lait, plus facile à digérer que le lait de vache. Préférant la végétation arbustive à l'herbe, elles peuvent vivre dans des régions où les bovins seraient incapables de survivre. Le mâle porte le nom de bouc et le petit est appelé chevreau.

Les ovins

Les moutons ont été domestiqués il y a au moins 10 000 ans. Leur ancêtre sauvage, le **mouflon** *(Ovis orientalis)*, vit toujours dans les montagnes d'Asie Mineure, dans le sud de l'Iran, ainsi qu'en Sardaigne et en Corse. La race actuelle la plus primitive est le soay écossais, inchangé depuis 2 000 ans. Au Canada, on trouve trois races de brebis laitières, la East Friesian, la British Milksheep et la Lacaune et d'autres pour la consommation de leur chair, *Arcott Rideau, Dorset, Polypay* et *Suffolk*.

Les volailles

Le poulet est le volatile le plus répandu sur terre. On estime qu'il y en a quelque 10 milliards à travers le monde. Tous les poulets descendent du coq doré indien ou coq bankiva *(Gallus gallus)*. Les canards et les oies domestiques, quant à eux, ont plusieurs ancêtres ; ainsi, le canard de Barbarie descend d'une espèce sud-américaine, *Biziura lobata*, et le canard de Brome, du canard de Pékin.

Les animaux de compagnie

Les chiens domestiques appartiennent à l'espèce *Canis familiaris* et descendent du loup *(Canis lupus)*. Leur domestication remonte à 10 000 ans. L'ancêtre des chats domestiques *(Felis catus)* était le chat sauvage africain *(F. silvestris libyca)*.

Les chiens

On compte sept groupes de chiens.

◆ Les **chiens de chasse** sont dressés pour débusquer et rapporter le gibier. Les plus répandus sont les braques – de Weimar, allemand, hongrois, italien –, les cockers – américain et anglais –, le retriever, les setters – anglais, Gordon, irlandais –, l'épagneul breton, le field spaniel, le labrador, le pointer.

◆ Les **chiens courants**, tels le barzoï, le basenji, les bassets – des Alpes, de Westphalie, artésien, bleu de Gascogne, fauve de Bretagne, hound –, le beagle, le chien d'élan, ou elkhound, le grand bleu de Gascogne, le grand griffon vendéen, le greyhound, le griffon nivernais, le lévrier afghan, le petit griffon vendéen, le rhodesian ridgeback, le saint-hubert, le sloughi, le spitz finlandais, le teckel ou le whippet, chassent au flair.

◆ Destinés à la protection des troupeaux, les **chiens de berger** comptent notamment le bergamasque, les bergers – allemand, belge, polonais de plaine, des Pyrénées, des Shetland –, le border collie, le briard, le colley, le chien finnois de Laponie, le kuvasz, ou bouvier hongrois, le samoyède, le chien suédois de Laponie, le swedish Vallhund et le welsh corgi.

◆ Les **terriers** (l'airedale, le border terrier, le bull-terrier, le cairn, le fox-terrier, le Jack Russell terrier, le scottish-terrier, le skye-terrier, le soft coated wheaten, le staffordshire bull-terrier, les terriers australien, de Manchester, de Norwich, du Norfolk, irlandais Glen of Imaal, le welsh terrier, le West Highland white terrier…) étaient à l'origine spécialisés dans la chasse aux animaux dits nuisibles.

◆ Viennent ensuite les **chiens de compagnie**, parmi lesquels on trouve les bichons – frisé, havanais, maltais, bolognais –, le cavalier king-charles, le chihuahua, le griffon, le king-charles, le lévrier d'Italie – ou levrette –, le loulou de Poméranie, le papillon, le pékinois, le pinscher nain, le silky australien, le toy-terrier, le yorkshire-terrier (le plus petit chien du monde : le plus petit spécimen jamais recensé mesurait 6,3 cm au garrot et pesait 113 g à l'âge adulte…), et les **chiens de travail**, généralement utilisés comme chiens de garde et de sauvetage. Les plus connus sont le beauceron, les bouviers – bernois, des Flandres –, le boxer, le bullmastiff, le doberman, le dogue allemand, les dogues – de Bordeaux, du Tibet –, les esquimaux – du Canada, du Groenland –, le husky sibérien, le leonberg, le mastiff, le mâtin de Naples, le pinscher, le rottweiler, le saint-bernard ou le terre-neuve.

◆ Les **chiens d'utilité** regroupent tous les autres chiens, parmi lesquels l'akita inu, les bouledogues – anglais, français –, les caniches – nain, moyen, grand –, le chow-chow, le dalmatien, l'épagneul tibétain, le grand spitz allemand, le schnauzer, le shar pei, le shiba inu, le shih tzu, le spitz japonais, les terriers – de Boston, du Tibet…).

PETITE INFO

Chien des pharaons de l'Égypte ancienne, le **basenji** est le seul chien qui n'aboie pas. Il est cependant loin d'être muet et émet des sons qui se situent entre le gloussement et le chant tyrolien.

LE SAVIEZ-VOUS ?

Le **Jack Russell terrier** porte le nom de celui qui a créé la race au début du XIXe siècle, un pasteur du Devonshire. Ces chiens vont débusquer les renards dans leurs terriers. Les Jack Russell actuels sont issus de son élevage.

Des animaux à la maison

Animal	Ancêtre sauvage	Lieu d'origine
Chinchilla	Chinchilla *(Chinchilla laniger)*	Amérique du Sud (Andes)
Calopsitte	Perruche calopsitte *(Nymphicus hollandicus)*	Australie Nouvelle-Guinée
Gerbille	Gerbille de Mongolie *(Meriones unguiculatus)*	Mongolie
Perroquet gris	Perroquet gris *(Psittacus erithacus)*	Afrique occident. et centrale
Hamster	Hamster doré *(Mesocricetus auratus)*	Syrie
Mainate	Mainate religieux *(Gracula religiosa)*	Asie du Sud

Les chats

Les plus anciennes preuves de la présence du chat domestique viennent de l'Égypte ancienne, où il avait une importance religieuse mais aussi économique car il protégeait les réserves de grains contre les rongeurs. Le chat égyptien fut introduit en Europe, et finit par gagner l'Amérique du Nord avec les colons au XVIIe siècle. Quelques races de **chats à poil court** : l'abyssin, l'american curl, l'american shorthair, l'american wirehair, le bengal, le bobtail japonais, le bombay, le bleu russe, le british shorthair, le burmese, le burmilla, le california spangled, le ceylan, le chartreux, le chat de l'île de Man (manx), l'européen (plusieurs couleurs), l'exotic shorthair, le havana, le korat, le mau égyptien, l'ocicat, l'oriental shorthair, le scottish fold, le siamois, le singapura, le snow-shoe, le sphinx (chat nu), le tonkinois… Les principales races de **chats à poil long** : l'angora, le balinais, le persan, le birman, le chat des forêts norvégiennes, le cymric, le maine coon, le ragdoll, le somali, le tiffanie et le turc Van.

New look

Certains animaux sauvages, tels la perruche calopsitte *(Nymphicus hollandicus)*, le chinchilla *(Chinchilla laniger)*, le cacatoès à huppe jaune *(Cacatua galerita)*, la gerbille de Mongolie *(Meriones unguiculatus)*, le perroquet gris *(Psittacus erithacus)*, le hamster doré *(Mesocricetus auratus)*, le mainate religieux *(Gracula religiosa)* ou le lapin de garenne *(Oryctolagus cuniculus)* peuvent être croisés avec leurs descendants domestiques, bien que présentant avec eux quelques différences d'aspect.

La SPA

La Société protectrice des animaux lutte contre la souffrance animale sous toutes ses formes. Ses 200 délégations et refuges permettent de sauver des dizaines de milliers d'animaux chaque année. Créés et gérés grâce à des donations et à des legs, les refuges sont pour la plupart tenus par des bénévoles.

Les animaux au service de l'homme

La grande majorité des animaux domestiqués l'ont été dans le but de fournir nourriture, vêtements ou puissance. Le yack *(Bos mutus)*, par exemple, est élevé à la fois pour son lait, sa viande et sa laine, et sert aussi de bête de charge. D'autres ne sont employés que pour le travail. L'âne, issu de l'âne sauvage africain *(Equus africanus)*, et le cheval, qui descend du cheval sauvage eurasien *(E. caballus)*, en sont deux exemples. L'hybride de la jument et de l'âne, la mule (ou bardeau si le père est un cheval et la mère une ânesse), est utilisé surtout comme bête de somme.

Animaux et sport

Les courses d'animaux se pratiquent depuis des milliers d'années. Les plus anciennes courses de chevaux remontent à l'Antiquité égyptienne et constituaient une épreuve des Jeux olympiques. Par la suite, les lévriers, les pigeons et les chiens de traîneau ont eu leurs propres courses. Les sports équestres se sont diversifiés et incluent le saut d'obstacles, les courses d'attelage et d'endurance. Les courses de dromadaires *(Camelus dromedarius)* sont très populaires dans les pays arabes.

Le cheval

Depuis sa domestication, le cheval a fait l'objet de plus de sélections que n'importe quel autre animal à l'exception du chien. On compte aujourd'hui de nombreuses races offrant une grande variété de formes et de tailles. Le plus grand, le **shire anglais**, peut atteindre 2,10 m au garrot pour un poids de 1,5 tonne. À l'opposé, la plus petite race créée à ce jour comprend des animaux mesurant à peine 36 cm au garrot et pesant 9 kg.
Les chevaux de selle représentent la majorité des races. Pour certaines, tel le cheval arabe, le principal critère de sélection était la vitesse. Les grands chevaux, dont le **percheron**, descendent des destriers du Moyen Âge qui devaient porter les chevaliers en armure. Plus tard, ils ont remplacé les bœufs à la charrue ou comme animal de trait.

Bêtes de somme

Les chevaux ont longtemps été utilisés par l'homme pour accomplir un grand nombre de tâches. Dans les Andes, c'est le **lama** *(Lama glama)* qui constitue la principale bête de somme, tandis que dans l'Himalaya ce rôle est rempli par le yack et, en Mongolie, par le **chameau de Bactriane** *(Camelus bactrianus)*. Le buffle indien *(Bubalus arnee)* est utilisé pour la préparation des rizières.

PETITE INFO

Le **lama**, autrefois élevé pour la viande et le cuir et aussi utilisé comme bête de somme, tout comme l'**alpaga** domestique, élevé pour sa laine remarquable, sont tous deux issus du guanaco *(Lama guanicoe)*.

Animaux de guerre

Les célèbres éléphants d'Hannibal ne sont pas les seuls animaux de combat. L'armée romaine possédait des **mastiffs** et, pendant des siècles, les **chevaux** ont transporté les soldats. La marine américaine emploie des **dauphins** et des **phoques** pour détecter les mines.

Les mots pour le dire

Un **vocabulaire** particulier s'est développé au cours des siècles pour désigner les différentes parties du corps du **cheval**.
En voici quelques exemples : sabot, paturon, boulet, canon, genou, jarret, jambe, queue, arrière-train, croupe, reins, garrot, crinière…
Par respect pour l'animal, la terminologie employée est souvent proche de celle utilisée pour l'homme. Ainsi, c'est le seul animal pour lequel on utilise le mot jambe, et non patte, ou encore genou.

LE SAVIEZ-VOUS ?

En Sibérie, on monte les **rennes** comme les chevaux. Les Nenets sont les gardiens de ces troupeaux semi-domestiques. Ils les élèvent pour leur viande, leur lait, leur cuir, et les utilisent aussi comme bêtes de somme pour tirer leurs traîneaux.

La médecine et les maladies

La majorité des maladies sont causées par des organismes microscopiques appelés germes. De nombreux remèdes sont élaborés à base de substances présentes dans divers organismes. Avant le XXe siècle, presque toutes les thérapeutiques dérivaient de la nature. Les végétaux et les bactéries sont les plus importantes sources de médicaments. De nombreux antibiotiques dérivent de bactéries. Quelques médicaments proviennent des champignons. Le plus important et le plus connu d'entre eux est la pénicilline.

Les parasites

Nous abritons des parasites pathogènes, qui se sont développés pour vivre dans notre corps. Ils sont attaqués par les cellules de notre système immunitaire. Certains leur échappent en se cachant. D'autres, plus virulents, les agressent ou, du fait de leur nombre, se multiplient plus rapidement qu'eux. Bien que les parasites soient souvent attaqués, ils trouvent dans le corps humain de quoi survivre. Certains se nourrissent de cellules, ce qui provoque les symptômes typiques de certaines maladies. D'autres provoquent des infections en rejetant leurs propres déchets à l'intérieur du corps humain.

Le paludisme

C'est une des maladies les plus mortelles. Il sévit depuis l'âge préhistorique et tue plus d'un million de personnes chaque année. Autrefois appelé malaria, il est causé par diverses espèces de *Plasmodium* qui vivent dans les globules rouges du sang et les cellules du foie de l'hôte humain après avoir été transmis par la salive du moustique anophèle. Tant qu'il reste dans ces cellules, le parasite est inoffensif – bien qu'il soit hors de portée des globules blancs du sang, qui constituent la principale défense du système immunitaire. Il devient dangereux quand il quitte ces cellules et pénètre dans le plasma sanguin pour s'y reproduire. Il détruit alors les cellules, causant douleurs musculaires et fièvre, voire la mort.

Les bactéries et les médicaments

La plupart des gens associent les bactéries aux maladies. Pourtant, ces minuscules organismes sont à l'origine de médicaments très importants. La bactérie Streptomyces griseus, par exemple, produit la **streptomycine**, qui est utilisée pour combattre la méningite et la tuberculose. La simplicité de la structure des bactéries les rend efficaces dans la fabrication d'autres substances. Les hormones comme l'**insuline** (employée dans le traitement du diabète) sont obtenues par l'intermédiaire de bactéries génétiquement modifiées. La santé de millions de diabétiques dépend aujourd'hui de l'insuline obtenue de cette façon.

Les plantes médicinales

Les principaux médicaments de la médecine occidentale étaient auparavant issus des plantes. Aujourd'hui, la plupart sont fabriqués artificiellement.

◆ **ASPIRINE** On la fabriquait avec l'acide salicylique présent dans les feuilles et l'écorce des saules *(Salix sp.)*. Les propriétés analgésiques du saule sont connues depuis des siècles. Hippocrate recommandait de mâcher des feuilles de saule pour soulager les douleurs de l'accouchement.

◆ **DIGITOXINE** Ce stimulant cardiaque était préparé à partir des feuilles et des graines de la digitale pourpre *(Digitalis purpurea)*, qui pousse dans les haies et les forêts au Canada et en Europe. Son composé actif a été isolé en 1835.

◆ **MORPHINE** Ce puissant analgésique est filtré à partir de l'opium, qui s'extrait des capsules incisées du pavot *(Papaver somniferum)*. On le fabrique maintenant artificiellement.

◆ **QUININE** Elle sert de base à la majorité des médicaments antipaludéens. On l'obtenait à partir de l'écorce du quinquina, un arbre des tropiques *(Cinchona sp.)*. Les Indiens d'Amérique du Sud mâchaient de l'écorce de quinquina pour atténuer les symptômes du paludisme bien avant l'arrivée de Christophe Colomb.

Les remèdes d'outre-mer

La flore de plusieurs pays exotiques des Antilles, de la Polynésie, de l'Amérique du Sud, de l'Afrique et de l'Asie recèle **des centaines de plantes médicinales et aromatiques**. Ces plantes sont utilisées depuis des générations par la population locale. Pourtant, la pharmacopée moderne ne les reconnaît pas toujours, malgré leur efficacité. Et il n'y a pas que les plantes : l'analgésique dérivé du venin du poisson-boule, par exemple, atténue la sensibilité à la douleur sans créer d'accoutumance.

La pénicilline

Le **premier antibiotique** fut découvert en 1928. Alors qu'il observait l'activité septique des bactéries sur les blessures, Alexander **Fleming** découvrit une moisissure dans une de ses boîtes de Pétri. Il constata que la moisissure avait inhibé la prolifération bactérienne dans la boîte. Fleming poursuivit ses recherches et finit par isoler l'agent actif, qu'il nomma en anglais *penicillin*.

PETITE INFO

Les **Sans** (ou Bochiman) du Kalahari mâchent une plante *(Hoodia gordonii)* pour atténuer la faim. Des laboratoires s'y intéressent pour en faire des pilules amincissantes ; les Sans percevront des droits.

Chasse et pêche

Nos ancêtres de la préhistoire vivaient uniquement de chasse et de cueillette, comme le font encore les habitants de certaines régions du monde. Où que nous vivions, une grande partie de nos aliments proviennent des milieux naturels. Les océans, par exemple, fournissent chaque jour des milliers de tonnes de poissons destinés à la consommation humaine. Si la plupart de nos aliments sont issus d'exploitations agricoles, certains demeurent sauvages. C'est le cas de nombreux mets savoureux, comme certains champignons ou la noix du Brésil.

La pêche

Le poisson est de loin l'aliment issu de la nature que nous consommons le plus, et la pêche commerciale représente la base de l'économie de nombreux pays. Si la plupart sont pris dans les filets des grands bateaux de pêche, les espèces des grands fonds comme le **cabillaud** *(Gadus morhua)* et l'**aiglefin** *(Melanogrammus aeglefinus)* sont pêchés au chalut, filet en forme d'entonnoir. Les espèces dites pélagiques, comme le **thon** *(Thunnus sp.)*, sont capturées dans des filets dérivants ou des sennes coulissantes.

L'incultivable

La **noix du Brésil**, entourée d'une coquille épaisse qui la protège des rongeurs de la forêt, ne pousse qu'à l'état sauvage, sur un grand arbre de forêt pluviale appelé *Bertholletia excelsa*, que nul n'a encore réussi à cultiver.

Les fruits de mer

Les océans ne fournissent pas que du poisson. Les mollusques bivalves, **coques**, **moules**, **huîtres** et autres **coquillages**, abondent sur les côtes du monde entier, tandis que des crustacés, **homards**, **crabes** et **crevettes**, sont pêchés au large dans des filets ou à la ligne. Au Japon, on récolte plusieurs types d'**algues** destinées à la cuisine, qui forment la base de nombreux produits alimentaires. La gélatine, par exemple, est constituée d'un extrait d'**algue rouge** *(Chondrus crispus)*, récoltée dans l'Atlantique Nord.

L'automne, saison généreuse

Dans les régions tempérées, l'automne est une saison où abonde le gibier, qui se prépare pour l'hiver. Certains profitent de cette manne saisonnière pour récolter baies et champignons. D'autres font les moissons et cueillent les fruits de nombreux arbres fruitiers, sans oublier le **raisin** des vignes qui, une fois récolté, mis en cuve et vinifié, deviendra vin. Certains champignons sauvages, comme les morilles, sont des mets recherchés et se vendent très cher.

Le gibier

En Europe et en Amérique du Nord, la chasse est considérée comme un sport ou un loisir au même titre que la pêche. Cependant, le gibier figure sur les menus des restaurants et les étals des boucheries. **Chevreuils**, **lapins**, **canards**, **faisans** et **sangliers** sont des mets si prisés que certaines espèces, comme le sanglier *(Sus scrofa)*, commencent à faire l'objet d'élevages.

Le commerce des animaux sauvages

Dans de nombreuses régions d'Afrique, les animaux sauvages sont chassés pour leur viande, vendue sur les marchés des villes. Les chasseurs, qui, naguère, ne chassaient que pour leur consommation personnelle, abattent aujourd'hui de grandes quantités d'animaux pour en tirer profit, parmi lesquels des espèces protégées, comme le **chimpanzé** *(Pan troglodytes)* et le **gorille** *(Gorilla gorilla)*.

PETITE INFO

La **truffe** *(Tuber)*, « l'or du Périgord », est très recherchée. Elle provient d'un champignon qui parasite les arbres. Souterraine, elle est localisée à l'odorat. Chiens et cochons sont dressés pour la déceler.

LE SAVIEZ-VOUS ?

Le sirop d'**érable** provient de la sève de l'érable d'Amérique du Nord *(Acer saccharum)*. La sève récoltée est bouillie pour que l'eau s'en évapore. Pour 1 litre de sirop, il faut pas moins de 40 litres de sève.

L'agriculture

L'agriculture remonte à 18 000 ans en Égypte, quand l'Europe et l'Amérique du Nord connaissaient encore le dernier âge glaciaire. Les premiers fermiers cultivaient le blé et l'orge. Les moutons et les chèvres, les premiers animaux de ferme, furent domestiqués vers 8000 av. J.-C. À la faveur des migrations, l'agriculture se répandit lentement sur la Terre. De nouvelles espèces furent découvertes et domestiquées, pour être redécouvertes des siècles plus tard par les explorateurs européens. L'agriculture est devenue une industrie mondiale qui a transformé le visage de la planète.

Les céréales

Toutes les céréales actuellement cultivées sont le résultat de la sélection et de l'amélioration d'espèces sauvages.

Plante	Domestiquée	Ancêtre
Blé	Égypte v. 16000 av. J.-C.	Engrain *(Triticum monococcum)*
Maïs	Mexique v. 5000 av. J.-C.	Teosinte *(Zea mays)*
Orge	Iraq v. 15000 av. J.-C.	*Hordeum spontaneum*
Riz	Asie du Sud-Est 13000-8000 av. J.-C.	*Oryza rufipogon*

Les fruits et les légumes

Les ancêtres de la majorité des fruits et des légumes cultivés existent encore sous forme sauvage.

Plante	Domestiquée	Ancêtre(s)
Avocat	Mexique v. 1000 av. J.-C.	*Persea drymifolia*
Chou	Méditerranée v. 4000 av. J.-C.	*Brassica oleracea*
Carotte	Afghanistan v. 3000 av. J.-C.	*Daucus carota*
Pêche	Chine v. 4000 av. J.-C.	*Prunus davidiana*
Pois	Moyen-Orient v. 5000 av. J.-C.	*Pisum elatius, P. fulvum*
Pomme	Kazakhstan v. 200 av. J.-C.	*Malum sieversii*
Pomme de terre	Pérou v. 400 av. J.-C.	*Solanum tuberosum*

La canne à sucre

Chaque année, nous consommons plus de 120 millions de tonnes de sucre dans le monde. La majorité de la production vient de la canne à sucre *(Saccharum officinarum)*, une grande herbe qui peut atteindre 4,50 m de haut. La canne à sucre vient du Sud-Est asiatique et est surtout cultivée dans les pays tropicaux.

La culture sur brûlis

Chaque année disparaissent d'importantes parcelles forestières vouées à la culture sur brûlis. Les populations vivant à la lisière des forêts pluviales tropicales abattent arbres et arbustes et brûlent leurs racines pour aménager de nouveaux champs. Cette pratique agricole est désastreuse : la terre ainsi utilisée n'est fertile que quelques années et son rapide épuisement contraint les fermiers à abattre toujours plus d'arbres.

La désertification

Là où les pluies sont rares, le sol asséché se fragilise. Le **surpâturage** et la **déforestation** pour le bois de chauffage exposent la fine couche fertile au vent et à la pluie. Sans arbre ni buisson, le sol asséché ne peut s'enrichir, la terre, devenue stérile, est incapable d'entretenir la flore ou d'accueillir la faune, et les indigènes ne peuvent en vivre. La désertification est un problème crucial dans plusieurs pays du tiers-monde. Sans terre fertile, aucune culture ni aucun élevage ne sont possibles : la famine menace et l'émigration est inévitable.

PETITE INFO

La **culture sur brûlis** a dévasté les forêts de Madagascar. Les paysans laissent derrière eux une terre inexploitable. Les pluies emportent ce qui reste de couche fertile, et la terre se retrouve à nu.

La culture des terres

Dans le monde développé, de vastes terres sont consacrées à l'exploitation agricole. D'anciennes régions sauvages sont aujourd'hui transformées en champs et en pâturages. Partout dans le monde, la mise en culture des terres entraîne la disparition de sites naturels. Les pays dont la démographie est galopante, comme l'Inde et la Chine, ont désormais presque tout converti en terres agricoles. Là où subsistent des régions sauvages, c'est le climat qui rend l'agriculture impossible.

LE SAVIEZ-VOUS ?

La Chine est le plus grand éleveur d'**ovins**, elle en a produit plus du double de l'Australie et du triple de la Nouvelle-Zélande. C'est aussi le premier pays producteur de viande de **porc**.

L'exploitation forestière

Le bois est principalement utilisé pour la construction et l'ameublement. Sa pulpe sert à la fabrication du papier. Si la majorité du bois utilisé de nos jours est issue de plantations, une partie provient encore de forêts naturelles. Une exploitation forestière réfléchie et durable ne met pas en péril les forêts du monde. En revanche, l'abattage illégal et la surexploitation font peser de graves menaces sur quantité de forêts primaires. Les forêts couvrent encore plus de 30 % de la surface terrestre.

Les essences forestières

Si les plus beaux bois du monde proviennent de forêts naturelles, certaines essences, comme le teck, sont également cultivées.

◆ **LE BALSA (*OCHROMA LAGOPUS*)** Cet arbre d'Amérique centrale et d'Amérique du Sud tropicale, qui peut mesurer jusqu'à 21 m, donne un bois léger.

◆ **L'ÉBÈNE (*DIOSPYROS EBENUM*)** Si de nombreux arbres produisent un bois foncé que l'on qualifie d'ébène, D. ebenum est considéré comme le meilleur. Il pousse dans les forêts de mousson de l'Inde et du Sri Lanka. Sa rareté en fait une essence précieuse.

◆ **L'IROKO (*CHLOROPHORA EXCELSA* et *C. REGIA*)** Bois dur de couleur claire issu de deux arbres d'Afrique, qui croissent dans les basses terres de la forêt tropicale pluviale.

◆ **LE SIDÉROXYLON** (*Mesua ferrea*) Utilisé en ébénisterie, il pousse en Inde, au Sri Lanka et en Malaisie.

◆ **L'ACAJOU (*SWIETENIA MAHAGONI*)** Aujourd'hui cultivé partout sous les tropiques, l'acajou est désormais rare dans ses régions d'origine, l'Amérique centrale et les Antilles, à cause d'une exploitation trop intensive.

◆ **LE BOIS DE ROSE (*PTEROCARPUS INDICUS*)** Ce bois parfumé provient de Birmanie.

◆ **LE TECK** De ses diverses espèces, c'est le teck australien (*Flindersia australis*) qui produit le bois le plus précieux. Il pousse à l'état naturel sur la côte est du pays.

Les forêts naturelles

La majeure partie du bois issu des forêts naturelles a subi une **coupe rase**, méthode très destructrice qui contraste avec l'exploitation durable, où des arbres sont sélectionnés individuellement pour l'abattage, puis remplacés par de jeunes sujets de la même espèce. Les entreprises qui procèdent de la sorte se garantissent des ressources renouvelées de bois tout en permettant à leurs forêts de demeurer un habitat pour la faune et la flore.

LE SAVIEZ-VOUS ?

L'**hévéa** est originaire d'Amérique du Sud. De nos jours, l'hévéa ou arbre à gomme (*Hevea braziliensis*) pousse au sein de plantations, sous les tropiques. Le **caoutchouc** provient de la sève laiteuse de l'arbre (latex), que l'on récolte en incisant l'écorce.

Les plantations

Les forêts implantées couvrent de vastes zones dans de nombreuses régions du monde. Si elles procurent un habitat à la faune et à la flore, elles sont rarement aussi riches que les forêts naturelles. Cela tient au fait que l'on y plante en général des arbres de la **même espèce** au même moment. De plus, ils sont souvent alignés pour assurer un meilleur rendement. En se développant, leurs branches forment une canopée complètement fermée qui empêche la lumière d'atteindre le sol.

Une croissance programmée

Il est possible de récolter du bois sans pour autant abattre les arbres. Certaines espèces, tel le **noisetier** (*Corylus avellana*), font l'objet d'élagages. Il reste ensuite suffisamment de tronc pour permettre la pousse de nouvelles branches. D'autres espèces, qui ne survivraient pas à un élagage, sont **écimées** : on ne leur taille que les branches supérieures. Le tronc demeure intact et remplace les branches coupées par de nouvelles pousses. Depuis des siècles, l'on écime le saule (*Salix sp.*) pour obtenir des brins d'osier flexibles destinés à la fabrication de clôtures.

Autres plantations

Les arbres ne sont pas uniquement cultivés pour leur bois. Dans les pays méditerranéens, le **chêne-liège** (*Quercus suber*) est exploité pour son écorce, dont on fait des bouchons et des dalles, entre autres usages. Le **cocotier** (*Cocos nucifera*) est apprécié pour la chair et le lait de ses noix, qui sont consommés, tandis que son enveloppe procure une fibre appelée coir, utilisée pour la fabrication de tapis et de cordages. De nombreuses espèces sont exploitées pour leurs noix, graines ou fruits. Le **caféier** (*Coffea*) et le **cacaotier** (*Theobroma cacao*) sont les plus répandus. Ce dernier produit les fèves de cacao, qui entrent dans la composition du chocolat. Les fruits du palmier seront transformés en huile de palme, destinée à l'agroalimentaire et aux produits cosmétiques. L'Indonésie compte de nombreuses plantations de palmiers.

Le FSC

Créé en 1993, le Forest Stewardship Council (Conseil international de gestion forestière) surveille le commerce du bois et informe les consommateurs. Pour obtenir ce logo, le bois doit être issu d'une exploitation durable et agréée. Tout produit dénué de ce logo risque d'être le fruit d'un abattage illégal.

La Terre, Dieu et les hommes

L'origine de la Terre a fait l'objet de nombreuses interprétations dans les diverses mythologies. Dans la Bible, la Création est l'affaire d'un Dieu tout-puissant qui a créé l'homme à son image. L'homme est au centre de l'Univers. Pour plusieurs philosophes et scientifiques, la Terre serait un organisme dont tous les êtres vivants, l'homme compris, font partie par diverses interactions.

La place de l'homme

Dans le monde antique coexistaient harmonieusement la nature, les hommes et les dieux. Ces esprits étaient accessibles à l'homme par des procédures diverses relevant de la magie. Dans la Bible, la Genèse décrit la naissance du monde. Un dieu infiniment bon et tout-puissant a créé la lumière et les ténèbres, les corps célestes, la Terre et toutes les espèces d'animaux (poissons, oiseaux, mammifères...) et de plantes, puis Adam, Ève, et enfin, l'homme a donné un nom à tous les animaux, s'établissant ainsi lui-même comme leur maître. Dieu a conçu tout cela au seul bénéfice de l'homme, lui-même fait à l'image de Dieu. Non seulement le judéo-christianisme, en opposition absolue avec l'ancienne cosmogonie païenne comme avec les religions de l'Asie, instaure un dualisme fondamental entre l'homme et la nature, mais il insiste également sur le fait que l'exploitation de la nature par l'homme, pour satisfaire ses fins propres, résulte de la volonté de Dieu.

Lovelock et l'hypotèse Gaia

En 1972, James Lovelock présenta l'hypothèse Gaia, qui offre un nouveau point de vue sur notre planète. Celle-ci n'est plus un habitat figé qui abrite la vie. Elle devient un **organisme unique**. Plantes et animaux jouent un rôle similaire à celui des cellules du corps humain. Ils sont en interaction avec la Terre, chacun ayant un impact sur le système, que certains peuvent modifier de façon temporaire. La Terre s'autorégule et maintient ses propres conditions de vie. Ainsi, Lovelock conçut ses **« mondes des pâquerettes »** pour démontrer comment la vie régule le climat. Son monde ne compte que deux types d'habitants : des pâquerettes claires et foncées, dont les conditions optimales de croissance se situent à la température de 20 °C. Au départ, l'astre équivalent à notre soleil est relativement frais. Dans ces conditions, les pâquerettes sombres se portent mieux que les claires. Au fil du temps, le soleil brille plus fort et dégage davantage d'énergie. La pâquerette sombre commence alors à dépérir, tandis que la claire, qui renvoie la chaleur du soleil, peut conserver une température proche de 20 °C. Plus le soleil brille, plus les pâquerettes claires sont nombreuses, jusqu'à couvrir toute la surface de la planète. En renvoyant la chaleur, elles maintiennent une température stable plus longtemps. Grâce à elles, la planète se réchauffe plus lentement qu'en l'absence de toute vie.

LE SAVIEZ-VOUS ?

Lovelock commença à élaborer **Gaia** alors qu'il travaillait sur la façon de détecter la vie sur **Mars** pour la Nasa. C'est à cette époque qu'il considéra pour la première fois le lien entre l'atmosphère et la vie.

Le pionnier de la biosphère

Peu connu en dehors de la Russie et de l'Ukraine, Vladimir Ivanovitch **Vernadsky** (1863-1945) fut l'un des plus grands savants de son temps. On lui doit les concepts modernes sur le rôle de la vie sur la planète. Fils d'un professeur d'économie politique à l'université de Kiev, Vernadsky étudia à l'université de Saint-Pétersbourg, puis il enseigna la minéralogie et la cristallographie à l'université de Moscou. Plus tard, il présida l'Académie des sciences d'Ukraine. *La Biosphère*, son œuvre majeure, fut publiée en Union soviétique en 1926.

Et si la nature avait des droits...

Michel **Serres**, écrivain et philosophe français qui enseigne à la Sorbonne ainsi qu'aux États-Unis, propose de repenser le rapport de l'homme au monde non plus en termes dualistes, mais en termes de **coappartenance** à un univers unique. C'est notamment dans le *Contrat naturel*, publié en 1992, qu'il propose d'ériger la nature en sujet de droit, rompant ainsi avec l'humanisme contemporain pour lui préférer un égalitarisme biocentrique. Des droits pourraient être affectés au non-humain qui seraient, pour ainsi dire, comparables à ceux affectés à l'humain. Ce sont là les théories de ce qu'on appelle l'écologie profonde. Arne **Naess**, philosophe norvégien, principal théoricien du mouvement de l'écologie profonde *(Deep ecology movement)*, a beaucoup écrit dans ce domaine, et les ligues de défense des animaux, entre autres, se sont très largement inspirées de ce type de raisonnement.

PETITE INFO

Gaia est le nom que donnaient les Grecs de l'Antiquité à la déesse de la Terre. Elle mit au monde Ouranos puis l'épousa. Avec lui, elle engendra les Titans et les Cyclopes.

Les grands esprits se rencontrent

Si l'hypothèse Gaia est un concept révolutionnaire, il n'est pas sans précédent. Bien avant Lovelock, d'autres savants et philosophes en étaient arrivés aux mêmes conclusions.

- **PLATON (v. 428-347 av. J.-C.)** Ce philosophe de l'Antiquité grecque croyait que la Terre elle-même était vivante. Pour lui, le cosmos ressemblait de très près à cet être vivant (la Terre) dont toutes les autres créatures ne sont que des parties.
- **JAMES HUTTON (1726-1797)** Pour ce géologue écossais, souvent appelé le « père de la géologie », la Terre devait être considérée comme un superorganisme et étudiée par la science de la physiologie. Pour expliquer son raisonnement, il comparait le parcours des nutriments (de la terre aux plantes et aux animaux puis de nouveau à la terre) à la circulation sanguine.
- **ALEXANDER VON HUMBOLDT (1769-1859)** Explorateur et géographe allemand, il lança l'exploration scientifique des liens entre les organismes et leur environnement, ce que l'on nomme aujourd'hui écologie.

Les religions entretiennent avec la nature des rapports très divers. Certaines y voient l'œuvre de Dieu et la preuve de la primauté de l'homme sur la Terre. D'autres voient en elle l'incarnation de la divinité, raison pour laquelle la nature doit être respectée et vénérée. Ces différents points de vue ont durablement marqué l'environnement. Pour les pionniers du Nouveau Monde, d'obédience chrétienne, la nature était un don du ciel que l'homme devait dominer et façonner selon ses besoins. Les religions enseignent aussi l'amour de la vie. Ainsi, au Japon, les lieux de culte shintoïstes sont des sanctuaires dédiés à la nature vivante.

Christianisme et judaïsme

Fondement du judaïsme et du christianisme, l'Ancien Testament (ou Tenach) commence par le livre de la Genèse, dans lequel il est dit que « Dieu créa le ciel et la Terre », ou encore (1:27-28) que Dieu créa Adam et Ève, et leur dit : « Soyez féconds, multipliez-vous, remplissez la Terre et soumettez-la ». La Genèse comprend aussi l'histoire de l'arche de Noé, où un couple de chaque espèce animale fut sauvé du Déluge. Le second livre, l'Exode, conte l'histoire de la Terre promise et des dix plaies qui s'abattirent sur l'Égypte.

Le bouddhisme

Les bouddhistes suivent les enseignements de Siddharta Gautama, qu'on appela Bouddha (l'Éveillé). La veille de sa naissance au Népal, en 563 av. J.-C., sa mère, la reine Mahayama, rêva qu'un éléphant blanc dansait devant elle, une fleur de lotus enroulée dans sa trompe. Ce fut le présage de la future grandeur de son fils. Le Bouddha gagna l'illumination à l'âge de 35 ans, en méditant au pied d'un banian.

L'islam

Les adeptes des religions monothéistes croient que le monde et tout ce qu'il contient furent créés par Dieu. Pour les musulmans, l'essence divine du monde est Allah. Selon les préceptes de l'islam, tous les êtres vivants tirent leur existence de l'autorité et de la puissance d'Allah. Mahomet est le prophète de Dieu, et le Coran – l'écriture sainte, ultime manifestation de la volonté divine – lui fut révélé par l'ange Gabriel.

Le jaïnisme

Fondée au ve siècle av. J.-C., cette religion indienne professe le respect de toutes les formes de vie. Les jaïnistes sont des végétariens stricts et font de leur mieux pour éviter de faire souffrir les animaux. Les plus pieux balaient le sol devant eux pour éviter de piétiner des insectes, ou encore se couvrent le visage pour éviter d'avaler par mégarde des créatures volantes.

Le shintoïsme

La religion nationale du Japon enseigne que les kamis, les dieux ancestraux, inspirent tous les phénomènes naturels, comme les arbres et les chutes d'eau. Selon le shintoïsme, on doit suivre la voie des kamis, qui est le chemin de l'harmonie. La divinité shinto la plus célèbre est la déesse du soleil Amaterasu. Il existe au Japon 80 000 sanctuaires shintoïstes, la plupart ayant un torii, sorte de portique sacré.

L'hindouisme

La principale religion de l'Inde entretient des liens étroits avec la nature. L'hindouisme vénère par exemple les fleuves, le plus sacré de l'Inde étant le Gange, qui, considéré comme un dieu, coulait à l'origine dans le ciel mais fut dévié sur la Terre. Des traits humains sont attribués à deux dieux hindous, Hanuman, le roi des singes, et Ganesh, au corps humain et à tête d'éléphant. L'hindouisme est la troisième religion du monde après le christianisme et l'islam – plus d'un milliard de personnes dans le monde sont hindoues.

LE SAVIEZ-VOUS ?

De nombreuses **formules littéraires** viennent de la **Bible**. Parmi elles : « Qui viennent à vous vêtus en brebis » (Matthieu 7,15), « Comme un agneau conduit à la boucherie » (Isaïe 53,7) ou encore « Une brebis égarée » (Jérémie 50,17).

Animaux, mythes et religions

Les animaux sont présents dans presque toutes les mythologies et religions du monde. En Australie, pour les Aborigènes, le Temps du Rêve est peuplé par les ancêtres qui parcourent la Terre parfois sous une forme animale. Au Japon, le shintoïsme est fondé sur le culte de la nature, tandis que, pour les Inuits du Canada, le monde a été créé par un corbeau. Les dieux prennent souvent une forme animale, comme dans l'hindouisme et dans les anciennes religions disparues. En Europe, les Celtes adoraient le dieu aux bois de cerf Cernunnos, les anciens Grecs, le dieu Pan, représenté avec une queue et des pieds de bouc, et les Vikings, Audumla, la vache primordiale, nourrice du géant Ymir.

Dans la Bible

◆ Le concept chrétien de péché originel est lié à la tentation d'Ève par le serpent dans le jardin d'Éden. L'Agneau de Dieu représente le Christ.
◆ Les animaux sont aussi présents dans les histoires et paraboles bibliques, telles celles de Daniel dans la fosse aux lions ou de Jonas et de la baleine.

Les animaux dans l'hindouisme

Les animaux abondent dans la religion hindouiste. Chaque dieu ou déesse est associé à au moins un animal particulier, appelé son véhicule, ou *vahana*. **Vishnu**, qui a pour véhicule un oiseau fabuleux, Garuda, a eu quatre incarnations sous forme animale: poisson, tortue, sanglier et homme-lion. Le dieu **Ganesh**, associé à la souris, est un dieu à tête d'éléphant. **Hanuman**, guerrier-singe héros de l'épopée du Ramayana, est adoré comme une divinité. **Shiva**, associé au taureau, porte une peau de tigre et d'éléphant ainsi que des serpents autour du cou. Le cygne est le véhicule de la déesse **Sarasvati**, souvent représentée accompagnée d'un paon. Le véhicule de **Brahma** est l'oie, tandis que **Durga** en a deux: le lion et le tigre.

Tabous

Dans plusieurs religions, certaines viandes sont considérées comme impures. Les juifs et les musulmans ne consomment pas de porc et les hindous proscrivent la viande de bœuf et vénèrent les vaches. Le bouddhisme interdit de tuer des animaux, mais non de manger leur chair s'ils ont été tués par d'autres.

LE SAVIEZ-VOUS ?

Les **dragons** se rencontrent dans la mythologie de nombreuses cultures. En Asie, ils étaient associés à l'abondance et à la chance. Dans l'Europe médiévale, ils symbolisaient la puissance, mais aussi le péché, l'hérésie et le diable.

Égyptiens, Grecs et Romains

Le panthéon des anciens Égyptiens était peuplé de nombreux dieux à moitié animaux. **Horus** était représenté avec la tête d'un faucon, **Anubis** celle d'un chacal et **Thot** celle d'un ibis, un oiseau sacré. Chacun des quatre fils d'Horus protégeait un organe après la momification. **Kebehsenouf** veillait sur les intestins, Douamoutef sur l'estomac, **Api** sur les poumons et **Amset** sur le foie.
Les Grecs de l'Antiquité imaginèrent des créatures fantastiques aux noms familiers: les **centaures**, mi-hommes, mi-chevaux, l'**Hydre de Lerne** aux multiples têtes de serpent, le cheval ailé **Pégase**… Leurs dieux prenaient aussi parfois l'apparence d'animaux, tel Zeus, qui prit la forme d'un taureau et d'un cygne.
La mythologie romaine fourmillait d'animaux. La divinité agreste, **Faunus**, nous a légué le mot faune.

Vikings et mythes celtiques

La mythologie des deux principales cultures d'Europe du Nord abonde en animaux fabuleux. Parmi les monstres nordiques, **Fenris**, un loup géant qui devait tuer Odin, le principal dieu, et l'écureuil **Ratatosk**, le messager d'Yggdrasil, le frêne cosmique qui sert de support à l'Univers et fait le lien entre les géants du gel, les dieux et les mortels. Les oiseaux jouent un grand rôle dans la mythologie celtique. Morrigan, la déesse de la guerre, prenait la forme d'un **corbeau** et les héros se transformaient fréquemment en **aigles** lors de leurs exploits. Le **saumon** apparaît aussi souvent, le plus célèbre étant le saumon de la connaissance, que l'on rencontre dans la mythologie irlandaise.

Monstres médiévaux

L'Europe médiévale était peuplée d'animaux fabuleux. Les recueils d'histoire naturelle – les bestiaires – inventoriaient animaux réels et imaginaires. Certains monstres sont tirés de la mythologie classique, d'autres n'apparaissent nulle part ailleurs. ◆ C'est dans *l'Iliade* d'Homère que fut fait mention de la **chimère** pour la première fois. Créature à tête de lion, corps de chèvre et arrière-train de dragon, elle vomit du feu sur les humains. ◆ La **vouivre** est un serpent ailé dont l'œil est une escarboucle. Ce génie aquatique est le gardien de trésors enfouis. ◆ Le **phénix** , représenté comme un oiseau de feu, vivait 500 ans avant de brûler pour renaître de ses cendres. Il symbolise l'essence du Christ, et sa résurrection. ◆ Animal fabuleux à la corne torsadée et au corps de cheval, la **licorne** se rencontre dans les textes d'Europe comme d'Asie. Elle est notamment mentionnée dans les premiers écrits taoïstes. ◆ Le **griffon** possédait la tête, le corps et les ailes d'un aigle et l'arrière-train d'un lion. ◆ La **manticore** avait la tête d'un homme, le corps d'un lion et la queue d'un scorpion. ◆ Le **basilic**, dont le seul regard pouvait tuer, est le roi des serpents. ◆ Serpent avec une tête à chaque extrémité, l'**amphisbène** avait des yeux rougeoyants et ne craignait pas le froid. ◆ Le **bonachus** était un bovin aux cornes recourbées à l'intérieur qui lançait un liquide inflammable par l'anus. ◆ La **charadrille**, une espèce d'oiseau blanc, prédisait la mort d'un malade. ◆ Le **jaculus**, petit serpent ailé, s'attaquait au bétail. ◆ Le **parandus**, de la taille d'un bœuf et muni de bois, prenait la couleur de son environnement.

Symbolisme animal

Le symbolisme animal apparaît dans toutes les langues et cultures. Le français foisonne d'expressions faisant référence à des animaux : avoir un œil de lynx, trotter comme une souris… Les symboles visuels se retrouvent partout, sur les voitures, les vêtements, les enseignes… Dans le langage comme dans le nom des marques, les animaux sont souvent associés à des qualités telles que la force ou la vitesse. Ils représentent parfois des pays par le biais de drapeaux ou d'armoiries. Ainsi, sur le drapeau mexicain figure un aigle tuant un crotale, tandis que les armes de la Côte d'Ivoire portent la tête d'un éléphant.

Héraldique

L'héraldique est l'art ou la science des **armoiries**, **emblèmes** et **symboles** d'une famille ou d'une collectivité. La plupart appartiennent à des familles, mais certaines représentent des pays, des corporations ou des ordres religieux. L'héraldique apparaît en Europe vers le XIIe siècle : il s'agit de pouvoir reconnaître, dans les batailles, les **chevaliers** au visage caché par le heaume. De nombreux animaux figurent sur les armoiries, les plus fréquents étant ceux qui symbolisent la force, tel le lion. Ils sont représentés dans diverses positions, chacune ayant un nom particulier : statant ; sejant ; rampant guardant ; rampant.

Les animaux et le sport

Une grande variété d'animaux se retrouve dans les noms d'équipes sportives, pour la plupart choisis, à n'en pas douter, dans le but d'impressionner l'adversaire et de frapper l'imagination… Parmi les équipes de soccer ou football européen, on trouve les **Lions indomptables** du Cameroun, les **Éléphants** de Côte d'Ivoire, les **Super Eagles** du Nigeria, les **Canaris** de Nantes… Le football américain n'est pas en reste avec Les **Dolphins** de Miami, les **Jaguars** de Jacksonville, les **Falcons** d'Atlanta, sans compter les ligues de football canadien, avec les **Alouettes** de Montréal, les **Lions** de la Colombie-Britannique, les **Tiger-Cats** de Hamilton. Les équipes de baseball ont également des noms pittoresques, tels que les **Orioles** de Baltimore, les **Tigers** de Détroit, les **Blue Jays** de Toronto, les **Cardinals** de St.Louis. Les équipes internationales de rugby restent indissociables de l'animal qui leur a donné leur nom, à l'image des **Springboks** d'Afrique du Sud, des **Pumas** d'Argentine, des **Wallabies** d'Australie, des **Kiwis** de Nouvelle-Zélande.

Le calendrier chinois

Animal	Années
Rat	1900, 1912, 1924, 1936, 1948, 1960, 1972, 1984, 1996, 2008
Bœuf	1901, 1913, 1925, 1937, 1949, 1961, 1973, 1985, 1997, 2009
Tigre	1902, 1914, 1926, 1938, 1950, 1962, 1974, 1986, 1998, 2010
Lapin	1903, 1915, 1927, 1939, 1951, 1963, 1975, 1987, 1999, 2011
Dragon	1904, 1916, 1928, 1940, 1952, 1964, 1976, 1988, 2000, 2012
Serpent	1905, 1917, 1929, 1941, 1953, 1965, 1977, 1989, 2001, 2013
Cheval	1906, 1918, 1930, 1942, 1954, 1966, 1978, 1990, 2002, 2014
Chèvre	1907, 1919, 1931, 1943, 1955, 1967, 1979, 1991, 2003, 2015
Singe	1908, 1920, 1932, 1944, 1956, 1968, 1980, 1992, 2004, 2016
Coq	1909, 1921, 1933, 1945, 1957, 1969, 1981, 1993, 2005, 2017
Chien	1910, 1922, 1934, 1946, 1958, 1970, 1982, 1994, 2006, 2018
Cochon	1911, 1923, 1935, 1947, 1959, 1971, 1983, 1995, 2007, 2019

L'année chinoise commence à la nouvelle lune, entre le 21 janvier et le 20 février, soit 12 mois lunaires après le début de l'année précédente, ou 13 mois lunaires tous les 3 ans (autrement, le nouvel an tomberait avant le 21 janvier). En conséquence, pour les années calendaires ci-dessus, seuls environ les 11 derniers mois font partie de l'année chinoise qui se prolonge au début de l'année calendaire suivante.

Noms de lieux

Certains noms topographiques sont dérivés ou comportent des noms d'animaux. C'est le cas de villes ou villages comme **Cap-Chat, Cap à l'aigle** et **Rivière du loup**, au Québec, ou de lieux plus lointains comme les **îles Caïmans**, l'**île de la Tortue**… Les **îles Shetland** ont donné leur nom à un poney.

Zodiaque

L'astrologie recourt aussi aux animaux pour symboliser les maisons des planètes qui régiraient notre destin. Sur douze signes du zodiaque, sept sont des animaux, correspondant d'ailleurs aux constellations proches : Bélier, Taureau, Cancer (crabe), Lion, Scorpion, Capricorne, Poissons.

LE SAVIEZ-VOUS ?

Divers animaux sont associés au nom de nombreuses **marques**, dont ils contribuent à la notoriété, tels que le grand duc de Kanuk, Esso et son tigre, La Vache-qui-rit, Lacoste et son crocodile et bien d'autres.

La nature dans l'art et la culture

Thème prisé de la littérature et des arts graphiques, la nature a également inspiré les musiciens et bien d'autres artistes dans le domaine du cinéma, du théâtre et de la danse. De nombreux proverbes ou expressions sont empruntés à la nature : une belle plante, manger son blé en herbe… Plantes et animaux sont souvent associés à un pays, jusqu'à parfois devenir des symboles nationaux.

La peinture

La nature a toujours inspiré les peintres. Si certains l'ont reproduite dans ses moindres détails, d'autres ont avant tout cherché à traduire ses impressions. Parmi les plus beaux paysages, on compte ceux des Américains Thomas **Cole** (1801-1848) et Albert **Bierstadt** (1830-1902), des Britanniques John **Constable** (1776-1837) et Joseph **Turner** (1775-1850), des Français Claude **Monet** (1840-1926) et Édouard **Manet** (1832-1883) et du Néerlandais Vincent **Van Gogh** (1853-1890). Au XXe siècle, la nature elle-même est devenue une œuvre d'art. Robert **Smithson** (1938-1973) réalisa des œuvres en modifiant le paysage même. Robert **Long** (né en 1945) et Andy **Goldsworthy** (né en 1956) créent des œuvres éphémères à partir d'éléments naturels dans un cadre naturel.

Les rythmes de la nature

- Les Quatre Saisons, de Vivaldi
- La Moldau, de Smetana
- La Symphonie « pastorale », de Beethoven
- La Beau Danuble bleu, de Srauss
- Le Vol du bourdon, de Rimski-Korsakov
- Pierre et le loup, de Prokofiev
- La Truite, de Schubert

La photographie

Les grands photographes arrivent à saisir une lumière et un angle de vue qui font de leurs clichés des œuvres d'art à part entière. Citons l'Américain Ansell **Adams**, qui débuta sa carrière en 1927, l'Allemand Axel **Hütte**, David Alan **Harvey** et Sam **Abell**, photographes à la National Geographic Society, et des photographes français comme Harry **Gruyaert**, Yves **Gellie**, Bruno **Barbey**, sans oublier Yann **Arthus-Bertrand**, dont le livre *la Terre vue du ciel* s'est vendu à plus de 2,5 millions d'exemplaires et a été traduit en 20 langues.

La poésie

Depuis toujours, les poètes célèbrent la nature :
Pierre de Ronsard : *Mignonne, allons voir si la rose…* ;
Charles Baudelaire : *Chant d'automne* ;
Victor Hugo : *Promenades dans les rochers, Dans la forêt, les Feuilles d'automne* ;
Paul Verlaine : *Marine, Sur l'herbe* ;
Walt Whitman : *Feuilles d'herbe* ;
Robert Desnos : *Chantefleurs, chantefables*.

PETITE INFO

Le plus connu des poèmes des *Méditations poétiques*, d'**Alphonse de Lamartine** (1790-1869), est *le Lac*, qui fait référence aux bords mélancoliques et sauvages du lac du Bourget.

La littérature

Parmi les romans, pièces ou essais dont le titre comprend des éléments empruntés à la nature, citons : *Études de la nature*, de Jacques-Henri Bernardin de Saint-Pierre, 1784 ; *le Lys dans la vallée*, d'Honoré de Balzac, 1836 ; *la Cerisaie*, d'Anton Tchekhov, 1903 ; *le Loup des steppes*, d'Hermann Hesse, 1927 ; *Colline*, de Jean Giono, 1928 ; *le Désert des Tartares*, de Dino Buzzati, 1940 ; *le Roi des Aulnes*, de Michel Tournier, 1971 ; *Désert*, de J.-M. G. Le Clézio, 1980 ; *le Nom de la rose*, d'Umberto Eco, 1980 ; *l'Enfant de sable*, de Tahar Ben Jelloun, 1985.

Des emblèmes nationaux

De nombreuses plantes symbolisent un pays et figurent sur ses armes ou son drapeau. La fleur de lys orne le drapeau du Québec et la feuille d'érable, celui du Canada. Sur celui du Liban figure un cèdre, sur celui du Mexique, un cactus… Le chardon est l'emblème de l'Écosse, la rose celui de l'Angleterre, le trèfle celui de l'Irlande.

Les animaux dans l'art et la culture

Les animaux apparaissent fréquemment en peinture comme en littérature. Les premières œuvres d'art connues, les peintures rupestres, remontent à plus de 20 000 ans et représentent de nombreuses espèces, certaines aujourd'hui disparues. Les animaux sont présents aussi dans les romans, les chansons ou les productions musicales.

Des livres et des animaux

Le titre de nombreuses œuvres célèbres mentionne des animaux. C'est le cas, par exemple, de l'une des plus fameuses aventures de Sherlock Holmes, ***le Chien des Baskerville***, écrit par Arthur Conan Doyle en 1902, mais aussi d'un grand nombre de livres de la littérature française, au premier desquels on trouve ***le Lion*** (1958), de Joseph Kessel, ou le roman de Marcel Aymé ***la Jument verte*** (1933), satire sociale qui fut transposée au cinéma. On peut encore citer le chef-d'œuvre de John Steinbeck ***Des souris et des hommes*** (1937), lui aussi adapté pour le cinéma (avec John Malkovich), et, parmi d'autres titres de la littérature américaine faisant référence au règne animal, ***Les androïdes rêvent-ils de moutons électriques?*** (1968), l'un des plus célèbres romans de science-fiction de Philip K. Dick, dont on a tiré le film *Blade Runner*, ***L'homme qui murmurait à l'oreille des chevaux*** (1995), de Nicholas Evans, dont Robert Redford a interprété le personnage principal au cinéma, ou encore ***les Rats*** (1974), première œuvre de l'auteur de romans d'horreur James Herbert. L'auteur chinois Jung Chang a, quant à lui, rédigé les mémoires d'une famille chinoise dans un ouvrage intitulé ***les Cygnes sauvages*** (1992).

Personnages de romans

Bien des ouvrages célèbres de la littérature font d'animaux des personnages à part entière. Moby Dick, le **cachalot** éponyme du roman d'Herman Melville, en est l'un des plus emblématiques, avec les habitants de la jungle indienne mis en scène par Rudyard Kipling dans *le Livre de la jungle*, publié en 1894: Akela le chef des **loups**, la **panthère** Bagheera, l'**ours** Balou, Kaa le **serpent**, la **louve** Raksha, la **mangouste** Rikki-tikki-tavi et le **tigre** Shere Khan, qui furent rendus célèbres dans le monde entier par le film des studios Disney réalisé par 1967. *La Ferme des animaux,* de George Orwell, donne la parole à l'**âne** Benjamin, aux **chevaux** Malabar, Douce et Lubie, aux **chiens** Filou, Fleur et Constance, à Moïse le **corbeau**, Edmée la **chèvre**, et aux **porcs** Napoléon, Sage l'Ancien, Boule-de-Neige et Brille-Babil. On peut aussi rencontrer un **lion** nommé Aslan dans *le Lion, la sorcière et l'armoire* de C. S. Lewis ou Tarka la **loutre** dans le roman homonyme de Henry Williamson.

Poésie

Les animaux ont aussi inspiré les poètes, comme l'attestent ces quelques titres: ***l'Albatros*** de Charles Baudelaire (1857), ***le Bestiaire*** de Guillaume Apollinaire (1911), ***les Chauves-Souris*** de Jules Laforgue (1886), ***le Corbeau*** d'Edgar Allan Poe (1845), ***le Hareng saur*** de Charles Cros (1870), ***le Hibou et la Poussiquette*** d'Edward Lear (1867), ***le Morse et le Charpentier*** de Lewis Carroll (1871), ***la Pêche à la baleine*** de Jacques Prévert (1950), ***le Poisson-Télescope*** d'André Breton (1934).

Les animaux dans la peinture

Sans doute avez-vous déjà remarqué la présence d'animaux dans des tableaux au hasard de vos visites de musées ou de vos lectures. Ainsi, le poignant *Guernica* (1937), de Pablo Picasso, au Centre d'art Reine Sofia à Madrid, figure **chevaux** et **taureaux**. *Surpris!* L'un des plus célèbres tableaux du Douanier Rousseau, qui se trouve à la National Gallery, à Londres, a pour sujet principal un **tigre**. Salvador Dali a peint des ***Girafes en flammes,*** Paul Klee, ***le Poisson rouge,*** et Paul Gauguin, ***le Cheval blanc.***

Hit-parade des chansons

Les animaux ont inspiré de nombreuses chansons. C'est le cas de Félix Leclerc avec **la Mort de l'ours** (1969), **l'Alouette en colère** (1972) et même un disque, enregistré avec Gilles Vigneault et Robert Charlebois, intitulé **J'ai vu le loup, le renard et le lion** (1974). Les animaux ont aussi contribué à d'autres succès de la chanson française tels que **l'Aigle noir** (1970) de Barbara, **la Chasse aux papillons** (1955) de Georges Brassens, **la Fourmi** (1949) de Juliette Gréco. De nombreux titres anglo-saxons mettent également les animaux en vedette, parmi lesquels ***Hound Dog*** d'Elvis Presley, en 1956, ***Crocodile Rock*** d'Elton John en 1973, ***Free as a Bird*** des Beatles, enregistrée par John Lennon en 1977 mais sortie en 1995 seulement, ***When Doves Cry*** de Prince en 1984 ou encore ***Butterflies*** de Michael Jackson en 2002.

Les fables d'Ésope

Ésope aurait été un esclave grec du VIe siècle avant notre ère. On lui attribue plus de 650 fables, dont *le Lièvre et la Tortue* et *le Renard et les Raisins*. La Fontaine s'en est inspiré pour ses fables.

Opéras, ballets et comédies musicales

Les thèmes animaliers abondent dans les œuvres musicales. En voici quelques-unes.

Titre	Genre	Renseignements
Cats de Andrew Lloyd Webber	Comédie	La comédie musicale qui est restée le plus longtemps à l'affiche: 21 ans.
La Chauve-souris de Johann Strauss	Opérette	Créée en 1875.
Madame Butterfly de Giacomo Puccini	Opéra	Créé en 1904.
Le Lac des cygnes de Petr Ilitch Tchaïkovski	Ballet	L'œuvre fut très mal accueillie lors de la première en 1877, à Moscou.
La Pie voleuse de Gioacchino Rossini	Opéra	Une des nombreuses œuvres du compositeur.
Contes de Beatrix Potter	Ballet	Frederick Ashton fait danser Pierre Lapin.

Les animaux à l'écran

Aujourd'hui, Donald et Daffy sont mieux connus et plus familiers que les colverts ou les mandarins, bien que tous soient des canards. Pour la majorité de la population mondiale, la télévision et le cinéma sont les principales sources de divertissement. Pour beaucoup aussi, et notamment pour les citadins, la télévision permet de maintenir le contact avec la nature.

Stars de cinéma

Nombreux sont les films dont le personnage central était un animal. Certains d'entre eux sont devenus des premiers rôles à part entière, à l'image de l'un des pionniers, le berger allemand qui interpréta Rintintin dans le film *Rintintin et Rusty*, en 1927 – à l'origine d'une série télévisée encore diffusée de nos jours –, de **Lassie**, chienne colley héroïne de ***la Fidèle Lassie*** (1943) puis de nombreux autres films, du cochon **Babe** (*Babe, le cochon devenu berger*, 1995, *Babe, le cochon dans la ville*, 1998), du saint-bernard jouant dans ***Beethoven*** (1992) et ***Beethoven 2*** (1993) et de l'orque de ***Sauvez Willy!*** (1993). C'est aussi le cas des monstres en carton pâte de ***King-Kong*** (1933, puis nombreux remakes et suites) et des ***Dents de la mer*** (quatre films entre 1975 et 1987). Les films d'animation aussi représentent un vrai vivier de vedettes animales, qu'elles soient un éléphant (***Dumbo***, 1940), un faon (***Bambi***, 1942), un lapin (***Roger Rabbit***, 1988), un chien (**Gromit** dans ***Une grande excursion***, 1989, ***Un mauvais pantalon***, 1993 ou ***le Mystère du lapin-garou***, 2005), une fourmi (**Flik** dans ***1 001 pattes*** ou **Z** dans ***Fourmiz***, 1998), une souris (***Stuart Little***, 1999) ou un rat (***Ratatouille***, 2007).

Stars du petit écran

Réels ou non, certains de ces personnages ont eu leur heure de gloire à la télévision.

Personnage	Animal	Émission de télé ou série
Ben	Grizzly	*Mon ami Ben*
Clarence	Lion	*Daktari*
Judy	Chimpanzé	*Daktari*
Flipper	Grand dauphin	*Flipper le dauphin*
Fozzie	Ours	*Le Muppet Show*
Kermit	Grenouille	*Le Muppet Show*
Belle	Saint-bernard	*Belle et Sébastien*
Paddington	Ours	*Les Aventures de l'ours Paddington*
Pingu	Pingouin	*Pingu*
Rowlf	Chien	*Le Muppet Show*
Sam	Aigle	*Le Muppet Show*
Shaun	Mouton	*Rasé de près (Studios Aardman)*
Gonzo	Corbeau	*Le Muppet Show*
Skippy	Kangourou gris	*Skippy le kangourou*

Dessins animés

On ne peut parler de Walt Disney sans évoquer Mickey Mouse. Voici quelques-uns des plus célèbres dessins animés.

Animal	Personnages (studios)
Canard	Daffy (WB), Donald (D)
Chat	Félix (divers), Grosminet (WB), Tom (HB)
Chien	Dingo (D), Droopy (HB), Pluto (D), Scoubidou (HB)·
Diable de Tasmanie	Taz (WB)
Lapin	Bugs Bunny (WB)
Chihuahua	Ren (S)
Cochon	Porky (WB)
Coq	Charlie le Coq (WB)
Ours	Yogi and Boubou (HB)
Souris	Jerry (HB), Mickey Mouse (D), Mighty Mouse (T), Speedy Gonzales (WB)
Géocoucou	Bip-Bip (WB) (roadrunner)
Poisson-clown	Nemo (P)
Mouffette	Pepe le Putois (WB)

D = Disney, HB = Hanna-Barbera, P = Pixar, S = Spumco, T = Terrytoons, WB = Warner Brothers.

Seconds rôles animaux

Les animaux ont souvent joué un rôle important au côté des acteurs. Ainsi, Johnny Weissmuler joue avec la **guenon** Cheeta dans *Tarzan l'homme singe* (1932) et les films suivants, Cary Grant et Katharine Hepburn avec un **léopard** dans *l'Impossible Monsieur Bébé* (1938), Judy Garland avec le **chien** Toto dans *le Magicien d'Oz* (1939), Tom Hanks avec un **chien** dans *Turner et Hooch* (1989) ou Daniel Radcliffe avec la **chouette** Hedwige, notamment dans *Harry Potter et la pierre philosophale* (2001).

Des lions dans le salon

Les documentaires animaliers font aujourd'hui partie des programmes de télévision. La chaîne anglaise BBC fut la première à s'y intéresser il y a cinquante ans. David Attenborough en fut l'un des pionniers et commença sa carrière avec *Une journée au zoo*, en 1954.

QUIZ 401

A comme...
Chaque réponse commence par la lettre A.

3983 Qu'est-ce qui constitue la faune ?

3984 Quel est le pays d'origine du koala et du kangourou ?

3985 Quelle région continentale entoure le pôle Nord ?

3986 Quel est le plus vaste des continents ?

3987 Citez un long poisson inoffensif en forme de serpent.

3988 Sur quel continent s'étend le désert de Nubie ?

3989 De quel vaste pays est originaire l'eucalyptus ?

3990 Lequel de ces champignons peut être mortel, l'amanite des Césars ou l'amanite phalloïde ?

3991 Quel mot désigne un organisme unicellulaire de forme variable, amibe ou amibiase ?

3992 Quel continent n'abrite que deux types de plantes à fleurs ?

QUIZ 402

Cherchez l'intrus
Un des mots n'a rien de commun avec les autres.

3993 Cabillaud, aiglefin, thon, prunelle.

3994 Dragon de Komodo, centaure, licorne, griffon.

3995 Lion, ornithorynque, ours brun, loup.

3996 Héron, flamant rose, vairon des marais, cincle.

3997 Bernique, bigorneau, moule, huîtrier.

3998 Oiseau, chauve-souris, papillon, bactérie.

3999 Girafe, zèbre, hyène, gnou.

4000 Méningite, morphine, tuberculose, lèpre.

4001 Herbicide, engrais, pesticide, pétrole.

4002 Crustacé, arachnide, insecte, poisson.

QUIZ 403

Pot-pourri
Dix questions sur des sujets divers et variés.

4003 Dans quel pays s'étendent les déserts de Gibson et de Simpson ?

4004 Dans quel pays se trouve le lac Baïkal, le plus profond des lacs ?

4005 Qu'est-ce qui provoque la coqueluche, une bactérie ou un champignon ?

4006 La leucémie est une maladie du sang ou des os ?

4007 Quel mot commençant par un P désigne le sol gelé de la toundra ?

4008 Dans quelle ville se trouve le siège de Greenpeace ?

4009 Dans quel pays d'Afrique se trouvent les parcs de Tazekka et Toubkal ?

4010 Quelle planète a pour nom le dieu romain de la guerre ?

4011 Dans quel État des États-Unis peut-on voir le delta du Mississippi ?

QUIZ 404

Le mot manquant
Plusieurs sens, autant d'indices pour trouver un mot.

4012 Tapis de ___, clef de ___, cloué au ___.

4013 Sirop d'___ , bois d'___, feuille d'___.

4014 ___ du Midi, ___ de montre, ___ à coudre.

4015 Café ___, chocolat aux ___, une ___ de beurre.

4016 Mauvaise ___, ___ de voyou, prends-en de la ___.

4017 ___ Sud, ___ Nord, ___ magnétique.

4018 Boule de ___, bonhomme de ___, tempête de ___.

4019 ___ de Bengale, ___ de joie, ___ de forêt.

4020 Aller au ___, ___ de bois, ___ ardents.

4021 Homme-___, ___ d'arbre, ___ commun.

QUIZ 405

Interro de géo
Dix questions sur la nature et la géographie.

4022 Quelle fleur est l'emblème de l'Angleterre ?

4023 Quels drapeaux des provinces et territoires canadiens sont ornés d'une fleur ou d'un arbre ?

4024 Quelle île est apparue au large des côtes d'Islande en 1963 ?

4025 Dans quel État des États-Unis trouve-t-on les plus hauts arbres ?

4026 De quelle nationalité était le naturaliste Charles Darwin ?

4027 Quel pays d'Amérique centrale possède la deuxième plus vaste barrière de corail ?

4028 Quelle chaîne de montagnes sépare la France de l'Espagne ?

4029 De quel pays était originaire le savant Vladimir Vernadsky ?

4030 Dans quel pays a-t-on retrouvé le plus grand nombre de fossiles de dinosaure ?

4031 Quelle équipe de rugby d'Europe de l'Est a pour emblème une feuille de chêne ?

QUIZ 406

Arts et lettres
La culture n'est pas seulement dans les champs !

4032 Dans quelle trilogie fantastique apparaît le Vieil Homme Saule ?

4033 Quel poète est l'auteur du *Bestiaire* ?

4034 À quel poète doit-on *le Lac* ?

4035 Quel romancier est l'auteur de *l'Enfant de sable* ?

4036 Qui a écrit *la Mare au diable* ?

4037 Quel poète a composé *les Feuilles d'automne* ?

4038 Quel roman de Jules Verne évoque une île ?

4039 Quelle est l'œuvre la plus célèbre de Vivaldi ?

4040 Quel poète évoque un albatros ?

4041 Quel peintre a représenté des tournesols ?

QUIZ 407

Bonne pioche
Des quatre réponses proposées, une seule est bonne.

4042 Quelle célébration religieuse commémore l'entrée du Christ dans Jérusalem ?
A Le lundi des Feuillages
B Le samedi des Branches
C Le dimanche des Rameaux
D Le lundi des Écorces

4043 Dans la Bible, quel livre explique la création de l'Univers ?
A Les Psaumes
B La Genèse
C Les Épîtres
D Le Deutéronome

4044 Dans quelle religion la vache est-elle sacrée ?
A Le christianisme
B L'hindouisme
C L'islam
D Le judaïsme

4045 Quel peuple de l'Antiquité croyait que l'Univers se répartissait en neuf mondes reliés par un frêne ?
A Les Égyptiens
B Les Romains
C Les Vikings
D Les Incas

4046 Quel texte sacré interdit la représentation d'animaux et d'êtres humains ?
A La Bible
B Le Coran
C La Torah
D Le Bhagavad-Gita

4047 Pendant l'Exode, qui entend la voix de Dieu ?
A Moïse
B Abraham
C Josué
D Jacob

4048 À quelle religion est associé le banian ?
A Le sikhisme
B L'hindouisme
C Le bouddhisme
D L'islam

4049 Comment se nommait la déesse grecque de la chasse ?
- A Artémis
- B Hestia
- C Aphrodite
- D Athéna

4050 Que symbolise la fleur de lotus dans le bouddhisme ?
- A Le Bouddha
- B L'illumination
- C Le karma
- D La mort

4051 Quel peuple insulaire adore Tane, dieu de la forêt ?
- A Les Bataks de Sumatra
- B Les Torajas de Sulawesi
- C Les Maoris
- D Les Dayaks de Bornéo

QUIZ 408

À une consonne près

Un indice et les voyelles pour reconstituer le mot.

4052 _A_A_A Désert qui s'étend dans le nord de l'Afrique.

4053 _I_A_AYA Chaîne montagneuse d'Asie.

4054 _A__OU Principal aliment du panda géant.

4055 A_A_O_E Le plus long fleuve d'Amérique.

4056 _O_I_E_E Arbre à cônes courant sous les latitudes nord.

4057 _A_A_A_O_ Îles associées aux tortues.

4058 _A_A_E Terme désignant les herbages tropicaux et subtropicaux.

4059 A_A_ E_ E_E Les deux premiers habitants de la Terre.

4060 _OU__O_ Saison des pluies en Asie subtropicale.

4061 __E__E Grand espace de Russie et d'Asie centrale.

QUIZ 409

Pot-pourri

Dix questions sur des sujets divers et variés.

4062 En hiver, l'hémisphère Nord est-il proche ou éloigné du Soleil ?

4063 La vie est-elle plus développée vers l'équateur ou vers les pôles ?

4064 Quel organisme possède un navire baptisé *Rainbow Warrior* ?

4065 Quel est le plus long fleuve d'Afrique ?

4066 Quel animal sauvage est l'ancêtre du cochon domestique ?

4067 Quelle région française abrite des flamants roses ?

4068 Quel volatile est l'emblème national de la France ?

4069 Quelle chaîne montagneuse a pour point culminant le mont Belle Fontaine ?

4070 Quels champignons minuscules sont utilisés en boulangerie et en viticulture ?

4071 Qui est l'auteur de *Vingt Mille Lieues sous les mers* ?

QUIZ 410

Vrai ou faux ?

Une affirmation est-elle toujours une vérité ?

4072 L'arachide pousse sur un arbre.

4073 Certains dinosaures vivaient dans l'océan.

4074 Le seigle, le blé et l'orge sont des graminées.

4075 Il existe davantage d'espèces d'insectes que de tous les autres animaux réunis.

4076 Le bambou peut croître de plus de 1 m par jour.

4077 La majeure partie de l'oxygène de la Terre est produite par les plantes terrestres.

4078 La noix de coco est la plus grosse graine du monde.

4079 La vanille est extraite d'une orchidée.

4080 Le bouleau argenté et le saule sont des arbres à feuillage persistant.

4081 Les pellicules du cuir chevelu sont provoquées par un champignon parasite.

QUIZ 411

La terre nourricière

Dans ces questions, il y a à boire et à manger...

4082 Qu'est-ce qu'une trompette-de-la-mort ?

4083 Quel type d'organisme ajoute-t-on au lait pour obtenir du yogourt ?

4084 Quelle plante de la famille des oignons est censée repousser les vampires ?

4085 Quel fruit utilise-t-on pour faire du cidre ?

4086 Avec quel fruit sauvage, mûr à l'automne, fait-on de délicieuses confitures ?

4087 Quelle profession est également le nom d'un fruit ?

4088 Quels mollusques prépare-t-on à la marinière ?

4089 Quelles baies sont utilisées dans la fabrication du gin ?

4090 Que désignent les termes *wakame* et *nori*, employés dans la gastronomie japonaise ?

4091 Quel alcool mexicain produit-on à partir de feuilles d'agave ?

QUIZ 412

Anagrammes

Un indice et des lettres. À vous de faire le puzzle.

4092 TAPELES Structures colorées produites par les plantes à fleurs.

4093 TONATES Maladie consécutive au contact d'une plaie avec la rouille ou la terre.

4094 CHOBENUR Personne dont la profession est l'abattage des arbres.

4095 RACOUBI Autre nom du renne.

4096 NEXEVUEN Qualifie un champignon dont l'ingestion est dangereuse.

4097 NIECTARQUAT Unique continent dénué de reptiles.

4098 AUYON Partie d'une cellule animale ou végétale renfermant les chromosomes.

4099 CIDORPERUNOT Processus de création d'une nouvelle génération.

4100 MOVAGNER Habitat côtier constitué d'arbres tolérant le sel.

4101 EPACHAU Partie supérieure du champignon.

QUIZ 413

L'art et la nature

Spécialement pour vous, les non-scientifiques...

4102 Qui a peint *le Déjeuner sur l'herbe* ?

4103 Comment se nomme le goéland dans le roman de Richard Bach ?

4104 Pour Georges Brassens, qu'est-ce qui se cache dans une peau de vache ?

4105 Quel dramaturge russe est l'auteur de *la Cerisaie* ?

4106 De quoi est la reine de Raymond Chandler ?

4107 Quel peintre français a représenté des singes dans une forêt tropicale en 1910 ?

4108 Quel film de Woody Allen évoque une fleur ?

4109 De quelle couleur est le dahlia de James Ellroy ?

4110 De quoi se sert Tarzan pour ses déplacements ?

4111 Dans quel État d'Amérique se déroule la série *Flipper le dauphin* ?

QUIZ 414

Au coin du bois

Des quatre réponses proposées, une seule est bonne.

4112 Comment appelle-t-on la couche supérieure formée par les couronnes des arbres de la forêt tropicale ?
- A La canopée
- B Le canapé
- C La canope
- D La cannisse

4113 Qui a créé les forêts imaginaires de Mirkwood et Fangorn ?
- A D. H. Lawrence
- B E. B. White
- C C. S. Lewis
- D J. R. R. Tolkien

4114 Dans quel pays le gommier à cidre pousse-t-il à l'état sauvage ?
- **A** Le Canada
- **B** La Mongolie
- **C** L'Argentine
- **D** L'Australie

4115 Quel médicament obtient-on à partir de l'écorce d'un arbre tropical ?
- **A** La pénicilline
- **B** La morphine
- **C** La digitaline
- **D** La quinine

4116 Quels sont les arbres les plus courants dans la forêt boréale ?
- **A** Les palmiers
- **B** Les conifères
- **C** Les acacias
- **D** Les saules

4117 Sur quel continent se trouvent les forêts où vivent les Yanomamis ?
- **A** L'Afrique
- **B** L'Asie
- **C** L'Amérique du Sud
- **D** L'Australie

4118 Quel est le plus grand arbre du monde ?
- **A** Le cèdre rouge
- **B** Le séquoia géant
- **C** Le pin de Douglas
- **D** Le pin de Californie

4119 Dans quels pays le hêtre oblique pousse-t-il en abondance ?
- **A** L'Argentine et le Chili
- **B** Les Fidji et les Samoa
- **C** La Malaisie et l'Indonésie
- **D** Le Congo et le Gabon

4120 Quel biome abrite le plus d'eucalyptus sauvages ?
- **A** La forêt pluviale tropicale
- **B** La forêt tempérée
- **C** La forêt tropicale de mousson
- **D** Le désert

4121 Lesquels de ces pays partagent la plus vaste mangrove ?
- **A** La Tanzanie et le Kenya
- **B** Le Cambodge et le Laos
- **C** Le Nigeria et le Cameroun
- **D** L'Inde et le Bangladesh

QUIZ 415

Noël et jours de fête

Pour tous ceux qui croient encore au Père Noël...

4122 À quelle famille appartient le renne ?

4123 Quelle fête chrétienne est associée aux cloches et aux œufs ?

4124 Dans quelle région de Scandinavie vivrait le Père Noël ?

4125 Quelles épices aromatiques les Rois mages offrirent-ils à l'Enfant Jésus ?

4126 D'après un chant de Noël, quel arbre est le roi des forêts ?

4127 Quelle volaille déguste-t-on traditionnellement avec des canneberges à Noël ?

4128 Quel arbre décore-t-on traditionnellement à Noël ?

4129 Quelle plante à petites boules rouges sert de décoration de Noël ?

4130 Sous quelle plante s'embrasse-t-on au nouvel an ?

4131 Qui a écrit la chanson *Les fleurs de macadam* ?

QUIZ 416

Le mot manquant

Plusieurs sens, autant d'indices pour trouver un mot.

4132 Feu de ___, ___ primaire, ___ domaniale.

4133 Guide de ___, ___ russes, haute ___.

4134 Papier de ___, poudre de ___, gâteau de ___.

4135 ___ Champlain, ___ des Esclaves, ___ Saint-Louis.

4136 ___ des Landes, ___ parasol, pomme de ___.

4137 ___ horaire, ___ de sable, ___ de galets.

4138 ___-lyre, cervelle d'___, ___-mouche.

4139 ___ bleue, à ___ de peau, la ___ de l'âge.

4140 Gros ___, ___ de mer, ___ de bain.

4141 Haute ___, mal de ___, pleine ___.

QUIZ 417

Vive le sport

Amis sportifs, musclez vos méninges !

4142 Dans quel pays les lions sont-ils indomptables ?

4143 Dans quel pays les pumas marquent-ils des essais ?

4144 Dans quel sport s'illustrent les Blue Jays de Toronto ?

4145 Comment surnomme-t-on les joueurs de football de Nantes ?

4146 Comment surnomme-t-on les joueurs de rugby australiens ?

4147 Dans quel pays les Kiwis marquent-ils des essais ?

4148 Dans quel sport s'illustrent les Barracudas de Montpellier ?

4149 Dans quel pays les Eagles sont-ils super ?

4150 Dans quel sport s'illustrent les Dolphins de Miami ?

4151 Dans quel pays les éléphants marquent-ils des buts ?

QUIZ 418

Pot-pourri

Dix questions sur des sujets divers et variés.

4152 Quelle métropole américaine porte le nom d'un lac salé ?

4153 Quel animal domestique transmet la toxoplasmose aux humains ?

4154 Dans quel ballet le prince Florimond découvre-t-il la princesse Aurore lors d'une partie de chasse ?

4155 Quel gaz est le plus présent dans l'atmosphère ?

4156 Sur quel continent vit l'ours à lunettes ?

4157 De quel groupe de mammifères l'hyracotherum est-il le premier membre connu ?

4158 Quelle plante tropicale fournit le coir, utilisé dans la fabrication de tapis ?

4159 Comment s'appelle le sol lessivé et infertile des forêts boréales ?

4160 De quel pays sont originaires les Awas ?

4161 Quel type d'animal est le moloch ?

QUIZ 419

Petites bébêtes

Dix questions pour savoir si vous auriez fait un bon vétérinaire.

4162 Que peut avoir le lézard autour du cou : une collerette, un collier, une cornette, une chouquette ?

4163 Quel nom d'oiseau dérive du latin *avis* et *struthio* ?

4164 Quel mot multicolore peut qualifier le loriquet ?

4165 Quelle antilope porte également le nom d'une marque de télévision ?

4166 L'espèce d'éléphant du genre *Loxodonta* se trouve-t-elle en Asie ou en Afrique ?

4167 Quelle espèce de la classe des arachnides et du genre *Centurus* ou *Androctonus* peut être mortelle ?

4168 À quelle famille appartient le raton laveur ?

4169 Quel grand phoque des mers australes porte le nom d'un pachyderme ?

4170 On dit avoir un œil de… ?

4171 Quel est l'autre nom du cabiai ?

QUIZ 420

Pot-pourri

Dix questions sur des sujets divers et variés.

4172 Quel est le plus grand pays agricole d'Europe ?

4173 Qu'est-ce qui couvre le tronc des arbres ?

4174 Comment se nomme la région aride bordant le sud du Sahara ?

4175 Quel oiseau possède le plus long bec, le bécasseau maubèche ou le courlis ?

4176 Existe-t-il une forme de vie sous la croûte terrestre ?

4177 Dans la Bible, quelle créature a soumis Ève à la tentation ?

4178 Quel désert africain abrite le fennec ?

4179 Quel État insulaire possède des parcs nationaux appelés Aso-Kuju, Akan et Nikko ?

4180 Quel animal est Rikki-Tikki-Tavi dans *le Livre de la jungle*, de Rudyard Kipling ?

4181 Quel est le nom courant de la plante appelée *Nicotiana tabacum* ?

QUIZ 421

À une consonne près
Un indice et les voyelles pour reconstituer le mot.

4182 A__A__I_UE Le deuxième plus vaste océan du monde.

4183 __A__E _A__IE_E _E _O_AI_ Merveille naturelle au large des côtes australiennes (quatre mots).

4184 _I__I__I__I Fleuve d'Amérique du Nord.

4185 A_E_O_E_E_E Animal marin doté de tentacules, apparenté à la méduse (trois mots).

4186 I__E__I_I_E Produit utilisé pour tuer les petites bêtes nuisibles.

4187 A__UE Plante aquatique.

4188 _OI_I__U_E Champignon qui peut servir à la fabrication de certains fromages.

4189 _IN _E _OU__A_ Arbre à feuillage persistant de l'hémisphère Nord (trois mots).

4190 _A_A_A_I Région sèche proche du désert du Namib.

4191 _A_A_U Parc national du nord de l'Australie.

QUIZ 422

Touchons du bois !
Questions qui ne devraient pas vous laisser de bois.

4192 Les conifères fournissent-ils du bois dur ou du bois tendre ?

4193 Sous quel arbre Saint Louis rendait-il la justice ?

4194 De quel bois sont faites les touches noires d'un piano ?

4195 Quel bois léger constitue la structure des avions en modèle réduit ?

4196 Quel est le nom de l'organisme qui gère les forêts au Québec ?

4197 Comment nomme-t-on un assemblage décoratif de pièces de bois plaquées ?

4198 Quel est l'autre nom du sycomore ?

4199 De quel continent est originaire l'hévéa ?

4200 Laquelle de ces plantes est parasite, le houx ou le gui ?

QUIZ 423

Do, ré, mi
Amis mélomanes, à vous de briller !

4201 Quelle chanson connue fait partie du répertoire de Félix Leclerc depuis 1951 ?

4202 Qu'est-ce qui est important pour Gilbert Bécaud ?

4203 De quelle couleur sont les roses de Berthe Sylva ?

4204 Pour Yves Montand, il est bien court, le temps des… ?

4205 Quelle chanson de Gilles Vigneault contient le mot fleur ?

4206 Quelle est la salade préférée de Bourvil ?

4207 De quelle région sont les roses d'Yves Montand ?

4208 Quelles plantes sont toujours là pour Claude François ?

4209 Quelle chanson écrite par Serge Gainsbourg pour Alain Chamfort évoque une plante exotique ?.

QUIZ 424

E comme…
Chaque réponse commence par la lettre E.

4210 Quel petit mammifère, amateur de noisettes, vit aussi dans la forêt boréale ?

4211 De quel continent part l'anguille lors de sa migration ?

4212 À quel embranchement appartiennent oursins et astérides ?

4213 Quel processus permet aux organismes vivants de s'adapter à leur environnement ?

4214 Comment s'appelle la partie d'un fleuve qui se jette dans la mer ?

4215 Quel terme s'applique à une espèce disparue ?

4216 Quel adjectif qualifie un arbre qui dépasse du couvert forestier ?

4217 Quel adjectif qualifie une plante qui pousse sur une autre sans être un parasite ?

4218 Quel groupe de mammifères comprend le paresseux, le tatou et le fourmilier ?

4219 Quel terme désigne un organisme constitué d'une ou de plusieurs cellules et d'un noyau ?

QUIZ 425

Entre deux eaux
Dix questions sur le monde aquatique.

4220 Quelle vallée recèle le lac Malawi et le lac Tanganyika ?

4221 Dans quel océan se trouve la mer des Sargasses ?

4222 Quel est l'autre nom de l'orque ?

4223 Quel continent compte six des dix plus longs fleuves du monde ?

4224 À quel type d'organisme appartient le varech ?

4225 Comment se nomme le plus grand des manchots ?

4226 Où vivent les organismes benthiques ?

4227 Quel pétrolier a provoqué une gigantesque marée noire en Bretagne en 1978 ?

4228 Dans quel type d'eau vivent les halophytes ?

4229 À quelle classe d'animaux appartenait l'acanthostega, aujourd'hui disparu ?

QUIZ 426

Bonne pioche
Des quatre réponses proposées, une seule est bonne.

4230 Que sont les radiolaires ?
A Des êtres unicellulaires
B Des amateurs de radio
C Des méduses
D Des dents de plantigrade

4231 De quand datent les premiers eucaryotes ?
A 2,1 millions d'années
B 2,1 milliards d'années
C 10 millions d'années
D 100 millions d'années

4232 Qu'est-ce que la streptomycine ?
A Un édulcorant
B Un antibiotique
C Une mycose
D Un composant du cheveu

4233 Qu'est-ce que le cambrien ?
A Un poisson osseux
B Une période géologique
C Un tissu végétal
D Une fleur d'Australie

4234 Qu'est-ce que l'amibiase ?
A Un serpent des marais
B La photosynthèse
C Une substance vénéneuse
D Une maladie intestinale

4235 Qu'est-ce qu'un harpon de Neptune ?
A Un oursin
B Une algue marine
C Une fleur
D Le rostre du narval

4236 Qu'est-ce qu'un isoète ?
A Un animal marin
B Un dinosaure à plumes
C Un conifère
D Une plante primaire

4237 Qu'est-ce qu'un chromiste ?
A Une algue brune
B Une bactérie abyssale
C Un crustacé disparu
D Une plante à fleurs

4238 Qu'est-ce que la phycoérythrine ?
A Un pigment naturel
B Un poison
C Un champignon
D Une moisissure

4239 Qu'est-ce qu'un hyphe ?
A Un mollusque
B Un oiseau
C Un réseau de champignons
D Une algue brune

QUIZ 427

Vrai ou faux ?
Une affirmation est-elle toujours une vérité ?

4240 Les manchots volent vers le nord pour éviter l'hiver antarctique.

4241 La plus petite plante à fleurs passe par le chas d'une aiguille.

4242 Les morses ne vivent que dans les eaux tropicales.

4243 Les montagnes de l'Atlas se dressent en Afrique du Nord.

4244 L'abus de pesticides contribue au réchauffement de la planète.

4245 Certains animaux des profondeurs sont rouge vif pour se camoufler.

4246 La plupart des espèces que l'on trouve dans les mangroves poussent près du pôle Nord.

4247 L'eau occupe plus de 60 % de la surface du globe.

4248 Le calmar géant de l'Atlantique est le plus grand invertébré du monde.

4249 Les îles Galápagos se trouvent dans l'océan Indien.

QUIZ 428

Le mot manquant
Plusieurs sens, autant d'indices pour trouver un mot.

4250 ___ informatique, ___ de l'herpès, maladie à ___.

4251 ___ tropicale, docteur en ___, ___ douce.

4252 ___ de sel, ___ de blé, ___ de beauté.

4253 Toile d'___, ___ de mer, homme-___.

4254 ___ carrée, prendre ___, ___ d'une dent.

4255 ___ défendu, ___ de la Passion, salade de ___.

4256 Vin de ___, remporter la ___, ___ d'or.

4257 Peau de ___, régime de ___, ___ flambée.

4258 ___ de coco, ___ de pécan, ___ muscade.

4259 ___ de mer, ___-garou, gueule du ___.

QUIZ 429

Pot-pourri
Dix questions sur des sujets divers et variés.

4260 De quel type d'atomes la molécule d'ozone est-elle composée ?

4261 À part la Terre, quelle planète aurait porté une forme de vie ?

4262 Quel félin est aussi le titre d'un roman de Joseph Kessel ?

4263 L'Arctique est-il plus ou moins froid que l'Antarctique ?

4264 Quel type de forêt abrite la plus grande variété d'espèces ?

4265 Par quelles initiales désigne-t-on l'acide déoxyribonucléique ?

4266 Dans quel ballet l'héroïne se transforme-t-elle en oiseau ?

4267 Quel pays sert de décor naturel au *Seigneur des anneaux* ?

4268 Quel arbre possède une variété donnant du liège ?

4269 Dans quel pays se trouvent les parcs nationaux de Lushan et Wulingyuan ?

QUIZ 430

Questions fruitées
Dix questions bien mûres et bien goûteuses.

4270 Qu'est-ce que le cantaloup ?

4271 Quel titre de roman de John Steinbeck évoque un fruit ?

4272 Quelle chanson fit connaître Lio ?

4273 Quel est le fruit du chêne ?

4274 Pour Adam et Ève, quel était le fruit défendu ?

4275 Quel fruit est mécanique pour le réalisateur Stanley Kubrick ?

4276 Quel pays d'Europe est le plus grand producteur d'oranges ?

4277 Quel fruit tropical est évoqué dans un film de Tran Anh Hung ?

4278 Comment appelle-t-on le fruit du rosier sauvage ?

4279 Quelle plante tropicale donne les plus gros fruits ?

QUIZ 431

M comme...
Chaque réponse commence par la lettre M.

4280 Dans quel pays se trouve la réserve de Selva El Ocote ?

4281 Comment appelle-t-on les courbes d'un fleuve ?

4282 Comment s'appelle la science qui combat et prévient les maladies ?

4283 Dans quelle région d'Europe les étés sont-ils chauds et les hivers doux ?

4284 Comment s'appellent les réactions chimiques se produisant dans les organismes vivants ?

4285 Quelle inflammation cérébrale est en général provoquée par une bactérie ?

4286 À quelle ère géologique les dinosaures ont-ils vécu ?

4287 Quel gaz naturel correspond à la formule chimique CH_4 ?

4288 Quelle division cellulaire produit les cellules sexuelles ?

4289 Comment nomme-t-on le tissu interne d'une feuille ?

QUIZ 432

Autour du monde
Sous toutes les latitudes et les longitudes.

4290 Dans quel pays d'Europe se trouve le parc national de Doñana ?

4291 De quelle longueur est la vallée du Rift, en Afrique, 6 400 km ou 640 km ?

4292 De quelle nationalité était l'explorateur Humboldt ?

4293 Dans quel hémisphère se trouve la forêt boréale ?

4294 Dans quel pays se trouve le Mendocino Tree, le plus grand arbre vivant ?

4295 Quel pays a inspiré le nom du plus grand dinosaure ?

4296 Quelle ville française a dédié un grand musée aux arts premiers ?

4297 Comment s'appelle la fleur dont les pétales s'envolent au moindre souffle ?

4298 Dans quel pays se trouvent les parcs nationaux de Los Alerces et Los Glaciares ?

4299 Quel explorateur allemand a donné son nom à un courant au large du Pérou ?

QUIZ 433

Bonne pioche
Des quatre réponses proposées, une seule est bonne.

4300 Combien d'« yeux » a une noix de coco ?
A Un
B Deux
C Trois
D Quatre

4301 Quelle est la profondeur de la fosse des Mariannes ?
A 1 673 m
B 4 065 m
C 11 033 m
D 20 454 m

4302 Combien d'espèces d'arbres donnent des noix du Brésil ?
A Une
B Deux
C Trois
D Quatre

4303 Combien d'espèces d'insectes sont répertoriées à ce jour ?
A Environ 50 000
B Environ 100 000
C Environ 500 000
D Plus de 1 million

4304 À quelle latitude se trouve le tropique du Cancer ?
A 23° 30′ nord
B 23° 30′ sud
C 66° 32′ nord
D 66° 32′ sud

4305 Combien d'anneaux a-t-on pu compter sur le tronc du plus vieil arbre du monde ?
A 7 223
B 3 376
C 1 854
D 9 578

4306 Quelle proportion de terre ferme est couverte de forêts ?
- A 10 %
- B 20 %
- C 30 %
- D 40 %

4307 Combien y a-t-il d'Indiens Yanomamis, la plus grande tribu d'Amazonie ?
- A 2 300
- B 27 000
- C 75 000
- D 130 millions

4308 Combien de nouvelles espèces de plantes sont répertoriées chaque année ?
- A Environ 500
- B Environ 1 000
- C Environ 1 500
- D Environ 2 000

4309 Combien de conifères connaît-on à ce jour ?
- A 601
- B 1 060
- C 6 010
- D 10 600

QUIZ 434

À une consonne près

Un indice et les voyelles pour reconstituer le mot.

4310 AU_O__E Saison d'ouverture de la chasse dans les régions tempérées.

4311 A_A__A État se situant le plus au nord des États-Unis.

4312 _A__I_ _'E_E_ Selon l'Ancien Testament, jardin à l'origine de toute vie (3 mots).

4313 E__AI_ Lors d'un orage, décharge électrique en direction du sol.

4314 OU___O_AI_E Grand prédateur de l'Arctique.

4315 EU_A_Y__U_ Arbre associé au koala.

4316 _E_ _O__E Étendue d'eau salée que se partagent Israël et la Jordanie.

4317 _A_A_ _E_O_O_O Grand lézard portant le nom de son île d'origine.

4318 _OU__ON Phénomène climatique très humide se produisant en Inde.

4319 _I___EU_ Adjectif qualifiant un animal qui tire ses aliments de l'eau.

QUIZ 435

Cherchez l'intrus

Un des mots n'a rien de commun avec les autres.

4320 Bulbe, cormus, tubercule, fleur.

4321 Bermudes, Nigeria, Hawaii, Komodo.

4322 Pivert, perdrix, faisan, caille.

4323 Greenpeace, WWF, Unicef, fondation Ushuaïa.

4324 Amanite phalloïde, morille, amanite tue-mouches, tricholome équestre.

4325 Otarie, lamantin, phoque, moule.

4326 Stigmate, tige, anthère, écorce.

4327 Club, espèce, genre, ordre.

4328 Algue, corail, varech, chardon.

4329 Protiste, arbre, koala, poisson.

QUIZ 436

Pot-pourri

Dix questions sur des sujets divers et variés.

4330 Quels arthropodes comptent plus de 1 million d'espèces ?

4331 Quel peuple d'Amérique du Nord et du Groenland chasse le phoque ?

4332 Quel pays recèle 80 parcs nationaux, dont celui de Ranthambore ?

4333 Comment s'appelle la zone comprise entre les marées haute et basse ?

4334 Quel est l'autre nom de la convention de Washington, signée en 1973 ?

4335 Dans quel pays vit l'orang-outan ?

4336 Comment appelle-t-on une espèce vivant dans une région sans en être originaire ?

4337 Quel fleuve du Pakistan prend sa source au Tibet ?

4338 Comment les mammifères polaires se protègent-ils du froid ?

4339 Les champignons rouges sont-ils généralement comestibles ?

QUIZ 437

Une nature épicée

Dix questions très relevées.

4340 Quelle partie du gingembre consomme-t-on ?

4341 De quel pays la cardamome est-elle originaire ?

4342 De quelle partie du cannelier est extraite la cannelle ?

4343 Comment nomme-t-on les boutons de fleur séchés issus de la plante tropicale *Eugenia aromatica* ?

4344 De quelle plante à fleurs provient le safran ?

4345 Quelle épice s'appelle également macis ?

4346 Quelle épice indienne sert également de teinture jaune ?

4347 Quelle épice est une poudre de piment doux ?

4348 Quelle racine du genre *Panax* est connue pour ses vertus toniques ?

4349 Quelle épice parfume le *chili con carne* ?

QUIZ 438

Pot-pourri

Dix questions sur des sujets divers et variés.

4350 Quel est le plus haut des mammifères terrestres ?

4351 Qui est l'auteur du roman *Désert*, paru en 1980 ?

4352 Quel scientifique britannique a émis l'hypothèse Gaia ?

4353 Qui a découvert la pénicilline en 1928 ?

4354 Quel arbre apparaît sur le drapeau du Liban ?

4355 Qu'est-ce qu'une étoile de Bethléem ?

4356 Dans quel pays se trouvent les parcs nationaux d'Olympic et d'Acadia ?

4357 Quel animal de ferme descend du mouflon ?

4358 À quel gaz correspond la formule chimique CO_2 ?

4359 Le puya géant est-il un palmier ?

QUIZ 439

Anagrammes

Un indice et des lettres. À vous de faire le puzzle.

4360 ELAPOTHIQUERUSTA Premier bipède humain, représenté par Lucy.

4361 TEMIDRODON Reptile doté d'un voile dorsal, aujourd'hui disparu.

4362 EPHALENT Descendant du mammouth laineux.

4363 CHARYTHIOUSE Reptile marin préhistorique qui ressemblait à un dauphin.

4364 BICERNAFORE Période durant laquelle se forma le charbon de la planète.

4365 TASOREPURE Reptile volant contemporain du dinosaure.

4366 LEBORITTI Invertébré marin apparu au cambrien.

4367 TOCALECHANE Poisson à nageoires ancêtre des amphibiens.

4368 CATRECE Période géologique s'étant achevée il y a environ 65 millions d'années.

4369 BIOCYNECATEARS Premières formes de vie à produire de l'oxygène.

QUIZ 440

Bonne pioche

Des quatre réponses proposées, une seule est bonne.

4370 Qu'essayèrent de créer les scientifiques américains Miller et Urey en 1953 ?
- A De l'argent
- B Un trou noir
- C De l'or
- D La vie

4371 Lequel de ces dinosaures était carnivore ?
- A *Plateosaurus*
- B *Allosaurus*
- C *Alcodon*
- D *Diplodocus*

4372 De quel continent sont originaires les Sans (Bochimans) ?
A L'Afrique
B L'Australie
C L'Asie
D L'Amérique du Sud

4373 Quel peuple de pasteurs nomades parcourt la Tanzanie et le Kenya ?
A Les Mongols
B Les Massaïs
C Les Pygmées
D Les Penans

4374 Quel baron allemand fut l'un des précurseurs de l'écologie ?
A Manfred von Richthofen
B Alexander von Humboldt
C Joseph von Mering
D Richard von Kraft-Ebing

4375 Quel pays abrite la tribu des Caiapos ?
A La Colombie
B L'Indonésie
C Le Rwanda
D Le Brésil

4376 Qui a écrit *les Âges de Gaia*, en 1979 ?
A James Lovelock
B Richard Dawkins
C Matt Ridley
D Desmond Morris

4377 Sur quel continent trouve-t-on *Rafflesia arnoldii*, la plus grande fleur du monde ?
A L'Asie
B L'Europe
C L'Afrique
D L'Australie

4378 Lequel de ces hominidés est le plus récent ?
A *Homo neanderthalensis*
B *Homo sapiens*
C *Homo heidelbergensis*
D *Homo ergaster*

4379 Quel concept fut défini par Vernadsky ?
A Le biome
B La biosphère
C La biologie
D La biodiversité

QUIZ 441

Autour du monde
Sous toutes les latitudes et les longitudes.

4380 Au large de quel pays se trouve la Grande Barrière de corail ?

4381 Quelle race de chien est également le nom d'un désert mexicain ?

4382 Quelle chaîne de montagnes d'Asie possède les plus hauts sommets du monde ?

4383 Quel est le plus vaste désert du monde ?

4384 Quelle île abrite tous les lémuriens sauvages du monde ?

4385 Dans quel pays se trouvent les montagnes Blanches ?

4386 Quel archipel a donné son nom à un poney ?

4387 Quelle mer borde à la fois l'Asie, l'Afrique et l'Europe ?

4388 Dans quel pays sud-américain se trouve le delta de l'Amazone ?

4389 Sur quel continent s'étend le Sahel ?

QUIZ 442

Le mot manquant
Plusieurs sens, autant d'indices pour trouver un mot.

4390 ___ douce, ___ chaude, ___ frite.

4391 Prêcher dans le ___, ___ des Tartares, ___ de Gobi.

4392 Mauvaise ___, fines ___, couper l'___ sous le pied.

4393 ___ de la défense, ___ aux crevettes, le noyau de l'___.

4394 Roman-___, discours ___, ___ Jaune.

4395 ___ flottante, ___ de bœuf, ___ à ___.

4396 ___-chat, ___-lune, ___-scie.

4397 ___ familiale, ___ de crise, ___ de prison.

4398 ___ alternatif, ___ tempéré, ___ politique.

4399 ___ mouvant, grain de ___, château de ___.

QUIZ 443

Septième art
Amis cinéphiles, à vous de briller !

4400 Quel festival attribue chaque année une Palme d'or ?

4401 Quelle est la ville d'adoption de Brigitte Bardot ?

4402 Quel acteur tient la vedette dans *la Soupe aux choux* ?

4403 Quel film réalisé par Claude Berri en 1986, d'après Pagnol, se déroule en Provence ?

4404 Quel désert est le titre d'un film de 1943 avec Humphrey Bogart ?

4405 Quel film de 1984 met en scène Michael Douglas et Kathleen Turner dans une forêt tropicale ?

4406 Dans quel film de 1965 Bourvil et Lino Ventura sont-ils bûcherons ?

4407 Quel est le titre du film de Claude Jutras tiré d'un roman d'Anne Hébert ?

4408 De quel film d'aventures Luc Besson a-t-il fait un remake en 2003 ?

4409 Quel roman d'Alexandre Dumas, adapté au cinéma, tire son titre d'une plante bulbeuse ?

QUIZ 444

Pot-pourri
Dix questions sur des sujets divers et variés.

4410 Le rhodophyte est-il une algue rouge, brune ou verte ?

4411 Que signifie le sigle WWF ?

4412 Quel mot enfantin désigne aussi le dronte, une espèce d'oiseau disparue ?

4413 À quelle famille d'animaux appartient le chital ?

4414 Dans quel pays se situe Ushuaia ?

4415 Sur quel fleuve se situe la ville de Manaus ?

4416 Quel organisme protège le littoral canadien ?

4417 Quel est le nom courant de l'oiseau *Tyto alba* ?

4418 Dans quel pays se trouve le parc national de Warrumbuggle ?

4419 Sur quel continent s'étendent le Chaco Alto et le Chaco Bajo ?

QUIZ 445

Terre sauvage
Une série de questions de géographie.

4420 Quel est le désert le plus grand et le plus aride d'Amérique du Nord ?

4421 Dans quel type de relief polonais trouve-t-on des nombreux marécages et autres zones lacustres ?

4422 Quelle est la plus vaste forêt du monde ?

4423 Comment appelle-t-on la forêt de conifères qui longe le nord de l'Eurasie au sud de la toundra ?

4424 Dans quel pays insulaire de l'hémisphère Sud trouve-t-on des fjords ?

4425 Le Danube franchit le défilé des Portes de bronze : vrai ou faux ?

4426 Les montagnes Rocheuses datent du crétacé : vrai ou faux ?

4427 On trouve de la savane au Kenya : vrai ou faux ?

4428 Quel est le nom de la région côtière aride de la Namibie ?

4429 Le plateau de Kimberley est-il situé au nord, à l'est, à sud ou à l'ouest de l'Australie ?

QUIZ 446

Hissez les couleurs !
Toutes les couleurs sont dans la nature.

4430 L'aigle américain est le pygargue à tête ___.

4431 Les parasites qui provoquent le paludisme se cachent dans les globules ___.

4432 Le varech est la plus grande algue ___.

4433 La fièvre ___ se transmet à l'homme par les moustiques.

4434 La Rose ___ était un mouvement de résistance allemand.

4435 La hache-d'___ possède des cellules lumineuses sur le ventre.

4436 La baleine ___ est le mammifère qui effectue la plus longue migration.

4437 Le palétuvier ___ respire grâce à ses racines en forme de piliers.

4438 La phycocyanine est un pigment de couleur ___.

4439 La tortue ___ pond sur les plages de l'île de l'Ascension.

QUIZ 447

Pot-pourri
Dix questions sur des sujets divers et variés.

4440 L'éponge est-elle une plante ou un animal ?

4441 Le hérisson à longues oreilles vit-il dans le désert ou dans les forêts tempérées ?

4442 Quel sommet est le plus élevé, le Kilimandjaro ou le mont Kenya ?

4443 Sur quel continent furent d'abord cultivées l'arachide et la pomme de terre ?

4444 Les plantes seraient toutes issues de l'algue verte, vrai ou faux ?

4445 Quel animal est l'emblème de la Chine ?

4446 Quel est le bipède le plus rapide du monde ?

4447 Le dauphin est-il un mammifère, un poisson ou un reptile ?

4448 Dans quel pays d'Europe se trouve le parc national de la Vanoise ?

4449 Quel animal est Shere Khan dans *le Livre de la jungle* ?

QUIZ 448

Cherchez l'erreur
En changeant certains mots, ce qui était faux devient vrai.

4450 La baleine bleue est le plus gros poisson du monde.

4451 Le chien de prairie vit en Europe.

4452 Le botulisme est un conservateur alimentaire.

4453 Le monstre de Gila est un serpent venimeux.

4454 La venaison est la viande des volailles.

4455 L'ichthyosaure était un dinosaure marin.

4456 Le veld est un type de forêt d'Afrique du Sud.

4457 Le charbon est constitué de restes d'animaux fossilisés.

4458 Les champignons se reproduisent à l'aide de graines.

4459 Le sifaka est un lama de Madagascar.

QUIZ 449

À table !
Dix questions très comestibles.

4460 De quelle couleur est la fleur de moutarde ?

4461 De quel continent est originaire le cacao ?

4462 Quel fruit sec provient du *Pistacia vera*, arbre méditerranéen ?

4463 Quel est le principal ingrédient de la sauce vietnamienne appelée nuoc-mam ?

4464 Que produit-on à partir d'un extrait d'algue rouge ?

4465 Quel aromate, aussi appelé marjolaine, parfume les pizzas ?

4466 Quel est le nom courant de *Mentha piperita* ?

4467 Quel fruit sec est l'ingrédient principal de la frangipane ?

4468 Quel poisson pêche-t-on parfois à l'aide de sennes coulissantes ?

4469 De quel continent est originaire le sésame ?

QUIZ 450

À une consonne près
Un indice et les voyelles pour reconstituer le mot.

4470 A_A_OU Bois tropical brun-rouge.

4471 __I_UA_UA Ville, État et désert du nord du Mexique.

4472 _A_A_A__A_ Vaste île au large de la côte est de l'Afrique.

4473 _A_U_E Le deuxième plus long fleuve d'Europe.

4474 _A__A__E_ Mer de l'Atlantique où vont se reproduire les anguilles.

4475 _E_E__E_I Parc national de Tanzanie proche du lac Victoria.

4476 A__A_A__E_ Chaîne de montagnes d'Amérique du Nord.

4477 __O_EI_E_ Molécules organiques issues des acides aminés.

4478 __I___I__A Rongeur de la cordillère des Andes.

4479 __I__OI__E Religion officielle du Japon qui vénère les esprits de la nature.

QUIZ 451

Le point commun
Trouvez le mot qui réunit les quatre mots cités.

4480 Polaire, brun, grizzli, à lunettes.

4481 Chanterelle, bolet, morille, trompette-de-la-mort.

4482 Éléphant, crabier, Ross, léopard.

4483 Cèdre, pin, mélèze, if.

4484 Grenouille, crapaud, salamandre, triton.

4485 Taklamakan, Karakum, Sahara, Gobi.

4486 Amibiase, leishmaniose, toxoplasmose, lambliase.

4487 Cornifle, hépatique, isoète, pied-de-loup.

4488 Étoile de mer, oursin, concombre de mer, astérie.

4489 Andréale, arthrodonte, nématodonte, sphaigne.

QUIZ 452

Bonne pioche
Des quatre réponses proposées, une seule est bonne.

4490 Comment appelle-t-on une déesse qui hantait les cours d'eau dans l'Antiquité ?
A Une nymphe
B Une larve
C Une sauterelle
D Une chrysalide

4491 Sous quel nom latin était connu Carl von Linné ?
A Philippus Paracelsus
B Andreas Libavius
C Renatus Cartesius
D Carolus Linnaeus

4492 Quel groupe de protistes tire son nom du verbe latin signifiant fouetter ?
A Les algues
B Les radiolaires
C Les flagellés
D Les ciliés

4493 Les feuilles d'une plante ornent les colonnes de style corinthien. Laquelle ?
A L'acanthe
B Le chêne
C Le laurier
D La vigne

4494 Laquelle de ces plantes est un lycophyte ?
A Le pied-de-loup
B Le pied-de-biche
C Le pied-de-mouton
D Le pied-de-poule

4495 Qui était la déesse grecque de la Terre ?
A Héra
B Athéna
C Aphrodite
D Gaia

4496 Laquelle de ces plantes est une plante primaire ?
A La cornifle
B Le colchique
C Le cornouiller
D La coriandre

4497 Quelle plante du désert a une parenté avec l'œillet ?
A Le cactus
B Le cacaotier
C Le cannelier
D Le chardon

4498 Qui était la déesse romaine de la fertilité et des cultures ?
A Perséphone
B Cérès
C Vesta
D Minerve

4499 En grec, que signifie *stoma*, qui a donné « stomate » ?
A Œil
B Oreille
C Nez
D Bouche

QUIZ 453

Le plus grand
Saurez-vous trouver celui qui dépasse les autres ?

4500 Noix du Brésil, noisette, noix de coco, châtaigne.

4501 Requin-marteau, baleine grise, requin pèlerin, tortue-luth.

4502 Cèdre rouge, sapin ciguë, séquoia géant, ginkgo.

4503 Mammouth laineux, rhinocéros laineux, ours des cavernes, mégacéros.

4504 Gange, Mékong, Orénoque, Amazone.

4505 Serval, lion, guépard, léopard.

4506 Marlin, phytoplancton, zooplancton, maquereau.

4507 Herbe à éléphant, massette, papyrus, ray-grass.

4508 Campagnol, chien de prairie, coyote, bison.

4509 Albatros hurleur, pétrel géant, pélican, frégate.

QUIZ 454

Pot-pourri
Dix questions sur des sujets divers et variés.

4510 Quel rongeur construit des barrages ?

4511 Quel célèbre commandant nous a fait découvrir le monde du silence ?

4512 De quel groupe font partie les monères ?

4513 De quoi se nourrit essentiellement l'étoile de mer épineuse ?

4514 Quel est l'unique ours d'Amérique du Sud ?

4515 Sur quel continent se trouvent les lacs Tana, Natron et Tchad ?

4516 Quels oiseaux transportent le poisson dans le film *Nemo* ?

4517 Dans quelle chaîne de montagnes le léopard des neiges chasse-t-il le mouton bleu de Bharal ?

4518 Le corail est-il un animal ou un végétal ?

4519 Dans quelle ville d'Afrique eut lieu le sommet de la Terre en 2002 ?

QUIZ 455

Le mot manquant
Plusieurs sens, autant d'indices pour trouver un mot.

4520 ___ à la ligne, filet de ___, ___ au gros.

4521 ___ carbonique, ___ naturel, ___ à effet de serre.

4522 ___ à courre, cor de ___, ___ gardée.

4523 ___ déserte, ___ au trésor, ___ de Ré.

4524 ___ poitevin, ___ salant, fièvre des ___.

4525 ___ infectieuse, ___ de Carré, ___ de Lyme.

4526 Océan glacial ___, loup ___, lemming ___.

4527 ___ souterraine, ___ sans retour, ___ de diamants.

4528 ___ composite, ___ de cerf, pâte de ___.

4529 ___ grise, ___ rose, filet à ___.

QUIZ 456

La nature humaine
Quelle est la place de l'homme dans la nature ?

4530 Sur quel continent a-t-on retrouvé les plus anciens fossiles humains ?

4531 Le proconsul est-il antérieur ou postérieur à l'australopithèque ?

4532 Quel phénomène est imputable aux CFC créés par l'homme ?

4533 Il y a combien de millions d'années serait apparu le genre *Homo* ?

4534 Que signifie *sapiens* dans l'expression *Homo sapiens* ?

4535 Quel est le continent le plus densément peuplé ?

4536 Quelle organisation se voue à la protection des espèces et des habitats ?

4537 Quel biome se développe le plus rapidement à cause de l'activité humaine ?

4538 Quel président des États-Unis a créé le premier parc national du monde ?

4539 Quel fut le premier hominidé à fabriquer des outils ?

QUIZ 457

À une consonne près
Un indice et les voyelles pour reconstituer le mot.

4540 _E_A_I_UE Plante voisine des mousses de la classe des bryophytes.

4541 _Y_O_O_E Plante cryptogame vivace dont les tiges portent un manchon de petites feuilles.

4542 _Y_O_Y_E_E Champignon inférieur, sans mycélium, formant des masses gélatineuses.

4543 _E_E Arbre des forêts tempérées du genre *fagus*.

4544 _Y_A_ Plantes originaires d'Asie parfois cultivées comme plantes ornementales.

4545 A_U_ _OU_E Autre nom des rhodophytes (deux mots).

4546 _E_E_E Conifère à aiguilles caduques du genre *Larix*.

4547 _O_Y_I_U_ Mousse des bois de l'ordre des eubryales.

4548 _A_E_E_E Champignon également connu sous le nom de girolle.

4549 _O_EE Plante de la famille des protéacées dont le nom est également celui d'un amphibien.

QUIZ 458

De quelle couleur ?
Toutes les couleurs sont dans la nature.

4550 Lequel de ces animaux est bicolore : le lion, la hyène, le zèbre ?

4551 Lequel de ces félins peut être, selon l'espèce, noir ou blanc : le léopard, le tigre, le lion ?

4552 Lequel de ces arbres a un bois de couleur rouge foncé : le hêtre, le marronnier, l'acajou ?

4553 Comment appelle-t-on la peste qui a ravagé l'Europe au Moyen Âge ?

4554 L'albacore est l'autre nom du thon rouge ou du thon blanc ?

4555 Quelle mer s'étend entre l'Europe et l'Asie ?

4556 Les truffes du Périgord sont-elles blanches ou noires ?

4557 De quelle couleur sont les pétales d'une marguerite ?

4558 De quelle couleur est l'écureuil qui fut introduit dans les parcs londoniens au XIXe siècle ?

4559 Quelle forêt s'étend dans le sud-ouest de l'Allemagne ?

QUIZ 459

Vrai ou faux ?
Une affirmation est-elle toujours une vérité ?

4560 Le calmar géant se nourrit de cachalots.

4561 Le chocolat est produit à partir de fèves de cacao.

4562 Les oiseaux sont des animaux à sang froid.

4563 Pour récolter le sirop d'érable, on doit abattre l'arbre.

4564 Le bambou est une graminée.

4565 Il existe davantage d'espèces de poissons que de tous les autres vertébrés réunis.

4566 La plupart des conifères poussent dans les forêts tropicales.

4567 Le caribou se nourrit essentiellement de cladonies.

4568 Les éponges sont statiques.

4569 Plus d'un tiers des insectes sont des scarabées.

QUIZ 460

C comme...
Chaque réponse commence par la lettre C.

4570 Quel est l'autre nom des algues bleues, cyanobactéries ou clobactéries ?

4571 Quel était le régime alimentaire de l'allosaure ?

4572 Quel oiseau des Galápagos a perdu son aptitude au vol ?

4573 Quel grand singe est génétiquement le plus proche de l'homme ?

4574 Quel combustible est à la fois fossile et solide ?

4575 À partir de quelle plante fait-on du sucre et du rhum ?

4576 Comment s'appelle le plus haut massif montagneux d'Amérique du Sud ?

4577 Quel animal a pour ancêtre *Equus* ?

4578 Comment appelle-t-on aussi les algues brunes ?

4579 Quelle période remonte à environ 500 millions d'années ?

QUIZ 461

Pot-pourri
Dix questions sur des sujets divers et variés.

4580 Quel continent était totalement soudé il y a 2 millions d'années ?

4581 Quel est l'emblème de Greenpeace ?

4582 Quel gaz permet la photosynthèse ?

4583 Quel animal peut être « luth » ?

4584 À quel pays appartient l'île de Komodo ?

4585 Dans quelle mer se jette le Danube ?

4586 Quelle partie de la plante compte le plus de chloroplastes ?

4587 Comment se nomme le capitaine du *Nautilus* ?

4588 Quel singe est évoqué dans une chanson de Georges Brassens ?

4589 Sur quelle île s'étend le parc national de Thingvellir ?

QUIZ 462

L'art et la nature
Spécialement pour vous, les non-scientifiques...

4590 Qui est l'auteur de *Sa Majesté des mouches* ?

4591 Quelle fleur se retrouve dans le titre du roman d'Umberto Eco se déroulant dans un monastère ?

4592 Quel peintre est célèbre pour ses tournesols, ses iris, ses champs de blé et ses cyprès ?

4593 Quel est le réalisateur de *Mystic River*, avec Kevin Bacon et Sean Penn ?

4594 Qui est le photographe de *la Terre vue du ciel* ?

4595 Sur quoi est assise la chenille quand Alice la rencontre au pays des Merveilles ?

4596 Dans quel film de David Lynch apparaît Sting en 1984 ?

4597 Dans quel film de Jean Becker jouent Jacques Villeret et Jacques Gamblin en 1999 ?

4598 Quel peintre de la Renaissance représentait des personnages à l'aide de légumes et de fleurs ?

4599 Quel même personnage a été interprété par Gérard Philipe et Vincent Perez au cinéma ?

QUIZ 463

Chacun chez soi
Mieux vaut un petit chez-soi qu'un grand chez les autres.

4600 Quel archipel abrite un cormoran incapable de voler ?

4601 Dans quel désert vit le chameau de Bactriane ?

4602 Sur quel continent trouve-t-on le saguaro ?

4603 Quel est le cousin africain de notre sanglier ?

4604 Y a-t-il des lions en Inde ?

4605 Quel peuple nomade vit dans des yourtes ?

4606 Quel peuple nomade vit dans des *manyattas* ?

4607 Quelle loutre vit en Californie ?

4608 Dans quel pays se trouvent les terres des Kayapos et des Xavantes ?

4609 Dans quel type de forêt vit le nasique ?

QUIZ 464

Bonne pioche
Des quatre réponses proposées, une seule est bonne.

4610 Le mot pingouin vient du :
A Néerlandais
B Suédois
C Grec
D Norvégien

4611 Damalisque vient du grec *damalis*, qui signifie :
A Génisse
B Chien
C Cheval
D Rat

4612 Que signifie le mot mongol *gobi* ?
A Désert
B Montagne
C Chameau
D Cheval

4613 Que signifie le mot néerlandais *veld* ?
A Champ
B Fleuve
C Forêt
D Plage

4614 Que signifie *capercaillie* en gaélique ?
A Vieil homme des bois
B Poule de la forêt
C Grand oiseau
D Fantôme hurlant

4615 Que signifie *macchia* en corse ?
A Cascade
B Falaise
C Prairie
D Broussaille

4616 Que signifie *chernozem* en russe ?
A Terre noire
B Terre brune
C Terre rouge
D Terre grise

4617 Oryx vient du grec *orux*, qui signifie :
A Pioche
B Marteau
C Truelle
D Faux

4618 Que signifie le mot *caribou* dans la langue des Indiens Micmacs ?
A Déblayeur
B Vagabond
C Tête à cornes
D Pieds plats

4619 Que signifie littéralement le terme russe *podzol* ?
A Suie noire
B Sol cendreux
C Pierre grise
D Sable gris

QUIZ 465

Nos amies les bêtes
Dix questions très animales.

4620 Le bœuf musqué vit-il dans l'Arctique ou en Argentine ?

4621 Du morse mâle ou femelle, lequel possède les plus longues défenses ?

4622 Le macareux est-il un oiseau, un mammifère ou un reptile ?

4623 Sur quel continent vit le singe-lion ?

4624 Le chamois vit-il en montagne ou en forêt ?

4625 Quel oiseau est l'emblème de la Nouvelle-Zélande ?

4626 Quel archipel abrite la tortue géante et le rat géant de Flores ?

4627 Le gibbon a-t-il une queue ?

4628 Quel insecte protège l'acacia en tuant les insectes qui viennent dévorer ses feuilles ?

4629 Quel animal à fourrure noire et blanche est menacé d'extinction ?

QUIZ 466

Vrai ou faux ?
Une affirmation est-elle toujours une vérité ?

4630 L'océan le moins profond est le Pacifique.

4631 Les poissons sont apparus avant les reptiles.

4632 L'homme de Neandertal fut contemporain d'*Homo sapiens*.

4633 Le plus grand arbre du monde dépasse la statue de la Liberté.

4634 Le débit quotidien de l'Amazone dépasse le débit annuel du plus important fleuve d'Australie.

4635 Le cabillaud vit en solitaire.

4636 Le désert se définit par des précipitations annuelles inférieures à 25 mm.

4637 Tous les animaux sont pluricellulaires.

4638 Chaque année, la forêt française perd 10 % de sa surface.

4639 Aujourd'hui, la Terre compte plus de deux fois plus d'habitants qu'en 1960.

QUIZ 467

Le mot manquant

Plusieurs sens, autant d'indices pour trouver un mot.

4640 ___ de discorde, ___ d'Adam, ___ d'api.

4641 Canne à ___, ___ candi, ___ glace.

4642 ___ professionnelle, ___ de compas, ___ de céleri.

4643 ___ terrestre, ___ de citron, ___ cérébrale.

4644 ___-ciguë, sentir le ___, Mon beau ___.

4645 Un tapis de ___, ___ au chocolat, point ___.

4646 ___ atomique, ___ de couche, ville-___.

4647 Artère ___, canal ___, bile ___.

4648 ___ corse, prendre le ___, ___ de la procédure.

4649 ___ de bière, ___ chimique, ___ pathogène.

QUIZ 468

La main verte

Amis jardiniers, à vous de briller !

4650 Comment s'appelle le lieu destiné à la conservation de diverses essences d'arbres ?

4651 Quel jardin parisien dépend du Muséum d'histoire naturelle ?

4652 Comment s'appelle un jardin composé uniquement de roses ?

4653 Comment appelle-t-on une plante qui germe, fleurit et meurt dans la même année ?

4654 De quel continent est originaire le tournesol ?

4655 De quel continent sont originaires la plupart des rhododendrons ?

4656 Quel mot désigne une plante issue de deux espèces différentes ?

4657 Quel est le nom courant d'*Acer japonica* ?

4658 Quel pays est le plus grand producteur mondial de tulipes ?

4659 Quel est le nom courant de *Lonicera* ?

QUIZ 469

M, P, Q comme...

Chaque réponse commence par la lettre M, P ou Q.

4660 Quel oiseau marin ne vole pas ?

4661 Durant quelle ère les hommes sont-ils apparus sur la Terre ?

4662 Quel État australien s'appelle les « terres de la reine » ?

4663 Qu'est-ce qui renferme les gamètes des plantes à fleurs ?

4664 Quels plantes ou animaux minuscules dérivent dans l'océan ?

4665 Quel fruit peut être « de vigne » ?

4666 Quel parasite provoque le paludisme ?

4667 Quel terroir français est réputé pour ses truffes ?

4668 Quelle prairie d'Argentine est battue par les vents ?

4669 Où vivent les campagnols, dans les marais ou dans les prairies ?

QUIZ 470

Pot-pourri

Dix questions sur des sujets divers et variés.

4670 Sur quel continent se dressent les monts Sarek ?

4671 Que produisent les cellules appelées photophores ?

4672 Quel gaz polluant rejettent les aérosols ?

4673 Quel gaz de l'atmosphère a pour formule O_3 ?

4674 De quoi se nourrit principalement le phoque crabier ?

4675 Quand est entré en vigueur le protocole de Kyoto sur la limitation des gaz à effet de serre ?

4676 Qui est l'auteur du poème *l'Albatros* ?

4677 Sur quelle île vit le paradisier ?

4678 *Helleborus* x *nigercors* est-il une espèce, un hybride ou un cultivar ?

4679 Dans quel pays vénère-t-on les *kamis*, esprits de la nature ?

QUIZ 471

Bonne pioche

Des quatre réponses proposées, une seule est bonne.

4680 Qu'est-ce qu'un *tepui* ?
- A Une tente indienne
- B Une coiffure
- C Un plateau
- D Une haie sculptée

4681 Que regroupe le genre nommé *Panthera* ?
- A Des éléphants
- B Des papillons
- C Des lézards
- D Des félins

4682 Quel est le nom courant de *Canis lupus* ?
- A La martre
- B Le loup
- C Le coyote
- D La fouine

4683 Quel type de plante est le dicksonia ?
- A Une fougère arborescente
- B Un cactus
- C Un conifère
- D Une mousse

4684 Lequel n'est pas carnivore ?
- A Le lycaon
- B La hyène
- C Le serval
- D Le phacochère

4685 Quel type d'animal est le saïga ?
- A Un ours
- B Une antilope
- C Une loutre
- D Un cheval

4686 Dans quel pays se trouve la forêt de Bialowieza ?
- A En Pologne
- B Au Brésil
- C En Roumanie
- D En Russie

4687 Comment appelle-t-on plus couramment les angiospermes ?
- A Les anémones de mer
- B Les bactéries
- C Les plantes à fleurs
- D Les lichens

4688 Qu'est-ce qu'un agouti ?
- A Un rongeur d'Amérique du Sud
- B Un arbre tropical
- C Un poisson d'eau douce
- D Un fruit tropical

4689 De quel animal le coati est-il le plus proche ?
- A L'impala
- B Le morse
- C Le lion
- D Le raton laveur

QUIZ 472

À une consonne près

Un indice et les voyelles pour reconstituer le mot.

4690 _UE_A__ Le plus rapide des mammifères terrestres.

4691 _I_U_ Vecteur de maladie qui se multiplie à l'aide de cellules vivantes.

4692 _A__O_E Élément chimique présent dans toute forme de vie sur la Terre.

4693 A__UE_ Organismes aquatiques pouvant être bruns, rouges ou verts.

4694 _O_UE_U__E Septième maladie infectieuse la plus mortelle.

4695 _A_U_I__E Maladie infectieuse qui frappe surtout sous les tropiques.

4696 _A_OU__A_E Stratégie de survie de certains animaux.

4697 _A_A_I_E Organisme qui vit et se nourrit aux dépens d'un autre.

4698 _I_O__O_I_UE Se dit de la taille des bactéries.

4699 _E_E_AU_ Organismes pluricellulaires vivant sur le sol et dépendant de la lumière.

QUIZ 473

Pot-pourri

Dix questions sur des sujets divers et variés.

4700 Quel est le nom de la baleine du roman de Herman Melville ?

4701 Quel désert se trouve au nord du Sahel ?

4702 Dans quel océan rencontre-t-on le Gulf Stream ?

4703 Dans quel pays se trouvent les parcs naturels de Yosemite et de Yellowstone ?

4704 Qui a écrit *le Vieil Homme et la mer* ?

4705 Comment appelle-t-on les gaz polluants qui captent la chaleur du soleil ?

4706 Quelle maladie se propage par contamination de l'eau et des aliments ?

4707 Quel embranchement animal regroupe les vertébrés et les tuniciers ?

4708 Quel cétacé est une espèce en péril au Canada ?

4709 Quel est l'autre nom de la trypanosomiase ?

QUIZ 474

Pot-pourri

Dix questions sur des sujets divers et variés.

4710 Quel type d'organisme est à l'origine de la teigne ?

4711 Dans quel pays se trouvent les parcs nationaux de Meru et de Tsavo ?

4712 Quel pigment vert colore les feuilles des plantes ?

4713 Dans quel pays s'étend la forêt de Gir ?

4714 Une broméliacée est-elle une plante, un animal ou un champignon ?

4715 La salicorne est-elle une plante ou un animal ?

4716 Une bactérie est-elle plus grande ou plus petite qu'un virus ?

4717 De quel pays sud-américain dépendent les îles Galápagos ?

4718 Dans *le Roi Lion*, quel animal est incarné par Timon ?

4719 Comment qualifie-t-on l'évolution similaire d'organismes non apparentés ?

QUIZ 475

Anagrammes

Un indice et des lettres. À vous de faire le puzzle.

4720 ALOGNIAM Arbre à fleurs ayant très peu évolué depuis le temps des dinosaures.

4721 PAMBHIENI Animal issu du poisson.

4722 QUASTRAPHOUITELE Premier bipède humain.

4723 IGNARAEE Arthropode présent sur la Terre depuis 360 millions d'années.

4724 TROMONMEE Mammifère ovipare dont il ne subsiste que l'ornithorynque et les échidnés.

4725 CRUPSONOL Grand primate africain fossile.

4726 NIDEVONE Période géologique.

4727 SHAMOTTELOTIRS Structures édifiées par les cyanobactéries.

4728 RAMICBEN Période qui se caractérise par l'explosion de la vie animale.

4729 ESKUNUDELOTS Poisson géant doté d'une armure, prédateur des premiers requins.

QUIZ 476

Chacun son style

Tatouages, piercings, coiffes... à la mode de chez eux.

4730 Les Indiens du bassin amazonien fabriquent des parures de plumes pour exprimer leur identité. Utilisent-ils des plumes d'ara, de chouette, de paon ou de colibri ?

4731 Chez les Maoris, qu'est-ce qu'un *moko* ?

4732 Quel animal du nom latin de *Ailurus fulgens* est utilisé par certains peuples d'Asie pour faire des coiffes ?

4733 Certains chamans d'Afrique méridionale utilisent des piquants de porc-épic pour orner leurs coiffures : vrai ou faux ?

4734 Quel animal est utilisé par les Inuits pour confectionner des tentes et des vêtements chauds ?

4735 De quel matériau est composé le chapeau conique traditionnel vietnamien ?

4736 Quel peuple de Papouasie est connu pour ses décorations nasales en forme de spirale faites dans la nacre de grands coquillages ?

4737 En Afrique du Sud, quelles graines sont utilisées comme perles pour faire des colliers censés agir contre les maux de dents ?

4738 Chez les femmes Yanomamis, de quel matériau sont constituées les fines baguettes qui traversent le nez, la lèvre inférieure et les commissures des lèvres ?

4739 Quel est le nom donné aux femmes qui portent une multitude de spirales pour allonger leur cou ?

QUIZ 477

Le point commun

Trouvez le mot qui réunit les quatre mots cités.

4740 Choléra, scarlatine, typhoïde, peste.

4741 Romarin, laurier, marjolaine, sauge.

4742 Bleu, marteau, taureau, blanc.

4743 Serpent, lézard, crocodile, tortue.

4744 Martin-pêcheur, héron, flamant, aigrette.

4745 Empereur, papou, Adélie, jugulaire.

4746 Muscade, coco, pécan, cajou.

4747 Morille, chanterelle, amanite, trompette-de-la-mort.

4748 Sylvestre, parasol, maritime, de Douglas.

4749 Brun, polaire, à lunettes, grizzli.

QUIZ 478

Vrai ou faux ?

Une affirmation est-elle toujours une vérité ?

4750 Les feuilles de la sensitive géante se rétractent lorsqu'on les touche.

4751 L'océan Pacifique contient plus de la moitié de l'eau présente sur la Terre.

4752 Les plus hauts arbres du monde poussent dans la forêt tropicale.

4753 L'agar-agar est une gélatine comestible extraite d'algues marines.

4754 Le plus petit fruit du monde est plus petit qu'un grain de sel.

4755 La physalie est une méduse.

4756 80 % des glaces du monde se trouvent en Antarctique.

4757 Macareux et guillemots nichent dans les arbres.

4758 Le plus grand lac du monde est constitué d'eau salée.

4759 L'eau des tourbières ne convient pas à la vie animale.

QUIZ 479

Le mot manquant

Plusieurs sens, autant d'indices pour trouver un mot.

4760 ___logie, ___diversité, ___sphère.

4761 ___ de bruyère, chant du ___, ___ en pâte.

4762 ___ de Troie, ___ d'arçon, à ___ sur les principes.

4763 Saut de ___, muet comme une ___, ___ *diem*.

4764 ___ dur, ___ de pêche, ___ de l'atome.

4765 ___ de pied, ___ en pot, ___ médicinale.

4766 Mare aux ___, ___ sauvage, ___ laqué.

4767 Jamais de la ___, la bourse ou la ___, la belle ___.

4768 Gibier à ___, prête-moi ta ___, dessin à la ___.

4769 Coton-___, ___ épineuse, ___ d'une chaussure.

QUIZ 480

Des fleurs

Dites-le avec des fleurs.

4770 Quel peintre impressionniste est célèbre pour ses nénuphars ?

4771 Sur quel continent pousse la passiflore à l'état sauvage ?

4772 Quel est le nom courant de *Lavandula* ?

4773 Quel est l'emblème national de l'Écosse ?

4774 Quelle est la fleur favorite d'une héroïne d'Alexandre Dumas ?

4775 Quelle plante à fleurs donne l'opium ?

4776 Quel est le dernier mot prononcé par Charles Foster, héros du film *Citizen Kane* ?

4777 Quel arbre à fleurs a inspiré une chanson de Claude François ?

4778 Quel est le nom du recueil de poèmes pour enfants de Robert Desnos ?

4779 Quelle fleur est évoquée dans un célèbre poème de Ronsard ?

QUIZ 481

Pot-pourri

Dix questions sur des sujets divers et variés.

4780 Quel est le plus grand oiseau du monde ?

4781 Quel niveau de classification se place entre l'espèce et la famille ?

4782 Quel est le plus sacré de tous les fleuves de l'Inde ?

4783 Quel félin a donné son nom à une marque de voitures ?

4784 Par quel processus se nourrissent les plantes ?

4785 Quelle maladie inoculée par les moustiques cause plus de 1 million de décès par an ?

4786 Quel est l'autre nom de la baleine blanche ?

4787 Quel poisson de nos étangs est qualifié de superprédateur ?

4788 Dans la mythologie grecque, qui est la mère des Titans et des Cyclopes ?

4789 Comment appelle-t-on la lande sèche des régions méditerranéennes ?

QUIZ 482

Pot-pourri

Dix questions sur des sujets divers et variés.

4790 Les eucaryotes sont-ils unicellulaires ou pluricellulaires ?

4791 De quelle plante était à l'origine extraite la morphine ?

4792 Dans quelle ville fut signé, en 1997, un protocole sur le climat ?

4793 Quand la mousson atteint-elle en général Delhi ?

4794 Les champignons sont des plantes, vrai ou faux ?

4795 Dans quelle région semi-aride d'Afrique vivent les Sans ?

4796 Avec quoi les Massaïs mélangent-ils le lait de vache ?

4797 Quel est le plus grand animal terrestre d'Europe ?

4798 Sur quel continent vivent les marsupiaux ?

4799 Quelle est la fonction des ribosomes ?

QUIZ 483

Bonne pioche

Des quatre réponses proposées, une seule est bonne.

4800 En quelle année Ernest Haeckel utilisa-t-il le mot écologie pour la première fois ?
A 1666
B 1766
C 1866
D 1966

4801 Lequel de ces groupes est le plus récent ?
A Les mousses
B Les hépatiques
C Les graminées
D Les fougères

4802 Quel mammifère a la gestation la plus courte ?
A La souris
B L'opossum
C Le lièvre
D La zibeline

4803 La vie est apparue sur la Terre il y a…
A 6,2 milliards d'années
B 4,6 milliards d'années
C 3,8 milliards d'années
D 1,5 milliard d'années

4804 En quelle année fut fondé Greenpeace ?
A 1931
B 1951
C 1971
D 1991

4805 En quelle année fut publié l'ouvrage de Darwin sur l'origine des espèces ?
A 1642
B 1701
C 1786
D 1859

4806 En quelle année la variole fut-elle déclarée éradiquée de la surface de la Terre par l'OMS ?
A 1929
B 1948
C 1962
D 1980

4807 Les animaux terrestres sont apparus il y a…
A 3,4 milliards d'années
B 1,8 milliard d'années
C 980 millions d'années
D 460 millions d'années

4808 À quelle année remonte la création du parc de Yellowstone ?
A 1794
B 1829
C 1872
D 1901

4809 Laquelle de ces périodes est la plus ancienne ?
A Le permien
B Le dévonien
C Le carbonifère
D Le crétacé

QUIZ 484

Cultiver son jardin

Tout le monde aime les belles plantes.

4810 L'eau pénètre-t-elle dans les plantes par les feuilles ou par les racines ?

4811 Que recueillent les abeilles pour faire du miel ?

4812 De quels petits insectes raffolent les coccinelles ?

4813 Dans quelle région du Canada pousse la toundra ?

4814 Quelle est la plus célèbre et la plus rare des fleurs alpines ?

4815 Quelle substance produite par les fleurs irrite les allergiques ?

4816 De quoi se nourrit une plante carnivore ?

4817 Qu'appelle-t-on l'or noir du Périgord ?

4818 Quelle grande fleur jaune se nomme *Helianthus* en latin ?

4819 Quelle fleur sert de base à l'argumentation de Lovelock sur l'hypothèse Gaia ?

QUIZ 485

Pot-pourri

Dix questions sur des sujets divers et variés.

4820 Quel arbre sert à la fabrication du chocolat ?

4821 Quel est le deuxième plus vaste océan du monde ?

4822 Quel insecticide produisit des ravages sur toute la chaîne alimentaire ?

4823 Qui est l'auteur de *Premier de cordée* (1941) ?

4824 Sous quel sigle connaît-on les chlorofluorocarbures ?

4825 Quelle île de la Méditerranée arbore des rameaux d'olivier sur son drapeau ?

4826 Le krill est-il constitué d'insectes, de crustacés ou de poissons ?

4827 La mer Morte est-elle située au-dessus ou en dessous du niveau de la mer ?

4828 Lequel de ces deux mammifères a des cornes : l'antilope ou le cerf ?

4829 Dans quelle région marécageuse d'Amérique du Nord trouve-t-on des alligators ?

QUIZ 486

1, 2, 3...
Répondez par un chiffre.

4830 Combien de bosses a le chameau de Bactriane ?

4831 Dans les régions tempérées, de combien d'anneaux un tronc d'arbre s'épaissit-il chaque année ?

4832 Combien d'espèces de grands félins abritent les forêts d'Inde ?

4833 Combien d'espèces de mammifères ovipares compte-t-on sur la Terre ?

4834 Le plus grand des séquoias mesure-t-il 72 m ou 112 m de haut ?

4835 Combien de tentacules possède la pieuvre ?

4836 Combien de pattes ont les insectes ?

4837 Combien de pattes ont les annélides ?

4838 De combien de cellules est constitué un protiste ?

4839 Parmi les cinq plus grands lacs du monde, combien se trouvent en Amérique du Nord ?

QUIZ 487

Affaires d'argent
Amis numismates, à vous de briller !

4840 Quel animal est représenté sur la pièce anglaise de 10 pence ?

4841 Quel animal est représenté sur la pièce allemande de 1 euro ?

4842 Quels sont les deux arbres qui figurent sur la pièce américaine de 10 cents ?

4843 Quel cervidé est représenté sur la pièce canadienne de 25 cents ?

4844 Dans quel pays d'Océanie peut-on voir un tuatara sur une pièce de 5 pence ?

4845 Quel célèbre théoricien de l'évolution figure sur les billets britanniques de 10 livres ?

4846 Dans quel pays pouvait-on avoir sur un billet la reine Élisabeth II, un kangourou et un émeu ?

4847 Dans quel pays peut-on voir un lémurien sur un billet de 1 000 ariary ?

4848 Quel plantigrade peut-on admirer sur une pièce canadienne de 2 dollars ?

4849 Quel mammifère marin figure sur des pièces brésiliennes, mexicaines et costaricaines ?

QUIZ 488

Chacun chez soi
À chaque animal son habitat.

4850 Le lycaon vit dans la savane africaine ou dans l'Antarctique ?

4851 Les manchots papous fréquentent les eaux de l'Antarctique : vrai ou faux ?

4852 Dans quelles îles trouve-t-on des iguanes à la fois terrestres et marins ?

4853 On trouve des orangs-outans dans la forêt pluviale indonésienne : vrai ou faux ?

4854 Le varech du Pacifique est l'un des habitats préférés de la loutre de mer : vrai ou faux ?

4855 La méduse pourpre vit dans les rivières d'Asie : vrai ou faux ?

4856 On peut observer des jacanas aux abords des lacs australiens : vrai ou faux ?

4857 Le panda rouge vit dans les forêts montagneuses de Chine : vrai ou faux ?

4858 Dans quelle région du globe trouve-t-on les célèbres chiens de prairie ?

4859 Où vit le dragonfish noir ?

QUIZ 489

Homonymes
Deux sens différents pour un même mot. Lequel ?

4860 Planète ou élément où poussent les végétaux.

4861 Extrait concentré ou espèce d'arbre.

4862 Imprécis ou mouvement à la surface de l'eau.

4863 De pêche ou de poisson.

4864 De Provence ou à chats.

4865 Canidé ou masque noir.

4866 De coco ou de veau.

4867 D'arbre ou de papier.

4868 De mer ou de la Passion.

4869 Pleine ou de cheveux.

QUIZ 490

Anagrammes
Un indice et des lettres. À vous de faire le puzzle.

4870 RETRE Seule planète porteuse de vie connue à ce jour.

4871 DICEPISTE Produit dont l'emploi abusif est nocif pour l'environnement.

4872 CETABONDERN Importation et exportation illégales, par exemple d'espèces menacées.

4873 EGICOLOE Étude des relations des êtres vivants avec leur milieu.

4874 NATTALPION Elle peut se faire au jardin à l'aide d'une bêche.

4875 DISIBERIOTEV Existence de diverses formes de vie au sein d'une même région.

4876 NELIONEE Fournit une énergie alternative non polluante.

4877 TEVALTROUILS Nom complet des rayons dits UV.

4878 ROTACRIPEST Dinosaure doté de trois cornes sur la tête.

4879 ECULIMBENNECOSI Capacité de certains animaux à émettre de la lumière.

QUIZ 491

Vrai ou faux ?
Une affirmation est-elle toujours une vérité ?

4880 La taille du Sahara diminue peu à peu.

4881 Les premières formes de vie étaient des plantes minuscules.

4882 Le bec-croisé se nourrit de graines de conifères.

4883 Le sida est provoqué par une bactérie.

4884 La toundra se trouve dans les régions chaudes et humides.

4885 Les algues sont des plantes aquatiques.

4886 Le muguet est une affection due à une levure.

4887 Le Colorado est le plus long fleuve d'Amérique du Nord.

4888 L'Inde compte plus d'habitants que l'Amérique du Nord et l'Amérique du Sud réunies.

4889 Toutes les algues sont unicellulaires.

QUIZ 492

Le mot manquant
Plusieurs sens, autant d'indices pour trouver un mot.

4890 ___ vert, ___ fumé, ___ au jasmin.

4891 ___ de sang, ___ de rosée, ___ de culture.

4892 ___ rouge, ___ ailée, ___ noire.

4893 ___ solitaire, ___ luisant, ___ des fruits.

4894 ___ basse, coefficient de ___, ___ humaine.

4895 ___ d'étoiles, ___ de mousson, ___ de cendres.

4896 Rose des ___, ___ du nord, ___ du large.

4897 Train ___, ___ blanc, serpent ___.

QUIZ 507

Un peu de sérieux

Des quatre réponses proposées, une seule est bonne.

5040 Qu'arrive-t-il à une abeille une fois qu'elle a piqué un intrus ?
A Elle a faim
B Elle change de couleur
C Elle grossit
D Elle meurt

5041 Comment appelle-t-on la technique de chasse consistant à se dissimuler ou à être aux aguets ?
A L'abus
B La mue
C L'affût
D La rue

5042 Quel mammifère sauvage africain provoque la plupart des décès chez les humains ?
A L'oryctérope
B Le buffle du Cap
C Le lion
D Le gnou

5043 Quelle partie du corps le venin hémotoxique affecte-t-il ?
A Le sang
B Les poumons
C Les yeux
D Les pieds

5044 Lequel de ces animaux chasse en utilisant un appât factice ?
A La baudroie
B La chauve-souris pêcheuse
C La vipère du Gabon
D Le babouin

5045 Que transporte le crabe boxeur pour écarter ses prédateurs ?
A Des anémones de mer
B Des étoiles de mer
C Des oursins
D Des escargots de mer

5046 Comment le springbok se défend-il face à ses prédateurs ?
A En mordant
B En bondissant
C En hurlant
D En urinant

5047 Quels insectes transmettent la maladie du sommeil ?
A Les mouches tsé-tsé
B Les moucherons
C Les goliaths
D Les puces

5048 Quel animal a pour nom latin *Orcinus orca* ?
A La vipère de la mort
B L'horloge de la mort
C L'abeille tueuse
D L'orque

5049 Quel est le cri du crocodile ?
A Le hululement
B Le vagissement
C L'aboiement
D Le piaillement

QUIZ 508

À la fortune du pot

Dix petites colles dont les réponses sont faciles.

5050 Quels mammifères cuirassés sud-américains se roulent en boule lorsqu'ils sont menacés ?

5051 Dans quel pays vit le wombat ?

5052 Quels animaux aux longues oreilles vivent dans des clapiers ?

5053 Quel est le plus grand des oiseaux ?

5054 Quelle race de chiens aux courtes pattes était vénérée dans la Chine antique ?

5055 Entre le renard de Blandford et le loup, lequel est le plus grand ?

5056 Quel genre d'oiseau est Hedwige, l'amie de Harry Potter ?

5057 Quelle célèbre comédie musicale porte le nom d'un petit félin ?

5058 Quel animal porte le surnom de « roi des animaux » ?

5059 Quel groupe de rock des années 1970 a tiré son nom du plus gros dinosaure carnivore ?

QUIZ 509

Ça commence par...

L'initiale est donnée, à vous de trouver la suite !

5060 Quel mot commençant par un K désigne un animal australien qui se nourrit de feuilles d'eucalyptus ?

5061 Quel mot commençant par un P désigne un mammifère qui se déplace lentement et vit dans les arbres ?

5062 Quel mot commençant par un C désigne couleurs et motifs permettant aux animaux de se fondre dans le paysage ?

5063 Quel mot commençant par un A désigne un animal blanc avec des yeux rouges ?

5064 Quel mot commençant par un H désigne un crustacé fort apprécié des gourmets ?

5065 Quel mot commençant par un K désigne l'alimentation de base des baleines ?

5066 Quel mot commençant par un S désigne les griffes d'un hibou ou d'un oiseau de proie ?

5067 Quel mot commençant par un M désigne un animal qui allaite ses petits ?

5068 Quel mot commençant par un A désigne un primate malgache qui a de grosses oreilles, une fourrure noire et une queue touffue ?

5069 Quel mot commençant par un M désigne un poisson qui ressemble à l'espadon ?

QUIZ 510

Microcosmos

Dix questions sur les insectes.

5070 Quel genre d'insecte est le scarabée ?

5071 Quelles abeilles défendent la ruche : les faux bourdons ou les ouvrières ?

5072 Quels sont les insectes dont les nuages ravagent les cultures ?

5073 Lesquels de ces animaux ont des antennes plumeuses : les papillons de nuit ou les papillons de jour ?

5074 Quels sont les animaux qui stridulent ? Citez-en au moins un.

5075 Que gardent les araignées femelles dans leur nid ?

5076 De quelle maladie respiratoire les acariens sont-ils responsables ?

5077 Quel est l'aliment des poux ?

5078 Citez le nom d'un crustacé terrestre.

5079 Quel genre d'insectes se défendent avec de l'acide formique ?

QUIZ 511

Anagrammes

Un indice et des lettres. À vous de faire le puzzle.

5080 CNOTPLAN Animaux ou plantes microscopiques qui dérivent à travers l'océan.

5081 BRISSESVI Poils saillants qui renforcent le sens du toucher.

5082 TAGEN MALCAR Plus grand invertébré du monde et nourriture préférée du cachalot.

5083 ETTESSROU Petit requin vendu par les poissonniers sous le nom de saumonette.

5084 TESMITER Insectes surtout xylophages qui vivent en Afrique et en Australie dans d'énormes monticules de terre durcie.

5085 TROSBAAL Oiseau marin qui a inspiré Charles Baudelaire.

5086 PHTALMERIOPE Poisson des mangroves et des rivages boueux qui passe la moitié de sa vie hors de l'eau.

5087 NESECHID Mammifères couverts de piquants, pondant des œufs et amateurs de fourmis.

5088 LOBITESTRI Animaux disparus qui vivaient dans les fonds marins il y a des centaines de millions d'années.

5089 COLESTUBI RESV Invertébrés marins pouvant atteindre une très grande taille et vivant dans les abysses.

QUIZ 512

Sur pied

Dix questions diverses sur les animaux.

5090 Quel animal accompagne le bœuf dans la crèche de la Nativité ?

5091 Quel terme désigne à la fois le petit de la poule et une catégorie sportive ?

5092 Quelle antilope de la forêt africaine porte le même nom qu'un tambour ?

5093 Quel cavalier espagnol montait un cheval nommé Rossinante ?

5094 Qui voyageait aux côtés de Don Quichotte, perché sur un âne ?

5095 Quel dresseur français est très connu pour ses spectacles équestres ?

5096 Quel genre d'animal est l'impala ?

5097 Quel animal brame ?

5098 Quand le cerf perd-il ses bois ?

5099 Qui voulait faire de son cheval, Incitatus, un consul romain ?

QUIZ 513

Pot-pourri
Dix questions en tout genre.

5100 Combien de paires de pattes possède le siphonophore de Californie ?

5101 Quel terme désigne une oie mâle ?

5102 Quel est le mollusque que l'on trouve aussi dans les églises ?

5103 Comment appelle-t-on les éleveurs d'abeilles ?

5104 Sur quel continent vivent le potto et le galago ?

5105 Que signifie orang-outan en malais ?

5106 Quel est l'animal qui a des oreilles de lapin, un groin de cochon et qui se nourrit de fourmis ?

5107 Qui court dans le Bois Joli ?

5108 Quel rongeur des montagnes est célèbre pour sa fourrure ?

5109 Quel est le sens premier du mot ichtyosaure ?

QUIZ 514

Tailles
Des quatre réponses proposées, une seule est bonne.

5110 Quel est le plus gros animal terrestre ?
A L'éléphant d'Afrique
B L'éléphant indien
C L'éléphant australien
D L'éléphant américain

5111 Quel est le plus petit poisson ?
A Le saumon
B Le vairon
C Le gobie nain
D L'épinoche

5112 Lequel de ces animaux est le plus petit ?
A Le gavial
B L'hermine
C Le goliath
D Le raton laveur

5113 Lequel de ces animaux est le plus gros ?
A Le plus grand mammifère
B Le plus grand poisson
C Le plus grand amphibien
D Le plus grand ver

5114 Lequel de ces records n'est pas détenu par le cachalot ?
A Le plus grand odontocète
B Le plus gros cerveau
C Les plus gros yeux
D Le plus grand prédateur

5115 Proportionnellement à sa taille, quel animal saute le plus loin ?
A La puce
B Le kangourou
C Le lapin
D Le léopard

5116 Quel est le plus grand dauphin ?
A Le marsouin
B Le bélouga
C Le dauphin du fleuve Indus
D L'orque

5117 Quel est le plus gros oiseau capable de voler ?
A L'albatros hurleur
B L'outarde kori
C La grue blanche d'Amérique
D Le condor des Andes

5118 Quel est le deuxième plus grand animal ?
A Le grand requin blanc
B Le requin-baleine
C Le globicéphale
D Le rorqual commun

5119 Quelle est la plus grosse grenouille ?
A La rainette
B La grenouille rousse
C La grenouille à nez pointu
D La grenouille goliath

QUIZ 515

Cherchez l'intrus
Un des éléments n'a rien de commun avec les autres.

5120 Éléphant, gazelle, lapin, serpent.

5121 Autruche, dingo, émeu, wallaby.

5122 Puce, scorpion, tique, pou.

5123 Ours brun, ours noir, ours blanc, koala.

5124 Crabe, homard, scarabée, crevette rose.

5125 Lion, loup, guépard, léopard.

5126 Tatou à neuf bandes, tatou géant, tatou à trois bandes, tatou audrey.

5127 Hérisson, porc-épic, oursin, limace.

5128 Mille-pattes, gorgone, étoile de mer, pieuvre.

5129 Lapins, makis, gorilles, chimpanzés.

QUIZ 516

À la fortune du pot
Dix questions sur des sujets divers et variés.

5130 Quel animal a les plus grandes oreilles ?

5131 Quel est l'animal mythologique qui ne peut être apprivoisé que par une vierge ?

5132 Comment appelle-t-on les animaux qui vivent aux dépens des autres ?

5133 Proportionnellement à leur taille, quels sont les amphibiens qui sautent le plus loin ?

5134 Quel nom collectif désigne à la fois des singes, des scouts et des soldats ?

5135 Comment appelle-t-on la matière brillante qui se trouve à l'intérieur des coquillages ?

5136 Quel est le plus grand poisson vivant du monde ?

5137 Qu'ont les singes sans queue à la place des griffes ?

5138 De qui le mulet est-il le croisement ?

5139 Comment les hiboux se débarrassent-ils des os et de la fourrure de leurs proies ?

QUIZ 517

Régime alimentaire
Que mangent-ils ?

5140 Le dinosaure allosaure était-il herbivore ou carnivore ?

5141 Quel animal se nourrit essentiellement de bambou ?

5142 Quel mot désigne un animal qui mange à la fois de la viande et des végétaux ?

5143 Quel mot désigne les animaux qui se nourrissent des restes des autres ?

5144 Quel est la base du régime alimentaire de l'ours lippu ?

5145 Quel singe chasse d'autres animaux pour se nourrir ?

5146 Quel nom donne-t-on aux lames souples que les baleines utilisent pour filtrer leur nourriture ?

5147 Que mange un animal piscivore ?

5148 Comment tous les serpents ingurgitent-ils leurs proies ?

QUIZ 518

Question de religion
Des animaux et des dieux.

5149 Dans la Bible, quel genre d'oiseau apporta à Noé un rameau d'olivier pour signifier la fin du Déluge ?

5150 De quel animal le dieu hindou Ganesh a-t-il la tête ?

5151 Quel grand échassier fut considéré comme sacré par les Égyptiens de l'Antiquité ?

5152 Quel oiseau était associé à Athéna, la déesse grecque de la sagesse ?

5153 Que signifie Singh, le nom de famille commun à tous les sikhs ?

5154 Le nom du plus grand animal ayant jamais volé, *Quetzalcoatlus*, s'inspire de celui d'un dieu d'un peuple sud-américain. Quelle est cette civilisation ?

5155 Quel félin était souvent momifié par les Égyptiens ?

5156 Quel Italien du XIIIe siècle devint le saint patron des animaux ?

5157 Le dieu hindou Hanuman a l'apparence d'un animal. Lequel ?

5158 Quelle religion interdit de tuer les animaux ?

QUIZ 519

À la fortune du pot

Dix questions sur des sujets divers et variés.

5159 Quelle grande chouette de l'Arctique a un plumage blanc moucheté de brun ?

5160 De quels aliments se nourrissent les gorilles ?

5161 En argot, quel nom d'oiseau à plumes désigne également un escroc ?

5162 Quel est le plus grand de la famille des flamants ?

5163 Quel est le plus grand reptile du monde ?

5164 Quel animal peut être de Grant ou de Grévy ?

5165 Avec quel animal Hannibal a-t-il traversé les Alpes ?

5166 Le boa constrictor peut avaler une chèvre. Vrai ou faux ?

5167 Quel tigre a le plus long pelage ?

5168 À quel ordre appartient le paon ?

QUIZ 520

Champions du monde

Questions sur le sport et les animaux.

5169 Quel sport consiste à pêcher à la ligne des poissons tels que l'espadon et le thon ?

5170 Quel animal participe au concours complet ?

5171 Quelle race de chiens est spécialisée dans les courses de traîneaux ?

5172 Quelle nage porte le nom d'un insecte ?

5173 Quel nom d'animal donne-t-on à un agrès de gymnastique ?

5174 Quels animaux du désert participent à des courses d'endurance ?

5175 Dans les courses de lévriers, les chiens pourchassent une version mécanique de quel animal ?

5176 Quel oiseau sollicite-t-on dans les courses de longue distance ?

5177 En cas de choc à l'arrière, que risque un coureur automobile ?

QUIZ 521

À la ferme

Saurez-vous identifier ces animaux ?

5178 Quel animal a une race appelée de Barbarie et une autre de Brome ?

5179 Sur quel continent les dindons vivent-ils à l'état sauvage ?

5180 Citez le nom d'une race de vaches provenant d'Angleterre élevée au Canada.

5181 À partir de quelles volailles le foie gras est-il préparé ?

5182 De quel pays d'Asie du Sud-Est le cochon nain est-il originaire ?

5183 Quel animal pousse le cri *kukuriki* en Russie et *cock-a-doodle-do* en Angleterre ?

5184 De quel animal l'aurochs est-il l'ancêtre ?

5185 Sur quelle partie du corps du cheval se trouve le paturon ?

5186 Quelle est la volaille la plus répandue au monde ?

5187 Quel animal de la ferme a des petits que l'on appelle gorets ?

QUIZ 522

Vrai ou faux ?

Une affirmation est-elle toujours une vérité ?

5188 Les abeilles dansent pour communiquer l'emplacement des fleurs aux autres abeilles.

5189 Les éphémères ne vivent qu'un jour environ.

5190 Les chauves-souris sont les seuls mammifères à pouvoir voler.

5191 Les chevaux dorment debout.

5192 Le paresseux est le mammifère le plus lent du monde.

5193 Les mammifères regroupent tous les animaux dépourvus de plumes ou d'écailles.

5194 Le mulet est issu du croisement de l'âne et de la jument.

5195 Le mammouth laineux est le plus grand mammifère terrestre ayant existé.

5196 La plupart des animaux qui ont existé sur terre ont déjà été découverts.

5197 Les ptérosaures étaient des dinosaures volants.

QUIZ 523

Sobriquets animaliers

Leur nom, prénom ou surnom est celui d'un animal.

5198 Quel roi anglais était appelé Cœur de Lion ?

5199 Quel acteur hollywoodien est surnommé l'Étalon italien ?

5200 Sous quel surnom est connu le joueur de golf Eldrich Woods ?

5201 Quel était le surnom du célèbre prisonnier de Cayenne incarné à l'écran par Steeve MacQueen ?

5202 Quel joueur de golf américain est affectueusement appelé l'Ours d'or ?

5203 Quel maréchal allemand de la Seconde Guerre mondiale surnommait-on le Renard du désert ?

5204 Quel mathématicien français du XIXe siècle a travaillé sur les probabilités ?

5205 Sous quel nom était mieux connu Illich Ramírez Sánchez, naguère recherché par toutes les polices ?

5206 Quel était le surnom de l'homme d'État français Georges Clemenceau ?

5207 Quel saxophoniste de jazz était surnommé Bird ?

QUIZ 524

Leçon de latin

Dix questions pour les forts en thème.

5208 Le plus rapide des oiseaux est *Falco peregrinus*. Quel est son nom usuel ?

5209 Quel carnivore grand et majestueux a pour nom latin *Panthera leo* ?

5210 Par quel animal furent allaités Rémus et Romulus ?

5211 Quel animal de la ferme a pour nom latin *Bos taurus* ?

5212 Le groupe de rock Les Stranglers a intitulé son premier album *Rattus norvegicus*. Quel rongeur porte ce nom latin ?

5213 Quel est le bon ami de l'homme qui a pour nom latin *Canis familiaris* ?

5214 Quel mollusque amateur de laitue a pour nom latin *Helix aspersa* ?

5215 Quel est le mammifère africain dont le nom latin signifie « cheval des rivières » ?

5216 Quel modèle de scooter italien tira son nom du terme latin signifiant guêpe ou frelon ?

5217 Quel mammifère muni de sabots forme l'espèce *Ovis* ?

QUIZ 525

À la fortune du pot

Dix questions sur des sujets divers et variés.

5218 Dans la mythologie scandinave, quel animal était Ratatosk, qui porta des messages jusqu'à l'Arbre du monde ?

5219 Quel est le verbe qui désigne la plongée en eau profonde des grands cétacés ?

5220 Les yeux des primates se trouvent-ils en position frontale ou latérale ?

5221 Que mange un animal frugivore ?

5222 Quelle est la particularité du lézard ocellé ?

5223 Quels sont les deux continents sur lesquels vivent les pangolins à l'état sauvage ?

5224 De quel groupe des années 1960 Dick Rivers était-il le chanteur ?

5225 Quel est l'autre nom du bar ?

5226 Quel mot de trois lettres désigne le terrain d'accouplement de certains oiseaux ou mammifères ?

5227 Quelle expression utilise-t-on pour qualifier une personne exclue d'un groupe ?

QUIZ 526

Ordre naturel
Des quatre réponses proposées, une seule est bonne.

5228 Comment appelle-t-on la théorie selon laquelle les animaux s'adaptent continuellement à leur environnement ?
- A Évocation
- B Évolution
- C Évulsion
- D Éviscération

5229 Sur quelles îles Charles Darwin finalisa-t-il sa théorie de l'évolution ?
- A Les îles Galápagos
- B Les îles Anglo-Normandes
- C Les îles Vierges
- D Les îles au Trésor

5230 Où croit-on que la première forme de vie apparut sur la Terre ?
- A Sur la terre ferme
- B Dans les océans
- C Dans les fleuves
- D Dans l'air

5231 Lequel de ces groupes d'animaux apparut le premier sur la Terre ?
- A Les mammifères
- B Les amphibiens
- C Les reptiles
- D Les poissons

5232 Quelles espèces animales ont confirmé la théorie de Darwin ?
- A Les crocodiles et les pies
- B Les lézards et les autruches
- C Les tortues et les pinsons
- D Les serpents et les oies

5233 De quelle race de chiens le navire de Darwin reçut-il le nom ?
- A Le pitbull
- B Le beagle
- C Le bouledogue
- D Le doberman

5234 Quel nom générique désigne les mammifères qui pondent des œufs ?
- A Les monopodes
- B Les monotrèmes
- C Les monomères
- D Les marsupiaux

5235 Lequel de ces hominidés n'est pas considéré comme étant un de nos ancêtres ?
- A L'australopithèque
- B *Homo erectus*
- C *Homo habilis*
- D L'homme de Neandertal

5236 Lequel de ces animaux n'a pratiquement pas changé en 150 millions d'années ?
- A La limule
- B La grenouille
- C Le casoar
- D Le rhinocéros indien

5237 En 1831, Charles Darwin obtint un diplôme de…
- A Biologie
- B Théologie
- C Chimie
- D Géographie

QUIZ 527

À la fortune du pot
Dix questions sur des sujets divers et variés.

5238 Quel est le plus grand animal terrestre ?

5239 Combien de pieds possède un escargot ?

5240 Quel chanteur signa le disque à succès *Crocodile Rock* ?

5241 Dans quel milieu naturel vivent les phyllobates ?

5242 Dans un fameux dessin animé, quel est le malicieux partenaire de Gros Minet ?

5243 À quel genre d'animaux s'intéresse un ornithologue ?

5244 Avec quoi les limules se protègent-elles ?

5245 Si vous êtes né en 1968, quel est votre animal selon le calendrier chinois ?

5246 De quelle couleur est l'aigle de Barbara ?

5247 Quel prophète de l'Ancien Testament échappa aux lions ?

QUIZ 528

Plateau de fruits de mer
Rétablissez l'ordre des lettres et retrouvez le terme caché.

5248 OHTN Poisson de haute mer qui fréquente souvent les dauphins.

5249 UODERAPL Coquillage qui trouve souvent sa place sur les plateaux de fruits de mer.

5250 RADILPHC Synonyme de sardine quand elle est en boîte.

5251 TESVERCTE Ces petits crustacés sont très appréciés des flamants roses.

5252 DOHRAM Grand crustacé ayant de redoutables pinces.

5253 UHERTI Mollusque producteur de perles.

5254 SNIHOCA Petit poisson salé souvent utilisé pour garnir les pizzas.

5255 DADHOKC Morue fumée.

5256 UAEQARUEM Poisson qui vit en bancs dans les mers tempérées.

5257 ETOLT L'autre nom de la baudroie.

QUIZ 529

Matières premières
Dix questions sur les produits des animaux.

5258 Qui produit la gelée royale ?

5259 La zibeline se rapproche-t-elle de la martre, du renard ou du cerf commun ?

5260 Quel délicat mets oriental se compose presque entièrement de la salive d'un oiseau ?

5261 Quels minuscules insectes produisent le miellat récolté par les fourmis ?

5262 De quel continent est originaire le vison, chassé pour sa fourrure ?

5263 De quel mammifère à sabots utilise-t-on les poils pour faire de la laine angora ?

5264 Quelle huile jaune et épaisse est extraite de la laine de mouton pour élaborer des cosmétiques ?

5265 Pour quelle utilisation récolte-t-on la fiente de chauve-souris ou des oiseaux marins appelée guano ?

5266 Quel animal produit le musc qui est utilisé dans l'élaboration de parfums ?

5267 Le ver à soie n'est pas un ver. Quel genre d'animal est-ce ?

QUIZ 530

Pot-pourri
Dix questions en tout genre.

5268 Le plus grand chien jamais recensé dépassait-il 1 m au garrot ?

5269 Quelle entreprise a fabriqué les voitures Mustang et Puma ?

5270 Quelle voiture classique fut relancée sur le marché par Volkswagen en 2000 ?

5271 Où vivent les plus grands rhinocéros, en Afrique ou en Asie ?

5272 Des trains français ont un point commun avec une grande barrière. Lequel ?

5273 Quel animal est capable de résister à de très fortes chaleurs ?

5274 Quel était le nom du bateau d'Ellen MacArthur ?

5275 Quel fabricant anglais de voitures fut acheté par Ford en 1990 ?

5276 Quel animal marin donna son nom au premier sous-marin ?

5277 Quel oiseau migrateur a donné son nom à une fameuse escadrille de chasse française de la Grande Guerre ?

QUIZ 531

Stars à la une
Des œuvres ou des lieux avec des animaux pour héros.

5278 Dans le roman de George Orwell intitulé *la Ferme des animaux*, quel genre d'animal était Boxer ?

5279 D'après Chantal Goya, qui a tué un chasseur ?

5280 Quel genre d'animal était Pumbaa dans *le Roi Lion*, de Walt Disney ?

5281 Qui est le peuple migrateur dans le film de Jacques Perrin ?

5282 Quel film tourné en 1988 était consacré à la vie de la primatologue Dian Fossey ?

5283 Que sont Bernard et Bianca ?

5284 À quelle espèce peut-on associer King Kong ?

5285 Dans la série télévisée *le Muppet Show*, quel animal était Kermit ?

QUIZ 532

Célébrités
Avez-vous la mémoire des noms ?

5286 Quel auteur de la Grèce antique a écrit des fables dont les personnages sont des animaux ?

5287 Qui fut l'un des pionniers anglais du reportage animalier ?

5288 Qui a écrit *De l'origine des espèces* ?

5289 Quelle espèce de primates fut le sujet d'études de Jane Goodall ?

5290 Dans quel musée parisien se trouve la Grande Galerie de l'évolution ?

5291 Qui est l'auteur du roman *Des souris et des hommes* ?

5292 Que doit-on au scientifique suédois Carl von Linné ?

5293 Quel est le nom du présentateur de l'émission *Ushuaia* ?

QUIZ 533

Le Grand Bleu
Des quatre réponses proposées, une seule est bonne.

5294 Comment qualifie-t-on un animal vivant dans les profondeurs abyssales et qui émet de la lumière ?
A Bilieux
B Billabong
C Bilingue
D Bioluminescent

5295 Lequel de ces mots est employé pour désigner un jeune poisson ?
A Alpin
B Calepin
C Alevin
D Poussin

5296 Lesquels de ces phoques se reproduisent dans les eaux tropicales ?
A Les otaries à fourrure
B Les phoques-moines
C Les veaux marins
D Les phoques à capuchon

5297 Quel est le pourcentage de la surface de la Terre recouverte d'eau ?
A 35 %
B 53 %
C 71 %
D 89 %

5298 De quoi le varech est-il une variété ?
A De corail
B D'algue
C De parasite
D De poisson

5299 Comment appelle-t-on les animaux microscopiques qui dérivent dans les océans ?
A Soupe primitive
B Néon
C Zooplancton
D Necton

5300 Lequel de ces éléments se propage le mieux sous l'eau ?
A La couleur
B Le son
C L'odeur
D L'électricité

5301 Lequel de ces êtres vivants n'est pas un animal marin ?
A L'étoile de mer
B L'écrevisse
C La méduse
D La seiche

5302 Lesquels de ces poissons constituent l'espèce la plus voisine des requins ?
A Les poissons-chats
B Les raies
C Les anguilles
A Les barracudas

5303 Où vivent les animaux pélagiques ?
A Dans les eaux côtières
B Sur la plage
C En haute mer
D Sous les rochers

QUIZ 534

Ça plane
Dix questions sur les animaux volants.

5304 Quel groupe américain a fait planer toute une génération avec *Hotel California* ?

5305 Quels oiseaux sont associés au célèbre film d'Alfred Hitchcock ?

5306 Comment appelle-t-on un groupe d'oiseaux ?

5307 Dans une célèbre série télévisée, qui se cache pour mourir ?

5308 Le très grand planeur d'Australie est-il un marsupial ou un oiseau ?

5309 Quel est le produit végétal dont se nourrissent les colibris ?

5310 Quel animal nécrophage des montagnes sud-américaines a la plus grande envergure ?

5311 Quel nom d'oiseau désigne également un sorcier africain ?

5312 Quel animal se repère la nuit grâce aux ultrasons ?

5313 Quelle expression imagée désigne un repaire inaccessible ?

QUIZ 535

Dénominateur commun
Quatre mots, un point commun.

5314 À bosse, bleue, à fanons, à dents.

5315 Incisive, canine, molaire, croc.

5316 Orang-outan, gibbon, gorille, chimpanzé.

5317 Gazelle, autruche, springbok, antilope.

5318 Barrière, train, serpent, bijou.

5319 Venimeuse, à filaments, gélatineuse, lune.

5320 Hurleur, titi, saki, laineux.

5321 Puces, tiques, pucerons, poux.

5322 À trois doigts, feignant, bradype, lent.

5323 Barbu, à capuchon, moine, gris.

QUIZ 536

Du mouvement
Rétablissez l'ordre des lettres et retrouvez le terme caché.

5324 NOGU Le plus célèbre mammifère migrant d'Afrique.

5325 SESDUME Animaux transparents composés à 95 % d'eau.

5326 OMNUSA Poisson qui se reproduit en eau douce mais passe la majeure partie de sa vie dans la mer.

5327 ALPEG Lieu où les phoques et les otaries se rassemblent pour s'accoupler et mettre au monde leurs petits.

5328 NABERHITION Ensemble des modifications que subissent les êtres vivants sous l'action du froid.

5329 GESNEI ESD EIO Oiseau blanc des océans qui migre vers l'Amérique du Nord.

5330 NERNE Cervidé qui vit dans les régions froides de l'hémisphère Nord.

5331 ONDEMA Terme utilisé pour désigner un animal ou une personne qui passe sa vie à se déplacer.

5332 MARQUEON Papillon « royal » qui va hiberner au Mexique.

5333 RIGSSE SABELENI Gros mammifères marins qui migrent le long de la côte pacifique d'Amérique du Nord.

QUIZ 537

Dans le même panier
Dix questions sur les ovipares.

5334 Quel mot de six lettres désigne un groupe d'œufs pondus en même temps ?

5335 Comment appelle-t-on les œufs des grenouilles et des poissons ?

5336 Comment les manchots empereurs empêchent-ils leurs œufs de geler sur la banquise ?

5337 Quels poissons mâles « équins » ont une poche ventrale incubatrice pour porter leurs œufs ?

5338 Quel oiseau pond des œufs qui mettent 40 minutes à durcir ?

5339 Les amphibiens éclosent-ils avec des poumons ou des branchies ?

5340 Proportionnellement à sa taille, quel oiseau volant pond les œufs les plus gros ?

5341 Combien d'œufs peut pondre une poule en une année : 100, 200 ou 2 000 ?

5342 Quel est le mammifère à bec de canard qui pond des œufs ?

5343 Combien mesure le plus gros œuf de dinosaure connu : 30 cm, 60 cm ou 90 cm de long ?

QUIZ 538

À la fortune du pot

Questions sur des sujets divers et variés.

5344 Comment appelle-t-on un groupe de lions ?

5345 Quel genre de baleine était l'albinos Moby Dick ?

5346 Quels pays européens considèrent le coq comme leur emblème national ?

5347 Quels insectes peuvent franchir 120 fois leur propre taille ?

5348 Quelle classe rassemble plus des deux tiers de toutes les espèces animales ?

5349 Quel mot décrit un cheval à la robe fauve et à la crinière plus claire ?

5350 Lesquels ont des oreilles visibles : les otaries ou les phoques ?

5351 Quel sens les jeunes cerfs utilisent-ils pour retrouver leur mère dans une harde ?

5352 Quel est le deuxième oiseau vivant du monde par la taille ?

QUIZ 539

Microcosmos

Dix questions sur les insectes.

5353 Dans quel film tourné en 1986 Jeff Goldblum se transforme-t-il en insecte ?

5354 Quelle araignée noire meurtrière a une tache rouge sur l'abdomen ?

5355 Quel est le mets favori de la vrillette ?

5356 Quelles araignées des tropiques édifient des terriers garnis de soie et fermés par un opercule ?

5357 En quoi se transforme le personnage principal du roman de Kafka *la Métamorphose* ?

5358 Dans le film *le Silence des agneaux*, qu'est-ce que le tueur en série introduit dans la gorge de ses victimes ?

5359 Quel est le pesticide qui s'est révélé mortel pour les abeilles ?

5360 Quel est l'animal qui a le plus de pattes ?

5361 Quels prédateurs à pinces portent leurs petits sur leur dos ?

5362 De quel insecte tirait-on la teinture rouge carmin ?

QUIZ 540

Choix cornéliens

Des quatre réponses proposées, une seule est bonne.

5363 Quelle est la nourriture principale du gavial ?
- A Le poisson
- B Les fruits
- C Les feuilles
- D Le bambou

5364 Quelle île, en dehors des Galápagos, abrite des tortues géantes ?
- A L'île de Man
- B L'île de Batz
- C L'Islande
- D L'Aldabra

5365 Quel est le plus grand serpent du monde ?
- A La vipère
- B Le cobra
- C Le python réticulé
- D L'anaconda

5366 Lequel de ces serpents n'est pas venimeux ?
- A Le crotale
- B Le cobra
- C La vipère
- D La couleuvre

5367 Quel est le plus grand reptile ?
- A L'iguane-rhinocéros
- B L'alligator américain
- C La tortue luth
- D Le crocodile marin

5368 Dans quel milieu naturel vivent les crotales cornus ?
- A La forêt
- B La taïga
- C La prairie
- D Le désert

5369 Quel est le plus grand lézard ?
- A Le varan du Nil
- B Le varan de Komodo
- C Le gecko
- D Le basilic

5370 Qu'est-ce qu'un caïman ?
- A Une espèce de crocodile
- B Un lézard
- C Une tortue d'eau douce
- D Un serpent

5371 En quoi les reptiles vivipares se distinguent-ils des autres ?
- A Ils sont chauds
- B Ils donnent naissance à des jeunes déjà formés
- C Ils n'ont pas de membres
- D Ils changent de couleur

5372 Combien y a-t-il d'espèces de tortues marines ?
- A 3
- B 8
- C 17
- D 26

QUIZ 541

Vrai ou faux ?

Dites si ces affirmations sont justes ou non.

5373 Les dauphins et les marsouins sont deux espèces de poissons.

5374 Certains cygnes ont le même partenaire pendant toute leur vie.

5375 Rintintin est un berger allemand.

5376 Seuls les mammifères ont des poils ou de la fourrure.

5377 La roussette est un petit requin.

5378 Le kangourou roux est le plus grand marsupial du monde.

5379 Le dogue allemand est le plus grand chien du monde.

5380 Le ver luisant n'est pas vraiment un ver.

5381 Les chameaux ont deux bosses.

5382 Les piquants des porcs-épics sont venimeux.

QUIZ 542

À la fortune du pot

Questions sur des sujets divers et variés.

5383 Quel oiseau domestique descend du coq bankiva ?

5384 Dans la mythologie, le griffon était moitié aigle et moitié quoi ?

5385 Quel continent n'abrite sur son sol ni reptile ni amphibien ?

5386 Les vers à bois ne sont pas des vers. À quel ordre appartiennent-ils ?

5387 Sous quel nom le homard de Norvège est-il couramment servi dans les dîners ?

5388 Quel animal est la « bête à tout faire » des peuples du Grand Nord ?

5389 Comment réagit le mille-pattes face au danger ?

5390 De quel pays européen venaient les premiers bœufs domestiques qui arrivèrent en Amérique ?

5391 Dans quelle région française les cigognes viennent-elles nidifier ?

QUIZ 543

Pot-pourri

Dix questions en tout genre.

5392 Qu'est-ce qui est situé au large de l'Australie et qui fait près de 2 000 km de long ?

5393 Quel est l'oiseau plus petit que le moineau qui a la tête noire, le ventre jaune et les ailes vertes ?

5394 Quel est le célèbre animal de Gizeh ayant le corps d'un lion et la tête d'un homme ?

5395 Quel est le plus grand prédateur des mers ?

5396 Où trouve-t-on de grandes concentrations de flamants roses en France ?

5397 Comment appelle-t-on la plus grande chouette d'Amérique ?

5398 Quel est le nom de la constellation également appelée le Grand Chariot ?

5399 Quel est le coléoptère vivant dans les étangs qui est assez gros pour attraper de petits poissons ?

5400 Comment appelle-t-on l'oiseau plongeur des lacs qui a un couvre-chef flamboyant ?

5401 Chez les chimpanzés, qui est le plus lourd : le mâle ou la femelle ?

QUIZ 544

Parcs zoologiques
Dix questions sur les réserves animalières.

5402 Quel est le nom du zoo situé à l'est de Paris ?

5403 Quel est le premier parc national créé aux États-Unis en 1872 ?

5404 À quel animal est dédié le parc national du Gévaudan, en Lozère ?

5405 Qui a écrit le livre dont a été tiré le film *Jurassic Park* ?

5406 Quelle est la célèbre série de télévision qui mit en scène un vétérinaire dans une réserve naturelle africaine ?

5407 Quel petit mammifère symbolisant l'épargne vit à l'état sauvage dans Central Park ?

5408 Dans quel pays se situent les parcs nationaux Rara, Royal Bardia et Royal Chitwan ?

5409 Dans quel pays se situe le parc national Kruger ?

5410 Quel cerf, visible au parc de la Haute-Touche, porte le nom du missionnaire français qui le découvrit en Chine ?

5411 Quel parc national indien porte le nom d'un célèbre tueur de tigres devenu leur ardent défenseur ?

QUIZ 545

Chacun est à sa place
Dix questions sur la classification animale.

5412 Quel naturaliste suédois a élaboré le premier système cohérent de classification des êtres vivants ?

5413 Le nom d'une espèce en latin est son nom scientifique ou vernaculaire ?

5414 À quel grand groupe appartiennent les vertébrés ?

5415 À quelle classe les tritons appartiennent-ils ?

5416 À quel groupe appartiennent 95 % des espèces ?

5417 Quel est le plus ancien groupe de reptiles vivants ?

5418 Quelle classe constitue-t-elle le plus important des groupes de vertébrés, avec plus de 25 000 espèces ?

5419 Comment s'appelle l'organe respiratoire de la plupart des poissons et de nombreux autres animaux aquatiques ?

5420 Lequel de ces invertébrés n'est pas un mollusque : le calmar, la méduse ou la coquille Saint-Jacques ?

5421 À quel ordre les ratons laveurs appartiennent-ils ?

QUIZ 546

Symboles, logos et mascottes
Animaux et emblèmes célèbres.

5422 Quel est l'animal emblématique de la Chine ?

5423 Quel est l'animal emblématique des États-Unis ?

5424 Quel oiseau symbolise la paix ?

5425 Quel fabriquant de voitures de sport a pour logo un cheval cabré ?

5426 Quel animal volant se trouve sur les bouteilles de rhum Bacardi ?

5427 Quel félin est le logo des voitures Peugeot ?

5428 Tony fait de la publicité pour les « Frosties » de Kelloggs. De quel animal s'agit-il ?

5429 Quelle ville de Floride est dédiée aux dauphins – des parcs d'attractions au nom de son équipe de football ?

5430 Quelle marque de vêtements de sport est symbolisée par un félin ?

QUIZ 547

Restons groupés
Dix questions sur l'organisation sociale des animaux.

5431 Vers quel continent les cigognes migrent-elles pour passer l'hiver ?

5432 À quelle espèce appartiennent les gazelles qui migrent en Tanzanie ?

5433 Quel est le seul grand singe à vivre en solitaire ?

5434 Comment appelle-t-on la femelle reproductrice des abeilles ?

5435 Comment appelle-t-on un groupe d'abeilles ?

5436 Comment appelle-t-on un groupe de chauves-souris ?

5437 Comment appelle-t-on un groupe de perdreaux ?

5438 Comment appelle-t-on un groupe de sangliers ?

5439 Comment appelle-t-on un groupe de poissons ?

5440 Comment appelle-t-on un groupe de loups ?

QUIZ 548

Pot-pourri
Dix questions en tout genre.

5441 Quel chien de combat a été interdit par la législation en Ontario ?

5442 Le plus lourd des serpents pèse-t-il plus de 200 kg ?

5443 Selon le dicton, elles apportent le chagrin ou l'espoir selon certains moments de la journée. Qui sont-elles ?

5444 Comment qualifie-t-on le mâle dominant dans un groupe de gorilles ?

5445 Sous quel autre nom est également connu le serpent d'Amérique du Sud qui étouffe ses proies dans ses anneaux avant de les avaler ?

5446 Quel compositeur russe est l'auteur du *Vol du bourdon* ?

5447 Quel oiseau est connu pour faire la roue ?

5448 Quel est l'acarien parasite qui se nourrit du sang des animaux ?

5449 Le dhole vit-il en meute ou en solitaire ?

5450 Que met un fauconnier sur la tête d'un rapace ?

QUIZ 549

Un éléphant, ça trompe énormément
Rétablissez l'ordre des lettres et retrouvez le terme caché.

5451 ORIVIE Matière des défenses de l'éléphant.

5452 POMETR Prolongement de l'appendice nasal de l'éléphant.

5453 NAILBAHN Chef carthaginois qui utilisa des éléphants pour franchir les Alpes.

5454 KANAL SIR Île où vivent les plus grands éléphants d'Asie.

5455 ABRIRSESMETN Cri de l'éléphant.

5456 HERDEMYCAP Autre mot pour désigner un éléphant, se rapportant à sa peau épaisse.

5457 HADLAETIN Pays où les éléphants « blancs » sont vénérés.

5458 NATPHAEUELE Nom du petit de l'éléphant.

5459 OASTMODETN Éléphant disparu qui coexista avec le mammouth.

5460 MDANA Petit mammifère poilu qui est un lointain cousin de l'éléphant.

QUIZ 550

À la fortune du pot

Dix questions sur des sujets divers et variés.

5461 Quel oiseau marin a la plus grande envergure ?

5462 Je ressemble à un lézard et je respire par la peau. Qui suis-je ?

5463 Dans quel État américain y a-t-il deux fois plus de caribous que d'habitants ?

5464 Quels animaux sont domestiqués au Tibet ?

5465 Le Chihuahua est une région de quel pays ?

5466 Quel nom de dinosaure signifie littéralement « prédateur rapide » ?

5467 Quels étaient les parents adoptifs de lord Greystoke ?

5468 Quel petit animal domestique fait des tours dans sa roue ?

5469 Quel animal arboricole est particulièrement flegmatique ?

5470 Combien de têtes avait l'aigle sur les armoiries de la Russie impériale ?

QUIZ 551

Peur et dégoût

Dix questions relatives aux différents types de phobies.

5471 Quel terme désigne la peur des araignées ?

5472 De quoi a peur un ornithophobe ?

5473 Quels sont les animaux qui quittent le navire avant tout le monde ?

5474 De quoi a peur un herpétophobe ?

5475 De quoi a peur un ichtyophobe ?

5476 Quelles sont les chauves-souris qui s'attaquent à l'homme ?

5477 De quoi a peur un cynophobe ?

5478 De quoi a peur un hippophobe ?

5479 De quoi a peur un apiphobe ?

5480 Quel terme caractérise la peur des animaux ?

QUIZ 552

Sur la corde raide

Des quatre réponses proposées, une seule est bonne.

5481 Comment qualifie-t-on la queue d'un animal quand elle peut agripper des objets ?
A Prétentieuse
B Préhensile
C Préhistorique
D Prédatrice

5482 Que sont les makis, les gibbons et les bonobos ?
A Des marsupiaux
B Des antilopes
C Des primates
D Des carnivores

5483 Lequel de ces animaux ne vit pas dans la canopée de la forêt tropicale ?
A Le singe hurleur
B Le toucan
C Le calao
D Le pécari

5484 Que mangent les pics ?
A Du bois
B Des feuilles
C Des larves de coléoptères
D Des champignons

5485 Quel est le plus petit singe ?
A Le singe-écureuil
B Le singe-araignée
C Le tamarin-lion
D Le ouistiti-pygmée

5486 Pourquoi la plupart des animaux arboricoles ont-ils une vision binoculaire ?
A Pour évaluer la distance
B Pour voir en couleurs
C Pour voir dans leur dos
D Pour attirer les femelles

5487 Quelle est la plus grande forêt tropicale ?
A L'Himalaya
B L'Amazonie
C La Forêt-Noire
D La forêt de Brocéliande

5488 Cherchez l'intrus.
A Le tarsier
B Le lémur
C Le galago
D L'écureuil roux

5489 Lequel de ces animaux est frugivore ?
A Le héron
B Le muscardin
C Le castor
D Le saumon

5490 De quels animaux les paresseux sont-ils voisins ?
A Des tatous
B Des singes
C Des rongeurs
D Des cochons

QUIZ 553

Guerre des sexes

Dix questions sur le genre des animaux.

5491 Chez les lions, est-ce le mâle ou la femelle qui chasse pour nourrir le groupe ?

5492 Comment appelle-t-on un renard femelle ?

5493 Chez les oiseaux, quel genre est généralement le plus coloré ?

5494 De quel sexe sont les fourmis et les abeilles ouvrières ?

5495 Un mouton mâle est un bélier ; comment appelle-t-on un mouton femelle ?

5496 Quel moustique pique : le mâle ou la femelle ?

5497 Dans la famille kangourou, lequel est le plus rapide : le mâle ou la femelle ?

5498 Qui construit le nid chez l'oiseau à berceau : le mâle ou la femelle ?

5499 Parmi les grillons et les sauterelles, qui chante : les mâles ou les femelles ?

5500 Le mâle du faucon est-il plus gros que la femelle ?

QUIZ 554

À table !

Dix questions de gastronomie.

5501 À quoi la venaison fait-elle référence ?

5502 Quelle matière comestible fabriquée par des insectes ne s'avarie jamais ?

5503 Quel plat écossais typique est préparé à base d'abats ?

5504 À partir des œufs de quel poisson le caviar est-il fabriqué ?

5505 Quel animal produit le lait utilisé dans la meilleure mozzarella ?

5506 Quel est l'autre nom de l'encornet ?

5507 Quel est l'animal dont les juifs et les musulmans ne mangent pas la viande ?

5508 Quel hors-d'œuvre grec est fabriqué à partir d'œufs de cabillaud, de jus de citron et d'huile d'olive ?

5509 Quels mollusques sert-on avec les frites ?

5510 Que trouve-t-on sur un plateau de fruits de mer ?

QUIZ 555

Dénominateur commun

Quatre mots, un point commun.

5511 Empereur, gorfou, papou, royal.

5512 De Sibérie, d'Indochine, de Sumatra, du Bengale.

5513 Rapace, chasse, chaperon, gantelet.

5514 Blanc, envergure, océan, oiseau.

5515 Cœlophysis, diplodocus, pinosaurus, baryonyx.

5516 Du Canada, des neiges, cendrée, bernache.

5517 Accoucheur, rascasse, visqueux, pélobate.

5518 Vampire, nocturne, pipistrelle, oreillard.

5519 Édenté, cuirassé, à neuf bandes, fouisseur.

5520 Verte, des champs, chat, grise.

QUIZ 556

À la fortune du pot

Dix questions sur des sujets divers et variés.

5521 Quel animal est l'emblème du WWF (World Wildlife Found) ?

5522 Quels mammifères vivant dans des galeries souterraines sont aveugles ?

5523 Quels animaux actuels descendent des théropodes ?

5524 Combien y a-t-il de faces sur chaque alvéole d'un rayon de miel ?

5525 Quel est le nom du lézard dont la légende dit qu'il peut tuer par son seul regard ?

5526 Que construit l'oiseau en période de ponte ?

5527 Quel rongeur aquatique est recherché pour sa fourrure ?

5528 Quels insectes vivent dans une fourmilière ?

5529 Quel était l'animal fétiche de François Ier ?

5530 Les tuniciers marins sont-ils des vertébrés ou des invertébrés ?

QUIZ 557

À la loupe

Savez-vous tout de l'anatomie des poissons ?

5531 Comment appelle-t-on les nageoires paires antérieures des poissons ?

5532 Comment appelle-t-on les deux fentes branchiales par lesquelles s'évacue l'eau respiratoire ?

5533 Quelle pièce paire recouvre les branchies ?

5534 Quelle poche de gaz assure aux poissons leur stabilité hydrostatique ?

5535 Quel organe sensoriel situé sur les flancs des poissons leur permet de déterminer les variations de pression dans l'eau, la vitesse et les mouvements ?

5536 Quelle nageoire est utilisée pour la propulsion ?

5537 Les poissons fusiformes sont les meilleurs nageurs en eau rapide. Vrai ou faux ?

5538 Quel est le plus gros poisson osseux ?

5539 Comment appelle-t-on les filaments charnus placés des deux côtés de la bouche du poisson-chat ?

5540 Quels poissons ont pour caractéristique d'être asymétriques ?

QUIZ 558

La puce à l'oreille

À vous de trouver le mot manquant.

5541 Une _____ verte qui courait dans l'herbe…

5542 Marcher les pieds en dehors, c'est marcher comme un _____.

5543 Le harnais qui permet de porter un bébé sur le ventre est également dénommé _____.

5544 Quelqu'un qui mange goulûment et sans mâcher est une personne qui s'empiffre comme un _____.

5545 On dit d'une personne intelligente, calculatrice qu'elle est rusée comme un _____.

5546 Faire les choses trop précipitamment, c'est mettre la charrue devant les _____.

5547 Lorsqu'on est incapable de trouver une solution, on dit que l'on donne sa langue au _____.

5548 Imiter quelqu'un, c'est le _____.

5549 Introduire une personne dans un lieu où elle peut être dangereuse, c'est faire entrer le _____ dans la bergerie.

5550 Rêvasser, c'est bailler aux _____.

QUIZ 559

À la fortune du pot

Dix questions sur des sujets divers et variés.

5551 Quel mammifère insectivore a la taille d'une souris ?

5552 Combien de mammifères ont des plumes ?

5553 Les gibbons passent-ils plus de temps au sol ou dans les arbres ?

5554 Du lapin ou du lièvre, lequel est le plus grand ?

5555 Quel genre d'animal volant et nocturne est la roussette ?

5556 Quelle étendue naturelle a pour racine latine *forestis* ?

5557 À quel animal la Sierra Leone doit-elle son nom ?

5558 Quelle compagnie pétrolière a pour logo une coquille Saint-Jacques ?

5559 De la reproduction sexuée ou asexuée, laquelle produit des clones ?

5560 Génétiquement, qui est le plus proche parent de l'homme ?

QUIZ 560

Pot-pourri

Dix questions en tout genre.

5561 Quel est le papillon que l'on trouve dans l'île de Beauté et qui a le même nom qu'un accessoire de billard ?

5562 Avec quoi fait-on les archets des instruments à cordes ?

5563 Quel pays d'Amérique centrale de la taille des Pays-Bas abrite 870 espèces d'oiseaux ?

5564 Comment appelle-t-on la longue plume de l'aile des oiseaux ?

5565 Comment appelle-t-on un dépassement dangereux en voiture ?

5566 Quel est le terme qui désigne une chevelure nouée en arrière ?

5567 Que mange-t-on avec une sauce ravigote ?

5568 Quel animal n'est pas aimé des marins ?

5569 Avec quoi faisait-on les cordes des instruments de musique ?

5570 Quel est le nom d'un tout petit insecte sans ailes de moins de 5 mm ?

QUIZ 561

Métamorphoses

Un indice et des lettres. À vous de faire le puzzle.

5571 SOLEMNACE Lézards qui changent rapidement de couleur.

5572 MOTOREMPHASE Mot employé pour désigner un changement complet d'aspect physique.

5573 DARTTE Nom donné au petit de la grenouille ou du crapaud.

5574 NCHESLEIL Mot employé pour désigner les larves des papillons.

5575 EVILJUNE Mot employé pour désigner tout animal qui n'est pas encore adulte.

5576 ITERECPITEV État des femelles prêtes à procréer.

5577 ICLEVELS Nom donné aux anguilles avant qu'elles prennent leur forme adulte.

5578 EMU Processus qui consiste à changer de plumage ou de fourrure.

5579 QUOTEXLETESE Formation squelettique externe de certains mollusques, crustacés et insectes.

5580 PINAL AGOPLDEE Tétras d'Europe du Nord qui devient blanc en hiver.

QUIZ 562

Vrai ou faux ?

Dites si ces affirmations sont justes ou non.

5581 Les girafes mettent bas debout.

5582 Les organes dont les poissons se servent pour respirer sont appelés les branchies.

5583 Un ver de terre coupé peut repousser en formant deux nouveaux animaux.

5584 Le mâle du petit paon de nuit repère les femelles à plusieurs kilomètres de distance.

5585 L'oiseau a un système respiratoire plus complexe et performant que celui de l'homme.

5586 Il y a des antilopes sur les hauts plateaux du Tibet.

5587 Le phoque de Weddell est le seul mammifère à vivre dans l'Antarctique.

5588 Les premiers oiseaux apparurent sur terre avant les premiers mammifères.

5589 Dans une couvée de fous masqués, il n'y a qu'un seul poussin qui survit.

5590 Un cœur de musaraigne bat à 1 200 pulsations par minute environ.

QUIZ 563

Singeries
Dix questions sur les primates

5591 Quel est l'organe qui permet de reconnaître le singe nasique ?

5592 De nombreux singes sont arboricoles. Que signifie ce terme ?

5593 À quelle espèce de singes le gélada, le chacma et l'hamadryas appartiennent-ils ?

5594 Combien d'espèces de singes vivent à l'état sauvage en Australie ?

5595 Que représentent les trois singes qui ne veulent ni voir, ni entendre, ni parler ?

5596 Pendant les guerres napoléoniennes, pourquoi les habitants de la ville anglaise d'Hartlepool pendirent-ils un singe qu'ils avaient trouvé échoué sur le rivage ?

5597 Sur quel continent vivent à l'état sauvage les tamarins et les ouistitis ?

5598 Les facteurs rhésus, composants du sang, furent découverts au cours d'une recherche sur quelle espèce de macaques ?

5599 Qu'est-ce qui fait la réputation du mandrill ?

5600 Quel comportement rend le douroucouli, ou singe-chouette, unique en son genre ?

QUIZ 564

Dans le désert
Des quatre réponses proposées, une seule est bonne.

5601 Pourquoi les chameaux ont-ils de longs cils ?
- A Pour se protéger du sable
- B Pour les aider à voir de nuit
- C Pour séduire
- D Pour chasser les mouches

5602 Pourquoi les lièvres de Californie ont-ils de si grandes oreilles ?
- A Pour se protéger les yeux
- B Pour effrayer les prédateurs
- C Pour repérer leurs proies
- D Pour réguler leur température

5603 Dans quoi le ganga moucheté récolte-t-il de l'eau pour ses poussins ?
- A Dans son plumage
- B Dans son bec
- C Dans son estomac
- D Dans son cou

5604 Quelle antilope du désert a-t-on sauvée de l'extinction en la faisant se reproduire en captivité puis en la réintroduisant dans son milieu ?
- A L'addax
- B Le springbok
- C L'oryx d'Arabie
- D L'oryx-gazelle

5605 Lequel de ces animaux ne vit pas dans le désert ?
- A Le fennec
- B Le dromadaire
- C La vigogne
- D Le lynx caracal

5606 Pourquoi une espèce de lézard a-t-elle un museau semblable à une pelle ?
- A Pour retourner sa proie
- B Pour se déplacer dans le sable
- C Pour chercher de la nourriture
- D Pour attirer ses partenaires

5607 Comment la taupe dorée du désert du Namib trouve-t-elle sa nourriture ?
- A Grâce à sa vue
- B Grâce à son odorat
- C Grâce à son ouïe
- D En percevant les vibrations

5608 Quel genre d'animal est la gerboise ?
- A Un lézard
- B Un rongeur
- C Un oiseau
- D Un serpent

5609 Quel désert est un refuge pour les chameaux sauvages de Bactriane ?
- A Le Sahara
- B Le Namib
- C Le Gobi
- D Le Thar

5610 Lequel parmi ces mammifères ne creuse pas de terrier ?
- A Le lièvre de Californie
- B Le renard de Kit
- C Le rat-kangourou
- D Le chat du désert

QUIZ 565

Bleu, blanc, rouge (ou roux) ?
À vous de trouver le mot manquant.

5611 La baleine _____ est le plus gros animal du monde.

5612 Le martinet a le ventre _____.

5613 La robe du renard commun est _____.

5614 Le geai _____ vit dans les bois.

5615 L'ibis _____ vit dans la partie tropicale de l'Amérique.

5616 La spatule _____ se nourrit de poissons et d'invertébrés aquatiques.

5617 Le cerf _____ est le plus grand mammifère terrestre en France.

5618 Le piranha _____ est réputé pour attaquer les animaux plus gros que lui.

5619 Un os de seiche est _____.

5620 L'écureuil _____ construit un abri plus solide que ceux de la plupart des animaux arboricoles.

QUIZ 566

Le compte est bon
Question de quantité.

5621 Combien de bras a un poulpe ?

5622 Combien de pattes ont tous les insectes ?

5623 Combien de têtes a l'aigle qui est l'emblème de la Pologne ?

5624 Combien y a-t-il de petits cochons face au loup ?

5625 Combien de membres possède un décapode ?

5626 De combien de coquilles un escargot se sert-il au cours de sa vie ?

5627 Combien d'yeux ont la plupart des araignées ?

5628 Combien de petits la plupart des phoques ont-ils chaque année ?

5629 Combien de tétines a une femelle éléphant ?

5630 Combien d'os trouve-t-on à l'intérieur d'une bernacle ?

QUIZ 567

Home sweet home
Dix questions relatives aux habitats.

5631 Comment appelle-t-on le récipient où vivent les poissons en appartement ?

5632 Comment s'appelle la cage des lapins de basse-cour ?

5633 Quel est le lieu destiné à loger les chevaux ?

5634 Quel est le refuge du lièvre ?

5635 Quel terme désigne le terrier de la loutre ?

5636 Comment appelle-t-on la grande cage des oiseaux ?

5637 Comment appelle-t-on l'abri de l'écureuil à la cime d'un arbre ?

5638 Quel terme désigne le terrier creusé par les blaireaux ?

5639 Quel est l'autre nom du nid de guêpes ?

5640 Comment appelle-t-on le repaire des castors ?

QUIZ 568

À la fortune du pot
Dix questions sur des sujets divers et variés.

5641 Animaux des prairies ou animaux des forêts, lesquels sont en général les plus grands ?

5642 Quels sont les papillons attirés par la lumière ?

5643 Les marsupiaux sont-ils des mammifères ou des oiseaux ?

5644 Combien de races de chiens le Club canin reconnaît-il ?

5645 Des libellules ou des demoiselles, lesquelles ferment leurs ailes quand elles se reposent ?

5646 De l'éléphant mâle adulte ou de l'éléphant de mer mâle adulte, lequel est le plus lourd ?

5647 Quel verbe signifie « dormir durant l'hiver » ?

5648 Quel terme décrit l'état léthargique dans lequel certains animaux passent l'été ?

5649 À quel animal proche de la pieuvre le kraken (monstre marin de la mythologie scandinave) ressemblait-il ?

5650 Quelle est la seule espèce à avoir voyagé sur la Lune ?

QUIZ 569

Anagrammes
Un indice et des lettres. À vous de faire le puzzle.

5651 NOSSRIHE Insectivore qui se roule en boule quand il a peur.

5652 AMTIA Petit rongeur ayant des zébrures le long du dos.

5653 INUSOARM Mammifère marin qui ressemble au dauphin mais avec un museau plus court.

5654 AMHNCEZIP Primate qui sait se servir d'outils.

5655 COBEOL Singe de la forêt africaine dont l'espèce la plus connue est noire et blanche.

5656 OALGAG Primate nocturne et insectivore d'Afrique.

5657 INVIERIG ED SOMOPUS Marsupial grimpant aux arbres, originaire du Canada et des États-Unis et portant le nom d'un État américain.

5658 ALEDROP-EUQHPO Phoque carnivore des mers australes, principal prédateur des manchots en Antarctique.

5659 LAEN Le plus grand des cervidés.

5660 LEBANEI FRCHEAN La seule grande baleine qui se rencontre toute l'année dans les eaux de l'Arctique.

QUIZ 570

Visite au zoo
Questions sur les parcs animaliers

5661 À côté de quelle ville de Californie se trouve le plus grand zoo du monde ?

5662 Quelle est la particularité des horaires du zoo de Singapour ?

5663 Dans quel zoo anglais trouve-t-on la volière de Snowdon ?

5664 Quel zoo d'Asie centrale abritait un lion borgne qui survécut à une attaque au lance-roquettes en 2001 ?

5665 Qu'a créé le vicomte de La Panouse en région parisienne ?

5666 Où peut-on admirer un gorille albinos appelé Flocon de neige ?

5667 Dans quel quartier de New York est situé le principal zoo de la ville ?

QUIZ 571

On bouge
Des quatre réponses proposées, une seule est bonne.

5668 Où la baleine grise migre-t-elle en automne ?
- A De la Manche à la mer du Japon
- B De l'océan Arctique au Mexique
- C De la Baltique à la Méditerranée
- D Du Pacifique à la mer du Nord

5669 Où se reproduisent les anguilles canadiennes ?
- A En mer des Sargasses
- B En mer de Chine
- C En mer Méditerranée
- D En mer du Nord

5670 Quelle antilope migre à travers les steppes chaque année ?
- A L'antilope saga
- B L'antilope taïga
- C L'antilope séga
- D L'antilope saïga

5671 Quels lézards peuvent défier les lois de la gravité ?
- A Les caméléons
- B Les varans de Komodo
- C Les iguanes
- D Les geckos

5672 À terre, quel est le plus rapide des insectes ?
- A La blatte américaine
- B Le scarabée-tigre
- C L'araignée-loup
- D La fourmi rouge

5673 Quel est le plus rapide des poissons ?
- A Le barracuda
- B Le requin-nourrice
- C Le voilier
- D Le poisson volant

5674 Comment le polatouche se déplace-t-il d'arbre en arbre ?
- A En courant
- B En bondissant
- C En planant
- D En glissant

5675 Lequel de ces animaux est à la fois rapide et endurant ?
- A L'antilope américaine, ou pronghorn
- B Le guépard
- C Le lion
- D Le mulet

5676 Comment le liopleurodon se déplaçait-il d'un lieu à l'autre ?
- A En marchant
- B En nageant
- C En volant
- D En glissant

5677 Dans quel milieu naturel certaines espèces se déplacent-elles par la brachiation ?
- A Les déserts
- B Les forêts
- C Les prairies
- D Les montagnes

QUIZ 572

Ça commence par...
L'initiale est donnée, à vous de trouver la suite.

5678 Moine, gris et léopard sont des mots qui peuvent s'appliquer au même mammifère. Quel est cet animal, dont le nom commence par un P ?

5679 Quel mot commençant par un M désigne une grande araignée tropicale à la morsure mortelle ?

5680 Quel mot commençant par un M désigne un poisson filiforme très vorace vivant dans les mers chaudes ?

5681 Quel mot commençant par un E désigne un canard dont le duvet est très recherché pour ses qualités thermiques ?

5682 Quel mot commençant par un A qualifie un crapaud qui transporte les œufs de sa partenaire sur son dos ?

5683 Quel poisson, dont le nom commence par un R, peut être pèlerin, marteau et tigre ?

5684 Quel mot commençant par un D désigne un mammifère marin qui utilise l'écholocation pour se repérer ?

5685 Quel mot commençant par un T désigne un groupe d'animaux ?

5686 Quel animal dont le nom commence par un C a deux variétés appelées tourteau et étrille ?

5687 Quel mot commençant par un N qualifie tout animal actif la nuit ?

QUIZ 573

À la fortune du pot
Dix questions sur des sujets divers et variés.

5688 Quel genre d'animal était Babe, la vedette du film du même nom, sorti en 1995 ?

5689 Pourquoi certains papillons ont-ils des taches ressemblant à des yeux sur leurs ailes ?

5690 Que combattent les amoureux des roses ?

5691 Le dodo savait-il voler ?

5692 À quel animal le terme léonin fait-il référence ?

5693 Quel oiseau marin de grande envergure effectue de longs périples entre chacune de ses périodes de reproduction ?

5694 Quel est l'animal marin que l'on trouve dans les salles de bains ?

5695 Quel genre d'animal est le langur ?

5696 Quel mot de cinq lettres désigne un troupeau de femelles dirigé par un mâle dominant ?

5697 Que signifie réellement le mot dinosaure ?

QUIZ 574

Globe-trotters
Qui sont-ils ? Où vivent-ils ?

5698 Quel est l'oiseau emblématique de la Nouvelle-Zélande ?

5699 De quel continent viennent les gorilles ?

5700 Quels sont les deux animaux qui apparaissent sur les armoiries de l'Australie ?

5701 Quel animal est traditionnellement associé à la Russie ?

5702 Quelle espèce de macaque trouve-t-on à Gibraltar ?

5703 Sur quelle île vit le plus grand lézard du monde ?

5704 De quel animal l'équipe de rugby d'Afrique du Sud porte-t-elle le nom ?

5705 Quel est l'archipel au nord de l'Écosse qui a donné son nom à un poney ?

5706 Quel rapace est le symbole de l'Équateur ?

5707 Quelle est l'espèce de manchot la plus septentrionale : le manchot du Cap ou le manchot des Galápagos ?

QUIZ 575

Rampants reptiles
Dix questions sur les serpents

5708 Quel est le seul serpent venimeux vivant au Canada ?

5709 Que dévore l'aigle sur le drapeau mexicain ?

5710 Quel était le nom du serpent dans le film de Walt Disney *le Livre de la jungle* ?

5711 Sur quel continent rencontre-t-on le plus de serpents venimeux ?

5712 Quelle marque italienne de voitures est associée à un serpent ?

5713 Quels serpents sont utilisés par les charmeurs de serpents ?

5714 Dans l'horoscope chinois, quelle fut la dernière année du Serpent : 1995, 1998 ou 2001 ?

5715 Quel saint a débarrassé l'Irlande de ses serpents ?

5716 Comment les pythons tuent-ils leurs proies, avec du poison ou par constriction ?

5717 Sur quel continent vit la vipère cornue ?

QUIZ 576

À la fortune du pot
Dix questions sur des sujets divers et variés.

5718 Quel est l'autre nom du mérou rouge ?

5719 Quel est le plus grand des singes anthropoïdes ?

5720 Le petit panda et le panda géant appartiennent à la même famille. Vrai ou faux ?

5721 Quel est le plus grand animal d'eau douce ?

5722 Quelle grenouille d'Afrique vit dans le feuillage des forêts tropicales humides ?

5723 Quel est l'autre nom de l'ara rouge ?

5724 Quels termites construisent leur termitière selon un axe nord-sud ?

5725 Quel est le plus grand des hiboux ?

5726 Quel grand rapace diurne, aux pattes très longues, se nourrit principalement de serpents ?

5727 Quel petit crocodilien a un museau long et étroit ?

QUIZ 577

Dans les eaux
Dix questions autour de la faune aquatique.

5728 Dans quel hémisphère vivent les morses ?

5729 Qu'ont les loutres, les grenouilles et les canards entre les orteils pour les aider à nager ?

5730 Le lac Baïkal est le milieu naturel du seul phoque d'eau douce du monde. Où se trouve ce lac ?

5731 Quelle célèbre prison est située sur l'île des Pélicans, au large de San Francisco ?

5732 Les concombres de mer sont-ils des plantes ou des animaux ?

5733 Quel animal est le vilain petit canard dans le conte d'Andersen ?

5734 Où vit le poisson-lanterne : à proximité des plages ou en eau profonde ?

5735 Quels animaux marins émettent des nuages d'encre pour leurrer leurs prédateurs ?

5736 Quelles îles au large du Chili constituent le milieu naturel de l'iguane marin ?

5737 Quels animaux des marais sont connus pour sucer le sang ?

QUIZ 578

À la fortune du pot
Dix questions sur des sujets divers et variés.

5738 Quelle île est l'habitat des makis sauvages ?

5739 Quelle sorte de singe a une espèce appelée lar et une autre siamang ?

5740 Où vit le dugong, sur terre ou dans la mer ?

5741 Dans quel film de Walt Disney y a-t-il le plus de pattes ?

5742 L'atèle est-il un animal de la prairie ou de la forêt ?

5743 Pourquoi l'oryctérope a-t-il une langue longue et poisseuse ?

5744 Qui est l'auteur du *Carnaval des animaux* ?

5745 Les hérissons sont-ils génétiquement proches des porcs-épics ?

5746 Quel cousin du koala est le plus grand marsupial fouisseur du monde ?

5747 Quel compositeur viennois a écrit une opérette portant le nom d'un animal nocturne ?

QUIZ 579

Vrai ou faux ?
Dites si ces affirmations sont justes ou non.

5748 Le dodo est une espèce disparue.

5749 Les dinosaures théropodes mangeaient de l'herbe.

5750 Tous les félins ont des griffes rétractiles, sauf le guépard.

5751 Les morses changent de couleur quand ils sortent de l'eau.

5752 La plupart des chauves-souris peuvent se déplacer dans l'obscurité totale.

5753 Les cachalots peuvent plonger à plus de 2 000 m de profondeur.

5754 Les mâchoires des hyènes sont assez puissantes pour broyer les os.

5755 La plupart des mammifères du désert sont actifs le jour.

5756 Certains félins à dents de sabre avaient des dents plus longues que *Tyrannosaurus rex*.

5757 Les coraux ne vivent que sous les tropiques.

QUIZ 580

Communication
Rétablissez l'ordre des lettres et retrouvez le terme caché.

5758 BIENELA A SESOB Cétacé connu pour ses chants mélodieux.

5759 SCUM Sécrétion odorante produite par certains mammifères.

5760 OIFNARRTESEOD SDANGEL Organes qui produisent la sécrétion odorante de certains mammifères.

5761 LAEROTC Serpent qui peut détecter sa proie par la chaleur qu'elle dégage.

5762 MATEAUR-RINQUE Requin dont les narines et les yeux sont situés aux extrémités de son museau élargi.

5763 NESTANNE Autre mot pour désigner les capteurs des crustacés et des insectes.

5764 URCOUEL Utilisée par de nombreux animaux pour prévenir qu'ils sont venimeux.

5765 EARTALLE GNILE Organe sensoriel se trouvant sur le corps de la plupart des espèces de poissons.

5766 HOMEPERSON Signaux chimiques produits par les papillons de nuit et d'autres animaux pour attirer leurs congénères, mâles ou femelles.

5767 ITSRARE Primate nocturne d'Asie ayant des yeux énormes et de grandes oreilles.

QUIZ 581

C'est la guerre

Le rôle des animaux dans les conflits.

5768 Quel animal peut-on associer aux séparatistes tamouls du nord du Sri Lanka ?

5769 Quelle grande race de chiens fut utilisée par les Romains dans leurs combats ?

5770 Quel oiseau a donné son nom à un hélicoptère ?

5771 Quel était le surnom de la septième division blindée de Grande-Bretagne qui combattit en Afrique du Nord pendant la Seconde Guerre mondiale ?

5772 Quels oiseaux ont joué un rôle essentiel dans les communications pendant les Première et Seconde Guerres mondiales ?

5773 Certaines espèces de mammifères marins ont été entraînées par la marine américaine pour détecter les mines. Citez l'une d'elles.

5774 Dans les tranchées, comment s'appelle une barrière en bois garnie de barbelés ?

5775 Quel animal figurait sur les enseignes des légions romaines ?

5776 Quelle star du cinéma français lutte pour protéger les animaux à fourrure ?

5777 Quel félin a donné son nom à un hélicoptère de combat ?

QUIZ 582

Drôles de noms

Mais qui sont-ils vraiment ?

5778 Le bonobo est un primate ; lequel ?

5779 Le boomslang est un reptile ; lequel ?

5780 Le kapako est un oiseau ; lequel ?

5781 De quel mammifère africain se nourrissant de feuilles l'okapi est-il génétiquement proche ?

5782 Dans quel pays vivent le numbat et le koala ?

5783 L'indri est-il un rongeur, une gazelle ou un primate inférieur ?

5784 Quel genre d'animal est le tamandua, insectivore d'Amérique du Sud ?

5785 Sur quel continent vivent le coati, le tayra et le kinkajou ?

5786 Littéralement, que veut dire le mot rhinocéros ?

5787 Quels mammifères sont regroupés dans l'ordre des chiroptères ?

QUIZ 583

Énigmes préhistoriques

Des quatre réponses proposées, une seule est bonne.

5788 Qu'avaient sur le dos les dimétrodons de la préhistoire ?
A Des ailes
B Des piquants
C Une voile
D Des plumes

5789 Quel fossile de dinosaure fut découvert en 1991 près de Moab, dans l'Utah ?
A *Saltlakeasaurus*
B *Utahraptor*
C *Mormonodon*
D *Bushocus*

5790 Que signifie littéralement le mot ptérosaure ?
A Douleur affreuse
B Planeur terrestre
C Reptile ailé
D Monstre marin

5791 De quels animaux les ammonites étaient-elles génétiquement proches ?
A Les poissons
B Les crabes
C Les calmars
D Les tortues de mer

5792 Lequel de ces animaux n'était pas un dinosaure ?
A *Brachiosaurus*
B *Allosaurus*
C *Velociraptor*
D *Plesiosaurus*

5793 Quel genre d'animal était l'argentavis ?
A Un dinosaure
B Un mammifère
C Un amphibien
D Un oiseau

5794 Lequel de ces animaux vécut dans la mer ?
A *Liopleurodon*
B *Iguanodon*
C *Hyracotherium*
D *Pteranodon*

5795 Le plus petit dinosaure était de la taille de quel animal ?
A Un poulet
B Un mouton
C Une vache
D Une souris

5796 Le mégalodon aurait pu croquer tout cru son descendant. Quel genre d'animal était-ce ?
A Un cétacé
B Un requin
C Un félin
D Un serpent

5797 Lequel parmi ces mots ne désigne pas une ère géologique ?
A Cénozoïque
B Paléozoïque
C Anazoïque
D Mésozoïque

QUIZ 584

Blanc ou noir ?

À vous de trouver la bonne couleur.

5798 L'oie _____ est aussi appelée l'oie des neiges.

5799 La veuve _____ est l'araignée la plus meurtrière d'Amérique du Nord.

5800 Le rhinocéros _____ constitue une espèce.

5801 Les puces qui sèment la peste noire furent amenées par des rats _____.

5802 Le mamba _____ est le serpent le plus rapide du monde.

5803 Les zèbres sont rayés de bandes _____.

5804 La panthère _____ est une espèce mélanique du léopard.

5805 On attribue parfois à la cigogne _____ la qualité de distribuer des bébés.

5806 Le milan _____ ombrage l'eau avec ses ailes quand il pêche.

5807 L'ours _____ est le troisième plus grand carnivore d'Amérique du Nord.

QUIZ 585

Rongeurs dans le désordre

Rétablissez l'ordre des lettres et retrouvez le terme caché.

5808 OTRCAS Animal aquatique connu pour sa science des barrages.

5809 IREPAIR ED HNCIE Variété de rongeur nord-américain qui vit dans des galeries si étendues qu'elles sont appelées villes.

5810 IRLO Couché confortablement dans une théière dans *Alice au pays des merveilles*.

5811 NIALP Cet animal à longues oreilles n'est pas un rongeur, comme on le croit souvent à tort.

5812 ABICAI De la taille d'un mouton, c'est le plus grand des rongeurs.

5813 USOIRS Stuart Little est une star du cinéma qui aime l'aventure. De quel animal s'agit-il ?

5814 TLMUO Plus petit rongeur qui construit des nids sphériques dans les champs.

5815 ICPE-ROCP Il vit dans les régions chaudes et son nom provient de ses longs piquants protecteurs.

5816 RELUCEUIS Rongeurs grimpant aux arbres et ayant une queue épaisse et touffue.

5817 ARTMESH Rongeur petit et sans queue qui est souvent un animal de compagnie.

QUIZ 586

À la fortune du pot
Dix questions sur des sujets divers et variés.

5818 Mammifère marin végétarien appelé aussi vache marine.

5819 Raie géante qui se nourrit de plancton et vit dans les eaux tropicales.

5820 Canard au plumage très coloré qui partage son nom avec les lettrés de la Chine impériale.

5821 Canidé aux longues pattes vivant dans les prairies d'Amérique du Sud.

5822 Maladie de peau chez les animaux provoquée par des acariens.

5823 Milieu naturel marécageux sous les tropiques.

5824 Babouin coloré des forêts d'Afrique occidentale.

5825 Insecte prédateur qui se tient sur ses pattes de devant comme s'il priait.

5826 Minuscule animal vivant en colonie.

5827 Bête légendaire ayant la tête et le poitrail d'un lion, le corps d'une chèvre et la queue d'un dragon ou d'un scorpion.

QUIZ 587

À la fortune du pot
Dix questions sur des sujets divers et variés.

5828 L'ordre et la famille permettent de classifier les espèces. Lequel des deux contient l'autre ?

5829 Quelle partie de la tête du dinosaure *Triceratops* lui a valu son nom ?

5830 Les makis et les loris ont un peigne dentaire. Qu'est-ce que cela signifie ?

5831 Comment appelle-t-on l'étude scientifique des amphibiens et des reptiles ?

5832 Quel compositeur a écrit le conte musical *Pierre et le Loup* ?

5833 Quel est le nom de la convention réglementant strictement le commerce international des espèces animales menacées d'extinction ?

5834 De quels animaux les phoques sont-ils le plus proches génétiquement : les chiens, les cétacés ou les vaches marines ?

5835 Quelle est la plus massive des espèces de bœufs ?

5836 Qu'est-ce qui est le plus difficile à digérer : la viande ou les végétaux ?

5837 Que comportent les ailes du poussin hoazin d'Amérique du Sud ?

QUIZ 588

À la fortune du pot
Dix questions sur des sujets divers et variés.

5838 À quelle famille appartient le caribou ?

5839 Quel ursidé a une langue protractile pouvant atteindre 25 cm ?

5840 Quel animal domestique montre le plus de différences selon les races ?

5841 C'est à son habitude de nettoyer et de rincer sa nourriture avant de la manger que le raton laveur doit son nom. Vrai ou faux ?

5842 Quel petit marsupial donne leur surnom aux joueurs de rugby australiens ?

5843 Quel est le nom de la femelle du lièvre ?

5844 Quel félin semi-aquatique a les pattes légèrement palmées ?

5845 Les plongeons sont des oiseaux parfaitement adaptés à la nage sous l'eau. Vrai ou faux ?

5846 Quelle espèce de canard est la plus répandue dans l'hémisphère Nord ?

5847 Quel est le plus gros oiseau volant ?

QUIZ 589

Bande de jeunes
À vous de trouver le mot manquant.

5848 Un jeune cerf est appelé _____.

5849 Un jeune phoque est appelé _____.

5850 Un jeune chat est appelé _____.

5851 Un jeune mouton est appelé _____.

5852 Une jeune tipule est appelée _____.

5853 Un jeune marsupial est appelé _____.

5854 Un jeune cygne est appelé _____.

5855 Un jeune pigeon est appelé _____.

5856 Un jeune lièvre est appelé _____.

5857 Un jeune ours est appelé _____.

QUIZ 590

Question de taille
Quel est le plus gros parmi les quatre ?

5858 Tigre, léopard, puma, jaguar.

5859 Phoque gris, phoque léopard, éléphant de mer, phoque moine.

5860 Autruche, casoar, émeu, nandou.

5861 Araignée de mer, araignée sauteuse, araignée-loup, mygale.

5862 Kangourou gris, wallaby des rochers, wombat, potorou.

5863 Poisson-lune, roussette, requin-pèlerin, lamproie.

5864 Crabe géant du Japon, crabe-soldat, étrille, crabe tacheté.

5865 Mouffette tachetée, ratel, martre, hermine.

5866 Pangolin, koala, paresseux didactyle, tamanoir.

5867 Maki gris, galago, tarsier, indri.

QUIZ 591

Pot-pourri
Dix questions en tout genre.

5868 Quel poisson de rivière a inspiré Franz Schubert ?

5869 Quel cervidé vit dans les régions froides de l'hémisphère Nord ?

5870 Quel rapace est également l'emblème de nombreux pays ?

5871 Quel est le plus grand des serpents constrictors vivant en Amérique du Sud tropicale ?

5872 Quel est le nom de l'île d'Alaska constituant le milieu naturel des plus gros des ours bruns ?

5873 Quel est le mot qui désigne le petit de l'oie ?

5874 Sur quel continent vivent le guépard et le springbok ?

5875 Quel est le nom du fleuve d'Amérique du Sud qui a donné son nom à une espèce de dauphins ?

5876 Quel micro-organisme a un nom issu des mots grecs *polus*, nombreux, et *pous*, pied ?

5877 De ces poissons, lequel est le plus plat : le turbot ou le maquereau ?

QUIZ 592

Parlons clair
Rétablissez l'ordre des lettres et retrouvez le terme caché.

5878 YECOOT *Canis latrans.*

5879 D SAIE NATHPELE *Elephas maximus.*

5880 EROD ACHT *Felis aurata.*

5881 ED CLEHLURB REEBZ *Equus burchelli.*

5882 RBNU SURO *Ursus arctos.*

5883 MOCNUM HINDUAP *Delphinus delphis.*

5884 LIMNGEM *Lemmus lemmus.*

5885 URPADCA *Bufo bufo.*

5886 ENBRIATAC ED EUAMACH *Camelus bactrianus.*

5887 CINACUP GENIS *Cebus capuchinus.*

QUIZ 593

Un de trop
Cherchez l'intrus.

5888 Fourmilier, oryctérope, pangolin, grizzli.

5889 Cornes, défenses, nageoires, bois.

5890 Guêpe, frelon, syrphe, abeille.

5891 Otarie à fourrure, phoque de Weddel, cétacé pilote, morse.

5892 Fourrure, poils, peau, écailles.

5893 Potto, loris, tarsier, genette.

5894 Cachalot, baleine à bosse, baleine grise, baleine bleue.

5895 Araignée de mer, étrille, tourteau, limule.

5896 Sangsue, puce, ténia, tique.

5897 Plumes, peau urticante, cuirasse, piquants.

QUIZ 594

Du temps des dinosaures
Dix questions de paléontologie

5898 Quel était environ le poids du plus gros dinosaure : 10 tonnes, 100 tonnes ou 1 000 tonnes ?

5899 Les ammonites rampaient-elles sur les plages ou en eau libre ?

5900 Quel genre de dinosaure était Aladar, le héros du dessin animé de Walt Disney intitulé *Dinosaure* ?

5901 Quelle est l'ère la plus ancienne : le jurassique, le trias ou le crétacé ?

5902 De quel genre animal l'archéoptéryx est-il le plus ancien membre ?

5903 Les cétacés se sont-ils développés avant ou après la disparition des dinosaures ?

5904 *Ichtyosaurus, Rhamphorhynchus* et *Pteranodon* ont vécu à la même époque que les dinosaures, mais un seul a vécu dans la mer. Lequel ?

5905 Les coprolithes aident les scientifiques à comprendre les habitudes alimentaires du dinosaure. De quoi s'agit-il ?

5906 Depuis combien de temps les dinosaures ont-ils disparu : 55, 65 ou 75 millions d'années ?

5907 Quel est le premier dinosaure à avoir été scientifiquement décrit ?

QUIZ 595

À la fortune du pot
Dix questions sur des sujets divers et variés.

5908 Quels insectes volants les lépidoptéristes étudient-ils ?

5909 Combien de dents ont les chiens adultes, sachant qu'ils en ont généralement 10 de plus que les hommes ?

5910 Lorsqu'il attaque, quelle partie du corps le cobra vise-t-il ?

5911 Le crapaud lascif n'est pas du tout un crapaud. Quel genre d'animal est-ce ?

5912 Dans la chaîne alimentaire, les animaux qui mangent des plantes sont-ils appelés des consommateurs primaires ou secondaires ?

5913 Comment appelle-t-on les oiseaux échassiers mâles qui se battent au printemps ?

5914 Quelle caractéristique fut attribuée au dinosaure *Giganotosaurus* en 1995 ?

5915 Les ténias n'ont pas de bouche. Comment se nourrissent-ils ?

5916 De quel genre de poissons cartilagineux sont les aigles de mer ?

5917 Quel était le nom du commandant de la *Calypso* ?

QUIZ 596

Définitions
Saurez-vous les identifier ?

5918 Cousin européen sauvage du chat domestique.

5919 Insecte dont les essaims peuvent ravager les récoltes.

5920 Primate à queue zébrée de Madagascar.

5921 Petit insecte féroce portant le nom du roi des animaux. Il creuse un entonnoir destiné à piéger les fourmis.

5922 Serpent avec une tête en forme de V.

5923 Géant aquatique qui passe au crible sa minuscule nourriture.

5924 Petit couineur qui est aussi le plus petit mammifère de Grande-Bretagne.

5925 Animal d'Amérique du Nord à dents saillantes qui porte le nom du plus grand fleuve du continent américain.

5926 Animal bourdonnant qui considère votre maison comme la sienne.

5927 Cerf commun originaire du Japon.

QUIZ 597

Astrologie
Avez-vous la tête dans les étoiles ?

5928 Quel animal représente le signe zodiacal du Cancer ?

5929 De quel signe zodiacal est une personne née entre le 19 février et le 20 mars ?

5930 L'un des signes du zodiaque est un arthropode. Lequel ?

5931 Dans le calendrier chinois, quelle est la dernière année du Cheval ?

5932 Quel signe du zodiaque porte le nom du roi des animaux ?

5933 Qui a une tête et une queue mais rien de plus entre les deux ?

5934 Selon les croyances populaires, qu'est-ce qui fait hurler le loup ?

5935 Quelle constellation, également appelée la Croix du Nord, porte le nom d'un oiseau blanc ?

5936 Quel est le cheval ailé sur le firmament ?

5937 Quelle est la constellation boréale qui porte le nom du plus aimé des mammifères marins ?

QUIZ 598

À la fortune du pot
Dix questions sur des sujets divers et variés.

5938 Le tichodrome échelette est-il un reptile ou un oiseau ?

5939 Les requins ont-ils un squelette cartilagineux ou osseux ?

5940 Quel continent traversé par l'équateur abrite les plus grands vers de terre du monde ?

5941 Quel est le nom du plus célèbre ballet de Tchaïkovski ?

5942 Un tigron est le résultat du croisement de deux animaux. Lesquels ?

5943 Quel ongulé africain voisin du sanglier creuse un terrier dans lequel il s'abrite la nuit ?

5944 Sur quel continent vivent les orang-outans ?

5945 Quel fabuliste français s'est inspiré d'Ésope ?

5946 Quel monstre grec à tête de femme et au corps de vautour a donné son nom au plus grand aigle d'Amérique du Sud ?

5947 Quel est le surnom de l'équipe de football du Cameroun ?

QUIZ 599

Vrai ou faux ?
Dites si ces affirmations sont justes ou non.

5948 L'odeur des mouffettes peut être perçue à 1 km de distance.

5949 Les cécilies sont des amphibiens dépourvus de pattes.

5950 Les chauves-souris forment l'un des plus grands groupes de mammifères.

5951 Les bœufs musqués peuvent survivre à des températures de – 50 °C.

5952 Certains serpents vivent dans la mer.

5953 *Basilosaurus* était un dinosaure.

5954 Les mille-pattes ont mille pattes.

5955 Le tatou à neuf bandes met généralement au monde de vrais quadruplés.

5956 Les sucs gastriques des crocodiles sont si acides qu'ils peuvent digérer la peau et les os.

5957 Il y avait des mammouths sur terre quand les premières pyramides furent érigées.

QUIZ 600

Vivre et mourir

Dix questions sur les espèces menacées ou éteintes

5958 Y a-t-il encore des dodos à l'île Maurice ?

5959 Quel genre d'animal était le baiji, qui ne vivait que dans un fleuve chinois ?

5960 Avant de s'éteindre, en 1627, les aurochs d'Europe à longues cornes ont fait naître un animal familier de la ferme. Lequel ?

5961 Quel dauphin d'eau douce a définitivement disparu de la planète en 2007 ?

5962 Quelle est l'espèce animale la plus menacée, le rhinocéros ou l'éléphant ?

5963 Le thylacine fut aperçu pour la dernière fois en Tasmanie. Sous quel nom est mieux connu ce prédateur marsupial à poche ventrale ?

5964 Le dernier couagga est mort au zoo d'Amsterdam en 1883. Quel animal évoquait-il ?

5965 Dans certaines régions au Canada et en Europe, la pipistrelle est en voie de disparition. De quel animal s'agit-il ?

5966 Combien des six espèces des grands singes sont en voie de disparition ?

5967 Sur quel continent les éléphants sauvages risquent-ils de disparaître ?

SPORTS ET ACTI

VITÉ PHYSIQUE

SPORTS ET ACTIVITÉ PHYSIQUE

Activité physique et entraînement

Les Occidentaux ne font plus guère d'exercice en raison de leur mode de vie sédentaire. Il en résulte une augmentation de l'obésité mais aussi une tendance accrue à considérer l'activité physique comme une forme de loisir. La recherche démontre que l'inactivité physique constitue un grand facteur de risque de décès prématuré, de maladie chronique et d'invalidité. En plus de favoriser un poids santé, l'activité physique procure un sentiment de bien-être général.

Salles de gym

Jadis chasse gardée des amateurs de boxe et de musculation, depuis la fin des années 1990, les gyms sont l'endroit par excellence pour s'entraîner sur une base quotidienne. Si ces établissements offrent des programmes adaptés à différentes clientèles, la plus grande difficulté demeure la régularité et la fréquence de l'entraînement. En moyenne, au cours d'une année, 46% de la population canadienne de 15 ans et plus n'atteint pas la quantité recommandée d'activité physique.

Course à pied

La course – dont le seul équipement indispensable est une paire de chaussures de course – fait partie des sports amateurs les plus populaires. Ce succès remonte au lancement du **marathon** de New York, en 1971. Première du genre, cette manifestation ouverte aux **athlètes** comme aux **amateurs** fut copiée dans le monde entier. Depuis le début des années 1980, quantité de marathons ont lieu au Québec et attirent aussi bien des amateurs que des professionnels. Le Marathon des deux rives SSQ (Québec-Lévis) et le Marathon Oasis de Montréal (festival de la santé) en sont de bons exemples.

Les sports extrêmes

Les activités comprenant de dangereuses acrobaties physiques sont qualifiées de sports extrêmes. En font partie la **grimpe urbaine**, le **base jumping** (chute libre d'un pont, d'une falaise ou autre point élevé) et le **parkour**, ou free run, art de se déplacer avec fluidité, notamment en courant sur les toits. Certains sports, tels le **snowboard**, le **BMX** (bicross) **et le kitesurf** (surf tracté par un cerf-volant), sont d'anciens sports extrêmes devenus des disciplines de compétition. Le **saut à l'élastique** peut se pratiquer depuis un pont, une grue, une montgolfière ou encore un hélicoptère !

Vélo et patins à roues alignées

La popularité du vélo ne cesse d'augmenter depuis une vingtaine d'années. Il y aurait environ 3,3 millions de cyclistes au Québec. Un plus grand nombre de **pistes cyclables**, favorisant l'accessibilité à l'espace urbain et aux lieux de villégiature, a sûrement contribué à cette popularité. Les utilisateurs de patins à roues alignées sont aussi de plus en plus nombreux à partager avec les cyclistes ces nouvelles voies aménagées. Plus qu'un loisir, le vélo et les patins à roues alignées sont devenus des moyens de transport sains et écologiques.

Tennis et sports de raquette

Si certains sports de raquette, tels que le squash et le racket-ball, existent depuis peu, le **tennis** et le badminton ont déjà une longue histoire. Ces derniers auraient comme ancêtre le jeu de Paume au XIIe siècle. Le premier match de tennis moderne fut disputé dans les années 1860 en Angleterre. La dimension du court de squash (62,40 m^2) et les règles de cette discipline datent des années 1920. Selon le niveau, la balle a plus ou moins de rebond : la balle pour débutants, non marquée, rebondit presque deux fois plus que la balle professionnelle, à double point jaune.

La natation

La pratique de la natation offre l'exercice physique le plus complet, car elle met en œuvre tous les muscles sans risque de blessure. Variante du **crawl** (ou nage libre), la **nage indienne** se distingue par le mouvement des jambes en ciseaux (semblable à celui de la grenouille) au lieu des habituels **battements**. La **brasse**, conçue pour la nage en eaux calmes, est parfaitement adaptée aux piscines tandis que le **papillon** prend toute son efficacité dans les eaux agitées.

L'aérobique et cie

Toute activité oxygénant les tissus est un **exercice aérobique** qui stimule l'activité cardiovasculaire et permet de conserver un certain tonus musculaire. Ces exercices sont effectués généralement sous la direction d'un entraîneur et accompagnés de musique. Cette mode, très en vogue dans les années 1980, fut alimentée par les **vidéos** animées par des célébrités, telles que Jane Fonda. Depuis ce temps, une variété de cours se sont ajoutés et ciblent des objectifs précis entraînement cardiovasculaire, renforcement des abdominaux et des fessiers, souplesse, endurance, etc.

Sports de la balle

Le tennis, comme le badminton, le squash et la pelote basque, a pour ancêtre le jeu de paume, inventé en France au XIIIe siècle. En 1877, le premier championnat de tennis sur gazon fut organisé à Wimbledon. Le premier tournoi de tennis au Canada aurait eu lieu à Montréal au Cricket Club en 1878. Compte tenu des progrès techniques réalisés ces dernières décennies dans le domaine des matériaux, l'équipement est devenu beaucoup plus performant, entraînant des bouleversements dans les sports de balle. Les joueurs de tennis et de golf font partie des sportifs les mieux payés au monde.

L'étymologie du mot tennis

En Angleterre, il prit le nom de **court tennis** au XVIe siècle – du terme de mise en jeu français *tennetz* (tenez). En 1873, le major **Walter Wingfield** créa le **sphairistiké** (du grec «art de la balle»), empruntant de nombreux termes au français, notamment *deuce* (du vieux français *deus* pour deux). La **Fédération internationale de tennis** fut fondée en 1913. Les quatre tournois du **grand chelem** sont l'**Open d'Australie** (ciment, janvier), **Roland-Garros** (terre battue, mai), **Wimbledon** (gazon, juin) et l'**US Open** (ciment, août/septembre). La coupe Rogers, féminine et masculine, qui se déroule chaque année à Montréal et à Toronto, est un événement de plus en plus couru des adeptes de tennis.

Des grands joueurs de tennis

- **Martina Navratilova** (née en 1956) Tchèque/Américaine.
- **Björn Borg** (né en 1956) Suédois.
- **John McEnroe** (né en 1959) Américain.
- **Yannick Noah** (né en 1960) Français.
- **Boris Becker** (né en 1967) Allemand.
- **Steffi Graf** (née en 1969) Allemande.
- **Andre Agassi** (né en 1970) Américain.
- **Pete Sampras** (né en 1971) Américain.
- **Venus et Serena Williams** (nées en 1980 et 1981) Américaines.
- **Roger Federer** (né en 1981) Suisse.

Des records de vitesse...

Andy Roddick, Américain, record de vitesse au service, 252 km/h, Coupe Davis en 2004.
Venus Williams, Américaine, record de vitesse au service, 207,6 km/h, US Open 2007

Le squash

Inventé en Angleterre au milieu du XIXe siècle, le squash nécessite un **court fermé et muré** – c'est pourquoi sa diffusion à travers le monde ne date que des années 1920. En France, ce sport fut géré par la Fédération française de tennis jusqu'en 1980. Le **racket-ball**, inventé en 1949, est un jeu de raquette similaire, à mi-chemin entre le squash et le ping-pong.

Le tennis de table

Le tennis miniature connut un engouement sous différents noms en Grande-Bretagne dans les années 1880. Les premiers coffrets portant la marque **ping-pong** furent lancés en 1901.
La **Fédération internationale de tennis de table** fut fondée en 1926, et le premier championnat mondial se déroula à Londres l'année suivante. Compte tenu de la place et de l'investissement modérés qu'il requiert, le tennis de table est devenu l'un des sports les plus populaires du monde – surtout en Chine. La discipline est olympique depuis 1988.

Le golf

L'**Écosse** se revendique comme la patrie du golf, car ce sport s'y pratique depuis au moins le XVe siècle. Il s'est répandu autour du monde au XIXe siècle, mais le Royal and Ancient Golf Club de Saint Andrews demeure le garant de ses règles.
Selon la tradition, il se pratique sur un parcours de 18 trous. Les quatre grands tournois masculins professionnels comptent l'**US Masters** (Augusta, en Géorgie), l'**US Open**, le **British Open** et le **PGA Championship**.
Les femmes disputent également quatre majeurs, dont le **Kraft Nabisco Championship**. Tous les 2 ans, l'Europe et les États-Unis s'affrontent lors de la **Ryder Cup**.

PETITE INFO
Gary Player né en 1935, à Johannesburg, est un brillant golfeur sud-africain, avec 163 victoires en tournois à son actif. Ses gains s'élèvent à plus de 12 millions de dollars; en effet le golf est l'un des sports les mieux payés.

Le billard

Le **snooker** est une variante du billard introduit au XIXe siècle en Inde par des officiers de l'armée britannique. Il connut un formidable essor à la fin des années 1960 grâce aux **retransmissions télévisées**. Il se pratique désormais dans le monde entier, notamment en Extrême-Orient. Parmi les grands tournois figurent le **championnat du monde** et les **masters**, disputés par les dix meilleurs joueurs mondiaux. Plus ancien, le **billard français** se joue avec deux boules blanches et une boule rouge. Le **pool** américain se pratique sur une table plus petite, dotée de poches, avec des boules numérotées.

La pelote

La forme de **pelote basque** la plus connue se joue avec un gant prolongé d'un panier de forme courbe: le chistera, qui accélère la vitesse de la balle lancée contre le mur du court, le fronton. En France, en Espagne et en Amérique latine, la discipline la plus pratiquée, la *cesta punta*, se joue dans un **jaï-alaï**, fronton long composé d'un mur à gauche. La pelote se joue aussi à main nue. Ainsi, dans la province de Valence, la ***pilota*** oppose deux équipes de part et d'autre d'un filet.

Sports de ballon

Dès le Moyen Âge, de lointains ancêtres du football se pratiquèrent dans les rues et les champs en Europe. Relativement brutaux, ces jeux de ballon obéissaient à des règles floues. Au milieu du XIXe siècle, lorsque les règles modernes furent établies, d'autres formes apparurent autorisant le jeu à la main : football canadien et américain, rugby à XV, rugby à XIII et rugby australien. On raconte que sir Francis Drake retarda son attaque sur l'Armada espagnole en 1588 afin de terminer sa partie de boules anglaises – un mélange de pétanque, de bowling et de curling se jouant sur gazon ou sur moquette.

Rugby

Le **rugby à XV** oppose deux équipes de 15 joueurs qui tentent de poser le ballon derrière la ligne de but de l'adversaire (**essai**) ou de lui faire franchir au pied la barre des poteaux verticaux ; la passe en avant est interdite. Dans le **rugby à XIII**, créé en 1895, les 13 joueurs de chaque équipe ont le droit de renvoyer le ballon à leurs coéquipiers jusqu'au sixième tenu. Au Canada, c'est le rugby à XV qui se joue principalement..

Football canadien et américain

Issus du rugby et peut-être aussi du football européen, le football américain comme le canadien en diffèrent par le port du casque et de protections par les joueurs de même que leurs règles. Répartis en **attaquants, défenseurs** et **spécialistes des coups d'envoi**, les joueurs tentent de marquer un touché, c'est-à-dire qu'un coéquipier se place derrière la ligne d'en-but adverse avec le ballon. Il peut également effectuer un placement en bottant le ballon entre les poteaux du but de l'adversaire. Chaque année des équipes professionnelles s'affrontent et la finale consiste en des événements sportifs très courus des amateurs : le **Super Bowl** aux États-Unis et la **Coupe Grey** au Canada.

Rugby australien

En Australie, le sport de ballon le plus populaire se pratique l'hiver sur un terrain ovale. Les buts sont délimités par quatre poteaux. Six points sont accordés à un tir centré entre les poteaux, un seulement aux tirs de chaque côté. Les 18 joueurs de chaque équipe peuvent courir avec le ballon, le botter mais pas l'envoyer à la main. Le championnat (**Australian Football League**) atteint son apogée lors de la Grand Final, organisée à Melbourne.

Football gaélique

Les règles du football gaélique – sport irlandais antérieur au rugby – furent codifiées à la fin du XIXe siècle par la **Gaelic Athletic Association** (GAA) ; il se pratique sur le même terrain que le hurling irlandais. Le ballon rond peut être porté sur quatre pas, puis lancé au **pied** ou frappé de la **paume** ou du **poing**. Pour marquer, il faut franchir la barre transversale des poteaux des buts. L'**All Ireland Final** se déroule à Dublin en septembre.

Sioule

Héritée du Moyen Âge, la sioule ou soule (à l'origine une **vessie de porc remplie de foin**) est un jeu de ballon collectif qui se pratique surtout dans le milieu du scoutisme. Dans ce **mélange** de **football** et de **rugby**, tous les coups sont permis.

Basket

Selon les règles du basket moderne, établies en 1891, les joueurs marquent des points lorsque le ballon pénètre dans le **panier** de l'adversaire ; ils avancent sur le terrain en se faisant des **passes** ou en **dribblant**, mais ils n'ont pas le droit de se déplacer en marchant avec le ballon ou de le toucher avec le pied. Leurs adversaires s'efforcent de leur bloquer le passage (sans le moindre contact) ou d'intercepter le ballon. Le basket est devenu une discipline olympique en 1936.

Volleyball

Le professeur d'éducation physique américain **William Morgan** inventa le volleyball, d'abord baptisé « mintonette », en 1895. Six joueurs placés de part et d'autre d'un **filet** frappent le ballon avec les mains. Après deux **passes** dans le même camp, le ballon doit franchir le filet. Le point est accordé lorsque le ballon touche le sol dans le camp adverse. Le volley fut introduit en France en 1918.

Pétanque et bowling

La ***pétanque*** est un jeu dont le but consiste à lancer des boules en métal de la taille du poing au plus près d'une boule plus petite appelée **cochonnet**. Au **bowling**, le but consiste à faire tomber **10 quilles** avec, au maximum, deux lancers (*frames*) de boules.

Handball

Le handball se pratique depuis la nuit des temps, mais ses règles modernes se fixèrent en 1898 en Europe du Nord. Deux équipes tentent de marquer des buts en se faisant des **passes** ou en **dribblant**, uniquement avec les **mains**. Le ballon est suffisamment petit pour tenir dans une seule main. Le handball masculin est une discipline olympique depuis 1972, le féminin depuis 1976. Parmi les nations dominantes figurent la France, la Russie, la Suède, l'Allemagne, le Danemark et l'Espagne.

LE SAVIEZ-VOUS ?

Le **volleyball de plage** aurait été pratiqué aux États-Unis et en Europe depuis 1920. Les règles étaient toutefois quelque peu différentes de celles d'aujourd'hui. Ce sport est devenu une discipline olympique en 1996 aux jeux d'Atlanta.

Football (européen, canadien et américain)

L'histoire moderne du football a débuté en 1863 avec la création en Angleterre de la Football Association, la plus ancienne fédération de football (ou soccer) du monde. C'est le sport le plus populaire au monde. Il est pratiqué régulièrement par 240 millions de personnes dans 200 pays. Le football présente notamment l'avantage de pouvoir se pratiquer n'importe où, le seul équipement nécessaire étant un ballon. Le football américain et le football canadien auraient tous deux été joués pour la première fois au Canada. Ils se pratiqueraient depuis le milieu du XIXe siècle aux États-Unis comme au Canada.

Football européen ou soccer

En 1863, la fondation de la **Football Association** (FA) à Londres suscita la création de clubs en Grande-Bretagne, en Europe et en Amérique. Dans les années 1880 apparurent les premiers joueurs professionnels. Les règles n'ont guère changé depuis. Chaque équipe dispose de 11 joueurs ; seul le gardien de but a le droit de toucher le ballon de la main. Les matchs internationaux se déroulent sur un terrain de 100-110 m de long sur 64-75 m de large. Un match normal dure 90 minutes.

La coupe du monde

Organisée tous les quatre ans depuis 1930, sauf durant la Seconde Guerre mondiale, elle aura lieu en Afrique du Sud en 2010. Le trophée offert au pays vainqueur porte le nom de Jules Rimet – le président de la FIFA de 1921 à 1954.

Année	Pays organisateur	Vainqueur
1930	Uruguay	Uruguay
1934	Italie	Italie
1938	France	Italie
1950	Brésil	Uruguay
1954	Suisse	Allemagne de l'Ouest
1958	Suède	Brésil
1962	Chili	Brésil
1966	Angleterre	Angleterre
1970	Mexique	Brésil
1974	Allemagne de l'Ouest	Allemagne de l'Ouest
1978	Argentine	Argentine
1982	Espagne	Italie
1986	Mexique	Argentine
1990	Italie	Allemagne de l'Ouest
1994	États-Unis	Brésil
1998	France	France
2002	Corée du Sud et Japon	Brésil
2006	Allemagne	Italie

Football canadien et football américain

Le football, style rugby modifié, aurait été pratiqué par les milices britanniques en garnison à Montréal dans les années 1860. La pratique du football américain et du football canadien se ressemblent. Toutefois, le football canadien se pratique avec deux équipes de 12 joueurs (au lieu de 11) sur une aire de jeu plus grande que celle du football américain, soit 110 verges au lieu de 100. Le déroulement du jeu diffère quelque peu selon leurs règles respectives, par exemple, le nombre d'essais qui est de 3 pour le canadien et de 4 pour l'américain.

PETITE INFO

Le soccer, notre *foot*, est devenu un sport très prisé tant par les filles que les garçons dès l'école primaire. Depuis quelques années, l'**Impact**, une équipe de joueurs professionnels, défend les couleurs de Montréal au Championnat canadien.

Des étoiles au football

Football canadien

- **Ben Cahoon** (né en 1972), Alouettes de Montréal
- **Anthony Calvillo** (né en 1972), Alouettes de Montréal
- **Henry Burris** (né en 1975), Stampeders de Calgary

Football américain

- Les deux frères **Manning** : **Peyton Williams** (né en 1976) des Colts d'Indianapolis et **Eli** (né en 1981) des Giants de New-York
- **Tom (Thomas Edward) Brady** (né en 1977) des Patriots de Nouvelle-Angleterre

Football européen

- **Alfredo Di Stéfano** (né en 1926) Argentine (et Espagne).
- **Pelé** (né en 1940) Brésil.
- **Diego Maradona** (né en 1960) Argentine.
- **Zinedine Zidane** (né en 1972) France.

Sports olympiques d'été

Les premiers Jeux Olympiques d'été de l'ère moderne ont eut lieu à Athènes en 1896. Au cours de ces jeux, 241 participants se sont affrontés dans 9 sports, incluant l'athlétisme, le cyclisme et la natation. En 2008, lors des Jeux Olympiques d'été à Pékin, c'est 10 500 athlètes issus de 204 nations qui se sont confrontés dans 302 disciplines. En 1976, Montréal a été la ville hôte des Jeux Olympiques d'été. L'héroïne de ces jeux fut la gymnaste roumaine Nadia Comaneci.

La natation

Michael Phelps (Américain, né en 1985) est entré dans la légende aux Jeux de Pékin 2008. Il a remporté huit médailles d'or dans les huit épreuves auxquelles il a participé. Il a par la même occasion battu sept records du monde et un record olympique. D'autres records sont dignes de mention, tels que **Mark Spitz** (Américain, né en 1950), sept médailles d'or et **Shane Gould** (Australienne, née en 1956), trois médailles d'or aux Jeux de Munich en 1972. **Matt Biondi** (Américain, né en 1965) monta cinq fois sur la première marche olympique entre 1984 et 1996, et **Jenny Thompson** (Américaine, née en 1973) à huit reprises entre 1992 et 2004.

La natation synchronisée

Alliant les techniques de la natation, du ballet et de la gymnastique, la natation synchronisée se développa au Canada dans les années 1920; les comédies musicales aquatiques des années 1940 et 1950 contribuèrent à la popularité de cette spécialité. Les nageuses exécutent des **enchaînements** de 2 à 4 min 30 en **musique**, dans l'eau, sans toucher le fond de la piscine. Le pince-nez est indispensable en raison des pirouettes effectuées sous l'eau. Les nageuses doivent donner l'impression qu'elles évoluent sans effort alors que les mouvements requièrent une endurance, une force, une grâce et un souffle hors du commun

Le plongeon

Il existe deux types de plongeoirs: la **plate-forme** (5 ou 10 m au-dessus de l'eau) et le **tremplin** (1 ou 3 m). Les quatre positions de départ principales sont:

- le **plongeon avant** – face à l'eau, rotation en avant;
- le **plongeon arrière** – dos à l'eau, rotation en arrière;
- le **plongeon renversé** – face à l'eau, rotation en arrière;
- le **plongeon retourné** – dos à l'eau, rotation en avant.

Le plongeon à la plate-forme (plongeon de haut vol) devint une discipline olympique en 1904, et le plongeon du tremplin en 1908. L'intégration du **plongeon synchronisé** (deux plongeurs exécutant simultanément des plongeons identiques) date de 2004.

PETITE INFO

La championne en natation synchronisée **Sylvie Fréchette**, médaillée d'or à Barcelone et d'argent à Atlanta, fut introduite au temple de la renommée des sports en 1999.

Des étoiles sur le tremplin

Émilie Heymans (née le 14 décembre 1981) et **Alexandre Despati** (né le 8 juin 1985) se sont particulièrement illustrés sur le tremplin. Parmi les médailles remportées par Émilie Heymans: l'or, au Championnat du Monde Junior, Malaisie 1997 (10 m) et aux Jeux panaméricains 2003 (3 m, 10 m et 10 m synchronisé), de même que l'argent au Jeux Olympiques de Pékin 2008 (10 m). Quant à Alexandre Despati, notons parmi ses nombreuses distinctions: l'or à la Coupe Canada 2007 et aux Jeux Panaméricains 2007 (10 m) et l'argent aux Jeux Olympiques de Pékin 2008 (10 m).

Jeux de Pékin 2008

Aux Jeux de Pékin, en 2008, les athlètes canadiens ont remporté 11 médailles d'or, 13 d'argent et 10 de bronze. De ces médailles, 17 ont été obtenues lors de compétions à l'aviron (9 d'or) et 5 de sports équestres (1 d'or). Ces résultats paraissent bien minces si on les compare aux 100 médailles obtenues par les athlètes chinois: 51 d'or, 21 d'argent, 28 de bronze. Les 5 médailles d'or raflées par Chantal Petitclerc aux Jeux Paralympiques constituent toutefois un exploit digne de mention.

L'aviron et le canoë-kayak

La longueur des embarcations (**outriggers**) varie de 7 à 18 m, en fonction du nombre d'équipiers (un, deux, quatre ou huit). Les rameurs tournent le dos à la proue; certains bateaux sont conçus pour accueillir un **barreur** à l'arrière. Dans l'aviron olympique, on distingue le bateau **de couple** (deux avirons par rameur) et le bateau **de pointe** (un aviron par rameur). Les compétitions se répartissent en huit catégories: skiff, deux de couple, deux de couple poids légers (restrictions de poids), quatre de couple, deux sans barreur, quatre sans barreur (pour hommes uniquement), quatre sans barreur poids légers (pour hommes uniquement), huit barré. Il existe deux disciplines olympiques pour le **canoë** (pagaie simple) et le **kayak** (pagaie double): la course en ligne en eau calme et le slalom en eau vive.

Tarzan

Le nageur américain d'origine austro-hongroise **Johnny Weissmuller** (János Weissmüller, 1904-1984) remporta cinq médailles d'or olympiques en 1924 et 1928; jamais il ne perdit une compétition. Il se lança dans le cinéma et interpréta Tarzan pour la première fois dans *Tarzan l'homme singe* en 1932.

Le vélo aurait fait son apparition au Canada autour de 1870. La Canadian Wheelmen's Association, devenue l'Association cycliste canadienne, a été fondée en 1882. Elle serait l'un des organismes sportifs les plus anciens au Canada et l'un des membres fondateurs de l'Union cycliste internationale. La pratique des sports équestres au Canada date du début des années 1800. Les sports équestres disputés aux Jeux Olympiques (en individuel et par équipe) sont le dressage, le concours complet et le concours de saut d'obstacles.

Les courses cyclistes

Dans le cyclisme **olympique**, on distingue trois catégories: **piste** (en vélodrome), **route** et **VTT** (cross-country). Les plus célèbres courses non olympiques sur route sont des tours annuels de trois semaines: le **Giro d'Italia** (mai/juin), le **Tour de France** (juillet) et la **Vuelta a España** (septembre). Autres courses classiques, les cinq **monuments** sont des journées organisées en Italie, en France et en Belgique entre mars et octobre; le **championnat du monde de cyclisme** a lieu dans un endroit différent chaque année à la fin de la saison.

Des athlètes canadiens

Cyclisme

◆ **Lori-Ann Muenzer** (née en 1966), médaille d'or, Athènes 2004 (piste, vitesse)

◆ **Marie-Hélène Prémont** (née en 1977), médaille d'argent, Athènes 2004 (vélo de montagne, cross-country)

Sports équestres

◆ **Éric Lamaze** (né en 1968), médaille d'or, saut d'obstacles et médaille d'argent, saut d'obstacles en équipe, Pékin 2008

Célébrités du Tour de France

◆ **Miguel Indurain** (né en 1964) Espagnol. Tour de France 1991-1995.

◆ **Greg LeMond** (né en 1961) Américain. Tour de France 1986, 1989-1990.

◆ **Lance Armstrong** (né en 1971) Américain. Tour de France 1999-2005.

Le polo

Originaire d'**Asie centrale**, le polo fut adopté par l'armée britannique en Inde au XIXe siècle. Deux équipes de quatre cavaliers montés sur des chevaux dits **poneys** de polo tentent d'envoyer une boule en bois dans le but adverse à l'aide d'un maillet de 1,20 m de long. Le match se déroule sur huit **chukkas** (périodes de 7 min à 7 min 30). Tous les 3 ans, le championnat du monde réunit au moins 24 pays, dont l'Argentine, la Grande-Bretagne, les États-Unis et l'Inde.

Les courses hippiques

Les deux principaux types d'épreuve sont la **course sur le plat** (sans obstacles) et le **steeple-chase**, dans lequel les chevaux franchissent des haies et des fossés. Les chevaux de course sont des **pur-sang** dont l'origine remonte à trois étalons arabes ramenés en Grande-Bretagne entre 1690 et 1730: Goldolphin Barb, Byerly Turk et Darley Arabian. Pour équilibrer les courses, les chevaux sont lestés par des poids insérés dans leur selle. En fin de course, la pesée des jockeys vainqueurs et de leur selle permet de s'assurer qu'ils n'ont pas été délestés.
La **course de trot** met en concurrence des trotteurs. Il existe deux catégories: le trot monté et le trot attelé. Au trot attelé, les chevaux tirent un véhicule léger à deux roues, le **sulky**, dirigé par le jockey, sur une piste de 1,6 km.

PETITE INFO

Le Grand Steeple-Chase de Paris, le Kentucky Derby, aux États-Unis, le Prix du Jockey-Club, le Royal Ascot, le Prix de Diane et le Prix de l'Arc de triomphe figurent parmi les **courses hippiques** les plus prestigieuses.

Ourasi

En dépit de son surnom de Roi fainéant, Ourasi remporta 58 victoires et réalisa l'exploit de gagner le **Prix d'Amérique** à quatre reprises (1986, 1987, 1988 et 1990). En fait, ce trotteur démarrait ses courses nonchalamment puis surprenait ses adversaires par de fulgurantes accélérations.

Le concours hippique

Le saut d'obstacles repose sur l'**accord** entre le **cheval** et son **cavalier**. Ensemble, ils doivent négocier un parcours de 15 à 20 obstacles, dont les éléments tombent s'ils sont percutés. Ces fautes sont sanctionnées par un retrait de points. Le refus de franchir une rivière ou tout autre obstacle entraîne également des pénalités. La victoire est décernée au cavalier qui a obtenu le plus grand nombre de points. Les épreuves sont chronométrées.

Le concours complet

Issue d'anciennes compétitions militaires appelées **concours du cheval d'armes**, cette discipline regroupe dressage, cross et saut d'obstacles. La durée du concours varie d'une journée pour ceux qui débutent à 3 jours pour les concurrents de haut niveau. L'épreuve de cross comprend une longue course contre la montre avec obstacles naturels.

Le dressage

C'est l'une des épreuves d'équitation les plus difficiles. À travers une série de mouvements – marche, trot et galop –, le cheval doit prouver sa **précision**, son **élégance** et son **obéissance**, et le cavalier sa **maîtrise de la communication** à l'aide d'un minimum de signaux. Une bonne performance résulte d'un long entraînement intense et consciencieux. Les points récompensent notamment la précision, l'harmonie, la docilité et le rythme.

Sports olympiques d'hiver

Le ski et le patinage sont probablement originaires de Scandinavie, car ils permettaient de se déplacer dans la neige et sur la glace. Les populations nordiques utiliseraient des patins en bois et corne depuis le Ier siècle av. J.-C. Le patinage sur glace fut le premier sport d'hiver de compétition. Le patinage artistique et de vitesse se développèrent aux Pays-Bas au début du XVIIIe siècle. Aujourd'hui, les sports d'hiver constituent des activités de loisir dans le monde entier. Le ski comprend le ski alpin, le ski nordique et le ski acrobatique.

Les Jeux Olympiques d'hiver

Les 18 épreuves des premiers Jeux Olympiques d'hiver se déroulèrent en 1924 à Chamonix. À l'origine, les Jeux d'hiver avaient lieu la même année que les Jeux d'été. C'est la ville de Vancouver qui organisera les Jeux d'hiver de 2010. Ces Jeux seront les troisièmes organisés au Canada, après les Jeux d'été, en 1976, à Montréal et les Jeux d'hiver en 1988, à Calgary.

Année	Lieu	Nombre de pays	Nombre de participants
1968	Grenoble, France	37	1158
1972	Sapporo, Japon	35	1006
1976	Innsbruck, Autriche	37	1123
1980	Lake Placid, États-Unis	37	1072
1984	Sarajevo, Yougoslavie	49	1274
1988	Calgary, Canada	57	1423
1992	Albertville, France	64	1801
1994	Lillehammer, Norvège	61	1739
1998	Nagano, Japon	72	2302
2002	Salt Lake City, États-Unis	77	2399
2006	Turin, Italie	80	2600

Ski alpin et ski acrobatique

Le ski alpin comprend des épreuves de descente et de slalom. En **descente**, les skieurs doivent franchir des portes, à une vitesse atteignant 107 km/h. En **slalom**, le parcours serpente entre les portes. Le **slalom géant** se déroule sur un parcours plus long, ponctué de virages moins abrupts, tandis que le slalom supergéant (« Super G ») mêle descente et slalom géant. En ski acrobatique, il existe trois épreuves : les **bosses**, les **sauts** (acrobaties) et l'**acroski** (anciennement appelé ballet). Des skieurs canadiens marquants : **Nancy Green** (née en 1943), célébrité dans le monde du ski des années 1960, a remporté plus de 13 coupes du monde. **Jean-Luc Brassard** (né en 1972) a remporté 20 coupes du monde en plus d'amasser 27 médailles d'argent et de bronze ; médailles d'or en bosses, Lillehammer 1994. **Nicolas Fontaine** (né en 1970) est le premier à réussir deux quadruples saltos périlleux au cours d'une compétition (championnats nationaux canadiens 2000). **Veronica Brenner** (née en 1974) et **Deidra Dionne** (née en 1982) sont les premières canadiennes à remporter des médailles olympiques en ski acrobatique.

Le ski de fond

Les skis utilisés pour le ski de fond sont **plus légers** et **plus étroits** que ceux du ski alpin. En compétition, les skieurs couvrent des distances de 10 à 50 km. Le Norvégien **Bjørn Daehlie** a remporté huit titres olympiques dans la discipline. Le **championnat mondial de ski nordique** comprend des épreuves de ski de fond, de saut à ski et de combiné nordique (fond et saut). Organisée depuis 1925, cette manifestation a désormais lieu tous les ans, sauf l'année des Jeux Olympiques d'hiver.

La luge

◆ Le **bobsleigh** effectue une descente de 1,5 km dans un couloir sinueux couvert de glace. Le traîneau est dirigé par un volant et par la répartition du poids des équipiers. Le frein n'est utilisé qu'en fin de course.
◆ La **luge** est un traîneau plus léger, sans direction ni freins, conçu pour une ou deux personnes, allongées les pieds en avant.
◆ Le **skeleton** se pratique sur une luge sportive, à plat ventre, tête en avant. Plus ancien sport de glisse, il fut réintroduit aux Jeux Olympiques en 2002. Le Canadien **Duff Gibson** devient, à l'âge de 39 ans, le plus vieil athlète à remporter une médaille d'or individuelle à ce sport.

Le saut à ski

Munis de **longs skis larges**, les skieurs descendent un **tremplin** équipé d'une **rampe pour décoller**. Les sauts, qui peuvent dépasser 130 m, sont jugés sur le style et la distance.

Le curling

Sorte de **pétanque sur glace**, le curling fut inventé en Écosse mais instauré dans ses règles actuelles au Canada. Les joueurs envoient glisser sur une surface de glace plane de lourdes **pierres** en granite poli, dotées d'une poignée. Ils visent une cible formée de cercles concentriques, appelée **maison**. Les points sont attribués aux pierres les plus proches du centre, marqué par un **T**.

Le patinage

Les compétitions sont réparties en trois grandes catégories.

Le **patinage de vitesse** donne lieu à des courses sur 500 m, 1 000 m, 1 500 m, 3 000 m (femmes), 5 000 m et 10 000 m (hommes). Aux Jeux de Turin 2006, la canadienne Cindy Klassen (née en 1979) repart avec cinq médailles : or au 1500 m, argent au 1000 m et à la poursuite, bronze au 3000 m et au 5000 m.

Le **patinage artistique** oppose des individus et des couples devant exécuter un certain nombre de figures imposées et présenter un programme libre de leur choix.

La **danse sur glace** est spécialisée dans la danse de salon. La compétition comprend trois épreuves : danse imposée avec un rythme et un tempo définis, une danse originale sur un rythme imposé et une danse libre dont le couple peut choisir la musique.

Hockey

L'origine du hockey sur glace ne fait pas l'unanimité. L'Irlande, l'Écosse et la région de la Scandinavie, par exemple, prétendent être les premiers à avoir pratiqué ce sport. Toutefois, si ce sont les Européens qui ont apporté ce jeu en Amérique du Nord, il semble que ce soit de ce côté de l'océan que l'on aurait défini les règles de la pratique du hockey d'aujourd'hui.
Le hockey masculin a fait son entrée aux Jeux Olympiques de 1920, à Anvers (Belgique). Le hockey féminin, quant à lui, n'est considéré comme une discipline olympique que depuis les Jeux de 1998, à Nagano (Japon).

Hockey-balle

Ce type de hockey, qui s'appelle parfois **« hockey cosom »** inspiré de l'anglais, se joue à l'intérieur, en gymnase, avec une balle de plastique semi-rigide, des bâtons légers, des chaussures de sport et un équipement de protection sommaire.

Hockey sur glace

Le hockey sur glace est celui qui est le plus pratiqué en Amérique du Nord. Deux équipes de six patineurs munies d'un bâton s'affrontent sur une patinoire, intérieure ou extérieure et tentent de faire pénétrer une rondelle dans le but adverse.

PETITE INFO

Au Canada, nous utilisons le terme **bâton de hockey**. En Europe, il est aussi appelé hockey, crosse de hockey ou crosse (en France), canne de hockey ou canne (en Suisse romande). Le mot hockey dérive peut-être du mot *hoquet*, d'origine germanique.

Innovation dans l'équipement

L'époque des bottines et des lames vendues séparément au début du XIXe siècle est bien révolue. Grâce à la recherche et au développement, l'équipement d'aujourd'hui est devenu très spécialisé et ultra performant. Qu'il s'agisse de patins, casques-protecteurs, jambières, bâtons, tout comme l'uniforme, l'équipement moderne offre sécurité et performance à ses adeptes. L'esthétique de l'équipement n'est pas en reste non plus. L'apparence des masques-protecteurs des gardiens de but permet également d'impressionner l'adversaire.

Protection des joueurs

Au début des années 1920, dans la Ligue nationale de hockey, les joueurs de champ ne portaient pas de casque. En 1968, le hockeyeur Bill Masterton des North Stars du Minnesota décéda lors d'un match de la LNH. Depuis ce temps, la Ligue nationale de hockey (LNH) remet chaque année le prix Bill Masterton au joueur de hockey sur glace ayant démontré le plus de persévérance et d'esprit d'équipe. Malgré cet événement tragique, ce n'est qu'en 1979 que le casque devient obligatoire.

Protection de base des hockeyeurs

- culotte, ou cuissette rembourrée
- coquille (jack-strap)
- épaulières (plastron et épaulettes)
- coudières
- jambières (protège genoux et tibias)
- gants
- casque

Tir de barrage ou fusillade

En 2004, la saison de hockey de la LNH est annulée en raison d'un lock-out. Lors de la reprise des activités, le 5 octobre 2005, quinze matchs ont lieu en même temps. Pour accélérer le jeu, la LNH supprime certaines règles, telles que le hors-jeu de deux lignes, et introduit la fusillade. Ainsi, dans le cas d'un match nul, trois joueurs de chaque équipe participent aux tirs dans le but adverse. L'équipe qui a marqué le plus de buts est déclarée gagnante.

Des vedettes de hockey

- **Maurice Richard**, une légende du hockey, (né le 4 août 1921-2000), ailier droit, Canadiens de Montréal, surnommé **Le Rocket** et La Comète; carrière dans la LNH: 1942-1960.
- **Gordon « Gordie » Howe** (né le 31 mars 1928), ailier droit, Red Wings de Détroit; carrière dans la LNH: 1946-1998.
- **Guy Lafleur** (né le 20 septembre 1951), ailier droit, Canadiens de Montréal; carrière dans la LNH: 1971-1991.
- **Wayne Gretsky** (né le 26 janvier 1961), centre, termine sa carrière avec les Rangers de New York; carrière dans la LNH: 1978-1999.
- **Alexei Viatcheslavovitch Kovalev** (né le 24 février 1973), ailier droit, Canadiens de Montréal; carrière dans la LNH: depuis 1990.

Vainqueurs de la coupe Stanley

2006 Hurricanes de la Caroline
2007 Ducks d'Anaheim
2008 Red Wings de Détroit

Sports automobiles

Les premières courses automobiles au Canada et au Québec se sont déroulées en 1901. Différents types de voiture y prennent part, tels que des voitures à gazoline, à traction mécanique ou à vapeur. Pete Henderson a été l'un des premiers coureurs canadiens du sport automobile en participant à la course de l'Indianapolis en 1916 et en 1920. La première course réservée aux motos se déroule en 1897, à Richmond, en Angleterre. Comme dans le sport automobile, il existe des épreuves motocyclistes d'endurance, tel le Bol d'or, réservé aux motos depuis 1969. L'histoire du rallye débute en 1911 avec le premier rallye de Monte-Carlo.

Les 24 Heures du Mans

Créée en 1922 par l'Automobile-Club de la Sarthe, l'**épreuve d'endurance** organisée durant 24 heures sur le circuit du Mans est la plus ancienne et la plus prestigieuse course pour les **voitures de sport** et les **sport-prototypes**. L'élaboration de ces véhicules a favorisé le développement de nombreux systèmes actuels, tels que le frein à disque, la boîte de vitesse ou le turbocompresseur.

Le Dakar

Créé en 1978, le **rallye-raid** du Paris-Dakar s'inspira du modèle de l'**Enduro du Touquet**, créé par **Thierry Sabine** en 1975. Il a lieu chaque année au mois de janvier et ne fut annulé qu'une seule fois, en 2008. La première édition entraîna les concurrents de la place parisienne du Trocadéro au Sénégal sur 10 000 km de pistes à travers l'Algérie, le Niger, le Mali et la Haute-Volta. Ouverte aux professionnels comme aux amateurs, la course intéressa très vite les constructeurs automobiles et bénéficia d'une importante couverture médiatique. Outre la mort de l'organisateur Thierry Sabine et du chanteur Daniel Balavoine dans un accident d'hélicoptère en 1986, cette manifestation sportive s'est vue régulièrement endeuillée par la disparition de candidats et de membres de la population locale.
Ses détracteurs lui reprochent par ailleurs ses aspects commerciaux et pollueurs, qui constituent une provocation à l'encontre des pays pauvres qu'elle traverse.

Les Grands Prix moto

La compétition motocycliste comprend diverses épreuves, notamment des **courses de vitesse sur circuit**. Organisés en championnats du monde, les Grands Prix se disputent par catégories : 125 cm^3, 250 cm^3, MotoGP et side-car. Au fil de leur histoire, dont les débuts datent de 1949, plusieurs catégories ont disparu. Depuis 2002, la catégorie MotoGP remplace celle des 500 cm^3. Bien que les moteurs de cette cylindrée soient toujours acceptés, ils cèdent la place aux 990 cm^3, beaucoup plus performants. Le grand pilote italien **Giacomo Agostini** (né en 1942) est aujourd'hui le champion de moto le **plus titré de l'Histoire**. Viennent ensuite l'Espagnol **Ángel Nieto** et l'Italien **Valentino Rossi**. En France, **Jean-Pierre Beltoise** (né en 1937) remporta 11 championnats nationaux de moto avant de courir en Formule 1.

La Formule 1

Discipline reine du sport automobile, la Formule 1 fut créée en 1947. Elle consiste en des courses de vitesse d'environ 300 km (ou 2 heures maximum) opposant des monoplaces en circuit fermé. Depuis sa création, en 1950, le championnat du monde moderne a connu 36 Grands Prix différents, dont 19 figurent encore au programme en 2006.
L'une des légendes de la Formule 1 est nulle autre que **Gilles Villeneuve**. Né en 1950 à Saint-Jean-sur-Richelieu au Québec, il connut une fin tragique aux qualifications du Grand Prix de Belgique en 1982. Son fils **Jacques** a été vainqueur de l'Indy 500, en 1995, et champion du monde de Formule 1, en 1997.
Sacré 7 fois champion du monde, l'Allemand **Michael Schumacher** détient le record de titres par pilote devant l'Argentin **Juan Manuel Fangio** (5 fois) et le Français **Alain Prost**. Parmi les constructeurs se distinguent **Ferrari**, avec 14 titres mondiaux, Williams (9), McLaren (8) et Lotus (7).

Les rallyes

Le rallye est une discipline de sport automobile dont les épreuves se composent en général de plusieurs étapes, alternant des spéciales **chronométrées** et des parcours de **liaison**, disputées sur **différents types de terrain** (terre, neige ou asphalte).
Le championnat canadien des rallyes, seul championnat national du sport automobile canadien, se déroule chaque année depuis 1957. À cette époque, l'épreuve consistait en des rallyes de navigation comprenant jusqu'à vingt rallyes annuellement. Le championnat a adopté graduellement le format européen comprenant principalement des rallyes de performance. C'est Antoine L'Estage (né en 1973) qui fut champion du rallye nord-américain de 2007, en plus d'être champion canadien en 2006 et 2007.

PETITE INFO

En 2007, Montréal a accueilli pour la première fois l'épreuve de la série **Nascar**, qui s'est déroulée au circuit Gilles-Villeneuve. L'une des vedettes à y prendre part fut **Jacques Villeneuve**, l'ancien coureur de la Formule 1.

LE SAVIEZ-VOUS ?

Le **Rallye Aïcha** des Gazelles, une épreuve exclusivement féminine qui s'inscrit dans une démarche environnementale, met à rude épreuve ses participantes sur plus 2 500 km balisés à travers le **Sahara**. Vingt-deux Québécoises y ont participé en 2008.

Sports de combat

Les sports de combat peuvent être considérés comme une forme de combat guerrier ritualisé. La boxe est devenue un sport controversé. Jack Dempsey, Joe Louis et Mohammed Ali ont en effet tous développé la maladie de Parkinson par suite des coups répétés qu'ils ont reçus à la tête. Néanmoins, ce sport demeure populaire auprès des jeunes qui n'hésitent pas à prendre des risques en espérant se sortir ainsi de la pauvreté. Les arts martiaux, tels que le judo et le taekwondo, venus probablement d'Extrême-Orient, sont très populaires en Occident. Le judo est une discipline olympique depuis 1964 et le taekwendo, depuis 2000.

La boxe

Un match de boxe se remporte aux points accordés pour les **coups autorisés** portés sur le haut du corps, l'avant ou le côté de la tête, par **K.-O.** de l'adversaire, par abandon ou par arrêt du match sur décision de l'arbitre. Les matchs professionnels comprennent jusqu'à 12 reprises. Les catégories se répartissent en **poids coq** (52,2-53,5 kg), **poids welter** (63,5-66,7 kg) et **poids lourds** (plus de 86,2 kg).

Grands poids lourds

Depuis 1978, les différentes fédérations internationales de boxe (IBF, WBA, WBC) organisent chacune leur propre **championnat du monde des poids lourds professionnels**.

- **Jack Johnson** (1878-1946) Premier champion afro-américain, 1908-1915.
- **Jack Dempsey** (1885-1983) Champion américain, 1919-1926.
- **Joe Louis** (1914-1981) Champion américain, 1937-1949.
- **Rocky Marciano** (1924-1969) Champion américain, 1952-1956.
- **Mohammed Ali** (Cassius Clay, né en 1942) Champion américain, 1964-1967, 1974-1979.
- **Joe Frazier** (né en 1944) Champion américain, 1970-1973.
- **George Foreman** (né en 1949) Champion américain, 1973-1974, 1994-1995.
- **Larry Holmes** (né en 1949) Champion américain, 1978-1983, 1983-1985 (IBF).
- **Evander Holyfield** (né en 1962) Champion américain, 1990-1992, 1993-1994 (IBF, WBA), 1996-1999 (IBF, WBA), 2000-2001 (WBA).
- **Lennox Lewis** (né en 1965) Canadien.
- **Mike Tyson** (né en 1966) Champion américain, 1986-1987 (WBC), 1987-1990.

Aux Jeux de Pékin 2008, des Canadiennes se sont illustrées en sport de combat. Deux en lutte olympique: **Carol Huynh** a remporté l'or, dans la catégorie 48kg, **Tonya Berbeek**, le bronze, dans le 55kg. En taekwondo, dans la catégorie 67kg, **Karine Sergerie**, a remporté l'argent.

L'escrime

Seule la création à Paris de la **Fédération internationale d'escrime** en 1913 permit d'harmoniser les diverses traditions qui régnèrent en Europe jusqu'aux premiers Jeux Olympiques en 1896. Trois armes sont désormais utilisées: le **fleuret** (longue lame fine et flexible à la pointe émoussée), l'**épée** (plus lourde et plus rigide, dotée d'une cloche plus large à la garde) et le **sabre** (les points peuvent être marqués du tranchant ou de la pointe). Les points sont accordés aux touches portées sur la zone du tronc au fleuret, sur l'ensemble du corps à l'épée et sur le buste au sabre.

La lutte

La lutte vise à **mettre au sol** les épaules de l'adversaire. Aux Jeux Olympiques se pratiquent la lutte **gréco-romaine** (Europe de l'Ouest), qui interdit les prises sous la taille, les croche-pieds ou autre usage des jambes, et la lutte **freestyle** (Europe de l'Est et Amérique), qui autorise ces coups. Les points attribués à diverses manœuvres permettent de déterminer le vainqueur.

Le judo

Au judo, la couleur de la ceinture symbolise le niveau atteint. Les grades sont divisés en **kyus** pour les élèves et **dans** pour les maîtres, c'est pourquoi on parle de **système kyu-dan**. En Occident, le débutant à ceinture **blanche** progresse vers la **jaune**, l'**orange**, la **verte**, la **bleue**, la **marron** et la **noire** (1er dan). Aux dans correspondent également des couleurs mais moins de ceintures: **noire** (1er au 5e grade), **rouge** et **blanche** (6e au 9e), **rouge** (10e). Inventé pour le judo, ce système fut adopté par d'autres arts martiaux, dont le **karaté**.

Les arts martiaux

Les arts martiaux désignent diverses techniques de combat asiatiques, pratiquées en autodéfense ou en sports de compétition. Le judo et le taekwondo sont des disciplines olympiques.

- **Aïkido** Système japonais d'autodéfense se servant de l'énergie de l'adversaire pour détourner ses attaques et l'envoyer au sol ou l'immobiliser.
- **Kendo** Forme d'escrime japonaise utilisant une épée de bambou (*shinai*) et une armure de protection (*bogu*).
- **Kung-fu** Méthode chinoise d'autodéfense basée sur des mouvements acrobatiques, des coups et des prises.
- **Karaté** Système japonais d'autodéfense sans arme à base de coups de pied et de poing. Les points récompensent la technique plutôt que la force du coup.
- **Kick boxing** Type de boxe libre né au Japon utilisant les pieds et les mains.
- **Jujitsu** Forme traditionnelle japonaise de combat non armé, dont certaines formes utilisent cependant des armes.
- **Taekwondo** Art martial coréen semblable au karaté, à base de sauts, de coups de pied et de coups de poing.
- **Tai-chi-chuan** Gymnastique chinoise basée sur la conscience de l'équilibre, utilisée comme une forme d'exercice et de méditation, reposant sur des enchaînements de mouvements lents et systématiques.

Athlétisme et gymnastique

Le terme athlétisme vient du grec *athlos*, signifiant combat. Les Grecs posèrent les fondations des traditions de l'athlétisme moderne. Les différentes activités de ces jeux du stade peuvent se regrouper en trois catégories : la course, le lancer et le saut. L'instance qui gère l'athlétisme est la Fédération internationale d'athlétisme amateur (IAAF). En gymnastique, les différentes disciplines sont issues d'exercices d'entraînement des soldats grecs, notamment à la pratique du cheval, et de l'exécution de numéros de cirque.

La course

En compétition, on distingue plusieurs types de course sur piste : le **sprint**, le **demi-fond**, le **fond**, le **relais**, les **haies** et le **steeple**. Les distances qui sont habituellement parcourues en compétition lors des manifestations internationales sont les suivantes.

◆ **Sprint** : 100 m, 200 m, 400 m.
◆ **Demi-fond** : 800 m, 1 000 m, 1 500 m.
◆ **Fond** : 2 000 m, 3 000 m, 5 000 m, 10 000 m, 20 000 m, 25 000 m, marathon (42,195 km).
◆ **Relais** : Quatre coureurs parcourant chacun 100 m, 400 m ou 800 m.
◆ **Haies** : hautes 110 m (hommes), 100 m (femmes) ; basses 400 m (hommes et femmes).
◆ **Steeple** : 2 000 m, 3 000 m – épreuves combinant distance, haies et ruisseaux.

Le saut

◆ **Saut en hauteur** En 1968, l'Américain Dick Fosbury révolutionna la discipline avec son saut sur le dos tête la première.
◆ **Saut en longueur** La mesure est prise entre la planche d'appel et la marque la plus proche dans le sable. Les sprinteurs sont souvent de bons sauteurs, car la vitesse est cruciale.
◆ **Triple saut** Le saut à cloche-pied, suivi d'une enjambée et d'un saut final, permet de sauter plus loin que le saut en longueur.
◆ **Saut à la perche** La perche en fibre de verre permet de franchir de grandes hauteurs. Le record mondial masculin actuel s'élève à 6,14 m.

Le lancer

Les concurrents disposent de trois ou six tentatives pour lancer le plus loin possible.

◆ **Javelot** Le javelot pèse 800 g pour les hommes, 600 g pour les femmes.
◆ **Disque** Le disque pèse 2 kg pour les hommes et 1 kg pour les femmes. Le lancer des femmes peut donc être aussi long que celui des hommes.
◆ **Poids** La boule en métal pèse 7,260 kg pour les hommes et 4 kg pour les femmes. On place le poids sous le menton puis on le propulse en tendant le bras.
◆ **Marteau** Le marteau pèse également 7,260 kg pour les hommes et 4 kg pour les femmes, mais il peut atteindre quatre fois la distance parcourue par le poids.

Les dieux du stade

◆ **Jesse Owens** (1913-1980) Américain. Record sur 100 m, 200 m et au saut en longueur. Quatre médailles d'or aux Jeux Olympiques de Berlin en 1936.
◆ **Emil Zátopek** (1922-2000) Tchécoslovaque. Ancien recordman sur 10 000 m et 20 000 m.
◆ **Bob Beamon** (né en 1946) Américain. Conserva pendant 23 ans son record de saut en longueur de 1968.
◆ **Florence Griffith Joyner** (1959-1998) Américaine. Records sur 100 m et 200 m toujours en vigueur.
◆ **Carl Lewis** (né en 1961) Américain. 100 m, 200 m et saut en longueur : 9 médailles d'or olympiques entre 1984 et 1996.
◆ **Sergueï Bubka** (né en 1963) Ukrainien. Record du monde de saut à la perche.
◆ **Marie-José Pérec** (née en 1968) Française. Championne olympique du 400 m en 1992, et des 200 m et 400 m en 1996.
◆ **Bruni Surin** (né en 1967) Canadien. Médaille d'or au 4 fois 100 mètres aux Jeux d'Atlanta en 1996.
◆ **Hicham El Guerrouj** (né en 1974). Marocain. Record sur 1 500 m, 2 000 m et mile.
◆ **Haile Gebreselassie** (né en 1973). Éthiopien. Ancien record sur 5 000 m et 10 000 m.

Les épreuves combinées

Triathlon Trois épreuves : natation, vélo, course.
Pentathlon moderne Cinq épreuves : tir (pistolet à air), escrime (épée), natation, équitation (concours hippique), course (3 000 m cross).
Heptathlon Sept épreuves. Femmes (en salle) : 100 m haies, saut en longueur, saut en hauteur, 200 m, poids, javelot, 800 m. Hommes (en salle) : 60 m, saut en longueur, poids, saut en hauteur, 60 m haies, saut à la perche, 1 000 m.
Décathlon Dix épreuves : 100 m, saut en longueur, poids, saut en hauteur, 400 m, 100 m haies, disque, saut à la perche, javelot, 1 500 m.

Le mile

Le 6 mai 1954, le coureur **Roger Bannister** réussit l'une de ses plus grandes performances athlétiques : il fut le premier à courir le mile en moins de 4 minutes. Soutenu par deux autres athlètes britanniques, Christopher Chataway et Christopher Brasher, Bannister réalisa le temps exact de **3 min 59 s 4'**.

La gymnastique

Les gymnastes doivent combiner performances techniques et artistiques. Les juges donnent des notes de 0 à 10.

◆ **Disciplines masculines** Exercices au sol, cheval-d'arçons, anneaux, barres parallèles, saut de cheval, barre fixe.
◆ **Disciplines féminines** Barres asymétriques, poutre, saut de cheval, sol, exercices rythmiques.
◆ Grandes stars : **Nikolaï Andrianov** (Russie) a remporté 15 médailles olympiques, **Larissa Latynina** (Russie) détient le record de 18 médailles olympiques et **Nadia Comaneci** (Roumanie) fut la première gymnaste à obtenir un 10.

Le plein-air

L'Amérique du Nord et le paradis du plein air. Les parcs, réserves fauniques et autres espaces sauvages conservés abondent, même à proximité des grandes villes. De l'ornithologie (observation des oiseaux) à la chasse, en passant par la randonnée, la cueillette des champignons sauvages, les excursions à cheval, la raquette et le ski de fond, les courses en traîneau à chiens, le Nord-Américain a l'embarras du choix. Il pratiquera ses activités favorites à l'occasion d'une sortie d'un jour ou en séjour prolongé, en camping ou dans des camps de bois. L'Amérique du Nord jouit aussi de paysages inouïs, à contempler lors de ces sorties.

La pêche

Il existe deux techniques principales pour pêcher en **eau douce**. La **pêche au lancer léger** se pratique à l'aide d'une amorce – souvent un ver – ou de leurres : il y en a pour tous les poissons et toutes les situations de pêche.
À la **pêche à la mouche**, on fait habilement virevolter une mouche artificielle à la surface de l'eau pour attraper la truite ou le saumon. La pêche fait l'objet d'une réglementation très stricte concernant les périodes d'ouverture et la taille des poissons, qui varient selon les espèces. Les pêcheurs en eau douce apprécient la truite, le doré, le saumon et le brochet.

Le camping

Autrefois considéré comme une épreuve, le **camping** est devenu aisé et confortable car les **tentes** sont moins compliquées à dresser et les **campings** offrent des douches. Le **caravaning** peut même se révéler une pratique luxueuse.
Aux États-Unis, les voyages en véhicules récréatifs aux confins du pays connaissent un succès croissant. Le modèle haut de gamme de ce type de caravane géante coûte plus cher qu'une maison ordinaire.

PETITE INFO
Réserves fauniques du Québec Ashuapmushuan, Assinica, Chic-Chocs, Dunière, Laurentides, La Vérendrye, Mastigouche, Matane, Papineau-Labelle, Port-Cartier, Port-Daniel, Porneuf, Rimouski, Rouge-Matawin, Saint-Maurice

Le skateboard

Le skateboard est né dans les **années 1950 en Californie**. Au départ, il s'agissait d'une planche de surf montée sur patins à roulettes, que les jeunes utilisaient pour **surfer sur les trottoirs** lorsque la mer était trop mauvaise. La pratique se répandit, et bientôt ses adeptes utilisèrent de nouvelles surfaces (rampes, barres) pour accroître les difficultés. Lorsque les fabricants de cycles lancèrent la commercialisation de planches à roulettes dans les années 1970, les pratiquants avaient déjà élaboré des chorégraphies complexes, riches en figures acrobatiques, telle la rotation à 360 degrés dans les airs.

Les vêtements de sport

Aujourd'hui, les modèles de vêtements décontractés découlent en grande partie directement du monde du sport. Parmi les plus chics figurent les **polos Lacoste** ; rares sont ceux qui ont jamais joué au tennis parmi les amateurs de la célèbre marque au crocodile. À l'autre extrémité de la gamme, le **survêtement**, conçu à l'origine pour le repos des athlètes après l'effort, est devenu l'uniforme que l'on revêt pour se prélasser devant la télé. Les jours de match, les supporters de football ou de hockey sont désormais de plus en plus nombreux à arborer des **copies conformes de maillots** de joueurs. Synonymes de prestige dans le monde entier, les marques sont copiées en masse dans de nombreux pays en voie de développement.
Les sports de montagne ont bénéficié des innovations technologiques du textile. Avant les années 1950, les skieurs et les alpinistes s'habillaient le plus chaudement possible (pulls en laine et chaussures en cuir). Les **chaussures en plastique** apparurent en 1967, les **tissus respirants** tel le **Gore-Tex** dans les années 1980. Aux skis en bois et aux crampons métalliques fort lourds succédèrent des modèles en fibre de verre ou en métaux légers et résistants tels que le titane. Dans les années 1980, la mode des pistes était aux ensembles colorés et aux verres solaires miroir.

La chasse

La chasse reste une activité très populaire en Amérique du Nord. Au Québec par exemple, on peut chasser le dindon sauvage à la frontière des États-Unis et le caribou dans l'Ungava. Les chasseurs se servent d'un **fusil** pour le petit gibier et d'une **carabine** pour le gros gibier. On peut aussi pratiquer ce sport à l'**arc** ou à l'**arbalète**. C'est un sport très réglementé, avec des saisons très précises et des limites de prises strictes. Au Québec, on peut le pratiquer sur les **terres privées**, avec l'autorisation des propriétaires, dans les **ZEC** (zones d'exploitations contrôlées : organismes sans but lucratif qui mettent les terres publiques à la portée du grand public), dans les **pourvoiries** (qui vendent leurs services), dans les **réserves fauniques** (il y en a 15 au Québec, réparties sur tout le territoire), mais pas dans les parcs nationaux.

La randonnée

La randonnée pédestre est une activité sportive pratiquée avec ou sans guide. Elle est idéale pour découvrir la nature, sa faune et sa flore, tout en parcourant des sentiers. Elle est idéale pour l'observation des oiseaux. Elle nous permet d'accéder à des sites magnifiques, en moyennes ou hautes montagnes. Il existe des organismes spécialisés qui offrent des circuits de courtes à longues durées partout dans le monde. Le **sentier TransCanada**, qui part de la côte ouest de l'île Victoria, en Colombie-Britannique et va jusqu'à Terre-Neuve est un sentier unique au monde par sa longueur. Au Québec, entre autres, il emprunte la Traversée de Charlevoix.

Sports-spectacles

En Grande-Bretagne, une loi fut votée au XIXe siècle pour garantir aux travailleurs un après-midi de liberté leur permettant d'assister aux événements sportifs. La tradition du match de football à 15 h date donc de l'époque où la semaine de travail se terminait le samedi à 14 h. Le sport sur canapé représente un immense marché. La plupart des sports vivent de leur audience télévisée et des revenus publicitaires. Les chaînes de télévision paient des sommes astronomiques pour diffuser le sport. En revanche, les diffuseurs financent leurs investissements en revendant du temps d'antenne aux publicitaires à des coûts tout aussi astronomiques.

Les sports en Amérique

Trois sports prédominent aux États-Unis: le **base-ball**, le **football américain** et le **basket**. Pour le base-ball, la **Major League** (MLB) supervise la **National League** et l'**American League**. Les vainqueurs de ces deux compétitions s'affrontent lors des **World Series**. L'équivalent du football est le **Superbowl**. Réunissant 90 millions de téléspectateurs, il oppose les vainqueurs de l'**AFL** (American Football League) et de la **NFL** (National Football League). Le plus grand championnat de basket est organisé par la **NBA** (National Basketball Association).

La course automobile

Les **grands prix de formule 1** (F1) attirent le plus grand nombre d'amateurs de courses automobiles. En raison du coût élevé des équipes et des voitures, ce sport est le plus cher au monde. En 2004, le championnat s'est disputé sur dix-huit courses organisées aux quatre coins du globe. Aux États-Unis, le sport automobile comprend aussi le **NASCAR** (National Association of Stock Car Auto Racing). Ces **courses de stock-cars** se déroulent sur des circuits ovales, dont celui de **Daytona**.

Le rugby et le cricket

Depuis vingt-cinq ans, l'enthousiasme pour le rugby ne cesse de croître. Cet essor a commencé avec la création de la **coupe du monde** en 1987. En 2007, plus de 16 millions de téléspectateurs français ont suivi le match de la coupe du monde France-Nouvelle-Zélande. Au niveau international, les **test-matchs** de cricket opposent les dix équipes habilitées. L'Angleterre et l'Australie possèdent le statut «**test**» depuis 1877, le Bangladesh a rejoint le niveau international en 2000.

LE SAVIEZ-VOUS ?

Plus d'un milliard de téléspectateurs ont vu le Brésil vaincre l'Allemagne lors de la finale de 2002 au Japon. La **coupe du monde** 2006, la deuxième plus fréquentée de l'histoire, a connu une moyenne de 52 500 spectateurs par match.

Les Jeux Olympiques

L'événement sportif qui a bénéficié de la plus large audience de tous les temps fut les **Jeux Olympiques d'Athènes en 2004**. Près de 4 milliards de spectateurs – soit 60% de la population mondiale – ont suivi au moins une compétition. Le nombre de participants était aussi immense: 11 099 athlètes de 202 nations se sont affrontés au cours de 300 compétitions représentant 28 disciplines – ce sont les plafonds imposés par le **CIO** (Comité international olympique). Si celui-ci envisage d'inclure certains sports tels que le karaté, le golf et le rugby après Pékin 2008, d'autres disciplines devront disparaître.

Le tennis et le golf

Le tennis professionnel attire de nombreux spectateurs partout dans le monde. Les plus importants tournois du circuit professionnel sont l'**US Open**, **Roland- Garros**, l'**Open d'Australie** et **Wimbledon**. Ils forment les quatre étapes du fameux **grand chelem**. L'Allemande Steffi Graf fut la dernière à remporter les quatre en une année.
Le **golf** a aussi son **grand chelem**. Les quatre tournois dits «majeurs» sont le **Masters d'Augusta**, l'**US Open**, le **British Open** et l'**US PGA**. Néanmoins, l'événement le plus populaire reste la **Ryder Cup**. Il s'agit d'une confrontation par équipes organisée tous les deux ans entre les États-Unis et l'Europe. **Eldrick Tiger Woods**, qui a réussi à raviver l'intérêt du public pour le golf, a remporté les quatre tournois majeurs, mais jamais la même année.

Le football

Le football européen est le sport collectif le plus populaire de la planète. Le Manchester United, le club doté du plus grand nombre de supporters, en compte 25 millions à travers le monde. L'événement suprême du football européen est la coupe du monde qui se tient tous les quatre ans. En Amérique du Nord, le Super Bowl, la finale du football américain, connaît aussi des records d'assistance. En 2006, on évaluait que plus de 140 millions d'Américains avaient suivi ce match à la télévision. Après la coupe du monde, le Super Bowl serait l'événement le plus suivi dans le monde, puisque les téléspectateurs de près de 200 pays auraient regardé cette finale.

Le hockey

La diffusion du hockey, qui se pratique en Amérique du Nord, en Finlande, en Russie et en République tchèque, génère beaucoup de revenus aux ligues de hockey. Sur le plan international, le principal événement est la **Coupe du monde de hockey**. En Amérique du Nord, depuis 1894, la **Coupe Stanley**, le prix le plus prestigieux du hockey, est décernée chaque année par la Ligue nationale de hockey à l'équipe championne des séries éliminatoires.

QUIZ 601

Êtes-vous sportif ?
Identifiez les différents sports à l'aide des indices.

5968 Quel type de partie se déroule en dix frames ?

5969 Quelle discipline sportive comprend un saut à cloche-pied ?

5970 Quel sport d'hiver réunit les trois disciplines suivantes : bosses, sauts et acroski ?

5971 Quel sport d'hiver se pratique avec des pierres de granit poli ?

5972 Quel art martial japonais se pratique avec des épées de bambou appelées *shinai* ?

5973 Dans quelle discipline de sport automobile concourent les sport-prototypes ?

5974 Quelle épreuve d'athlétisme mêle distance, haies et rivières ?

5975 En ski alpin, quel type de course se déroule sur un parcours ponctué de virages serrés ?

5976 Quel jeu, associé au Pays basque, se pratique contre un fronton, à l'aide d'un gant de cuir prolongé par un panier ?

5977 Quel sport se joue sur un plus grand terrain ? Le football américain ou le football canadien ?

QUIZ 602

Vrai ou faux ?
Dites si ces affirmations sont justes ou non.

5978 À l'origine, le basket se jouait avec des paniers de pêche, d'où son nom (panier en anglais).

5979 Les jeux Olympiques d'hiver ont lieu la même année que les jeux Olympiques d'été.

5980 En boxe, la catégorie la plus légère reconnue est le poids mouche.

5981 Le polo était autrefois qualifié de « hockey à cheval ».

5982 L'acteur britannique Hugh Grant a participé à l'édition 1980 de la course Oxford-Cambridge.

5983 Le tournoi de rugby des six nations oppose l'Angleterre, l'Écosse, l'Irlande, le pays de Galles, la France et l'Allemagne.

QUIZ 603

Surnoms
Série sur les sobriquets de personnages célèbres.

5984 Quel hockeyeur fut surnommé « le Rocket » ?

5985 Quel golfeur américain est surnommé l'Ours doré ?

5986 Quel cycliste célèbre fut surnommé le Cannibale ?

5987 Sous quel nom connaît-on mieux Edson Arantes do Nascimento : Ronaldo ou Pelé ?

5988 Sous quel nom se rendit célèbre le sportif Shirley Crabtree ?

5989 Quelle athlète américaine est surnommée Flo Jo ?

QUIZ 604

Ça commence par...
Chaque réponse commence par la lettre indiquée.

5990 S : sport dans lequel le Canadien Duff Gibson a remporté une médaille d'or aux Jeux de Pékin ?

5991 P : rallye-raid ouvert aux voitures et aux motos.

5992 NS : discipline de natation auparavant appelée ballet aquatique.

5993 C : pays qui a remporté 100 médailles aux Jeux de Pékin.

5994 A : gymnastique accélérant la respiration et la circulation sanguine.

5995 S : l'un des deux sports de raquette les plus populaires avec le tennis.

QUIZ 605

Jeu décisif
Des quatre réponses proposées, une seule est bonne.

5996 Quel nageur est entré dans la légende aux jeux de Pékin ?
A Mark Spitz
B Matt Biondé
C Alexandre Despati
D Michael Phelps

5997 Au polo, qu'est-ce qu'une chukka ?
A La boule
B Le maillet
C Le but
D La période de jeu

5998 Quel est le célèbre équipement de Daytona ?
A Un circuit automobile
B Un hippodrome
C Un stade de base-ball
D Un vélodrome

5999 À quel sport associe-t-on Johnny Weissmuller ?
A Le saut à l'élastique
B Le marathon
C La natation
D Le football

6000 Qu'est-ce que le base jumping ?
A Une forme de chute libre
B Le saut à l'élastique
C Le saut d'obstacles
D Un saut d'initiation

6001 De quel pays venait l'improbable équipe de bobsleigh mise en scène dans le film *Rasta Rockett* ?
A Du Brésil
B De Cuba
C De Jamaïque
D De Tanzanie

6002 Quel sport organise la compétition nommée « Frozen four » ?
A Le hockey sur glace
B Le bobsleigh
C Le ski de fond
D Le patinage de vitesse

6003 Qu'est-ce que le NASCAR ?
A Une course de stock-car
B Une agence spatiale
C Un indice boursier
D Un examen scolaire

6004 En quoi consiste le sport extrême nommé parkour ?
A Escalader des icebergs
B Descendre des cascades
C Sauter par-dessus les voitures
D Courir sur les toits

QUIZ 606

Mots à trous
Retrouvez les voyelles manquantes.

6005 TR__THL_N Discipline sportive associant la natation, le vélo et la course.

6006 PH__D_PP_D_S Nom du soldat grec qui courut le premier marathon en 490 av. J.-C.

6007 BR_H_M _SL__M Champion olympique de boxe en mi-mouche.

6008 CHR_S _V_RT Reine du tennis féminin dans les années 1980.

6009 TH_M_S L_V_T Joueur de golf français.

QUIZ 607

Animaux vedettes
Questions liées chacune à un animal.

6010 Quels joueurs de football français sont surnommés les Canaris ?

6011 Dans quel sport de ballon collectif les équipes d'Australie et d'Afrique du Sud portent-elles les surnoms de Wallabies et de Springboks ?

6012 Quel point commun particulier présentaient les trois chevaux Godolphin Barb, Byerly Turk et Darley Arabian, importés en Angleterre au tournant du XVIIIe siècle ?

QUIZ 608

Anagrammes
Servez-vous des définitions pour retrouver le terme caché.

6013 GRATINAPE QUISATTIE Sport imposant des figures, telles que salchows, axels, lutzes et boucles.

6014 DASSEGRE Discipline équestre mettant l'accent sur la maîtrise et la précision.

6015 CLAWR Autre nom donné à la nage libre, issue de la brasse indienne.

6016 KIS QUIDERON Discipline olympique d'hiver combinant le ski de fond et le saut à ski.

6017 DOIKAI Art martial japonais.

6018 CHODUTOWN Essai marqué par un joueur de football américain.

6019 LE MIDRARAD Club de football espagnol dont les joueurs vêtus de blanc sont surnommés *los Merengues* (les Meringues).

6020 MICHAEL SCHWOKOLNE Cavalier allemand médaillé d'or olympique au concours hippique.

6021 LAPOPLIN Nage portant le nom d'un insecte.

6022 GNOJIGG Autre nom de la course à pied.

QUIZ 609

Les héros du sport
Êtes-vous vraiment un bon supporter ?

6023 Quelle coureuse de fond britannique détient le record du monde de marathon ?

6024 Quel footballeur portugais né au Mozambique a été une véritable star des années 1960 et 1970 ?

6025 Quel quadruple champion du monde de formule 1 français est surnommé le Professeur ?

6026 Qui a obtenu le record de vitesse au tennis lors de la Coupe Davis en 2004 ?

6027 Quel est le nom de la finale canadienne de football ?

6028 Quelle canadienne a gagné la médaille d'or en cyclisme à Athènes en 2004 ?

6029 Comment appelle-t-on la finale américaine de football ?

6030 En quelle année ont commencé les sports équeste au Canada ?

6031 Quel célèbre jockey français a remporté 15 cravaches d'or et plus de 3 000 victoires ?

6032 Quel athlète canadien en sports équestres a remporté deux médailles (or et argent) aux Jeux de Pékin ?

QUIZ 610

Am-stram-gram
Choisissez la bonne réponse parmi les trois proposées.

6033 Combien de sports combine l'heptathlon : cinq, sept ou huit ?

6034 Quel pays réunit 80 % des joueurs de curling du monde : l'Écosse, la Norvège ou le Canada ?

6035 Au snooker, quelle boule vaut quatre points : la verte, la marron ou la bleue ?

6036 Quelle balle de squash a le plus de rebond : celle à double point jaune, celle à un point jaune ou celle sans marque ?

QUIZ 611

En commun
Une série de question pour faire le lien.

6037 Que sont le kendo, le jujitsu, le judo et le tai-chi-chuan ?

6038 Dans quel sport peut-on pratiquer le fond, la descente, les bosses et le slalom ?

6039 Quel sport automobile doit sa naissance aux combats aériens de la Première Guerre mondiale?

Un élément ne devrait pas se trouver dans la liste. Lequel ?

6040 Cheval d'arçons, poutre, anneaux, barre fixe.

QUIZ 612

Fan de sport
Testez vos connaissances sportives.

6041 Quel est le nom de baptême du joueur de basket américain Magic Johnson ?

6042 Quel est le seul cheval à avoir remporté le prix de l'Arc de Triomphe à quatre reprises ?

6043 Dans quelle discipline sportive ont concouru Aguri Suzuki, Mark Webber, Justin Wilson et Jos Verstappen ?

6044 Qui effectua le premier tir au but de l'histoire du football européen en 1970 ?

6045 Dans quel sport le Pakistanais Hashim Khan, l'Irlandais Jonah Barrington et les Australiens Heather McKay et Geoff Hunt sont-ils célèbres ?

6046 Quelle équipe remporta la coupe du monde féminine de la FIFA en 2003 ?

6047 À quoi correspond le système *kyu-dan* ?

6048 Dans quel sport le Suisse Simon Ammann remporta-t-il deux médailles d'or aux jeux Olympiques de 2002 ?

6049 Dans quel sport la finale du championnat national a-t-elle lieu le dernier samedi de septembre à Melbourne ?

6050 Quel footballeur argentin fut surnommé la Flèche blonde ?

QUIZ 613

Toujours plus
Série de questions sur les records et les extrêmes.

6051 Quel coureur jamaïcain a battu le record du 100 m en 2004 ?

6052 Dans quelle ville eut lieu la finale de la coupe du monde de football qui réalisa un record d'audience en 1950 ?

6053 Quel comique français remporta le record du monde de vitesse à moto en 1985 ?

6054 Quel club de football compte le plus grand nombre de supporters ?

QUIZ 614

À la fortune du pot
Dix questions sur des thèmes divers.

6055 Comment s'appelle l'équipier qui dirige un huit barré ?

6056 La diffusion d'un match du Super Bowl rejoindrait combien de pays différents ?

6057 De quel pays sont originaires le karaté, l'aïkido et le kendo ?

6058 Quel sport pratique Roger Federer ?

6059 Comment s'appelle le rallye réservé aux femmes et dont le parcours est de 2 500 km dans le Sahara ?

6060 Nommez l'athlète canadienne en natation synchronisée qui a été médaillée d'or à Barcelone et d'argent à Atlanta ?

6061 Quel autre nom donne-t-on à la fusillade au hockey ?

6062 Quel est le nom du joueur de hockey qui a connu un record de longévité dans la LNH ?

6063 Le pilote français Henri Pescarolo, détenteur du record New York-Paris en avion monomoteur, fut quatre fois vainqueur aux _______.

QUIZ 615

Actualités sportives
Dix questions se rapportant aux événements sportifs.

6064 Quelle star afro-américaine connut la gloire à Berlin en 1936 ?

6065 Qui a gagné 8 titres olympiques en ski de fond ?

6066 Quelle gymnaste russe remporta trois médailles d'or aux jeux Olympiques de Munich en 1972 ?

6067 Quelle coureuse française fut couronnée trois fois aux jeux Olympiques ?

6068 Qui fut le premier Afro-Américain à gagner le championnat du monde de boxe poids lourds ?

6069 Quels boxeurs le célèbre combat « Rumble in the Jungle » opposa-t-il en 1974 ?

6070 Quel célèbre cycliste victime d'un cancer en 1996 remporta le Tour de France trois ans plus tard ?

6071 Qu'est-il arrivé en course aux rameurs de Cambridge en 1859 et 1978 et aux rameurs d'Oxford en 1925 ?

6072 Quelle performance réussit Roger Bannister le 6 mai 1954 ?

6073 Quel athlète refusa de participer à la finale hommes du 100 m aux jeux Olympiques de Paris en 1924 parce qu'elle se déroulait un dimanche ?

QUIZ 616

Méli-mélo

Questions tous niveaux

6074 Quelle pilote allemande de rallye fut sacrée reine d'Afrique en 2001 ?

6075 Quel sportif français, vainqueur à Roland-Garros, déclarait dans une interview à *l'Express* en 1987 : « La crétinerie est une qualité essentielle au tennis » ?

6076 Selon quel golfeur, « plus on s'entraîne, plus on a de la chance » ?

6077 Quelle coureuse américaine s'accrocha avec Zola Budd aux jeux Olympiques de Los Angeles en 1984 ?

6078 Quel grand nom du tennis Steffi Graf épousa-t-elle en 2001 ?

6079 La princesse Anne épousa en 1973 ce cavalier médaillé d'or olympique. De qui s'agit-il ?

6080 Dans quel sport s'illustra le champion du monde Max Schmeling, décédé en 2005 ?

QUIZ 617

Omnisports

Dix questions pointues sur les sports.

6081 Quel sport fut inventé par le Dr James Naismith ?

6082 Quel footballeur d'origine argentine a signé avec le FC Barcelone en échange d'un traitement médical qu'il reçut gratuitement ?

6083 Quel est le sport pratiqué par Émilie Heymans ?

6084 Quel sport fut inventé par le major Walter Wingfield en 1873 ?

6085 Quel sport fut baptisé mintonette lors de son invention, en 1895 ?

6086 Quel pilote fut le plus jeune champion du monde en 250 cm^3 en 1999 ?

6087 Dans quel sport olympique figurent les catégories suivantes : Europe, 470, Finn et Laser ?

6088 Quelle patineuse d'Allemagne de l'Est remporta un Emmy Award pour sa performance dans *Carmen on Ice* ?

6089 En 2002, dans quel sport Rhona Martin remporta-t-elle l'or olympique ?

6090 Quelle manifestation athlétique est organisée chaque année dans chacune des villes suivantes : Londres, Paris, New York et Honolulu ?

QUIZ 618

À la fortune du pot

Dix questions sur divers sujets.

6091 Quel art martial porte un nom que l'on peut traduire par « la voie de la main nue » ?

6092 Dans quel sport s'est illustré aux Jeux d'Athènes Julien Absalon ?

6093 Quel nouveau nom adopta Cassius Clay en 1964 ?

6094 Quel pays a décroché l'or au concours complet des Jeux d'Athènes en 2004 ?

6095 Sur quel type de terrain les épreuves du trophée Andros sont-elles organisées ?

6096 Quel sport est devenu une discipline olympique aux Jeux d'Atlanta ?

6097 À qui Mike Tyson arracha-t-il un morceau d'oreille lors d'un combat pour le titre WBA en 1997 ?

6098 Quelle course d'aviron annuelle se déroule sur la Tamise entre une équipe en bleu clair et une équipe en bleu foncé ?

6099 Laquelle des sœurs Williams a remporté le tournoi de tennis de Wimbledon en 2005 ?

6100 Dans quel pays est né le football ?

QUIZ 619

Et le gagnant est...

Questions sur les prix et les récompenses.

6101 Quel est le nom du championnat de golf masculin qui oppose l'Europe et les États-Unis tous les deux ans ?

6102 Quel est aujourd'hui le pilote le plus titré de l'histoire du motocyclisme ?

6103 Dans quel sport se disputent le Super Bowl et le Rose Bowl ?

6104 À quelle occasion décerne-t-on la coupe Jules Rimet ?

6105 Comment se nomme le trophée remis au vainqueur de la coupe du monde de rugby ?

QUIZ 620

À la fortune du pot

Des quatre réponses proposées, une seule est bonne.

6106 Au rugby, l'Angleterre et l'Écosse se disputent… ?
A La Calcutta Cup
B La Delhi Cup
C La Twickenham Cup
D La Murrayfield Cup

6107 Quel pays n'a jamais remporté la coupe du monde de football ?
A La France
B L'Uruguay
C Les Pays-Bas
D L'Italie

6108 Quels jeux Olympiques furent retransmis pour la première fois en direct et en couleur ?
A 1960, Rome
B 1964, Tokyo
C 1968, Mexico
D 1972, Munich

6109 Quel sport ne se joue pas avec un ballon ovale ?
A Rugby à XIII
B Football américain
C Rugby australien
D Football gaélique

6110 Lequel de ces athlètes n'est pas un nageur ?
A Ian Thorpe
B Jean-Christophe Rolland
C Laure Manaudou
D Michael Phelps

6111 Laquelle de ces armes n'est pas utilisée en escrime ?
A L'épée
B Le glaive
C Le fleuret
D Le sabre

6112 Lequel de ces clubs de football est brésilien ?
A Boca Juniors
B Santos
C Benfica
D Napoli

6113 Quel pilote surnomme-t-on l'Africain ?
A Hubert Auriol
B Jean-Louis Schlesser
C Didier Auriol
D Stéphane Peterhansel

6114 Quelle catégorie ne figure pas dans les Grands Prix ?
A 250 cm^3
B 350 cm^3
C 500 cm^3
D 990 cm^3

6115 De quand date le rugby professionnel en France ?
A 1985
B 1990
C 1995
D 2000

QUIZ 621

Légendes olympiques

Dix questions sur des champions.

6116 Quel sportif fut vainqueur des trois épreuves de ski alpin en 1968 ?

6117 Quel boxeur remporta la médaille d'or des poids mi-lourds aux jeux Olympiques d'été de 1960 à Rome ?

6118 Quel sportif remporta l'épreuve du marathon à Melbourne en décembre 1956 ?

6119 Aux XXIe jeux Olympiques de Montréal, quelle gymnaste fut la première athlète de la discipline à se voir attribuer une note parfaite de 10 ?

6120 Quel sportif a pulvérisé le record du saut en longueur aux jeux Olympiques de Mexico avec un saut à 8,90 m ?

6121 Quel nageur légendaire américain a obtenu huit médailles d'or au cours d'une seule olympiade à Pékin en 2008 ?

6122 En 1908, quel coureur, soutenu par les officiels qui l'aidaient à franchir la ligne d'arrivée, s'est écroulé sur le stade lors de l'arrivée du marathon ?

6123 Quel athlète américain devient champion olympique de saut en hauteur en1968, à Mexico ?

6124 Quel rameur, le plus connu au monde, mit fin à sa carrière en 2000 lors des Jeux Olympiques de Sydney après avoir été quatre fois champion olympique ?

6125 Quel athlète américain de 23 ans remporta quatre médailles d'Or aux jeux Olympiques de Berlin ?

QUIZ 622

Tour d'horizon
Une série où il est question de géographie.

6126 Quelle est la ville d'attache de l'équipe de football de la Juventus ?

6127 Quelle station de ski est proche de la piste de bobsleigh Cresta Run ?

6128 Quelle ville de l'État de New York accueillit deux fois les jeux Olympiques d'hiver ?

8129 Où ont eu lieu les jeux Olympiques en 2004 ?

QUIZ 623

Intention criminelle
Questions sur le monde du crime.

6130 O. J. Simpson fut acquitté lors d'un célèbre procès pour meurtre en 1995. Dans quel sport s'était-il illustré ?

6131 Quel boxeur condamné pour meurtre inspira à Bob Dylan sa chanson *Hurricane* (1976), qui dénonce une erreur judiciaire ?

6132 En 1993, par le fan de quelle autre star du tennis Monica Seles fut-elle poignardée sur un court ?

QUIZ 624

Jargonite
Questions en rapport avec des termes de sport spécifiques.

6133 À l'origine qu'appelait-on la sioule ou soule, selon les régions ?

6134 Dans quel sport utilise-t-on « la technique du talon pointe » ?

6135 Quelle discipline sportive l'Elfstedentocht met-il à l'honneur aux Pays-Bas ?

6136 Dans quel sport de ballon utilise-t-on les termes : manchette, block, smash et avoiner ?

6137 Au bowling, comment se nomme la figure obtenue par un joueur qui fait tomber toutes les quilles au deuxième lancer ?

6138 Dans quel sport les joueurs utilisent-ils un balai pour retirer les pitons devant les hog lines ?

6139 En aviron, qu'est-ce qu'un bateau de pointe ?

6140 À quel sport appartiennent les cinq monuments ?

6141 Dans les courses de trot, qu'est-ce qu'un sulky ?

6142 Dans quel sport le premier match se déroula-t-il en Grande-Bretagne en 1869 ?

QUIZ 625

Bleu blanc rouge
Toutes les questions portent sur l'une de ces couleurs.

6143 À quel club de football appartiennent les Diables rouges ?

6144 Dans quelle discipline s'illustre Ferrari, la célèbre écurie rouge ?

6145 Combien de boules rouges utilise-t-on au billard français : 1, 2 ou 3 ?

6146 De quelle couleur est le maillot du meilleur jeune du Tour de France ?

QUIZ 626

Podium
Dix questions sur les grands noms du sport.

6147 Combien de médailles d'or olympiques a récolté le nageur Mark Spitz aux Jeux de Munich en 1972 ?

6148 Quel fut le premier Français à courir le 100 m en moins de 10 secondes ?

6149 Quel cycliste remporta le Tour de France en 1983 et 1984 ?

6150 Qui a remporté le championnat du monde de snooker en 2005 ?

6151 Quelle fut la première pilote de rallye à établir le record de la piste en 1985 ?

6152 Quel est le cheval de course de trot français le plus titré de tous les temps ?

6153 Qui a battu Patrick Rafter en finale du simple messieurs à Wimbledon en 2001 ?

6154 Dans quel sport Daley Thompson a-t-il remporté deux médailles d'or et battu le record du monde ?

6155 Quelle athlète québécoise a remporté 5 médailles d'or aux jeux paralympiques de Pékin ?

QUIZ 627

À la fortune du pot
Dix questions sur divers sujets.

6156 Comment se nomme le regroupement des cyclistes en course ?

6157 Quelle ville organisa en 1971 le premier marathon annuel ?

6158 Comment se nomme le tournoi de golf bisannuel qui oppose les États-Unis et l'Europe ?

6159 Au tennis, dans quels pays se déroulent les quatre tournois du grand chelem ?

6160 Quelle est la distance du marathon ?

6161 Combien d'équipes de cricket participent aux matchs internationaux ?

6162 Quelle équipe a perdu la finale de la Coupe du monde de football en 2002 ?

6163 En quelle année eut lieu le premier marathon de Paris contemporain ?

6164 Quel nom porte le chant tribal entonné par l'équipe néo-zélandaise des All Blacks avant les matchs internationaux de rugby ?

6165 Comment nomme-t-on la pratique consistant à plonger la tête la première du haut d'un pont ?

QUIZ 628

Une petite partie ?
Questions sur les sports

6166 Quel sport se pratique avec une balle creuse en Celluloïd pesant 2,7 g et mesurant 40 mm de diamètre ?

6167 Quel sport de raquette se joue sur un court mesurant précisément 62,40 m^2 ?

6168 Dans le sport américain, qu'est-ce que la NBA ?

6169 Comment se nomme la variante du crawl rapportée d'Amérique par l'Anglais Sullivan ?

6170 Dans quel sport les équipes ont-elles disputé la Coupe du Canada jusqu'en 1991 ?

6171 En sport, que signifie le sigle CIO ?

6172 Quel est l'autre nom de la discipline sportive appelée bicross ?

QUIZ 629

À la fortune du pot
Questions diverses.

6173 En quelle année Björn Borg a-t-il remporté Wimbledon pour la première fois ?

6174 En quelle année les Bleus ont-ils gagné la coupe du monde de football ?

6175 Quel jour de la semaine ont lieu la plupart des rencontres de football organisées par les clubs amateurs ?

6176 Quel est le sport dont le championnat du monde se déroule à Sheffield, en Angleterre ?

6177 Dans quelle ville se trouve le Stadio Giuseppe Meazza ?

6178 À quel sport associe-t-on le nom de Badminton en Angleterre ?

6179 Lors de quel événement (lieu et année) les spectateurs firent-ils leur première ola ?

6180 Quel jour de la semaine ont lieu la plupart des rencontres de football organisées par les clubs amateurs ?

RÉPONSES

QUIZ 1 (page 114)

1 Non .7
2 Avant et après Jésus-Christ .31
3 Antérieur .8
4 Les druides .45
5 En observant l'ombre sur des cadrans solaires .31
6 Toutankhamon .18
7 La Gaule .45
8 Les pyramides de Gizeh .43
9 Il leur fit parler des langues différentes .12
10 Pompéi .50

QUIZ 2 (page 114)

11 Vrai .19
12 Vrai .10
13 Faux .31
14 Vrai .9
15 Faux .26
16 Vrai .37
17 Faux .9
18 Vrai .51
19 Vrai .42
20 Vrai .56

QUIZ 3 (page 114)

21 Galilée .57
22 Harappa .24
23 Qadesh .15
24 Kalhou .13
25 Méso-Amérique .27
26 Halicarnasse .43
27 Palmyre .23
28 Edfou .49
29 Lignes de Nazca .30
30 Tarquinia .46

QUIZ 4 (page 114)

31 D'Alexandre le Grand .39
32 Jacob .20
33 Ismaël .20
34 Cléopâtre .49
35 Faux .17
36 Scipion l'Africain .48
37 Zeus .42
38 Sennachérib .13
39 Hannibal .48
40 Nabuchodonosor II .12

QUIZ 5 (page 114)

41 *Mort sur le Nil* .14
42 *Ulysse* .41
43 Virgile .52
44 À l'homme de Neandertal .7
45 Piero della Francesca .20
46 *La Tunique* .54
47 Seamus Heaney .37
48 *L'Âme des guerriers* .33
49 Christian Jacq .15
50 Victor Hugo .46

QUIZ 6 (page 114)

51 Karnak .17
52 Éclats .8
53 Jéricho .10
54 Hellénistique .39
55 Trépanation .44
56 Rê ou Râ .16
57 Martial .52
58 Mithra .53
59 Manichéisme .58
60 Zama .48

QUIZ 7 (page 115)

61 B .15
62 B .43
63 A .32
64 D .27
65 D .22
66 C .32
67 C .59
68 B .45
69 B .30
70 B .37

QUIZ 8 (page 115)

71 La Crète .34
72 Les Champs Élysées .42
73 La culture Tichitt .32
74 La reine de Saba .20
75 De Macédoine .39
76 Non .10
77 Postérieure .27
78 À l'Irak .11
79 Le papier .22
80 Bagdad .11

QUIZ 9 (page 115)

81 Nino Ferrer .39
82 Rosette .19
83 Claudio Monteverdi .53
84 Didon .48
85 Babylone .12
86 *Aïda* .15
87 Julien Clerc .11
88 Memphis .14
89 Nabuchodonosor .12
90 *The Planets* .53

QUIZ 10 (page 115)

91 Vrai .16
92 Vrai .51
93 Faux .9
94 Vrai .56
95 Faux .16
96 Vrai .56
97 Faux .41
98 Faux .27
99 Vrai .20
100 Vrai .18

QUIZ 11 (page 115)

101 Gravure sacrée .19
102 Génie .53
103 Amour de la sagesse .41
104 Pourpre .35
105 Pythagore .41
106 Un protecteur des arts .52
107 Menhir .9
108 La civilisation romaine .53
109 Babylone .12
110 Cuir de bœuf .48

QUIZ 12 (page 116)

111 À la Chine .22
112 Les Phéniciens .35
113 Égypte ancienne .19
114 Olmèque .27
115 Aux Celtes .45
116 L'Empire perse .36
117 Les Étrusques .46
118 De la civilisation mycénienne .34
119 Des peuples germaniques .37
120 Hérésie .58

QUIZ 13 (page 116)

121 Les pyramides de Gizeh .43
122 Euclide .41
123 La via Appia .51
124 À Ninive .13
125 La civilisation étrusque .46
126 Le savon .44
127 En Égypte .58
128 Le lac Nô .35
129 Étienne .57
130 Alexandre le Grand .23

QUIZ 14 (page 116)

131 C .20
132 D .15
133 A .59
134 B .15
135 B .21
136 C .34
137 B .22
138 B .13
139 D .55
140 C .22

QUIZ 15 (page 116)

141 Ponce Pilate .57
142 Parchemin .19
143 Le Pirée .38
144 Les patriciens et les plébéiens .47
145 Pluton .53
146 Périclès .38
147 La Palestine .20
148 Pépi II .14
149 Paléolithique .8
150 Persée .42

QUIZ 16 (page 116)

151 Abou-Simbel .17
152 Croissant fertile .10
153 La Terre promise .20
154 Mohenjo-Daro .24
155 Circus maximus .55
156 La Tène .45
157 Route royale .36
158 Maiden Castle .37
159 Skara Brae .9
160 Çatal Höyük .10

QUIZ 17 (page 116)

161 Néron .50
162 L'Atlantide .34
163 Salomé .57
164 Un tapis .49
165 Le dieu du Soleil Rê ou Râ .16
166 Didon .48
167 Constantin Ier .59
168 Du roi Salomon .32
169 Qu'ils avaient répandu du sel dans la terre .48
170 Les soldats romains .54

QUIZ 18 (page 117)

171 Le phare d'Alexandrie .43
172 Hérode le Grand .57
173 De Vespasien .50
174 Le Serpent Mound .28
175 Le pont du Gard .51
176 Le temple d'Artémis à Éphèse .43
177 Teotihuacán .29

178 Phidias 40
179 Dioclétien 50
180 Ravenne 59

QUIZ 19 (page 117)

181 En Inde 25
182 Teotihuacán 29
183 Le Forum de Rome 51
184 Le pont du Gard 51
185 La Grande Muraille 21
186 Los Millares 9
187 Abou-Simbel 17
188 Carnac 9
189 Delphes 42
190 Babylone 12

QUIZ 20 (page 117)

191 Troie 34
192 Perse 36
193 Actium 49
194 Alexandre 39
195 Hannibal 48
196 Cyrus II le Grand ... 36
197 Romains 47
198 Tyr 35
199 Salamine 36
200 Sparte 38

QUIZ 21 (page 117)

201 Faux 9
202 Vrai 40
203 Vrai 18
204 Vrai 15
205 Vrai 19
206 Faux 43
207 Vrai 26
208 Faux 10
209 Faux 17
210 Faux 56

QUIZ 22 (page 117)

211 Jules César 31
212 Depuis les origines 33
213 Des Grecs 31
214 Perse 36
215 À tous les dieux 51
216 Le Mississippi 28
217 Ils les incinéraient ... 37
218 *Castrum* 54
219 Le Parthénon 40
220 Les Bochimans 32

QUIZ 23 (page 118)

221 Le mont Olympe 42
222 La mer de Galilée ... 57
223 Au nord 22
224 Sur l'Acropole d'Athènes 40
225 Le lac Titicaca 30
226 De Macédoine 39
227 En Afrique 32
228 De la Mélanésie 33
229 En Amérique du Nord 28
230 Sur le Nil 32

QUIZ 24 (page 118)

231 Cunéiforme 19
232 *Ankh* 17
233 Mosaïque 55
234 Acropolis 40
235 Aqueduc 51
236 Cromlech 9
237 Kouros 40
238 Entablement 40
239 Calcédoine 28
240 *Shaouabti* 18

QUIZ 25 (page 118)

241 Saint Pierre 58
242 Le scarabée 17
243 La coiffure à rayures bleues et jaunes de la royauté 17
244 Un douzième 51
245 Le cobra sacré 17
246 La liberté 55
247 La croix celte 45
248 L'étendard de la neuvième légion 54
249 Haute-Égypte, blanche ; Basse-Égypte, rouge 14
250 Une plume 16

QUIZ 26 (page 118)

251 C 43
252 B 22
253 C 13
254 D 10
255 D 27
256 C 29
257 C 35
258 B 26
259 D 9
260 C 39

QUIZ 27 (page 118)

261 La Méditerranée 48
262 Les Andes 30
263 Le Nil 10
264 La mer Rouge 7
265 Pacifique Sud 33
266 Le Jourdain 10
267 Le Danube 37
268 Le Gange 25
269 Le détroit de Béring 27
270 Le Kalahari 32

QUIZ 28 (page 119)

271 Zeus 42
272 Poséidon 53
273 Diane 53
274 Chez les Celtes 45
275 Baal 35
276 Athéna 38
277 Arès 42
278 Parce qu'il était le messager des dieux 53
279 Aphrodite 42
280 Des arbres 42

QUIZ 29 (page 119)

281 Un glaive 54
282 Il portait l'étendard 54
283 Une centurie 54
284 80 54
285 Une légion 54
286 Vrai 54
287 La destruction du Temple de Jérusalem 57
288 Boudicca 50
289 Consul 47
290 Caius Marius 54

QUIZ 30 (page 119)

291 Pictogramme 19
292 En grec 57
293 En forme de coin ... 19
294 La civilisation mycénienne 34
295 Vrai 24
296 En latin 58
297 Ptolémée Ier 49
298 De cordelettes nouées 30
299 Il n'est pas fait avec une pâte 22
300 La lyre 41

QUIZ 31 (page 119)

301 Nabuchodonosor II .. 43
302 Les Romains 31
303 Claude 50
304 Le Bouddha 24
305 Pompée 57
306 Constantin Ier 58
307 Spartacus 47
308 Cyrus le Grand 36
309 La pierre, le bronze et le fer 8
310 Les Phéniciens 35

QUIZ 32 (page 119)

311 Zélotes 57
312 Tibère 50
313 Kshatriya 24
314 Hyksos 14
315 Cynique 41
316 Han 22
317 Les Arawaks 29
318 Nok 32
319 Sui 22
320 Chandragupta 25

QUIZ 33 (page 119)

321 D 8
322 A 48
323 B 44
324 D 49
325 D 37
326 B 10
327 C 14
328 B 25
329 D 7
330 B 43

QUIZ 34 (page 120)

331 Énée 52
332 Hellènes 39
333 Gaulois 45
334 Boudicca 50
335 Joseph 20
336 Minoens 34
337 Ptolémée 49
338 Virgile 52
339 Lysandre 38
340 Toutankhamon 18

QUIZ 35 (page 120)

341 L'Italie 46
342 Le Pakistan 24
343 Le Liban 35
344 La Tunisie 48
345 L'Égypte 49
346 La Turquie 23
347 La Turquie 58
348 L'Italie 46
349 La Turquie 39
350 L'Italie 45

QUIZ 36 (page 120)

351 Hypocauste 51
352 Trirème 40
353 La Grande Muraille de Chine 21
354 Tortue 54
355 Des sculptures romaines 55

356 Une sorte de carte ... **33**
357 Strigile ... **55**
358 *Garum* ou *liquamen* ... **56**
359 Système de Ptolémée ... **49**
360 *Triclinium* ... **56**

QUIZ 37 (page 120)

361 Vrai ... **7**
362 Vrai ... **32**
363 Faux ... **29**
364 Faux ... **48**
365 Faux ... **42**
366 Faux ... **23**
367 Faux ... **11**
368 Vrai ... **43**
369 Faux ... **41**
370 Faux ... **14**

QUIZ 38 (page 120)

371 Alphabet ... **19**
372 Deux ... **47**
373 Sparte ... **38**
374 57 millions ... **22**
375 Décimer ... **54**
376 *Arena* ... **51**
377 170 ... **40**
378 Frapper d'ostracisme ... **38**
379 L'olive ... **56**
380 Le bouddhisme ... **25**

QUIZ 39 (page 120)

381 Faux ... **28**
382 Physiquement intacts ... **18**
383 Le jaïnisme ... **24**
384 L'ouverture de la bouche ... **18**
385 Faux ... **29**
386 Oui ... **55**
387 Les Celtes ... **45**
388 Que leur mort n'était pas naturelle ... **37**
389 70 jours ... **18**
390 Cinq ... **31**

QUIZ 40 (page 121)

391 B ... **15**
392 C ... **30**
393 C ... **11**
394 A ... **59**
395 B ... **57**
396 C ... **35**
397 A ... **11**
398 C ... **59**
399 B ... **58**
400 B ... **42**

QUIZ 41 (page 121)

401 Khristos ... **57**
402 Les jeux Olympiques ... **42**
403 Delphes ... **42**
404 Zoroastre ... **36**
405 Paul ... **57**
406 Artémis ... **43**
407 La Terre ... **53**
408 Mithra ... **53**
409 Marc ... **49**
410 Les sibylles ... **53**

QUIZ 42 (page 121)

411 Babylone ... **12**
412 Byzance ... **59**
413 Saint Paul ... **57**
414 Alexandrie ... **49**
415 En Inde ... **25**
416 Jérusalem ... **57**
417 Persépolis ... **36**
418 Les Mayas ... **29**
419 La mer Rouge ... **32**
420 Au Mexique ... **29**

QUIZ 43 (page 121)

421 Hélène de Troie ... **34**
422 *L'Iliade* ... **41**
423 L'Égypte ... **49**
424 Pyrrhus ... **47**
425 « Cueille le jour » ... **52**
426 Les Phéniciens ... **35**
427 Jules César ... **31**
428 Balthazar ... **20**
429 En Chine ... **21**
430 Alexandre le Grand ... **39**

QUIZ 44 (page 121)

431 Cadix ... **35**
432 Connaissance ... **24**
433 Carthaginoises ... **48**
434 Délos ... **38**
435 Les Andes ... **27**
436 La culture Moche ... **30**
437 Qin, ou Ts'in ... **21**
438 Les Étrusques ... **46**
439 Pendjab ... **24**
440 La Provence ... **45**

QUIZ 45 (page 122)

441 Aux Hopewell ... **28**
442 À Athènes ... **38**
443 Aux Scythes ... **36**
444 Harappa ... **24**
445 La culture Moche ... **30**
446 Lascaux ... **7**
447 Les Élamites ... **11**
448 Les Égyptiens ... **15**
449 La porte d'Ishtar ... **12**
450 Cnossos ... **34**

QUIZ 46 (page 122)

451 Auguste ... **50**
452 Le bouddha ... **24**
453 Confucius ... **21**
454 Akhenaton ... **16**
455 Le Colisée ... **51**
456 Les Moires ... **42**
457 Diaspora ... **57**
458 Les Vanniers ... **28**
459 Triumvirat ... **47**
460 Laconie ... **38**

QUIZ 47 (page 122)

461 L'ambre ... **23**
462 Lucy ... **7**
463 Le nom (Obélix = BD ; monuments = obélisques) ... **17**
464 Bélier ... **54**
465 Mandarin ... **22**
466 Khôl ... **26**
467 Dieu grec et romain de l'amour ... **53**
468 Ils ont été embaumés ... **18**
469 Vulcain ... **53**
470 Vandales ... **59**

QUIZ 48 (page 122)

471 Saint Jérôme ... **58**
472 Chang Jiang ... **21**
473 Memphis ... **29**
474 Nil ... **10**
475 Platine ... **8**
476 Sarcophage ... **9**
477 Wisigoths ... **28**
478 Guimel ... **19**
479 Vase ... **40**
480 Homère ... **52**

QUIZ 49 (page 122)

481 Vrai ... **11**
482 Vrai ... **19**
483 Faux ... **48**
484 Vrai ... **31**
485 Vrai ... **15**
486 Vrai ... **22**
487 Vrai ... **24**
488 Faux ... **41**
489 Faux ... **13**
490 Faux ... **11**

QUIZ 50 (page 122)

491 *Kon Tiki* ... **33**
492 Chasseurs-cueilleurs ... **8**
493 Vestales ... **53**
494 Garde prétorienne ... **54**
495 *Kama-sutra* ... **25**
496 Captivité de Babylone ... **20**
497 Tustrup ... **9**
498 Royaumes combattants ... **21**
499 *Pontifex maximus* ... **47**
500 *Bombyx mori* ... **26**

QUIZ 51 (page 123)

501 Le christianisme ... **53**
502 Horus ... **24**
503 L'Église copte ... **58**
504 Au bouddhisme ... **25**
505 Du taoïsme ... **21**
506 Aksoum ... **32**
507 Le jaïnisme ... **24**
508 Au judaïsme ... **57**
509 Les esprits protecteurs du foyer, ou lares ... **53**
510 Chichén Itzá ... **29**

QUIZ 52 (page 123)

511 D ... **18**
512 B ... **9**
513 B ... **30**
514 B ... **34**
515 B ... **51**
516 C ... **9**
517 D ... **40**
518 B ... **9**
519 D ... **9**
520 C ... **12**

QUIZ 53 (page 123)

521 Vénus ... **53**
522 L'usage des outils ... **7**
523 Le serment d'Hippocrate ... **41**
524 Calendrier ... **31**
525 Les Grecs ... **26**
526 Août ... **50**
527 Marbres d'Elgin ... **40**
528 Les combats de gladiateurs ... **55**
529 Barbare ... **59**
530 Les Celtes ... **45**

QUIZ 54 (page 123)

531 Marseille ... **37**
532 Thèbes, ou Ouaset ... **17**

533 Troie 34
534 Au Mexique 29
535 À Alexandrie, en Égypte 39
536 Aux Assyriens 13
537 Les Mayas 29
538 Byblos 19
539 La nouvelle ville 48
540 Saragosse 50

QUIZ 55 (page 123)

541 L'Empire romain d'Occident 59
542 Athènes 38
543 Gladiateur 55
544 Des membres de diverses castes, ou *varna* 24
545 Rome 47
546 Les récits historiques 52
547 Hannibal 48
548 Les Ptolémées 49
549 Les Tarquins 46
550 Égyptienne 16

QUIZ 56 (page 124)

551 L'empire d'Alexandre le Grand 39
552 Satrape 36
553 Rome 46
554 Ashoka 25
555 Darios III 39
556 L'empire Maurya . . .25
557 Kheops 17
558 Domitien 50
559 Le royaume de Juda, ou Judée 57
560 Romulus Augustule 59

QUIZ 57 (page 124)

561 De l'eau 36
562 Vrai 45
563 Aux ancêtres sous forme d'offrandes 21
564 De l'encens 30
565 Dans des jarres en terre cuite 34
566 Vases à anse en étrier 30
567 Les Phéniciens 35
568 Vrai 24
569 Vrai 46
570 Des viscères 18

QUIZ 58 (page 124)

571 Caligula 50
572 Crésus 23
573 Hérodote 14
574 Josué 20
575 Aristote 39
576 Xerxès 36
577 Néfertiti 15
578 Archimède 44
579 Pline 52
580 Maximus 55

QUIZ 59 (page 124)

581 Orlando Bloom 34
582 Moïse 20
583 Monica Bellucci 49
584 L'Arche d'alliance . . .20
585 Elizabeth Taylor et Richard Burton 49
586 Memphis 14
587 Jean-Jacques Annaud 7
588 *Spartacus* 55
589 *Ben Hur* 55
590 Raquel Welch 7

QUIZ 60 (page 124)

591 Le Danube 10
592 Le fleuve Jaune 21
593 La Vallée des Rois 18
594 La Basse-Égypte 14
595 La Nubie 14
596 Le Tigre et l'Euphrate 11
597 Le Rubicon 47
598 Jéricho 10
599 Juillet 14
600 Le haut barrage d'Assouan 14

QUIZ 61 (page 124)

601 Vrai 56
602 Vrai 18
603 Vrai 19
604 Vrai 8
605 Faux 31
606 Faux 12
607 Vrai 16
608 Faux 26
609 Faux 13
610 Vrai 44

QUIZ 62 (page 125)

611 Abraham 20
612 Les skis 44
613 Narmer 14
614 *L'Épopée de Gilgamesh* 11
615 *Homo habilis* 7
616 Vercingétorix 45
617 La dynastie Shang 21
618 Les pyramides de Gizeh 14
619 Les Olmèques 27
620 Sargon Ier 11

QUIZ 63 (page 125)

621 En plein cintre 51
622 Djoser 17
623 Vrai 59
624 Indian Knoll 28
625 Faux 29
626 Le portique à colonnes situé à l'entrée 40
627 Les tombes-couloirs 9
628 L'entablement 40
629 Pour paraître entiers vus de face ou de profil 13
630 Xian 21

QUIZ 64 (page 125)

631 C 8
632 C 9
633 B 26
634 B 10
635 D 19
636 B 19
637 B 56
638 B 54
639 D 56
640 B 44

QUIZ 65 (page 125)

641 Augustin 58
642 Désert 23
643 Alliance 20
644 Âges 8
645 Sadducéens / pharisiens 57
646 Stoïque 41
647 Vitreuse 29
648 Louxor 17
649 Pline 52
650 Benoît 58

QUIZ 66 (page 125)

651 Le Minotaure 34
652 Romulus et Remus 47
653 Ulysse 41
654 Le Temps du rêve 33
655 Didon 52
656 Un cheval ailé 31
657 Hermès 42
658 Dans les Enfers grecs 42
659 Cerbère 42
660 Danaé 42

QUIZ 67 (page 125)

661 Vrai 10
662 Vrai 16
663 Faux 16
664 Vrai 55
665 Faux 44
666 Faux 26
667 Faux 13
668 Vrai 49
669 Faux 12
670 Faux 15

QUIZ 68 (page 126)

671 « Terre entre les fleuves » 11
672 La Toscane (l'ancienne Étrurie) . .46
673 L'Éveillé 24
674 Le tanin 26
675 Cérès 53
676 Du grec 17
677 Mausolée 43
678 Coude 23
679 Pectoral 26
680 Sybaris 46

QUIZ 69 (page 126)

681 L'homme de Piltdown 7
682 Neander 7
683 Gnomon 31
684 La vis d'Archimède 44
685 Des caryatides 40
686 Le mur d'Antonin . . .50
687 L'Hellespont 39
688 Le fronton 40
689 L'Exode 20
690 Clepsydre 31

QUIZ 70 (page 126)

691 Rome 47
692 *Demos* = peuple ; *kratos* = gouvernement 38
693 Le Sénat 47
694 Les magistrats 47
695 Proconsul 47
696 La Grèce ancienne 38
697 Tribun 47
698 Dracon 38
699 Duc 54
700 Plébiscite 47

QUIZ 71 (page 126)

701 C 45
702 B 56
703 C 41
704 B 19
705 B 41
706 C 19
707 D 19
708 B 52
709 A 43
710 C 41

QUIZ 72 (page 126)

711 Homère 41
712 *Le Mahabharata* 24
713 *L'Énéide* 52
714 *Les Métamorphoses* 52
715 *L'Épopée de Gilgamesh* 11
716 Ésope 41
717 Platon 41
718 Confucius 21
719 *Yijing* 21
720 Astérix 45

QUIZ 73 (page 127)

721 Calendrier 31
722 En Amérique du Nord 28
723 Pour écrire 19
724 Pour la saignée 29
725 De monnaie 23
726 D'Amérique 56
727 Pour la teinture 26
728 Des vêtements 26
729 Des navires de guerre, ou galères 54
730 Dans les thermes 55

QUIZ 74 (page 127)

731 Phéniciens 35
732 Sumériens 11
733 Doriens 38
734 Wisigoths 59
735 Hopewells 28
736 Hominidés 7
737 Lydiens 23
738 Assyriens 13
739 Samnites 47
740 Ligue du Péloponnèse 38

QUIZ 75 (page 127)

741 50 000 51
742 Polynésienne 33
743 La Perse 36
744 3 000 55
745 Teotihuacán 29
746 Trajan 50
747 Moins grand 22
748 30 m 43
749 Le Panthéon 51
750 Près de Carthage, en Afrique 51

QUIZ 76 (page 127)

751 Théodoric 57
752 Ramsès II 15
753 Homère 41
754 Cléopâtre 49
755 Pompée 47
756 Alexandre le Grand 39
757 Trajan 50
758 Le bouddha 24
759 Aménophis IV 16
760 Néfertiti 15

QUIZ 77 (page 127)

761 Glaciaire 8
762 Terre cuite 21
763 Pérou 27
764 Soie 23
765 Obscurs 38
766 Byzantin 59
767 Mound 28
768 Cylindres 11
769 Maison 15
770 Pointes 27

QUIZ 78 (page 127)

771 Le Sphinx 17
772 Salomon 20
773 La pierre de Rosette 19
774 Dolmen 9
775 Îles noires 33
776 La civilisation mycénienne 34
777 L'âge du fer 37
778 Anubis 16
779 Au Mexique 27
780 *Le Livre des morts* 16

QUIZ 79 (page 128)

781 Howard Carter 18
782 Sennachérib 13
783 Les gladiateurs 55
784 Le credo de Nicée, ou symbole des Apôtres 58
785 Saint Pierre 58
786 Horace 52
787 Auguste 50
788 Le roi David 20
789 Saint Augustin 58
790 Cicéron 52

QUIZ 80 (page 128)

791 Vrai 18
792 Vrai 44
793 Faux 17
794 Faux 7
795 Faux 21
796 Faux 59
797 Vrai 59
798 Faux 47
799 Faux 22
800 Faux 19

QUIZ 81 (page 128)

801 Le pantalon 26
802 Salomon 20
803 Ashoka 25
804 Il mit fin à leur persécution 58
805 Les Tarquins 46
806 Néron 50
807 La crucifixion 47
808 Il était condamné à mort 12
809 Caracalla 50
810 Juge 36

QUIZ 82 (page 128)

811 Des livres de cuisine 56
812 Juvénal 52
813 Vitruve 51
814 Les manuscrits de la mer Morte 57
815 Saint Augustin 58
816 Sénèque 52
817 Ovide 52
818 Cicéron 52
819 *L'Almageste* 31
820 Marc Aurèle 50

QUIZ 83 (page 128)

821 D 11
822 C 21
823 C 35
824 D 21
825 B 46
826 A 13
827 C 45
828 B 55
829 B 53
830 C 33

QUIZ 84 (page 129)

831 Afrique orientale 7
832 Mycènes 34
833 Jutes 59
834 Romains 50
835 Angles 59
836 Alexandre le Grand 39
837 Amérique du Sud 56
838 Belges 45
839 Samoa 33
840 Francs 59

QUIZ 85 (page 129)

841 Silex 8
842 Torques 26
843 Forum 51
844 Nilomètre 14
845 Ziggourat 11
846 Troc 23
847 Natron 18
848 Vénus 7
849 Toge 26
850 Minoenne 34

QUIZ 86 (page 129)

851 Des pièces 23
852 Faux 23
853 En Lydie 23
854 Les Chinois 8
855 Elle ne dépend pas du soleil 31
856 Aux Phéniciens 35
857 Faux 28
858 Les Mayas 29
859 Les birèmes 35
860 Vrai 51

QUIZ 87 (page 129)

861 L'Ancien Empire 14
862 Des lions 13
863 Sargon 11
864 La dynastie Shang 21
865 Les Romains 31
866 Le cuivre 9
867 Vers 5000 av. J.-C. 8
868 Les Huns Blancs 25
869 C'est la même chose 57
870 La culture inuit 27

QUIZ 88 (page 129)

871 En Autriche 45
872 En Grèce 43
873 Au Pakistan 24
874 En Chine 21
875 Aux États-Unis 28
876 Au Mexique 29
877 En Bolivie 30
878 En Tunisie 48
879 En Égypte 14
880 Au Nigeria 32

QUIZ 89 (page 129)

881 Bacchus 53
882 Le maïs 27
883 Faux 56

884 La tomate **56**
885 La Pâque **57**
886 Oui **56**
887 Une boisson **29**
888 La Chine **56**
889 Faux **56**
890 L'avoine **56**

QUIZ 90 (page 130)

891 Ménélas **34**
892 Junon **53**
893 Salomon **20**
894 Livie **50**
895 Pompée **47**
896 Isis **16**
897 Roxane **39**
898 Boudicca **50**
899 Aphrodite **42**
900 Claude **50**

QUIZ 91 (page 130)

901 Dionysos **41**
902 Ptah **14**
903 Sargon **11**
904 Hannibal **48**
905 Osiris **16**
906 Téglath-Phalasar **13**
907 Plutarque **52**
908 Aménophis III **15**
909 Tacite **52**
910 Catulle **52**

QUIZ 92 (page 130)

911 Chameau de Bactriane **23**
912 10 000 ans **9**
913 Le quetzal **29**
914 Vrai **18**
915 Le chien **8**
916 Bucéphale **39**
917 Le jaguar **27**
918 Le guanaco, l'alpaga, la vigogne **26**
919 Le dingo **33**
920 Onagre **54**

QUIZ 93 (page 130)

921 En se faisant mordre par un serpent **49**
922 Babylone **39**
923 Brutus et Cassius **47**
924 En avalant du poison **41**
925 De la peste **38**
926 Par strangulation . . .**45**
927 Néron **58**
928 Xerxès Ier **36**
929 Il s'empoisonna **48**
930 Attila **59**

QUIZ 94 (page 139)

931 Howard Carter **18**
932 Pu-Abi **26**
933 Harappa **24**
934 Arthur Evans **34**
935 Dans les années 1840 . . . .**13**
936 Ötzi **8**
937 De Babylone **12**
938 Leonard Woolley **11**
939 Heinrich Schliemann **34**
940 Éthiopie **7**

QUIZ 95 (page 130)

941 Vrai **59**
942 Faux **23**
943 Vrai **30**
944 Vrai **49**
945 Faux **42**
946 Vrai **44**
947 Vrai **32**
948 Vrai **21**
949 Faux **23**
950 Faux **33**

QUIZ 96 (page 131)

951 Odéon **55**
952 En Cornouailles **8**
953 Antioche **23**
954 Les Olmèques **27**
955 Carnac **9**
956 L'arianisme **58**
957 Cartouche **17**
958 Des Chaldéens **11**
959 L'Apostat **58**
960 Codex **19**

QUIZ 97 (page 131)

961 Les Jeux Olympiques **42**
962 Le jeu de balle **27**
963 La course de chars **55**
964 Faux **41**
965 Les saturnales **53**
966 Vrai **55**
967 Oui **55**
968 Des divertissements pour le peuple **53**
969 Les dés **24**
970 Religieuses **42**

QUIZ 98 (page 131)

971 Le fer **8**
972 L'épée **44**
973 Le propulseur de javeline **28**
974 La phalange **38**
975 L'éperonnement **40**
976 Une fronde et une pierre **20**
977 Jéricho **20**
978 Mégiddo **15**
979 L'armée romaine . . .**54**
980 Les hoplites **38**

QUIZ 99 (page 131)

981 La fresque **55**
982 La chaîne est disposée dans la longueur ; la trame dans la largeur **26**
983 La poterie **40**
984 La peinture murale, ou fresque **34**
985 De la tombe de Toutankhamon **18**
986 Vrai **25**
987 Phidias **43**
988 Les étriers **30**
989 Les Étrusques **46**
990 Du plâtre et du lin ou du papyrus **49**

QUIZ 100 (page 131)

991 À l'âge de la pierre polie **9**
992 Des canopes, ou vases canopes . . .**18**
993 66 ans **15**
994 Hallstatt **37**
995 Plus long **31**
996 Hatchepsout **15**
997 Cella **40**
998 Lao-tseu **21**
999 Jaune **22**
1000 *Homo erectus* **7**

QUIZ 101 (page 131)

1001 Allah **63**
1002 Un protecteur des artistes **68**
1003 Un monothéisme **63**
1004 Charleston **96**
1005 La Grande Guerre . .**92**
1006 Un tisserand **81**
1007 Vandales **61**
1008 Chef **99**
1009 Le traité de Versailles **94**
1010 La montgolfière **75**

QUIZ 102 (page 132)

1011 Calcutta **72**
1012 Byzance **61**
1013 Berlin **108**
1014 Varsovie **101**
1015 Nuremberg **99**
1016 Berlin **87**
1017 À Paris (au Louvre) . .**76**
1018 New York **76**
1019 Saint-Pétersbourg . . .**74**
1020 Bruxelles **112**

QUIZ 103 (page 132)

1021 Guillaume le Conquérant **64**
1022 Henri de Navarre **73**
1023 Victor-Emmanuel II . .**87**
1024 Louis XVI **77**
1025 Guillaume II d'Allemagne **94**
1026 Jeanne d'Arc **66**
1027 Le roi Hussein **107**
1028 Clovis **61**
1029 Nicolas II **93**

QUIZ 104 (page 132)

1030 Thomas Cook **88**
1031 Gottlieb Daimler **81**
1032 La Pologne **100**
1033 Citroën **96**
1034 La Mecque **63**
1035 Le comte de Rochambeau **80**
1036 70 km/h **81**
1037 *Spirit of Saint Louis* **96**
1038 Ils cherchaient une voie d'accès vers le Pacifique **82**
1039 H. Morton Stanley . .**84**

QUIZ 105 (page 132)

1040 Édouard le Confesseur **64**
1041 Geronimo **82**
1042 Jeux de Mexico . . .**109**
1043 Jesse Owens **99**
1044 L'Allemagne **87**
1045 La Grèce **87**
1046 Les nordistes **82**
1047 Les Mongols **74**
1048 Plan Schlieffen **90**
1049 L'Empire ottoman . . .**66**

QUIZ 106 (page 132)

1050 Au Mexique **93**
1051 Ils appartiennent à la CECA **103**
1052 En Inde **65**
1053 La Suède **76**
1054 L'ordre franciscain **62**
1055 Égypte, Syrie et Jordanie **107**
1056 Le Chemin des Dames **92**
1057 L'Autriche-Hongrie et l'Italie **90**
1058 Il fonda une religion syncrétique **78**
1059 Jiang Zemin **113**

QUIZ 107 (page 132)

1060 B 88
1061 C 110
1062 C 65
1063 B 79
1064 A 87
1065 B 111
1066 A 97
1067 D 70
1068 A 71
1069 B 64

QUIZ 108 (page 133)

1070 Carolus Magnus 64
1071 Anastasia 93
1072 Khmers rouges 110
1073 Ordre des Jésuites 73
1074 Hitler-Jugend (HJ) 101
1075 Gestapo 101
1076 Le canal de Suez 89
1077 *Autant en emporte le vent* 82
1078 Le protestantisme 73
1079 Le traité de Maastricht 112

QUIZ 109 (page 133)

1080 À la Tchécoslovaquie 99
1081 En Roumanie 98
1082 La Roumanie 87
1083 Le Delaware 80
1084 La Russie 64
1085 La Lettonie, la Lituanie et l'Estonie 112
1086 Amsterdam 101
1087 L'Angleterre 76
1088 La Turquie 77
1089 De la Chine 104

QUIZ 110 (page 133)

1090 Michel-Ange 68
1091 Léon Trotski 93
1092 Pancho Villa 95
1093 Léon X 68
1094 Borgia 66
1095 Guillaume le Conquérant 64
1096 Monna Lisa 68
1097 Georges Clemenceau 94
1098 Staline 93
1099 Dantzig 94

QUIZ 111 (page 133)

1100 Jacques Cartier 72
1101 Grande-Bretagne 90
1102 *Mayflower* 72
1103 Pearl Harbor 100
1104 Le Niger 113
1105 La Première Guerre mondiale 91
1106 *Kriegsmarine* 101
1107 *Bellérophon* 79
1108 Gamal Abdel Nasser 107

QUIZ 112 (page 133)

1109 Rudyard Kipling 94
1110 Catherine II 74
1111 La renaissance carolingienne 64
1112 Cartographie 72
1113 Des idéogrammes 86
1114 Gutenberg 75
1115 Ils utilisaient des cordelettes à nœuds 71
1116 Le latin 62
1117 *La Brabançonne* 87
1118 Le système métrique 77

QUIZ 113 (page 134)

1119 La Tchécoslovaquie 98
1120 Charlemagne 101
1121 En 1973 112
1122 Des ouragans de poussière 97
1123 Guomindang 104
1124 1951 103
1125 Dahomey 84
1126 Toussaint-Louverture 83
1127 L'Institut monétaire européen (IME) 112

QUIZ 114 (page 134)

1128 A 72
1129 B 75
1130 C 111
1131 B 108
1132 A 61
1133 C 62
1134 B 75
1135 B 81
1136 C 66
1137 C 75

QUIZ 115 (page 134)

1138 Une religion japonaise 86
1139 Un religieux musulman 63
1140 L'Empire mongol 65
1141 Nation bengalie 105
1142 Bagdad 63
1143 Un serpent 71
1144 En Inde 78
1145 Des soldats de l'Empire ottoman 70
1146 Saladin 66

QUIZ 116 (page 134)

1147 Actes des Apôtres 62
1148 30 ans 73
1149 4 75
1150 Les 13 premiers États 80
1151 44 82
1152 L'Alsace et la Lorraine 94
1153 17 86
1154 5 63
1155 Il a doublé 89
1156 Droit de porter des armes 80

QUIZ 117 (page 134)

1157 Munich 99
1158 Paris 85
1159 Moscou 74
1160 La Mecque (Arabie saoudite) 63
1161 Vichy 101
1162 Kiev 65
1163 Weimar 97
1164 Saigon 110
1165 Nuremberg 102
1166 Washington 109

QUIZ 118 (page 134)

1167 Le chlore (comme gaz) 91
1168 Le char d'assaut 91
1169 Brousse 70
1170 Iouri Gagarine 108
1171 Premier consul 79
1172 Le *Manifeste du parti communiste* (1848) 85
1173 1096 66
1174 La guerre de Trente Ans 76
1175 Pierre le Grand 74
1176 Charlemagne 64

QUIZ 119 (page 135)

1177 Che Guevara 108
1178 Madonna 108
1179 Gandhi 95
1180 Élisabeth Ire 73
1181 Le général Patton 100
1182 Ils ont tous les deux fait un film sur Napoléon 79
1183 Sofia Coppola 77
1184 De Raspoutine 93
1185 Peter O'Toole 63
1186 Isabelle Adjani 73

QUIZ 120 (page 135)

1187 Les agrumes 75
1188 Marie-Antoinette 77
1189 Le topinambour 101
1190 Le croissant 70
1191 En la congelant 71
1192 Du maïs 71
1193 La prohibition 96
1194 La coquille Saint-Jacques 67
1195 Cendre de bois 71
1196 Un coquillage (murex) 61

QUIZ 121 (page 135)

1197 Dantzig 94
1198 Martin Luther 73
1199 Bismarck 87
1200 Luftwaffe 100
1201 Amsterdam 112
1202 Fidel Castro 108
1203 Stalingrad 100
1204 Leonid Brejnev 108
1205 Kofi Annan (ONU) 113
1206 Raspoutine 93

QUIZ 122 (page 135)

1207 Au Viêt Nam 110
1208 En Espagne 63
1209 De la Géorgie 111
1210 Au Luxembourg 112
1211 De Mongolie 74
1212 L'Empire ottoman 94
1213 En Irlande 85
1214 Le Mexique 83
1215 La Grande-Bretagne et la Russie 90
1216 Le Portugal 98

QUIZ 123 (page 135)

1217 D'hérétisme 66
1218 Il interdit les punitions cruelles et contre nature 80
1219 Il fut exilé sur l'île d'Elbe 79
1220 Joseph Goebbels 99
1221 Hermann Göring 102
1222 La Radio-Télévision libre des Mille Collines (Rwanda) 106
1223 Václav Havel 111
1224 Assassiné 82
1225 1977 77
1226 En Australie 81

QUIZ 124 (page 135)

1227 George Eliot 88
1228 1920 80
1229 Louise Brooks 96
1230 Le harem 70
1231 Benazir Bhutto 105

1232 L'amour courtois 66
1233 Gandhi, du nom de son mari 105
1234 Nonne 73
1235 Victoria 88
1236 Anna Marly 101

QUIZ 125 (page 136)

1237 De l'impératrice d'Autriche 77
1238 Les Habsbourg 85
1239 La dynastie Tang . . .69
1240 À la dynastie des Bourbons 76
1241 Francisco Pizarro . . .72
1242 Au XVIe siècle 78
1243 L'Espagne 112
1244 Les Romanov 74
1245 L'Empire austro-hongrois 90
1246 Ils étaient cousins . . .90

QUIZ 126 (page 136)

1247 C 80
1248 D 62
1249 D 61
1250 B 85
1251 A 85
1252 D 97
1253 B 111
1254 C 88
1255 C 81
1256 C 78

QUIZ 127 (page 136)

1257 *Les Pensées* 75
1258 Léon Tolstoï 74
1259 Dante 67
1260 *Les Raisins de la colère* 97
1261 Rudyard Kipling 89
1262 Oscar Wilde 109
1263 George Orwell 98
1264 Saint Paul 62
1265 Le Coran 63
1266 Charles Dickens 88

QUIZ 128 (page 136)

1267 L'Empire ottoman . . .95
1268 Sully 73
1269 La Pologne 92
1270 La Grande-Bretagne .85
1271 Les plans quinquennaux 97
1272 Amérique 71
1273 Les malgré-nous . . .101
1274 Le mont Fuji 86
1275 Adolf Hitler 99
1276 Crystal Palace 88

QUIZ 129 (page 136)

1277 Une union douanière 87
1278 L'Espagne 66
1279 Risorgimento 87
1280 La Nuit de cristal . . .99
1281 L'Union européenne 112
1282 La Knesset 107
1283 *Feldgrau* 101
1284 Kremlin 74
1285 *Perestroïka* 111
1286 Grande âme 95

QUIZ 130 (page 136)

1287 Le sikhisme (XVIe siècle) 78
1288 Montmartre 67
1289 Le titre de mufti 70
1290 Le nirvana 78
1291 Henri VIII 73
1292 Le chiisme 63
1293 Shri Guru Nanak Dev Ji 78
1294 L'islam 78
1295 John F. Kennedy . . .108
1296 Les renforts américains 92

QUIZ 131 (page 137)

1397 *Aïda* de Verdi 89
1398 Robin Williams . . .110
1299 Woodstock 109
1300 Les Beatles 109
1301 Bob Dylan 109
1302 La Belgique 87
1303 La Légion étrangère 89
1304 *La Dame de Pique, Eugène Onéguine* . .74
1305 Les trouvères et les troubadours 67
1306 *Maréchal, nous voilà !* 101

QUIZ 132 (page 137)

1307 La Sarre et la Ruhr . .94
1308 Le Cachemire 105
1309 La Californie 82
1310 Yémen, Russie et Roumanie 95
1311 En Normandie 64
1312 En Judée 62
1313 Les colonies du Canada 76
1314 Au Viêt Nam 110
1315 En Ukraine 111
1316 En Belgique 79

QUIZ 133 (page 137)

1317 *Apocalypse Now* . .110
1318 Hermann Göring . .100
1319 Les tirailleurs sénégalais 89
1320 Dans le détroit de Tsushima, au Japon 86
1321 En Tchétchénie 111
1322 Pour éviter une nouvelle guerre . . .112
1323 La France 110
1324 Une casquette bolchevique 93
1325 Le général de Gaulle 100
1326 « Renard du désert » 100

QUIZ 134 (page 137)

1327 À Montgomery, Alabama 109
1328 Delhi 65
1329 Yangzhou 69
1330 Tenochtitlán 71
1331 Nankin 104
1332 Mehmed II 70
1333 Yalta 102
1334 Amritsar 95
1335 Dresde 101
1336 Cuzco 71

QUIZ 135 (page 137)

1337 Robespierre 77
1338 José Bové 113
1339 Hardouin-Mansart . .76
1340 Irlande 112
1341 Malte 112
1342 Washington 80
1343 Nelson Mandela . .106
1344 Saddam Hussein . .113
1345 Che Guevara 108
1346 Yasser Arafat 107

QUIZ 136 (page 137)

1347 Le ramadan 63
1348 Livre d'heures 67
1349 Jules César 75
1350 Dix 77
1351 La révolution de février 85
1352 Dix mois 91
1353 Overlord (le débarquement) . . .100
1354 Cinq fois 63
1355 Yom Kippour 107
1356 En 1967 107

QUIZ 137 (page 138)

1357 John Adams 80
1358 Jefferson 82
1359 Führer, ou chef 99
1360 Gaston Doumergue 96
1361 Vladimir Poutine . . .111
1362 John F. Kennedy . . .108
1363 Sadi Carnot 89
1364 Au président Herbert Hoover 97
1365 Lech Walesa 111
1366 J. Garfield (1881) et W. McKinley (1901) 82

QUIZ 138 (page 138)

1367 1934 79
1368 Benjamin Disraeli 88
1369 Octobre 97
1370 La Chine 113
1371 Les années 1920 97
1372 Le plan Marshall . . .103
1373 *Voyage au bout de l'enfer* 110
1374 Ducat 67
1375 En Californie et en Alsaka 82
1376 Il était écossais 76

QUIZ 139 (page 138)

1377 L'hégire 63
1378 Solidarność 111
1379 Martin Luther King 109
1380 L'Afrique du Sud 95
1381 L'Autriche-Hongrie . .92
1382 Robert Laird Borden 103
1383 W.L. Mackenzie King 97
1384 Oswald Mosley 98
1385 Au parti démocrate 97
1386 Gamal Abdel Nasser 107

QUIZ 140 (page 138)

1387 Muhammad Ali Jinnah 105
1388 William Gladstone . .88
1389 Secrétaire d'État aux Affaires étrangères 95
1390 Wladislav Gomulka 102
1391 Nicolae Ceausescu 108
1392 Golda Meir 107
1393 Ali 63
1394 Chah Djahan 78
1395 Mao Zedong 104

QUIZ 141 (page 138)

1396 B .88
1397 A .81
1398 C .63
1399 D .82
1400 A .102
1401 C .88
1402 A .102
1403 C .76
1404 C .68
1405 A .92

QUIZ 142 (page 139)

1406 Paris .91
1407 Kiev .74
1408 Nagasaki .102
1409 Prague .102
1410 Petrograd .93
1411 Sarajevo .90
1412 16 h (8 jours en diligence...) .81
1413 Jérusalem .66
1414 Constantinople .62
1415 Venise .67

QUIZ 143 (page 139)

1416 Isaac Newton .75
1417 John Lennon .109
1418 Mao Zedong .104
1419 Emiliano Zapata .95
1420 Karl Marx .85
1421 Général de Gaulle .106
1422 Winston Churchill .102
1423 Louis XIV .76
1424 L'Assemblée constituante .77
1425 La Première Guerre mondiale .90

QUIZ 144 (page 139)

1426 Rome .64
1427 Hamelin (ville de la Hanse) .67
1428 Rome .61
1429 Venise .69
1430 Boston .80
1431 Aux États-Unis .82
1432 Rome .62
1433 La Grande Muraille de Chine .69
1434 Sur la côte balte .67
1435 L'Algérie .84

QUIZ 145 (page 139)

1436 Theodor Herzl .95
1437 Chef suprême .65
1438 Kronstadt .93
1439 Goa .78
1440 Le métier à tisser .81
1441 La Tchécoslovaquie .108
1442 Napoléon Ier .79
1443 1941 .103
1444 1993 .107
1445 Tito .102

QUIZ 146 (page 139)

1446 Mustafa Kemal .95
1447 John F. Kennedy .108
1448 Indira Gandhi .105
1449 Golda Meir .107
1450 Charles de Gaulle .101
1451 René Lévesque .98
1452 Benazir Bhutto .105
1453 Winston Churchill .100
1454 Helmut Kohl .111
1455 Khrouchtchev .108

QUIZ 147 (page 139)

1456 En évangélisant le Japon .86
1457 Vishnou .78
1458 Sorte de Premier ministre .70
1459 La Yougoslavie .103
1460 Les Incas .71
1461 Un chef révolutionnaire haïtien .83
1462 Un dignitaire .70
1463 Pour ses études sur la perspective .68
1464 La Russie .93
1465 Aux États-Unis .97

QUIZ 148 (page 140)

1466 Le duc de Milan .68
1467 Konrad Adenauer .103
1468 Louis XVI .75
1469 Impératrice des Indes .88
1470 Caporal .99
1471 Samouraïs .86
1472 V. Giscard d'Estaing .112
1473 B. L. Montgomery .100
1474 Giuseppe Garibaldi .87
1475 Professeur .104

QUIZ 149 (page 140)

1476 La Horde d'Or .65
1477 Les janissaires .70
1478 La République de Weimar .94
1479 L'empire du Ghana .84
1480 Les Boers .84
1481 L'écu .112
1482 La Colombie .83
1483 Négritude .95
1484 La Restauration .79
1485 Timur le Boiteux .65

QUIZ 150 (page 140)

1486 L'astrolabe .72
1487 Benjamin Franklin .80
1488 Henry Ford .81
1489 Gabriel Farenheit .75
1490 Gandhi .95
1491 Jacquard .81
1492 William Hoover .96
1493 Le Velcro (en 1948) .102
1494 Batterie électrique .81
1495 Martin Luther .73

QUIZ 151 (page 140)

1496 Les Aztèques .71
1497 Les Hutus et les Tutsis .106
1498 Guildes .67
1499 Aux Francs .61
1500 Les Rockefeller .81
1501 Les Mongols .65
1502 Les Huns .61
1503 Croate .102
1504 Les Capétiens .64
1505 Une grande sécheresse .97

QUIZ 152 (page 140)

1506 Marie-Josephte Corriveau .77
1507 Le massacre de la Saint-Barthélemy .73
1508 Ils étaient sikhs .105
1509 Rajiv Gandhi .105
1510 Grande Peste .67
1511 Alexandre II .74
1512 Jan Hus .73
1513 Le Timor-Oriental .113
1514 Augustin de Robespierre .77
1515 La Main noire .90

QUIZ 153 (page 140)

1516 B .79
1517 D .71
1518 A .81
1519 C .72
1520 B .69
1521 B .86
1522 C .69
1523 A .111

QUIZ 154 (page 141)

1524 Helsinki .92
1525 Pèlerinage .67
1526 Féodalité .64
1527 Kaiser .87
1528 Le U (U-boot) .91
1529 Tigre .94
1530 Jachère .67
1531 Suisse, Suède .100
1532 Icône .61
1533 Quadrant .72

QUIZ 155 (page 141)

1534 Jesse James .82
1535 Saint Pierre .62
1536 Roumanie (Ceausescu) .111
1537 Assassiné (1610) .73
1538 Jean sans Terre .66
1539 Sadi Carnot .89
1540 Gavrilo Princip .90
1541 Alexandre Pouchkine .74
1542 Canterbury .67
1543 Charles Ier .76

QUIZ 156 (page 141)

1544 Belgique, Pays-Bas et Luxembourg .103
1545 Rassemblement démocratique africain .106
1546 Forces françaises libres .100
1547 Quartier général .92
1548 Hydrogène .108
1549 NSDAP .99
1550 Nouveau Brunswick, Nouvelle-Écosse, Québec et Ontario .109
1551 Organisation de libération de la Palestine .107
1552 Organisation du traité de l'Atlantique Nord .103
1553 Communauté économique européenne .103

QUIZ 157 (page 141)

1554 Le pape .62
1555 Le calvinisme .73
1556 Il était gallois .62
1557 Tours .62
1558 Des enfants .66
1559 La notion de droit divin .76
1560 Karma .78

1561 Friedrich Engels .85
1562 Anarchisme .85
1563 Mao Zedong .104

QUIZ 158 (page 141)

1564 Rouge avec des rayures jaunes .91
1565 Croix de Victoria canadienne .88
1566 Distinguished Flying .100
1567 Compagnon de l'ordre du Canada .100
1568 La croix de fer .87
1569 La croix de guerre .100
1570 Napoléon Ier .79
1571 Une faucille et un marteau .100
1572 George Washington .110
1573 La médaille militaire .79

QUIZ 159 (page 142)

1574 Avignon .66
1575 Calais .66
1576 Huguenots .73
1577 Louis-Philippe .85
1578 À la Prusse .87
1579 Le château de Versailles .94
1580 1,36 million .94
1581 Jean Monnet .103
1582 1789 .77
1583 Napoléon III .87

QUIZ 160 (page 142)

1584 Sékou Touré .106
1585 Nanterre .109
1586 À libérer la France des Anglais .66
1587 La Réforme .73
1588 En Russie .74
1589 La Fayette .80
1590 Les années 1870 .85
1591 Le général Jaruzelski .111
1592 Le général Zia .105
1593 En Chine .69

QUIZ 161 (page 142)

1594 La campagne d'Italie .79
1595 La Grande-Bretagne .107
1596 La Hongrie .102
1597 La Corée du Nord .111
1598 Le Japon .104
1599 En Italie .68
1600 Le Laos .110
1601 Afrique-Occidentale et Afrique-Équatoriale françaises .89
1602 Six (adopté en 1906) .94
1603 Islamabad .105

QUIZ 162 (page 142)

1604 Elle vivait avec son amant .88
1605 Gênes .72
1606 Nikita Khrouchtchev .108
1607 Au Venezuela .83
1608 Place de l'Étoile .94
1609 En 1623 .75
1610 En 1596 .75
1611 En Autriche .77
1612 Henry Morton Stanley .89
1613 Confucius .69

QUIZ 163 (page 142)

1614 Panama .83
1615 Haïku .86
1616 Glasnost .111
1617 L'élimination des chefs de la SA .99
1618 Croix-de-Feu .98
1619 Père des Turcs .95
1620 Bélier .106
1621 Guerre des pierres .113
1622 Caesar .74
1623 « Le grand Jules » .99

QUIZ 164 (page 142)

1624 1947 .105
1625 1951 .106
1626 Hô Chi Minh .95
1627 Orléans .66
1628 De Simón Bolívar .83
1629 L'Argentine .83
1630 De la Belgique .87
1631 Le Portugal .106
1632 Lord Mountbatten .105
1633 Lord Byron .87

QUIZ 165 (page 142)

1634 C .76
1635 D .93
1636 B .113
1637 B .98
1638 A .108
1639 B .106
1640 D .90
1641 D .113
1642 B .73
1643 C .107

QUIZ 166 (page 143)

1644 Les Ch'in .69
1645 Ronald Reagan .108
1646 Sedan .87
1647 Empire ottoman .70
1648 Empire romain (Jules César) .75
1649 New York .82
1650 Impérieux .61
1651 Bonaparte .77
1652 Verdun .64
1653 Hirohito .102

QUIZ 167 (page 143)

1654 Je pense, donc je suis .75
1655 ... vos chaînes .85
1656 La Fayette nous voilà ! .80
1657 À la Révolution française .77
1658 Napoléon Ier .82
1659 Joseph Staline .102
1660 De papier .104
1661 Louis XIV .76
1662 «... c'est un armistice de 20 ans !» .94
1663 Jouissez sans entraves .109

QUIZ 168 (page 143)

1664 Independence day .80
1665 Gettysburg .82
1666 Bataille de la rivière de Sang .84
1667 Eisenhower .100
1668 Barbarossa .100
1669 Les Blancs .77
1670 Henri V .66
1671 Hastings .64
1672 Sur mer .91
1673 Les Dardanelles .91

QUIZ 169 (page 143)

1674 La Belgique .90
1675 Il était végétarien .101
1676 Jean Moulin .101
1677 Boris Eltsine .111
1678 Viêt-cong .110
1679 L'Éthiopie .98
1680 L'Albanie .98
1681 Du côté du Reich .100
1682 1978 .107
1683 *Blitzkrieg* .99

QUIZ 170 (page 143)

1684 La fuite de Louis XVI .77
1685 Les derniers rois mérovingiens .61
1686 La Sicile .64
1687 Clovis .61
1688 Dagobert Ier .61
1689 Napoléon III .83
1690 Constantin .62
1691 À son oncle .88
1692 Son fils Édouard VII .88
1693 Charles VII .66

QUIZ 171 (page 144)

1694 L'ordre dominicain .62
1695 À la révolution culturelle .104
1696 La croix de Lorraine .101
1697 Laurent de Médicis .68
1698 La Tchéka .93
1699 San Francisco .109
1700 1,5 million .85
1701 1889 .81
1702 Les Cigognes .91
1703 La marine .90

QUIZ 172 (page 144)

1704 A .76
1705 C .88
1706 A .107
1707 B .106
1708 B .76
1709 C .79
1710 C .111
1711 C .76
1712 C .96
1713 C .84

QUIZ 173 (page 144)

1714 Benito Mussolini .98
1715 La guerre des étoiles .108
1716 Sitting Bull .82
1717 Napoléon III .87
1718 Staline .97
1719 Ivan le Terrible .74
1720 Louis XIV .76
1721 Richard Ier Cœur de Lion .66
1722 Marie la Sanglante .73
1723 *Il Duce* .98

QUIZ 174 (page 144)

1724 Keitel .101
1725 Metternich .79
1726 Saint Denis .62
1727 L'hémophilie .93
1728 Heinrich Himmler .101
1729 Leonid Brejnev .108

1730 Hernán Cortés **72**
1731 Ferdinand de Lesseps **81**
1732 Charles de Gaulle **106**
1733 G. K. Joukov **100**

QUIZ 175 (page 144)

1734 Ils étaient banquiers **68**
1735 Kiev **61**
1736 Le Portugal **69**
1737 L'opium **69**
1738 Mahomet (il était chamelier) . . .**63**
1739 À la France **82**
1740 Canton **69**
1741 L'apparition du nouveau franc **103**
1742 De la culture du coton **82**
1743 La ligue hanséatique **67**

QUIZ 176 (page 145)

1744 Jawaharlal Nehru **105**
1745 Melbourne **88**
1746 Charles de Gaulle **103**
1747 Jules Ferry **84**
1748 Le prince de Metternich **87**
1749 Indira Gandhi **105**
1750 Neville Chamberlain **98**
1751 Patrice Lumumba . .**106**
1752 Édouard Daladier . . .**98**
1753 David Lloyd George **94**

QUIZ 177 (page 145)

1754 La cathédrale de Cologne **62**
1755 En Inde **95**
1756 La cathédrale Saint-Paul **101**
1757 Sainte-Sophie **70**
1758 Le dôme de Florence **68**
1759 Saint-Pierre de Rome **68**
1760 À saint Basile **74**
1761 La cathédrale de Chartres **62**
1762 Au temple du Ciel à Pékin **69**
1763 Jérusalem **107**

QUIZ 178 (page 145)

1764 1949 . . . .**103**
1765 1927 . . . .**96**
1766 1948 . . . .**106**
1767 1940 . . . .**97**
1768 1948 . . . .**107**
1769 1492 . . . .**72**
1770 1938 . . . .**99**
1771 1861 . . . .**74**
1772 1347 . . . .**67**
1773 Le 11 novembre **92**

QUIZ 179 (page 145)

1774 Hawaii (le 50e État) **82**
1775 L'Apocalypse **62**
1776 Djibouti (1977) . . .**106**
1777 Les États-Unis (1776) **80**
1778 La Bible **75**
1779 Le protestantisme . . .**73**
1780 La Grande-Bretagne **92**
1781 Aux Pays-Bas **109**
1782 Bill Clinton **110**
1783 L'Atlantique en solitaire **96**

QUIZ 180 (page 145)

1784 La Stasi **111**
1785 L'Allemagne **102**
1786 Le Golan **107**
1787 La Corée **110**
1788 La révolutuion de velours **111**
1789 Le mur de Berlin . . .**108**
1790 Le corridor de Dantzig **94**
1791 L'Italie **91**
1792 Viêt Nam, Laos, Cambodge **89**
1793 Le Mississippi **82**

QUIZ 181 (page 145)

1794 Maurice Faure **103**
1795 Le pacte de Varsovie **103**
1796 La guerre de Sept Ans **76**
1797 L'Empire ottoman . . .**90**
1798 La Russie **91**
1799 Le traité de Troyes . . .**66**
1800 L'édit de Nantes **73**
1801 132 milliards de marks-or **94**
1802 La Hongrie **108**
1803 La Déclaration d'indépendance américaine **80**

QUIZ 182 (page 146)

1804 Royal Air Force . . .**100**
1805 La Prusse-Orientale **94**
1806 Franc-Tireurs et Partisans **101**
1807 La guerre froide . . .**108**
1808 Un taïkonaute **113**
1809 Les zeppelins **91**
1810 La perspective Nevski **93**
1811 L'espace Schengen **112**
1812 Le traité de Rome . .**112**
1813 Le Parlement européen **112**

QUIZ 183 (page 146)

1814 Coco Chanel **96**
1815 Pol Pot **110**
1816 Doge **68**
1817 Erich Honecker . . .**111**
1818 Fidel Castro **108**
1819 Sun Yat-sen **104**
1820 Staline, Roosevelt et Churchill **102**
1821 Henri de Navarre . . .**73**
1822 Anne d'Autriche et le cardinal Mazarin **76**
1823 Jozef Pilsudski **98**

QUIZ 184 (page 146)

1824 C **103**
1825 B **105**
1826 C **106**
1827 B **72**
1828 C **104**
1829 B **72**
1830 B **69**
1831 B **72**
1832 A **61**
1833 A **68**

QUIZ 185 (page 146)

1834 Sultan **70**
1835 L'Arabie saoudite **113**
1836 L'Égypte **79**
1837 La Méso-Amérique . .**71**
1838 Ils étaient d'excellents cavaliers **65**
1839 La Déclaration des droits de l'homme **77**
1840 1922 (décembre) . . .**93**

1841 La tapisserie de Bayeux **64**
1842 Vasco de Gama **72**
1843 Du Consulat **79**

QUIZ 186 (page 146)

1844 La ville du Prophète **63**
1845 Pour élire un nouveau khan **65**
1846 4 ans **69**
1847 Des marins portugais **86**
1848 À Damas **63**
1849 De Mandchourie . . .**86**
1850 De l'Inde **105**
1851 *Les Enfants de minuit* **105**
1852 La fille de Nehru **105**
1853 Le petit-fils **105**

QUIZ 187 (page 146)

1854 En Allemagne **94**
1855 Kubilay Khan **69**
1856 L'Espagne **72**
1857 Les talibans **113**
1858 *Cent Ans de solitude* **83**
1859 Nara **86**
1860 Robert Brasillach . . .**98**
1861 Dauphin **66**
1862 Ordre et progrès **83**
1863 Pour l'Exposition universelle de 1851 . . . .**88**

QUIZ 188 (page 147)

1864 Monteverdi *(Orphée)* **68**
1865 Pablo Picasso **98**
1866 Leni Riefenstahl **99**
1867 Bourvil, Arletty **101**
1868 *Hair* **109**
1869 *Platoon* **110**
1870 Au XVe siècle **68**
1871 Au Nigeria **84**
1872 *Né un 4 juillet* **110**
1873 La dynastie Ming **69**

QUIZ 189 (page 147)

1874 Louise Michel **85**
1875 Sainte Thérèse d'Avila **68**
1876 Jeanne d'Arc **66**
1877 Nancy Astor **96**
1878 Anne Boleyn **73**
1879 Madame Roland . . .**77**
1880 H. Beecher-Stowe . . .**82**

1881 Simone de Beauvoir . . . 109
1882 Anne Frank . . . 101
1883 Emmeline Pankhurst . . . 90

QUIZ 190 (page 147)

1884 Vrai . . . 93
1885 Vrai . . . 113
1886 Faux . . . 84
1887 Faux . . . 93
1888 Vrai . . . 82
1889 Vrai . . . 105
1890 Faux . . . 106
1891 Vrai . . . 84
1892 Vrai . . . 84
1893 Faux . . . 113

QUIZ 191 (page 147)

1894 La Grèce . . . 103
1895 Le Chili . . . 83
1896 Acacia . . . 78
1897 L'Autriche . . . 103
1898 Madras . . . 78
1899 La Sierra Leone . . . 113
1900 Le Rwanda . . . 89
1901 Saint-Basile . . . 74
1902 Venise . . . 85
1903 Le café . . . 72

QUIZ 192 (page 147)

1904 De Timur Lang . . . 78
1905 Malcolm X . . . 109
1906 Osman Ier . . . 70
1907 Trotski . . . 93
1908 Le maréchal Pétain . . . 92
1909 L'ordre des Chartreux . . . 62
1910 Ante Pavelic . . . 98
1911 Tupac Amaru . . . 83
1912 L'abbé Pierre . . . 113
1913 Du Chili . . . 83

QUIZ 193 (page 147)

1914 La Grosse Bertha . . . 91
1915 Tommies . . . 91
1916 Les pays en développement . . . 113
1917 Temüdjin . . . 65
1918 Ferry-Tonkin . . . 89
1919 Le Pérou . . . 83
1920 Pépin le Bref . . . 64
1921 Mobutu . . . 106
1922 Soliman Ier . . . 70
1923 La Base . . . 113

QUIZ 194 (page 148)

1924 Une Constitution . . . 80
1925 Victor Hugo . . . 81
1926 Charles de Gaulle . 109
1927 Les chefs d'État et de gouvernement . . 112
1928 Warren Harding . . . 96
1929 Koba . . . 93
1930 1993 . . . 107
1931 Hô Chi Minh . . . 110
1932 1934 . . . 104
1933 L'Exposition coloniale . . . 96

QUIZ 195 (page 148)

1934 Mon combat . . . 99
1935 Les *Essais* . . . 68
1936 Émile Zola . . . 95
1937 Alain-Fournier . . . 94
1938 La mode garçonne . . 96
1939 *Don Quichotte* . . . 68
1940 L'écriture caroline . . . 64
1941 Georges Bernanos . . . 98
1942 *La Marseillaise* . . . 77
1943 Charles Dickens . . . 81

QUIZ 196 (page 148)

1944 B . . . 97
1945 A . . . 86
1946 C . . . 105
1947 C . . . 106
1948 D . . . 83
1949 A . . . 83
1950 B . . . 72
1951 D . . . 70
1952 B . . . 96
1953 B . . . 75

QUIZ 197 (page 148)

1954 Roumanie, Bulgarie . . . 102
1955 Le géorgien . . . 93
1956 Boris Eltsine . . . 111
1957 Israël . . . 107
1958 Daniel Cohn-Bendit . . . 109
1959 De l'Égypte . . . 107
1960 À l'Empire britannique . . . 80
1961 Jacques Delors . . . 112
1962 Romano Prodi . . . 112
1963 Houphouët-Boigny . . . 106

QUIZ 198 (page 148)

1964 Sammy . . . 91
1965 Louis XVIII . . . 79
1966 La place Rouge . . . 93
1967 La Société des Nations . . . 94
1968 Le *Raj* . . . 78
1969 Kampuchea . . . 110
1970 IIe Reich . . . 87
1971 La théorie des dominos . . . 110
1972 Le parti sandiniste . . . 108
1973 Shogun . . . 86

QUIZ 199 (page 149)

1974 Douglas MacArthur . . . 102
1975 Tchang Kaï-chek (Jiang Jieshi) . . . 104
1976 Francisco Franco . . . 98
1977 Le général Sikorski . . . 100
1978 Le général Gallieni . . . 91
1979 Le maréchal Lyautey . . . 89
1980 Le général Custer . . . 82
1981 Vauban . . . 76
1982 Bonaparte . . . 77
1983 Washington . . . 80

QUIZ 200 (page 149)

1984 L'Église copte . . . 62
1985 En 1973 . . . 112
1986 Jean Jaurès . . . 90
1987 Kairouan . . . 84
1988 8,5 millions . . . 94
1989 Le maréchal Leclerc . . . 101
1990 Les Wisigoths . . . 61
1991 La Kent State University (Ohio) . . . 109
1992 La guerre d'Espagne . . . 98
1993 Venise . . . 87

QUIZ 201 (page 202)

1994 L'Australie . . . 200
1995 L'Algérie . . . 179
1996 L'Argentine . . . 160
1997 Les pays Baltes . . . 164
1998 Varsovie . . . 164
1999 L'Autriche . . . 167
2000 La péninsule Arabique . . . 189
2001 Ushuaia . . . 160
2002 L'Alaska . . . 154
2003 Irakienne . . . 176

QUIZ 202 (page 202)

2004 MSF, Médecins sans frontières . . . 185
2005 Poutine . . . 175
2006 Népal . . . 192
2007 Thaïlande . . . 196
2008 Roumain . . . 174
2009 Mongolie . . . 193
2010 Pays-Bas . . . 168
2011 Amnesty . . . 201
2012 Maldives . . . 192
2013 Viêt Nam . . . 195

QUIZ 203 (page 202)

2014 Le Timor-Oriental . . 197
2015 Au Mexique . . . 155
2016 Les Pays-Bas . . . 168
2017 En Arabie saoudite . . . 189
2018 Le Venezuela . . . 159
2019 Les guerriers . . . 190
2020 Le Liberia . . . 181
2021 En Irak . . . 176
2022 Du Danemark . . . 163
2023 Le Liechtenstein . . . 167

QUIZ 204 (page 202)

2024 La Nouvelle-Orléans . . . 154
2025 New York . . . 154
2026 Le Japon . . . 194
2027 Johnny Clegg . . . 186
2028 D'Arménie . . . 176
2029 Islandaise . . . 163
2030 L'Espagne . . . 170
2031 Claude Léveillé . . . 153
2032 L'Argentine . . . 160
2033 Bangkok . . . 196

QUIZ 205 (page 202)

2034 Le Pérou . . . 161
2035 Java . . . 197
2036 La Turquie . . . 173
2037 Le Mexique . . . 155
2038 Tunis . . . 179
2039 Le Cambodge . . . 195
2040 Athènes . . . 173
2041 La Turquie . . . 173
2042 Le Guatemala . . . 155
2043 L'Irlande . . . 162

QUIZ 206 (page 202)

2044 En 1997 . . . 193
2045 En 1989 . . . 166
2046 En 1776 . . . 154
2047 En 1905 . . . 153
2048 Dans les années 1810 . . . 196
2049 En 1947 . . . 191
2050 En 1946 . . . 194
2051 En 1948 . . . 177
2052 En 1956, à Melbourne . . . 200
2053 En 1991 . . . 186

QUIZ 207 (page 202)

2054 A . . . 175
2055 B . . . 162
2056 D . . . 170
2057 D . . . 161
2058 C . . . 167

2059 D 194
2060 D 193
2061 C 200
2062 B 153
2063 A 196

QUIZ 208 (page 203)

2064 L'Antarctique 160
2065 Belge 168
2066 Le Colisée 171
2067 Dracula 174
2068 L'Égypte 178
2069 Le flamenco 170
2070 Genève 167
2071 Hamelin 166
2072 L'islam 176
2073 Jamaïcaine 157

QUIZ 209 (page 203)

2074 Le Nil 178
2075 Le Tibre 171
2076 En Russie 175
2077 La Loire 169
2078 Le Danube 174
2079 Le Missouri 154
2080 Le Tigre 176
2081 Le Rhin 166
2082 Le Zaïre 184
2083 L'Amazone 160

QUIZ 210 (page 203)

2084 Le Panamá 156
2085 Porto Rico 157
2086 Le Queensland 200
2087 Le Pakistan 191
2088 Quito 159
2089 Le peso 155
2090 Le Qatar 189
2091 Pyongyang 194
2092 La Papouasie-Nouvelle-Guinée . .199

QUIZ 211 (page 203)

2093 L'Italie 171
2094 La Belgique 168
2095 La Turquie 173
2096 Le Japon 194
2097 Le Mexique 155
2098 Le Viêt Nam 195
2099 L'Inde 191
2100 L'Espagne 170
2101 L'Allemagne 166
2102 L'Indonésie 197

QUIZ 212 (page 203)

2103 Trois 155
2104 46 000 160
2105 Cinq 172
2106 Deux 177
2107 Huit 175
2108 Quatre 153
2109 Dix 165
2110 Cent 187
2111 Deux 161
2112 Un 189

QUIZ 213 (page 203)

2113 La Colombie 159
2114 Le Costa Rica 156
2115 La Zambie 184
2116 Chypre 173
2117 Le Mali 180
2118 Le Belize 155
2119 La Volta 180
2120 La Jordanie 177
2121 Tokyo 194
2122 Les Philippines 197

QUIZ 214 (page 204)

2123 C 186
2124 B 160
2125 D 163
2126 B 191
2127 A 163
2128 A 153
2129 B 160
2130 A 198
2131 D 176
2132 A 160

QUIZ 215 (page 204)

2133 Costa Rica 156
2134 Bruxelles 168
2135 Mer Caspienne . . .190
2136 Luxembourg 168
2137 Arabie saoudite . . .189
2138 Liban 177
2139 Madagascar 187
2140 Roumanie 174
2141 Nehru 191
2142 Citigroup 154

QUIZ 216 (page 204)

2143 Le Mali 180
2144 La Colombie 159
2145 La Somalie 188
2146 À Porto Rico 157
2147 Au sud 199
2148 Au Cameroun 183
2149 L'Antarctique 160
2150 L'Iran 176
2151 Le tropique du Cancer 178
2152 Le Yémen 189

QUIZ 217 (page 204)

2153 Allemande 166
2154 En Tchécoslovaquie . .165
2155 L'Inde 191
2156 En Malaisie 196
2157 Brésilienne 160
2158 L'Italie 171
2159 À gauche 165
2160 Au Sénégal 181
2161 En Autriche 167
2162 De Corée du Sud . .194

QUIZ 218 (page 204)

2163 Au Nigeria 182
2164 L'hindouisme 187
2165 Le rugby 198
2166 Suédoise 163
2167 Le Népal 192
2168 Du Mozambique . .185
2169 À Kuala Lumpur 196
2170 Des Philippines 197
2171 Sur la rive droite 165
2172 En Géorgie 176

QUIZ 219 (page 204)

2173 Le *kimchi* 194
2174 L'Afrique du Sud . .186
2175 Les sushis 194
2176 Du Mexique 155
2177 Le bortsch 175
2178 Du saumon cru . . .163
2179 Le haggis 162
2180 Des raviolis cuits à la vapeur 193
2181 En Jamaïque 157
2182 Le safran 170

QUIZ 220 (page 205)

2183 Indien 191
2184 Polaire 163
2185 Chine 193
2186 Russe 175
2187 Grec 173
2188 Guinée 181
2189 Malte 171
2190 Hollandaise 168
2191 Anglaise 162
2192 Suisse 167

QUIZ 221 (page 205)

2193 Faux 180
2194 Vrai 189
2195 Faux 188
2196 Vrai 167
2197 Faux 172
2198 Vrai 190
2199 Vrai 183
2200 Faux 198
2201 Faux 175
2202 Faux 183

QUIZ 222 (page 205)

2203 Bolivie 161
2204 Islande 163
2205 Belgique 168
2206 Cameroun 183
2207 Allemagne 166
2208 Algérie 179
2209 Argentine 160
2210 Grenade 158
2211 Israël 177
2212 Micronésie 198

QUIZ 223 (page 205)

2213 La Syrie 177
2214 La Norvège 163
2215 L'hôtel Raffles 196
2216 Diana 162
2217 À Prague 165
2218 Le commerce équitable 154
2219 Dans les années 1860 167
2220 Au Nigeria 182
2221 L'Espagne 156
2222 Le Rwanda 184

QUIZ 224 (page 205)

2223 Au Japon 194
2224 Aux îles Anglo-Normandes 162
2225 La République dominicaine 157
2226 À la Grèce 173
2227 La Sicile 171
2228 À l'Inde 191
2229 L'Indonésie 197
2230 La Nouvelle-Zélande 200
2231 Les Galápagos 159
2232 Cambodge 195

QUIZ 225 (page 205)

2233 Le Royaume-Uni . . .159
2234 En 1999 193
2235 Des États-Unis 197
2236 La Namibie 185
2237 Goa 191
2238 Le Viêt Nam, le Cambodge et le Laos 195
2239 L'Indonésie 197
2240 Brunei 191
2241 Cuba 157
2242 Le Bénin 182

QUIZ 226 (page 205)

2243 D 160
2244 C 200
2245 A 183
2246 B 201
2247 C 182
2248 A 187
2249 C 180
2250 B 184
2251 A 184
2252 B 188

QUIZ 227 (page 206)
2253 L'Angola 184
2254 L'Amazone 160
2255 Amsterdam 168
2256 Amnesty International 201
2257 L'Afghanistan 190
2258 L'Algarve 170
2259 Yasser Arafat 177
2260 Les Alpes 169
2261 Les Aborigènes 200
2262 Athènes 173

QUIZ 228 (page 206)
2263 Vrai 173
2264 Faux 170
2265 Vrai 167
2266 Faux 198
2267 Vrai 193
2268 Faux 182
2269 Faux 193
2270 Faux 175
2271 Vrai 157
2272 Faux 179

QUIZ 229 (page 206)
2273 *Casablanca* 179
2274 Jean Duceppe 153
2275 Le Siam 196
2276 Le ghetto de Varsovie 164
2277 *Le Dernier Samouraï* 194
2278 *Le Colosse de Rhodes* 173
2279 *La Dolce Vita* 171
2280 *Hôtel Rwanda* 184
2281 *L'Ange bleu* 166
2282 À Cuba 157

QUIZ 230 (page 206)
2283 À Athènes 173
2284 À Prague 165
2285 De la Corée du Sud 194
2286 Brasília 160
2287 Pretoria 186
2288 Tripoli 179
2289 La Barbade 158
2290 Freetown 181
2291 Du Nicaragua 156
2292 Téhéran 176

QUIZ 231 (page 206)
2293 Sud-africaine 186
2294 Suisse 167
2295 Sydney 200
2296 Le Brésil 160
2297 La Roumanie 174
2298 Ukrainienne 174
2299 La série du siècle : Canada/Russie . . .153
2300 L'Allemagne 166
2301 À Sarajevo 172
2302 Les Fidji 198

QUIZ 232 (page 206)
2303 Le malais 197
2304 L'espagnol 157
2305 Aux Philippines 197
2306 La Guyana 159
2307 Le khmer 195
2308 Le grec et le turc 173
2309 L'Éthiopie 188
2310 L'anglais 198
2311 Le galicien 170
2312 L'Indonésie 187

QUIZ 233 (page 207)
2313 B 154
2314 A 164
2315 C 187
2316 D 193
2317 D 183
2318 D 200
2319 A 175
2320 B 191
2321 D 176
2322 C 193

QUIZ 234 (page 207)
2323 Le Burundi 184
2324 La Turquie 173
2325 Le Honduras 156
2326 Les Samoa 199
2327 Le Viêt Nam 195
2328 Le Tchad 180
2329 Yellowknife 153
2330 Le commerce équitable 201
2331 Le Kazakhstan 190
2332 Les îles Vierges 169

QUIZ 235 (page 207)
2333 En Espagne 170
2334 Clint Eastwood 170
2335 À Londres 162
2336 Australienne 200
2337 En Irlande 162
2338 Mexicaine 155
2339 À Cuba 157
2340 De Hongkong 193
2341 Hollandaise 168
2342 Clotilde Courau . . .169

QUIZ 236 (page 207)
2343 Hokkaïdo 194
2344 Shetland 162
2345 Dominique 158
2346 Sulawesi 197
2347 Bahreïn 189
2348 Groenland 163
2349 Les Grenadines . . .158
2350 Tobago 158
2351 Majorque 170
2352 Zanzibar 187

QUIZ 237 (page 207)
2353 À Toulouse 169
2354 Volkswagen 166
2355 La Russie 175
2356 Le Danemark et la Suède 163
2357 Air France et British Airways 169
2358 Les États-Unis 154
2359 À Bologne 171
2360 Le Shinkansen 194
2361 À Shanghai 193
2362 À Hongkong 193

QUIZ 238 (page 207)
2363 Le Népal 192
2364 Le portugais 160
2365 Singapour 196
2366 La Police montée royale canadienne 153
2367 Amnesty International 201
2368 Le Caire 178
2369 Olof Palme 163
2370 Le Belize 155
2371 La Malaisie, Brunei et l'Indonésie 197
2372 Le Mali 180

QUIZ 239 (page 207)
2373 El Fasher 178
2374 L'Afrique du Sud 186
2375 Ontario 153
2376 La Basse-Californie 155
2377 En Pologne 164
2378 Dans le Bas-Rhin . . .169
2379 Au Guatemala 155
2380 Toronto 153
2381 À la Serbie 172
2382 Du Bade-Wurtemberg 166

QUIZ 240 (page 208)
2383 B 192
2384 A 173
2385 C 159
2386 D 193
2387 B 179
2388 C 187
2389 B 176
2390 A 165
2391 D 184
2392 B 180

QUIZ 241 (page 208)
2393 Le rastafarisme 157
2394 Cuba 157
2395 Le Kenya 187
2396 Le Nicaragua 156
2397 L'Indonésie 197
2398 La Grèce 173
2399 L'Ouganda 184
2400 En Pologne 164
2401 Le Koweït 189
2402 Le Botswana 185

QUIZ 242 (page 208)
2403 Faux 164
2404 Faux 177
2405 Vrai 180
2406 Vrai 197
2407 Vrai 188
2408 Faux 183
2409 Vrai 167
2410 Faux 183
2411 Vrai 181
2412 Faux 164

QUIZ 243 (page 208)
2413 Riyad 189
2414 Camerounaise 183
2415 La mer Morte 177
2416 Les Tonga 199
2417 La Syrie et Israël 177
2418 Le Laos 195
2419 Le Paraguay 161
2420 Brésilienne 160
2421 En Roumanie 174
2422 Zagreb 172

QUIZ 244 (page 208)
2423 L'Union Jack 162
2424 Le Mozambique . . .185
2425 La Macédoine 172
2426 Le Liberia 181
2427 Jaune 195
2428 Rouge, jaune et vert 182
2429 La Libye 179
2430 Un aigle 184
2431 Deux 174
2432 La Somalie 188

QUIZ 245 (page 208)
2433 Lisbonne 170
2434 Londres 162
2435 Rotterdam 168
2436 Berlin 166
2437 Reykjavík 163
2438 Vienne 167
2439 Saint-Pétersbourg . .175
2440 Copenhague 163
2441 Paris 169
2442 Bruxelles 168

QUIZ 246 (page 209)
2443 Rouge 157
2444 Noire 173
2445 Rouge 178
2446 Brun 169
2447 Blacks 200
2448 Bleu 199
2449 Blanc 178
2450 Or 182
2451 Orange 160
2452 Jaune 194

QUIZ 247 (page 209)
2453 Genève 167
2454 Au Japon 194
2455 À la France 169
2456 Médecins sans frontières 185
2457 François Mitterrand 169
2458 Le pétrole 189
2459 France Gall 180
2460 L'Arabie saoudite 189
2461 L'océan Indien 169
2462 La Corée du Sud . . 194

QUIZ 248 (page 209)
2463 Augusto Pinochet . . 161
2464 Bill Gates 154
2465 Ronaldo 160
2466 Pol Pot 195
2467 Céline Dion 153
2468 Nicolae Ceaucescu 174
2469 Franz Schubert 167
2470 Radovan Karadzic 172
2471 Robert Mugabe . . . 185
2472 Salma Hayek 155

QUIZ 249 (page 209)
2473 L'Égypte 178
2474 Au large du Chili 161
2475 Au large de l'Afrique du Sud 186
2476 L'Islande 163
2477 La Russie et les États-Unis 175
2478 Le XXe siècle 156
2479 La mer Baltique . . . 164
2480 La mer d'Oman . . . 189
2481 La Malaisie et l'Indonésie 196
2482 Calcutta 191

QUIZ 250 (page 209)
2483 La Hongrie 165
2484 La Bretagne 169
2485 La Grèce et la Turquie 173
2486 Le tokaj 165
2487 L'Argentine 160
2488 Le Népal 192
2489 L'Ukraine 174
2490 Du Maroc 179
2491 Du Mexique 155
2492 En Thaïlande 196

QUIZ 251 (page 209)
2493 Sainte-Lucie 158
2494 Port Moresby 199
2495 Les îles Fidji 198
2496 Vilnius 164
2497 Le Togo 182
2498 Amman 177
2499 Le Venezuela 159
2500 Le Bhoutan 192
2501 Wellington 200
2502 Yaoundé 183

QUIZ 252 (page 209)
2503 A 153
2504 C 181
2505 B 157
2506 D 156
2507 A 171
2508 B 167
2509 A 158
2510 B 192
2511 A 195
2512 D 185

QUIZ 253 (page 210)
2513 L'hébreu 177
2514 Le portugais 170
2515 Le hongrois 165
2516 Le flamand 168
2517 Le serbo-croate 172
2518 L'arabe 177
2519 Le bengali 192
2520 Le kurde 176
2521 Le letton 164
2522 Le népalais 192

QUIZ 254 (page 210)
2523 Italienne 171
2524 Aux Pays-Bas 168
2525 Bonn 166
2526 Indienne 191
2527 En Ukraine 174
2528 L'Afghanistan 190
2529 Au Bangladesh 192
2530 L'allemand 167
2531 Le Pérou et la Bolivie 161
2532 En Autriche 167

QUIZ 255 (page 210)
2533 Le Japon 194
2534 Jérusalem 177
2535 L'hindouisme 197
2536 Le christianisme . . . 197
2537 L'islam 188
2538 L'italien et le latin 171
2539 Le Sri Lanka 192
2540 Le Viêt Nam 195
2541 Le bouddhisme et l'hindouisme 192
2542 Le Pendjab 191

QUIZ 256 (page 210)
2543 Le Turkménistan . . . 190
2544 Le Ghana 182
2545 Le Danube 174
2546 L'océan Indien 185
2547 Le Kalahari 185
2548 En Iran 176
2549 Le désert du Namib 185
2550 La mer Adriatique 172
2551 En Arabie saoudite 189
2552 Le delta de l'Okavango 185

QUIZ 257 (page 210)
2553 La France 169
2554 Les États-Unis 154
2555 Le Canada 153
2556 L'Australie 200
2557 L'Inde 191
2558 La Nouvelle-Zélande 200
2559 Le Timor-Oriental . . . 197
2560 L'Afrique du Sud . . 186
2561 Le Mexique 155
2562 L'Irlande 162

QUIZ 258 (page 210)
2563 Nord 162
2564 Est 197
2565 Est 169
2566 Est 154
2567 Ouest 197
2568 Sud 162
2569 Sud 194
2570 Est 192
2571 Sud 179
2572 Sud 200

QUIZ 259 (page 210)
2573 São Paulo 160
2574 Saint-Malo 169
2575 Saint-Marin 171
2576 Saint-Martin 168
2577 Saint-Moritz 167
2578 Santa Barbara 154
2579 Sainte-Lucie 158
2580 San José 156
2581 Sainte-Hélène 169
2582 Le cap Saint-Vincent 170

QUIZ 260 (page 211)
2583 Le Viêt Nam 195
2584 Au Japon 194
2585 Aux États-Unis 154
2586 La Thaïlande 196
2587 Le franc luxembourgeois 168
2588 L'Afrique du Sud . . 186
2589 Le rouble 175
2590 1908 153
2591 La Nouvelle-Zélande 200
2592 En Malaisie 196

QUIZ 261 (page 211)
2593 À la France 169
2594 Katmandou 192
2595 14 heures 174
2596 À la France 199
2597 Du Japon 194
2598 Le Croissant-Rouge 189
2599 Kiribati 198
2600 Organisation des pays exportateurs de pétrole 159
2601 La mer Caspienne 190

QUIZ 262 (page 211)
2602 Malawi 185
2603 Cap-Vert 181
2604 Serengeti 187
2605 Niger 180
2606 Hailé Sélassié 188
2607 Lesotho 186
2608 Touaregs 180
2609 Burundi 184
2610 Orange 186
2611 Rhodésie du Sud 185

QUIZ 263 (page 211)
2612 De la Norvège . . . 163
2613 Les États-Unis 154
2614 En 2014 199
2615 L'Australie 200
2616 Le Groenland 153
2617 Ils ont vidé les villes pour envoyer leurs habitants dans les campagnes 195
2618 L'océan Indien 200
2619 Les Pays-Bas 168

2620 Saint-Barthélemy . . 169
2621 Les Samoa américaines 154

QUIZ 264 (page 211)

2622 A 201
2623 B 194
2624 C 188
2625 D 165
2626 C 172
2627 D 156
2628 B 185
2629 C 169
2630 A 156
2631 C 177

QUIZ 265 (page 211)

2632 Océans 198
2633 Mexicains célèbres 155
2634 Capitales 190
2635 Villes baltes 164
2636 Groupes de pression 201
2637 Langues africaines 183
2638 Monnaies 199
2639 Sites touristiques italiens 171
2640 Pays africains 188
2641 Villes tchèques 165

QUIZ 266 (page 212)

2642 Belge 168
2643 Le Cambodge 195
2644 Paris 169
2645 La Russie 175
2646 *La Rose pourpre du Caire* 178
2647 Venise 171
2648 Belge 168
2649 Le Myanmar 196
2650 Norvégienne 163
2651 Calcutta 191

QUIZ 267 (page 212)

2652 Républicains 154
2653 Mitterrand 169
2654 General Motors 154
2655 Nicolas 175
2656 Berlusconi 171
2657 Clark 153
2658 Eltsine 175
2659 Pablo Escobar 159
2660 Microsoft 154
2661 Milosevic 172

QUIZ 268 (page 212)

2662 Singapour 196
2663 L'argent 160
2664 Le Myanmar 196
2665 Le Canada 153
2666 La Thaïlande 196
2667 Wellington 200
2668 La capitale du Nord 193
2669 Angkor Wat 195
2670 La Micronésie 198
2671 Le Burkina Faso 180

QUIZ 269 (page 212)

2672 Le Koweït 189
2673 En Colombie 159
2674 Le Venezuela 159
2675 Canadienne 153
2676 Le Kirghizistan 190
2677 En République tchèque 165
2678 À la Russie 164
2679 Oscar Romero, archevêque de San Salvador 156
2680 L'Ukraine 174
2681 Philadelphie 154

QUIZ 270 (page 212)

2682 Le Malawi 185
2683 Khartoum 178
2684 Le Lesotho 186
2685 Idi Amin Dada 184
2686 L'océan Atlantique 181
2687 La Guinée équatoriale 183
2688 En Afrique du Sud 186
2689 Au Mozambique . . 185
2690 Cinq 179
2691 Le Togo 182

QUIZ 271 (page 212)

2692 D 154
2693 C 191
2694 C 186
2695 C 168
2696 C 179
2697 C 174
2698 A 163
2699 D 175
2700 A 189
2701 B 176

QUIZ 272 (page 213)

2702 La Somalie 188
2703 Kiribati 198
2704 La Baltique 164
2705 Le Gabon 183
2706 Le Mali 180
2707 La Yougoslavie 172
2708 Le café 156
2709 Le Salvador 156
2710 La princesse Astrid 162
2711 Le Cap-Vert 181

QUIZ 273 (page 213)

2712 La guerre d'Espagne 170
2713 Cuba 157
2714 Russe 175
2715 Nelson Mandela . . 186
2716 Sandro Botticelli . . . 171
2717 Suisse 167
2718 Vaclav Havel 165
2719 Ken Saro-Wiwa . . . 182
2720 Frida Kahlo 155
2721 Sud-africaine 186

QUIZ 274 (page 213)

2722 Emmaüs 169
2723 En Tanzanie 187
2724 Fonds monétaire international 154
2725 D'Afrique 181
2726 À la Tanzanie 187
2727 Istanbul 173
2728 La France 154
2729 En Croatie 172
2730 L'Uruguay 161
2731 En France 201

QUIZ 275 (page 213)

2732 Le Viêt Nam 195
2733 L'Euphrate 176
2734 La mer de Marmara 173
2735 L'Avon 162
2736 L'Ouganda, le Kenya et la Tanzanie 184
2737 En Arménie 176
2738 Prague 165
2739 Sumatra 197
2740 Le Ienisseï 175
2741 L'Ouzbékistan et le Kazakhstan 190

QUIZ 276 (page 213)

2742 La Tunisie 179
2743 La Mauritanie 180
2744 Le Soudan 178
2745 Le Sénégal 181
2746 Le Bénin 182
2747 La Guinée équatoriale 183
2748 La République démocratique du Congo 184
2749 La Tanzanie 187
2750 Le Botswana 185
2751 Le Swaziland 186

QUIZ 277 (page 213)

2752 La Croatie 172
2753 Madagascar 187
2754 L'Afghanistan 190
2755 Jérusalem 177
2756 Le Koweït 189
2757 La Pologne 164
2758 Istanbul 173
2759 Venise 171
2760 La Jamaïque 157
2761 Le xérès 170

QUIZ 278 (page 213)

2762 WWF 201
2763 Organisation non gouvernementale . . 201
2764 La Croix-Rouge 167
2765 Médecins sans frontière 185
2766 En Grande-Bretagne 162
2767 Amnesty International 201
2768 José Bové 201
2769 Peter Benenson . . . 201
2770 Aux Pays-Bas 201

QUIZ 279 (page 214)

2771 Du Zimbabwe 185
2772 John Major 162
2773 Gerhard Schröder 166
2774 Du Mexique 155
2775 Mao Zedong 193
2776 Israël 177
2777 Le Japon 194
2778 En 1969 169
2779 Sofia de Grèce . . . 170
2780 L'Égypte 178

QUIZ 280 (page 214)

2781 Le Mexique 155
2782 Le Viêt Nam 195
2783 L'Ukraine 174
2784 Le Danemark 163
2785 Trinité-et-Tobago . . . 158
2786 Le Kenya 187
2787 Le Chili 161
2788 Le Canada 153
2789 L'Égypte 178
2790 L'Afrique du Sud . . 186

QUIZ 281 (page 214)

2791 L'Inde 191
2792 Cuba 157
2793 Le Canada 153
2794 Le Soudan 178
2795 L'Allemagne 166
2796 Shanghai 193
2797 L'Indonésie 197
2798 La Suède 163

2799 Le Nigeria 182
2800 Rhode Island 154

QUIZ 282 (page 214)

2801 En Iran 176
2802 Le Venezuela 159
2803 Mogadiscio 188
2804 Mario Vargas Llosa 161
2805 Trois 158
2806 Les Fidji 198
2807 *Papillon* 159
2808 Bichkek 190
2809 En Ouganda 184
2810 Au Ghana 182

QUIZ 283 (page 214)

2811 A 158
2812 B 193
2813 C 154
2814 D 186
2815 A 161
2816 B 192
2817 A 193
2818 A 195
2819 B 172
2820 D 192

QUIZ 284 (page 214)

2821 Mozambique 185
2822 Slovaquie 165
2823 Tunisie 179
2824 Soudan 178
2825 Venezuela 159
2826 Dubaï 189
2827 Lituanie 164
2828 Cameroun 183
2829 Croatie 172
2830 Grenade 158

QUIZ 285 (page 215)

2831 Nairobi 187
2832 Le Tchad 180
2833 En Amérique du Sud 159
2834 Les îles Salomon . . .199
2835 Sydney 200
2836 Trois 178
2837 Zoé Valdés 157
2838 Canadienne 153
2839 Le Zambèze 185
2840 L'océan Indien 189

QUIZ 286 (page 215)

2841 Europe 163
2842 Barcelone 170
2843 Israélienne 177
2844 La Kabylie 179
2845 En Suisse 167
2846 Allemande 166
2847 La Jamaïque 157
2848 En Autriche 167
2849 Berlin 166
2850 D'Australie 200

QUIZ 287 (page 215)

2851 Harare 185
2852 Port-au-Prince 157
2853 Rabat 179
2854 Kampala 184
2855 Abuja 182
2856 Paramaribo 159
2857 Reykjavík 163
2858 Quito 159
2859 Antananarivo 187
2860 Asunción 161

QUIZ 288 (page 215)

2861 En 1999 169
2862 Israël 177
2863 Le dollar australien 200
2864 L'austral 160
2865 Le dollar de Hongkong 193
2866 Le peso mexicain 155
2867 Non 193
2868 Depuis 2006 175
2869 La Gambie 181
2870 La roupie pakistanaise 191

QUIZ 289 (page 215)

2871 Papouasie-Nouvelle-Guinée . .199
2872 Sofia 174
2873 Hô Chi Minh 195
2874 Cambodge 195
2875 Sigmund Freud . . .167
2876 Comores 187
2877 Samoa 199
2878 La Réunion 169
2879 Atacama 161
2880 Mongolie 193

QUIZ 290 (page 215)

2881 L'Asie 193
2882 La Sardaigne 171
2883 L'océan Pacifique 198
2884 L'Ukraine 174
2885 Le Nigeria 182
2886 Tokyo 194
2887 Le lac Victoria 184
2888 La Pologne 164
2889 L'Angleterre 162
2890 Wal-Mart 154

QUIZ 291 (page 215)

2891 Dallas 154
2892 Au Brésil 160
2893 À Hongkong 193
2894 *Brazil* 160
2895 L'Inde 191
2896 La guerre du Viêt Nam 195
2897 Australienne 200
2898 La Thaïlande 196
2899 Jean-Jacques Annaud 175
2900 New Delhi 191

QUIZ 292 (page 216)

2901 Romain 171
2902 Corail 200
2903 Espagnole 170
2904 Versailles 169
2905 Irlandais 162
2906 Breton 169
2907 Nil 178
2908 Thaï 196
2909 Cubain 157
2910 Aztèque 155

QUIZ 293 (page 216)

2911 Sir Peter Scott 201
2912 Papeete 198
2913 Les États-Unis 154
2914 Le Honduras 156
2915 Bratislava 165
2916 Son fils, Joseph 184
2917 L'islam 191
2918 Le commerce équitable 154
2919 Les Pays-Bas 168
2920 La prolifération des armes nucléaires 201

QUIZ 294 (page 216)

2921 Irlandaise 162
2922 Le mont d'Iberville 153
2923 À Chypre 173
2924 La Russie 175
2925 La Paz 161
2926 La Papouasie-Nouvelle-Guinée . .199
2927 À Hongkong 193
2928 Le Népal 192
2929 Du Kazakhstan . . .190
2930 Indonésienne 197

QUIZ 295 (page 216)

2931 Mexique 155
2932 L'Afrique 178
2933 Pays 163
2934 Indes 191
2935 Australie 200
2936 Russes 175
2937 Brésilien 160
2938 Londres 162
2939 Allemand 166
2940 L'Indochine 195

QUIZ 296 (page 216)

2941 Au Népal 192
2942 La Bulgarie 174
2943 Oman 189
2944 L'Espagne 170
2945 Élisabeth II 162
2946 Du Cambodge 195
2947 L'Afghanistan 190
2948 Simón Bolívar 159
2949 Au Burkina Faso . . .180
2950 La Thaïlande 196

QUIZ 297 (page 216)

2951 Le Bikini 198
2952 La Tanzanie 187
2953 À Cuba 157
2954 En Afrique 182
2955 Mao Zedong 192
2956 L'océan Pacifique . .198
2957 Panamá 156
2958 Le Sahara 180
2959 Le Caire 178
2960 L'Atlantique 182

QUIZ 298 (page 217)

2961 Harrods 162
2962 La Bourse de Tokyo 194
2963 Wall Street 154
2964 En Thaïlande 194
2965 Le Canada, le Mexique et les États-Unis . . .155
2966 L'Allemagne 166
2967 Rome 171
2968 Le Canada 153
2969 Le couteau suisse . . .167
2970 À Washington 154

QUIZ 299 (page 217)

2971 L'Oural 175
2972 L'Arizona 154
2973 En Bulgarie 174
2974 L'Atlas 179
2975 L'Himalaya 191
2976 Les Carpates 165
2977 Andorre 170
2978 Des Andes 161
2979 Le Bhoutan 192
2980 L'Arménie 176

QUIZ 300 (page 217)

2981 Tachkent 190
2982 Athéna 173
2983 Asmara 188
2984 Seychelles 187
2985 L'Angola 184
2986 Göteborg 163
2987 L'Ohio 154
2988 Abuja 182
2989 Ouagadougou 180
2990 Astana 190

QUIZ 301 (page 276)

2991 L'indigo 243
2992 Internet 256
2993 L'*inch* 275
2994 L'infini 223
2995 La révolution industrielle 253
2996 L'infrarouge 243
2997 L'inoculation de vaccins 270
2998 L'Inde 234
2999 L'insuline 271
3000 La chimie inorganique 259

QUIZ 302 (page 276)

3001 La greffe d'un rein 271
3002 Le stéthoscope 270
3003 Le serment d'Hippocrate 270
3004 AB 270
3005 La pénicilline 271
3006 Le gaz hilarant 271
3007 Les bactéries pathogènes 270
3008 Au cœur 270
3009 Molière 271
3010 Le pavot 271

QUIZ 303 (page 276)

3011 Ce sont des observatoires astronomiques 244
3012 54 (6 faces de 9 carrés chacune) . . 225
3013 En 1900, soit près de 50 ans après son invention 230
3014 Huit (A4 = 297 x 210 mm, A1 = 840 x 594 mm) 251
3015 La poulie 230
3016 Celle de Three Mile Island 235
3017 Une comète 244
3018 Pour les décolorer . . 259
3019 Le prix Nobel de physique 228
3020 La Harley-Davidson 237

QUIZ 304 (page 276)

3021 Diamètre 225
3022 Fraction 234
3023 Décimal 223
3024 Moyenne 226
3025 Pourcentage 224
3026 Arithmétique 221
3027 Pythagore 225
3028 Probabilités 226
3029 Nombre premier . . 223
3030 Perpendiculaire 225

QUIZ 305 (page 276)

3031 James Bond 237
3032 Bibendum 262
3033 *Motor Town* (surnom de Detroit) 253
3034 La 2 CV Citroën . . . 237
3035 Honda 237
3036 En 1894 (Paris-Rouen) 237
3037 Chevaux (chevaux-vapeur) . . 237
3038 À transporter des canons 237
3039 Une Coccinelle (modèle que les Anglais appellent Beetle, scarabée) 237
3040 Réduire la pollution 237

QUIZ 306 (page 276)

3041 Albert Einstein 228
3042 L'ADN 267
3043 *Frankenstein* 272
3044 Stephen Hawking . . 272
3045 Un voyage spatial en fusée 272
3046 *Le Voyage dans la Lune* 272
3047 *La Guerre des mondes*, de H. G. Wells 272
3048 Gaïa 265
3049 René Dumont 268
3050 Thomas More 272

QUIZ 307 (page 277)

3051 A 237
3052 A 222
3053 C 252
3054 D 245
3055 A 257
3056 B 258
3057 A 249
3058 A 259
3059 B 223
3060 A 242

QUIZ 308 (page 277)

3061 L'algèbre 224
3062 Kodak 249
3063 Le néon 258
3064 En diamant 250
3065 Son aire 225
3066 La lampe 233
3067 Xerox 252
3068 En France (dans un phare, près du Havre) 233
3069 Le fusil Lebel 241
3070 Le Nylon 264

QUIZ 309 (page 277)

3071 Intel 254
3072 Du goudron de houille 262
3073 Le mousquet 240
3074 Des moulins à vent 235
3075 Les molécules sont faites d'atomes 257
3076 Le verre 262
3077 Furtif 241
3078 Ivan Pavlov 273
3079 L'amiante 262
3080 L'évaporation 257

QUIZ 310 (page 277)

3081 La Vespa 237
3082 Deux 223
3083 Au-dessous 224
3084 Myriade (du grec *murias*) 223
3085 Le calcul 224
3086 À un milliard de milliards 223
3087 Le système binaire ou base 2 223
3088 *Le Cinquième Élément* 272
3089 Un tiers (1/3) 224
3090 Quelques degrés et minutes d'écart selon les années 245

QUIZ 311 (page 277)

3091 Elle fut la première femme dans l'espace 242
3092 Apollo 13 242
3093 Une éclipse solaire 228
3094 Mars 244
3095 Spoutnik 242
3096 Le Soleil (il brûle de l'hydrogène en son centre) 235
3097 Des intelligences extraterrestres 234
3098 29,8 km/s (107 280 km/h) 242
3099 L'Agence spatiale européenne 242
3100 Jean-Loup Chrétien (en 1988) 242

QUIZ 312 (page 278)

3101 Gustave Eiffel 230
3102 Des pyramides 230
3103 L'aqueduc 231
3104 Le pont de Normandie 231
3105 À Québec (le pont de Québec) 231
3106 Le viaduc de Millau 230
3107 La tour Eiffel 230
3108 La Grande Pyramide (à Gizeh, en Égypte) 230
3109 Le pont de l'Øresund 231
3110 Chicago 230

QUIZ 313 (page 278)

3111 La chlorophylle . . . 265
3112 L'oxygène 265
3113 L'azote 265
3114 Superphénix 235
3115 Le cadran solaire . . . 227
3116 Le charbon 234
3117 En Californie 235
3118 Le télescope spatial Hubble 244
3119 La calculette à énergie solaire 235
3120 L'hélium 258

QUIZ 314 (page 278)

3121 D 263
3122 A 251
3123 A 273
3124 C 241
3125 D 233
3126 B 233
3127 B 256

3128 B **254**
3129 C **262**
3130 B **224**

QUIZ 315 (page 278)

3131 Faux **235**
3132 Faux **231**
3133 Vrai **269**
3134 Vrai **229**
3135 Vrai **240**
3136 Vrai **251**
3137 Vrai **226**
3138 Vrai (du grec *hupo*, sous, et *derma*, peau) **271**
3139 Vrai **269**
3140 Vrai **239**

QUIZ 316 (page 279)

3141 Aérogénérateur . . . **235**
3142 Explosion **235**
3143 Électricité **235**
3144 Géothermie **235**
3145 Uranium **234**
3146 Dynamo (conçue par Faraday en 1831) **235**
3147 Turbines **234**
3148 Déchets radioactifs **235**
3149 Fission nucléaire **257**
3150 Réfrigérants atmosphériques **234**

QUIZ 317 (page 279)

3151 Les cellules sanguines **266**
3152 Friction **238**
3153 La Terre **244**
3154 En étant de vrais jumeaux **267**
3155 L'oxygène **233**
3156 Azerty (premières lettres du clavier) **255**
3157 Jusqu'en Malaisie via l'Afrique du Sud **246**
3158 La nanotechnologie . **273**
3159 Des neutrons **260**

QUIZ 318 (page 279)

3160 La circonférence d'un cercle **225**
3161 De Pythagore **225**
3162 En dioxyde de carbone (gaz carbonique) . . **265**
3163 La loi de Boyle et Mariotte **274**
3164 Son aire **225**
3165 Isaac Newton **238**
3166 La résistance **232**
3167 75°, 105° et 105° **225**
3168 La longueur d'onde . **243**
3169 La loi d'Avogadro **274**

QUIZ 319 (page 279)

3170 À Porto Rico **244**
3171 Le London Eye **230**
3172 381 m **230**
3173 Le Sydney Harbour Bridge . . . **231**
3174 À Kuala Lumpur . . . **230**
3175 L'Iron Bridge **231**
3176 C'est le plus long pont suspendu **231**
3177 Le dôme du Millenium **230**
3178 La tour Eiffel **230**
3179 À Toronto **230**

QUIZ 320 (page 279)

3180 Cuba **241**
3181 L'arc **240**
3182 En Chine **259**
3183 Le béton **243**
3184 Le char Leclerc **241**
3185 L'Allemagne **254**
3186 Du Baron rouge . . . **241**
3187 Le fusil à silex **240**
3188 Du bouclier **240**
3189 Les Scud **241**

QUIZ 321 (page 279)

3190 *Terminator 3* **253**
3191 Un cœur **271**
3192 *Artificial Intelligence* **253**
3193 *Blade Runner* (1982) **255**
3194 Un chien **253**
3195 Gally **253**
3196 Isaac Asimov **253**
3197 *Cybernetic organism* **253**
3198 *2001 : l'Odyssée de l'espace* (1968) **253**
3199 *Woody et les Robots* **271**

QUIZ 322 (page 280)

3200 Dolly **267**
3201 L'agroécologie **268**
3202 Hybride **268**
3203 Organisme génétiquement modifié **268**
3204 L'ADN **268**
3205 La France (109 000 tonnes épandues en 1998) **268**
3206 La moissonneuse-batteuse **268**
3207 La pisciculture **268**
3208 Le séquençage **267**

QUIZ 323 (page 280)

3209 Rudolph Wurlitzer . **250**
3210 Thomas Edison **250**
3211 La tour Eiffel **148**
3212 La stéréophonie (de *stereos*, solide, et *phônê*, voix) **250**
3213 Le disque compact (CD) **250**
3214 Karaoké **250**
3215 *La Voix de son maître* **250**
3216 Haute fidélité (en anglais, *high fidelity*) **250**
3217 Deux (un sur chaque face) **250**
3218 Le *la* **250**

QUIZ 324 (page 280)

3219 *Titanic* (1997) **236**
3220 La Lune **235**
3221 Un trimaran **236**
3222 Les ondes du spectre ultraviolet **243**
3223 Les micro-ondes . . . **243**
3224 La fréquence **243**
3225 Le rouge **243**
3226 Les rayons X **270**
3227 Les rayons gamma **243**
3228 Les ondes radio . . . **244**

QUIZ 325 (page 280)

3229 La main de l'épouse de l'inventeur **270**
3230 Cyberespace **256**
3231 5 fois la mise si ce cheval gagne (ou arrive placé) . . . **226**
3232 *Blanche-Neige et les sept nains* . . . **249**
3233 Galileo Galilei, dit Galilée **228**
3234 Galileo Galilei, dit Galilée **244**
3235 150 000 couronnes suédoises (25 105 $ CA) **273**
3236 Ce fut le premier long-métrage pour Internet **256**
3237 Le dos **251**
3238 De neige carbonique **259**

QUIZ 326 (page 280)

3239 B **256**
3240 A **250**
3241 B **262**
3242 C **250**
3243 A **251**
3244 A **254**
3245 A **251**
3246 B **251**
3247 D **251**
3248 D **251**

QUIZ 327 (page 281)

3249 Vrai **257**
3250 Vrai (du graphite, une des formes du carbone) **258**
3251 Faux **221**
3252 Vrai **274**
3253 Faux **231**
3254 Faux **266**
3255 Vrai **252**
3256 Vrai **229**
3257 Vrai **275**
3258 Vrai **252**

QUIZ 328 (page 281)

3259 Arbalète **240**
3260 Sabre **240**
3261 Destrier **240**
3262 F4U Corsair **241**
3263 Torpille **241**
3264 Lance-flammes **241**
3265 Fusil-mitrailleur **241**
3266 Laser **241**
3267 Grosse Bertha **240**
3268 Trébuchet **240**

QUIZ 329 (page 281)

3269 La Finlande **247**
3270 La touche 7 . . . . . . **247**
3271 Sourire **247**
3272 *Short message service* **247**
3273 *Facsimile* (en français, fac-similé) **246**
3274 j't'm :-x **247**
3275 Graham Bell **246**
3276 *Wireless Application Protocol* **247**
3277 Au XIXe siècle **246**

QUIZ 330 (page 281)

3278 Le rouge, le bleu et le vert **248**
3279 Au sommet du mont Blanc **248**
3280 Telstar **248**
3281 CBF **248**
3282 Le Betamax **250**
3283 Les électrons **248**
3284 *The Jazz Singer (le Chanteur de jazz)* **250**
3285 Le système Secam de la télévision en couleurs **248**
3286 La mondiovision . . . **248**
3287 Le général de Gaulle **248**

QUIZ 331 (page 281)

3288 L'hydrogène **258**
3289 441 (capacité de 359 MW) **235**
3290 L'espace **242**
3291 Le code Morse **246**
3292 *Bienvenue à Gattaca* (Andrew Niccol, 1997) **247**
3293 Les planètes et les comètes **274**
3294 Thomas Edison **223**
3295 Le baril **261**
3296 Des micro-ondes . . . **252**
3297 Isotopes **258**

QUIZ 332 (page 282)

3298 Imprimante **254**
3299 Prix Nobel, inaugurés en 1901 . . . . **273**
3300 Bases (constituent l'ADN) **267**
3301 Énergies **229**
3302 Navires **236**
3303 Sucres **266**
3304 Moteurs électriques **233**
3305 Imprimerie **251**
3306 Organites **266**
3307 Réalité virtuelle **273**

QUIZ 333 (page 282)

3308 C **265**
3309 A **221**
3310 C **266**
3311 A **265**
3312 D **265**
3313 B **266**
3314 B **267**
3315 B **267**
3316 D **267**
3317 A **266**

QUIZ 334 (page 282)

3318 Des *french fries* **269**
3319 Antoine Augustin Parmentier **268**
3320 Louis Pasteur **269**
3321 Le foie gras **269**
3322 La saccharine **269**
3323 De déshydrater des liquides **269**
3324 La vitamine C (acide ascorbique) . **271**
3325 Le XIXe siècle **269**
3326 La vanille **269**
3327 La culture hydroponique ou sans sol **268**

QUIZ 335 (page 282)

3328 Acide **267**
3329 Comment faire du feu **232**
3330 Le moteur à deux temps **237**
3331 Arthur C. Clarke . . . **272**
3332 Pour évacuer les eaux de pluie **231**
3333 L'intensité lumineuse **275**
3334 *Enola Gay* **241**
3335 Les Twin Towers . . . **230**
3336 Le dauphin **245**
3337 Le hertz **275**

QUIZ 336 (page 282)

3338 Le calotype **249**
3339 Le Polaroid **249**
3340 L'autofocus **249**
3341 Le Leica **249**
3342 Le téléobjectif **249**
3343 L'échographie **270**
3344 L'appareil numérique **249**
3345 Nicéphore Niépce **249**
3346 L'ouverture du diaphragme **249**
3347 La chambre noire . . **249**

QUIZ 337 (page 283)

3348 La bicyclette **237**
3349 270 ou 300 km/h selon les lignes **238**
3350 La micheline **248**
3351 Parce que l'hydrogène est très inflammable . . . **239**
3352 Un porte-avions **236**
3353 Le *Queen Mary 2* **236**
3354 L'antigel (il abaisse le point de congélation de l'eau) **237**
3355 La navette spatiale **242**
3356 En 2003 . . . . **239**
3357 Des voiles **236**

QUIZ 338 (page 283)

3358 L'électricité statique **232**
3359 L'énergie des marées **235**
3360 La loi de la gravité **228**
3361 6 fois **228**
3362 Réaction **228**
3363 Sur la Lune (mission Apollo 15) **242**
3364 Elle s'oriente vers le nord magnétique **232**
3365 Électromagnétique . . **243**
3366 Julius Robert Oppenheimer **241**
3367 Le becquerel **260**

QUIZ 339 (page 283)

3368 Le modem **255**
3369 Le magnésium **258**
3370 Radio **245**
3371 Quark **257**
3372 Alpha **260**
3373 L'azote **258**
3374 Le diamant **261**
3375 Le répétiteur **246**
3376 Isaac Newton **228**
3377 L'impulsion **228**

QUIZ 340 (page 283)

3378 A **239**
3379 C **238**
3380 D **230**
3381 B **231**
3382 A **230**
3383 A **273**
3384 C **237**
3385 B **231**
3386 B **231**
3387 D **231**

QUIZ 341 (page 284)

3388 Mémoire **255**
3389 1 carré de 2 m de côté (soit 4 m^2) . . **224**
3390 Du plomb **260**
3391 Du carbone **263**
3392 Le mot cosmonaute s'emploie plutôt pour les Russes **242**
3393 La Play Station **255**
3394 La Grande Arche **230**
3395 Aucun alliage **263**
3396 Les hommes **267**
3397 L'apesanteur **272**

QUIZ 342 (page 284)

3398 Le Concorde **189**
3399 La Fiat 500 . . . . . . **187**
3400 Henry Ford **203**
3401 Les planeurs **239**
3402 *Le Crime de l'Orient-Express* (1933) **238**
3403 L'Indian Railways (les chemins de fer indiens) **238**
3404 Des chevaux (dans les mines de charbon) **238**
3405 Un coq, un canard et un mouton **239**
3406 La vitesse moyenne **227**
3407 Des missiles **240**

QUIZ 343 (page 284)

3408 Le barillet **241**
3409 Le baromètre **227**
3410 Le code-barres **252**
3411 Une barge **236**
3412 Un tir de barrage **241**
3413 Une barbacane . . . **240**
3414 Des barbituriques . . **271**
3415 Christiaan Barnard **271**
3416 Le baryum **258**
3417 John Bardeen **273**

QUIZ 344 (page 284)

3418 Benjamin Franklin . . **232**
3419 Jacques-Yves Cousteau **236**
3420 Luigi Galvani **232**
3421 Pierre de Fermat . . . **224**
3422 Herbert George Wells **252**
3423 Saint-Gobain **262**
3424 André Vésale **270**
3425 Sadi Carnot **274**
3426 Karl Landsteiner **270**
3427 Hans Christian Œrsted **232**

QUIZ 345 (page 284)

3428 Un parallélogramme **225**
3429 Neuf **225**
3430 Une ellipse **225**
3431 Six **225**
3432 Un trapèze **225**
3433 Sept **225**
3434 Un cerf-volant **225**
3435 Un losange **225**
3436 Un triangle avec deux côtés égaux . . **225**
3437 Un pentagone **225**

QUIZ 346 (page 284)

3438 *Casino* (1995) **226**
3439 La messe de Noël **248**
3440 *Metropolis* **253**
3441 L'arrivée du Tour de France **248**
3442 Des polices de caractères **251**
3443 De *Star Trek* **272**
3444 SOS dans le code Morse **246**
3445 *Tron* (inspiré du *Magicien d'Oz*) . . . **249**
3446 *Vol au-dessus d'un nid de coucou* (1975) **271**
3447 La réalité virtuelle . . **273**

QUIZ 347 (page 285)

3448 Le calcium **258**
3449 À des températures très basses **232**
3450 Il est léger **239**
3451 Le fer **258**
3452 Le mercure **258**
3453 L'aluminium **263**
3454 Le cuivre **258**
3455 Le zinc **258**
3456 Un alliage à mémoire **263**
3457 L'aluminium **261**

QUIZ 348 (page 285)

3458 Les Beatles **236**
3459 Charles Trenet **238**
3460 *Harley-Davidson* . . **237**
3461 De la tour Eiffel **248**
3462 *Dark Side of the Moon* (1979) . . **243**
3463 La *Frying Pan*, une guitare hawaiienne électrique **234**
3464 *Top Gun* (1986) . . . **241**
3465 Les Doors **222**
3466 Jean-Michel Jarre . . **252**
3467 *Un petit navire* **236**

QUIZ 349 (page 285)

3468 Léonard de Vinci **241**
3469 Bill Gates **254**
3470 Archimède **236**
3471 Apple **255**
3472 Le gaz carbonique **265**
3473 Le plomb **260**
3474 L'entropie **274**
3475 C'est le plus gros navire du monde **236**
3476 Ambroise Paré **271**
3477 Machine-outil à commande numérique **253**

QUIZ 350 (page 285)

3478 La Bakélite **264**
3479 2,5 milliards **264**
3480 Le Celluloïd **249**
3481 Le pétrole **261**
3482 Le silicone **271**
3483 Du Lycra **264**
3484 Monomère **264**
3485 Le caoutchouc **262**
3486 Ils sont plastifiés . . . **264**
3487 Le Plexiglas **264**

QUIZ 351 (page 285)

3488 6 . . . . **223**
3489 Leonardo Fibonacci **223**
3490 Les nombres irrationnels **223**
3491 100 zéros **223**
3492 Mille milliards **223**
3493 7 cm **225**
3494 Le zéro **223**
3495 Le nombre d'or . . . **223**
3496 Des nombres cardinaux **223**
3497 Un quart (1/2 x 2/3 x 3/4 = 6/24 = 1/4) **224**

QUIZ 352 (page 286)

3498 D **261**
3499 A **258**
3500 D **246**
3501 B **272**
3502 C **222**
3503 D **272**
3504 D **238**
3505 C **274**
3506 C **234**
3507 A **264**

QUIZ 353 (page 286)

3508 La poterie **222**
3509 La rouille **259**
3510 La saga de *la Guerre des étoiles* **253**
3511 Le chromosome **267**
3512 L'âge du bronze **263**
3513 La chimie **221**
3514 Le kevlar **264**
3515 L'azote **265**
3516 Une sur deux (peu importe le nombre de jets) . . . **226**
3517 Les organes **266**

QUIZ 354 (page 286)

3518 Georges Méliès . . . **231**
3519 En Allemagne et aux États-Unis **228**
3520 De Russie **228**
3521 De l'Inde **223**
3522 Le Japon **246**
3523 Le sparadrap **264**
3524 Au Japon **238**
3525 D'Allemagne **273**
3526 Stockholm (en Suède) **273**
3527 Autrichienne **267**

QUIZ 355 (page 286)

3528 Renouvelable **235**
3529 Électricité **229**
3530 Nucléaire **229**
3531 Mur du son **229**
3532 Kilojoule **229**
3533 Conduction **229**
3534 France **235**
3535 Surgénérateur **235**
3536 Combustion **229**
3537 Potentielle **229**

QUIZ 356 (page 286)

3538 De l'Italie à la Suisse **231**
3539 La pyrite **261**
3540 Les Romains **231**
3541 Il a dirigé la percée de la première ligne **238**
3542 L'uranium **261**
3543 L'Euphrate **231**
3544 Pour trouver des métaux précieux **261**
3545 Le fer **261**
3546 Entre 2 000 et 6 000 m³ **235**
3547 Le Cullinan **261**

QUIZ 357 (page 287)

3548 Hubble **244**
3549 Une lunette astronomique **244**
3550 Wilhem Röntgen . . **270**
3551 Le microscope à balayage électronique **244**
3552 Le microscope optique **244**
3553 Faux **270**
3554 Un radio-télescope **244**
3555 Ernst Russka **244**
3556 Caméra photothermique **243**
3557 Un microscope à force atomique **244**

QUIZ 358 (page 287)

3558 Le flipper **233**
3559 Des sels **259**
3560 La sensibilité du film à la lumière . . . **249**
3561 Le vinaigre **259**
3562 Windows **254**
3563 Le téléphone **233**
3564 Nintendo **255**
3565 Oui **256**
3566 D'André Michelin . . **262**
3567 PVC (en anglais, *polyvinylchloride*) . . **264**

QUIZ 359 (page 287)

3568 *La Guerre du feu* . . **222**
3569 L'épave du *Titanic* (qui a sombré en 1912) **236**
3570 L'essence **261**
3571 À mesurer le temps **275**
3572 De l'électricité atmosphérique **234**
3573 Le ballast **236**
3574 La tension de surface **257**
3575 L'eau lourde **235**
3576 Soluté **259**
3577 Un litre **275**

QUIZ 360 (page 287)

3578 Le saut à la perche **262**
3579 Le fleuret **240**
3580 Le javelot **240**
3581 La médaille de bronze **263**
3582 La course d'orientation **245**
3583 Le lancer de poids **263**

3584 De fibre de carbone **262**
3585 En énergie cinétique (et en chaleur) **229**
3586 Un outsider **226**
3587 La voile **252**

QUIZ 361 (page 287)

3588 Relais **232**
3589 Virus **255**
3590 Des pin-up **241**
3591 Noyau **266**
3592 Le proton **257**
3593 De changer le plomb en or **259**
3594 Organisme génétiquement modifié **268**
3595 Le cubisme **225**
3596 L'hélium **258**
3597 Le carat **275**

QUIZ 362 (page 288)

3598 Greenpeace **268**
3599 Rose **259**
3600 Bleue **259**
3601 Le platine **261**
3602 Le rubis **252**
3603 En battant Gary Kasparov, champion du monde des échecs **254**
3604 Le rouge, le jaune et le bleu **243**
3605 Le soufre **261**
3606 Verte **261**
3607 Orange (son inventeur s'appelle Black) ... **239**

QUIZ 363 (page 288)

3608 Des rangs de rames dans les galères antiques ... **236**
3609 Excalibur **240**
3610 En Chine **251**
3611 Atari **255**
3612 Une navette spatiale au décollage **229**
3613 *Star Trek* **272**
3614 Une inflammation .. **270**
3615 Gordon Moore **274**
3616 1 024, et non pas 1 000, comme le suggère le préfixe .. **275**
3617 Les quarks **257**

QUIZ 364 (page 288)

3618 D **226**
3619 C **226**
3620 B **226**
3621 A **267**
3622 D **224**
3623 B **226**
3624 D **226**
3625 B **226**

QUIZ 365 (page 288)

3626 L'abaque **224**
3627 Bayonne **240**
3628 De Kourou **273**
3629 L'état liquide **257**
3630 À haute fréquence **245**
3631 Une chauve-souris **239**
3632 *Personal computer* **255**
3633 Un électron **258**
3634 Au XXe siècle **273**
3635 $E = mc^2$ **274**

QUIZ 366 (page 288)

3636 Le XXe siècle **248**
3637 1966 .... **238**
3638 Le laiton (cuivre et zinc) **263**
3639 *Nautilus* **236**
3640 La stéréo (première émission en 1960) **248**
3641 Les cibistes (radioamateurs) ... **246**
3642 1902 .... **233**
3643 *Frequency modulation* (modulation de fréquence) **248**
3644 *L'audio streaming* **248**

QUIZ 367 (page 289)

3645 La Chine **251**
3646 Végétale **234**
3647 Un orpailleur **261**
3648 Le watt **275**
3649 L'Opep **261**
3650 Il est inodore **261**
3651 La houille **234**
3652 L'Europe **234**
3653 Le nickel (Ni) et le cadmium (Cad) **258**
3654 Un radiateur électrique à trois résistances **233**

QUIZ 368 (page 289)

3655 Le boisseau **275**
3656 Notre poids **228**
3657 1 million **275**
3658 L'accélération **228**
3659 Dans le palais du roi **275**
3660 37 km/h **275**
3661 50 kg **275**
3662 Le marc **275**
3663 Aux différents étages de la tour .. **257**
3664 Le mètre **275**

QUIZ 369 (page 289)

3665 Réalité virtuelle **273**
3666 Clavier virtuel **273**
3667 Robotique **273**
3668 Génie génétique **268**
3669 Air comprimé **237**
3670 E-paper **273**
3671 Biodégradables ... **273**
3672 Biotechnologie **273**
3673 New Horizons **273**
3674 Station spatiale internationale **242**

QUIZ 370 (page 289)

3675 Le poids **228**
3676 Les chiffres **223**
3677 Mensa **226**
3678 451 (*Fahrenheit 451*, 1953) **272**
3679 128 .... **224**
3680 Huit **255**
3681 La base 60 ...... **223**
3682 500 .... **251**
3683 Deux (le recto et le verso) **251**
3684 La Bible de Gutenberg **251**

QUIZ 371 (page 289)

3685 C **268**
3686 D **262**
3687 A **263**
3688 C **234**
3689 A **233**
3690 B **233**
3691 D **262**
3692 A **263**
3693 A **262**
3694 A **233**

QUIZ 372 (page 290)

3695 La Gameboy **255**
3696 La calculatrice de poche **254**
3697 Louis Pasteur **270**
3698 Le microscope **244**
3699 Le baladeur **250**
3700 En Suisse **237**
3701 La puce **254**
3702 Les lentilles de contact **244**
3703 Le cellulaire **247**
3704 Les bactéries **266**

QUIZ 373 (page 290)

3705 World Wide Web **256**
3706 Des moteurs de recherche **256**
3707 Un téléchargement **256**
3708 Hyperlien **256**
3709 Un canular **256**
3710 Des courriels **256**
3711 Le modem **256**
3712 Le Vatican **256**
3713 org **256**
3714 .tv **256**

QUIZ 374 (page 290)

3715 Le Transsibérien ... **238**
3716 Le *Trieste*, un bathyscaphe ... **236**
3717 Des souris **242**
3718 Un train maglev ... **238**
3719 De vapeur d'eau et de gaz des réacteurs **239**
3720 L'Atlantique **236**
3721 Réseau express régional **238**
3722 Sur une colline **238**
3723 Un avion à réaction **239**
3724 Pour prévenir une intoxication alimentaire commune **239**

QUIZ 375 (page 290)

3725 Le Rafale **241**
3726 L'indigo **243**
3727 Le mercure **263**
3728 En Suisse **257**
3729 Du pétrole **261**
3730 Plusieurs mètres d'air ou une feuille d'aluminium **260**
3731 L'intelligence artificielle **255**
3732 Andrew Wiles (né en 1953) **224**
3733 Les neutrons **235**
3734 Elle n'en diffère pas (deux formulations) **274**

QUIZ 376 (page 290)

3735 1901 233
3736 Vrai 269
3737 Oui 227
3738 1876 247
3739 Oui 269
3740 1930 264
3741 Vrai 252
3742 1888 250
3743 Avant J.-C. 268
3744 Vrai 227

QUIZ 377 (page 291)

3745 *La Guerre des étoiles* 252
3746 Elle se dilate 257
3747 Le radar (ou vor) 245
3748 Du dirigeable *Hindenburg* 239
3749 La foudre (courant électrique) 232
3750 Le clonage 273
3751 Des modèles de cellulaires 247
3752 Jules Verne 272
3753 Pi 223
3754 À mettre en page et à éditer des textes 251

QUIZ 378 (page 291)

3755 Un milligramme ...275
3756 Un kayak 236
3757 La tangente 225
3758 *Objectif Lune* 235
3759 L'Asie 222
3760 Le métabolisme ...265
3761 Le neutron 257
3762 19 223
3763 L'électrode 232
3764 L'arc-boutant 230

QUIZ 379 (page 291)

3765 Effet de serre 265
3766 Décomposition 265
3767 Tissu 266
3768 Azote 265
3769 Adaptation 265
3770 Photosynthèse 265
3771 Chromosome 267
3772 Reproduction 265
3773 Protéines 266
3774 Cytoplasme 266

QUIZ 380 (page 291)

3775 L'hydrogène et l'oxygène 259
3776 Le carbone, l'hydrogène et l'oxygène 266
3777 De l'énergie 259
3778 L'ADN 267
3779 Catalyse 259
3780 Le lien covalent ...259
3781 Les protéines 266
3782 Le méthane 261
3783 L'hydroxyde de sodium et l'hydrogène 259
3784 La présence d'oxygène 259

QUIZ 381 (page 291)

3785 Pacemaker 271
3786 Quartz 227
3787 Pascal 275
3788 Carquois 240
3789 Téléavertisseur 247
3790 Physique 221
3791 Surimi 269
3792 Le phosphore 258
3793 Photon 243
3794 Quanta 243

QUIZ 382 (page 292)

3795 Les végétaux 265
3796 Les montres 227
3797 Henry Ford 253
3798 La fusion nucléaire 235
3799 La poterie 222
3800 L'argenture 263
3801 À la division du travail 253
3802 La pierre philosophale 263
3803 La cellophane 264
3804 9 000 ans 222

QUIZ 383 (page 292)

3805 D 238
3806 A 235
3807 C 245
3808 B 222
3809 B 260
3810 B 239
3811 C 224
3812 C 245
3813 B 245
3814 B 245

QUIZ 384 (page 292)

3815 Faux 245
3816 Faux 272
3817 Vrai 260
3818 Vrai 257
3819 Vrai 274
3820 Faux 260
3821 Vrai 234
3822 Vrai (VHF pour *Very High Frequency*) 246
3823 Vrai 273
3824 Faux 252

QUIZ 385 (page 292)

3825 L'eau salée 229
3826 Le silex 222
3827 Le métal 222
3828 Le four à micro-ondes 243
3829 Reykjavík 234
3830 L'alcool 229
3831 Les éléments métalliques 258
3832 La mole 275
3833 C'est la même température en °C et en °F 229
3834 Recuit 263

QUIZ 386 (page 292)

3835 À 1875 (première traversée de la Manche en ballon) 223
3836 Le 29 février 227
3837 C'est la date anniversaire de la mort d'Alfred Nobel ...273
3838 Le 26 avril 1986 ...235
3839 Il fut adopté par le pape Grégoire XIII, en 1852 227
3840 Magellan 236
3841 La Manche 239
3842 Le calendrier islamique (il débute en 622 apr. J.-C.) 227
3843 Les années 1910 ...233
3844 Au XVIIe siècle 226

QUIZ 387 (page 293)

3845 Des métros (à Madrid, à Tokyo et à Londres) 238
3846 Les sans-filistes (de téléphonie sans fil) 248
3847 Ernest Rutherford ...257
3848 Plasma 257
3849 Le premier avion à réaction 239
3850 Le sonar 245
3851 De polyester recouvert d'argent 264
3852 Biomasse 235
3853 90 % 234
3854 Marie Curie et Irène Joliot-Curie 260

QUIZ 388 (page 293)

3855 À Archimède 236
3856 Guglielmo 248
3857 Albert Einstein 228
3858 Craig Venter 267
3859 Tim Berners-Lee 256
3860 Marie Curie 260
3861 Galilée 244
3862 Isaac Newton 228
3863 Edwin Hubble 244
3864 Rachel Carson 268

QUIZ 389 (page 293)

3865 Les mathématiques 221
3866 La botanique 221
3867 La microbiologie ...221
3868 La chimie des polymères 221
3869 La génétique 221
3870 La biochimie 221
3871 L'écologie 221
3872 La climatologie 221
3873 La sismologie 221
3874 La thermodynamique 221

QUIZ 390 (page 293)

3875 Baladeur 254
3876 Epsilon 260
3877 Microbiologie 221
3878 Bois 234
3879 Hydrate de carbone 257
3880 Biologique 268
3881 Coton 264
3882 Cinéma 250
3883 Téléviseur 247
3884 Son 250

QUIZ 391 (page 293)

3885 Le cuivre 263
3886 Il contrarie la fixation de la vitamine B 269
3887 Les poêles (c'est du Teflon) 264
3888 Ils détruisent l'ozone de l'atmosphère 269

3889 Le fer **269**
3890 L'agriculture biologique **269**
3891 Ils offrent un meilleur équilibre alimentaire **269**
3892 Le lait de soya **269**
3893 Les fruits frais et les légumineuses . .**269**

QUIZ 392 (page 293)

3894 9 . . . .**254**
3895 3 . . . .**246**
3896 La digitale pourprée **271**
3897 *Digital versatile disc* **250**
3898 Le CD *(compact disc)* **250**
3899 Un fichier image . .**256**
3900 Des pixels **248**
3901 *Toy Story* (1995) **249**
3902 L'argentique et le numérique **249**
3903 L'interface **254**

QUIZ 393 (page 294)

3904 *Retour vers le futur* **227**
3905 *Lunae dies*, « jour de la Lune » en latin **227**
3906 La fête de la Saint-Jean **227**
3907 Il permet de dater les objets avec précision **260**
3908 L'horloge à eau **227**
3909 Vénus **244**
3910 Le pendule **227**
3911 Celui des étoiles **227**
3912 À 10 h 45 . . . .**227**
3913 Le calendrier **227**

QUIZ 394 (page 294)

3914 Internet **256**
3915 Télégramme **246**
3916 Graham Bell **246**
3917 Satellites **246**
3918 Radio **246**
3919 Cellule **247**
3920 Fibre optique **246**
3921 Troisième génération **247**
3922 Cuivre **247**
3923 Télégraphe **246**

QUIZ 395 (page 294)

3924 La convection **229**
3925 Nintendo **255**
3926 Ils possèdent l'arme nucléaire . . .**241**
3927 Informatique **254**
3928 Une fronde **240**
3929 Sulfurique **259**
3930 Les éléments matériels des ordinateurs **255**
3931 Le roi de Suède (le roi de Norvège remet le Nobel de la paix) **273**
3932 Le texte apparaît sur 2 colonnes de 42 lignes chacune. **251**

QUIZ 396 (page 294)

3933 L'ampoule électrique **232**
3934 André-Marie Ampère **232**
3935 Le détecteur de métaux **233**
3936 Le commutateur **233**
3937 Le transistor **254**
3938 *Elektron* **232**
3939 50 ohms **232**
3940 Le magnétisme **232**
3941 Les électrons **232**
3942 Solénoïde (ou électroaimant) . .**232**

QUIZ 397 (page 294)

3943 La soustraction **224**
3944 Le fer **222**
3945 Le limon **268**
3946 Le silicium (en anglais, *silicon*) **254**
3947 Le carbone **266**
3948 À des rayons **260**
3949 L'irrigation **222**
3950 Isaac Newton **224**
3951 Un échantillon **226**
3952 La respiration **265**

QUIZ 398 (page 295)

3953 Le Minitel **255**
3954 Un porte-aéronefs nucléaire **241**
3955 Charles VII, en 1439 . . . .**240**
3956 À Albert Einstein . . .**274**
3957 Les pièces et les médailles **263**
3958 Le noyau **266**
3959 La France **235**
3960 La détection des sous-marins . . .**245**
3961 Les années 1960 . . . .**245**
3962 Le polonium et le radium **257**

QUIZ 399 (page 295)

3963 Le rhume **270**
3964 Le fluoride (dérivé du fluor) **259**
3965 Des vapeurs d'éther **271**
3966 L'aspirine **271**
3967 1978 (le 25 juillet) **271**
3968 Les plantes médicinales **270**
3969 Marie Curie **260**
3970 La phytothérapie . .**271**
3971 L'électro-cardiographe **270**
3972 Le sida **270**

QUIZ 400 (page 295)

3973 À la vitesse record de 164 000 km/h. . . .**242**
3974 À Neil Armstrong . .**272**
3975 Voyager **242**
3976 Ariane **242**
3977 Cinq **242**
3978 Des fusées **242**
3979 465 m/s (174 km/h) **242**
3980 La planète s'est rapprochée du Soleil, au-delà de Neptune **242**
3981 Io **242**
3982 Des crayons à mine **242**

QUIZ 401 (page 406)

3983 Les animaux **320**
3984 L'Australie **386**
3985 L'Arctique **336**
3986 L'Asie **385**
3987 L'anguille **354**
3988 L'Afrique **344**
3989 L'Australie **398**
3990 L'amanite phalloïde **308**
3991 L'amibe **305**
3992 L'Antarctique **336**

QUIZ 402 (page 406)

3993 Prunelle **396**
3994 Dragon de Komodo **363**
3995 Ornithorynque **323**
3996 Vairon des marais **354**
3997 Huîtrier **360**
3998 Bactérie **304**
3999 Hyène **346**
4000 Morphine **395**
4001 Pétrole **389**
4002 Poisson **320**

QUIZ 403 (page 406)

4003 En Australie **386**
4004 En Russie **354**
4005 Une bactérie **304**
4006 Du sang **395**
4007 Permafrost ou pergélisol **336**
4008 À Zurich **390**
4009 Au Maroc **383**
4010 Mars **399**
4011 En Louisiane **381**

QUIZ 404 (page 406)

4012 Sol **338**
4013 Érable **313**
4014 Aiguille **310**
4015 Noisette **313**
4016 Graine **310**
4017 Pôle **369**
4018 Neige **352**
4019 Feu **342**
4020 Charbon(s) **302**
4021 Tronc **313**

QUIZ 405 (page 406)

4022 La rose **403**
4023 Québec, Ontario, Saskatchewan, Île-du-Prince-Édouard et le Yukon **403**
4024 L'île de Surtsey **363**
4025 En Californie **310**
4026 Britannique **314**
4027 Le Belize **382**
4028 Les Pyrénées **384**
4029 La Russie **399**
4030 La Chine **316**
4031 La Roumanie **384**

QUIZ 406 (page 406)

4032 *Le Seigneur des anneaux* **403**
4033 Guillaume Apollinaire **404**
4034 Alphonse de Lamartine **403**
4035 Tahar Ben Jelloun **403**
4036 George Sand **403**
4037 Victor Hugo **403**
4038 *L'Île mystérieuse* . . .**403**

4039 *Les Quatre Saisons* 403
4040 Charles Baudelaire 404
4041 Vincent Van Gogh 403

QUIZ 407 (page 406)

4042 C 400
4043 B 400
4044 B 400
4045 C 400
4046 B 400
4047 A 400
4048 C 400
4049 A 400
4050 B 400
4051 C 398

QUIZ 408 (page 407)

4052 Sahara 383
4053 Himalaya 385
4054 Bambou 335
4055 Amazone 382
4056 Conifère 337
4057 Galápagos 363
4058 Savane 346
4059 Adam et Ève 400
4060 Mousson 350
4061 Steppe 340

QUIZ 409 (page 407)

4062 Éloigné 336
4063 Vers l'équateur 335
4064 Greenpeace 390
4065 Le Nil 383
4066 Le sanglier 385
4067 La Camargue 384
4068 Le coq 381
4069 Les Alpes 384
4070 Les levures 308
4071 Jules Verne 366

QUIZ 410 (page 407)

4072 Faux 397
4073 Faux 336
4074 Vrai 397
4075 Vrai 320
4076 Vrai 332
4077 Faux 366
4078 Faux 312
4079 Vrai 311
4080 Faux 337
4081 Vrai 308

QUIZ 411 (page 407)

4082 Un champignon . . .308
4083 Une bactérie 304
4084 L'ail 312
4085 La pomme 397
4086 La mûre 396
4087 Avocat 382
4088 Les moules 360
4089 Les baies de genièvre 310
4090 Des algues 309
4091 La tequila 344

QUIZ 412 (page 407)

4092 Pétales 311
4093 Tétanos 304
4094 Bûcheron 398
4095 Caribou 336
4096 Vénéneux 308
4097 Antarctique 336
4098 Noyau 301
4099 Reproduction 300
4100 Mangrove 357
4101 Chapeau 308

QUIZ 413 (page 407)

4102 Édouard Manet . . .403
4103 Jonathan Livingston 361
4104 Une jolie fleur 307
4105 Anton Tchekhov . . .403
4106 Des pommes 307
4107 Le Douanier Rousseau 403
4108 *La Rose pourpre du Caire* 306
4109 Noir 307
4110 Des lianes 348
4111 En Floride 354

QUIZ 414 (page 407)

4112 A 348
4113 D 403
4114 D 350
4115 D 395
4116 B 337
4117 C 388
4118 B 310
4119 A 338
4120 C 350
4121 D 357

QUIZ 415 (page 408)

4122 Aux ongulés 336
4123 Pâques 400
4124 En Laponie 388
4125 De la myrrhe et de l'encens 400
4126 Le sapin 330
4127 La dinde 397
4128 Le sapin 310
4129 Le houx 311
4130 Le gui 313
4131 Jean-Pierre Ferland 311

QUIZ 416 (page 408)

4132 Forêt 338
4133 Montagne 352
4134 Riz 397
4135 Lac 354
4136 Pin 310
4137 Plage 360
4138 Oiseau 320
4139 Fleur 312
4140 Sel 357
4141 Mer 366

QUIZ 417 (page 408)

4142 Au Cameroun 402
4143 En Argentine 402
4144 Le football américain 402
4145 Les canaris 402
4146 Les wallabies 402
4147 En Nouvelle-Zélande 402
4148 Le baseball 402
4149 Au Nigeria 402
4150 Le baseball 402
4151 En Côte d'Ivoire . . .402

QUIZ 418 (page 408)

4152 Salt Lake City 357
4153 Le chat 305
4154 *La Belle au bois dormant* 396
4155 L'azote 300
4156 L'Amérique du Sud 352
4157 Les chevaux 323
4158 Le cocotier 398
4159 Le podzol 337
4160 Du Brésil 388
4161 Un lézard 386

QUIZ 419 (page 408)

4162 Une collerette 386
4163 L'autruche 346
4164 Arc-en-ciel 386
4165 La gazelle de Thomson 346
4166 En Afrique 346
4167 Le scorpion 344
4168 Aux procyonidés . .381
4169 L'éléphant de mer 369
4170 Lynx 337
4171 Le capybara 382

QUIZ 420 (page 408)

4172 La France 397
4173 L'écorce 333
4174 Le Sahel 383
4175 Le courlis 360
4176 Oui 304
4177 Le serpent 400
4178 Le Sahara 344
4179 Le Japon 385
4180 La mangouste 350
4181 Le tabac 397

QUIZ 421 (page 409)

4182 Atlantique 372
4183 Grande Barrière de corail 386
4184 Mississippi 381
4185 Anémone de mer . .361
4186 Insecticide 389
4187 Algue 309
4188 Moisissure 308
4189 Pin de Douglas 398
4190 Kalahari 383
4191 Kakadu 386

QUIZ 422 (page 409)

4192 Du bois tendre 398
4193 Sous un chêne 313
4194 D'ébène 350
4195 Le balsa 398
4196 L'Office national des forêts 338
4197 La marqueterie 398
4198 L'érable plane 311
4199 D'Amérique du Sud 398
4200 Le gui 313

QUIZ 423 (page 409)

4201 *Étoile des neiges* . .352
4202 La rose 307
4203 Blanches 307
4204 Cerises 307
4205 La fleur du temps . .311
4206 La salade de fruits 307
4207 De Picardie 307
4208 Les magnolias 307
4209 *Bambou* 307

QUIZ 424 (page 409)

4210 L'écureuil 337
4211 D'Europe 366
4212 Aux échinodermes 320
4213 L'évolution 314
4214 L'estuaire 357
4215 L'extinction 314
4216 Émergent 348
4217 Épiphyte 352
4218 Les édentés 335
4219 Eucaryote 301

QUIZ 425 (page 409)

4220 La vallée du Rift 383
4221 Dans l'océan Atlantique 366
4222 L'épaulard 369

4223 L'Asie (Ienisseï, Yangzi Jiang, Ob, Huang He, Amour, Lena) **385**
4224 Aux algues **361**
4225 Le manchot empereur **369**
4226 Au fond des océans **372**
4227 L'*Amoco Cadiz* **389**
4228 Dans l'eau salée **357**
4229 Les amphibiens . . . **302**

QUIZ 426 (page 409)

4230 A **305**
4231 B **301**
4232 B **395**
4233 B **301**
4234 D **305**
4235 B **309**
4236 D **307**
4237 A **309**
4238 A **309**
4239 C **308**

QUIZ 427 (page 410)

4240 Faux **369**
4241 Vrai **312**
4242 Faux **369**
4243 Vrai **383**
4244 Faux **389**
4245 Vrai **372**
4246 Faux **357**
4247 Vrai **372**
4248 Vrai **372**
4249 Faux **382**

QUIZ 428 (page 410)

4250 Virus **303**
4251 Médecine **395**
4252 Grain **312**
4253 Araignée **320**
4254 Racine **344**
4255 Fruit **313**
4256 Palme **312**
4257 Banane(s) **312**
4258 Noix **313**
4259 Loup **340**

QUIZ 429 (page 410)

4260 D'atomes d'oxygène **301**
4261 Mars **300**
4262 Le lion **346**
4263 Moins **336**
4264 La forêt tropicale humide **348**
4265 ADN **300**
4266 *Le Lac des cygnes* **354**
4267 La Nouvelle-Zélande **386**
4268 Le chêne **338**
4269 En Chine **385**

QUIZ 430 (page 410)

4270 Un melon **397**
4271 *Les Raisins de la colère* **403**
4272 *Banana split* **312**
4273 Le gland **313**
4274 La pomme **400**
4275 L'orange **306**
4276 L'Espagne **313**
4277 La papaye (*l'Odeur de la papaye verte*) **306**
4278 L'églantine ou cynorhodon **313**
4279 Le coco de mer . . . **312**

QUIZ 431 (page 410)

4280 Au Mexique **381**
4281 Les méandres **354**
4282 La médecine **395**
4283 En Méditerranée . . . **342**
4284 Le métabolisme **300**
4285 La méningite **304**
4286 Au mésozoïque **316**
4287 Le méthane **389**
4288 La méiose **307**
4289 Le mésophylle **306**

QUIZ 432 (page 410)

4290 En Espagne **384**
4291 6 400 km **383**
4292 Allemande **399**
4293 L'hémisphère Nord **337**
4294 Aux États-Unis **310**
4295 L'Argentine **316**
4296 Paris **388**
4297 La dent-de-lion **311**
4298 En Argentine **382**
4299 Alexander von Humboldt **399**

QUIZ 433 (page 410)

4300 C **398**
4301 C **372**
4302 A **396**
4303 D **320**
4304 A **348**
4305 A **310**
4306 C **398**
4307 B **388**
4308 D **306**
4309 A **310**

QUIZ 434 (page 411)

4310 Automne **396**
4311 Alaska **381**
4312 Jardin d'Éden **400**
4313 Éclair **300**
4314 Ours polaire **336**
4315 Eucalyptus **350**
4316 Mer Morte **357**
4317 Varan de Komodo **363**
4318 Mousson **350**
4319 Filtreur **361**

QUIZ 435 (page 411)

4320 Fleur **312**
4321 Nigeria **363**
4322 Pivert **396**
4323 Unicef **390**
4324 Morille **396**
4325 Moule **361**
4326 Écorce **313**
4327 Club **303**
4328 Chardon **309**
4329 Protiste **303**

QUIZ 436 (page 411)

4330 Les insectes **320**
4331 Les Inuits **388**
4332 L'Inde **385**
4333 L'estran **360**
4334 Cites **390**
4335 En Indonésie **385**
4336 Une espèce introduite **363**
4337 L'Indus **385**
4338 Par une épaisse couche de graisse **369**
4339 Non **308**

QUIZ 437 (page 411)

4340 La racine **348**
4341 D'Inde **385**
4342 De l'écorce **396**
4343 Les clous de girofle **348**
4344 Du crocus **311**
4345 La muscade **348**
4346 Le curcuma **397**
4347 Le paprika **397**
4348 Le ginseng **395**
4349 Le piment rouge . . . **397**

QUIZ 438 (page 411)

4350 La girafe **341**
4351 J.-M. G. Le Clézio **403**
4352 James Lovelock **399**
4353 Sir Alexander Fleming **395**
4354 Le cèdre **310**
4355 Une plante à bulbe **344**
4356 Aux États-Unis **381**
4357 Le mouton **397**
4358 Au gaz carbonique **389**
4359 Non **312**

QUIZ 439 (page 411)

4360 Australopithèque . . **323**
4361 Dimétrodon **302**
4362 Éléphant **314**
4363 Ichthyosaure **318**
4364 Carbonifère **302**
4365 Ptérosaure **318**
4366 Trilobite **301**
4367 Cœlacanthe **302**
4368 Crétacé **316**
4369 Cyanobactéries **300**

QUIZ 440 (page 411)

4370 D **300**
4371 B **316**
4372 A **388**
4373 B **388**
4374 B **399**
4375 D **388**
4376 A **399**
4377 A **312**
4378 B **323**
4379 B **399**

QUIZ 441 (page 412)

4380 De l'Australie **386**
4381 Le chihuahua **381**
4382 L'Himalaya **352**
4383 Le Sahara **344**
4384 Madagascar **363**
4385 Aux États-Unis **346**
4386 Les îles Shetland . . . **384**
4387 La Méditerranée . . . **342**
4388 Au Brésil **382**
4389 En Afrique **383**

QUIZ 442 (page 412)

4390 Patate **312**
4391 Désert **344**
4392 Herbe **340**
4393 Avocat **397**
4394 Fleuve **354**
4395 Côte **361**
4396 Poisson **301**
4397 Cellule **395**
4398 Courant **314**
4399 Sable **360**

QUIZ 443 (page 412)

4400 Le festival de Cannes **312**
4401 Saint-Tropez **342**
4402 Louis de Funès **306**
4403 *Jean de Florette* . . . **342**
4404 Sahara **344**
4405 *À la poursuite du diamant vert* . . . **350**
4406 *Les Grandes Gueules* **310**
4407 *Kamouraska* **306**

4408 *Fanfan la Tulipe* .306
4409 *La Tulipe noire* .306

QUIZ 444 (page 412)

4410 Rouge .309
4411 World Wildlife Fund .390
4412 Dodo .314
4413 Aux cervidés .350
4414 En Argentine .390
4415 Sur l'Amazone .382
4416 Le Conservatoire du littoral .390
4417 Chouette effraie .335
4418 En Australie .386
4419 L'Amérique du Sud .382

QUIZ 445 (page 412)

4420 Le désert de Sonoran .381
4421 Dans les plaines .384
4422 La forêt amazonienne .348
4423 La taïga russe .337
4424 En Nouvelle-Zélande .386
4425 Faux .384
4426 Vrai .381
4427 Vrai .346
4428 Le désert du Namib .383
4429 À l'est .386

QUIZ 446 (page 412)

4430 Blanche .381
4431 Rouges .395
4432 Brune .309
4433 Jaune .304
4434 Blanche .311
4435 Argent .372
4436 Grise .366
4437 Blanc .357
4438 Bleue .304
4439 Verte .366

QUIZ 447 (page 413)

4440 Un animal .320
4441 Dans le désert .344
4442 Le Kilimandjaro .352
4443 En Amérique du Sud .382
4444 Vrai .309
4445 Le panda géant .335
4446 L'autruche .346
4447 Un mammifère .320
4448 En France .384
4449 Un tigre .350

QUIZ 448 (page 413)

4450 Mammifère .320
4451 Amérique du Nord .340
4452 Maladie .304
4453 Lézard .381
4454 Viande du grand gibier .396
4455 Reptile marin .318
4456 Type de prairie .340
4457 Plantes .302
4458 Spores .308
4459 Lémurien .383

QUIZ 449 (page 413)

4460 Jaune .311
4461 D'Amérique du Sud .382
4462 La pistache .342
4463 Le poisson .396
4464 La gélatine .396
4465 L'origan .342
4466 La menthe .397
4467 L'amande .313
4468 Le thon .396
4469 D'Asie .385

QUIZ 450 (page 413)

4470 Acajou .398
4471 Chihuahua .381
4472 Madagascar .363
4473 Danube .384
4474 Sargasses .366
4475 Serengeti .383
4476 Appalaches .381
4477 Protéines .300
4478 Chinchilla .382
4479 Shintoïsme .400

QUIZ 451 (page 413)

4480 Ours .352
4481 Champignons .396
4482 Phoques .369
4483 Conifères .310
4484 Amphibiens .320
4485 Déserts .344
4486 Maladies .305
4487 Plantes primaires .307
4488 Échinodermes .320
4489 Mousses .307

QUIZ 452 (page 413)

4490 A .354
4491 D .303
4492 C .305
4493 A .342
4494 A .307
4495 D .399
4496 A .307
4497 A .344
4498 B .400
4499 D .306

QUIZ 453 (page 414)

4500 Noix de coco .363
4501 Baleine grise .366
4502 Séquoia géant .310
4503 Mammouth laineux .314
4504 Amazone .382
4505 Lion .346
4506 Marlin .366
4507 Herbe à éléphant .312
4508 Bison .340
4509 Albatros hurleur .366

QUIZ 454 (page 414)

4510 Le castor .354
4511 Jacques-Yves Cousteau .390
4512 Des procaryotes .303
4513 De corail .361
4514 L'ours à lunettes .352
4515 En Afrique .383
4516 Les pélicans .384
4517 L'Himalaya .352
4518 Un animal .361
4519 À Johannesburg .390

QUIZ 455 (page 414)

4520 Pêche .396
4521 Gaz .389
4522 Chasse .396
4523 Île .363
4524 Marais .354
4525 Maladie .395
4526 Arctique .336
4527 Rivière .354
4528 Bois .398
4529 Crevette .360

QUIZ 456 (page 414)

4530 En Afrique .323
4531 Antérieur .323
4532 L'appauvrissement en ozone .389
4533 2 millions d'années .323
4534 Sage .323
4535 L'Europe .384
4536 World Wildlife Fund .390
4537 Le désert .397
4538 Ulysses S. Grant .381
4539 *Homo habilis* .323

QUIZ 457 (page 414)

4540 Hépatique .302
4541 Lycopode .302
4542 Myxomycète .305
4543 Hêtre .338
4544 Cycas .310
4545 Algue rouge .309
4546 Mélèze .337
4547 Polytrichum .302
4548 Chanterelle .308
4549 Protée .403

QUIZ 458 (page 414)

4550 Le zèbre .346
4551 Le léopard .350
4552 L'acajou .313
4553 La peste noire .304
4554 Du thon blanc .396
4555 La mer Noire .384
4556 Noires .396
4557 Blancs .311
4558 Gris .314
4559 La Forêt-Noire .384

QUIZ 459 (page 414)

4560 Faux .372
4561 Vrai .398
4562 Faux .320
4563 Faux .396
4564 Vrai .312
4565 Vrai .320
4566 Faux .337
4567 Vrai .336
4568 Vrai .320
4569 Vrai .320

QUIZ 460 (page 415)

4570 Cyanobactéries .300
4571 Carnivore .316
4572 Le cormoran .314
4573 Le chimpanzé .383
4574 Le charbon .302
4575 La canne à sucre .397
4576 La cordillère des Andes .382
4577 Le cheval .323
4578 Les chromophytes .309
4579 Le cambrien .301

QUIZ 461 (page 415)

4580 L'Amérique du Nord et du Sud .335
4581 L'arc-en-ciel .390
4582 L'oxygène .383
4583 La tortue .366
4584 À l'Indonésie .363
4585 La mer Noire .384
4586 La feuille .306
4587 Le capitaine Nemo .366
4588 Le gorille .352
4589 En Islande .384

QUIZ 462 (page 415)

4590 William Golding .399
4591 La rose .306
4592 Vincent Van Gogh .403
4593 Clint Eastwood .354

4594 Yann Arthus-Bertrand **403**
4595 Sur un champignon **308**
4596 *Dune* **360**
4597 *Les Enfants du marais* **354**
4598 Arcimboldo **403**
4599 Fanfan la Tulipe . . .**306**

QUIZ 463 (page 415)

4600 Les Galápagos . . .**314**
4601 Le désert de Gobi **344**
4602 En Amérique du Nord **344**
4603 Le phacochère **346**
4604 Oui **350**
4605 Les Mongols **388**
4606 Les Massaïs **388**
4607 La loutre de mer **361**
4608 Au Brésil **388**
4609 La mangrove **357**

QUIZ 464 (page 415)

4610 A **323**
4611 A **346**
4612 A **344**
4613 A **340**
4614 A **337**
4615 D **342**
4616 A **340**
4617 A **344**
4618 A **336**
4619 B **337**

QUIZ 465 (page 415)

4620 Dans l'Arctique . . .**336**
4621 Le mâle **369**
4622 Un oiseau **360**
4623 En Amérique du Sud **382**
4624 En montagne **384**
4625 Le kiwi **338**
4626 Les Galápagos . . .**363**
4627 Non **385**
4628 La fourmi **350**
4629 Le panda **335**

QUIZ 466 (page 415)

4630 Faux **358**
4631 Vrai **301**
4632 Vrai **323**
4633 Vrai **310**
4634 Vrai **382**
4635 Faux **368**
4636 Faux **344**
4637 Vrai **301**
4638 Faux **384**
4639 Vrai **391**

QUIZ 467 (page 416)

4640 Pomme **397**
4641 Sucre **397**
4642 Branche **337**
4643 Écorce **313**
4644 Sapin **310**
4645 Mousse **307**
4646 Champignon **308**
4647 Hépatique **307**
4648 Maquis **342**
4649 Levure **308**

QUIZ 468 (page 416)

4650 Un arboretum **398**
4651 Le Jardin des Plantes **390**
4652 Une roseraie **311**
4653 Une annuelle **344**
4654 D'Amérique du Nord **311**
4655 D'Asie **385**
4656 Un hybride **311**
4657 Érable du Japon . . .**311**
4658 Les Pays-Bas **387**
4659 Chèvrefeuille **311**

QUIZ 469 (page 416)

4660 Le manchot **369**
4661 Au quaternaire **323**
4662 Le Queensland **386**
4663 Le pollen **311**
4664 Le plancton **366**
4665 La pêche **397**
4666 Le plasmodium **395**
4667 Le Périgord **396**
4668 La pampa **340**
4669 Dans les prairies . .**340**

QUIZ 470 (page 416)

4670 En Europe **384**
4671 De la lumière **372**
4672 Le CFC **389**
4673 L'ozone **389**
4674 De krill **369**
4675 En février 2005 . . .**390**
4676 Charles Baudelaire **366**
4677 En Nouvelle-Guinée **386**
4678 Un hybride **306**
4679 Au Japon **400**

QUIZ 471 (page 416)

4680 C **352**
4681 D **350**
4682 B **337**
4683 A **307**
4684 D **346**
4685 B **340**
4686 A **384**
4687 C **316**
4688 A **348**
4689 D **348**

QUIZ 472 (page 416)

4690 Guépard **314**
4691 Virus **303**
4692 Carbone **303**
4693 Algues **309**
4694 Coqueluche **304**
4695 Paludisme **305**
4696 Camouflage **314**
4697 Parasite **305**
4698 Microscopique **304**
4699 Végétaux **303**

QUIZ 473 (page 417)

4700 Moby Dick **366**
4701 Le Sahara **383**
4702 L'Atlantique **372**
4703 Aux États-Unis **381**
4704 Ernest Hemingway **366**
4705 Les gaz à effet de serre **389**
4706 Le choléra **304**
4707 Les cordés **301**
4708 La baleine **380**
4709 La maladie du sommeil **305**

QUIZ 474 (page 417)

4710 Un champignon . . .**308**
4711 Au Kenya **383**
4712 La chlorophylle **306**
4713 En Inde **350**
4714 Une plante **348**
4715 Une plante **357**
4716 Plus grande **303**
4717 De l'Équateur **382**
4718 Un suricate **340**
4719 L'évolution convergente **314**

QUIZ 475 (page 417)

4720 Magnolia **316**
4721 Amphibien **302**
4722 Australopithèque . . .**323**
4723 Araignée **302**
4724 Monotrème **323**
4725 Proconsul **323**
4726 Dévonien **302**
4727 Stromatolithes **300**
4728 Cambrien **301**
4729 *Dunkleosteus* **301**

QUIZ 476 (page 417)

4730 Des plumes d'ara . .**388**
4731 Un tatouage complet du visage **388**
4732 Le panda roux **352**
4733 Vrai **388**
4734 Le caribou **388**
4735 De feuilles de palmier **312**
4736 Les Asmats **388**
4737 Les graines de larme-de-job . . .**388**
4738 De roseau **312**
4739 Les femmes-girafes **388**

QUIZ 477 (page 417)

4740 Maladies **304**
4741 Plantes aromatiques **342**
4742 Requins **361**
4743 Reptiles **320**
4744 Oiseaux **357**
4745 Manchots **369**
4746 Noix **313**
4747 Champignons **308**
4748 Pins **310**
4749 Ours **337**

QUIZ 478 (page 417)

4750 Vrai **350**
4751 Vrai **366**
4752 Faux **338**
4753 Vrai **309**
4754 Vrai **306**
4755 Faux **322**
4756 Vrai **369**
4757 Faux **360**
4758 Vrai **385**
4759 Vrai **354**

QUIZ 479 (page 417)

4760 Bio **303**
4761 Coq **340**
4762 Cheval **323**
4763 Carpe **354**
4764 Noyau **301**
4765 Plante **303**
4766 Canard(s) **361**
4767 Vie **300**
4768 Plume **323**
4769 Tige **312**

QUIZ 480 (page 418)

4770 Claude Monet **403**
4771 En Amérique du Sud **311**
4772 Lavande **342**
4773 Le chardon **403**
4774 Le camélia **306**
4775 Le pavot **395**
4776 Rosebud **306**
4777 Le magnolia **313**
4778 *Chantefables et Chantefleurs* **403**
4779 La rose **403**

QUIZ 481 (page 418)

4780 L'autruche **346**
4781 Le genre **303**
4782 Le Gange **400**
4783 Le jaguar **348**

4784 Par photosynthèse . .306
4785 Le paludisme 305
4786 Béluga 369
4787 Le brochet 354
4788 Gaia 399
4789 La garrigue 342

QUIZ 482 (page 418)

4790 Unicellulaires 301
4791 Du pavot 395
4792 À Kyoto (Japon) . . .399
4793 En juin 350
4794 Faux 303
4795 Au Kalahari 395
4796 Avec du sang 388
4797 Le bison 384
4798 En Australie 335
4799 La production de protéines 304

QUIZ 483 (page 418)

4800 C 399
4801 C 323
4802 B 387
4803 C 300
4804 C 390
4805 D 314
4806 D 395
4807 D 302
4808 C 381
4809 B 301

QUIZ 484 (page 418)

4810 Par les racines 306
4811 Le nectar 311
4812 Des pucerons 338
4813 Au nord 336
4814 L'edelweiss 352
4815 Le pollen 311
4816 D'insectes 354
4817 La truffe 396
4818 Le tournesol 311
4819 La pâquerette 399

QUIZ 485 (page 418)

4820 Le cacaotier 398
4821 L'Atlantique 372
4822 Le DDT 389
4823 Roger Frison-Roche 352
4824 CFC 389
4825 Chypre 342
4826 De crustacés 369
4827 – 396 m 357
4828 L'antilope 383
4829 Dans les Everglades 381

QUIZ 486 (page 419)

4830 Deux 344
4831 Un 313
4832 Trois 350
4833 Trois 323
4834 112 m 310
4835 Huit 372
4836 Six 320
4837 Zéro 320
4838 Une 305
4839 Trois 381

QUIZ 487 (page 419)

4840 Un lion 346
4841 Un aigle 402
4842 Le chêne et le laurier 342
4843 Le caribou 336
4844 La Nouvelle-Zélande 386
4845 Charles Darwin . . .314
4846 En Australie 386
4847 À Madagascar 363
4848 Un ours polaire . . .336
4849 Le lamantin 361

QUIZ 488 (page 419)

4850 Dans la savane africaine 346
4851 Vrai 369
4852 Aux Galápagos . . .363
4853 Vrai 348
4854 Vrai 361
4855 Faux 366
4856 Vrai 354
4857 Vrai 352
4858 En Amérique du Nord 340
4859 Dans les abysses . . .372

QUIZ 489 (page 419)

4860 Terre 399
4861 Essence 398
4862 Vague 360
4863 Filet 396
4864 Herbe 312
4865 Loup 340
4866 Noix 313
4867 Feuille 306
4868 Fruit 396
4869 Coupe 398

QUIZ 490 (page 419)

4870 Terre 300
4871 Pesticide 389
4872 Contrebande 390
4873 Écologie 399
4874 Plantation 398
4875 Biodiversité 390
4876 Éolienne 389
4877 Ultraviolets 302
4878 Tricératops 316
4879 Bioluminescence . . .372

QUIZ 491 (page 419)

4880 Faux 397
4881 Faux 300
4882 Vrai 337
4883 Faux 303
4884 Faux 336
4885 Faux 303
4886 Vrai 309
4887 Faux 371
4888 Vrai 375
4889 Faux 309

QUIZ 492 (page 419)

4890 Thé 398
4891 Perle 361
4892 Fourmi 350
4893 Ver 357
4894 Marée 360
4895 Pluie 348
4896 Vent 361
4897 Corail 379
4898 Oxygène 302
4899 Vase(s) 354

QUIZ 493 (page 420)

4900 Le jaïnisme 400
4901 En Italie 384
4902 Le bison 340
4903 Le fourmilier 314
4904 De méduses 366
4905 Madagascar 363
4906 Le putois 338
4907 Le panda 390
4908 Dans les abysses 372
4909 L'Afrique 398

QUIZ 494 (page 420)

4910 Les conifères 310
4911 Une forêt 338
4912 *Taxifolia* 309
4913 Pélagique 369
4914 Un bovidé de la savane 346
4915 Le peuplier 338
4916 Le rhinocéros 314
4917 Oui 305
4918 Près de l'équateur 366
4919 Oui 340

QUIZ 495 (page 420)

4920 Tournepierre à collier 360
4921 Grande-Bretagne 363
4922 Élan 346
4923 Lac Supérieur 381
4924 Panthère nébuleuse 348
4925 Rafflésie 312
4926 Cachalot 372
4927 Diplodocus 316
4928 Désert de Gobi 344
4929 *Dunkleosteus* 301

QUIZ 496 (page 420)

4930 Dhole 350
4931 Reptile 320
4932 Atacama 344
4933 Calmar géant 372
4934 Mélèze 310
4935 Yack 353
4936 Mousse 308
4937 Machaon 335
4938 Eau 389
4939 Hépatiques 305

QUIZ 497 (page 420)

4940 Hawaii 381
4941 Le chevreuil 338
4942 Le gorille 352
4943 De plantes 350
4944 Le teck 398
4945 Aux anguilles 361
4946 Le désert de Gobi 344
4947 D'une étoile de mer 320
4948 D'Amérique du Sud 397
4949 Aux félidés 337

QUIZ 498 (page 420)

4950 Eau 357
4951 Famille 303
4952 Crabe 360
4953 Tortue 361
4954 Jambe(s) 302
4955 Pierre 360
4956 Aile(s) 318
4957 Fossile 300
4958 Acide(s) 389
4959 Organisme 301

QUIZ 499 (page 420)

4960 Surgeon 313
4961 Flamant 357
4962 Moustique 305
4963 Orque 369
4964 Romarin 342
4965 Bactérie 304
4966 Quinquina 395
4967 Angiospermes 311
4968 Marsupiaux 335
4969 Faucon pèlerin 342

QUIZ 500 (page 420)

4970 Un delta 383
4971 La taïga 337
4972 Atacama 382
4973 Le springbok 335
4974 En Amérique du Sud 340
4975 Le baobab 383
4976 Le sépale 311
4977 Le delta de l'Okavango 383

4978 La mer Morte 357
4979 Le tayra 348

QUIZ 501 (page 421)

4980 Les serpents 326
4981 Les castors 334
4982 La langue 326
4983 Jonas 401
4984 L'éléphant d'Afrique 347
4985 Les crochets 330
4986 Les vers de terre ...374
4987 Les canines 324
4988 Le morse 371
4989 Les requins 368

QUIZ 502 (page 421)

4990 Faux 364
4991 Vrai 374
4992 Faux 347
4993 Vrai 359
4994 Faux 356
4995 Vrai 359
4996 Faux 315
4997 Faux 356
4998 Faux 393
4999 Faux 345

QUIZ 503 (page 421)

5000 L'Arctique 370
5001 Le manchot empereur 369
5002 Les lemmings 370
5003 L'hermine 377
5004 L'ours blanc 370
5005 Des bois 378
5006 La sterne arctique 325
5007 Le poisson arctique 370
5008 Sa défense 367
5009 Le pannicule adipeux 370

QUIZ 504 (page 421)

5010 Le dingo 377
5011 Le chat de l'île de Man 393
5012 Un rugissement ...376
5013 Le colley 405
5014 Alpha 333
5015 Société protectrice des animaux 393
5016 Le renard 334
5017 Le king-charles 393
5018 India est le chat de Bush et Socks, celui de Clinton 393
5019 Le tigre à dents de sabre 319

QUIZ 505 (page 421)

5020 Le guépard 341
5021 Un mammifère 387
5022 Les cerfs-volants ...328
5023 Le Bélier 402
5024 Des serpents 401
5025 Les tortues marines 318
5026 Le lynx 402
5027 Une méduse 322
5028 Lion 404
5029 Les araignées 343

QUIZ 506 (page 421)

5030 La cordillère des Andes 353
5031 Un taureau et un cheval 404
5032 La chèvre 353
5033 Les aigles 365
5034 Il s'agit du même animal 353
5035 Le léopard, ou panthère des neiges 353
5036 Le mouton 353
5037 Les lapins et les lièvres 375
5038 Le chamois 353
5039 L'Espagne 353

QUIZ 507 (page 422)

5040 D 333
5041 C 330
5042 B 341
5043 A 330
5044 A 330
5045 A 331
5046 B 330
5047 A 351
5048 D 367
5049 B 349

QUIZ 508 (page 422)

5050 Les tatous 331
5051 En Australie 387
5052 Les lapins 334
5053 L'autruche 341
5054 Le pékinois 393
5055 Le loup 377
5056 Une chouette 405
5057 *Cats* 404
5058 Le lion 376
5059 *T. Rex* 317

QUIZ 509 (page 422)

5060 Koala 387
5061 Paresseux 373
5062 Camouflage 327
5063 Albinos 327
5064 Homard 362
5065 Krill 362
5066 Serres 365
5067 Mammifère 324
5068 Aye-aye 379
5069 Marlin 358

QUIZ 510 (page 422)

5070 Un coléoptère 351
5071 Les ouvrières 333
5072 Les sauterelles 351
5073 Les papillons de nuit 328
5074 Les criquets, les grillons et les sauterelles 326
5075 Leurs œufs 343
5076 L'asthme 343
5077 Le sang 332
5078 Le cloporte 362
5079 Les fourmis 331

QUIZ 511 (page 422)

5080 Plancton 358
5081 Vibrisses 326
5082 Calmar géant 359
5083 Roussette 368
5084 Termites 341
5085 Albatros 325
5086 Périophtalme 355
5087 Échidnés 387
5088 Trilobites 319
5089 Vers tubicoles 358

QUIZ 512 (page 422)

5090 Un âne 401
5091 Poussin 329
5092 Le bongo 378
5093 Don Quichotte 394
5094 Sancho Pança 394
5095 Bartabas 404
5096 Une antilope 341
5097 Le cerf 378
5098 Tous les ans 378
5099 Caligula 394

QUIZ 513 (page 423)

5100 375 343
5101 Un jars 392
5102 Le bénitier 359
5103 Les apiculteurs 351
5104 En Afrique 379
5105 Homme des bois 380
5106 L'oryctérope 373
5107 Le furet 394
5109 Le chinchilla 375
5109 Reptile-poisson (ou lézard-poisson) 318

QUIZ 514 (page 423)

5110 A 347
5111 C 368
5112 C 356
5113 A 367
5114 C 367
5115 A 332
5116 D 367
5117 B 364
5118 D 367
5119 D 356

QUIZ 515 (page 423)

5120 Serpent 324
5121 Autruche 364
5122 Scorpion 343
5123 Koala 387
5124 Scarabée 362
5125 Loup 377
5126 Tatou audrey 373
5127 Limace 331
5128 Mille-pattes 358
5129 Lapins 379

QUIZ 516 (page 423)

5130 L'éléphant d'Afrique 347
5131 La licorne 401
5132 Les parasites 332
5133 Les grenouilles 356
5134 La troupe 333
5135 La nacre 359
5136 Le requin-baleine 368
5137 Des ongles 380
5138 De l'âne et de la jument 394
5139 Ils les régurgitent sous forme de pelotes 365

QUIZ 517 (page 423)

5140 Carnivore 317
5141 Le grand panda ...339
5142 Omnivore 324
5143 Les charognards ...330
5144 Les termites 341
5145 Le chimpanzé 380
5146 Les fanons 367
5147 Des poissons 368
5148 Ils les avalent entières 330

QUIZ 518 (page 423)

5149 La colombe 401
5150 L'éléphant 401
5151 L'ibis 401
5152 La chouette 401
5153 Le lion 376
5154 Les Aztèques 318
5155 Le chat 393

5156 Saint François d'Assise . . . 401
5157 Le singe . . . 401
5158 Le bouddhisme . . . 401

QUIZ 519 (page 424)

5159 Le harfang des neiges . . . 365
5160 De feuilles et de tiges . . . 380
5161 Le faisan . . . 365
5162 Le flamant rose . . . 327
5163 Le crocodile . . . 349
5164 Le zèbre . . . 378
5165 L'éléphant . . . 347
5166 Vrai . . . 349
5167 Le tigre de Sibérie . . . 321
5168 Les gallinacés . . . 327

QUIZ 520 (page 424)

5169 La pêche au gros . . . 368
5170 Le cheval . . . 394
5171 Le husky . . . 393
5172 Le papillon . . . 402
5173 Le cheval-d'arçon . . 394
5174 Les dromadaires . . . 394
5175 Un lièvre . . . 375
5176 Le pigeon voyageur . . . 394
5177 Le coup du lapin . . . 375

QUIZ 521 (page 424)

5178 Le canard . . . 392
5179 En Amérique du Nord . . . 365
5180 La dairy shorthorn . 392
5181 Les oies et les canards . . . 392
5182 Le Viêt Nam . . . 392
5183 Le coq . . . 392
5184 Le bœuf . . . 392
5185 La jambe . . . 394
5186 Le poulet . . . 392
5187 Le cochon . . . 392

QUIZ 522 (page 424)

5188 Vrai . . . 326
5189 Vrai . . . 355
5190 Vrai . . . 374
5191 Vrai . . . 394
5192 Vrai . . . 373
5193 Faux . . . 324
5194 Vrai . . . 394
5195 Faux . . . 319
5196 Faux . . . 315
5197 Faux . . . 318

QUIZ 523 (page 424)

5198 Richard Ier . . . 402
5199 Sylvester Stallone . . . 405
5200 Tiger Woods . . . 376
5201 Papillon . . . 351
5202 Jack Nicklaus . . . 402
5203 Erwin Rommel . . . 345
5204 Denis Poisson . . . 368
5205 Carlos, dit le Chacal . . . 402
5206 Le Tigre . . . 402
5207 Charlie Parker . . . 404

QUIZ 524 (page 424)

5208 Le faucon pèlerin . . 364
5209 Le lion . . . 376
5210 La louve . . . 401
5211 Le bœuf . . . 392
5212 Le surmulot ou rat d'égout . . . 375
5213 Le chien . . . 393
5214 L'escargot . . . 359
5215 L'hippopotame . . . 355
5216 La Vespa . . . 327
5217 Le mouton . . . 353

QUIZ 525 (page 424)

5218 Un écureuil . . . 401
5219 Sonder . . . 367
5220 En position frontale . . . 379
5221 Des fruits . . . 339
5222 C'est un lézard venimeux . . . 330
5223 L'Afrique et l'Asie . . . 373
5224 Les Chats sauvages . . . 404
5225 Le loup . . . 368
5226 Le lek . . . 328
5227 Le mouton noir . . . 327

QUIZ 526 (page 425)

5228 B . . . 315
5229 A . . . 315
5230 B . . . 315
5231 D . . . 315
5232 C . . . 315
5233 B . . . 315
5234 B . . . 387
5235 D . . . 315
5236 A . . . 362
5237 B . . . 314

QUIZ 527 (page 425)

5238 La girafe . . . 341
5239 Un . . . 359
5240 Elton John . . . 404
5241 La forêt tropicale . . . 356
5242 Titi . . . 405
5243 Aux oiseaux . . . 364
5244 Des coquilles de mollusque vides . . . 331
5245 Le singe . . . 402
5246 Noir . . . 404
5247 Daniel . . . 401

QUIZ 528 (page 425)

5248 Thon . . . 368
5249 Palourde . . . 359
5250 Pilchard . . . 368
5251 Crevettes . . . 362
5252 Homard . . . 362
5253 Huître . . . 359
5254 Anchois . . . 368
5255 Haddock . . . 368
5256 Maquereau . . . 368
5257 Lotte . . . 368

QUIZ 529 (page 425)

5258 Les abeilles . . . 351
5259 De la martre . . . 377
5260 La soupe de nids d'hirondelle . . . 334
5261 Les pucerons . . . 332
5262 L'Amérique du Nord . . . 377
5263 La chèvre . . . 392
5264 La lanoline . . . 392
5265 L'engrais . . . 374
5266 La civette . . . 376
5267 Une chenille . . . 351

QUIZ 530 (page 425)

5268 Oui . . . 393
5269 Ford . . . 376
5270 La Coccinelle . . . 376
5271 En Afrique . . . 378
5272 Le corail . . . 322
5273 Le scorpion . . . 343
5274 Le *Kingfisher* (le martin-pêcheur) . 365
5275 Jaguar . . . 376
5276 La tortue marine *(The Turtle)* . . . 318
5277 La cigogne . . . 365

QUIZ 531 (page 425)

5278 Un cheval . . . 404
5279 Un lapin . . . 375
5280 Un phacochère . . 405
5281 Les oiseaux . . . 365
5282 *Gorilles dans la brume* . . . 405
5283 Des souris . . . 375
5284 Au gorille . . . 405
5285 Une grenouille . . . 405

QUIZ 532 (page 426)

5286 Ésope . . . 404
5287 David Attenborough . . . 405
5288 Charles Darwin . . . 315
5289 Les chimpanzés . . . 380
5290 Le Muséum d'histoire naturelle . . . 318
5291 John Steinbeck . . . 404
5292 La nomenclature binominale . . . 321
5293 Nicolas Hulot . . . 390

QUIZ 533 (page 426)

5294 D . . . 372
5295 C . . . 329
5296 B . . . 371
5297 C . . . 358
5298 B . . . 358
5299 C . . . 358
5300 B . . . 326
5301 B . . . 362
5302 B . . . 368
5303 C . . . 358

QUIZ 534 (page 426)

5304 Eagles . . . 364
5305 Les corbeaux . . . 353
5306 Un vol . . . 333
5307 Les oiseaux . . . 404
5308 Un marsupial . . . 387
5309 Le nectar . . . 332
5310 Le condor des Andes . . . 353
5311 Le marabout . . . 365
5312 La chauve-souris . . . 374
5313 Un nid d'aigle . . . 353

QUIZ 535 (page 426)

5314 Les baleines . . . 367
5315 Les dents . . . 324
5316 Les grands singes . . . 380
5317 La rapidité . . . 341
5318 Le corail . . . 322
5319 Les méduses . . . 322
5320 Les singes . . . 380
5321 Les parasites . . . 332
5322 Les paresseux . . . 373
5323 Les phoques . . . 371

QUIZ 536 (page 426)

5324 Gnou . . . 325
5325 Méduses . . . 322
5326 Saumon . . . 368
5327 Plage . . . 371
5328 Hibernation . . . 325
5329 Oie des neiges . . 325
5330 Renne . . . 325
5331 Nomade . . . 325
5332 Monarque . . . 325
5333 Baleines grises . . . 325

QUIZ 537 (page 426)

5334 Couvée **364**
5335 Le frai **356**
5336 Ils les tiennent en équilibre entre leurs pattes **370**
5337 Les hippocampes . . **368**
5338 L'autruche **364**
5339 Des branchies **356**
5340 Le kiwi **364**
5341 200 . . . . **392**
5342 L'ornithorynque . . . **387**
5343 30 cm **317**

QUIZ 538 (page 427)

5344 Une troupe **333**
5345 Un cachalot **367**
5346 La France et le Portugal **392**
5347 Les puces **332**
5348 Les insectes **351**
5349 Palomino **394**
5350 Les otaries **371**
5351 L'odorat **326**
5352 L'émeu **364**

QUIZ 539 (page 427)

5353 *La Mouche* **405**
5354 La veuve noire **343**
5355 Le bois mort **351**
5356 Les mygales **310**
5357 En cafard **404**
5358 Un papillon de nuit **405**
5359 Le Gaucho **351**
5360 Le mille-pattes **343**
5361 Les scorpions **343**
5362 La cochenille **351**

QUIZ 540 (page 427)

5363 A **355**
5364 D **315**
5365 C **349**
5366 D **330**
5367 D **349**
5368 D **345**
5369 B **349**
5370 A **355**
5371 B **349**
5372 B **318**

QUIZ 541 (page 427)

5373 Faux **324**
5374 Vrai **328**
5375 Vrai **405**
5376 Vrai **324**
5377 Vrai **368**
5378 Vrai **377**
5379 Vrai **393**
5380 Vrai **351**
5381 Vrai **345**
5382 Faux **331**

QUIZ 542 (page 427)

5383 Le poulet **392**
5384 Lion **401**
5385 L'Antarctique **370**
5386 Aux coléoptères . . . **351**
5387 La langoustine **362**
5388 Le caribou **394**
5389 Il s'enroule en spirale **343**
5390 D'Espagne **392**
5391 En Alsace **365**

QUIZ 543 (page 427)

5392 La Grande Barrière de corail **322**
5393 La mésange charbonnière **365**
5394 Le Grand Sphinx . . **401**
5395 Le grand requin blanc **368**
5396 En Camargue **365**
5397 La chouette lapone **365**
5398 La Grande Ourse **377**
5399 Le dytique **355**
5400 Le grèbe huppé **365**
5401 Le mâle **380**

QUIZ 544 (page 428)

5402 Le zoo de Vincennes **391**
5403 Yellowstone **391**
5404 Au loup **391**
5405 Michael Crichton **405**
5406 *Daktari* **405**
5407 L'écureuil gris **339**
5408 Au Népal **385**
5409 En Afrique du Sud **383**
5410 Le cerf du Père David **378**
5411 Le parc national Corbett **385**

QUIZ 545 (page 428)

5412 Carl von Linné **321**
5413 Scientifique **321**
5414 Aux cordés **321**
5415 Aux amphibiens **321**
5416 Aux invertébrés **321**
5417 Les tortues **321**
5418 Les poissons **321**
5419 Les branchies **321**
5420 La méduse **321**
5421 Aux carnivores. . . . **321**

QUIZ 546 (page 428)

5422 Le grand panda . . . **339**
5423 L'aigle **365**
5424 La colombe **402**
5425 Ferrari **376**
5426 La chauve-souris . . . **402**
5427 Le lion **376**
5428 Le tigre **321**
5429 Miami **402**
5430 Puma **402**

QUIZ 547 (page 428)

5431 L'Afrique **333**
5432 Les gazelles de Thomson **333**
5433 L'orang-outan **333**
5434 La reine **333**
5435 Un essaim **333**
5436 Une colonie **333**
5437 Une compagnie . . . **333**
5438 Une harde (ou une compagnie) . . . **333**
5439 Un banc **333**
5440 Une meute **333**

QUIZ 548 (page 428)

5441 Le pitbull **393**
5442 Oui (225 kg) **349**
5443 Les araignées **343**
5444 Le mâle à dos argenté **380**
5445 Le boa émeraude **327**
5446 Rimski-Korsakov . . . **351**
5447 Le paon **364**
5448 La tique **332**
5449 En meute **377**
5450 Un chaperon **365**

QUIZ 549 (page 428)

5451 Ivoire **347**
5452 Trompe **347**
5453 Hannibal **347**
5454 Sri Lanka **347**
5455 Barrissement **347**
5456 Pachyderme **347**
5457 Thaïlande **347**
5458 Éléphanteau **347**
5459 Mastodonte **347**
5460 Daman **347**

QUIZ 550 (page 429)

5461 L'albatros **364**
5462 Une salamandre . . **356**
5463 En Alaska **325**
5464 Les yacks **353**
5465 Du Mexique **393**
5466 *Velociraptor* **317**
5467 Des singes **380**
5468 Le hamster **393**
5469 Le paresseux **373**
5470 Deux **365**

QUIZ 551 (page 429)

5471 L'arachnophobie . . **343**
5472 Des oiseaux **364**
5473 Les rats **375**
5474 Des reptiles **349**
5475 Des poissons **368**
5476 Les vampires **374**
5477 Des chiens **393**
5478 Des chevaux **394**
5479 Des abeilles **333**
5480 La zoophobie **321**

QUIZ 552 (page 429)

5481 B **339**
5482 C **379**
5483 D **339**
5484 C **339**
5485 D **380**
5486 A **339**
5487 B **339**
5488 D **379**
5489 B **339**
5490 A **373**

QUIZ 553 (page 429)

5491 La femelle **330**
5492 Une renarde **377**
5493 Le sexe mâle **327**
5494 Femelle **333**
5495 Une brebis **392**
5496 La femelle **351**
5497 La femelle **387**
5498 Le mâle **328**
5499 Les mâles **326**
5500 Non **365**

QUIZ 554 (page 429)

5501 Au grand gibier . . . **378**
5502 Le miel **351**
5503 La panse de brebis farcie . . . **392**
5504 D'esturgeon **368**
5505 La bufflonne **394**
5506 Le calmar **359**
5507 Le porc **401**
5508 Le tarama **368**
5509 Les moules **359**
5510 Des mollusques et des crustacés . . . **359**

QUIZ 555 (page 429)

5511 Le manchot **369**
5512 Le tigre **321**
5513 La fauconnerie **365**
5514 L'albatros **325**
5515 Le dinosaure **317**
5516 L'oie **365**
5517 Le crapaud **356**
5518 La chauve-souris . . . **374**
5519 Le tatou **373**
5520 La souris **375**

QUIZ 556 (page 429)

5521 Le panda 391
5522 Les taupes 374
5523 Les oiseaux 317
5524 Six 351
5525 Le basilic des forêts d'Amérique du Sud 349
5526 Un nid 328
5527 Le ragondin 375
5528 Les fourmis 333
5529 La salamandre 327
5530 Ni l'un ni l'autre . . .321

QUIZ 557 (page 430)

5531 Les nageoires pectorales 355
5532 Les ouïes 355
5533 L'opercule 355
5534 La vessie natatoire 368
5535 La ligne latérale . . .326
5536 La nageoire caudale 355
5537 Vrai 368
5538 Le poisson-lune 368
5539 Les barbillons 368
5540 Les poissons plats (turbots, soles...) . . .368

QUIZ 558 (page 430)

5541 Souris 375
5542 Canard 365
5543 Kangourou 387
5544 Glouton 377
5545 Renard 377
5546 Bœufs 392
5547 Chat 393
5548 Singer 380
5549 Loup 377
5550 Corneilles 364

QUIZ 559 (page 430)

5551 La musaraigne 374
5552 Aucun 324
5553 Dans les arbres . . .380
5554 Le lièvre 375
5555 Une chauve-souris 374
5556 La forêt 339
5557 Au lion 376
5558 Shell 359
5559 La reproduction asexuée 328
5560 Le chimpanzé 380

QUIZ 560 (page 430)

5561 Le porte-queue 327
5562 Le crin 394
5563 Le Costa Rica 365
5564 La penne 364
5565 Une queue de poisson 358
5566 Une queue-de-cheval 394
5567 Une tête de veau 392
5568 Le lapin 375
5569 Des boyaux de mouton 394
5570 Le collembole 351

QUIZ 561 (page 430)

5571 Caméléons 327
5572 Métamorphose . . .329
5573 Têtard 329
5574 Chenilles 329
5575 Juvénile 329
5576 Réceptivité 328
5577 Civelles 329
5578 Mue 329
5579 Exosquelette 329
5580 Lagopède alpin . . .370

QUIZ 562 (page 430)

5581 Vrai 378
5582 Vrai 355
5583 Vrai 322
5584 Vrai 328
5585 Vrai 364
5586 Vrai 353
5587 Vrai 370
5588 Faux 314
5589 Vrai 329
5590 Vrai 374

QUIZ 563 (page 4431)

5591 Son nez 380
5592 Qui vit dans les arbres 339
5593 Aux babouins 380
5594 Aucune 380
5595 La sagesse chinoise 380
5596 Parce qu'ils pensaient que c'était un espion français 380
5597 L'Amérique du Sud 380
5598 Le rhésus 380
5599 Ses couleurs faciales 380
5600 C'est le seul singe nocturne 380

QUIZ 564 (page 431)

5601 A 345
5602 D 345
5603 A 345
5604 C 345
5605 C 353
5606 B 345
5607 D 345
5608 B 345
5609 C 345
5610 A 375

QUIZ 565 (page 431)

5611 Bleue 367
5612 Blanc 364
5613 Rousse 377
5614 Bleu 339
5615 Rouge 364
5616 Blanche 365
5617 Rouge 378
5618 Rouge 355
5619 Blanc 359
5620 Roux 339

QUIZ 566 (page 431)

5621 Huit 359
5622 Six 351
5623 Une 402
5624 Trois 392
5625 Dix 362
5626 Une 359
5627 Huit 343
5628 Un 371
5629 Deux 347
5630 Aucun 362

QUIZ 567 (page 431)

5631 L'aquarium 368
5632 Le clapier 393
5633 L'écurie 394
5634 Le gîte 334
5635 La cattiche 334
5636 La volière 364
5637 Le nid 339
5638 La tanière 334
5639 Le guêpier 334
5640 La hutte 334

QUIZ 568 (page 431)

5641 Les animaux des prairies 341
5642 Les papillons de nuit 328
5643 Des mammifères . . .324
5644 200 393
5645 Les demoiselles . . .355
5646 L'éléphant mâle adulte 347
5647 Hiberner 325
5648 L'estivation 325
5649 Au calmar géant . . .359
5650 *Homo sapiens* 315

QUIZ 569 (page 432)

5651 Hérisson 374
5652 Tamia 375
5653 Marsouin 367
5654 Chimpanzé 380
5655 Colobe 380
5656 Galago 379
5657 Opossum de Virginie 331
5658 Phoque-léopard . . .371
5659 Élan 341
5660 Baleine franche . . .370

QUIZ 570 (page 432)

5661 San Diego 391
5662 Il est ouvert la nuit pour montrer les animaux nocturnes 391
5663 Le zoo de Londres 391
5664 Le zoo de Kaboul 391
5665 Le parc animalier de Thoiry 391
5666 Au zoo de Barcelone 391
5667 Le Bronx 391

QUIZ 571 (page 432)

5668 A 325
5669 B 325
5670 D 325
5671 D 349
5672 A 351
5673 C 368
5674 C 374
5675 A 341
5676 B 318
5677 B 339

QUIZ 572 (page 432)

5678 Le phoque 371
5679 Mygale 343
5680 Murène 368
5681 Eider 365
5682 Accoucheur 356
5683 Le requin 368
5684 Dauphin 367
5685 Troupeau 378
5686 Le crabe 362
5687 Nocturne 379

QUIZ 573 (page 432)

5688 Un cochon 405
5689 Pour effrayer les prédateurs 327
5690 Les pucerons 332
5691 Non 365
5692 Au lion 330
5693 L'albatros 325
5694 L'éponge 322
5695 Un singe 380
5696 Harem 328
5697 Terrible lézard ou terrible reptile 318